Dictionnaire pratique du droit humanitaire

Françoise Bouchet-Saulnier

Dictionnaire pratique du droit humanitaire

Quatrième édition
mise à jour et augmentée

9 *bis*, rue Abel-Hovelacque
75013 Paris

Ce dictionnaire est édité et disponible en sept langues : français, anglais, espagnol, turc, russe, portugais, arabe.
Des informations et des mises à jour de cet ouvrage sont disponibles sur Internet :
http://www.paris.msf.org

Les lecteurs qui le souhaitent peuvent également faire parvenir leurs commentaires et questions à l'auteur à l'adresse suivante :
fsaulnier@paris.msf.org

Si vous désirez être tenu régulièrement informé de nos parutions, il vous suffit de vous abonner gratuitement à notre lettre d'information bimensuelle par courriel, à partir de notre site **www.editionsladecouverte.fr**, où vous retrouverez l'ensemble de notre catalogue.

ISBN 978-2-7071-7748-3

À Christian, Martin, Jean et Clémence

Ce livre est dédié
à tous ceux qui sont confrontés dans leur chair
ou devant leurs écrans à la violence
et à la destruction humaine,
à tous ceux qui la subissent,
à tous ceux qui la combattent.

Remerciements

Je tiens à remercier les responsables de Médecins sans frontières sans le soutien, la confiance et les encouragements de qui ce travail n'aurait pas existé, ainsi que tous les volontaires qui défendent la vie et la dignité humaines dans leurs actions de secours sans douter qu'il s'agisse là d'un droit et d'une obligation impérative.

Je remercie spécialement Fabien Dubuet pour sa collaboration précieuse dans la rédaction initiale de cet ouvrage et Camille Michel pour sa contribution enthousiaste à l'entreprise de refonte et de mise à jour de cette nouvelle édition.

Je remercie également pour leur relecture attentive et leurs précieux conseils de la version initiale de ce dictionnaire :

– Louise Doswald-Beck et la division juridique du Comité international de la Croix-Rouge ;

– Stéphane Jaquemet, conseiller juridique au Haut-Commissariat aux réfugiés ;

– Brigitte Stern, professeur de droit international public à l'université de Paris-I-Panthéon-Sorbonne.

Chaque nouvelle édition de ce dictionnaire bénéficie des enrichissements apportés grâce au travail d'équipe rendu nécessaire par les traductions en diverses langues étrangères ; que chacun soit ici remercié pour sa contribution.

Introduction

« Mal nommer les choses c'est ajouter au malheur du monde. »

Albert CAMUS

« Celui qui lutte contre le monstre doit veiller à ne pas le devenir lui-même. »

Frédéric NIETZSCHE

Le droit humanitaire constitue l'ultime référence pour les situations de crise et de conflit. Il arbitre la survie des individus contre la violence des sociétés. C'est un droit qui se plaide et se défend au cœur de la violence dans l'action. Il n'appartient donc ni aux juristes ni aux spécialistes, mais doit être connu et défendu par le plus grand nombre.

Longtemps négligé pour son ambition paradoxale à vouloir réguler les conflits armés et l'absence de sanction internationale concernant les violations les plus graves telles que les crimes de guerre et autres crimes contre l'humanité, le droit humanitaire est aujourd'hui devenu un élément incontournable de la diplomatie internationale et risque de devenir victime de son propre succès.

Au cours de la dernière décennie, le droit international humanitaire et l'action humanitaire se sont imposés comme référence dans presque tous les débats relatifs à la gestion de la paix et de la sécurité internationales. En effet, c'est au nom de préoccupations humanitaires, d'une définition large de la sécurité nationale ou internationale, ou de la doctrine de la « responsabilité de protéger » que des interventions militaires ont été lancées dans de nombreux pays en crise ou en conflit. Par ailleurs, c'est ce même déclencheur humanitaire, destiné à répondre aux violences et crimes de masse, qui a conduit à la création de la Cour pénale internationale (CPI) et à la mise en accusation de chefs d'État devant des tribunaux internationaux *ad hoc* ou la CPI.

Ce développement spectaculaire du droit pénal international a suscité un grand enthousiasme dans les milieux juridiques ainsi que parmi les militants des droits de l'homme et de la lutte contre l'impunité. Les décisions des tribunaux internationaux ont effectivement donné sens et substance à des obligations de droit humanitaire régulièrement violées par les acteurs armés. Mais parallèlement à cette évolution judiciaire, qui répond aux violations classiques du droit humanitaire, celui-ci est devenu la cible d'une véritable guérilla juridique lancée par certains États pour contester son application et s'affranchir de leurs obligations dans les situations de conflit. Cette contestation a créé des « trous noirs juridiques » où n'existe aucune sécurité d'application du droit humanitaire ou des droits de l'homme.

Ce phénomène est parfaitement illustré par les multiples abus théoriques et pratiques d'interprétation du droit humanitaire commis dans le cadre de la « guerre mondiale contre le terrorisme ». Ces pratiques ont ébranlé la compréhension des fondements mêmes du droit humanitaire et notamment les définitions des conflits armés et celle des combattants, qui sont devenues aujourd'hui d'une très grande complexité.

Ces trous noirs juridiques ont été trop tardivement et trop discrètement comblés par les nombreux jugements des tribunaux nationaux et internationaux. Mais le rétablissement de la juste interprétation du droit humanitaire s'est fait au prix d'une complexification et d'une technicisation du contenu de ce droit. Cette technicisation du droit humanitaire pose la question du recours aux experts et aux querelles d'experts et menace aujourd'hui son utilisation pratique et immédiate par les acteurs de secours dans les situations de danger.

Quinze ans après la première édition du *Dictionnaire pratique du droit humanitaire*, cette édition augmentée et actualisée était donc indispensable pour restituer sous une forme simple et accessible l'évolution du droit international humanitaire et permettre de relever le défi de son application civile et citoyenne. Cette nouvelle édition du *Dictionnaire pratique du droit humanitaire* élargit le vocabulaire couvert et enrichit les termes existants en les resituant dans l'ensemble des débats juridiques et jurisprudentiels qui les ont entourés ces dix dernières années, mais aussi dans les progrès discrets mais significatifs du droit international humanitaire coutumier.

Ce livre s'adresse donc à ceux qui commentent le spectacle du monde et à ceux qui s'efforcent de le comprendre ; à ceux qui se demandent à quoi peut servir le droit quand se déchaîne la destructivité humaine, à ceux qui s'interrogent sur le choix et l'innocence des mots dans les nouvelles formes de propagande politique et militaire.

Il s'adresse aussi à ceux qui tentent de défendre des espaces d'humanité dans des situations où la vie des individus les plus vulnérables est menacée par la violence directe ou indirecte et par l'abandon des gouvernements. Il s'adresse aux praticiens qui doivent arbitrer des rapports de forces disproportionnés entre États, groupes armés, victimes, organisations internationales et ONG.

Il s'adresse enfin à chacun d'entre nous, victimes potentielles de la violence et des conflits armés, pour nous aider à résister et à survivre aux crimes contre l'humanité et à rendre plus humaine la société mondiale qui émerge.

L'objectif de cet ouvrage est de restituer un sens et un contenu précis à tous les mots qui envahissent le vocabulaire médiatique du malheur, et dont on a oublié qu'ils sont porteurs de la force du droit. Il propose de faire connaître les règles mais aussi les divers systèmes de responsabilité prévus par le droit international pour résister, dans les situations anormales de crise et de conflit, à l'inhumanité des individus et des sociétés, à la folie et au chaos.

L'enjeu de ce travail consiste à présenter le droit humanitaire sous l'angle du droit des victimes et des organisations de secours. Il s'agit ainsi de rétablir l'intérêt des plus faibles dans l'interprétation des règles, faite par les acteurs dominants que sont les États et les forces armées.

Il identifie et précise les droits des victimes et des organisations humanitaires dans les situations de conflit, de trouble et de crise. Il définit les responsabilités des différents acteurs de ces drames et leurs marges d'initiative. Il balise également les pièges qui guettent l'action de secours dans les entreprises de déshumanisation ou les situations de violence extrême.

Ce livre se veut un guide pratique des utilisations possibles du droit international dans les actions de secours et dans la gestion des crises et des conflits. Il couvre donc tout à la fois le droit humanitaire dans son sens strict de droit des conflits armés, mais aussi de nombreuses autres branches du droit international et certains aspects des relations internationales. Ceci inclut donc notamment les dispositions des Conventions de Genève de 1949 et de leurs Protocoles additionnels de 1977 relatifs à la protection et à l'assistance des victimes des conflits armés, mais aussi d'autres textes applicables aux situations de paix et/ou de crise tels que les droits de l'homme, le droit des réfugiés, le droit du maintien de la paix et celui de la responsabilité internationale des États. Il couvre également le droit international coutumier et les règles qui s'imposent aux acteurs et groupes armés non étatiques. Le *Dictionnaire* aborde enfin les mécanismes de sanctions et de recours, en incluant les dispositions du droit pénal international concernant la répression des crimes internationaux par la Cour pénale internationale et les tribunaux nationaux : torture, crimes de guerre, crimes contre l'humanité et génocide. Il précise également l'interprétation qu'en a fixée la jurisprudence des tribunaux internationaux ou nationaux.

Le sort des populations civiles, la gestion de l'ordre public et de la solidarité à l'intérieur des pays dépendent de plus en plus de décisions et d'interventions prises par des institutions internationales et régionales, au premier rang desquelles figure l'ONU. Le livre présente donc ces institutions et leurs organes, ainsi que les règles applicables aux actions de solidarité interétatique et à la défense de l'ordre public international dans le cadre des différents mécanismes de sanction, de maintien de la paix, d'interventions armées internationales ou de justice internationale.

La forme alphabétique a été retenue pour répondre aux exigences de la précision juridique et de la simplicité pratique. L'index alphabétique et l'index thématique se complètent pour permettre au lecteur de se repérer parmi les divers éléments permettant de définir : les situations de danger, les populations et personnes protégées, les droits, devoirs et responsabilités des différents acteurs nationaux, internationaux et non gouvernementaux, les crimes et les recours prévus par le droit humanitaire. Enfin, un tableau de ratifications des principales conventions internationales, pays par pays, permet de visualiser la réalité du droit international applicable dans un pays et une situation précis.

Depuis la fin de la Seconde Guerre mondiale, les lois internationales relatives aux droits de l'homme ou au droit humanitaire se sont multipliées. Elles définissent les grands traits de la protection légale des populations civiles dans les situations de crise ou de conflit armé. De son côté, l'action humanitaire a rarement connu une telle ampleur et un tel soutien. Pourtant, dans un nombre important de pays, les fléaux créés par l'homme s'abattent sur des populations entières, et le droit se dissout dans la loi du plus fort. Pourquoi un tel abîme entre le droit et les faits ?

Force est de constater que la réalité et le droit des victimes trouvent rarement écho dans le prétoire des experts. Pourtant, les situations de conflit et de crise se déroulent largement dans l'espace civil, et les civils en sont les premières victimes sinon les premières cibles. Enjeux et otages de ces affrontements, les populations se retrouvent prises sous la pression directe de la violence et des propagandes sécuritaires qui revendiquent au nom de l'efficacité et de la sécurité, l'abrogation des règles qui limitent et contrôlent l'emploi de la force.

Les attentats du 11 septembre 2001 aux États-Unis ont montré que, dans ces circonstances, les garanties démocratiques concernant le contrôle du pouvoir perdaient dans l'immédiat toute efficacité. En effet, les considérations sécuritaires ont conduit les États-Unis et certains autres États engagés dans cette « guerre mondiale contre la terreur » à la remise en cause des garanties fondamentales du droit humanitaire sur des sujets aussi graves que la torture et la détention d'individus hors de tout cadre légal. Cette abolition du droit a été accomplie dans ce pays conjointement par le pouvoir exécutif et le pouvoir législatif, soutenus par l'opinion publique. Ce n'est que progressivement et tardivement que la Cour suprême américaine a renversé cette tendance et a rétabli la force du droit. Dans le même temps, les décisions de justice rendues par la Cour internationale de justice, la Cour européenne des droits de l'homme, les tribunaux pénaux internationaux et d'autres Cours suprêmes nationales ont également contribué à rétablir une interprétation du droit humanitaire conforme à sa lettre mais surtout à son esprit.

L'application du droit en général et du droit humanitaire en particulier découle d'une qualification rigoureuse et objective des faits et des situations. C'est d'elle que procèdent la force mais aussi la faiblesse du droit. En effet, il suffit d'une pirouette sémantique pour passer d'une situation de droit à une situation de non-droit. Toute guerre se traduit d'abord par une guerre des mots et de propagande qui, en faisant disparaître toute contrainte juridique, laissera le champ libre à la destruction physique. Qu'un génocide soit qualifié de crise humanitaire, qu'un conflit armé soit qualifié de crise sécuritaire et l'ensemble du cadre juridique et des obligations qui pèsent sur les États se trouve modifié. Que des combattants soient qualifiés d'illégaux et ils disparaissent, pour un temps du moins, dans un trou noir juridique. Ainsi, la tentation des États est de considérer chaque nouvelle situation de conflit comme un défi nécessitant un droit nouveau. Dans l'attente de ce droit nouveau, le droit ancien est déclaré inadapté. La difficulté de prendre en compte l'existence et les obligations des groupes armés non étatiques en conflit avec des forces armées étatiques est bien sûr un enjeu et un défi majeur des conflits armés contemporains. Les conflits récents ont également vu apparaître le recours massif aux sociétés militaires privées aux côtés des forces armées étatiques. Ce défi est moins juridique que politique. En effet, le droit humanitaire prend déjà en compte depuis 1977 l'asymétrie militaire et juridique des parties aux conflits dans les conflits armés non internationaux. Mais il est notable que les seuls progrès du droit humanitaire depuis l'adoption en 1977 des deux Protocoles additionnels aux Conventions de Genève se soient exprimés au travers du droit humanitaire coutumier dont les règles ont été publiées par le Comité international de la Croix-Rouge (CICR) en 2005.

Une guerre de retard ou le syndrome du « plus jamais ça ! »

Les guerres et les catastrophes humaines se terminent souvent par une victoire du droit, l'adoption de nouveaux textes censés être plus protecteurs et éviter le renouvellement du désastre. Cela signifie-t-il que le droit aurait toujours une guerre de retard ? Pour répondre à cette question il faudrait d'abord interroger les gouvernements sur la confiance hypertrophiée qu'ils font à l'usage de la force et sur leur défiance vis-à-vis de l'application du droit existant aux situations concrètes. Malgré la permanence des conflits dans l'histoire de l'humanité sous les formes les plus diverses, les situations de crise et de conflit sont toujours présentées comme radicalement nouvelles, justifiant ainsi que l'on s'affranchisse du respect des règles établies antérieurement.

Comme si les États ne pouvaient anticiper les crimes et les abus qu'ils commettront, au nom des causes les plus contestables ou des plus légitimes – comme le rétablissement de l'ordre et de la paix, la légitime défense ou la lutte contre le terrorisme. Comme s'ils pensaient que la force seule suffisait à conjurer les crimes.

En 1934, le Comité international de la Croix-Rouge avait proposé aux États la rédaction d'une convention protégeant les civils pendant les conflits armés, pour compléter les règles existantes, celles-ci ne couvrant que les membres des forces armées. Cette proposition fut rejetée par les États qui fondaient exclusivement la défense et la protection de leurs populations sur la puissance et la dissuasion de leurs forces armées.

La Seconde Guerre mondiale est venue démentir cette stratégie, illustrant les limites de cette protection et montrant, à l'occasion, que l'usage de la force armée d'un État pouvait se retourner contre les civils, y compris ses propres citoyens. Quelques millions de mort plus tard, les États ont tenté de racheter leur optimisme politique en jugeant les criminels nazis et en renforçant le droit international humanitaire à travers l'adoption des quatre Conventions de Genève de 1949. Parmi ces Conventions, seule la quatrième inaugure une réelle nouveauté en réglementant la protection et le secours aux personnes civiles victimes des conflits armés internationaux. Elle anticipe également sur la nature des conflits contemporains en prévoyant dans son article 3, commun aux quatre Conventions, la protection minimale qui doit être garantie aux victimes des conflits armés non internationaux.

Pourtant, l'ordre mondial issu de la Seconde Guerre mondiale s'est fondé sur la protection de la dissuasion nucléaire, plutôt que sur celle du droit humanitaire. Cette « protection nucléaire » ne couvrait géographiquement qu'un nombre limité de pays. Les autres faisaient l'expérience des guerres de décolonisation, puis des guerres civiles ou de sécession contestant les régimes ou pays issus de l'indépendance. Les Conventions de Genève de 1949, centrées sur les conflits entre États souverains, n'ont pas permis de réguler ces guerres d'indépendance et autres guerres civiles. La prise en compte des méthodes de guerre asymétrique opposant des armées organisées et des « combattants de la liberté », recourant à des pratiques de guérilla et de terreur au sein de l'espace civil, échappait d'autant plus au droit existant que les États revendiquaient à leur profit le droit d'utiliser tous les moyens pour rétablir l'ordre public et combattre ces mouvements sécessionnistes, rebelles, insurrectionnels ou terroristes. L'exemple de la guerre de sécession du Biafra vis-à-vis du Nigeria de 1967 à 1970 a, entre autre, illustré les faiblesses du droit humanitaire existant.

En 1977, alors que le souvenir des guerres d'indépendance commençait à s'estomper et que l'équilibre de la terreur nucléaire régulait la division du monde en deux blocs idéologiques rivaux, les États ont accepté d'ajouter deux Protocoles additionnels aux Conventions de Genève pour consolider l'application du droit humanitaire dans toutes les situations et toutes les formes de conflit, et pour combler ces dangereux trous noirs juridiques. Pour la première fois, l'ensemble des formes de conflit et des méthodes de guerre était pris en compte. Les Protocoles additionnels de 1977 couvrent les conflits armés internationaux et non internationaux sous les diverses formes du recours à la force armée. Ils mettent la protection des victimes au centre de la réglementation de l'usage de la force armée, quelles qu'en soient les circonstances.

La seconde moitié du XXe siècle a été marquée par une évolution importante des formes de conflits liée à l'efficacité de la dissuasion nucléaire. La confrontation militaire directe n'étant plus possible avec les grandes puissances, c'est sur un mode asymétrique et dans l'espace civil que se produisent les affrontements. La terreur fait partie des outils permettant de frapper les esprits et les corps, de faire douter une société de sa force et de la capacité de ses dirigeants. Ces méthodes, éprouvées dans les conflits dits périphériques, étaient couvertes en théorie par le droit humanitaire et en pratique par l'impunité.

Les attentats du 11 septembre 2001 ont marqué un tournant dans la perception des menaces et des formes de conflits dans le monde occidental. Ils ont traduit la fin de l'invulnérabilité militaire liée à la possession de l'arme nucléaire. Mais la « guerre contre la terreur » déclenchée en riposte par les États-Unis a revendiqué la nécessité de s'affranchir du droit de la guerre. Cette approche politique et juridique traduit la tendance naturelle de nombreux régimes politiques qui cherchent à s'affranchir des contraintes juridiques posées par le droit international des conflits armés en substituant à celui-ci une approche strictement sécuritaire dans laquelle la fin justifie les moyens utilisés tant au niveau national qu'international. Pour imposer cette lecture et ce cadre légal nouveau, d'importants moyens juridiques, politiques et médiatiques ont été utilisés visant à prouver que la « guerre globale contre la terreur » constituait une troisième catégorie de conflit armé non couverte par les définitions des conflits armés internationaux et non internationaux et qu'elle échappait donc à toute réglementation humanitaire existante. Cette interprétation occultait au passage le fait que les définitions des conflits armés étant mutuellement exclusives, il ne pouvait pas y avoir de troisième catégorie de conflit et encore moins de situations de conflit non couvertes par le droit humanitaire. Dans la foulée de cette contestation de la définition des conflits, tout le cadre relatif à la définition des civils et à celle des combattants a été affecté. La non-reconnaissance du statut de combattant aux membres des groupes armés non étatiques a fragilisé le statut des civils et a conduit à abuser de la notion de participation directe des civils aux hostilités. Les garanties de détention et d'interrogatoire des personnes détenues ont également été affaiblies en droit humanitaire sans être simultanément prises en charge dans le système de protection des droits de l'homme. Le même transfert imparfait entre le cadre juridique relatif aux droits de l'homme et au droit humanitaire s'applique à la question des atteintes au droit à la vie et des assassinats ciblés.

Cette remise en question des fondements mêmes du droit humanitaire a mis en évidence une forme nouvelle de violation du droit international générée par les interprétations abusives du droit humanitaire imposées par certains États. Certains acteurs ne se contentent plus d'agir en violation d'une règle incontestable, ils contestent d'abord la règle pour justifier ensuite leurs actes. Cette évolution découle paradoxalement du caractère officiellement contraignant de ce droit et du développement des mécanismes de sanction pénale internationale de ses violations. C'est donc sur le terrain de l'interprétation que s'est déplacée la bataille permettant aux États de s'affranchir de l'application du droit humanitaire.

Les tribunaux internationaux fournissent aujourd'hui une tribune à ces querelles d'experts. Même si leurs jugements permettent le plus souvent de rétablir une interprétation conforme à la lettre et l'esprit de ces textes, ces décisions interviennent plusieurs années après les faits. Elles n'affectent donc pas le bénéfice tactique obtenu pendant le conflit armé grâce à la déstabilisation du cadre juridique applicable à l'usage de la force.

En outre, l'analyse des décisions des tribunaux internationaux alimente en retour une escalade de contestation du droit humanitaire fondée sur des arguments juridiques sophistiqués, dont le résultat consiste à entraver et retarder l'application du droit dans le temps de l'action.

Enfin, il faut souligner que l'utilisation du droit humanitaire par les tribunaux pénaux internationaux a conduit à des interprétations strictes de ce droit justifiées par les principes spécifiques du droit pénal mais contraires à l'esprit du droit humanitaire. En effet, contrairement aux principes restrictifs applicables au droit pénal international, l'interprétation et l'application du droit humanitaire obéissent à des principes extensifs et des règles spécifiques. Ces règles et principes extensifs d'application et d'interprétation du droit humanitaire sont fondamentaux. Ce sont eux qui permettent de limiter en période de conflit la contestation des normes fondamentales relatives à la protection des personnes, mais aussi celles relatives aux limitations et précautions dans l'usage de la force armée. Ce sont également eux qui permettent, quelle que soit la spécificité d'une situation de conflit, de couvrir, par analogie, toutes les personnes et situations non précisément ou suffisamment définies et protégées par le droit humanitaire.

Les tribunaux pénaux internationaux ont tenté de limiter certains effets pervers liés à l'incertitude sur le droit applicable dans les situations où la qualification de conflit est contestée par l'une ou l'autre des parties. La jurisprudence internationale a notamment rappelé la complémentarité qui existe dans l'application du droit humanitaire et des droits de l'homme. En affirmant que ces deux branches du droit international s'appliquent de façon simultanée et complémentaire dans les situations de conflit, les tribunaux ont permis d'éviter la fabrication intentionnelle ou accidentelle de trous noirs juridiques produits par l'interprétation trop stricte des États. Il s'agit d'une évolution en forme de révolution juridique tant la séparation entre les droits de l'homme et le droit humanitaire était ancrée dans l'histoire de ces deux branches du droit international. Mais cette victoire juridique se fait au prix d'une nouvelle complexification technique concernant l'application du droit humanitaire. Cette complexification et l'incertitude qu'elle crée autour des règles réellement applicables dans une situation donnée de crise ou de conflit sont aujourd'hui un défi majeur et supplémentaire pour les praticiens de l'action humanitaire.

Le droit humanitaire pour quoi, pour qui ?

Le droit de la guerre, rebaptisé droit humanitaire, n'est pas un droit idéal. Il n'est pas le produit d'une conscience humaniste qui serait apparue au XXe siècle. Ce siècle s'est plus illustré par ses crimes de masse que par son humanisme. Ni pacifiste ni angélique, le droit de la guerre est le produit de siècles de réflexion sur les méthodes de guerre, menées à toutes les époques, sur tous les continents, dans toutes les sociétés, par toutes les cultures et toutes les religions. Les textes relatifs à la réglementation de la guerre affirment le souci de toutes les sociétés de limiter leurs propres capacités de destruction. Même si la codification internationale de ce droit est récente, ses racines et ses principes sont universels.

La guerre est par définition un état transitoire. Elle ne doit pas être faite de manière telle qu'elle rende la paix impossible entre les communautés concernées ou qu'elle provoque des destructions irréversibles.

L'interdiction de tuer est un des fondements de la vie sociale. La levée de ce tabou, en période de conflit, s'effectue de façon ritualisée et réglementée pour ne pas engendrer la disparition de la société elle-même.

Si le droit de la guerre est au carrefour de la *Realpolitik* et de la métaphysique, c'est qu'il concerne, bien plus que les seules techniques de guerre, la notion d'humanité et de société humaine.

Il s'agit donc d'enfermer le recours à la force armée dans des limites, même symboliques, permettant de rappeler que le pouvoir de destruction est un moyen et non une fin en soi. C'est à ce titre que sont interdites certaines méthodes de guerre, certaines armes, certains types d'attaques sur certaines personnes ou certains lieux. Le droit de la guerre impose des tabous garants de la survie du groupe humain en tant que tel. L'interdiction des actes d'extermination et de barbarie vise non seulement à préserver la vie des victimes mais également l'humanité des guerriers et leur possibilité de réinsertion dans la société.

Autour de ces grands principes, chaque guerre a produit de nouvelles réglementations destinées à prendre en compte les évolutions technologiques et stratégiques des conflits.

Le droit humanitaire actuel est donc un droit riche de toutes ces évolutions. Il repose sur l'association entre un petit nombre de grands principes, et une multitude de règles très précises. Il contient notamment de nombreuses dispositions juridiques lui permettant de s'adapter par analogie à l'évolution des situations, et de répondre aux défis créés par les formes nouvelles de violence et celles toujours renouvelées de recours à la force armée.

Aux principes anciens concernant la limitation des armes et des méthodes de guerre est venu se rajouter un troisième principe concernant le droit au secours et à la protection pour les victimes et les plus vulnérables. Depuis la fin de la Seconde Guerre mondiale, le droit au secours et à la protection des victimes n'est plus laissé à la seule discrétion des États. Sa surveillance et une partie de sa mise en œuvre ont été confiées par le droit humanitaire à des intermédiaires non étatiques extérieurs au conflit. Cette responsabilité incombe ainsi explicitement au Comité international de la Croix-Rouge et aux organisations humanitaires impartiales.

Les quatre Conventions de Genève et leurs deux Protocoles additionnels de 1977 incarnent aujourd'hui cette approche pragmatique : elles posent des limites claires à la destruction et à l'autorisation de tuer pendant les conflits armés. Elles fixent des obligations précises de protection et de secours à l'égard des catégories les plus vulnérables de la population. Elles définissent la différence essentielle entre les actes de guerre et les crimes de guerre et crimes contre l'humanité. Les États ont ainsi reconnu l'existence et les modalités d'un principe de nécessité humanitaire qui coexiste au sein du droit humanitaire avec le principe de nécessité militaire.

Pour protéger les principes d'humanité dans les situations de conflit armé, le droit humanitaire se fonde davantage sur l'action que sur la sanction.

En effet, si la sanction est une partie intégrante de tout droit, le caractère aléatoire et tardif de tout mécanisme judiciaire est peu compatible avec les considérations d'urgence vitale et immédiate qui entourent l'action humanitaire. C'est pourquoi la sanction pénale rétrospective des crimes de masse ne constitue pas l'option prioritaire du droit humanitaire.

L'efficacité de ce droit repose avant tout sur la qualité des actions de secours et sur la définition précise d'espaces de responsabilité pour chaque type d'acteur impliqué sur les terrains de conflit : États, forces armées, groupes armés, organisations de secours, victimes. Le droit humanitaire définit pour chacun d'entre eux les droits et les devoirs différents et complémentaires auxquels il est tenu, et pour lesquels il devra rendre des comptes. Contrairement aux droits de l'homme, ces règles ne sont pas les mêmes pour tous. Elles varient selon chaque catégorie de « personnes protégées », et chaque situation. L'objectif est d'ajuster les droits et la protection aux dangers auxquels chaque catégorie de personnes est confrontée. L'efficacité de cette protection exige la vigilance des acteurs de secours, car refuser de reconnaître la qualité d'un individu ou la nature d'une situation permet de paralyser l'application du droit humanitaire. Le droit humanitaire cherche ainsi à quadriller les situations de violence avec une multitude de petits espaces de responsabilités assignés à chaque type d'acteurs. Dans cette synergie de responsabilités, la défense de l'espace humanitaire incombe directement aux acteurs de secours, responsables de sa négociation et de sa sauvegarde avec les différentes parties étatiques et non étatiques au conflit. La posture de l'acteur de secours ne peut donc pas être celle du juge ou du dénonciateur des acteurs armés, comme le voudrait le droit pénal. Sa position oblige l'acteur de secours à la négociation de sa présence et de ses actions, et donc à la coexistence et au compromis avec les porteurs d'armes. Sa responsabilité consiste à agir en milieu contraint en s'appuyant sur les principes du droit humanitaire pour cadrer les compromis acceptables en matière de droit au secours, et s'assurer de ne pas nuire aux victimes les plus vulnérables. Ce droit s'affranchit également partiellement des contraintes juridiques de souveraineté étatique pour pouvoir s'appliquer à des parties au conflit représentées par des groupes armés non étatiques opposés à des forces armées représentant des États souverains. La même limitation de souveraineté s'applique à l'accès des secours humanitaires impartiaux dans les territoires non contrôlés par l'État.

Cependant, la plupart des organisations humanitaires peinent à s'approprier ce droit complet et complexe, qui est resté perçu pendant longtemps comme propriété exclusive du Comité international de la Croix-Rouge, tandis que la plupart des organisations internationales peinent à s'extraire du cadre strict de la souveraineté étatique.

Les différences qui existent entre le droit humanitaire, le droit du maintien de la paix, les droits de l'homme, le droit des réfugiés, le droit de la coopération et de l'assistance, le droit pénal, etc. conduisent souvent à un morcellement des règles applicables, à l'application des règles les moins favorables aux victimes et les moins contraignantes pour les États et les organisations concernées. L'ampleur des opérations de secours conduit le plus souvent à une spécialisation technique de chaque intervenant humanitaire dans la réponse à un type précis de besoin. Sa connaissance du droit tend ainsi progressivement à recouvrir la connaissance de ses propres droits et de son propre mandat. La multiplication des acteurs entraîne un éclatement des responsabilités et une absence de hiérarchie entres les besoins généraux et ceux des victimes les plus vulnérables. Ainsi se creuse, en pratique, l'écart entre le droit humanitaire et le droit des actions ou des acteurs humanitaires. La réponse technique aux situations de crise peut sembler adéquate, mais elle est incapable d'infléchir le rapport de forces, qui caractérise les conflits, par un rapport de droit en faveur des plus vulnérables.

Le renouveau trompeur de l'action humanitaire

L'action humanitaire s'étend aujourd'hui sur des champs de bataille de plus en plus complexes et déborde largement la question du secours direct aux victimes de conflits armés. Lié, entre autres, à la gestion de la sécurité internationale et des catastrophes plus ou moins naturelles, à la médiatisation, à la mondialisation et à l'augmentation des inégalités de richesse, le phénomène humanitaire a atteint une ampleur sans précédent dans les relations entre les individus, mais aussi entre les pays.

Il recouvre de son label des acteurs et des organisations aux ambitions, aux moyens et aux responsabilités très variés. Au-delà des discours, les objectifs de ces différentes actions ne sont pas tous humanitaires. Elles visent parfois principalement à rétablir l'ordre public ou à stabiliser une situation politique plutôt qu'à secourir des individus. Elles sont parfois davantage dictées par l'émotion de l'opinion publique que par l'équité vis-à-vis des victimes. Les images de convois de secours avec ou sans escorte armée ne doivent pas faire oublier que la plupart des souffrances ne sont pas dues principalement à la pénurie, mais à la violence et à la discrimination dans la répartition et le partage des secours.

Rédigé après Auschwitz, le droit humanitaire a pris en compte les principaux dilemmes que rencontrent les acteurs de secours dans les situations de violence et de conflit. Confronté aux formes nouvelles, consensuelles et mondialisées de l'action humanitaire, et notamment aux approches coordonnées, intégrées ou militarisées au sein de l'Organisation des Nations unies, on risque d'oublier qu'il s'agit d'une activité traversée dans l'histoire par d'importants clivages politiques et philosophiques. On risque également d'oublier que cette action est porteuse de dilemmes plus que de solutions : dilemme entre l'action de substitution et la dénonciation des manquements étatiques, dilemme entre le risque de complicité dans la violence et celui de la non assistance arbitré par l'éthique ultime du devoir d'abstention.

Le développement de l'État-providence en Occident a renforcé la théorie politique du « contrat social » imaginée par Jean-Jacques Rousseau, et a relégué l'action humanitaire aux situations d'exception telles que les guerres. Cette notion politique a émergé de divers mouvements révolutionnaires ou revendicatifs, qui contestaient les activités charitables, compassionnelles et paternalistes, et exigeaient la reconnaissance de droits à la solidarité nationale pour les individus. Sur d'autres continents, notamment dans les pays en voie de développement, l'action humanitaire a longtemps pris des formes diverses, y compris internationales, par le biais de l'aide missionnaire, puis de l'aide au développement organisée entre les États, ou au sein de l'Organisation des Nations unies.

C'est dans les failles, les ruptures et les faiblesses du « contrat social » que s'est développée l'action humanitaire. Celle-ci a pour but de protéger la vie et la dignité humaines quand la société n'est plus capable, ou désireuse, pour diverses raisons, d'assurer la survie de certains de ses membres.

Aujourd'hui, l'aide humanitaire fait face à un défi nouveau. Alors que les droits de l'homme ont été affirmés au niveau universel, ce sont les gouvernements et les sociétés censés garantir leur réalisation qui s'écroulent, éclatent ou se déchirent un peu partout dans le monde, laissant les individus sans défense.

Au niveau national, la perte de ressources et de puissance de l'État a accéléré l'affaiblissement de nombreux services sociaux. Dans nombre de pays industrialisés, des secteurs importants, qui relevaient de la solidarité nationale, sont aujourd'hui privatisés ou laissés à l'abandon. On peut mentionner, au milieu de tant d'autres exemples, l'appauvrissement des services de santé publique et l'accès aux médicaments, la réduction de l'aide publique aux démunis, aux réfugiés et migrants, ainsi que la prise en charge des personnes détenues ou internées. Ces secteurs sont aujourd'hui partiellement assumés par l'action humanitaire, dans l'attente de nouveaux réajustements.

La conception individualiste des droits de l'homme souffre paradoxalement de la même crise que celle qui frappe l'institution étatique. L'affirmation progressive des droits de l'homme a été le fruit d'une émancipation progressive des individus par rapport au pouvoir. Malgré leur caractère universel, ces droits sont en réalité étroitement liés aux notions de nationalité et de citoyenneté. Paradoxalement, sans un État protecteur des libertés et des droits, mais aussi chargé d'organiser la solidarité nationale avec les plus faibles, la notion de « droits de l'homme » est plus vulnérable que jamais. L'action et le droit humanitaires n'apportent que des réponses imparfaites et transitoires à cette situation.

L'action humanitaire est apolitique (dans la mesure où elle ne porte pas en elle-même un projet de société et n'a pas la prétention de se substituer au pouvoir politique pour organiser la vie en société). En revanche, elle entretient avec le pouvoir politique des rapports de complémentarité, mais aussi de contestation. Elle constitue un moyen de contestation de l'ordre établi, en faisant la démonstration de ses carences. Elle est aussi de nature provisoire. Sa fonction est d'aider les individus exclus et les populations en danger à survivre jusqu'à ce qu'ils soient à nouveau parties prenantes de l'organisation sociale et politique.

Cette action prend donc des formes diverses selon les contextes. Elle exprime une revendication pacifique des individus à défendre eux-mêmes les espaces d'humanité au sein de sociétés de plus en plus complexes. Elle manifeste la capacité et la responsabilité de chaque individu de réparer, à sa mesure, les injustices faites aux autres êtres humains.

À travers l'acte de générosité, l'action humanitaire tente de restaurer des espaces de normalité dans des situations anormales et transitoires. Au-delà de l'aide matérielle, elle cherche à rétablir les individus dans un minimum de droits et de dignité humaine au sein d'une collectivité humaine.

Ainsi, la crise actuelle de l'État-providence, l'éclatement de certains États et la construction chaotique d'une société internationale sont autant de causes nouvelles du développement de l'action humanitaire. Épidémie, famine, conflit, exode, populations marginalisées ou abandonnées à l'intérieur d'un État, pays oubliés, en voie de désintégration ou d'effondrement, laissés-pour-compte de la société des nations, l'action humanitaire occupe la place laissée vacante ou non encore comblée par les pouvoirs organisés. Cette réalité a bouleversé non seulement les formes, mais aussi les moyens et le sens de l'action humanitaire.

L'action humanitaire n'est plus seulement le fait d'individus contestant l'ordre établi en développant des formes alternatives de solidarité. Elle est aujourd'hui massivement portée par les plus grandes institutions de la communauté internationale. Service social de la mondialisation, elle exprime un mode de gouvernement minimal adopté par les organisations internationales telles que l'Organisation des Nations unies, l'Union européenne et certains États qui lui assignent des objectifs de maintien de la sécurité, de contrôle des flux de population, plutôt que de reconsidérer l'organisation de la société internationale.

La distinction qui existait entre l'aide au développement, les actions de solidarité en cas de catastrophe et l'action humanitaire dans les situations de conflit armé semble aujourd'hui globalement effacée au profit d'une notion générale de crise complexe et chronique. Dans ces contextes, l'action humanitaire d'urgence apparaît souvent comme l'unique forme d'expression politique disponible.

La diversité des acteurs humanitaires et l'ampleur de ces actions donnent l'illusion d'un consensus et le spectacle rassurant de l'action, mais elles conduisent à une perte de signification du mot « humanitaire » doublée d'une disparition de l'espace politique où poser la question des choix collectifs.

Le terme d'action humanitaire désigne, en principe, un geste qui n'a pas d'autre finalité que l'homme. Par nature, aucun pouvoir politique constitué au niveau national ou international ne peut se résumer à ce seul intérêt.

Le droit humanitaire précise bien la différence entre les obligations qui incombent aux États et celles qui sont confiées aux organisations humanitaires impartiales, en tant qu'intermédiaires neutres dans les conflits armés.

Dès lors qu'elle quitte le contexte des conflits armés et qu'elle est pratiquée par les États, ou les organisations internationales telles que l'ONU ou l'Union européenne, l'action humanitaire perd sa composante dynamique essentielle. Elle n'exprime plus une contestation sociale de l'ordre établi, mais une forme minimale de solidarité concernant le sort des populations vulnérables.

Quelles que soient les intentions des gouvernements dans ce domaine, leur action aboutit à une confusion dangereuse sur la nature des responsabilités qu'ils assument vis-à-vis des populations en danger. Cette confusion s'est accrue au cours des trente dernières années du fait du renforcement progressif du rôle de l'Organisation des Nations unies dans la gestion des conflits et de la multiplication des moyens de cette action qui inclut des composantes humanitaires, militaires, judiciaires et de nouvelles théories concernant la responsabilité de protéger.

De la gestion des conflits à la sanction des crimes d'État

La reconnaissance d'une situation de conflit est difficile pour une organisation dont le but est le maintien la paix et la coopération entre les États. Cette contrainte diplomatique continue toujours de peser sur les diverses institutions de l'ONU engagées dans des actions de secours humanitaires.

Pendant quarante ans, la mission de maintien de la paix de l'ONU s'est limitée à servir de garant au respect d'accords de paix conclus entre les États. La fin de la guerre froide a mis fin à la paralysie du système de sécurité collective prévu par la charte de l'ONU en 1945. À partir des années 1990, l'Organisation s'est retrouvée impliquée dans la gestion directe d'une multitude de conflits qui n'étaient plus régulés au sein des blocs idéologiques. Ce nouvel interventionnisme de l'ONU s'est appuyé sur une vaste palette de moyens d'action et de pression matériels, politiques, diplomatiques, économiques, militaires et finalement judiciaires. L'action humanitaire a joué un rôle central dans la justification et la légitimation des premières interventions militaires de l'ONU dans un certain nombre de conflits dès 1991. L'action humanitaire s'est ensuite trouvée intégrée dans des approches globales mises en place et coordonnées par l'ONU. Derrière l'objectif affiché de renforcer la coordination et l'efficacité des secours, ces mécanismes conduisaient avant tout à faire pression sur les belligérants pour stabiliser une situation militaire ou faciliter le retour à la paix. Ce faisant, l'action humanitaire est devenue un enjeu et une arme politique de premier plan pour la communauté internationale dans le cadre de sa gestion des crises et de la sécurité internationale. C'est au nom de la protection des convois humanitaires ou des populations victimes de conflits que les opérations de maintien de la paix se sont transformées en interventions militaires internationales. Placée au centre du rapport de forces international, l'action humanitaire a gagné en prestige, mais en retour elle s'est politisée et militarisée. Elle a ainsi perdu une partie de sa capacité à choisir de façon impartiale les populations à secourir et à être acceptée par les différents groupes armés qui ne croient plus en sa neutralité. Ce phénomène est encore accentué vis-à-vis des acteurs et groupes armés non étatiques avec lesquels l'ONU ne peut juridiquement pas entretenir de relations sous peine de violer la souveraineté de ses États membres. C'est dans ce contexte qu'il faut comprendre le refus de certaines organisations humanitaires impartiales de participer à ces dispositifs humanitaires internationaux intégrés gérés par les États, des organisations interétatiques, voire des organisations militaires régionales comme ce fut le cas en Afghanistan dans le cadre de l'OTAN.

Ce débat a conduit à une clarification des modes d'action des différentes organisations privées autour de deux courants principaux qualifiés de « dunantistes » et « wilsoniens ». Le premier désigne les organisations qui défendent l'indépendance de l'action humanitaire par rapport à la poursuite d'autres objectifs tels que la paix, la stabilité ou le développement. Le second s'applique aux organisations privées qui inscrivent leur action en support de l'action politique plus large des institutions internationales.

L'intérêt politique porté à l'action humanitaire par la communauté internationale n'a produit aucune avancée juridique significative quant au contenu du droit humanitaire conventionnel. Bien que certains États dénoncent son inadaptation aux formes contemporaines de conflit armé marquées par l'asymétrie des acteurs et des méthodes de guerre, aucun d'entre eux n'a souhaité améliorer ces règles et prendre de nouveaux engagements juridiques contraignants dans ce domaine. Par contre, le développement de la pratique humanitaire a contribué à l'émergence d'une coutume internationale qui s'est concrétisée par la publication en 2005 par le CICR de 161 règles de droit international humanitaire coutumier. Celles-ci consacrent l'unification des règles applicables aux conflits armés internationaux et non internationaux. Cette unification compense partiellement la complexité des débats juridiques relatifs à la qualification des conflits armés internationaux et non internationaux et la faiblesse des règles conventionnelles concernant ces derniers.

Outre l'émergence de ce droit coutumier, la seconde avancée juridique du droit humanitaire est liée à l'émergence d'un droit pénal international et de tribunaux internationaux dédiés à la sanction des violations graves du droit humanitaire sous la forme de crimes de génocide, crimes contre l'humanité et crimes de guerre.

Le droit humanitaire souffrait depuis 1949 d'un handicap majeur en termes de crédibilité : la faiblesse de ses mécanismes de sanction, notamment l'absence de tribunal international capable de juger et condamner les auteurs de crimes de guerre. L'expérience du tribunal de Nuremberg fut suivie de cinquante années de silence judiciaire international. Les États vainqueurs qui ont fondé à la même époque l'ONU se sont abstenus de doter la communauté internationale d'un tribunal pénal international permanent. En 1948, la convention contre le génocide prévoyait que de tels actes seraient punis par un tribunal international que les États refusèrent de créer. Pendant cinquante ans, le monde a vécu dans l'ombre de Nuremberg, tribunal symbolique dont l'efficacité pratique avait disparu.

Au cadran de la charte de l'ONU, l'heure était au maintien de la paix, d'une paix à tout prix, y compris celui de l'injustice et de l'impunité face aux crimes de masse.

C'est paradoxalement l'échec majeur de deux opérations de maintien de la paix, en ex-Yougoslavie et au Rwanda, qui a conduit l'Organisation à explorer une nouvelle dimension judiciaire des relations internationales. La création de tribunaux internationaux *ad hoc* a servi de laboratoire pour l'adoption par les États du statut de la Cour pénale internationale en 1998. Celle-ci a été chargée de juger, ou de garantir le jugement, des crimes de guerre, crimes contre l'humanité, du génocide et de l'agression. Ces crimes de masse exigent, en général, le soutien ou la complicité de l'appareil d'État et des différents organes du pouvoir. Leur sanction ne peut donc pas être laissée à la seule initiative nationale.

En ex-Yougoslavie, les forces de maintien de la paix de l'ONU ont été confrontées aux massacres de civils, de blessés, aux déportations, et à toutes les autres armes de terreur de la guerre de purification ethnique. Les moyens classiques du maintien de la paix étaient impuissants face à cette situation. C'est pour répondre à ce constat que le Conseil de sécurité décida en 1993 de créer un tribunal qui punirait les crimes que les soldats de l'ONU présents sur place ne pouvaient qu'observer.

Contrairement au tribunal de Nuremberg, la justice internationale que l'ONU établissait à travers son tribunal pour l'ex-Yougoslavie était plus une justice de vaincus que de vainqueurs. L'ONU espérait regagner sur le terrain du droit ce qu'elle avait perdu dans le rapport de forces.

Ce tribunal a d'ailleurs fonctionné dans un premier temps comme une menace judiciaire destinée à favoriser la négociation des accords de paix plutôt que comme un organe autonome.

Un an plus tard, au Rwanda, l'ONU devait de nouveau affronter les conséquences de la passivité de ses forces armées pendant le génocide des Rwandais tutsis d'avril à juillet 1994. Là encore, le décalage entre les ambitions et les réalités onusiennes du maintien de la paix fut terrible et, sous la pression de l'opinion publique, le Conseil de sécurité de l'ONU décidait fin 1994 de créer un deuxième tribunal pénal international *ad hoc* chargé de juger les auteurs du génocide.

L'adoption du statut de la Cour pénale internationale (CPI) à Rome le 17 juillet 1998 a permis de franchir le pas vers un tribunal pénal international permanent compétent sous certaines conditions pour juger les auteurs des crimes internationaux les plus graves. La mise en place de cette Cour ne permettra pas de réaliser le rêve d'une justice universelle, indépendante et s'imposant à tous les États du monde y compris les plus puissants. Les rapports de forces politiques restent inscrits dans le statut de la Cour, qui n'est compétente que vis-à-vis des États qui ont signé son statut ainsi que pour les situations qui lui sont soumises par le Conseil de sécurité avec l'accord de l'ensemble des membres permanents qui le composent.

Mais au cours de ces vingt dernières années, le fonctionnement des tribunaux internationaux *ad hoc* pour l'ex-Yougoslavie et le Rwanda, mais aussi les tribunaux spéciaux mixtes créés pour juger les crimes commis en Sierra Leone, au Timor-Oriental ou au Cambodge et les premiers pas de la Cour pénale internationale ont prouvé que la justice pénale n'était plus considérée comme un obstacle mais comme une partie intégrante de la diplomatie internationale.

Le postulat selon lequel l'impunité était garante de stabilité dans les relations internationales s'est écroulé. Il serait naïf d'en déduire que la lutte contre l'impunité va maintenant remplacer l'impunité comme règle du jeu politique. La justice pénale reste soumise aux décisions d'opportunité politique et au soutien sélectif des États en fonction des agendas locaux ou globaux. Mais les pouvoirs politiques et militaires savent qu'ils doivent compter avec l'aléa judiciaire international qui entoure désormais les crimes de masse qu'ils sont tentés de commettre dans la conquête du pouvoir ou le maintien de celui-ci. En outre, les auteurs de la violence savent qu'ils ne peuvent plus compter sur la protection de l'État et l'écran collectif de l'obéissance aux ordres au sein de structures politiques ou militaires globales car ces procédures ne jugent pas des États mais des individus au titre de leur responsabilité pénale individuelle.

L'existence et le fonctionnement de la Cour pénale internationale ont permis de renforcer et d'harmoniser la définition et le système de sanction des crimes de masse au niveau international mais aussi au sein du droit pénal national de tous les pays signataires du statut de la Cour.

Le fonctionnement de ces tribunaux internationaux a également permis de développer la compréhension et les conditions d'application des règles du droit humanitaire dans les situations concrètes de violence et de conflit. La jurisprudence des tribunaux internationaux permet de dépasser l'affirmation de principes généraux, et d'éclairer le contenu de nombreuses notions juridiques controversées par les États et dont la portée pratique n'avait pas été précisée par les conventions relatives au droit humanitaire ou aux droits de l'homme. On pense par exemple à la définition des conflits armés, à celle de civils et aux droits qu'ils conservent en cas de participation directe aux hostilités, aux garanties juridiques liées à la détention, à la définition de la torture et des mauvais traitements, à la responsabilité de l'État vis-à-vis de groupes armés non étatiques agissant sous son contrôle ou avec son soutien, à la responsabilité et aux devoirs des commandants militaires et au devoir de désobéissance aux ordres injustes, à la définition des boucliers humains et à la pratique des assassinats ciblés, et à de nombreuses autres dispositions.

Cet éclairage jurisprudentiel complexifie la présentation et la compréhension des règles et principes humanitaires. Mais il est essentiel car il rétablit le contenu et l'intégrité de principes et de règles humanitaires qui ont fait l'objet ces dernières années de contestation et d'interprétations abusives par certains États. Il était important de réintégrer de façon accessible dans cet ouvrage les termes et les conclusions d'un débat qui a ébranlé pour un temps les fondements mêmes du droit humanitaire. La compréhension de ces diverses argumentations devrait faciliter la référence et l'utilisation du droit humanitaire par les acteurs de secours dans le temps de l'action et de la négociation.

Dans les situations de recours à la violence armée, il est capital que chaque acteur prenne la mesure de sa propre responsabilité et de celle des autres. Il est crucial que chacun puisse contester l'interprétation et l'usage du droit humanitaire imposés par l'acteur étatique ou militaire dominant. Car si le droit international est imparfait, c'est un droit en mouvement, en formation perpétuelle comme le prouve la publication des règles de droit humanitaire coutumier. L'action contribue ainsi à la création ou à la disparition de droits, à travers la formation de la « coutume » et des « précédents ». L'action humanitaire, si elle s'éloigne des normes juridiques existantes ou accepte une interprétation contraire à l'intérêt et à l'esprit de protection des victimes, peut paradoxalement conduire à affaiblir le droit humanitaire et à mettre en plus grand danger les victimes. Les actions de secours et de résistance à l'inhumanité doivent donc être structurées juridiquement, intellectuellement et matériellement pour résister au terrible rapport de forces qui les entoure et atteindre leur objectif humanitaire. Les pages qui suivent espèrent faciliter et éclairer ces choix.

Contrairement à de nombreuses richesses, le droit ne s'use et ne disparaît que si l'on ne s'en sert pas.

Paris, septembre 2013.

Légende des abréviations des Conventions de Genève et des Protocoles additionnels

GIPI Convention de Genève pour l'amélioration du sort des blessés et des malades des forces armées en campagne, 12 août 1949.

GIIP Convention de Genève pour l'amélioration du sort des blessés, des malades et des naufragés des forces armées sur mer, 12 août 1949.

GIIII Convention de Genève relative au traitement des prisonniers de guerre, 12 août 1949.

GIVI Convention de Genève relative à la protection des personnes civiles en temps de guerre, 12 août 1949.

GPII Protocole I additionnel aux conventions de Genève relatif à la protection des victimes des conflits armés internationaux, 8 juin 1977.

GPII Protocole II additionnel aux conventions de Genève relatif à la protection des victimes des conflits armés internationaux, 8 juin 1977.

Accord spécial

L'accord spécial offre la possibilité d'appliquer tout ou partie des Conventions de Genève dans une situation de conflit particulière. C'est un accord signé de façon *ad hoc* par les belligérants. Cette méthode permet de rendre applicables les dispositions de ces Conventions, même entre des parties au conflit qui ne les auraient pas signées ou dans une situation où elles ne sont pas forcément applicables.
Les Conventions de Genève de 1949 et leurs Protocoles additionnels de 1977 ont un champ d'application limité en fonction des situations et des personnes.
– La protection prévue par le droit humanitaire diffère selon qu'il s'agit d'un conflit armé international ou d'un conflit interne.
– Le droit humanitaire définit également diverses catégories de personnes protégées : civils, combattants, blessés ou malades, personnel humanitaire et de secours... et leur accorde des droits différents.
Pour éviter que cette spécialisation n'affaiblisse la protection générale, l'article 3 commun aux quatre Conventions (connu comme l'article 3 commun) fixe les règles minimales qui seront applicables en tout temps et en tout lieu. En outre, dans les situations où les Conventions de Genève ne s'appliquent pas d'office, l'article 3 commun demande aux parties au conflit de s'efforcer de mettre en vigueur, par voie d'accords spéciaux, tout ou partie des autres dispositions prévues par les Conventions (GI, GII, GIII, GIV art. 3.2). L'article 6 commun à GI, GII, GIII et l'article 7 de GIV détaillent le contenu de ces accords spéciaux.

◆ **• Dans toutes les situations de tension ou de conflit, il est toujours possible, grâce au mécanisme de l'accord spécial, de rendre applicables, par contrat, les articles les plus protecteurs des Conventions de Genève ou des Protocoles additionnels.**
• Un accord spécial ne peut jamais affaiblir la protection prévue par les Conventions. Les organisations humanitaires peuvent utiliser cette technique des accords spéciaux dans la rédaction des contrats organisant leur travail et conclus avec les autorités d'un pays.

L'utilisation effective de ces accords spéciaux entre les parties au conflit a été mise en évidence dans le jugement rendu par le Tribunal pénal international pour l'ex-Yougoslavie (TPIY) dans l'affaire Tadic (arrêt relatif à l'appel de la défense concernant l'exception préjudicielle d'incompétence, Chambre d'appel, 2 octobre 1995, § 73). Dans cette affaire, le tribunal note que les belligérants se sont mis d'accord entre eux à travers des mémorandums d'accord pour appliquer dès 1991 le droit des conflits armés internationaux puis celui des conflits non internationaux quand la République fédérale yougoslave n'a plus été officiellement impliquée dans les conflits.

▶ **Droit international humanitaire ▷ Statut juridique des parties aux conflits ▷ Situations et personnes non couvertes ▷ Garanties fondamentales ▷ Haute partie contractante.**

Pour en savoir plus

BUGNION F., « Normes individuelles-Accords spéciaux », *Le Comité international de la Croix-Rouge et la protection des victimes de la guerre*, CICR, Genève, 1994, p. 442-450.

Adoption

Pour protéger les intérêts de l'enfant et le respect des familles, des garanties légales nationales et internationales entourent l'adoption. En temps de paix ou de troubles et tensions internes, les principes entourant l'adoption sont précisés par la Convention relative aux droits de l'enfant de 1989 (art. 21) et par la Convention de La Haye de 1993 sur la protection des enfants et la coopération en matière d'adoption internationale. Dans les cas de conflits armés internationaux, ces garanties sont renforcées par des règles limitant l'évacuation des enfants pour défendre l'unité familiale et limiter les risques de trafic d'adoption (GPI art. 78). Elles peuvent servir de cadre de travail aux organisations de secours, même dans les conflits armés non internationaux.

▶ **Enfant ▷ Évacuation.**

I. En temps de paix ou de troubles et tensions internes

• *L'article 21 de la Convention sur les droits de l'enfant* de 1989. Les États parties qui admettent ou autorisent l'adoption s'assurent que l'intérêt supérieur de l'enfant est la considération primordiale en la matière, et :
– veillent à ce que l'adoption d'un enfant ne soit autorisée que par les autorités compétentes, qui vérifient, conformément à la loi et aux procédures applicables et sur la base de tous les renseignements fiables relatifs au cas considéré, que l'adoption peut avoir lieu eu égard à la situation de l'enfant par rapport à ses père et mère, parents et représentants légaux et que, le cas échéant, les personnes intéressées ont donné leur consentement à l'adoption en connaissance de cause, après s'être entourées des avis nécessaires ;
– reconnaissent que l'adoption à l'étranger peut être envisagée comme un autre moyen d'assurer les soins nécessaires à l'enfant, si celui-ci ne peut, dans son pays d'origine, être placé dans une famille nourricière ou adoptive ou être convenablement élevé ;
– veillent, en cas d'adoption à l'étranger, à ce que l'enfant ait le bénéfice de garanties et de normes équivalentes à celles existant en cas d'adoption nationale ;
– prennent toutes les mesures appropriées pour veiller à ce que, en cas d'adoption à l'étranger, le placement de l'enfant ne se traduise pas par un profit matériel indu pour les personnes qui en sont responsables ;

– poursuivent les objectifs du présent article en concluant des arrangements ou des accords bilatéraux ou multilatéraux, selon les cas, et s'efforcent dans ce cadre de veiller à ce que les placements d'enfants à l'étranger soient effectués par des autorités ou des organes compétents.

• *La Convention de La Haye sur la protection des enfants et la coopération en matière d'adoption internationale* a été signée le 29 mai 1993 à la suite de la conférence de La Haye sur le droit international privé à laquelle ont participé 66 États. En avril 2013, 90 États avaient ratifié la convention.
Elle a pour but essentiel de combattre le trafic d'enfants. Elle prévoit notamment que :
– le pays d'origine de l'enfant s'engage à vérifier qu'il est adoptable et ne fait l'objet d'aucun trafic commercial ;
– le pays d'accueil de l'enfant s'assure de la qualité des adoptants et des conditions légales d'arrivée de l'enfant sur son territoire ;
– chaque État partie à la convention crée une autorité centrale, chargée notamment de recevoir et d'étudier les demandes d'adoption. Le filtrage de cet organe vise surtout à diminuer les démarches individuelles, comme la « tournée » des adoptants dans les orphelinats à la recherche d'un enfant. Dans les pays signataires, les candidats à l'adoption doivent en effet déposer leur demande auprès de cette autorité centrale. C'est alors cette dernière qui prend contact avec l'autorité centrale du pays d'origine souhaité de l'enfant.
La France, qui a ratifié la convention en 1998, a prévu que l'autorité centrale confiera cette tâche à la mission de l'adoption internationale du ministère des Affaires étrangères.

II. En période de conflit armé international

◆ **• Aucune partie au conflit ne doit procéder à l'évacuation vers un pays étranger d'enfants autres que ses propres ressortissants, à moins qu'il ne s'agisse d'une évacuation temporaire rendue nécessaire par des raisons impérieuses tenant à la santé ou à un traitement médical des enfants ou, sauf dans un territoire occupé, à leur sécurité (GPI art. 78.1).**
• Afin de faciliter le retour dans leur famille et dans leur pays des enfants évacués, la partie qui procède à une évacuation le fera selon un formulaire type remis à l'Agence centrale de recherches du Comité international de la Croix-Rouge (GPI art. 78.3).

Lorsqu'on peut joindre les parents ou les tuteurs, leur consentement écrit à cette évacuation est nécessaire. Si on ne peut pas les atteindre, l'évacuation ne peut se faire qu'avec le consentement écrit des personnes à qui la loi ou la coutume attribuent principalement la garde des enfants. La puissance protectrice contrôlera toute évacuation de cette nature, d'entente avec les parties intéressées, c'est-à-dire la partie qui procède à l'évacuation, la partie qui reçoit les enfants, et toute partie dont les ressortissants sont évacués (GPI art. 78.1).
Lorsqu'il est procédé à une évacuation, l'éducation de chaque enfant évacué, y compris son éducation religieuse et morale telle que la désirent ses parents, devra être assurée d'une façon aussi continue que possible (GPI art. 78.2).

▶ **Enfant ▷ Famille ▷ Agence centrale de recherches ▷ Regroupement familial ▷ Évacuation ▷ Puissance protectrice.**

Pour en savoir plus

Masse N., *L'Adoption des enfants étrangers*, séminaire au Centre international de l'enfance, 25-27 mai 1992, CIE-UNICEF, Paris, 1993.

Salvage-Gerest P., *L'Adoption*, Dalloz, « Connaissance du droit », Paris, 1992.

Agence centrale de recherches (ACR)

L'Agence centrale de recherches (ACR) est un département du Comité international de la Croix-Rouge (CICR) à Genève, qui sert d'intermédiaire pour retrouver des personnes disparues et renouer les contacts entre des individus et leurs proches (famille, amis, etc.) qui ne peuvent plus communiquer entre eux en raison d'un conflit, de troubles et tensions internes, de catastrophe naturelle, etc.

Le droit international humanitaire consacre le principe de l'intégrité de la famille, le droit à la correspondance familiale et le droit des familles de connaître le sort de leurs membres. C'est pourquoi les Conventions de Genève organisent un système par lequel les renseignements sont collectés et transmis aux familles par l'intermédiaire d'une Agence centrale de renseignements et de bureaux nationaux de renseignements (BNR) que les parties au conflit sont tenues de créer (GI art. 16 ; GII art. 19 ; GIII art. 122 et 123 ; GIV art. 136 à 140). L'Agence centrale de renseignements a été remplacée par l'ACR du CICR. Le droit international humanitaire coutumier prescrit également qu'en situation de conflit armé, international comme non international, chaque partie au conflit doit prendre toutes les mesures pratiquement possibles pour élucider le sort des personnes portées disparues par suite d'un conflit armé, et doit transmettre aux membres de leur famille toutes les informations dont elle dispose à leur sujet (règle 117 de l'étude sur les règles du droit international humanitaire coutumier publiée en 2005 par le CICR).

En période de conflit armé international, l'ACR agit en liaison avec les BNR. En l'absence des BNR, ou titre auxiliaire, les sociétés nationales de la Croix-Rouge et du Croissant-Rouge jouent un rôle important.

Dans tous les autres types de situations, l'ACR peut également proposer ses activités, en vertu du droit d'initiative du CICR et de son rôle d'intermédiaire neutre.

Dans toutes les situations, les tâches de l'ACR sont menées à bien grâce au réseau constitué par les sociétés nationales.

◆
- **Les organisations humanitaires intervenant dans des contextes où les individus ont des difficultés à communiquer avec leurs proches (famille, amis, etc.) peuvent utilement les informer des différentes possibilités de renouer les contacts avec eux : échange de nouvelles, demande de recherches, de renseignements et de regroupement familial.**
- **Pour chacune de ces demandes, il existe des formulaires types, disponibles auprès du CICR ou des sociétés nationales de la Croix-Rouge ou du Croissant-Rouge.**

L'ACR mène cinq activités principales, avec l'aide des sociétés nationales :

• *L'échange de nouvelles.* Elle intervient pour que l'échange de nouvelles familiales puisse être maintenu ou rétabli lorsque les moyens de communication habituels sont rendus difficiles ou interrompus par des conflits, des troubles et tensions internes, des catastrophes naturelles...
L'ACR met en place un système de courrier spécial, si et aussi longtemps qu'aucun autre moyen d'acheminer la correspondance familiale n'existe. Ce « courrier Croix-Rouge » est mis essentiellement à la disposition des familles, mais cette règle peut être assouplie dans les situations d'urgence. L'ACR a créé des formulaires types en conformité avec les Conventions de Genève :
– le message Croix-Rouge (MCR) est le plus connu. Il mentionne l'adresse complète de l'expéditeur et du destinataire en 25 mots maximum. Il ne doit contenir que des nouvelles de caractère strictement familial ou personnel, sans mention politique, économique, militaire ou discriminatoire. Le message n'est pas confidentiel. Les autorités civiles ou militaires du pays d'expédition ou du pays de destination peuvent donc le censurer. La censure des sociétés nationales ne s'exerce que si le message contient des nouvelles autres que familiales et personnelles ;
– le formulaire « Urgent donner nouvelles » est utilisé dans certaines situations d'urgence pour obtenir des nouvelles rapidement. Comme pour le MCR, l'adresse récente et complète du recherché doit être donnée par le demandeur. Le message de 25 mots est en revanche remplacé par la mention « Urgent donner nouvelles » ;
– la carte « En bonne santé » est utilisée par les victimes d'événements graves pour faire savoir à leurs proches qu'elles sont en bonne santé.

• *Les renseignements.* L'ACR et les sociétés nationales reçoivent, recueillent et conservent des renseignements nominatifs relatifs à une personne ou à un groupe de personnes susceptibles de faire ensuite l'objet d'une demande de nouvelles, de recherches ou de regroupement familial : détenus, prisonniers de guerre, enfants non accompagnés, malades.
Les sources de renseignements varient selon les pays. Il peut s'agir des autorités civiles, militaires, religieuses, des ONG et des agences de l'ONU, des victimes elles-mêmes ou de leurs familles. Il est important que ces différentes sources transmettent des renseignements complets et précis, conformément aux différentes rubriques du formulaire. Ceci est primordial pour une gestion efficace du fichier où les données sont regroupées.
Les renseignements peuvent arriver sous des formes multiples (lettres, fax, téléphone, mails...) mais ils doivent contenir les éléments d'information suivants :
– renseignements sur l'identité de la personne : nom complet, sexe, date de naissance. La nationalité ou le pays d'origine, le nom de la mère, du père, de l'époux, le statut marital, la profession, etc., peuvent aussi être ajoutés si cela est pertinent ;
– renseignements concernant l'événement : la description de l'événement (conflits, catastrophes naturelles, crise nationale ou internationale) et, si possible, ce qui est arrivé à la personne (quand elle est partie, elle a été séparée des autres, etc.) ;
– la date et l'origine du document d'où provient l'information.

Les renseignements sont retranscrits sur une fiche individuelle standard et gérés sur le même fichier informatique que les fiches de demande, afin d'établir des concordances entre les personnes qui se cherchent. Ces renseignements sont conservés cent ans pour les personnes protégées par le droit humanitaire, ce qui représente trois générations (l'intéressé, ses enfants et ses petits-enfants). Ces informations permettent également d'établir des attestations, bien au-delà d'un conflit, pour permettre aux anciens captifs et à leur famille de faire valoir leurs droits à la retraite, aux indemnités ou aux pensions.

• *Les recherches.* Les personnes inquiètes du sort de leurs proches en raison de situations d'urgence (conflit, catastrophe naturelle...) peuvent adresser une demande de recherches à la Croix-Rouge. Ces recherches sont menées par l'ACR et les sociétés nationales.
Les demandes de recherches traitées en priorité sont celles des familles, mais celles qui viennent d'amis sont également traitées quand elles sont motivées par des raisons humanitaires. S'agissant des formulaires d'identification individuels, il existe des formulaires types de demande de recherches, mais les demandes arrivent parfois sous forme de lettre. Les informations sont là aussi gérées sur le même fichier informatique que les renseignements.

◆ **Afin d'assurer la protection du recherché, lorsqu'il est localisé, il est informé qu'il fait l'objet d'une demande ; l'identité du demandeur lui est transmise et l'adresse du recherche n'est communiquée au demandeur qu'avec son accord.**

• *Le regroupement familial.* Une fois résolues, la plupart des demandes de nouvelles ou de recherches débouchent sur une demande de réunion de famille. Le rôle de l'ACR et des sociétés nationales consiste alors à conseiller les intéressés, à les aider à recueillir toute la documentation nécessaire et à remplir les formalités de déplacement (autorisation de départ et d'entrée).
Ce sont les intéressés eux-mêmes qui doivent indiquer où ils souhaitent se trouver réunis. Là encore, il existe des formulaires types de demande de regroupement familial. Une distinction est faite entre :
– les réunions de famille de premier degré : le chef de famille et les membres qui dépendent directement de lui : conjoints, enfants mineurs, parents âgés ;
– les réunions de famille de second degré : le chef de famille et les membres qui ne dépendent pas de lui car ils peuvent subvenir à leurs besoins.
Toutefois, il est possible d'élargir la notion de famille si l'environnement socioculturel en donne une définition plus large.

• *Le titre de voyage CICR.* Créé en 1945, il est attribué gratuitement aux personnes déplacées, aux apatrides ou aux réfugiés qui, faute de papiers adéquats, ne peuvent pas rentrer dans leur pays d'origine ou de domicile habituel, ni se rendre dans un pays disposé à les accueillir. Il n'est délivré que sous certaines conditions (absence de passeport valable ou de tout autre document permettant le voyage, promesse de visa du pays dans lequel le demandeur désire se rendre...). Une fois le voyage accompli, le titre doit être retourné au CICR.

▶ **Croix-Rouge, Croissant-Rouge ▷ Regroupement familial ▷ Prisonnier de guerre ▷ Enfant ▷ Famille ▷ Évacuation ▷ Adoption ▷ Guerre ▷ Conflit armé international ▷ Personnes disparues et les morts ▷ Troubles et tensions internes.**

Contact

Agence centrale de recherches
CICR, 19, avenue de la Paix,
CH 1202 Genève / Suisse.
Tél. : (00 41) 22 734 60 01/Fax : (0041) 22 733 20 57.

Pour en savoir plus

BUGNION F., *Le Comité international de la Croix-Rouge et la protection des victimes de la guerre*, CICR, Genève, 1994, p. 568-579, p. 613 et p. 635-664.

DJUROVIC G., *L'Agence centrale de recherche du CICR*, Institut Henri-Dunant, Genève, 1981.

Agression

I. Histoire et enjeux d'une définition

L'acte d'agression est aujourd'hui considéré comme la forme la plus grave du recours illicite à la force. En effet, au sein de l'ordre international qui prévaut depuis le traité de Westphalie de 1648 et l'affirmation de la souveraineté étatique, l'agression apparaît comme le crime le plus grave qui puisse être commis puisqu'il porte atteinte à l'existence même de l'État, c'est-à-dire son intégrité territoriale, et, ce faisant, aux principes essentiels du droit international.

Au milieu du XXe siècle, la suppression progressive du droit de faire la guerre (contenu dans le pacte de la Société des Nations de 1919 et repris en 1928 par le pacte Briand-Kellogg) a limité le droit de recourir à la force aux situations de légitime défense en cas d'agression.

En 1945, le tribunal de Nuremberg a érigé l'agression au rang de crime contre la paix, entraînant la responsabilité pénale internationale des agresseurs. Son article 6 définit ce crime comme « la direction, le déclenchement ou la poursuite d'une guerre d'agression ou d'une guerre de violation des traités ».

La Charte des Nations unies de 1945 a repris l'ensemble de cet héritage. Elle a interdit l'agression et le recours à la force dans les relations entre États, à part dans les cas de légitime défense. Elle a mis en place un système de sécurité collective sous la responsabilité du Conseil de sécurité. La Charte de l'ONU ne contient pas de définition de l'agression. Le mandat du Conseil de sécurité est articulé autour de la notion plus large de menace à la paix et à la sécurité internationales. C'est lui qui est compétent pour constater ce type de menace contre la paix et prendre les mesures adéquates, y compris le recours à la force collective. La recherche d'un consensus international sur la définition de l'agression a été longue et difficile, entre les États partisans d'une définition stricte limitée à l'intervention miliaire étrangère sur le territoire d'un État, et ceux qui souhaitaient une définition plus large qui reflète les différentes formes d'ingérence et d'atteinte à la souveraineté étatique.

Ce n'est qu'en 1974 que l'Organisation des Nations unies a adopté une définition de l'acte d'agression. Cette notion d'agression a également été précisée par les décisions de la Cour internationale de justice. De leur côté, les organisations intergouvernementales régionales telles que l'Organisation des États américains ou l'Union africaine ont également adopté des définitions, en général plus larges. Ces définitions servent de fondement d'une part à l'exercice du droit à la légitime défense et des mécanisme de sécurité collective sur le plan régional ou universel, et d'autre part à la mise en cause de la responsabilité juridique de l'État fautif devant les institutions telles que la Cour internationale de justice ou des instances judiciaires régionales.

En 1998, lors de la rédaction du statut de la Cour pénale internationale, l'acte d'agression est revenu dans le champ du droit pénal international. Toutefois, la CPI n'avait qu'une compétence de principe à l'égard de ce crime car les États n'étaient pas parvenus à un accord sur sa définition. En 2010, la Conférence de révision du statut de Rome à Kampala a finalement permis l'adoption d'une définition du crime d'agression.
L'agression est donc définie et interdite aujourd'hui à la fois par le droit international public et par le droit pénal international. Cet acte peut donc engager la responsabilité de l'État fautif du fait de ses actes illicites. Cette responsabilité étatique peut être engagée devant la Cour internationale de justice et donner lieu en cas de condamnation à l'obligation de faire cesser les actions illicites et de réparer les préjudices causés aux États tiers. Cet acte peut également engager la responsabilité pénale individuelle des auteurs de ces actes devant la Cour pénale internationale. Dans ce cas, la Cour pénale internationale pourra prononcer des condamnations à des peines de prison pour les individus reconnus coupables ainsi que des mesures d'indemnisations individuelles pour les victimes. Actuellement, ce sont des mesures d'indemnisations collectives plutôt qu'individuelles qui sont mises en place. (Voir ▷ **Réparation-Indemnisation** ▷ **Cour internationale de justice** ▷ **Cour pénale internationale**.)

II. Les définitions de l'agression

1. *Par les Nations unies*

L'article 2 (4) de la Charte des Nations unies, adoptée en juin 1945 à la conférence de San Francisco, stipule que « les membres de l'Organisation s'abstiennent, dans leurs relations internationales, de recourir à la menace ou à l'emploi de la force, soit contre l'intégrité territoriale ou l'indépendance politique de tout État, soit de toute autre manière incompatible avec les buts des Nations unies, » au nom du principe de règlement pacifique des différends.

Cependant, le recours à la force armée est autorisé dans deux circonstances :
– dans les cas de légitime défense, individuelle ou collective, autorisée par l'article 51 de la Charte de l'ONU ;
– lorsque le recours à la force est autorisé par le Conseil de sécurité de l'ONU dans le but de maintenir ou de rétablir la paix et la sécurité internationales, conformément à l'article 42 de la Charte de l'ONU.

▶ **Légitime défense ▷ Maintien de la paix.**

L'article 39 de la Charte dispose par ailleurs que le Conseil de sécurité est le seul organe compétent pour constater l'existence d'une menace contre la paix, d'une rupture de la paix ou d'un acte d'agression, sans toutefois donner de définition de l'agression. Faute de trouver un consensus lors des premières sessions de travail de l'Assemblée générale, la question de la définition de l'agression fut transmise à la Commission du droit international des Nations unies (CDI). Cependant, la CDI ne réussit pas non plus à s'entendre sur une définition, le rapporteur spécial ayant conclu dans son rapport à l'Assemblée générale de 1951 que l'agression, « de par sa nature même, [n'était] pas susceptible d'être définie » (A/CN.4/44, p. 68). Plusieurs autres comités spéciaux seront chargés par l'Assemblée générale de proposer une définition de l'agression, mais tous échoueront à s'accorder sur une définition consensuelle.

Il faut donc attendre 1974 pour que l'ONU adopte une définition unanime de l'agression. La résolution 3314 de l'Assemblée générale, qui s'inspire largement de la définition de l'agresseur proposée en 1935 lors de la Conférence sur la réduction et la limitation des armements, définit l'agression comme « l'emploi de la force armée contre la souveraineté, l'intégrité territoriale ou l'indépendance politique d'un autre État, ou de toute autre manière incompatible avec la Charte des Nations unies ». Dans cette définition, l'Assemblée générale précise que le terme d'État fait référence à n'importe quel État, pas seulement les États membres des Nations unies, et qu'il inclut, le cas échéant, la notion de « groupe d'États ». Selon l'ONU, l'emploi de la force armée en violation de la Charte par un État « agissant le premier constitue à première vue la preuve suffisante d'un acte d'agression », cependant cet acte doit être d'une « gravité suffisante » pour être constaté comme tel.
Les actes suivants constituent au regard de la résolution de l'Assemblée générale des Nations unies des actes d'agression, sans que cette liste ne soit limitative :

a) l'invasion ou l'attaque par les forces armées d'un autre État, ou toute occupation militaire, même temporaire, résultant d'une telle invasion ou d'une telle attaque, ou l'annexion par la force du territoire ou d'une partie du territoire d'un autre État ;
b) le bombardement par les forces armées d'un État du territoire d'un autre État, ou l'emploi de toutes armes par un État contre le territoire d'un autre État ;
c) le blocus des ports ou des côtes d'un État par les forces armées d'un autre État ;
d) l'attaque par les forces armées d'un État des forces terrestres, navales ou aériennes d'un autre État ;

e) l'utilisation des forces armées d'un État qui sont stationnées sur le territoire d'un autre État avec l'accord de l'État d'accueil contrairement aux conditions prévues dans l'accord, ou toute prolongation de leur présence sur le territoire en question au-delà de la terminaison de l'accord ;
f) le fait pour un État d'admettre que son territoire, qu'il a mis à la disposition d'un autre État, soit utilisé par ce dernier pour perpétrer un acte d'agression contre un État tiers ;
g) l'envoi par un État, ou en son nom, de bandes ou de groupes, de forces irrégulières ou mercenaires qui se livrent à des actes de force armée contre un autre État d'une gravité telle qu'ils équivalent aux actes énumérés ci-dessus, ou le fait d'engager de manière substantielle une telle action.

Cette définition se base sur trois critères principaux : i) l'agression est un acte étatique engageant la responsabilité de l'État ; ii) elle implique l'usage de la force armée ; et iii) elle doit atteindre un certain degré de gravité afin d'être qualifiée comme telle et d'autoriser des réactions en légitime défense ou des sanctions par la communauté internationale. Cette définition exclut les agressions de type idéologique ou économique et ne prévoit pas la possibilité que les actes d'agression soient le fait d'acteurs non étatiques (groupe armé ou autre).
Il est important de noter que, malgré l'adoption de cette définition en 1974, le Conseil de sécurité a continué à utiliser la terminologie plus neutre de menace à la paix et à la sécurité internationales dans sa future gestion des crises, telles que les invasions successives du Liban par Israël en mars 1978 et juin 1982, ou l'invasion du Koweït par l'Irak en août 1990, alors même que l'invasion est constitutive d'un acte d'agression dans la résolution 3314 de l'Assemblée générale.

2. *Par la Cour internationale de justice*

Dans son jugement rendu dans l'affaire des Activités militaires et paramilitaires au Nicaragua et contre celui-ci (Nicaragua c. États-Unis d'Amérique, fond, arrêt, *CIJ Recueil 1986*, p. 14), la Cour internationale de justice a interprété la définition de l'agression en affirmant que « si la notion d'agression armée englobe l'envoi de bandes armées par un État sur le territoire d'un autre État, la fourniture d'armes et le soutien apporté à ces bandes ne sauraient être assimilés à [une] agression armée » (§ 247). La Cour a ainsi affirmé que la fourniture d'armes, de renseignements et de soutien logistique à un groupe armé par un État étranger était bien un manquement au principe du non-emploi de la force ainsi qu'une intervention dans les affaires intérieures d'un État, c'est-à-dire un « comportement certes illicite, mais d'une gravité moindre que l'agression armée ». Par ailleurs, la Cour a souligné que l'agression indirecte au sens de l'article 3.g de la résolution 3314 de l'Assemblée générale devait, pour être qualifiée comme telle, consister en « l'envoi par un État ou en son nom de bandes ou de groupes armés [...] contre un autre État d'une gravité telle qu'ils équivalent à une véritable agression armée accomplie par des forces régulières » (§ 195). La Cour considère en outre que cette description est l'expression du droit international coutumier : « [...] en droit international coutumier la prohibition de l'agression armée [peut] s'appliquer à l'envoi par un

État de bandes armées sur le territoire d'un autre État si cette opération est telle par ses dimensions et ses effets qu'elle aurait été qualifiée d'agression armée et non de simple incident de frontière si elle avait été le fait de forces armées régulières » (§ 195). Ce faisant, la Cour restreint l'application de la résolution 3314 de l'Assemblée générale puisqu'elle implique que ces « bandes armées, mercenaires ou forces irrégulières » doivent posséder des capacités de frappe militaire équivalentes à celles de forces armées régulières.

Dans sa décision du 19 décembre 2005 relative aux Activités armées sur le territoire du Congo (République démocratique du Congo c. Ouganda, arrêt, *CIJ Recueil 2005*, p. 168, § 146), la Cour internationale de justice a estimé que l'agression prétendue de la RDC sur l'Ouganda n'était pas établie en droit car il n'existait pas de preuve satisfaisante d'une implication directe ou indirecte de la RDC dans les attaques du territoire ougandais par les groupes armés agissant à partir du territoire congolais. Selon la Cour, ces attaques n'étaient pas le fait de bandes armées ou de forces irrégulières envoyées par la RDC ou en son nom au sens de la définition de l'agression [article 3.g de la résolution 3314 (XXIX)]. Par conséquent, les conditions de droit et de fait n'étaient pas réunies pour justifier la légitime défense de l'Ouganda (§ 146). L'incapacité d'un État à contrôler les activités et groupes agissant à partir de son territoire ne suffit donc pas à établir l'agression puisque celle-ci suppose que l'agression soit menée par un État ou par des forces agissant sous son contrôle, en son nom et pour son compte.

3. *Par la Cour pénale internationale*

À l'origine, le statut de Rome de la Cour pénale internationale, adopté en 1998 et entré en vigueur en 2002, ne définissait pas le crime d'agression et ne conférait à la Cour qu'une compétence de principe à l'égard de ce crime, notamment parce que le Conseil de sécurité des Nations unies restait le seul organe compétent pour constater l'existence d'un acte d'agression. Le statut prévoyait dans son article 5 que « la Cour exercera sa compétence à l'égard du crime d'agression quand une disposition aura été adoptée conformément aux articles 121 et 123, qui définira ce crime et fixera les conditions de l'exercice de la compétence de la Cour à son égard. Cette disposition devra être compatible avec les dispositions pertinentes de la Charte des Nations unies ». Les articles 121 et 123 du statut fixent les conditions d'amendement et de révision du statut, prévoyant notamment la convocation par le secrétaire général des Nations unies d'une conférence de révision du statut de Rome sept ans après l'entrée en vigueur de celui-ci. C'est huit ans après son entrée en vigueur que la 1re conférence de révision du statut de Rome s'est tenue, du 31 mai au 10 juin 2010, à Kampala, Ouganda. Durant cette conférence, l'Assemblée des États parties a adopté une résolution définissant le crime d'agression ainsi que les conditions d'exercice de la compétence de la Cour à l'égard de ce crime. La définition du crime d'agression, proposée par le Groupe de travail spécial sur le crime d'agression, est inspirée de la résolution 3314 de l'Assemblée générale des Nations unies de 1974. Elle constitue le nouvel article 8 *bis* au statut de Rome, et se lit comme suit :

« 1. Aux fins du présent statut, par "crime d'agression" on entend l'organisation, la préparation, le lancement ou l'exécution, par une personne capable d'exercer un contrôle effectif ou de diriger l'action politique ou militaire d'un État, d'un acte d'agression qui, par son caractère, sa gravité et son échelle, constitue une violation manifeste de la Charte des Nations Unies.

2. Aux fins du paragraphe 1, par "acte d'agression" on entend le recours à la force armée par un État contre la souveraineté, l'intégrité territoriale ou l'indépendance politique d'un autre État, ou tout autre acte similaire incompatible avec la Charte des Nations Unies. On entend par acte d'agression l'un des actes ci-après, indépendamment d'une éventuelle déclaration de guerre, conformément à la résolution 3314 (XXIX) du 14 décembre 1974 de l'Assemblée générale des Nations unies :

(a) le fait pour des forces armées d'un État d'envahir ou d'attaquer le territoire d'un autre État, ou d'occuper militairement, peu importe la durée, en conséquence d'une telle invasion ou d'une telle attaque, ou d'annexer par le recours à la force le territoire d'un autre État ;
(b) le fait pour des forces armées de bombarder ou de diriger des armes contre le territoire d'un autre État ;
(c) le fait pour des forces armées de bloquer les ports ou les côtes d'un autre État ;
(d) le fait pour des forces armées d'attaquer les forces de terre, de mer ou de l'air ou les flottes marine ou aérienne d'un autre État ;
(e) le fait pour un État d'avoir recours à ses forces armées alors que celles-ci sont stationnées, avec son accord, sur le territoire d'un autre État en violation des conditions prévues par l'accord ou de prolonger sa présence sur le territoire après l'expiration de l'accord ;
(f) le fait pour un État de mettre son territoire à la disposition d'un autre État pour que celui-ci commette un acte d'agression contre un État tiers ;
(g) le fait pour ou au nom d'un État d'envoyer des groupes armés ou des mercenaires mener contre un autre État des actes militaires dont la gravité ou les implications sont équivalentes à celles des actes listés ci-dessus. »

En vertu de ce nouvel article, l'acte d'agression devient un crime engageant la responsabilité pénale individuelle des auteurs qui le commettent, et plus seulement la responsabilité de l'État.
Les Éléments de crimes de la Cour ont également été amendés pour préciser les éléments constitutifs de ce nouveau crime. Un des éléments affirme notamment que le crime d'agression doit être perpétré par un ou plusieurs individus ayant un contrôle effectif ou direct sur l'appareil politique et militaire d'un État. Cette définition est restrictive puisqu'elle exclut les poursuites au titre de l'agression contre les membres des groupes armés non étatiques agissant ou non pour le compte d'un État étranger. Les poursuites pénales contres les responsables de ces groupes armés non étatiques restent cependant possibles devant la CPI au titre des autres crimes. En outre, la jurisprudence actuelle semble indiquer que les attaques commises par des groupes armés non étatiques pourraient être reconnues par les juges comme constitutives d'un acte d'agression s'il est prouvé que ces groupes agissent comme agent de fait d'un État étranger.

À la différence des autres crimes prévus dans le statut de Rome, le crime d'agression est soumis à des conditions de saisine plus strictes. En effet, concernant l'agression, le procureur ne peut ouvrir une enquête de sa propre initiative (*propio motu*) ou sur renvoi par un État que si le Conseil de sécurité des Nations unies a lui-même reconnu l'acte d'agression (voir art. 39 de la Charte de l'ONU), ou si la chambre préliminaire de la Cour a elle-même autorisé l'ouverture d'une enquête dans le cas où, plus de six mois après l'événement, le Conseil de sécurité n'aurait pas officiellement reconnu l'acte d'agression. Par ailleurs, la Cour n'est compétente que pour juger les actes d'agression commis entre États parties.
Enfin, la Cour ne pourra exercer sa compétence à l'égard du crime d'agression que lorsque au moins trente (30) États parties auront ratifié ou accepté l'amendement, et que les deux tiers des États parties auront adopté une décision pour activer la compétence de la Cour, à compter du 1er janvier 2017.

▶ **Cour pénale internationale.**

4. *Par l'Organisation des États américains (OEA)*

Le Traité interaméricain d'assistance mutuelle, adopté à Rio de Janeiro, Brésil, en 1947, ainsi que la Charte de l'Organisation des États américains, signée en 1948 à Bogota, Colombie, interdisent la guerre d'agression et affirment que la victoire d'une guerre ne crée pas de droits pour l'État agresseur (article 3.g de la Charte).
Selon l'OEA, l'agression contre un État américain constitue une agression contre tous les autres États américains (article 3.3) du traité et article 3.h de la Charte).
L'article 9 du traité définit deux types d'agression : i) l'attaque armée injustifiée par un État contre le territoire, la population ou les forces armées terrestres, maritimes ou aériennes d'un autre État, et ii) l'invasion, par les forces armées d'un État, du territoire d'un État américain. Par ailleurs, l'article 21 de la Charte stipule que le territoire d'un État est inviolable, et qu'en ce sens « il ne peut être l'objet d'occupation militaire ni d'autres mesures de force de la part d'un autre État, directement ou indirectement, pour quelque motif que ce soit et même de manière temporaire ».
En outre, l'OEA prévoit la possibilité qu'une agression ne soit pas forcément le fait d'une attaque armée (article 6 du traité et article 29 de la Charte). Le texte ne donne pas de précisions sur ce genre d'attaque, mais on peut penser au cas de l'agression économique ou à des formes détournées de subversion politique ou d'ingérence, qui pourraient entrer dans la catégorie de ces « mesures de force indirectes » mentionnées plus haut.

5. *Par l'Union africaine*

Le 31 janvier 2005, les États membres de l'Union africaine ont adopté le Pacte de non-agression et de défense commune de l'Union africaine à Abuja, au Nigeria. Ce pacte est entré en vigueur le 18 décembre 2009, il a été signé par 42 pays mais n'est ratifié que par 19 pays en avril 2013.
L'article 1.c du pacte définit l'agression de façon plus large que les autres instruments internationaux puisqu'il va au-delà des actes commis contre le seul territoire

et inclut les attaques contre les deux autres composantes de l'État : la souveraineté politique et la population.
Il propose une définition de l'acte d'agression beaucoup plus large que celle proposée par l'ONU, la CIJ et la CPI, en intégrant la possibilité qu'une agression soit perpétrée par des groupes armés mais aussi par des groupes terroristes sur le territoire d'un État (« toute entité étrangère ou extérieure »), mais également en considérant que la fourniture par un État de tout soutien à des groupes armés pouvant perpétrer des actes hostiles contre un État membre peut constituer un acte d'agression, ce qui va beaucoup plus loin que l'interprétation faite par la Cour internationale de justice (voir *supra*).

« "Agression" signifie l'emploi par un État, un groupe d'États, une organisation d'États ou toute entité étrangère ou extérieure, de la force armée ou de tout autre acte hostile, incompatible avec la Charte des Nations unies ou l'Acte constitutif de l'Union africaine, contre la souveraineté, l'indépendance politique, l'intégrité territoriale et la sécurité humaine des populations d'un État partie au présent pacte.
Les actes suivants constituent des actes d'agression, sans déclaration de guerre par un État, groupe d'États, organisation d'États ou acteurs non étatiques ou entité étrangère :

(i) l'utilisation de la force armée contre la souveraineté, l'intégrité territoriale et l'indépendance politique d'un État membre, ou tout autre acte incompatible avec les dispositions de l'Acte constitutif de l'Union africaine et de la Charte des Nations unies ;
(ii) l'invasion ou l'attaque du territoire d'un État membre par les forces armées, ou toute occupation militaire, même temporaire, résultant d'une telle invasion ou d'une telle attaque, ou toute annexion par l'emploi de la force du territoire ou d'une partie du territoire d'un État membre ;
(iii) le bombardement du territoire d'un État membre, ou l'emploi de toutes armes contre le territoire d'un État membre ;
(iv) le blocus des ports, des côtes ou de l'espace aérien d'un État membre ;
(v) l'attaque contre les forces armées terrestres, navales ou aériennes d'un État membre ;
(vi) l'utilisation des forces armées d'un État membre qui sont stationnées sur le territoire d'un autre État membre avec l'accord de l'État d'accueil, contrairement aux conditions prévues dans le présent Pacte ;
(vii) le fait pour un État membre d'admettre que son territoire qu'il a mis à la disposition d'un autre État membre soit utilisé par ce dernier pour perpétrer un acte d'agression contre un État tiers ;
(viii) l'envoi par un État membre ou en son nom ou la fourniture de tout soutien à des groupes armés, à des mercenaires et à d'autres groupes criminels transnationaux organisés qui peuvent perpétrer des actes hostiles contre un État membre, d'une gravité telle qu'ils équivalent aux actes énumérés ci-dessus, ou le fait de s'engager d'une manière substantielle dans de tels actes ;

(ix) les actes d'espionnage qui pourraient être utilisés à des fins d'agression militaire contre un État membre ;
(x) l'assistance technologique de toute nature, les renseignements et la formation au profit d'un autre État, pour utilisation aux fins de commettre des actes d'agression contre un État membre ; et
(xi) l'encouragement, le soutien, l'acceptation ou la fourniture de toute assistance aux fins de commettre des actes terroristes et autres crimes transfrontières violents organisés contre un État membre. »

Les actes d'agression commis dans le cadre de ce pacte ouvrent la porte au mécanisme de sécurité collective encore embryonnaire dans le cadre de l'Union africaine ainsi qu'aux recours devant la Cour africaine de justice.

▶ **Conseil de sécurité des Nations unies ▷ Cour internationale de justice ▷ Cour pénale internationale ▷ Guerre ▷ Légitime défense ▷ Maintien de la paix ▷ Union africaine ▷ Ordre public ▷ ONU ▷ Responsabilité (de l'État) ▷ Sécurité collective ▷ Sanctions diplomatiques, économiques et militaires.**

Pour en savoir plus

BUGNION F., « Guerre juste, guerre d'agression et droit international humanitaire », *Revue internationale de la Croix-Rouge*, vol. 84, n° 847, p. 523-546.

DABONE Z., « International law : armed groups in a state-centric system », *Revue internationale de la Croix-Rouge*, vol. 93, n° 882, juin 2011, p. 395-423.

DAUDET Y., « La Commission du droit international des Nations unies », *Annuaire français de droit international*, vol. 29, 1983, p. 499-509.

DINSTEIN Y., *War, Aggression and Self-Defense*, Grotius Publications, La Haye, 1998.

DUMÉE M., « Le crime d'agression », *in Droit international pénal*, sous la dir. de ASCENSIO H., DECAUX E. et PELLET A., CEDIN- Paris X, éd. Pedone, 2000, 1 053 p., p 251-264.

KAMTO M., *L'Agression en droit international*, Pedone, mars 2010, 464 p.

KHERAD R., « La question de la définition du crime d'agression dans le statut de Rome entre pouvoir politique du Conseil de sécurité et compétence judiciaire de la CPI », *in R.G.D.I.P.*, février 2005, p. 331-362.

PANCRACIO J.-P., « Un mutant juridique : l'agression internationale ? », *Les Cahiers de l'IRSEM*, n° 7, 2011, 85 p.

RIFFAT A. M., *International Aggression*, Almqvist and Wiksell International-Atlantic Highlands-humanities Press, Stockholm-Paris, 1979.

ZOUREK J., « Enfin une définition de l'agression », *Annuaire français de droit international*, vol. 20, 1974, p. 9-30.

Alimentation

Le droit à l'alimentation est prévu dans le droit national par une obligation alimentaire entre membres de la même famille et l'obligation plus générale de solidarité nationale garantie par l'État. Il est également présent, sous des formes diverses, dans de nombreux textes internationaux, comme faisant partie intégrante d'un niveau de vie suffisant pour assurer la santé et le bien-être à des individus et de leurs familles (art. 25 de la Déclaration universelle des droits de l'homme).

I. En temps de paix ou de troubles

En temps de paix ou de troubles, un système international de solidarité alimentaire existe entre les États au sein de l'Organisation des Nations unies. La FAO (Food and Agricultural Organisation) favorise la coopération entre les États pour améliorer les techniques agricoles et la prévision des récoltes. Un mécanisme d'alerte en cas de pénurie est prévu au sein de cette organisation. Le PAM (Programme alimentaire mondial) est chargé de gérer des programmes de solidarité et de soutien en cas de déficit alimentaire dans une région du monde, en utilisant les excédents de production et les réserves disponibles au niveau mondial.

■ Les besoins alimentaires d'un être humain

• Les besoins alimentaires d'un être humain sont évalués en moyenne à 2 100 kcal par jour (PAM). Cette évaluation varie toutefois selon les organisations. Le CICR préconise 2 400 cal. Les besoins varient selon l'âge. Les personnes vulnérables comme les enfants et les femmes enceintes ont des besoins supérieurs, cependant, il n'est pas sûr qu'ils puissent obtenir leur dû face aux plus forts en période de survie.
• La ration alimentaire doit être équilibrée. C'est-à-dire qu'elle doit contenir les produits suivants : céréales, graisses, sucres, sel et légumineux (tels que des pois, lentilles). Dans tous les cas, elle doit inclure au minimum 10 % de protéines et 10 % de lipides.
• Les besoins en eau d'un individu sont de 20 l par jour :
– 5 l d'eau potable (boisson, cuisine) ;
– 15 l d'eau pour les autres besoins (lessive, hygiène, etc.). ■

Dès 2005, les Nations unies se sont saisies de la question de la sécurité alimentaire. L'Assemblée générale a adopté plusieurs résolutions relatives à la question du droit à l'alimentation, notamment la résolution 61/163 exhortant les États à accorder la priorité qu'il convient dans leur stratégie de développement à la réalisation du droit à l'alimentation.
Dès sa création, le Conseil des droits de l'homme a également consacré une partie de son travail à chercher des moyens d'améliorer la jouissance pleine et entière du droit à l'alimentation. Dans sa résolution 16/27 de 2011, le Conseil réaffirme que la faim constitue une atteinte à et une violation de la dignité humaine, définissant ainsi le droit fondamental qu'a toute personne de ne pas souffrir de la faim. Dans un contexte de crise alimentaire mondiale, le Conseil des droits de l'homme souligne la nécessité de garantir un accès non discriminant aux droits de propriété pour les petits exploitants, les cultivateurs traditionnels et leurs associations, y compris les femmes et les plus vulnérables. Il encourage également le rapporteur spécial sur le droit à l'alimentation à s'assurer de l'intégration d'une perspective de genre dans l'accomplissement de son mandat. Olivier De Schutter, le rapporteur spécial des Nations unies sur le droit à l'alimentation a été nommé le 26 mars 2008 par le Conseil des droits de l'homme.

En outre, le Groupe de la Banque mondiale a mis en place un programme d'intervention en réponse à la crise alimentaire mondiale (GFRP) en mai 2008 pour fournir une aide immédiate aux pays directement touchés par le renchérissement des aliments résultant de la volatilité des matières premières agricoles. Au mois d'avril 2011, le montant des projets GFRP financés par la Banque s'élevait à 1 479,1 millions de dollars. La Banque mondiale fait face à la crise alimentaire mondiale en coordination avec ses partenaires du développement, notamment l'Équipe spéciale de haut niveau sur la crise mondiale de la sécurité alimentaire mise en place par les Nations unies en avril 2008 et réunissant les dirigeants des institutions spécialisées, des fonds et des programmes des Nations unies et des institutions de Bretton Woods.

En 2008, la FAO a également travaillé de concert avec l'Équipe spéciale de haut niveau pour élaborer le cadre global d'action, stratégie mondiale et plan d'action visant à atténuer les effets immédiats de l'envolée des prix alimentaires et à envisager des mesures à long terme pour une sécurité alimentaire durable. L'agence spécialisée des Nations unies a développé nombre d'outils pour faire face à la crise alimentaire mondiale, parmi lesquels la création de farines de substitution, l'approvisionnement en cultures résistantes à la sécheresse, semences de variétés améliorées, engrais et outils, l'assistance technique pour les cultivateurs, ainsi qu'une évaluation de la volatilité des prix des marchandises agricoles afin d'éviter une aggravation de la crise.

II. En période de conflit

Le droit humanitaire réglemente l'usage de l'arme alimentaire et organise les secours alimentaires aux populations civiles.

Le droit humanitaire conventionnel et coutumier interdit :

– l'usage de la famine comme méthode de combat ;

– la destruction des cultures et des biens essentiels à la survie de la population ;

– la réquisition des biens essentiels à la survie de la population.

Il impose :

– le libre passage du ravitaillement dans les zones assiégées, notamment celui destiné aux femmes, enfants et vieillards ;

– le libre passage des secours alimentaires quand la population souffre de privations excessives et le contrôle de la distribution par une organisation humanitaire impartiale afin de s'assurer qu'elle n'est pas détournée par les militaires ou d'autres groupes ;

– la fourniture de nourriture suffisante pour les personnes détenues et internées.

– Il n'existe aucun texte national ou international fixant un « droit à l'eau ». En période de conflit, les Conventions de Genève et leurs Protocoles additionnels ne mentionnent pas formellement ce droit. L'eau est incluse de façon générale dans le régime de l'alimentation et du ravitaillement. Elle bénéficie à ce titre de la même protection accordée par le droit humanitaire à la nourriture, aux biens essentiels à la survie de la population et au ravitaillement.

▶ **Famine ▷ Méthodes de guerre ▷ Ravitaillement ▷ Secours ▷ Réquisition ▷ Biens protégés ▷ Femme ▷ Enfant ▷ Détention ▷ Internement ▷ PAM ▷ FAO.**

Pour en savoir plus

ACTION CONTRE LA FAIM, *Géopolitique de la faim : faim et responsabilités*, PUF, Paris, 2004.

BUGNION F., *Le Comité international de la Croix-Rouge et la protection des victimes de la guerre*, CICR, Genève, 1994, p. 938-951.

MACALISTER-SMITH P., « Protection de la population civile et interdiction d'utiliser la famine comme méthode de guerre », *Revue internationale de la Croix-Rouge*, n° 791, septembre-octobre 1991, p. 464-484.

PELIC J., « The right to food in situations of armed conflict : the legal framework », *Revue internationale de la Croix-Rouge*, décembre 2001, n° 844, p. 1097-1110.

TOMASEVKI K., *The Right to Food. Guide through Applicable International Law*, Martinus Niihoff, La Haye, 1987.

Amnistie

Acte du pouvoir prescrivant l'oubli officiel d'une ou plusieurs catégories d'infractions et annulant leurs conséquences pénales.

Dans le cadre des conflits armés internes, le droit international encourage la pratique de mesures d'amnistie à la fin des hostilités envers les personnes qui auront pris part au conflit ou qui auront été détenues en relation avec ce conflit (GPII art. 6.5). Il s'agit de mesures de clémence destinées à favoriser la réconciliation nationale et le retour à la paix.

La règle 159 de l'étude sur les règles du droit international humanitaire coutumier publiée par le CICR en 2005 confirme l'obligation de cette pratique pour tous les États en cas de conflits armés non internationaux. Cette règle vise particulièrement les membres de groupes armés non étatiques mais elle exclue les personnes soupçonnées, accusées ou condamnées pour crimes de guerre.

Toutefois, ces mesures ne devraient pas concerner les auteurs de violations graves du droit humanitaire. En effet, dans le même temps, le droit humanitaire consacre une place centrale à la justice pour juger et réprimer certains crimes graves commis dans le cadre des conflits armés. Il fixe des règles pour lutter contre l'impunité des auteurs de ces crimes, qui sont souvent des personnages politiques ou militaires importants, ou qui ont agi sur ordre de leurs supérieurs hiérarchiques.

◆ **Les Conventions de Genève de 1949 interdisent aux États de s'exonérer seuls ou mutuellement de leur responsabilité concernant les infractions graves aux Conventions de Genève (GI art. 51 ; GII art. 52 ; GIII art. 131 ; GIV art. 148). Les États s'étant en outre engagés à réprimer ces infractions graves, ils ne peuvent donc pas procéder à l'amnistie de ces crimes par le biais d'une loi nationale, ni dans le cadre de la signature d'un accord de paix.**

Les États ont l'obligation de réprimer pénalement les crimes de guerre commis à l'occasion d'un conflit, quels qu'en soient les auteurs (GI art. 49 ; GII art. 50 ;

GIII art. 129 ; GIV art. 146). Ces crimes peuvent en outre être imprescriptibles. La responsabilité personnelle des exécutants reste établie, même quand ils ont agi sur ordre de leurs supérieurs hiérarchiques. La responsabilité des commandants est engagée s'ils n'ont pas pris des mesures pour empêcher et réprimer de tels crimes commis par leurs subordonnés.
Cette obligation de rechercher et de juger les individus accusés de certains crimes est également prévue dans certaines conventions applicables en temps de paix telles que les conventions sur la torture ou le génocide.
Les amnisties sont des décisions nationales qui n'empêchent pas d'autres États d'entreprendre des poursuites judiciaires contre les auteurs de crimes définis et sanctionnés par le droit international.

▶ **Imprescriptibilité ▷ Crime de guerre-Crime contre l'humanité ▷ Garanties judiciaires ▷ Impunité ▷ Responsabilité ▷ Compétence universelle ▷ Cour pénale internationale ▷ Tribunaux pénaux internationaux.**

Annexion

Fait pour un État de proclamer sa souveraineté sur une partie du territoire d'un autre État. Elle est interdite par le droit international. En cas d'annexion, les lois de la puissance occupante ne peuvent pas s'imposer entièrement. Les personnes civiles des territoires occupés restent protégées par le droit humanitaire (GIV art. 47).

▶ **Territoire occupé ▷ Guerre ▷ Méthodes de guerre ▷ Garanties judiciaires.**

Apartheid

La Convention internationale sur la suppression et la répression du crime d'apartheid qualifie d'« apartheid » les actes inhumains commis pour instituer ou maintenir la domination d'un groupe racial sur tout autre groupe racial afin de l'opprimer systématiquement (art. 2 de la Convention sur l'apartheid). Adoptée le 30 novembre 1973 par l'Assemblée générale de l'ONU et entrée en vigueur en 1976, cette convention lie actuellement 108 États parties.
Les personnes, les membres d'organisations et d'institutions et les représentants de l'État qui, quels que soient leur résidence ou leur mobile :
- commettent ces actes, y participent, les inspirent directement ou conspirent à leur perpétration ;
- favorisent ou encouragent directement le crime d'apartheid ;
- sont tenus pour pénalement responsables sur le plan international.

L'apartheid, ou toute autre pratique inhumaine ou dégradante fondée sur la discrimination raciale et qui donne lieu à des outrages ou à la dignité personnelle, constituent un crime de guerre s'ils sont commis durant un conflit armé international (GPI art. 85.4.c). L'apartheid est également considéré comme un crime contre l'humanité par le statut de Rome de la Cour pénale internationale, adopté à Rome en juillet 1998 et entré en vigueur au 1er juillet 2002.

▶ **Crime de guerre-Crime contre l'humanité ▷ Discrimination ▷ Cour pénale internationale ▷ Liste des États parties aux conventions internationales relatives aux droits de l'homme et au droit humanitaire (n° 27).**

Pour en savoir plus

BOUTROS-GHALI B., *Les Nations unies et l'apartheid : 1948-1994*, éd. Nations unies, « Série livres bleus des Nations unies », New York, 1995, 572 p.

DUGARD J., « L'apartheid », *in Droit international pénal*, sous la dir. de ASCENSIO H., DECAUX E. et PELLET A., CEDIN- Paris X, Pedone, 2000, 1053 p., p. 349-368.

GUITARD O., *L'Apartheid*, PUF, « Que sais-je ? », Paris, 1996, 127 p.

Apatride

Le terme désigne une personne qu'aucun État ne considère comme son citoyen sur la base de sa propre législation. Il existe des modes d'acquisition de la nationalité qui sont très différents selon les pays. Elle peut découler du lieu de naissance, du territoire de résidence habituelle, de la nationalité des parents, ou bien du père ou de la mère seulement, etc. Cependant, la nationalité légalement acquise peut être perdue ou enlevée par la loi, par exemple à l'occasion d'un mariage ou d'une naissance à l'extérieur du territoire dont les parents ont la nationalité, sans avoir la certitude que la personne en question en ait acquis une autre. Les transferts de territoire, la décolonisation, la disparition, le démembrement ou l'apparition de nouveaux États sont des événements qui peuvent créer de l'apatridie si les nouvelles lois n'accordent pas la nationalité à tous ceux qui habitaient le territoire concerné.

◆ **• Les apatrides posent un problème majeur dans une société internationale organisée autour de la notion de nationalité. Les individus sont protégés au travers de leur statut juridique national et ne disposent pas d'un statut juridique international autonome.**
• En cas de conflit, les apatrides ne sont pas considérés comme ennemis et doivent être protégés au titre de personnes civiles (GPI art. 73). Ils devraient pouvoir bénéficier également des droits prévus au profit des étrangers qui se trouvent sur le territoire d'une partie au conflit (GIV art. 35 46).
• Deux conventions internationales essaient de fixer des garanties minimales pour les apatrides et de réduire les causes qui provoquent l'apatridie.

• *La Convention sur la réduction des cas d'apatridie*. La Convention sur la réduction des cas d'apatridie, adoptée le 30 août 1961 et entrée en vigueur le 13 décembre 1975, lie aujourd'hui 51 États. Elle prévoit que tout État contractant accordera sa nationalité à un individu né sur son territoire et qui, autrement, serait apatride. Elle demande également à chaque État d'accorder sa nationalité à tout individu dont le père ou la mère avait la nationalité dudit État et qui serait autrement apatride.

Le but essentiel de ce traité est donc de garantir l'acquisition ou la rétention de la nationalité à tous ceux qui autrement seraient apatrides bien qu'ayant un lien effectif avec l'État, fondé sur des raisons de naissance, de descendance ou de résidence. La convention ne prévoit pas de droits précis pour les apatrides, mais elle recommande la création d'un organisme auquel les personnes pourraient recourir afin qu'il examine leur demande et leur offre son assistance dans leurs démarches auprès des États concernés (art. 11). Cet organe n'a jamais vu le jour et ses compétences ont été transmises au HCR.

• *La Convention relative au statut des apatrides*. La Convention relative au statut des apatrides du 28 septembre 1954, entrée en vigueur le 6 juin 1960 et qui liait 77 États en avril 2013, fixe un statut international minimal pour ces personnes. La convention ne donne pas de droits directs aux apatrides, mais elle précise quels sont les droits qui doivent leur être accordés par les lois des États sur le territoire desquels ils résident légalement. Les États doivent reconnaître leur spécificité et leur accorder au moins les mêmes droits que ceux qui sont prévus par le droit national au profit des étrangers dans les mêmes circonstances. Cela s'applique notamment à la reconnaissance des droits suivants :
– droit à la famille, au respect du statut personnel et à la liberté de conscience et de religion (art. 4 et 12) ;
– droit à la propriété (art. 13 et 14) ;
– droit à l'association (art. 15) ;
– droit à l'action en justice (art. 16) ;
– droit à l'exercice de différentes professions (art. 17 à 19) ;
– droit au bénéfice des divers services sociaux et administratifs (art. 20 à 25) ;
– droit à la liberté de circulation, modalités de voyage et de transfert des avoirs (art. 26 à 30) ;
– droits en matière d'expulsion et de naturalisation (art. 31 à 32).

▶ **Réfugié ▷ Haut Commissariat aux réfugiés ▷ Nationalité.**

Pour en savoir plus

HCR, *Les Réfugiés dans le monde. Les personnes déplacées : l'urgence humanitaire*, La Découverte, Paris, 1997.

L'Office français de protection des réfugiés et apatrides 1952-1995, Office français de protection des réfugiés et apatrides, Paris, 1995.

Arbitrage

Le règlement d'un litige peut être confié, par accord entre les parties, à une autorité qui ne tient pas son pouvoir de juger d'une institution nationale ou internationale. On parle alors d'arbitrage. L'arbitrage se différencie des mécanismes de conciliation car l'arbitrage aboutit à des décisions obligatoires qui s'imposent aux parties.

Le plus souvent, chaque partie au différend désigne un arbitre indépendant, les deux arbitres désignent à leur tour un troisième arbitre. Cette pratique est courante en matière commerciale. Elle tient également un rôle important dans les relations entre les États et les organisations internationales. L'arbitrage est défini dans ce cas comme un mode pacifique de règlement des litiges entre États, aboutissant à une décision obligatoire prononcée par des juges de leur choix, sur la base du droit. Une Cour permanente d'arbitrage a été créée sur la base de la Convention d'arbitrage établie par la Convention de La Haye I pour le règlement pacifique des différents internationaux du 29 juillet 1899 et complétée en 1907.
Ce sont les États, les organisations internationales ou les parties qui choisissent éventuellement de régler leurs différends de cette façon ; rien ne les oblige en effet à le faire. Ce sont eux également qui choisissent leurs « juges » en la personne des arbitres. L'arbitrage se fonde sur les concepts du droit mais parfois aussi sur l'équité. Cette procédure est adaptée aux exigences de la notion de souveraineté des États puisqu'elle les laisse libres de décider quand et dans quelles conditions ils acceptent de limiter leur pouvoir pour régler un litige entre deux ou plusieurs d'entre eux.
Le Conseil de sécurité des Nations unies peut faciliter le règlement pacifique des différends en invitant les parties à soumettre leurs litiges de nature juridique à l'arbitrage ou à l'action de la Cour internationale de justice (art. 33 et 36 de la Charte de l'ONU).

▶ **Cour internationale de justice ▷ Conseil de sécurité des Nations unies.**

Pour en savoir plus

GAVALDA C. et LUCAS DE LEYSSAC C., *L'Arbitrage*, Dalloz, « Connaissance du droit », Paris, 1993.

Arme

Il existe une très grande variété d'armes différentes et de multiples façons de les utiliser.

◆ **Le droit international humanitaire réglemente le domaine des armes de deux façons différentes :**
– il interdit certaines armes en tant que telles. Cette interdiction frappe de façon absolue l'usage de ces armes mais peut aussi s'étendre à leur fabrication, leur transfert et leur stockage ;
– il réglemente l'usage des armes autorisées, en interdisant certaines formes d'utilisation. Les bombardements indiscriminés sont par exemple interdit ;
– la compatibilité de toute nouvelle arme avec les principes du droit international doit être examinée par les États en consultation avec le CICR.

I. Le droit international limite le choix des armes

Il interdit de façon générale et ancienne les armes de nature à causer des maux superflus et celles qui ont des effets indiscriminés ou « traîtres ». Ce principe

découle de la règle selon laquelle « le droit des parties au conflit de choisir les méthodes ou moyens de guerre n'est pas illimité » (GPI art. 35).
Certains types d'armes peuvent en conséquence être interdits d'usage, de fabrication, de stockage ou de commercialisation. C'est le cas, par exemple, des armes biologiques et chimiques, et par extension des mines antipersonnel. Il est également interdit depuis 1977 d'utiliser des méthodes ou moyens de guerre qui sont conçus pour causer ou dont on peut attendre qu'ils causeront des dommages étendus, durables et graves à l'environnement naturel (GPI art. 35).
La plupart de ces interdictions spécifiques ne s'appliquent toutefois qu'aux pays parties aux conventions internationales spécifiques prévues à cet effet. Une exception existe cependant avec les Conventions de Genève et leurs protocoles, qui s'appliquent à tous les États en raison de leur caractère coutumier.

▶ **Méthodes de guerre ▷ Droit international humanitaire.**

Dans l'étude, la mise au point, l'acquisition ou l'adoption de nouvelles armes, les États doivent également déterminer si leur emploi est en contradiction avec le droit humanitaire (GPI art. 36). Le Comité international de la Croix-Rouge joue un rôle consultatif central sur ces questions.

II. Le droit humanitaire limite la façon dont les armes peuvent être employées

Ces limitations sont détaillées dans les quatre Conventions de Genève de 1949 et leurs deux Protocoles additionnels de 1977, et s'imposent aujourd'hui à tous les États.
Le droit humanitaire impose la distinction entre les objectifs civils et les objectifs militaires. L'usage qui est fait des armes doit toujours permettre de respecter cette distinction.
Il interdit l'utilisation d'armes qui ne serait pas justifiée par une réelle nécessité militaire ou qui serait disproportionnée par rapport à l'avantage militaire escompté ou à la menace militaire supposée. Ces dispositions tentent de limiter les destructions et les souffrances gratuites ou « inutiles ».
Il impose l'adoption d'un certain nombre de précautions en cas d'attaque pour limiter les conséquences sur les personnes civiles et les biens civils.

▶ **Attaque ▷ Devoirs des commandants.**

Le droit international humanitaire coutumier réglemente également l'emploi des armes. La règle 70 de l'étude sur les règles du DIH coutumier publiée par le CICR en 2005 prévoit qu'« il est interdit d'employer des moyens ou des méthodes de guerre de nature à causer des maux superflus ». La règle 71 dispose quant à elle qu'« il est interdit d'employer des armes qui sont de nature à frapper sans discrimination ». Ces deux règles s'appliquent aux conflits armés tant internationaux que non internationaux.
Il existe un autre instrument important, de portée générale, tendant à la restriction de l'usage des armes : c'est la convention sur l'interdiction ou la limitation de l'emploi de certaines armes classiques qui peuvent être considérées comme

produisant des effets traumatiques excessifs ou comme frappant sans discrimination, connue sous le nom de Convention sur les armes classiques, adoptée à Genève le 10 octobre 1980, et son Protocole relatif aux armes à laser aveuglantes (Protocole IV à la Convention de 1980), adopté à Vienne le 13 octobre 1995.

III. Les armes sont actuellement classées en neuf grandes catégories

Il existe différents types d'armes. Si certaines d'entre elles sont autorisées, certains usages peuvent quant à eux être interdits (armes blanches, armes à feu) ; d'autres en revanche sont strictement prohibées (les armes incendiaires, biologiques et chimiques). La règle générale interdisant l'attaque des civils s'applique à l'usage de toutes les armes.

1. *Armes blanches.* Il s'agit de toutes ces armes offensives ou tranchantes en fer ou en acier comme les poignards, épées, machettes, couteaux, baïonnettes, etc. Leur emploi est limité par les normes générales du droit humanitaire interdisant d'attaquer des non-combattants, de tuer ou de blesser par trahison et de provoquer des maux superflus ou des souffrances inutiles (règlement de la convention concernant les lois et coutumes de la guerre sur terre, art. 23 ; GPI art. 35 à 37).

2. *Armes à feu.* Cette catégorie couvre une gamme très large d'armes : toutes celles qui tirent des cartouches ou des projectiles explosifs tels les fusils, les canons, les bombes, les missiles, armes à sous-munitions, etc. Les mines font également partie de la catégorie des armes à feu. Elles font l'objet d'une rubrique spécifique.
Seules certaines catégories d'armes à feu sont interdites :
– les balles explosives d'un poids inférieur à 400 grammes (déclaration de Saint-Pétersbourg de 1868) ;
– les balles destinées à s'épanouir ou à s'aplatir dans le corps humain (déclaration de La Haye de 1899) ;
– toute arme dont l'effet principal est de blesser par des éclats qui ne sont pas localisables par rayons X dans le corps humain (Protocole I à la Convention sur l'interdiction ou la limitation de certaines armes classiques qui peuvent être considérées comme produisant des effets traumatisants excessifs ou comme frappant sans discrimination, Genève, 1980).
– les armes à sous-munitions, telles qu'établies par la Convention sur les armes à sous-munitions, adoptée à Dublin le 30 mai 2008 et entrée en vigueur en août 2010, qui interdit totalement l'emploi, le stockage, la production et le transfert desdites armes. En mai 2013, 83 États l'avaient ratifiée. Afin de contrôler l'application de la convention, il a été décidé que les États parties se réuniraient régulièrement pour prendre des décisions sur toutes questions relatives à l'application ou à la mise en œuvre de la convention, parmi lesquelles son fonctionnement et son statut. La première assemblée des États parties s'est tenue à Vientiane au Laos du 9 au 2 septembre 2010. La seconde assemblée a eu lieu à Beyrouth du 12 au 16 septembre 2011. Il est prévu que le secrétaire général des Nations unies convoque

une conférence d'examen cinq ans après l'entrée en vigueur de la convention (article 12) avec pour but d'examiner son fonctionnement et son statut.

Le 30 avril 2010, la Convention de l'Afrique centrale pour le contrôle des armes légères et de petit calibre, de leurs munitions et de toutes pièces et composantes pouvant servir à leur fabrication, réparation et assemblage (Convention de Kinshasa) a été signée à Kinshasa, en République démocratique du Congo (RDC), lors de la 31e réunion ministérielle du Comité consultatif permanent des Nations unies chargé des questions de sécurité en Afrique centrale. Onze pays ont signé la convention, à savoir l'Angola, le Burundi, le Cameroun, la République démocratique du Congo (RDC), le Tchad, le Gabon, la République centrafricaine, la République du Congo, le Rwanda, Sao Tomé et Principe et la Guinée équatoriale. La convention n'est pour l'heure pas entrée en vigueur, et ne le sera qu'après ratification par six pays signataires. Elle a pour but de prévenir, combattre et éliminer le commerce, le trafic illicites des armes légères et de petit calibre (en anglais, *small arms and light weapons*, SALW) afin de combattre la violence armée et la traite des êtres humains causée en Afrique par le commerce illicite de ce type d'arme (article 1, § 1 et 3).

Les obligations reposant sur les États parties consistent, *inter alia*, à i) interdire tout transfert d'armes légères et de petit calibre aux groupes armés non étatiques (article 4) ; ii) désigner un organe national compétent responsable de gérer les questions relatives à la délivrance des autorisations de transfert aussi bien aux institutions publiques qu'aux acteurs privés qualifiés (article 5) ; iii) établir un certificat d'utilisateur final pour chaque importation (article 6) ; iv) interdire et réprimer la détention, le port, l'usage et le commerce d'armes légères et de petit calibre par les civils au sein de leur territoire respectif (article 7) et ; v) effectuer des visites semestrielles d'évaluation et d'inventaire des stocks, ainsi que de conditions de stockage des armes légères et de petit calibre détenues par les forces armées et de sécurité et autres entités autorisées, et collecter, saisir et enregistrer et procéder à la destruction systématique des SALW en excédent, obsolètes ou illicites (article 15). Afin de veiller au suivi d'application de la convention, les États parties doivent soutenir la mise en place par le secrétaire général de la SEAAC d'un groupe d'experts chargés du suivi et de l'évaluation de la mise en œuvre des activités (article 32).

Le droit international humanitaire coutumier interdit l'emploi de certains types d'armes à feu dans les conflits armés aussi bien internationaux que non internationaux. Selon la règle 77 de l'étude du CICR, « il est interdit d'employer des balles qui s'épanouissent ou s'aplatissent facilement dans le corps humain ». La règle 78 dispose qu'« il est interdit d'employer à des fins antipersonnel des balles qui explosent à l'intérieur du corps humain » ; selon la règle 79 « il est interdit d'employer des armes dont l'effet principal est de blesser par des éclats qui ne sont pas localisables par rayons X dans le corps humain » ; quant à la règle 80 elle prévoit qu'« il est interdit d'employer des pièges qui sont attachés ou associés d'une façon quelconque à des objets ou des personnes auxquels le droit international humanitaire accorde une protection spéciale, ou à des objets susceptibles d'attirer des personnes civiles ».

3. Armes incendiaires. Elles appartiennent à la catégorie des armes à feu. Il s'agit des armes qui ont pour but de mettre le feu à des objets ou de causer des brûlures aux personnes. Comme toutes les armes, leur usage est interdit contre les personnes et les biens protégés par le droit humanitaire (population civile, biens de caractère civil, forêts). Une interdiction frappe également l'emploi des armes incendiaires contre des combattants et d'autres objectifs militaires localisés à l'intérieur de zones où il existe une concentration de civils (Protocole III à la Convention sur l'interdiction ou la limitation de certaines armes classiques qui peuvent être considérées comme produisant des effets traumatisants excessifs ou comme frappant sans discrimination, 10 octobre 1980).
La règle 84 du droit international humanitaire coutumier prévoit que « si des armes incendiaires sont employées, des précautions particulières doivent être prises en vue d'éviter et, en tout cas, de réduire au minimum les pertes en vies humaines dans la population civile, les blessures aux personnes civiles et les dommages aux biens de caractère civil », et la règle 85 indique qu'« il est interdit d'employer à des fins antipersonnel des armes incendiaires, sauf s'il n'est pratiquement pas possible d'employer une arme moins nuisible pour mettre une personne hors de combat ». Ces deux règles s'appliquent en situation de conflit armé tant international que non international.

4. Armes de destruction massive. Actuellement, elles comprennent les armes bactériologiques, les armes chimiques et les armes nucléaires. Utilisées de façon indiscriminée, ces armes ne sont pas compatibles avec l'esprit du droit international humanitaire, qui repose sur la capacité militaire à distinguer entre les objectifs civils et militaires, entres les personnes civiles et les forces armées.

5. Armes bactériologiques. On parle aussi d'armes « biologiques ». Elles ont pour but de propager des maladies pour mettre en danger la santé des hommes, des animaux et des végétaux. Le droit international humanitaire coutumier interdit l'emploi d'armes bactériologiques lors de conflits armés internationaux et non internationaux (règle 73 de l'étude du CICR). En outre, leur emploi, fabrication et stockage sont interdits par deux principaux textes internationaux :
– le Protocole de Genève concernant la prohibition d'emploi, dans la guerre, de gaz asphyxiants, toxiques ou similaires et de moyens bactériologiques. 137 États sont parties à ce texte, signé le 17 juin 1925.
– la Convention sur l'interdiction de la mise au point, de la fabrication et du stockage des armes bactériologiques ou toxines et sur leur destruction, plus connue sous le nom de Convention sur les armes biologiques (BWC). Signé le 10 avril 1972, ce traité lie aujourd'hui 169 États. Son caractère récent et le champ très large de ses interdictions en font la référence en termes de réglementation des armes bactériologiques. D'autant qu'il oblige également les États à détruire leurs armes bactériologiques.

Les éléments interdits par ce texte sont énumérés à l'article 1 : il s'agit des « agents microbiologiques, bactériologiques et des toxines, ainsi que des armes, de l'équipement ou des vecteurs destinés à permettre leur emploi ». Toutefois, la convention ne les définit pas. Cette absence de définition pose aujourd'hui un problème car le sens de l'expression « des armes, de l'équipement ou des vecteurs » est sujet à controverse entre États.

La Convention sur l'interdiction de la mise au point, de la fabrication et du stockage des armes bactériologiques (biologiques) ou toxines et sur leur destruction est entrée en vigueur en 1975. Ce fut le premier traité multilatéral de désarmement interdisant une catégorie entière d'armes de destruction massive. Néanmoins, la convention a rapidement été l'objet de critiques, notamment du fait de l'absence de définition claire des armes concernées ainsi que de ses mécanismes de suivi. C'est seulement lors de la 3e conférence d'examen en 1991 que les États parties ont décidé d'envisager de possibles mesures de vérification. Cette idée a toutefois été abandonnée en 2001 lorsque les États-Unis ont rejeté un projet de protocole qui aurait exigé des États parties qu'ils déclarent les installations concernées et se soumettent à des inspections. En 2006, lors de la 6e conférence d'examen, les États parties ont adopté un consensus quant à la création d'une Unité d'appui à l'application de la convention (*Implementation Support Unit*) chargée de les aider dans leur mise en œuvre de la convention. Cette unité, financée par les États parties à la convention, accomplit diverses tâches (soutien administratif, mesures de confiance) et agit en qualité de chambre de compensation pour l'assistance à la mise en œuvre nationale. Néanmoins, l'unité d'appui ne dispose que de capacités limitées en matière de suivi, du fait de sa taille (trois postes à temps plein), de ses financements (pour quatre ans, de 2007 à 2011) et de son mandat (elle ne peut procéder à des inspections, ni forcer au respect de la convention).

La 7e conférence d'examen s'est tenue à Genève du 5 au 22 décembre 2011 et a été l'occasion pour les États parties d'examiner la mise en œuvre de la convention depuis 2006. Selon le nouveau président de la Conférence, l'ambassadeur Paul van den Ijssel, la convention doit être renforcée par consensus. La conférence d'examen s'est notamment focalisée sur diverses questions, telles que : (a) les moyens et méthodes d'améliorer la mise en œuvre au niveau national ; (b) les moyens de créer un cadre de responsabilisation pour évaluer le respect de la convention ; (c) les moyens de mettre en place des mesures nationales, régionales et internationales pour améliore la sûreté et la sécurité biologiques ; (d) les moyens d'améliorer la confiance entre les États ; et (e) les moyens d'améliorer les capacités de l'Unité d'appui.

6. Armes chimiques. Ces armes, dont la définition la plus précise figure dans la Convention de 1992, peuvent entraîner la mort, une incapacité temporaire ou des blessures permanentes aux hommes ou aux animaux. Elles comprennent notamment les munitions et le procédé permettant la libération des substances chimiques.

Plusieurs textes interdisent leur emploi, leur fabrication ou leur stockage :

– la Déclaration de La Haye concernant l'interdiction d'employer des projectiles qui ont pour but unique de répandre des gaz asphyxiants ou délétères (29 juillet 1899) ;

– le Protocole de Genève de 1925 concernant la prohibition d'emploi, à la guerre, de gaz asphyxiants, toxiques ou similaires et de moyens bactériologiques (*supra*). Il ne comporte aucune mesure d'exécution ni de vérification. Il interdit l'usage des armes chimiques et biologiques en période de conflit armé international, mais n'interdit pas leur détention ou leur fabrication. En outre, il autorise leur usage à titre de représailles contre des pays qui les auraient utilisées en premier ou contre des pays qui ne sont pas parties au protocole ;
– la Convention sur l'interdiction de la mise au point, de la fabrication, du stockage et de l'emploi des armes chimiques et sur leur destruction (3 septembre 1992). Dernier en date, ce traité a été adopté sous l'égide la conférence de l'ONU sur le désarmement et vient compléter le Protocole de Genève de 1925. Il est entré en vigueur en avril 1997 et liait 189 États en mai 2013. Il a créé l'Organisation pour l'interdiction des armes chimiques (OIAC). Basé à La Haye, cet organe de contrôle est composé d'un secrétariat et d'équipes d'inspecteurs. Il doit analyser les rapports que les États sont tenus de lui présenter sur leurs activités concernant les agents chimiques, mener des inspections de routine ou surprises sur les sites de production publics et privés et surveiller les opérations de destruction des stocks existants.

Contact

OIAC
Johan de Wittlaan 32
NL 2517 AR
La Haye / Pays-Bas
Tél. : (00 3170) 416 33 00
Fax : (00 3170) 306 35 35
www. opcw. nl

Le droit international humanitaire coutumier interdit également l'emploi d'armes chimiques en situation de conflit armé tant international que non international (règle 74 de l'étude sur les règles du DIH coutumier). La règle 75 dispose qu'« il est interdit d'employer des agents de lutte antiémeute en tant que méthode de guerre » ; la règle 76 prévoit quant à elle qu'« il est interdit d'employer des herbicides en tant que méthode de guerre si ces herbicides : (a) sont de nature à être des armes chimiques interdites ; (b) sont de nature à être des armes biologiques interdites ; (c) sont destinés à être employés contre une végétation qui ne constitue pas un objectif militaire ; (d) sont susceptibles de causer incidemment des pertes en vies humaines dans la population civile, des blessures aux personnes civiles, des dommages aux biens de caractère civil, ou une combinaison de ces pertes et dommages, qui seraient excessifs par rapport à l'avantage militaire concret et direct attendu ; ou (e) sont susceptibles de causer des dommages étendus, durables et graves à l'environnement naturel ».

7. Armes nucléaires. Il n'existe aucune interdiction générale frappant leur utilisation. Un courant de la doctrine estime qu'il s'agit en fait d'une arme de destruction massive qui a des effets indiscriminés. Elle serait donc couverte à ce double titre par l'interdiction contenue dans le Protocole additionnel I de 1977 additionnel aux quatre Conventions de Genève de 1949. Huit pays détenteurs de l'arme nucléaire ont ratifié ce protocole avec des réserves d'interprétation à son sujet.

La Cour internationale de justice a rendu un avis consultatif le 8 juillet 1996, suite à la demande de l'Assemblée générale de l'ONU. Cet avis, très équivoque, tire quatre conclusions principales : l'emploi de l'arme nucléaire n'est ni formellement interdit ni formellement autorisé ; cet emploi ou cette menace est contraire aux règles fondamentales du droit humanitaire ; l'usage des armes nucléaires pendant un conflit, lors d'une action ou d'un combat dans lesquels serait permis l'usage d'armes tactiques, est totalement interdit ; la Cour ne dit pas si l'usage ou la menace de l'arme nucléaire est licite ou illicite en cas de légitime défense d'un État face à une circonstance extrême qui menacerait sa survie même.

Il existe officiellement cinq puissances nucléaires. Ce sont les membres permanents du Conseil de sécurité : les États-Unis, la Grande-Bretagne, la France, la Chine et la Russie. Cependant, en 1999, l'Inde et le Pakistan ont réalisé plusieurs essais nucléaires. Ces pays ainsi qu'Israël sont qualifiés d'« États du seuil », c'est-à-dire qu'ils sont considérés comme détenteurs de l'arme nucléaire, mais ne sont pas déclarés officiellement comme tels.

Le contrôle des armements nucléaires repose principalement sur le travail de l'Agence internationale de l'énergie atomique (AIEA), basée à Vienne. Le système de contrôle repose également sur deux traités internationaux.

– le Traité de non-prolifération (TNP), adopté sous l'égide de l'ONU en 1968. Il est entré en vigueur le 5 mars 1970 et a été prorogé de façon indéfinie en 1995 ; 190 États y étaient parties en avril 2013, dont les cinq puissances nucléaires du Conseil de sécurité des Nations unies. Israël, l'Inde et le Pakistan ne l'ont pas encore ratifié ;

– le Traité sur l'interdiction des essais nucléaires (*Comprehensive Nuclear Test Ban Treaty*) de 1996, adopté sous l'égide de la conférence de l'ONU sur le désarmement. Ce dernier n'est pas encore effectif. Signé par 183 États et ratifié par 159, parmi lesquels seuls 20 sont des États à capacité d'armement nucléaire, il doit être ratifié par 44 États possédant des installations nucléaires pour entrer en vigueur, dont les trois États du seuil : Inde, Pakistan, Corée du Nord, qui ont déclaré qu'ils ne le ratifieraient pas. Il complète un traité antérieur, le traité de Moscou de 1963, qui prévoyait l'interdiction partielle des essais nucléaires.

Contact

AIEA
Po Box 100
Wagrammer Strasse 5
1400 Vienne / Autriche
Tél. : (00 43) 12 60 00
Fax : (00 43) 12 60 07
www.Iaea.org/

8. Mines. (Pour un développement sur ce thème, ▷ **Mines**.) Selon l'Institut international de recherche sur la paix de Stockholm, le commerce international des

armes a augmenté de 24 % de 1994 à 1997. En 1998, il a légèrement diminué par rapport à 1997, pour atteindre 22 milliards de dollars. Ce marché restait dominé par cinq pays exportateurs : États-Unis, Russie, France, Royaume-Uni et Allemagne. Les principaux acheteurs d'armes sont l'Asie (39 % des importations) et le Proche-Orient (31 %). Les dépenses mondiales militaires et en armements ont atteint plus de 1 630 milliards de dollars en 2010.
Selon le rapport d'un groupe d'experts de l'ONU, publié en août 1999, ce sont surtout les petites armes et les armes légères qui alimentent les conflits internes (90 % des conflits aujourd'hui). 500 millions de ces armes sont en circulation dans le monde et 40 % de leur commerce est illicite, souvent en violation des embargos.

Le droit international humanitaire coutumier limite l'emploi de mines terrestres. La règle 81 de l'étude sur les règles du DIH coutumier prévoit que « lorsque des mines terrestres sont employées, des précautions doivent être prises afin de réduire au minimum leurs effets indiscriminés » et, selon la règle 83, « après la cessation des hostilités actives, une partie au conflit qui a employé des mines terrestres doit les enlever ou neutraliser d'une autre manière afin qu'elles ne puissent porter atteinte à des civils, ou faciliter leur enlèvement », règles applicables en situation de conflit armé tant international que non international. La règle 82, qui prévoit qu'« une partie au conflit qui emploie des mines terrestres doit, dans toute la mesure du possible, enregistrer leur emplacement », est applicable aux conflits armés internationaux et, on peut supposer, non internationaux.

9. Les drones et autres véhicules aériens sans pilote (UAV) (unmanned combat aerial vehicle [UCAVS] en anglais). Il existe aujourd'hui une controverse juridique concernant les dispositifs automatisés de combat aérien et notamment le statut juridique des drones de combat et des véhicules aériens sans pilote utilisés à des fin de surveillance et d'attaque. Bien qu'il n'existe pas de traité ou de règle coutumière interdisant l'utilisation de ces nouvelles technologies de guerre, cette pratique soulève deux questions principales. La première concerne le niveau d'autonomie que possèdent ces dispositifs militaires automatisés face à la prise de décision concernant une attaque. La seconde, qui est liée à la première, concerne la possibilité d'intégrer dans la prise de décision de ces attaques les obligations concernant le respect des principes de distinction, de précaution et de proportionnalité prévus par le droit international humanitaire (GPI art. 36 et 51). Ces principes imposent notamment une obligation d'évaluation entre d'une part les risques d'une attaque pour les civils et d'autre part l'avantage militaire attendu. Or cette évaluation ne peut pas être faite par un logiciel autonome et implique un certain niveau d'intervention et d'appréciation humaines. Un autre élément important du débat sur ces armes réside dans la dimension extraterritoriale des attaques qu'elles produisent. Celles-ci ont lieu la plupart du temps loin du territoire national du pays procédant à l'attaque, sans pour autant bénéficier de l'accord du pays sur le territoire duquel elle se produit. Cet élément est encore aggravé par le fait que les agences utilisant de telles méthodes ne sont pas forcément des armées nationales opérant avec un commandement militaire connu et responsable, mais plus souvent des agences de sécurité nationales opérant de façon secrète.

IV. Vers un traité sur le commerce des armes

En 2003, suite au succès de la campagne sur l'interdiction des mines terrestres, Amnesty International et Oxfam ont conjointement lancé la campagne « Control Arms », alliance mondiale de la société civile pour l'élaboration d'un accord international contraignant sur le commerce des armes. En décembre 2006, l'Assemblée générale des Nations unies a adopté la résolution 61/89 par laquelle 153 gouvernements ont reconnu que le contrôle des armes et le désarmement étaient essentiels au maintien de la paix et de la sécurité. Il a été décidé de travailler au développement d'un traité mondial sur le commerce des armes qui régulerait l'importation, l'exportation et le transfert des armes conventionnelles. En janvier 2009, l'Assemblée générale a adopté la résolution 63/240 fixant un calendrier pour la négociation du traité sur le commerce des armes. Celui-ci incluait une réunion préparatoire en 2010, deux en 2011, puis une en juillet 2012 avant la Conférence de négociation finale prévue pour mars 2013. Au terme de cette Conférence de négociation finale, le traité n'a pas pu être adopté par consensus et a donc été soumis au vote des États à l'Assemblée générale des Nations unies. Le 3 avril 2013, il a finalement été adopté avec 154 voix pour, 3 contre (République arabe syrienne, République islamique d'Iran et République populaire démocratique de Corée) et 23 abstentions. Il est ouvert aux ratifications depuis le 3 juin 2013 et entrera en vigueur après sa ratification par 50 États.
Ce traité sur le commerce des armes se veut être un instrument global et juridiquement contraignant, établissant les normes internationales communes pour l'importation, l'exportation et le transfert des armes classiques. Il vise à mettre en place un mécanisme international ferme et transparent pour prévenir et interdire la diversion d'armes classiques du marché légal au marché illicite, où ces armes peuvent être utilisées à des fins d'actes terroristes, de crime organisé et autres activités criminelles.

▶ **Attaque ▷ Guerre ▷ Méthodes de guerre ▷ Droit international humanitaire ▷ Mines ▷ Liste des États parties aux conventions internationales (n° 28, 29, 30).**

Pour en savoir plus

« A guide to the legal review of new weapons, means and methods of warfare : Measures to implement article 36 of Additional Protocol I of 1977 », *Revue internationale de la Croix-Rouge,* vol. 88, n° 864, décembre 2006, p .931-956.

Amnesty International, *Contrôler les armes,* octobre 2011, Éd. Autrement. 128 p.

Aubert M., *Le CICR et le problème des armes causant des maux superflus ou frappant sans discrimination,* CICR, Genève, 1990 (tiré à part de la *Revue internationale de la Croix-Rouge*).

David E., *Principes de droit des conflits armés,* Université libre de Bruxelles, Bruxelles, 2002, 994 p., p. 306-381.

International Institute of Humanitarian Law, *International Humanitarian Law and New Weapen Tedinologies,* Sam Remo, Septembre 2011, 189 p.

FAHEY D., « Armes à uranium appauvri : Leçons de la guerre du Golfe », traduit de *Depleted Uranium : a Post-War Disaster for Environment and Health*, Laka Foundation, mai 1999.

LAWAND K., « Reviewing the legality of new weapons, means and methods of warfare », *Revue internationale de la Croix-Rouge*, vol. 88, n° 864, décembre 2006, p. 925-930.

MULINEN F. de, *Manuel sur le droit de la guerre pour les forces armées*, annexe 1, CICR, Genève, 1989, p. 209-216.

Asile

Lieu où une personne physique se réfugie pour se protéger contre un danger. Le droit d'asile constitue un droit fondamental de l'individu prévu par la Déclaration universelle des droits de l'homme.

La liberté de circulation inclut pour les individus celle de fuir leur pays et de chercher asile dans un autre. Ce droit est limité par le fait qu'il n'existe pas d'obligation réciproque pour les États d'offrir l'asile.

Selon le HCR, près de 479 300 demandes d'asile ont été enregistrées dans 44 pays industrialisés en 2012 (38 États européens et 6 États non européens fournissant des statistiques mensuelles au HCR). Ces demandes d'asile provenaient avant tout de ressortissants d'Afghanistan (36 600), de Syrie (24 800), de Serbie (24 300), de Chine (24 100) et du Pakistan (23 200). Les principaux pays qui les ont accueillis sont : les États-Unis d'Amérique (83 400), l'Allemagne (64 500), la France (54 900), la Suède (43 900) et le Royaume-Uni (27 400).

■ Le droit d'asile ou de fuite

L'article 14 de la Déclaration universelle des droits de l'homme prévoit que :
• devant la persécution, toute personne a le droit de chercher asile et de bénéficier de l'asile d'un autre pays ;
• ce droit ne peut être invoqué dans le cas de poursuites réellement fondées sur un crime de droit commun ou sur des agissements contraires aux buts et aux principes des Nations unies. ■

La Convention de 1951 sur le statut des réfugiés ainsi que le statut du HCR cherchent à garantir l'existence d'un droit d'asile à toute personne persécutée dans son pays (art. 8. a et d du statut du HCR ; art. 1 et 31 à 33 de la Convention de 1951 sur le statut de réfugié).

Le droit d'asile est défendu de façon concrète par :

– l'interdiction d'expulsion ou de refoulement (art. 32 et 33 de la Convention de 1951) d'une personne en quête d'asile vers un territoire où sa vie et sa liberté sont menacées, même si son entrée sur le territoire ne s'est pas faite régulièrement ;

– l'interdiction d'appliquer des sanctions pénales, du fait de leur entrée ou de leur séjour irréguliers, aux réfugiés qui arrivent directement du territoire où leur vie ou leur liberté est menacée, et qui se trouvent donc sur le territoire sans autorisation (art. 31 de la Convention de 1951). Les réfugiés sont cependant tenus de se présenter sans délai aux autorités pour leur exposer leur situation ;

– l'asile temporaire : en cas d'afflux massif de personnes en quête d'asile, les pays où l'exode s'arrête (les pays riverains) sont tenus de donner à cette population un asile temporaire, avec l'assistance de l'ensemble de la communauté internationale par le biais du HCR, en attendant de trouver une solution durable (conclusion 22 XXXII du 24 avril 1981 du Comité exécutif du HCR) ;
– l'octroi, par les autorités nationales, du statut de réfugié aux individus qui remplissent les conditions prévues par la définition du réfugié de la Convention de 1951.
Le droit de fuir son pays ne signifie pas que le réfugié a le droit de choisir son pays d'asile. C'est ce qu'illustrent les notions de « pays tiers sûr », ou « pays tiers d'accueil ». Il s'agit d'un pays que le demandeur d'asile a traversé, soit en y séjournant, soit en y transitant, et dans lequel il aurait pu rechercher la protection prévue par la Convention de 1951.
De nombreux États refusent d'examiner la demande de statut de réfugié lorsqu'un tel pays existe et que le demandeur peut y être renvoyé. Au niveau européen, cette possibilité est explicitement reconnue par :
– la résolution sur une approche harmonisée des questions relatives aux pays tiers d'accueil. Ce texte, adopté par le Conseil des ministres de l'UE en 1992, fixe les critères de détermination des pays tiers d'accueil. Elle a codifié en fait des pratiques déjà existantes ;
– la Convention d'application de l'accord de Schengen du 14 juin 1985 réglemente les déplacements des demandeurs d'asile à l'intérieur des États parties à la Convention ;
– la Convention de Dublin du 15 juin 1990 détermine l'État responsable de l'examen de la demande.
Ces traités organisent la répartition des responsabilités entre États parties pour traiter des demandes d'asile.
La conclusion n° 58 du Comité exécutif du HCR (XL/1989) recommande que l'intéressé ne soit renvoyé vers un pays tiers sûr que s'il y est traité selon les normes humanitaires de base, c'est-à-dire s'il peut bénéficier des droits civils prévus par la Déclaration universelle des droits de l'homme et la Convention de Genève de 1951.

▶ **Déplacement de population ▷ Haut Commissariat aux réfugiés ▷ Personnes déplacées ▷ Réfugié ▷ Rapatriement ▷ Refoulement (expulsion).**

Pour en savoir plus

CRÉPEAU F., *Droit d'asile, de l'hospitalité aux contrôles migratoires*, Bruylant, Bruxelles, 1995.

Droit d'asile des réfugiés, colloque de Caen de la SFDI, Pedone, Paris, 1997.

FRANCE TERRE D'ASILE (sous la dir. de), *Quel avenir pour le droit d'asile en Europe ?*, colloque organisé dans le cadre de la Journée internationale du réfugié, 18 juin 2004, 35 p. [http://www.france-terre-asile.org/IMG/pdf/Colloque_du_18.06.04.pdf]

HCR, *Les Réfugiés dans le monde. Les personnes déplacées : l'urgence humanitaire*, La Découverte, Paris, 1997.

JULIEN-LAFERRIÈRE F., « État de droit et droit d'asile », *Recherches et Asile*, Cahiers de recherches sur l'asile et les réfugiés du Grisa, 1997, n° 2, p. 33-39.

Assemblée générale des Nations unies (AG)

Il s'agit de l'organe de délibération et de vote de l'Organisation des Nations unies, prévu par le chapitre IV de la Charte. Tous les États membres (193 en avril 2013) sont représentés à l'Assemblée générale. C'est le principe de la démocratie universelle, où les États sont égaux entre eux et respectent l'égalité des « droits des peuples ». Chaque État dispose donc d'une voix lors des votes (art. 18.1de la Charte).

I. Compétences de l'AG

Les attributions de l'Assemblée générale sont multiples. Elle bénéficie d'abord d'une sorte de compétence générale pour tout le domaine d'activité de l'Organisation (art. 10). Elle partage certaines attributions avec d'autres organes, notamment, avec le Conseil de sécurité, le soin de discuter toutes les questions se rattachant au maintien de la paix et de la sécurité internationales. Mais ici elle cède le pas aux compétences particulières du Conseil, et ne peut décider d'une action en la matière, ni se prononcer sur un cas dont le Conseil est déjà saisi (art. 12).
Les compétences de l'Assemblée en font l'organe principal de délibération : elle reçoit les rapports des autres organes (art. 15) ; elle étudie les principes généraux de coopération pour le maintien de la paix, en particulier ceux concernant le désarmement ; elle développe la coopération internationale dans les domaines politique, économique, social, culturel, et dans celui de la protection des droits de l'homme (art. 13). Enfin, sa compétence la plus considérable est son pouvoir financier et budgétaire : elle vote chaque année le budget général de l'Organisation (art. 17.1). Pour accomplir sa mission, l'ONU dispose d'un budget régulier biennal calculé en fonction du poids de chaque pays dans le PIB mondial. En dehors des missions de maintien de la paix, dont le coût dépasse 7,5 milliards de dollars par an, le budget pour l'exercice 2012-2013 s'est établi à 5,4 milliards de dollars, contre 3,8 milliards de dollars pour 2006-2007. En raison de la crise économique qui a traversé les pays du « Nord » en 2011, la part des contributions a été réajustée pour l'exercice 2012-2013, et certains des principaux contributeurs comme le Royaume-Uni, la France et le Japon ont vu leur part diminuer. En revanche, les États-Unis restent le premier pays contributeur (22 %), alors que la Chine a accepté une augmentation de 61 % de sa contribution, portant sa part dans le budget onusien de 3,2 à 5,1 %, et dépassant le Canada et l'Italie pour devenir le 6e contributeur des Nations unies. La part du Brésil, de l'Inde et de la Russie ont également augmenté de façon significative.
En dehors du budget régulier, il existe également des fonds et des budgets spéciaux, alimentés par des contributions volontaires ou obligatoires et destinés à mettre en œuvre des actions précises. L'Assemblée générale n'y a pas accès mais elle examine et adresse toutefois des recommandations sur leurs budgets administratifs (art. 17.3).

Un nombre important d'États ne paient pas régulièrement leurs cotisations. En février 2011, 18 États membres étaient en retard dans le paiement de leurs contributions selon les conditions de l'article 19 de la Charte des Nations Unies qui stipule qu'« un membre des Nations Unies en retard dans le paiement de sa contribution aux dépenses de l'Organisation ne peut participer au vote à l'Assemblée générale si le montant de ses arriérés est égal ou supérieur à la contribution due par lui pour les deux années complètes écoulées. L'Assemblée générale peut néanmoins autoriser ce membre à participer au vote si elle constate que le manquement est dû à des circonstances indépendantes de sa volonté. ». En 2010, la majeure partie de cette somme était constituée par la dette américaine (1,561 milliard de dollars).
Étant donné les grandes difficultés financières de l'Organisation ces dernières années, le secrétaire général brandit régulièrement cette menace de suspension de vote aux mauvais payeurs, dont le premier est les États-Unis.

II. Système de vote

L'Assemblée générale ne siège pas en permanence. Lors de sa séance plénière annuelle, elle adopte des résolutions qui sont votées à la majorité des membres présents et votants. La majorité doit être des deux tiers sur les questions importantes que sont le maintien de la paix et de la sécurité internationales, l'élection des membres non permanents du Conseil de sécurité, l'admission des nouveaux membres et le budget (art. 18.2). Il faut noter que l'Assemblée générale ne pourra pas se saisir d'un problème de maintien de la paix et de sécurité internationale si le Conseil de sécurité en est déjà saisi (art. 12).
C'est la nature des résolutions de l'Assemblée générale qui détermine si leur force est obligatoire ou non. On distingue deux types de résolutions :
– les *décisions* : l'Assemblée générale ne peut prendre des décisions obligatoires pour les États que dans les domaines suivants : approbation du budget de l'ONU, élection des membres non permanents du Conseil de sécurité, élection des membres du Conseil économique et social, admission de nouveaux membres ainsi que suspension ou exclusion de membres existants (art. 18) ;
– les *recommandations*. Dans tous les autres domaines, les résolutions de l'Assemblée générale ont seulement valeur de recommandations. Elles peuvent être votées à la majorité simple. Cependant, pour donner plus d'autorité à ces recommandations, ces textes sont le plus souvent adoptés par consensus, sans vote formel. Le texte soumis à adoption traduit un compromis de la communauté internationale, que personne ne prendrait le risque d'ébranler en émettant une contestation ouverte (si personne n'est contre, c'est que tout le monde est pour). Le président de séance se contente de noter l'absence d'objection de la part d'un État ou d'un groupe d'États lors de l'examen du texte. Cette méthode génère un travail préparatoire important au niveau des commissions et sous-commissions spécialisées de l'Assemblée générale.

▶ **Droit dérivé (ou *soft law*).**

III. Fonctionnement de l'AG

L'Assemblée générale se réunit en séance plénière une fois par an, en général pour deux semaines, au mois de septembre. Elle est présidée chaque année par un ministre des Affaires étrangères de l'un des États membres des Nations unies. Entre-temps, le travail s'effectue au sein de six grandes commissions :
1re commission : questions de désarmement et de sécurité internationale ;
2e commission : questions économiques et financières ;
3e commission : questions sociales, humanitaires et culturelles ;
4e commission : questions de politiques spéciales et de décolonisation ;
5e commission : questions administratives et budgétaires ;
6e commission : questions juridiques.

Ces commissions se subdivisent en sous-commissions, qui désignent des groupes de travail sur des questions données et nomment des experts et rapporteurs spéciaux. Cela donne un organigramme très complexe, mais ces ramifications sont nécessaires vu l'ampleur des sujets abordés et leur technicité. La pratique généralisée du vote par consensus implique que l'Organisation doit longuement préparer des textes acceptables par tous.

Consulter aussi

▶ **ONU ▷ Conseil de sécurité des Nations unies ▷ Conseil économique et social des Nations unies ▷ Cour internationale de justice ▷ Secrétariat général des Nations unies.**

Assistance

Dans les Conventions de Genève de 1949, le mot désigne l'assistance générale (alimentaire, médicale, vestimentaire, etc.) qui doit être apportée aux victimes des conflits, conformément au droit humanitaire, pour couvrir les besoins essentiels à leur survie. Dans les Conventions de Genève, l'assistance matérielle ne se dissocie pas de la protection des populations en danger. Elle est toujours liée à un cadre juridique précis qui définit le statut juridique des différentes catégories de personnes que le droit cherche à protéger.

▶ **Personnes protégées ▷ Protection.**

C'est ce statut de personnes protégées qui prévoit les droits et les devoirs des différentes autorités concernant le traitement des populations qui sont en leur pouvoir. C'est également ce statut qui détermine le droit d'initiative et la responsabilité des organisations de secours. C'est enfin ce statut qui décide des modalités de répartition et de distribution de l'assistance en fonction des besoins et des vulnérabilités des différents types de populations.
Le droit humanitaire prévoit des droits à l'assistance différents selon les types de personnes concernées et selon les types de conflits : population civile, populations

de territoire occupé, personnes détenues et personnes vulnérables comme les femmes, enfants, vieillards, blessés et malades, lors de conflits armés internationaux ou non-internationaux (GIII art. 25 à 32 ; GIV art. 50, 55-63, 85-92 ; GPI art. 68-71, 81 ; GPII art. 4, 5, 7, 17 et 18).

▶ **Secours ▷ Population civile ▷ Territoire occupé ▷ Blessés et malades ▷ Femme ▷ Enfant ▷ Détention ▷ Prisonnier de guerre.**

Le droit humanitaire prévoit également des droits différents au profit des organisations de secours selon les situations concernées. Ces droits entraînent un certain nombre de responsabilités pour les organisations de secours, notamment celui de fournir l'assistance conformément à certains principes humanitaires prédéfinis.

▶ **Droit d'initiative humanitaire ▷ Droit d'accès ▷ Principes humanitaires ▷ Responsabilité ▷ Secours ▷ Personnel humanitaire et de secours ▷ Services sanitaires ▷ Puissance protectrice ▷ Croix-Rouge, Croissant-Rouge.**

◆ **• Assistance et protection doivent toujours rester liées pour constituer de véritables opérations de secours au sens du droit humanitaire.**
• L'objectif de l'assistance est de permettre aux individus de retrouver la jouissance de leurs droits et leur autonomie individuelle, qui est le seul garant de leur survie. L'assistance est toujours prévue, dans le droit international, comme une étape temporaire qui doit s'attacher à la reconnaissance d'un statut juridique et des droits pour des individus en danger. Cette dimension doit être incorporée dans la pratique des actions de secours.

Dans la Convention de 1951 sur les réfugiés, le HCR assume également de façon indissociable la fonction de protection des réfugiés et celle d'assistance matérielle. Le lien entre assistance et protection y apparaît de façon encore plus évidente. C'est en effet en attendant que la protection des réfugiés soit réalisée à travers l'obtention d'un statut juridique approprié et pour protéger leurs droits à recevoir ce statut que le HCR s'engage à les assister.
Le contenu et la forme de l'assistance sont développés dans l'article ▷ **Secours.**

Consulter aussi

▶ **Secours ▷ Protection ▷ Personnes protégées ▷ Biens protégés ▷ Blessés et malades ▷ Femme ▷ Enfant ▷ Détention ▷ Personnel humanitaire et de secours.**

Pour en savoir plus

ABRIL STOFFELS R., « Legal Regulation of humanitarian assistance in armed conflict : Achievements and gaps », *in Revue internationale de la Croix-Rouge*, vol. 86, n° 855, septembre 2004, p. 515-546.

BARBER R., « Facilitating humanitarian assistance in international humanitarian and human rights law », *Revue internationale de la Croix-Rouge*, vol. 91, n° 874, juin 2009, p. 371-397.

BRAUMAN R., « L'assistance humanitaire internationale », *Dictionnaire de philosophie morale et politique*, PUF, Paris, 1996.

PLATTNER D., « L'assistance à la population civile dans le droit international humanitaire : évolution et actualité », *Revue internationale de la Croix-Rouge*, n° 795, mai- juin 1992, p. 259-274.

Attaque

L'attaque est un acte de violence commis contre l'adversaire dans un but offensif ou défensif, et quel que soit le territoire contre lequel elle est dirigée (GPI art. 49.1).

◆ **• La règle générale est que les parties au conflit doivent en tout temps faire la distinction entre la population civile et les combattants, ainsi qu'entre les biens de caractère civil et les objectifs militaires. Les parties au conflit ne peuvent diriger leurs opérations que contre des objectifs militaires. En conséquence, les attaques indiscriminées sont interdites (GPI art. 48, règles 7-13 de l'étude sur les règles du DIH coutumier publiée par le CICR en 2005).**
• Le droit humanitaire oblige les commandants militaires à prendre des mesures précises de précaution dans la préparation et dans l'exécution des attaques pour en limiter les effets et s'assurer qu'elles n'ont pas d'effets indiscriminés et que les dégâts causés de façon accidentelle aux civils restent proportionnels à l'avantage militaire direct attendu (GPI art. 57 et 58, règles 14-24).
• Ces obligations prévues au titre des conventions uniquement dans les conflits armés internationaux sont devenues des règles coutumières obligatoires également dans les conflits armés non internationaux (règles 7, 11-24 de l'étude du CICR).

▶ **Objectif militaire ▷ Devoirs des commandants.**

I. Les interdictions

1. *Biens et personnes protégés*

Le droit international humanitaire définit des biens et des personnes protégés dans les conflits armés internationaux et internes. Il interdit les attaques intentionnelles et les représailles contre eux. Il s'agit du principe de distinction.

– Les attaques contre la population civile en tant que telle, les actes de violence dont le but principal est de répandre la terreur parmi la population sont interdits.

– Les attaques contre la population civile en représailles sont interdites (GPI art. 51). En corollaire, les parties au conflit ne doivent pas diriger les mouvements de la population civile pour tenter de mettre des objectifs militaires à l'abri des attaques ou pour couvrir des opérations militaires, pas plus qu'ils ne peuvent utiliser la présence de personnes protégées pour mettre certains lieux à l'abri d'opérations militaires (GIV art. 28, GPI art. 51.7).

– Les attaques sont également interdites sur les biens de caractère civil (GPI art. 52), les biens culturels et les lieux de culte (GPI art. 53), les biens indispensables à la survie de la population (GPI art. 54, GPII art. 14), les ouvrages et installations contenant des forces dangereuses et causant des dommages à l'environnement qui compromettent la santé ou la survie de la population (GPI art. 55 et 56, GPII art. 15).

– Des signes distinctifs ou emblèmes protecteurs sont prévus par le droit humanitaire pour signaler l'emplacement de ces différents biens protégés.

– Les unités et le personnel sanitaires ne doivent jamais faire l'objet d'attaques (GI art. 19 ; GII art. 23 ; GIV art. 18 ; GPI art. 12 ; GPII art. 11). Ils ne doivent pas non plus être utilisés pour tenter de mettre des objectifs militaires à l'abri d'attaques (GPI art. 12).

– Les attaques contre les zones démilitarisées ou neutres et contre les lieux non défendus sont interdites (GIV art. 15 ; GPI art. 60).

▶ **Biens protégés ▷ Personnes protégées ▷ Population civile ▷ Signes distinctifs-Signes protecteurs ▷ Bouclier humain ▷ Personnel sanitaire ▷ Secours.**

Le statut de la Cour pénale internationale, adopté le 17 juillet 1998 et entré en vigueur le 1er juillet 2002, affirme que de telles attaques constituent des crimes de guerre, qu'ils soient commis pendant un conflit armé international ou interne (art. 8 du statut de la CPI). De plus, il stipule que ces crimes, « quand ils sont commis dans le cadre d'une attaque généralisée ou systématique dirigée contre une population civile », constituent des crimes contre l'humanité (art. 7 du statut de la CPI).

▶ **Crime de guerre-Crime contre l'humanité ▷ Cour pénale internationale.**

2. *Attaques indiscriminées ou disproportionnées*

Le droit humanitaire interdit les attaques indiscriminées. Il s'agit d'attaques qui frappent indistinctement des objectifs militaires et des personnes civiles ou des biens de caractère civil. Les attaques indiscriminées ont été définies dans l'article 51 du Protocole additionnel I de 1977 ainsi que dans les règles 11, 12 et 13 de l'étude sur les règles de DIH coutumier.

Sont considérées comme telles et par conséquent interdites :

– les attaques qui ne sont pas dirigées contre un objectif militaire déterminé ;

– les attaques dans lesquelles on utilise des méthodes ou moyens de combat qui ne peuvent pas être dirigés contre un objectif militaire déterminé ;

– les attaques dans lesquelles on utilise des méthodes ou moyens de combat dont les effets ne peuvent pas être limités ;

– les attaques par bombardement, quels que soient les méthodes ou moyens utilisés, qui traitent comme un objectif militaire unique un certain nombre d'objectifs militaires nettement espacés et distincts situés dans une ville, un village ou toute autre zone contenant une concentration analogue de personnes civiles ou de biens de caractère civil ;

– les attaques dont on peut attendre qu'elles causent incidemment des pertes en vies humaines dans la population civile, des blessures aux personnes civiles, des dommages aux biens de caractère civil ou une combinaison de ces pertes et dommages, qui seraient excessifs par rapport à l'avantage militaire concret et direct attendu.

Ce dernier élément introduit la nécessaire proportionnalité qui doit être respectée entre l'attaque et la menace ou entre l'attaque et les dommages collatéraux. Si cette exigence de proportionnalité n'est pas remplie, le droit humanitaire estime que l'attaque est indiscriminée.

L'exigence du calcul de la proportionnalité des attaques est devenue une obligation coutumière dans les conflits internationaux et non internationaux. La règle 14 de l'étude sur les règles du DIH coutumier dispose en effet qu'« il est interdit de lancer des attaques dont on peut attendre qu'elles causent incidemment des pertes en vies humaines dans la population civile, des blessures aux personnes civiles, des dommages aux biens de caractère civil, ou une combinaison de ces pertes et dommages, qui seraient excessifs par rapport à l'avantage militaire direct et attendu ».

▶ **Proportionnalité ▷ Guerre ▷ Méthodes de guerre ▷ Représailles ▷ Bombardement.**

II. Les précautions dans l'attaque

Le droit humanitaire énonce des précautions à prendre dans l'attaque pour épargner au maximum les objectifs civils ; toutes sont devenues des normes de droit coutumier applicables dans les conflits armés internationaux et non internationaux.

◆ **Si les objectifs civils et militaires sont trop proches, un certain nombre de précautions dans l'attaque doivent être prises pour en limiter les effets négatifs sur les civils (GPI art. 57 et 58).**

Le respect de ce principe repose sur la responsabilité des combattants et particulièrement des commandants. Pour que ce principe conserve une efficacité pratique au moment du conflit, deux articles précisent les mesures de précaution et les devoirs des commandants qui doivent être respectés au cours des attaques militaires. Ces précisions ont été apportées par le Protocole additionnel I de 1977 applicable aux conflits armés internationaux. Elles peuvent cependant servir de principes de référence concrets dans les autres types de conflits en raison de leur caractère coutumier.

1. *Mesures de précaution*

« En ce qui concerne les attaques, les précautions suivantes doivent être prises » :

a) Ceux qui préparent ou décident une attaque doivent

– faire tout ce qui est pratiquement possible pour vérifier que les objectifs à attaquer ne sont ni des personnes civiles ni des biens de caractère civil, et ne bénéficient pas d'une protection spéciale, mais qu'ils sont des objectifs militaires (GPI Art. 57 ; règle 15 de l'étude sur les règles de DIH coutumier) ;

– prendre toutes les précautions pratiquement possibles quant au choix des moyens et méthodes d'attaque en vue d'éviter et, en tout cas, de réduire au minimum les pertes en vies humaines dans la population civile, les blessures aux personnes civiles et les dommages aux biens de caractère civil qui pourraient être causés incidemment (GPI Art. 57 ; règles 16 et 17) ;

– s'abstenir de lancer une attaque dont on peut attendre qu'elle cause incidemment des pertes en vies humaines dans la population civile, des blessures aux personnes civiles, des dommages aux biens de caractère civil, ou une combinaison de ces pertes et dommages, qui seraient excessifs par rapport à l'avantage militaire concret et direct attendu (GPI Art. 57).

b) Une attaque doit être annulée ou interrompue lorsqu'il apparaît que son objectif n'est pas militaire ou qu'il bénéficie d'une protection spéciale ou que l'on peut attendre qu'elle cause incidemment des pertes en vies humaines dans la population civile, des blessures aux personnes civiles, des dommages aux biens de caractère civil, ou une combinaison de ces pertes et dommages qui seraient excessifs par rapport à l'avantage militaire concret et direct attendu (GPI Art. 57 ; règle 19).

c) Dans le cas d'attaques pouvant affecter la population civile, un avertissement doit être donné en temps utile et par des moyens efficaces, à moins que les circonstances ne le permettent pas (GPI art. 57.2 et règle 20).
« Lorsque le choix est possible entre plusieurs objectifs militaires pour obtenir un avantage militaire équivalent, ce choix doit porter sur l'objectif dont on peut penser que l'attaque présente le moins de danger pour les personnes civiles ou pour les biens de caractère civil » [...] (GPI art. 57.3 et règle 21).
« Aucune disposition du présent article ne peut être interprétée comme autorisant des attaques contre la population civile, les personnes civiles ou les biens de caractère civil » (GPI art. 57.5).

◆ **Règles du droit international humanitaire coutumier concernant les précautions dans l'attaque**
Le droit international humanitaire coutumier oblige les parties au conflit à prendre des mesures de précaution afin de minimiser l'effet des attaques.
Selon la **règle 18**, « chaque partie au conflit doit faire tout ce qui est pratiquement possible pour évaluer si une attaque est susceptible de causer incidemment des pertes en vies humaines dans la population civile, des blessures aux personnes civiles, des dommages aux biens de caractère civil, ou une combinaison de ces pertes et dommages, qui seraient excessifs par rapport à l'avantage militaire concret et direct attendu ».
La **règle 19** dispose que « chaque partie au conflit doit faire tout ce qui est pratiquement possible pour annuler ou suspendre une attaque lorsqu'il apparaît que son objectif n'est pas militaire ou que l'on peut attendre qu'elle cause incidemment des pertes en vies humaines dans la population civile, des blessures aux personnes civiles, des dommages aux biens de caractère civil, ou une combinaison de ces pertes et dommages, qui seraient excessifs par rapport à l'avantage militaire concret et direct attendu ».
Selon la **règle 22**, « les parties au conflit doivent prendre toutes les précautions pratiquement possibles pour protéger contre les effets des attaques la population civile et les biens de caractère civil soumis à leur autorité ».
Ces trois règles sont applicables dans les conflits armés internationaux et non internationaux.
La **règle 23** dispose que « chaque partie au conflit doit, dans la mesure de ce qui est pratiquement possible, éviter de placer des objectifs militaires à l'intérieur ou à proximité des zones fortement peuplées ».
Enfin, la **règle 24** prévoit que « chaque partie au conflit doit, dans la mesure de ce qui est pratiquement possible, éloigner du voisinage des objectifs militaires les personnes civiles et les biens de caractère civil soumis à son autorité ». Le caractère coutumier des règles 23 et 24 est clairement établi dans les conflits armés internationaux mais seulement partiellement dans les conflits armés non internationaux.

2. *Responsabilité des commandants*

Le respect de ces mesures de précaution dans l'attaque repose sur la responsabilité des commandants qui doivent notamment s'assurer du respect de ces règles par leurs subordonnés. Les commandants sont chargés de faire en sorte que les militaires placés sous leur commandement, ainsi que toute personne sous leur contrôle, connaissent leurs obligations au terme des Conventions de Genève et les respectent. En cas de violation du droit humanitaire par des membres des forces armées, les commandants doivent prendre les mesures nécessaires pour y mettre un terme et pour prendre les sanctions disciplinaires et pénales qui s'imposent à l'encontre des auteurs de ces violations (GPI art. 87).

Jurisprudence

Les juges des tribunaux internationaux ont dû se prononcer sur la licéité des attaques et le respect des principes de distinction, de précaution et de proportionnalité entre les dommages causés aux civils et la nécessité militaire (voir ▷ **Proportionnalité**). Ces principes sont en partie exprimés aux articles 57 et 58 du Protocole additionnel I de 1977 et les juges estiment que ces dispositions font maintenant partie du droit international coutumier, non seulement parce qu'elles précisent et étoffent les normes générales antérieures, mais également parce qu'aucun État, y compris ceux qui n'ont pas ratifié le Protocole, ne semble les contester (TPIY, affaire Kupreskic, 14 janvier 2000, § 524).

Le principe de distinction posé par le droit humanitaire oblige les commandants militaires à distinguer entre les objectifs militaires d'une part, et les personnes et les biens civils d'autre part. Ce principe oblige ceux qui planifient ou décident une attaque à faire tout ce qui est possible pour vérifier que les objectifs visés ne sont pas civils. Cette obligation de faire tout ce qui est possible est une exigence forte mais pas absolue. Il en résulte qu'on ne devra pas forcément se baser sur l'analyse d'un seul incident pour déterminer si les efforts faits pour distinguer les objectifs militaire des civils étaient inadéquats. *Final report to the Prosecutor by the Committee established to review the NATO Bombing campaign against the Federal republic of Yugoslavia,* TPIY, 13 juin 2000, § 29. http://www.un.org/icty/pressreal/nato061300.htm.

Consulter aussi

► **Guerre ▷ Méthodes de guerre ▷ Signes distinctifs-Signes protecteurs ▷ Biens protégés ▷ Personnes protégées ▷ Représailles ▷ Devoirs des commandants ▷ Nécessité militaire ▷ Proportionnalité ▷ Droit international humanitaire ▷ Objectif militaire.**

Pour en savoir plus

DAVID E., *Principes de droit des conflits armés,* Université libre de Bruxelles, Bruxelles, 2002, p. 242-306, p. 394-395, p. 402-411.

MULNEN F. de, « Conduite de l'attaque », *Manuel sur le droit de la guerre pour les forces armées,* CICR, Genève, 1989, p. 106-108.

Belligérant

Ce terme était utilisé jusqu'à la fin de la Seconde Guerre mondiale pour désigner :
- les différentes entités étatiques participant à une guerre ;
- les individus autorisés à utiliser la force armée.

Ce terme n'a plus de définition juridique précise aujourd'hui.
- le terme de « partie au conflit » est utilisé depuis 1977 pour désigner les entités étatiques ou non étatiques qui participent à un conflit armé ;
- en ce qui concerne les individus, le terme « belligérants » était utilisé jusqu'en 1977 pour désigner les insurgés qui, dans une guerre civile, contrôlent de fait une partie du territoire d'un État. Pour unifier la protection et faciliter la distinction entre la population et les combattants dans les conflits armés, c'est le terme de « combattant » qui est utilisé aujourd'hui en droit humanitaire (GPI art. 43, 44, 48). Le mot « belligérant » reste utilisé dans le langage courant.

▶ **Combattant ▷ Partie au conflit ▷ Guerre ▷ Haute partie contractante ▷ Conventions de Genève de 1949 et Protocoles additionnels I et II de 1977 ▷ Statut juridique des parties au conflit ▷ Groupes armés non étatiques ▷ Conflit armé international ▷ Conflit armé non international ▷ Guerre ▷ Droit international humanitaire ▷ Sociétés militaires privées.**

Pour en savoir plus

DAVID E., *Principes de droit des conflits armés,* Université libre de Bruxelles, Bruxelles, 2012 (5e éd), 1 152 p.

Bien-être

Il n'existe pas de définition juridique du bien-être. Le bien-être des individus est juridiquement protégé par :
- l'interdiction des mauvais traitements, des atteintes à l'intégrité physique, de la torture ou de toute autre forme de traitement ou de peine cruel, inhumain ou dégradant ;
- la protection accordée par le droit humanitaire aux biens essentiels à la survie de la population ;
- l'interdiction des atteintes portées au bien-être physique ou mental des personnes qui sont dépendantes d'une partie à un conflit armé, qu'il s'agisse de personnes

civiles, de malades et de blessés, ou de prisonniers de guerre (GI art. 13 ; GII art. 13 ; GIII art. 4 ; GPI art. 75) ;
– le droit au secours et à la protection prévue dans les situations de conflit au profit des personnes civiles et des personnes protégées.
En outre, en dehors des périodes de conflit, les grands textes internationaux relatifs aux droits de l'homme affirment la responsabilité des États d'assurer le bien-être général de leurs ressortissants. Toute action contrevenant à cette finalité peut faire l'objet d'une contestation. Il s'agit du fondement même du contrat social qui lie les individus à la société. Ces textes affirment également le droit fondamental de toute personne à un niveau de vie suffisant pour assurer sa santé et son bien-être ainsi que ceux de sa famille (art. 25 et 29.2 de la Déclaration universelle des droits de l'homme de 1948 ; art. 4 du pacte international relatif aux droits économiques, sociaux et culturels).

▸ **Mauvais traitements ▷ Torture ▷ Persécution ▷ Biens protégés ▷ Secours ▷ Protection.**

Biens protégés

Le droit humanitaire accorde une protection générale aux biens civils. Il interdit d'exercer contre eux des actes de violence, des attaques ou des représailles.
Le droit humanitaire prévoit également des règles particulières pour renforcer la protection de certains de ces biens. Cette protection peut être liée à l'autorisation d'apposer sur ces biens un emblème de protection. Cette protection est garantie par les dispositions des conventions de droit international humanitaire applicables aux conflits armés internationaux et non internationaux. L'étude sur les règles du droit international humanitaire coutumier publiée par le CICR en 2005 reconnaît le caractère obligatoire de ces dispositions de façon identique dans les deux types de conflits armés (sauf rares exceptions signalées aux lecteurs). Les règles établies par le CICR sont donc obligatoires vis-à-vis de toutes les parties au conflit, y compris celles qui n'ont pas signé les conventions telles que les groupes armés non étatiques.
Cette protection renforcée concerne :
– les unités et moyens de transport sanitaires (GPI art. 12 et 21 ; GPII art. 11 ; règles 28 et 29) ;
– les biens culturels et les lieux de culte (GPI art. 53 ; GPII art. 16 ; règles 38-41) ;
– les biens indispensables à la survie de la population civile (GPI art. 54 ; GPII art. 14, Règle 54) ;
– l'environnement naturel (GPI art. 55 ; règles 43-45) ;
– les ouvrages et installations contenant des forces dangereuses (GPII art. 15 ; GPI art. 56 ; règle 42) ;
– les localités non défendues (GPI art. 59 ; règle 37) ;
– les zones démilitarisées (GPI art. 60 ; règle 36).

I. Bien civil

Tous les biens qui ne sont pas des objectifs militaires sont des biens civils. Les objectifs militaires sont limités aux biens qui, par leur nature, leur emplacement, leur destination ou leur utilisation, apportent une contribution effective à l'action militaire et dont la destruction totale ou partielle, la capture ou la neutralisation offrent un avantage militaire précis (GPI art. 52). En cas de doute, un bien normalement affecté à un usage civil tel que maison, école, lieu de culte, est présumé ne pas être utilisé en vue d'une contribution effective à l'action militaire (GPI art. 52). La règle 9 de l'étude du CICR rappelle que sont civils « tous les biens qui ne sont pas des objectifs militaires » ; la règle 10 dispose quant à elle que les biens civils sont protégés contre les attaques « sauf s'ils constituent des objectifs militaires, et aussi longtemps qu'ils le demeurent ». Ces règles s'appliquent aux conflits armés tant internationaux que non internationaux.

– Le droit humanitaire interdit d'exercer contre des biens civils des actes de violence, des attaques ou des représailles. Les attaques qui frappent de façon indiscriminée les objectifs civils et militaires sont interdites, ainsi que celles dont le but est de répandre la terreur parmi la population (GPI art. 51). En cas d'attaques, les commandants militaires ont le devoir de s'assurer qu'un certain nombre de précautions précises ont été prises pour limiter les effets sur les biens et les populations civiles (GPI art. 57 et 58). La règle 7 rappelle que les parties au conflit doivent en tout temps faire la distinction entre les biens de caractère civil et les objectifs militaires. Elle souligne également que les attaques ne peuvent être dirigées que contre des objectifs militaires et ne doivent pas être dirigées contre des biens de caractère civil. Cette règle coutumière s'applique en situation de conflit armé tant international que non international.

– Le pillage est strictement interdit et ne doit pas être confondu avec les réquisitions qui peuvent être autorisées dans des conditions limitées. (GIV art. 33 ; GPII art. 4.2.g ; règle 52). Les appropriations et les destructions exécutées sur une grande échelle de façon illicite et arbitraire qui ne seraient pas justifiées par des nécessités militaires impérieuses constituent des infractions graves (GI art. 50 ; GII art. 51 ; GIII art. 130 ; GIV art. 147).

Cette protection des biens civils se double d'une obligation corollaire qui impose aux militaires de ne pas utiliser des biens ou des personnes protégés pour tenter de mettre certains points, zones ou personnes à l'abri d'opérations militaires ou pour mettre des objectifs militaires à l'abri d'attaques. Il est notamment précisé qu'en aucune circonstance les unités sanitaires ne doivent être utilisées pour tenter de mettre des objectifs militaires à l'abri d'attaques (GPI art. 51.7 et 12).

La protection spécifique prévue pour les établissements sanitaires est détaillée dans la rubrique ▷ **Services sanitaires**.

◆ **Les organisations humanitaires doivent veiller à garantir le non-détournement des secours humanitaires à des fins militaires. Cela risque de faire perdre la protection qui leur est accordée en raison de leur caractère civil, et de les exposer à des attaques.**

▶ **Attaque ▷ Guerre ▷ Méthodes de guerre ▷ Crime de guerre-Crime contre l'humanité ▷ Objectif militaire ▷ Réquisition ▷ Représailles ▷ Pillage.**

II. Bien culturel

a. *Protection en droit international humanitaire conventionnel*

Le droit international protège le patrimoine culturel et spirituel de l'humanité (monuments historiques, œuvres d'art, lieux de culte). En cas de conflit armé, ces biens doivent être respectés et sauvegardés contre les effets prévisibles du conflit (GPI art. 53 et 85.4d ; GPII art. 16). Une Convention spéciale pour la protection des biens culturels en cas de conflit armé a été signée à La Haye le 14 mai 1954. Elle précise les règles de protection et organise le rôle de l'Organisation des Nations unies pour la science, l'éducation et la culture (UNESCO) dans ce domaine. Cette convention est complétée par deux protocoles pour la protection des biens culturels en cas de conflit armé. Le premier adopté à La Haye le 14 mai 1954, puis plus récemment, un second adopté le 26 mars 1999.

Par ailleurs, l'attaque intentionnelle de biens culturels en période de conflit armé constitue un crime de guerre (Statut de la CPI, art. 8.2.b.ix et 8.2.e.iv).

Un signe distinctif spécial peut être apposé sur les biens culturels : un triangle bleu roi au-dessus d'un carré bleu roi sur fond blanc.

b. *Protection en droit international humanitaire coutumier*

La règle 38 de l'étude du CICR rappelle que « chaque partie au conflit doit respecter les biens culturels : a) Des précautions particulières doivent être prises au cours des opérations militaires afin d'éviter toute dégradation aux bâtiments consacrés à l'art, à la religion, à la science, à l'enseignement ou à l'action caritative ainsi qu'aux monuments historiques, à condition qu'ils ne constituent pas des objectifs militaires ; b) Les biens qui présentent une grande importance pour le patrimoine culturel des peuples ne doivent pas être l'objet d'attaques, sauf en cas de nécessité militaire impérieuse ». Selon la règle 39, « l'emploi de biens qui présentent une grande importance pour le patrimoine culturel des peuples à des fins qui pourraient exposer ces biens à une destruction ou à une détérioration est interdit, sauf en cas de nécessité militaire impérieuse ». La règle 40 rappelle que « chaque partie au conflit doit protéger les biens culturels : a) Toute saisie, destruction ou dégradation intentionnelle d'établissements consacrés à la religion, à l'action caritative, à l'enseignement, à l'art et à la science, de monuments historiques et d'œuvres d'art et de science est interdite ; b) Tout acte de vol, de pillage ou de détournement de biens qui présentent une grande importance pour le patrimoine culturel des peuples, ainsi que tout vandalisme à l'égard de ces biens est interdit ». Ces règles sont applicables en situation de conflit armé tant international que non international. Enfin, la règle 41 rappelle que « la puissance occupante doit empêcher l'exportation illicite de biens culturels d'un territoire occupé, et doit remettre les biens exportés de manière illicite aux autorités compétentes du territoire occupé » ; cette règle s'applique seulement aux conflits armés internationaux.

III. Bien ennemi

Cette expression recouvre les objectifs militaires mais aussi les biens de caractère civil appartenant à l'adversaire. Ces derniers restent toujours protégés en leur qualité de biens civils. Ils ne doivent pas être assimilés à des objectifs militaires et doivent faire en outre l'objet de protection en cas d'attaque d'objectifs militaires voisins.

IV. Biens essentiels à la survie de la population civile

Les denrées alimentaires, les zones agricoles qui les produisent, les récoltes, le bétail, les installations et réserves d'eau potable ainsi que les ouvrages d'irrigation sont considérés par le droit humanitaire comme des biens indispensables à la survie de la population et sont protégés à ce titre (GPI art. 54.2 et 54.4 ; GPII art. 14). Le droit humanitaire interdit en effet l'usage de la famine comme méthode de guerre (GPI art. 54.1 ; GPII art. 14).

▶ **Méthodes de guerre.**

Cette protection est de deux types.
– Il est interdit, quel que soit le motif, d'attaquer, de détruire, d'enlever ou de mettre hors d'usage ces biens, en vue d'en priver la population civile (GPI art. 54.2 ; GPII art. 14 ; règle 54). Cette interdiction ne s'applique pas si ces biens sont utilisés par une partie au conflit pour la subsistance exclusive des membres de ses forces armées ou en cas de nécessités militaires impérieuses. Si ces biens sont utilisés comme appui direct à une action militaire, ils pourront faire l'objet d'attaques mais pas au point d'entraîner la famine parmi la population et de la forcer à se déplacer (GPI art. 54.3 et 54.5, GPII art. 14). Ces biens ne peuvent pas être l'objet de représailles (GPI art. 54.4 ; règle 54).

▶ **Secours ▷ Alimentation ▷ Assistance.**

◆ **• L'approvisionnement et les secours ne peuvent pas être refusés à la population civile quand elle souffre de pénurie dans ce domaine du fait du conflit en général (GPI art. 70 ; GPII art. 18), de l'occupation du territoire (GIV art. 59), ou qu'elle se trouve dans une zone assiégée (GIV art. 17 et 23). Les parties au conflit ont l'obligation de protéger les envois de secours et de faciliter leur distribution rapide. Elles n'auront que le droit de fixer des conditions techniques ou de demander des garanties sur le contrôle de la distribution des secours à la population civile (GPI art. 70.3). Le libre passage des biens indispensables à la survie de la population civile est donc garanti par le droit international humanitaire (GIV art. 17, 23, 59 ; GPI art. 70 ; GPII art. 18 ; règle 55).**
• La liste des approvisionnements essentiels à la survie concerne les vivres et médicaments mais aussi les besoins en vêtements, matériel de couchage, logement d'urgence, les objets indispensables au culte et tout autre approvisionnement essentiel à la survie de la population (GPI art. 69).

Le droit humanitaire prévoit que, quand la population souffre de privations excessives par manque des approvisionnements essentiels à sa survie, tels que vivres et ravitaillements sanitaires, des actions de secours seront entreprises (GPII art. 18). Il est interdit de priver la population de ces biens, d'interdire ou d'empêcher les actions de secours. De tels actes constituent des crimes de guerre en période de conflit armé international. Cette liste est élargie dans les conflits armés internationaux (GPI art. 69) pour les situations d'occupation militaire.

La puissance détentrice ou occupante reste responsable d'assurer elle-même l'approvisionnement des personnes qui se trouvent en son pouvoir du fait de la détention, de l'internement (GIV art. 81) ou de l'occupation (GIV art. 55 et 60). En outre, ces personnes bénéficient toujours du droit de recevoir des secours individuels ou collectifs, qu'elles se trouvent sur un territoire occupé (GIV art. 62 et 63) ou qu'elles soient internées (GIV art. 108 à 111).

▶ **Alimentation ▷ Assistance ▷ Recours.**

V. Environnement naturel

L'environnement naturel fait également l'objet d'une protection particulière en droit humanitaire. Les méthodes et moyens de combat ne doivent pas porter atteinte à l'environnement naturel (GPI art. 35.3 et 55). Le droit humanitaire interdit les pratiques susceptibles de causer à l'environnement naturel des dommages étendus, graves et durables tels qu'ils compromettent la santé ou la survie de la population (GPI art. 55.1). Il s'agit d'un principe découlant du fait que les hostilités ne peuvent pas détruire les biens indispensables à la survie de la population (GPII art. 14).

La Convention sur l'interdiction d'utiliser des techniques de modification de l'environnement à des fins militaires ou toutes autres fins hostiles, adoptée par les Nations unies le 10 décembre 1976 et ratifiée par 76 États en avril 2013, spécifie également les mesures à prendre en situations de conflit armé afin de protéger l'environnement. L'article 1 de cette convention se lit comme suit : « Chaque État partie à la présente convention s'engage à ne pas utiliser à des fins militaires ou toutes autres fins hostiles des techniques de modification de l'environnement ayant des effets étendus, durables ou graves, en tant que moyens de causer des destructions, des dommages ou des préjudices à tout autre État partie », sachant que les « techniques de modification de l'environnement » désignent « toute technique ayant pour objet de modifier [...] la dynamique, la composition ou la structure de la Terre ». Cette convention a été adoptée peu après la guerre du Viêt-nam, durant laquelle l'utilisation massive du napalm par l'armée américaine avait entraîné la destruction d'une grande partie de l'environnement naturel vietnamien.

La protection de l'environnement en situation de conflit est également codifiée dans le droit international humanitaire coutumier.

La règle 43 de l'étude du CICR pose les principes généraux relatifs à la conduite des hostilités s'appliquant à l'environnement naturel : a) aucune partie de l'environnement naturel ne peut être l'objet d'attaques, sauf si elle constitue un objectif militaire ; b) la destruction de toute partie de l'environnement naturel est interdite, sauf en cas de nécessité militaire impérieuse ; c) il est interdit de lancer contre un objectif militaire une attaque dont on peut attendre qu'elle cause incidemment des dommages à l'environnement qui seraient excessifs par rapport à l'avantage militaire concret et direct attendu. Cette règle, qui relève du principe de proportionnalité et de limitation, s'applique aux conflits armés tant internationaux que non internationaux.

La règle 44 impose que « les méthodes et moyens de guerre doivent être employés en tenant dûment compte de la protection et de la préservation de l'environnement naturel. Dans la conduite des opérations militaires, toutes les précautions pratiquement possibles doivent être prises en vue d'éviter et, en tout cas, de réduire au minimum les dommages qui pourraient être causés incidemment à l'environnement. L'absence de certitude scientifique quant aux effets sur l'environnement de certaines opérations militaires n'exonère pas une partie au conflit de son devoir de prendre de telles précautions ». Quant à la règle 45, elle affirme que « l'utilisation de méthodes ou de moyens de guerre conçus pour causer, ou dont on peut attendre qu'ils causeront des dommages étendus, durables et graves à l'environnement naturel est interdite. La destruction de l'environnement naturel ne peut pas être employée comme une arme ». Les deux dernières règles s'appliquent aux conflits armés internationaux. Leur caractère coutumier n'est pas entièrement établi dans les conflits armés non internationaux.

La protection de l'environnement est intimement liée à la protection de l'eau, des ressources en eau et des installations hydriques. En effet, l'eau est souvent utilisée dans les conflits armés pour déplacer ou affamer la population civile. La distribution d'eau potable et la réparation des systèmes d'adduction d'eau sont d'ailleurs une des premières tâches effectuées par les organisations humanitaires, notamment dans les camps de réfugiés et de déplacés internes. Concernant la protection de l'eau dans les conflits armés, le droit humanitaire ne prévoit pas un régime spécifique de protection. Néanmoins, l'eau fait partie intégrante de l'environnement naturel et est un bien indispensable à la survie des populations civiles, ce statut lui confère donc une protection au regard du droit humanitaire en tant que « bien civil protégé ». Ainsi, les attaques contre les ressources en eau et les installations hydriques sont interdites.

VI. Ouvrages et installations contenant des forces dangereuses

Les ouvrages ou installations contenant des forces dangereuses, à savoir les barrages, les digues et les centrales nucléaires de production d'énergie électrique, comme les objectifs militaires situés dans les environs de ces ouvrages, ne seront pas l'objet d'attaques. Cette règle s'applique même s'ils constituent des objectifs militaires, lorsque de telles attaques peuvent provoquer la libération de ces forces et causer en conséquence des pertes sévères dans la population civile (GPI art. 56 ; GPII art. 15). Des limites strictes sont fixées aux éventuelles dérogations à ces règles (GPI art. 56.2). La protection spéciale contre les attaques ne peut cesser :

a) pour les barrages ou les digues, que s'ils sont utilisés à des fins autres que leur fonction normale et pour l'appui régulier, important et direct d'opérations militaires, et si de telles attaques sont le seul moyen pratique de faire cesser cet appui ;

b) pour les centrales nucléaires de production d'énergie électrique, que si elles fournissent du courant électrique pour l'appui régulier, important et direct d'opé-

rations militaires, et si de telles attaques sont le seul moyen pratique de faire cesser cet appui ;
c) pour les autres objectifs militaires situés sur ces ouvrages ou installations ou à proximité, que s'ils sont utilisés comme appui régulier, important et direct d'opérations militaires, et si de telles attaques sont le seul moyen pratique de faire cesser cet appui.
En outre, ces installations devront faire l'objet d'une signalisation appropriée à l'aide du signe protecteur spécifique de trois cercles orange vif disposés en ligne (GPI art. 56.7 ; GPI annexe I, art. 16).
La règle 42 de l'étude du CICR prévoit que « des précautions particulières doivent être prises en cas d'attaque contre des ouvrages et installations contenant des forces dangereuses, à savoir les barrages, les digues et les centrales nucléaires de production d'énergie électrique, ainsi que les autres installations situées sur eux ou à proximité, afin d'éviter la libération de forces dangereuses et, en conséquence, de causer des pertes sévères dans la population civile ». Cette règle s'applique aux conflits armés tant internationaux que non internationaux.

◆ **• L'article 8 du statut de la Cour pénale internationale adopté à Rome le 17 juillet 1998 et entré en vigueur le 1er juillet 2002, précise les crimes de guerre que la Cour est, sous certaines conditions, compétente pour juger. Sa définition des crimes de guerre intervenant à l'occasion d'un conflit armé, international ou interne, reprend les éléments suivants.**
• Le fait de lancer des attaques délibérées :
– contre les biens de caractère civil ;
– contre les biens employés dans le cadre d'une mission humanitaire ou de maintien de la paix (pour autant que ces biens soient de caractère civil conformément aux garanties du droit des conflits armés) ;
– contre les installations et le matériel sanitaires ;
– en sachant qu'elles causeront des dommages étendus, durables et graves à l'environnement naturel qui seraient manifestement excessifs par rapport à l'ensemble de l'avantage militaire concret et direct attendu ;
– contre les villes, villages, habitations, bâtiments qui ne sont pas défendus et qui ne sont pas des objectifs militaires ;
– contre des bâtiments consacrés à la religion, à l'enseignement, à l'art, à la science ou à l'action caritative, des monuments historiques, des hôpitaux et des lieux où des malades ou des blessés sont rassemblés, à condition que ces bâtiments ne soient pas alors utilisés à des fins militaires.

Consulter aussi

▶ **Secours ▷ Attaque ▷ Alimentation ▷ Famine ▷ Population civile ▷ Représailles ▷ Déplacement de population ▷ Objectif militaire ▷ Méthodes de guerre ▷ Cour pénale internationale ▷ Signes distinctifs-Signes protecteurs ▷ Services sanitaires ▷ Personnes protégées ▷ Proportionnalité.**

Pour en savoir plus

ANTOINE P., « Droit international humanitaire et protection de l'environnement en cas de conflit armé », *Revue internationale de la Croix-Rouge*, n° 798, novembre-décembre, 1992, p. 537-558.

BUGNION F., « La genèse de la protection juridique des biens culturels en cas de conflits armés », *Revue internationale de la Croix-Rouge*, n° 854, juin 2005, p. 313-324.

CARDUCCI G., « L'obligation de restitution des biens culturels et des objets d'art en cas de conflit armé : droit coutumier et droit conventionnel avant et après la convention de La Haye de 1954 », *R.G.D.I.P.*, tome 104, février 2002, 71 p.

COULÉE F., « Quelques remarques sur la restitution inter étatique des biens culturels sous l'angle du droit international public », *R.G.D.I.P.*, tome 104, 2000, 35 p.

DAVID E., *Principes de droit des conflits armés,* Université libre de Bruxelles, Bruxelles, 2002, p. 266-268, p. 679-687.

DUTLI M. T., BOURKE J., GAUDREAU J., *Protection des biens culturels en cas de conflit armé,* Genève, CICR, 2001.

Revue internationale de la Croix-Rouge, numéro spécial : « Protection des biens culturels en cas de conflits armés », n° 854, juin 2004.

« Environnement », *Revue internationale de la Croix-Rouge,* vol. 92, n° 879, septembre 2010, p. 541-835.

TIGNINO M., « L'eau et son rôle dans la paix et dans la sécurité internationales », *Revue internationale de la Croix-Rouge,* vol. 92, n° 879, septembre 2010. Disponible en ligne sur http://www.icrc.org/fre/assets/files/other/irrc-879-tignino-fre.pdf

TOMAN J., *La Protection des biens culturels en cas de conflit armé,* Unesco, Paris, 1994.

WYATT J., « Le développement du droit au carrefour du droit de l'environnement, du droit humanitaire et du droit pénal : les dommages causés à l'environnement en situation de conflit armé international », *Revue internationale de la Croix-Rouge,* vol. 92, n° 879, septembre 2010. Disponible en ligne sur http://www.icrc.org/fre/assets/files/review/2010/irrc-879-waytt-fre.pdf

Blessés et malades

Il s'agit de personnes, militaires ou civiles, qui, en raison d'un traumatisme, d'une maladie ou d'autres incapacités ou troubles physiques ou mentaux, ont besoin de soins médicaux et qui s'abstiennent de tout acte d'hostilité (GPI art. 8). Le droit humanitaire n'autorise aucune discrimination entre elles, autre que celle fondée sur les besoins médicaux. Dans l'hypothèse d'un combattant blessé ou malade, sa qualité de malade prime sur celle de combattant, aussi longtemps que la blessure ou la maladie le met hors d'état de combattre. Il peut ensuite devenir prisonnier de guerre.

◆ **Le principe général du droit humanitaire veut que les malades et blessés soient traités en toute circonstance avec humanité et qu'ils reçoivent, dans toute la mesure du possible et dans les délais les plus brefs et sans discrimination, les soins médicaux qu'exige leur état. Aucune distinction fondée sur des critères autres que médicaux ne sera faite entre eux (GI, GII, GIII, GIV art. 3 commun ; GPI art. 8, 10 ; GPII art. 7 et 8).**
Il s'agit du plus ancien principe de droit humanitaire inscrit dans la première Convention de Genève de 1864.

1. Le droit humanitaire protège l'autonomie du médecin en affirmant les règles de déontologie médicale. Il détaille les actes médicaux autorisés et ceux qui sont interdits, notamment quand des blessés et malades se trouvent à la merci d'une partie au conflit dont ils ne sont pas ressortissants, du fait de l'occupation d'un territoire ou du fait de la détention. (GI-GIV art. 3 commun ; GPI art. 10, 11, 16 ; GPII art. 9 et 10)

▶ **Déontologie médicale.**

2. Le droit humanitaire protège également les installations sanitaires contre les attaques (GIV art. 18 ; GPII art. 11 ; GPI art. 12) et les réquisitions (GPI art. 14 ; GIV art. 57) et leur permet d'arborer le signe distinctif de la Croix-Rouge (GI art. 38 à 44 ; GIV art. 18 ; GPII art. 12 ; GPI art. 18). Il autorise également l'approvisionnement en médicaments, même dans les zones assiégées (GIV art. 23).

▶ **Services sanitaires ▷ Réquisition.**

3. Le droit humanitaire impose l'obligation de rechercher et de recueillir les blessés et les malades (GIV art. 16 ; GPII art. 8). Le personnel sanitaire dispose à cet effet d'une protection particulière pour faciliter ses déplacements et l'accès où ses services sont nécessaires (GI art. 15 ; GPI art. 15 et 23).

◆ **Dans un souci de protection, les femmes enceintes ou en couches, les nouveau-nés et les invalides sont assimilés aux blessés et malades par le droit humanitaire (GPI art. 8). Cette disposition renforce la responsabilité des organisations humanitaires et médicales à l'égard de cette partie de la population civile.**

▶ **Personnel sanitaire ▷ Droit d'accès.**

4. Concernant les blessés et malades qui sont en même temps prisonniers de guerre et qui sont affectés par certaines maladies ou blessures graves, le droit humanitaire prévoit des mesures spéciales de protection. Celles-ci tiennent compte de la vulnérabilité des personnes atteintes de blessures et maladie graves et de l'avantage qu'il y a à les soigner dans un contexte paisible et sûr (GIII art. 109 à 117). Il dresse la liste de ces maladies ou blessures graves et prévoit qu'il sera possible d'évacuer et de faire hospitaliser dans un pays neutre les prisonniers de guerre qui en sont affectés, plutôt que de les faire soigner dans les hôpitaux de la puissance détentrice et de continuer à les considérer comme prisonniers de guerre. Cette mesure est également possible pour les internés civils atteints de maladies ou de blessures graves (GIV art. 132). Le détail de ces dispositions figure à ▷ **Prisonnier de guerre**.

– Les autorités sont responsables de la santé et de l'intégrité physique des personnes qui sont en leur pouvoir. Elles ne peuvent pas refuser que les soins nécessaires leur soient prodigués, ou mettre délibérément la santé des individus en danger. En effet, le Protocole additionnel I aux Conventions de Genève de 1977 a renforcé la protection due aux victimes des conflits en général, et aux malades et blessés en particulier. Il affirme que « la santé et l'intégrité physique ou mentale des personnes au pouvoir de la partie adverse ou internées, détenues ou d'une autre manière privées de liberté en raison du conflit, ne doivent être compromises par aucun acte, ni par aucune omission injustifiés ». De tels actes ou omissions constituent des infractions graves et des crimes (GPI art. 11).

– Cette disposition renforce la responsabilité des organisations humanitaires médicales à l'égard de la surveillance de l'état de santé de ces populations.

5. Garanties prévues par le droit international humanitaire coutumier :

L'étude sur les règles du droit international humanitaire coutumier publiée par le CICR en 2005 met en évidence des dispositions spécifiques pour les blessés, les

malades et les naufragés. Les règles suivantes s'appliquent en situation de conflit armé tant international que non international et s'imposent à toutes les parties au conflit y compris les groupes armés non étatiques :
Règle 109. Chaque fois que les circonstances le permettent, et notamment après un engagement, chaque partie au conflit doit prendre sans tarder toutes les mesures possibles pour rechercher, recueillir, évacuer les blessés, les malades et les naufragés, sans distinction de caractère défavorable.
Règle 110. Les blessés, malades et naufragés doivent recevoir, dans toute la mesure possible et dans les délais les plus brefs, les soins médicaux qu'exige leur état. Aucune distinction sur des critères autres que médicaux ne doit être faite entre eux.
Règle 111. Chaque partie au conflit doit prendre toutes les mesures possibles pour protéger les blessés, malades et naufragés contre les mauvais traitements et le pillage de leurs biens personnels.

Consulter aussi

▶ **Mission médicale ▷ Personnel sanitaire ▷ Services sanitaires ▷ Déontologie médicale ▷ Secours ▷ Détention ▷ Prisonnier de guerre.**

Pour en savoir plus

DAVID E., *Principes de droit des conflits armés*, Université libre de Bruxelles, Bruylant, Bruxelles, novembre 2012 (5e ed), 1052p.

HENCKAERTS J. M. et DOSWALD BECK L., *Droit international humanitaire coutumier*, CICR, 2005, vol 1 : *Règles*, p. 396-405.

REZEK J.-F., « Blessés, malades et naufragés », *in Les Dimensions internationales du droit humanitaire*, Pedone-Institut Henri Dunant-Unesco, Paris-Genève, 1986, p. 183-199.

Blocus

Opération militaire bloquant totalement le mouvement maritime en provenance ou à destination d'un port ou d'une côte. Le blocus peut également être aérien. On utilise le terme de « siège » pour les opérations militaires terrestres d'encerclement ou d'isolement. Le blocus est un acte de guerre réglementé par le droit international (déclaration de Paris de 1856 arrêtant certaines règles de droit maritime en temps de guerre ; art. 1 à 22 de la déclaration de Londres de 1909 relative au droit de la guerre maritime). Il ne faut pas confondre blocus et embargo. L'embargo fait partie des sanctions économiques qui peuvent être adoptées dans le cadre de l'ONU ou d'une autre organisation internationale pour imposer une décision à un État. Qu'il y ait blocus ou embargo, le droit humanitaire oblige les États à accorder malgré tout le libre passage des secours de caractère humanitaire et impartial, et indispensables à la survie de la population civile (GIV art. 23 ; GPI art. 70 ; GPII art. 18.2).

▶ **Droit d'initiative humanitaire ▷ Guerre ▷ Méthodes de guerre ▷ Biens protégés ▷ Secours ▷ Embargo ▷ Siège ▷ Sanctions ▷ Comités des sanctions.**

Pour en savoir plus

BUGNION F., *Le Comité international de la Croix-Rouge et la protection des victimes de la guerre*, CICR, Genève, 1994, p. 952-971.

Bombardement

Le bombardement est une méthode de guerre acceptée. Cependant des règles existent pour en limiter l'usage. Ces règles sont expressément énumérées dans le Protocole additionnel I de 1977 et ont été élaborées à partir des dispositions des Conventions de Genève déclarant que « la destruction [...] non justifiée par des nécessités militaires et exécutée sur une grande échelle de façon illicite et arbitraire » (GI art. 50 ; GII art. 51 ; GIII art. 130 ; GIV art. 147) constitue une infraction grave aux Conventions. Le Protocole additionnel I interdit expressément les bombardements et attaques de certaines cibles précises.
Les bombardements indiscriminés et ceux dont le but principal est de répandre la terreur sont également interdits (GPI art. 51.5a et 51.2).
Le droit international considère qu'un bombardement est indiscriminé s'il traite comme un objectif militaire unique un certain nombre d'objectifs militaires nettement espacés et distincts, situés dans une ville ou un village ou toute autre zone contenant une concentration analogue de personnes civiles ou de biens de caractère civil (GPI art. 51.5a).
Il existe, en matière de bombardement, des règles qui interdisent l'attaque :
– des unités sanitaires (GI art. 19 ; GII art. 23 ; GIV art. 18 ; GPI art. 12 ; GPII art. 11) ;
– des biens culturels (GPI art. 53) ;
– des biens essentiels à la survie de la population (GPI art. 54) ;
– des ouvrages et installations contenant des forces dangereuses (GPI art. 56) ;
– des localités non défendues et des zones démilitarisées (GIV art. 15 ; GPI art. 59 et 60) ;
– de la population civile en tant que telle (GPI art. 51 ; GPII art. 13).
En outre, les camps de prisonniers de guerre et les lieux d'internement doivent être protégés contre les bombardements et autres risques liés à la guerre (GIII art. 23 ; GIV art. 88).
Le statut de la Cour pénale internationale, adopté le 17 juillet 1998, et entré en vigueur le 1er juillet 2002 affirme que de telles attaques constituent des crimes de guerre si elles sont commises dans le cadre d'un conflit armé international ou dans le cadre d'un conflit armé non international. Toutefois le statut de la Cour utilise seulement et spécifiquement le mot « bombardement » dans le cadre d'un conflit international (art. 8.2.b du statut de la CPI).

▶ **Attaque ▷ Guerre ▷ Méthodes de guerre ▷ Personnes protégées ▷ Biens protégés.**

Pour en savoir plus

DAVID E., *Principes de droit des conflits armées*, Université libre de Bruxelles, Bruylant, 2002, 994 p., p. 242-306, p. 395-396, p. 402-411.

MULINEN DE F., « Conduite de l'attaque », *in Manuel sur le droit de la guerre pour les forces armées*, CICR, Genève, 1989, p. 106-108.

Bouclier humain

Il est interdit de prendre ou d'utiliser la présence de personnes protégées par les Conventions de Genève comme boucliers humains pour mettre certains sites militaires à l'abri d'une attaque ennemie ou pour empêcher la riposte lors d'une action offensive (GIV art. 28 et 49 ; GPI art. 51.7 ; GPII art. 5.2 c). Il en découle aussi l'interdiction de diriger les mouvements de personnes protégées dans le but d'essayer de protéger des objectifs ou des opérations militaires. Il existe diverses catégories de personnes protégées par les Conventions de Genève. On peut mentionner les personnes civiles, les malades et les blessés, les prisonniers de guerre, le personnel sanitaire, etc. Un tel acte, commis dans un conflit armé international, constitue un crime de guerre relevant du statut de la Cour pénale internationale (art. 8.2.b. xxiii du statut de la CPI).

Le droit international humanitaire coutumier interdit également l'utilisation de boucliers humains, tant dans les conflits armés internationaux que non internationaux (règle 97 de l'étude publiée en 2005 par le CICR).

Jurisprudence

La Cour suprême d'Israël a introduit une notion de « volontariat » dans le concept de bouclier humain qui affaiblit gravement la protection immédiate des civils vis-à-vis de ce type de pratique sur les théâtres d'opérations militaires (The Supreme Court Sitting as the High Court of Justice, Public Committee against Torture in Israel, jugement, 11 décembre 2005). Dans cette affaire, La Cour s'interroge sur le droit applicable aux civils qui servent de « bouclier humain » protégeant des terroristes qui participent aux hostilités. La Cour estime que « if they are doing so because they were forced to do so by terrorists, those innocent civilians are not to be seen as taking direct part in the hostilities. They themselves are victims of terrorism. However, if they do so of their own free will, out of support for the terrorist organisation, they should be seen as persons taking a direct part in the hostilities » (§ 3.6 – arrêt disponible uniquement en anglais, *NdlR*). Cette nuance ne peut être évaluée que par une analyse *a posteriori* et au cas par cas de la situation. Cela relève normalement du pouvoir judiciaire, décidant au cas par cas si le recours au bouclier humain a constitué ou non un crime, l'éventuel consentement du bouclier humain permettant de contester celui-ci. Cependant, l'évaluation de l'éventuel « libre consentement » d'un civil dans des situations de violence armée et/ou terroriste relève d'une science délicate. Elle ne peut pas être laissée à la libre appréciation des commandants ni servir *a priori* de justification à une attaque armée sur un civil qui n'aurait pas manifesté suffisamment de résistance ou d'opposition à son statut de bouclier humain.

Consulter aussi

▶ **Personnes protégées ▷ Méthodes de guerre ▷ Attaque ▷ Otage ▷ Crime de guerre-Crime contre l'humanité ▷ Cour pénale internationale ▷ Déplacement de population.**

Pour en savoir plus

AL-DUAIJ N., « The volunteer human shields in international humanitarian law », *Oregon Review of International Law*, vol. 12, 2010, p. 117-140.

BOUCHIE DE BELLE S., « Chained to cannons or wearing targets on their T-shirts : human shields in international humanitarian law », *Revue internationale de la Croix-Rouge*, vol. 90, n° 872, décembre 2008, p. 883-906.

DAVID E., *Principes de droit des conflits armées*, Université libre de Bruxelles, Bruylant, 2012 (5e éd), 1 052 p.

FISCHER D., « Human shields, homicides and house fires : How a domestic law analogy can guide international law regarding human shields tactics in armed conflict », *American University Law Review*, vol. 57, issue 2, décembre 2007, 45 p.

GROSS E., « Use of civilians as human shields : What legal and moral restrictions pertain to a war waged by a democratic state against terrorism », *Emory International Law Review* 445 (2002).

LYALL R., « Voluntary human shields, direct participation in hostilities and the international humanitarian law obligations of states », *Melbourne Journal of International Law*, vol. 9, 2008, 21 p.

SCHMITT N. M., « Human shields in international humanitarian law », *Israel Yearbook of Human Rights*, vol. 38, 2008, p. 17-59.

Bureau de la coordination des affaires humanitaires (OCHA)

En 1992, l'Assemblée générale des Nations unies a demandé au secrétaire général d'organiser la coordination des agences des Nations unies en matière d'assistance humanitaire. En réponse, le secrétaire général a créé un nouveau département au sein du secrétariat général : le Département des affaires humanitaires (DAH), remplacé en 1998 par le Bureau de la coordination des affaires humanitaires (OCHA, Office for the Coordination of Humanitarian Affairs).

I. Mandat

OCHA a pour base juridique la résolution 46/182 de l'Assemblée générale en date du 14 avril 1992 qui créait le DAH. Son mandat est de mobiliser et de coordonner la réponse de la communauté internationale, et en particulier des agences de l'ONU aux « urgences humanitaires complexes » (les crises politiques et conflits) et aux désastres naturels (tremblements de terre, inondations, cyclones) ou technologiques (Tchernobyl). OCHA étudie aussi les mécanismes possibles de prévention et de préparation aux désastres, notamment pour combler les lacunes existantes dans les mandats de protection et d'assistance des autres agences. OCHA reprend en fait les activités de base du DAH, mais les activités opérationnelles sont redistribuées entre les autres organes et agences spécialisés des Nations unies.
La résolution rappelle que la souveraineté, l'intégrité territoriale et l'unité nationale des États doivent être respectées en accord avec la Charte de l'ONU et que, dans

ce contexte, l'assistance humanitaire devrait être fournie avec le consentement du pays concerné et en principe, comme en pratique, sur la base d'une demande formelle du pays affecté.
OCHA a trois missions principales :
– aider le secrétaire général de l'ONU à faire en sorte que les questions humanitaires soient traitées, notamment celles qui n'entrent pas dans le mandat spécifique des agences de l'ONU comme l'assistance et la protection des personnes déplacées ;
– défendre les questions humanitaires devant les organes politiques, en particulier auprès du Conseil de sécurité ;
– coordonner la réponse humanitaire en s'assurant que les mécanismes appropriés sont créés.
OCHA est aussi responsable :
– du contrôle et de l'alerte rapide sur des crises ayant des conséquences humanitaires ;
– de défendre les principes de droit humanitaire et de droits de l'homme en collaboration avec le haut-commissaire aux droits de l'homme ;
– de centraliser les informations et analyses avec le réseau intégré d'informations régionales (IRIN, Integrated Regional Information Network) et le site Internet relief web (www.reliefweb.int) ;
– de s'assurer des plans d'urgence et de l'évaluation des besoins au travers des missions des agences opérationnelles de terrain ;
– d'organiser des appels de fonds consolidés ;
– de faciliter l'accès des organisations opérationnelles sur les lieux où l'assistance est requise ;
– de gérer le fonds de roulement pour les secours d'urgence ;
– d'assurer, le moment venu, le glissement de l'aide d'urgence vers l'aide à la réhabilitation en renforçant la capacité de consolidation de la paix dans les périodes post-conflits avec le Département des Nations unies pour les affaires politiques.

II. Structure

OCHA n'est pas une institution spécialisée autonome mais un département du secrétariat général de l'ONU. Il est dirigé par le secrétaire général adjoint aux affaires humanitaires des Nations unies (Valérie Amos depuis septembre 2010) qui est aussi coordonnateur de l'aide d'urgence (*Emergency Relief Coordinator*, ERC) pour les Nations unies. Ce dernier est basé à New York, mais OCHA dispose également d'un siège à Genève, de huit bureaux régionaux et maintient une présence dans 30 pays. En 2013, OCHA employait 1 900 personnes à New York, à Genève et sur le terrain et avait proposé un budget de 270 millions de dollars. 95 % de cet argent provient des contributions volontaires des États. Le reste des fonds est principalement alimenté par le budget régulier de l'ONU.
En janvier 2002, une unité pour les déplacés internes a été créée au sein d'OCHA. Elle a été transformée en division inter institutions pour les déplacements internes (Inter-Agency Internal Displacement Division) en juillet 2004. Composée d'une

dizaine de personnes principalement détachées par des organismes des Nations unies, elle est dirigée par un haut fonctionnaire de l'ONU. Cette division est basée à Genève, dans les locaux d'OCHA et dispose également d'une représentation à New York. Elle n'est pas directement opérationnelle. Son rôle consiste à mobiliser les agences des Nations unies afin de répondre aux besoins d'assistance et de protection des déplacés. Elle s'appuie sur le réseau des coordonnateurs résidents et des coordonnateurs pour les questions humanitaires des Nations unies sur le terrain et travaille de façon étroite avec le représentant du secrétaire général de l'ONU pour les déplacés.

Mettant à profit le succès de l'ancienne Division inter-agences sur les déplacements internes, un Service d'appui chargé des déplacements et de la protection (DPSS) a été créé en 2007. Trois priorités ont été identifiées pour le DPSS en 2009 en collaboration avec les bureaux terrain, les équipes pays et les groupes sectoriels mondiaux dans les domaines de la protection, de la coordination et de la gestion des camps, et du redressement rapide. Premièrement, soutenir le groupe sectoriel redressement rapide dans la mise en œuvre de son mandat en matière de suivi et de renforcement de la réponse inter-agences au déplacement interne. Deuxièmement, soutenir la mise en œuvre des instructions d'OCHA en matière de protection au niveau international comme local et renforcer la capacité de l'agence à intégrer la protection à son cœur de métier. Enfin, entretenir et renforcer la capacité inter-agences à répondre aux crises marquées par des enjeux de protection, et ce tout particulièrement en situations de déplacement interne, à travers l'initiative ProCap (*Protection Standby Capacity Project*).

III. Moyens

La coordination est assurée par l'intermédiaire d'un comité permanent interorganisations (Inter-Agency Standing Committee, IASC) qui se réunit une fois par semaine et à tout moment en cas d'urgence. Celui-ci comprend, sous la direction du secrétaire général adjoint/coordonnateur des secours d'urgence, les agences des Nations unies intervenant dans les urgences humanitaires (PNUD, UNICEF, HCR, PAM, FAO, OMS, OMI), le représentant spécial du secrétaire général de l'ONU pour les personnes déplacées, le Haut-Commissariat aux droits de l'homme et la Banque mondiale. Le Comité international de la Croix-Rouge (CICR), la Fédération internationale de la Croix-Rouge et du Croissant-Rouge (FICR) ainsi que plusieurs coalitions d'ONG participent également aux réunions du comité.

Pour coordonner les réponses humanitaires dans un pays donné, OCHA travaille en étroite collaboration avec le coordinateur résident des Nations unies dans ce pays (souvent le représentant résident du PNUD), désigné pour coordonner les autres agences des Nations unies sur le terrain, et avec les coordonnateurs de l'ONU pour les questions humanitaires.

Un système de réponse en cas d'urgence est opérationnel 24 heures sur 24 à Genève, et peut bénéficier du personnel d'autres agences ou organes des Nations unies aussi bien que du personnel militaire ou de la défense civile fourni par différents pays.

– L'équipe des Nations unies d'évaluation et de coordination des désastres, initialement créée pour les désastres naturels, est de plus en plus utilisée pour des urgences dites complexes. Cette équipe est constituée d'experts nationaux de l'urgence.
– Il existe un entrepôt de matériel de secours à Brindisi (Italie).
– D'autres arrangements existent pour la mobilisation de supports informatiques, par exemple dans les transports, les télécommunications et autres infrastructures.
– Le mécanisme d'appel de fonds consolidés est clairement créé dans le but d'établir des priorités pour les organisations humanitaires dans le pays donné. Bien que la plupart des appels soient lancés sur une base annuelle, OCHA fait aussi des appels « flash » pour des urgences précises. Il s'agit d'un système de financement direct permettant une réponse rapide, alimenté par les contributions volontaires des États et remboursé par des appels de fonds.

IV. Relations avec les ONG

Le CICR et la FICR sont membres de plein droit du comité permanent interorganisations (IASC). Les autres ONG sont invitées de façon *ad hoc* selon la nature de chaque opération de secours. Plusieurs coalitions d'ONG, dont Interaction et le Conseil international des agences bénévoles (ICVA), sont membres permanents de l'IASC. Par ailleurs, OCHA demande la collaboration des ONG pour fournir les informations nécessaires à la base de données concernant les besoins et les stocks de matériel humanitaire disponibles.

▶ **FAO ▷ Haut-Commissariat des Nations unies pour les réfugiés ▷ UNICEF ▷ Organisation mondiale de la santé ▷ Programme des Nations unies pour le développement ▷ Haut-Commissariat des Nations unies aux droits de l'homme-Conseil des droits de l'homme ▷ Croix-Rouge, Croissant-Rouge ▷ Secours.**

Contacts

Bureau de la coordination des affaires humanitaires (OCHA)
Nations unies
New York, NY 10017 / USA
Tél. : (01) 212 963 12 34/Fax : (01) 212 963 13 12.

Bureau de la coordination des affaires humanitaires (OCHA)
Palais des Nations, Genève
CH 1211 Genève 10 / Suisse
Tél. : (41) 22 917 12 34/Fax : (41) 22 917 00 23.

ocha.org
www.reliefweb.int

Camp

Il est convenu de parler de camp pour qualifier des lieux de regroupement de personnes. La protection accordée aux personnes à l'intérieur de ces lieux diffère selon les règles de droit international qui leur sont applicables. Il faut distinguer les regroupements spontanés au forcés, dans des camps ouverts ou fermés.

I. Camps de réfugiés

Lors des afflux massifs de personnes en quête d'asile, des camps sont organisés sous la responsabilité du gouvernement du pays d'accueil, en collaboration avec le HCR. Ces camps doivent être situés à une distance raisonnable du lieu de conflit, c'est-à-dire des frontières d'origine (Convention de l'OUA de 1969 sur les réfugiés en Afrique, art. 2.6), et ne pas servir à mener des opérations militaires. C'est dans cette optique que plusieurs rapports du secrétaire général de l'ONU et résolutions du Conseil de sécurité, adoptées dans le cadre de la protection des civils dans les conflits armés (en particulier la résolution 1208 du 19 novembre 1998) mettent l'accent sur le respect du caractère civil et humanitaire des camps de réfugiés.

On parle de réfugiés pour désigner les personnes regroupées dans ces camps. Cependant ces individus n'ont pas un statut individuel de réfugié. En raison du grand nombre de personnes concernées et de l'urgence, le statut de réfugié au sens de la Convention de 1951 est rarement accordé au groupe dans son ensemble. Ils n'ont donc qu'un minimum de droits. Ces réfugiés bénéficient à l'intérieur de ces camps d'une assistance fournie par le pays hôte et la communauté internationale et coordonnée par le HCR. Ils restent placés sous la protection physique des autorités du pays hôte. Parfois, une carte de réfugié individuel est distribuée par le HCR. Dans la plupart des cas, ce document sert de papier d'identité aux réfugiés et ouvre le droit à l'assistance déjà évoquée et à une relative liberté de déplacement.

Le HCR s'assure que les réfugiés ne sont pas refoulés et peuvent avoir accès à titre individuel à une procédure de demande d'asile en cas de rapatriement auquel ils ne souhaitent pas prendre part, ou si le statut de réfugié leur est retiré collectivement dans une opération de rapatriement.

▶ **Réfugiés ▷ HCR.**

II. Camps de personnes déplacées en période de paix

Même en temps de paix, en cas de catastrophes naturelles, par exemple, des individus peuvent être amenés à se déplacer à l'intérieur de leur propre pays. Ils sont parfois regroupés en camp et ils dépendent toujours de l'autorité de leur gouvernement et du droit national de leur pays. Ils peuvent bénéficier d'une assistance de la part de la communauté internationale, mais celle-ci s'exerce dans le cadre institutionnel et normatif national. Aucune agence internationale ne dispose d'un mandat international spécifique de protection des personnes déplacées. Aucune norme internationale ne prévoit de protection spécifique pour les personnes déplacées. Mais les normes internationales relatives aux droits de l'homme peuvent être invoquées dans ce cas.
Les déplacés ne peuvent bénéficier de la protection du HCR que s'il s'agit de rapatriés (*returnees*). Il s'agit de personnes qui s'étaient réfugiées à l'extérieur de leur pays et qui ont ensuite été rapatriées dans leur pays, sans toutefois regagner le lieu exact où elles habitaient. Cette protection dépendra toutefois de l'existence et du contenu d'un accord négocié entre le HCR et le pays d'origine à l'occasion de ce rapatriement.

▶ **Personnes déplacées ▷ Rapatriement ▷ Détention ▷ Bureau de la coordination des affaires humanitaires (OCHA) ▷ HCR.**

III. Camps de personnes déplacées dans les situations de conflit

Les personnes déplacées peuvent bénéficier de la protection du droit international humanitaire si le pays connaît une situation de conflit.
Dans un tel contexte, les regroupements de population peuvent permettre de protéger la population mais ils risquent aussi d'aggraver son exposition aux risques du conflit.

1. *Les camps autorisés par le droit des conflits*

Le droit des conflits armés prévoit de façon limitative le droit de regrouper les populations dans de tels contextes. Deux types de camps sont prévus par le droit humanitaire :
– *Les camps de prisonniers* : les combattants capturés sont des prisonniers de guerre. Ils sont regroupés dans des camps régis par la troisième Convention de Genève.

▶ **Prisonnier de guerre.**

– *Les camps d'internés civils* : dans les conflits armés internationaux, une partie au conflit peut interner des personnes civiles résidant sur son territoire et qui sont ressortissantes de la partie ennemie. Des ressortissants étrangers résidant sur le territoire d'une partie au conflit peuvent également demander un internement volontaire (GIV art. 41, 42, 43,79 à 141).

▶ **Internement.**

Des lieux de rassemblement sont également prévus pour mettre des populations vulnérables à l'abri des combats : localités non défendues, zones et localités sanitaires, zones et localités sanitaires et de sécurité ou zones neutralisées.

▶ **Zones protégées.**

2. *Les divers types de situations*

Divers types de camps et de regroupement ont vu et continuent de voir le jour :
- camps de concentration,
- camps de regroupement, ou d'internement,
- camps de travail et de rééducation,
- camps d'extermination.

Les belligérants justifient souvent la création de ces camps par le souci de libérer le terrain pour des actions militaires plus radicales, mais également pour extraire de la population civile des personnes dont les autorités doutent de la loyauté ou dont ils craignent l'utilisation économique ou militaire par l'adversaire.

De tels regroupements forcés de civils peuvent aussi être organisés afin de supprimer tout support de la société à un mouvement de guérilla. Ces rassemblements forcés sont interdits par le droit international humanitaire.

En pratique, quand de tels camps sont créés, les personnes sont souvent obligées de travailler pour assurer leur propre subsistance mais aussi pour soutenir la présence militaire et les opérations de sécurisation dans et autour des camps.

Le rassemblement de la population dans des camps peut, dans un premier temps, permettre de la protéger plus efficacement contre les effets d'un conflit. Mais il peut également rendre la population beaucoup plus vulnérable en la transformant en cible potentielle pour des activités militaires, ou, de façon passive, en diminuant son autonomie et donc ses capacités de subsistance et de survie.

Privée de toute autonomie et d'un cadre juridique précis, la population ne peut que subir la loi de la violence et de l'arbitraire qui peut toujours transformer un camp de concentration en camp d'extermination.

3. *Les pratiques interdites par le droit des conflits armés*

– Les civils ne peuvent pas être déplacés de force pendant un conflit. Dans les guerres civiles, les déplacements forcés de population sont en principe interdits. Le déplacement de la population civile ne pourra pas être ordonné pour des raisons ayant trait au conflit sauf dans les cas où la sécurité des personnes civiles ou des raisons militaires impératives l'exigent. Le déplacement ne peut qu'être temporaire et strictement limité à la durée de l'opération militaire précise qui a justifié le déplacement. Si un tel déplacement doit être effectué, toutes les mesures possibles seront en outre prises pour que la population civile soit accueillie dans des conditions satisfaisantes de logement, de salubrité, d'hygiène, de sécurité et d'alimentation (GPII art. 17).

– Les moyens de subsistance doivent être assurés par les autorités qui provoquent le rassemblement de population. Dans les cas de conflit, cette obligation d'assurer le bien-être de la population internée ou regroupée incombe à l'autorité militaire. Cette obligation vise à éviter que les forces armées ne tirent un profit économique du regroupement de population. L'aide humanitaire internationale ne doit pas favoriser ces regroupements. Les tribunaux internationaux ont condamné les responsables des camps de détention.

Dans les autres situations, notamment les situations de réfugiés ou de catastrophes naturelles, un gouvernement peut toujours faire appel à l'assistance internationale pour l'aider à subvenir aux besoins des populations en détresse.
Cette assistance est en général fournie par les différentes organisations humanitaires compétentes sous la coordination d'une organisation internationale habilitée à négocier les conditions de cette assistance avec le gouvernement. Il peut s'agir du HCR, du PNUD, d'OCHA, etc.

Consulter aussi

▶ **Détention** ▷ **Déplacement de population** ▷ **Internement** ▷ **Prisonnier de guerre** ▷ **Réfugié** ▷ **Rapatriement** ▷ **Personnes déplacées.**

Pour en savoir plus

BRAUMAN R., « Les dilemmes de l'action humanitaire dans les camps de réfugié et les transferts de population », *in* MOORE J. éd., *Des choix difficiles : les dilemmes moraux de l'action humanitaire* Gallimard, Paris, 1998, p. 233-256.

FAVEZ J. C., *Une mission impossible ? Le CICR, les déportations et les camps de concentration nazis*, Payot, Lausanne, 1988, 422 p.

LÉVI P., *Les Naufragés et les Rescapés. Quarante ans après Auschwitz*, Gallimard, Paris, 1989.

TERRY F., *Condemn to Repeat ? The Paradox of Humanitarian Action*, Cornell University Press, Londres, 2002, 261 p.

TODOROV T., *Face à l'extrême*, Seuil, Paris, 1994.

Catastrophe

I. Définition et droit applicable

La catastrophe est un événement inattendu auquel on ne peut faire face que par des mesures de caractère exceptionnel et qui peut avoir une origine naturelle (climatique, sismique ou d'autres causes physiques) ou humaine (accidentelle, volontaire). Le droit international ne prévoit aucune protection juridique spécifique des individus dans ces situations-là. Au contraire, des pouvoirs étendus sont donnés aux autorités nationales pour faire face à la situation de catastrophe et un certain nombre de droits individuels peuvent même être momentanément suspendus. Ce sont les services nationaux de protection civile qui sont en charge des secours et de l'ordre dans de telles situations. La coopération entre les États est également fréquente.
Pour que le droit humanitaire puisse s'appliquer, il faut que la catastrophe soit liée à une situation de conflit. Il est donc essentiel de faire la différence entre les catastrophes naturelles et celles créées par l'homme. Même si les conséquences en termes de besoins se ressemblent, les méthodes d'action et les droits d'intervention sont très différents. Pour permettre l'application du droit humanitaire, il faut également éviter l'utilisation des termes tels que « crise » ou « catastrophe humanitaire » quand un terme plus précis peut être utilisé, car ces termes décrivent une situation sans créer de droit au profit des victimes ni des organisations de secours.

Le droit humanitaire cherche à éviter que la guerre ne provoque des catastrophes naturelles. Il interdit les attaques sur l'environnement naturel, sur les biens essentiels à la survie de la population, ainsi que sur les installations et les ouvrages contenant des forces dangereuses, tels que les barrages, les installations nucléaires, chimiques (ce qui peut causer des dommages à l'environnement naturel et donc être préjudiciable à la santé ou à la survie des populations). Ces attaques, de nature à provoquer des catastrophes de grande ampleur et des déplacements de population, constituent des crimes de guerre.

▶ **Biens protégés.**

Le droit humanitaire applicable aux situations de conflit prévoit également le rôle des organisations gouvernementales de protection civile à côté de celui des organisations de secours pour aider la population à surmonter les effets immédiats des catastrophes, et assurer les conditions nécessaires à la survie de la population civile (GPI art. 61).

■ **Crise et catastrophe humanitaires**

• Le droit international applicable ne dépend pas de l'ampleur des besoins mais du contexte et des causes naturelles ou conflictuelles de la catastrophe. La qualification des situations est donc essentielle en droit humanitaire. Elle détermine les droits et obligations des différents acteurs. Le droit humanitaire ne s'applique qu'en cas de conflit.
• Les mots de « crise » ou « catastrophe humanitaire » sont des termes non juridiques utilisés de bonne ou de mauvaise foi pour décrire une situation de souffrance sans se prononcer sur ses causes. Ils permettent de limiter la réponse à l'envoi de secours matériel, et d'éviter toutes les obligations précises qui découlent de la qualification d'une situation. Par exemple, le génocide au Rwanda en 1994 a été qualifié pendant plusieurs mois de « crise humanitaire ». La reconnaissance du génocide aurait en effet obligé les États à agir pour faire cesser ces actes, conformément à la convention de 1948 « sur la prévention et la répression du crime de génocide ». Ainsi, la résolution 929 du Conseil de sécurité adoptée en juin 1994, en plein génocide, et malgré ses propres références dans des textes antérieurs (S/RES/925 du 8 juin 1994), souligne que « la crise humanitaire au Rwanda constitue une menace à la paix et à la sécurité dans la région » (S/RES/929 du 22 juin 1994). ■

II. Améliorer la préparation aux catastrophes naturelles

Ces dernières années ont été marquées par une augmentation des catastrophes naturelles en termes d'échelle comme de dégâts humains. L'augmentation constante de la population urbaine au cours du demi-siècle dernier, tout particulièrement dans les pays en développement où l'explosion démographique s'est traduite par des conditions de vie de plus en plus précaires, n'a fait qu'aggraver l'impact de ces catastrophes. Pour améliorer la capacité des États à s'y préparer et à y répondre, les Nations unies et la Fédération internationale de la Croix-Rouge ont récemment mis à jour leurs stratégies, leurs directives comme leurs instruments.

1. *Le rôle des Nations unies*

a. *Le secrétaire général adjoint aux affaires humanitaires et coordonateur des secours d'urgence*

Le secrétaire général adjoint aux affaires humanitaires et coordonateur des secours d'urgence est un poste de haut niveau au sein du Bureau de la coordination des affaires humanitaires (OCHA). Ce poste est actuellement occupé par Valérie Amos, entrée en fonction le 1er septembre 2010 suite à sa nomination par le secrétaire général des Nations unies. Elle est responsable de la supervision de toutes les urgences exigeant l'assistance humanitaire des Nations unies, ce qui inclut les catastrophes naturelles comme les crises humanitaires imputables à l'homme. En tant que secrétaire général adjoint aux affaires humanitaires et coordonateur des secours d'urgence, elle est le point focal pour les activités de secours gouvernementales, intergouvernementales et non-gouvernementales.

▶ **Bureau de la coordination des affaires humanitaires.**

b. *Le Groupe consultatif international de recherche et de sauvetage (INSARAG)*

Le Groupe consultatif international de recherche et de sauvetage (INSARAG) est un réseau intergouvernemental se préoccupant des questions relatives à la recherche et au sauvetage en zones urbaines (USAR) et aux réactions aux désastres s'y rapportant. L'INSARAG a été créé en 1991 à la suite d'initiatives de la part des équipes de recherche et de sauvetage internationales ayant répondu au tremblement de terre de 1988 en Arménie. Les Nations unies ont fait office de secrétariat de l'INSARAG pour faciliter la participation et la coordination internationales. Depuis lors, l'INSARAG a été impliqué dans des activités de secours lors de tremblements de terre (Indonésie en 2004, Haïti en 2010), et est également intervenu dans les cas de structures effondrées (Iran en 2003, Indonésie en 2009).

Le mandat de l'INSARAG est contenu dans la résolution 57/150 de l'Assemblée générale des Nations unies du 27 février 2003 portant sur la « Consolidation de l'efficacité et de la coordination de l'assistance internationale en matière de recherche et de sauvetage en zones urbaines ». Il consiste à : améliorer l'efficacité des préparatifs et des interventions et de la coopération internationale entre les équipes de recherche et de sauvetage (SAR) sur les lieux de la catastrophe ; promouvoir des activités destinées à obtenir une meilleure préparation à la recherche et au sauvetage dans les pays les plus exposés aux catastrophes ; développer des procédures et des systèmes à usage international destinés à une coopération durable entre équipes SAR nationales en action sur la scène internationale.

Le groupe se compose de trois groupes régionaux (Afrique/Europe/Moyen-Orient, Amériques et Asie/Pacifique) et de la Section de soutien à la coordination sur le terrain (FCSS), partie de la branche Services d'urgence au sein du Bureau des Nations unies pour la coordination des affaires humanitaires à Genève, qui fait fonction de secrétariat de l'INSARAG. Chacun conduit des évaluations des dégâts et des besoins, spécifie et établit les priorités s'agissant de la nature de l'assistance exigée dans la demande d'assistance internationale, facilite les procédures d'immigration pour le personnel de secours international et désigne une entité gouvernementale responsable de coordonner les activités de secours internationales.

c. *La stratégie internationale de prévention des catastrophes (ISDR)*

En décembre 1999, les Nations unies ont lancé la Stratégie internationale de prévention des catastrophes visant à améliorer la préparation aux catastrophes naturelles et réduire les dommages causés par les aléas naturels tels que tremblements de terre, inondations, sécheresse et cyclones par le biais d'une éthique de la prévention. Le mandat de l'UNIDSR a été étendu en 2001 pour en faire le point focal du système des Nations unies pour la coordination de la réduction des catastrophes. L'ISDR coordonne les efforts internationaux de réduction des risques de catastrophes (RRC), fait campagne pour créer une prise de conscience globale des bénéfices de la réduction de tels risques, plaide pour davantage d'investissements en faveur d'actions de réduction des risques, et informe les populations en fournissant des services et instruments pratiques tels que le site web « Preventionweb » consacré à la réduction des risques, des publications sur les bonne pratiques, des profils pays et le « Rapport d'évaluation mondiale sur la réduction des risques de catastrophes » qui constitue une analyse des risques et tendances mondiales en matière de catastrophe.

2. *Le rôle des organisations humanitaires internationales*

a. *Lignes directrices pour la facilitation et la réglementation nationales des opérations internationales de secours en cas de catastrophe et de d'assistance au relèvement international – Lignes directrices IDRL*

En cas de catastrophe naturelle, les organisations humanitaires ont besoin du consentement de l'État concerné pour intervenir. Il arrive que les acteurs humanitaires soient confrontés au refus des autorités nationales. En dehors de cette situation extrême, l'assistance internationale en situation de catastrophe naturelle se heurte souvent aux obstacles bureaucratiques dus aux perturbations des capacités administratives locales.

Afin de faciliter les opérations et clarifier les rôles des États effectivement touchés et des acteurs humanitaires internationaux, la Fédération internationale de la Croix-Rouge a rédigé un ensemble de recommandations qui contribuent à la préparation juridique des États en matière de catastrophe naturelle. En 2007, après six ans de recherche et dix-huit mois de consultations formelles avec les États et les sociétés nationales, les Lignes directrices pour la facilitation et la réglementation nationales des opérations internationales de secours en cas de catastrophe et de d'assistance au relèvement international (Lignes directrices IDRL) ont été adoptées lors de la XXXe conférence internationale de la Croix-Rouge et du Croissant-Rouge.

Ces lignes directrices ne sont pas contraignantes. Elles s'inspirent des instruments internationaux existants, parmi lesquels les résolutions de l'Assemblée générale des Nations unies 46/182 (1992) et 57/150 (2003), les mesures propres à accélérer les secours internationaux de 1977 et le cadre d'action Hyogo de 2005. Le but des lignes directrices est d'aider les États à adapter leurs cadres réglementaires nationaux pour faciliter les efforts de secours internationaux avant qu'une catastrophe naturelle ne frappe leur territoire.

Pour le besoin de ces lignes directrices, la Fédération internationale de la Croix-Rouge entend par catastrophe « une perturbation grave du fonctionnement de la société, constituant une menace réelle et généralisée à la vie, à la santé, aux biens ou à l'environnement, que la cause en soit un accident, un phénomène naturel ou une activité humaine, et qu'il s'agisse d'un événement soudain ou du résultat de processus se déroulant sur de longues périodes, mais excluant les conflits armés ».

Les lignes directrices formulent un certain nombre de recommandations réaffirmant la souveraineté des États et le rôle des acteurs prêtant assistance. En échange, elles acceptent d'alléger les contrôles juridiques et administratifs au niveau national.

Les recommandations principales sont les suivantes :

– Il incombe au premier chef aux États touchés de réduire les risques de catastrophe et d'assurer les secours et l'assistance au relèvement initial sur leur territoire.

– Les sociétés nationales de la Croix-Rouge et du Croissant-Rouge, en tant qu'auxiliaires des pouvoirs publics dans le domaine humanitaire, jouent un rôle essentiel de soutien au niveau national.

– Les acteurs prêtant assistance et leur personnel devraient en tout temps se conformer aux lois de l'État touché et au droit international applicable, coordonner leurs activités avec les autorités nationales et respecter la dignité humaine des personnes touchées par une catastrophe.

– Les acteurs prêtant assistance devraient veiller à ce que leurs opérations de secours et d'assistance au relèvement initial en cas de catastrophe soient menées conformément aux principes d'humanité, de neutralité et d'impartialité.

– Afin de réduire au minimum les effets transfrontières et de maximiser l'efficacité de toute assistance internationale pouvant être requise, tous les États devraient avoir en place des procédures facilitant l'échange rapide d'informations sur les catastrophes, et coopérer avec les autres États et organisations humanitaires internationales.

– Les États devraient adopter des cadres juridiques, directifs et institutionnels exhaustifs et des plans en matière de prévention, d'atténuation, de préparation, de secours et de relèvement qui tiennent pleinement compte du rôle d'auxiliaire que joue leur société nationale de la Croix-Rouge ou du Croissant-Rouge.

– La communauté internationale, notamment les donateurs, les acteurs régionaux et autres acteurs concernés, devrait apporter un soutien aux États en développement, aux acteurs de la société civile nationale et aux sociétés nationales de la Croix-Rouge et du Croissant-Rouge pour renforcer leurs capacités de prévenir, d'atténuer les catastrophes, de s'y préparer et d'y faire face au niveau national.

– Les opérations de secours ou d'assistance au relèvement initial devraient être déclenchées uniquement avec le consentement de l'État touché et, en principe, sur la base d'un appel.

– L'État touché devrait décider en temps opportun s'il y a lieu de demander ou non des secours ou une assistance au relèvement initial et communiquer promptement sa décision.
– Des ressources militaires ne devraient être déployées pour des opérations de secours ou d'assistance au relèvement initial qu'à la demande ou avec le consentement exprès de l'État touché, après examen d'autres options civiles comparables.
– En contrepartie, les États touchés devraient réduire les délais, taxes et restrictions à l'entrée des personnels, biens et équipements de secours et faciliter l'opération juridique des acteurs de secours dans les zones touchées.
Les lignes directrices prévoient également qu'une loi type relative à la facilitation et à la réglementation des opérations internationales de secours et d'assistance au relèvement initial en cas de catastrophe soit introduite dans la législation nationale de chaque pays (mise à jour en août 2011). Une base de données juridique rassemblant les législations nationales sur les catastrophes naturelles est également disponible sur les pages IDRL du site web de l'IFRC.

@ www.unisdr.org/fr
www.preventionweb.net
http://www.ifrc.org/fr/

Consulter aussi

▶ **Protection civile ▷ Droit international humanitaire ▷ Secours ▷ Protection ▷ Garanties fondamentales ▷ Responsabilité ▷ Sécurité collective.**

Pour en savoir plus

BRAUMAN R., *L'Action humanitaire*, Flammarion, « Dominos », Paris, 1995, 127 p.

DOMBROWSKY W. R., « Lessons learned ? Disasters, rapid change and globalization », *Revue internationale de la Croix-Rouge*, vol. 89, n° 866, juin 2007, p. 271-277.

FIDLER D. P., « Governing catastrophes : security, health and humanitarian assistance », *Revue internationale de la Croix-Rouge*, vol. 89, n° 866, juin 2007, p. 247-270.

HARDCASTLE R. J. et CHUA A. T. L, « Assistance humanitaire : pour un droit à l'accès aux victimes des catastrophes naturelles », *Revue internationale de la Croix-Rouge*, n° 832, 1998, p. 633-655.

Le Projet SPHERE, Charte humanitaire et normes minimales pour les interventions lors de catastrophes, Le Projet SPHERE, Genève, 2004. Disponible en ligne sur http://www.sphereproject.org/dmdocuments/handbook/hdbkpdf/hdbk_full_fr.pdf

PERRIN P., « Stratégie de l'assistance médicale dans les situations de catastrophe », *Revue internationale de la Croix-Rouge*, n° 791, septembre-octobre 1991, p. 523-535.

« Présentation des Lignes directrices relatives à la facilitation et à la réglementation nationale des opérations internationales de secours et d'assistance au relèvement initial », Fédération internationale des sociétés de la Croix-Rouge et du Croissant-Rouge, 2007. Disponible en ligne sur http://www.ifrc.org/PageFiles/41203/introduction-guidelines-fr.pdf

« Rapport des progrès avec les Lignes directrices IDRL », Fédération internationale des sociétés de la Croix-Rouge et du Croissant-Rouge, novembre 2009. Disponible en ligne sur http://www.ifrc.org/PageFiles/41203/IDRL-Progress-Report_fr.pdf

WALKER P., « Les victimes de catastrophes naturelles et le droit à l'assistance humanitaire : point de vue d'un praticien », *Revue internationale de la Croix-Rouge*, décembre 1998, n° 832, p. 657-665.

« World Disasters Report 2010, focus on urban risk », Fédération internationale des Sociétés de la Croix-Rouge et du Croissant-Rouge, 220 p. Disponible en ligne sur http://www.ifrc.org/Global/Publications/disasters/WDR/WDR2010-full.pdf

Cessez-le-feu

Le cessez-le-feu consiste en un accord organisant la cessation de toute activité militaire durant un temps donné et dans un espace donné. Il peut être déclaré de façon unilatérale ou bien être négocié entre les parties au conflit. On parle aussi parfois d'armistice, bien que les termes soient légèrement différents. L'armistice est une convention militaire qui prévoit la suspension des hostilités sur tout le théâtre de la guerre, souvent pour une durée indéterminée. Il ne faut pas confondre le cessez-le-feu et l'armistice avec l'accord de paix. Ils ne signifient pas la fin des hostilités mais constituent une trêve temporaire. En outre, ils ne mettent pas fin juridiquement à l'état de guerre. Aussi, ils ne doivent pas être confondus avec les accords de paix qui, eux, signifient la fin de la guerre.

Le droit humanitaire demande que, chaque fois que les circonstances le permettent, un armistice local, une interruption du feu ou des arrangements locaux soient convenus pour permettre l'enlèvement, l'échange et le transport des blessés et malades dus aux combats (GI art. 15).

Toutefois le cessez-le-feu n'est pas principalement destiné à permettre des actions humanitaires. C'est une décision militaire qui répond à des objectifs politiques ou stratégiques : regroupement des forces, évaluation de l'autorité et du fonctionnement de la chaîne de commandement adverse, négociation.

◆ **Il y a toujours un risque que des opérations de secours négociées dans le cadre d'un cessez-le-feu soient utilisées comme monnaie d'échange par les parties au conflit pour obtenir des contreparties politiques ou militaires, ou pour tester la bonne foi de l'adversaire ou sa capacité de contrôle sur ses propres troupes. Les organisations de secours doivent être conscientes de ce risque et évaluer les dangers que cela peut leur faire courir sur le terrain. L'aide humanitaire ne doit pas être conditionnelle.**

▶ **Paix ▷ Guerre.**

Combattant

Le combattant est une personne qui est autorisée par le droit international humanitaire à utiliser la force en situation de conflit armé. En contrepartie, le combattant représente une cible militaire légitime en période de conflit armé. Contrairement aux civils, il ne pourra pas être jugé et condamné pour sa simple participation aux hostilités s'il a utilisé la force de façon conforme aux dispositions du droit humanitaire. Aussi, cette utilisation de la force ne peut pas découler d'une initiative individuelle, mais doit se faire dans le cadre d'une chaîne de commandement responsable et respectueuse des règles du droit humanitaire. Selon les définitions prévues par les Conventions de Genève et le Protocole additionnel I de 1977, le combattant est membre des forces armées nationales ou membres de groupes organisés placés sous le contrôle effectif de ces forces armées. C'est cette autorisation de l'usage de la force qui distingue le combattant du civil. Le statut de combattant

impose toutefois une responsabilité pénale individuelle. Ainsi, un combattant peut être poursuivi par des instances judiciaires nationales ou internationales s'il commet des crimes de guerre, crimes contre l'humanité ou actes de génocide, et ce même s'il a agi sur ordre de ses supérieurs hiérarchiques.
Le statut de combattant ouvre également droit à une protection spéciale, prévue par la troisième Convention de Genève pour les prisonniers de guerre. La définition et le statut de combattant sont intimement liés au statut du prisonnier de guerre. Les notions de « combattant » et de « membre des forces armées » définies par la troisième Convention de Genève ont été élargies par le Protocole additionnel I pour tenir compte de l'évolution des formes de conflits et des diverses méthodes de guerre. Cela permet d'accorder le régime de protection et d'imposer des responsabilités équivalentes à tous ceux qui prennent les armes. Selon les définitions de la troisième Convention de Genève et du Protocole additionnel I, le combattant a droit au statut de prisonnier de guerre et ne peut pas être jugé pour sa simple participation aux hostilités. Cependant, ce statut du combattant correspond à des privilèges étatiques reconnus par les États à leurs seules armées nationales. Ce statut n'a pas été transposé dans les conflits armés non internationaux où par définition les forces armées gouvernementales sont confrontées à des groupes armés non étatiques, rebelles ou dissidents. Ces groupes armés disposent du statut de partie au conflit qui les oblige à respecter les dispositions du droit humanitaire applicable aux conflits armés non internationaux mais ils n'ont pas le droit au statut de combattant.
Dans les conflits armés non internationaux, le Protocole additionnel II de 1977 (Protocole additionnel II) a prévu des garanties particulières pour les personnes civiles qui prennent part aux hostilités, mais elles ne permettent pas de rendre compte de la réalité et de l'activité des groupes armés non étatiques, qui sont également présents dans les conflits armés internationaux.

▶ **Population civile ▷ Groupes armés non étatiques ▷ Partie au conflit ▷ Conflit armé non international ▷ Conflit armé international.**

La diabolisation et la disqualification de l'adversaire sont une pratique courante dans les situations de conflit armé. Celui-ci est fréquemment qualifié de bandit, criminel, voyou ou terroriste. La contestation du statut de combattant prive les individus qui tombent au pouvoir d'une partie adverse de leur droit à être traités comme prisonniers de guerre et augmente les risques de mauvais traitements. La contestation du statut des combattants fait également peser une suspicion sur le statut des personnes civiles.
Tenant compte de l'évolution des formes de conflit armé, les Protocoles additionnels de 1977 ont cherché à élargir le statut des combattants, en y incluant toutes les personnes qui participent directement aux hostilités et à mieux protéger les personnes civiles qui participent directement aux hostilités dans les deux types de conflits armés.

Quelle que soit la nature du conflit armé, il est interdit de recruter dans les forces armées des personnes d'un âge inférieur à quinze ans. Cette interdiction, initialement prévue pour les conflits internationaux (GPI art. 77), a été étendue aux conflits armés non internationaux par l'intermédiaire du droit pénal international qui en a fait un crime de guerre. La Convention internationale sur les droits de l'enfant et de très nombreuses autres conventions ont repris cette interdiction. Les enfants soldats restent protégés par les droits spéciaux prévus pour les enfants par le droit humanitaire, qu'ils soient ou non prisonniers de guerre. Les personnes qui procèdent à l'enrôlement d'enfants de moins de quinze ans dans les forces armées sont coupables de crime de guerre et peuvent être poursuivies par la Cour pénale internationale et les tribunaux nationaux.

▶ **Enfant.**

◆ **• La définition du combattant est essentielle car les dispositions du droit humanitaire reposent sur la distinction entre les civils et les combattants. Ces derniers doivent respecter des obligations précises pendant le combat et sont protégés, entre autres, par le statut de prisonnier de guerre.**
• Toute contestation du statut des combattants affaiblit de façon symétrique la définition et la protection des civils.
• Dans les conflits armés internes, le droit humanitaire n'utilise pas le terme de « combattant » puisqu'il est difficile d'établir une équivalence entre les membres des forces armées nationales et les membres des mouvements armés d'opposition et de définir leur droit de participer aux hostilités. Dans ce cas le droit des conflits distingue entre les personnes qui prennent part aux hostilités et celles qui ne le font pas, en leur accordant, selon les circonstances, le bénéfice de la protection du statut de prisonnier de guerre ou de civil.
• Même si les groupes armés non étatiques n'ont pas le statut de combattant, ils ont cependant le statut de partie aux conflits qui les oblige à respecter les dispositions du droit des conflits armés non internationaux.

I. Statut des combattants dans les conflits armés internationaux

L'étude sur les règles du droit international humanitaire coutumier publiée par le CICR en 2005 résume le consensus international existant sur la définition des combattants. Les règles énoncées dans cette étude concernant les combattants ne concernent en effet que les conflits armés internationaux.
La règle 3 affirme que « tous les membres des forces armées d'une partie au conflit sont des combattants, à l'exception du personnel sanitaire et religieux ».
La règle 4 dispose que « les forces armées d'une partie à un conflit se composent de toutes les forces, tous les groupes et toutes les unités armés et organisés qui sont placés sous un commandement responsable de la conduite de ses subordonnés devant cette partie ».

1. Forces armées

Les forces armées d'une partie à un conflit se composent de toutes les forces, tous les groupes et toutes les unités armés et organisés qui sont placés sous un commandement responsable de la conduite de ses subordonnés, même si cette partie au conflit est représentée par un gouvernement ou une autorité non reconnus par une partie adverse. Ces forces armées doivent être soumises à un régime de discipline interne qui assure, notamment, le respect des règles du droit international applicable dans les conflits armés. Les forces armées sont définies par la troisième Convention de Genève et le Protocole additionnel I (GPI art. 43 ; GIII art. 4.A.1, 2, 3, 6).

2. *Combattants, prisonniers de guerre*

• *Au titre de la troisième Convention, les combattants sont donc :*

– les membres des forces armées régulières, même si celles-ci se réclament d'un gouvernement ou d'une autorité non reconnus par la puissance adverse (GIII art. 4.A.3) ;

– les membres des forces armées d'une partie au conflit, ainsi que membres des milices et des corps de volontaires faisant partie de ces forces armées (GIII art. 4.A.1) ;

– les membres des autres milices et les membres des autres corps de volontaires et mouvement de résistance organisés, appartenant à une partie au conflit et agissant en dehors ou à l'intérieur de leur propre territoire, même si ce territoire est occupé, (GIII art. 4.A.2) pourvu que ces milices ou corps de volontaires, y compris ces mouvements de résistance organisés, remplissent les conditions suivantes :

a) d'avoir à leur tête une personne responsable pour ses subordonnés ;

b) d'avoir un signe distinctif fixe et reconnaissable à distance ;

c) de porter ouvertement les armes ;

d) de se conformer, dans leurs opérations, aux lois et coutumes de la guerre (GIII art. 4.A.2).

– La population d'un territoire non occupé qui, à l'approche de l'ennemi, prend spontanément les armes pour combattre les troupes d'invasion sans avoir eu le temps de se constituer en forces armées régulières, si elle porte ouvertement les armes et si elle respecte les lois et coutumes de la guerre (GIII art. 4.A.6).

L'un des problèmes de cette définition réside dans le fait qu'elle établit des conditions particulières à remplir pour certaines catégories de combattants et pas pour d'autres. D'autres articles de la troisième Convention précisent que le non-respect de l'une ou l'autre de ces conditions ne permet pas automatiquement de refuser le statut de combattant ni celui de prisonnier de guerre aux personnes concernées. Cependant l'apparente clarté de cette liste de conditions a conduit à des discriminations entre les différentes catégories de combattants et même au refus abusif de reconnaître le statut de combattants et celui de prisonniers de guerre à certains d'entre eux. La référence à la notion de « combattant illégal » utilisée par l'administration américaine pour refuser d'octroyer le statut de prisonniers de guerre à certains combattants pour des raisons de nationalité, d'absence de signe distinctif, de non-respect du droit humanitaire illustre bien ce risque.

C'est pour cela que le Protocole additionnel I de 1977 a clarifié et simplifié cette définition du combattant en permettant d'y inclure toutes les personnes qui participent aux hostilités. Il a également précisé et limité les critères d'exclusion du statut de combattant et de celui de prisonnier de guerre.

• *Au titre du Protocole additionnel I aux conventions de Genève, les combattants sont* les membres des forces armées d'une partie à un conflit mais aussi les membres de tous les groupes et toutes les unités armés et organisés qui sont placés sous un commandement responsable de la conduite de ses subordonnés même si celui-ci dépend d'un gouvernement ou d'une autorité non reconnus par la puissance adverse. Ces forces armées doivent être soumises à un régime de discipline interne qui assure, notamment, le respect des règles de droit international applicable dans les conflits armés (GPI art. 43, 50).

▶ **Insurgés ▷ Terrorisme ▷ Mouvements de résistance.**

Au terme de ces dispositions, les résistants, les insurgés, les rebelles et les membres de mouvements de guérilla ou de groupes armés placés sous le contrôle d'une partie au conflit et engagés dans un conflit armé international peuvent avoir le statut de combattant et de membre des forces armées, pourvu qu'ils portent ouvertement les armes lors des engagements et qu'ils soient soumis à un régime de commandement hiérarchique et de discipline interne capable notamment d'imposer le respect des règles de droit international humanitaire. Le Protocole additionnel I limite le contenu et la portée des causes d'exclusion du statut de combattant prévues pour ces personnes (voir *infra* 3).
Le fait qu'une partie au conflit ne reconnaisse pas l'autorité de la partie adverse ne prive pas les membres des forces armées de cette partie de leur statut de prisonnier de guerre (GIII art. 4.A.3 ; GPI art. 43.1).
Le Protocole additionnel I ne pose aucune condition relative à la nationalité des combattants, ce qui ne permet pas d'exclure de cette catégorie les volontaires étrangers qui s'associent sur une base individuelle aux forces armées d'une partie à un conflit. Si ces volontaires étrangers agissent *de facto* au nom de leur État d'origine, on pourra considérer que le conflit armé a un caractère international.
En période de conflit armé, la qualification de terroriste n'est pas une catégorie juridique spécifique du droit humanitaire. Les Conventions de Genève et les Protocoles additionnels ne reconnaissent qu'une seule distinction de statut : celle entre civils et combattants ou encore entre ceux qui participent aux hostilités et ceux qui n'y participent pas ou plus. Le droit humanitaire interdit les méthodes de guerre dont le but est de répandre la terreur dans la population.
Une personne qui recourt à de telles méthodes à titre individuel ou collectif commet un acte criminel mais reste une personne civile. Elle doit être poursuivie et jugée conformément aux garanties judiciaires par les autorités qui exercent un contrôle de fait sur cette personne.
Si cette personne agit avec l'accord ou pour le compte d'une autorité dans le cadre d'un conflit, elle entre dans la catégorie des combattants ou des personnes qui participent aux hostilités. Un combattant qui recourt à de telles pratiques ne perd pas son statut de combattant ni celui de prisonnier de guerre, mais il peut être arrêté, détenu et poursuivi pour ses activités criminelles, en respectant les garanties prévues en matière de détention, d'interrogatoire de jugement et de peine.

▶ **Terreur ▷ Terrorisme ▷ Garanties judiciaires ▷ Mauvais traitements ▷ Prisonnier de guerre ▷ Détention ▷ Sanction ▷ Peine de mort ▷ Torture.**

◆ **• Il peut arriver que des personnes civiles participent aux hostilités en dehors de toute appartenance aux forces armées. Il s'agit notamment des soulèvements spontanés dans les territoires occupés, ainsi que d'autres situations de conflits armés dans lesquels il est difficile de faire la distinction entre civil et combattant. Dans ces cas, les personnes civiles qui prennent part directement aux hostilités ne perdent la protection accordée aux personnes civiles par les Conventions de Genève et les Protocoles additionnels que pendant la durée de cette participation (GPI art. 51.3 ; GPII art. 13.3). Elles peuvent dans certains cas bénéficier du statut de prisonniers de guerre.**
• En cas de doute sur la qualité d'une personne qui ne rentre pas dans les différentes catégories de combattants définies par les Conventions et le Protocole, elle doit être considérée comme civile (GPI art. 50).
• En cas de doute sur le statut de combattant, une personne qui prend part aux hostilités et qui tombe au pouvoir d'une partie adverse est présumée être prisonnier de guerre.
• En cas de doute, la détermination du statut n'est pas laissée à l'appréciation des autorités administratives ou militaires mais est confiée à un tribunal compétent.
• L'application des dispositions concernant la participation directe des civils aux hostilités et leur statut spécial de protection dans ces situations peut être étendue par analogie aux situations de conflits armés non internationaux.

3. *Les clauses d'exclusion du statut de combattant*

Le Protocole additionnel I a repris et simplifié les conditions contenues dans les définitions des différentes catégories de combattants. Le non-respect de ces critères ou conditions ne conduit pas à la perte du statut de combattant ou de celui de prisonnier de guerre. Ce protocole a clarifié à la fois les critères et leurs conséquences.
a) L'existence d'un commandement responsable de la conduite de ses subordonnés est importante pour pouvoir distinguer le actes de violence qui sont le fruit d'une initiative isolée et ceux qui relèvent de l'existence d'un conflit armé. L'existence du lien hiérarchique modifie également le système de responsabilité pénale pour les crimes commis.
Le commandement doit s'abstenir de donner des ordres illégaux et doit imposer un régime de discipline interne qui permette de sanctionner les comportements criminels individuels. La notion de commandement responsable n'implique pas que ce commandement soit légitime, ou « fréquentable ». Il suffit qu'il dispose de moyens de contrôle et d'un régime de discipline interne sur les combattants (GPI art. 43.1).
b) L'obligation de respecter le droit humanitaire pèse par nature sur les combattants et sur les forces armées. La conscience de cette obligation est partie intégrante de la définition du combattant. Cependant, la violation du droit humanitaire par des combattants ne peut pas être invoquée pour les priver de leur statut de combattant ni de celui de prisonnier de guerre. De même qu'une partie à un conflit ne peut pas invoquer le non-respect du droit humanitaire par l'autre partie pour ne pas le respecter elle-même. Le Protocole additionnel I précise que bien que tous les combattants soient tenus de respecter les règles de droit international applicables dans les conflits armés, les violations de ces règles ne privent pas un combattant de son droit d'être considéré comme combattant ou, s'il tombe au pouvoir d'une partie adverse, de son droit d'être considéré comme prisonnier de guerre (GPI art. 44.2). Le protocole prévoit une réserve pour l'obligation de se distinguer des civils mais n'en fait pas une obligation absolue. Un combattant qui commet un crime de guerre continue de bénéficier du statut de combattant ou de prisonnier

de guerre, mais il peut être jugé pour ses crimes en respectant les garanties judiciaires prévues par le droit humanitaire à cet effet (voir ▷ **Prisonnier de guerre** ▷ **Responsabilité** ▷ **Garanties judiciaires**).

c) L'obligation de porter un insigne distinctif, de porter les armes ouvertement et de se distinguer des civils.

Le Protocole additionnel I a assoupli et éclairci les obligations concernant l'obligation de porter un insigne distinctif, de porter les armes ouvertement et de se distinguer des civils qui existent dans la troisième Convention et dans le Protocole additionnel I. Les combattants restent tenus de se distinguer de la population civile lorsqu'ils prennent part à une attaque ou à une opération militaire préparatoire à une attaque (GPI art. 44.3). Toutefois le protocole reconnaît également qu'il y a des situations de conflit armé où, en raison de la nature des hostilités, un combattant armé ne peut se distinguer de la population civile. Ces dispositions concernent particulièrement les situations de guérilla, d'insurrection, de lutte contre des forces d'occupation et des situations de conflit armé interne. Dans ces situations le protocole prévoit que le combattant conserve son statut de combattant à condition que dans de telles opérations, il porte ses armes ouvertement :

a – pendant chaque engagement militaire ;

b – et pendant le temps ou il est exposé à la vue de l'adversaire alors qu'il prend part à un déploiement militaire qui précède le lancement d'un attaque à laquelle il doit participer.

S'il respecte ces deux conditions, on ne pourra pas l'accuser d'avoir eu recours à des actes de perfidie (GPI art. 44.3) (voir ▷ **Perfidie**).

Le protocole précise que la personne qui ne respecte pas ces deux obligations perd son droit à être considérée comme prisonnier de guerre, mais elle conserve le droit au statut de combattant et le droit d'être traité *comme* un prisonnier de guerre (GPI art. 44.4).

La notion d'insigne distinctif et d'uniforme a été également assouplie pour tenir compte des circonstances. L'insigne n'a pas besoin d'être toujours identique, il suffit qu'il soit distinctif.

La règle 106 de l'étude sur les règles de droit international humanitaire coutumier résume le consensus international à ce sujet : « Les combattants doivent se distinguer de la population civile lorsqu'ils prennent part à une attaque ou à une opération militaire préparatoire d'une attaque. S'ils ne se conforment pas à cette obligation, ils n'ont pas droit au statut de prisonnier de guerre. »

En ce qui concerne les garanties concernant la détermination et l'octroi du statut du prisonnier de guerre (voir ▷ **Prisonnier de guerre**).

4. *Garanties fondamentales de traitement des prisonniers*

– La troisième Convention de Genève donne une définition détaillée (et donc stricte) de ceux qui peuvent être considérés comme prisonniers de guerre et bénéficier de ce statut. Cette définition est plus large que celle des combattants au sens strict du mot (GIII art. 4.A.4 et 4.A.5).

– Le Protocole additionnel I, de son côté, prévoit que tout combattant qui tombe au pouvoir d'une partie adverse a droit au statut de prisonnier de guerre (GPI art. 44.1).

Les clauses d'exclusion du statut de prisonnier de guerre sont assorties de garanties de procédure et de traitement pour les combattants.
Le protocole précise qu'une personne qui prend part aux hostilités et qui tombe au pouvoir d'une partie adverse est présumée être prisonnier de guerre et se trouve par conséquent protégée par la troisième Convention de Genève (GPI art. 45.1). Cette présomption ne peut être renversée que par la décision d'un tribunal. Son statut ne peut donc pas être décidé par les autorités administratives et militaires qui la détiennent.
Il prévoit également qu'une personne qui a pris part aux hostilités et ne bénéficie pas du statut de prisonnier de guerre ou d'un traitement plus favorable a droit au minimum et en tout temps au traitement et garanties prévues par l'article 75 du protocole (GPI art. 45.3).

Les espions n'ont pas le droit au statut de prisonnier de guerre (GPI art. 46) mais ils ne peuvent pas être condamnés sans jugement (règle 107 de l'étude sur les règles de DIH coutumier) et bénéficient des autres garanties fondamentales.
Les mercenaires n'ont pas le droit au statut de combattant, ni à celui de prisonnier de guerre (GPI art. 47), mais ils ne peuvent pas être condamnés sans jugement (règle 108) et bénéficient des autres garanties fondamentales.

▸ **Prisonnier de guerre ▷ Mercenaire ▷ Espion-Espionnage ▷ Garanties fondamentales.**

5. *Obligations des combattants*

Les combattants sont tenus de respecter les règles du droit humanitaire (GPI art. 43.1 et 44.2). Les Conventions définissent quels sont les actes qui sont considérés comme crimes de guerre. Ces crimes impliquent la responsabilité personnelle des combattants, même s'ils ont agi sur ordre d'un supérieur. Ils engagent également la responsabilité pénale des commandants et des supérieurs hiérarchiques, qui doivent éviter et réprimer de tels actes.
Toutefois, la violation des règles de droit humanitaire ne prive pas un combattant de son statut de combattant et de prisonnier de guerre s'il tombe aux mains de l'adversaire (GPI art. 44.2). Il est toujours possible de juger un prisonnier qui aurait commis des crimes et des violations graves du droit humanitaire. Mais il faut pour cela respecter les garanties judiciaires établies par le droit humanitaire à cet égard. Par contre on ne peut pas le juger pour sa simple appartenance à un groupe armé et sa participation aux hostilités.

▸ **Guerre ▷ Méthodes de guerre ▷ Devoirs des commandants ▷ Responsabilité ▷ Crime de guerre-Crime contre l'humanité ▷ Garanties judiciaires ▷ Prisonnier de guerre.**

Le combattant doit se distinguer de la population civile. Pour que la protection de la population civile contre les effets des hostilités soit possible, les combattants sont tenus de se distinguer de la population civile lorsqu'ils prennent part à une attaque. Étant donné toutefois qu'il y a des situations dans les conflits armés où, en raison de la nature des hostilités, un combattant armé ne peut se distinguer de la population civile, il conserve son statut de combattant à condition que, dans de telles situations, il porte ouvertement les armes lors de chaque intervention militaire (GPI art. 44.3 et 48 ; règle 106).

▶ **Attaque ▷ Population civile ▷ Prisonnier de guerre.**

6. *La participation des civils aux hostilités (GPI art. 51.3 et GPII art. 13.3)*

Le Protocole additionnel I prévoit également la protection des personnes ayant pris part aux hostilités sans autres précisions ni conditions. Il prévoit qu'une personne qui prend part à des hostilités et tombe au pouvoir d'une partie adverse est présumée prisonnier de guerre et par conséquent se trouve protégée par la troisième Convention (GPI art. 45.1). Cette disposition permet d'éviter que des individus ne soient considérés ni comme des civils ni comme des combattants et se trouvent exclus de toutes les mesures de protection prévues par le droit humanitaire.

Cette mesure complète le droit prévu pour la population d'un territoire non occupé de prendre les armes spontanément pour combattre les troupes d'invasion. Tout en disposant en cas de capture du droit au statut de prisonnier de guerre (GIII art. 4.A.6).

L'articulation entre le statut de civil et celui de combattant est précisée par le protocole, qui stipule que les personnes civiles bénéficient de la protection accordée par le droit humanitaire sauf si elles participent directement aux hostilités et pendant la durée de cette participation (GPI art. 51.3). Cela signifie donc que la perte de protection du statut de civil est strictement limitée à la durée de la participation directe aux hostilités. Ainsi donc si des personnes civiles tombent au pouvoir d'une partie adverse alors qu'elles participent directement aux hostilités, elles perdent leur protection en tant que civils et peuvent revendiquer le statut de prisonniers de guerre au titre de leur participation aux hostilités (GPI art. 45.1). Si ces personnes tombent au pouvoir de la partie adverse en dehors de la phase de participation directe aux hostilités, elles restent protégées en tant que personnes civiles (art. 50, 51.3).

Pour toutes les situations où il y a doute sur le statut à accorder à une personne, notamment quand il s'agit d'examiner en l'espèce le respect de conditions concrètes, le droit humanitaire prévoit que la détermination du statut sera faite par un tribunal compétent et ne sera pas laissée aux autorités administratives ou militaires impliquées dans la détention.

Face à l'évolution des types de conflit et à la difficulté croissante de faire la distinction entre civils et combattants dans les conflits armés non internationaux contemporains, le CICR a rédigé en 2010 un *Guide interprétatif sur la notion de participation directe aux hostilités en droit international humanitaire.*

▶ **Population civile ▷ Prisonnier de guerre ▷ Situations et personnes non couvertes.**

II. Statut des combattants dans les conflits armés non internationaux

Dans les conflits armés non internationaux, le statut de combattant et de prisonnier de guerre n'est pas reconnu par le droit humanitaire mais il peut être appliqué par les parties en conflit par voie d'accord spécial, comme l'encourage l'article 3 commun aux quatre Conventions de Genève.

Si ce statut n'est pas appliqué, les combattants qui seraient détenus par l'adversaire bénéficient au minimum des droits et garanties fondamentaux contenus dans l'article 3 commun et dans l'article 4 du Protocole additionnel II au profit des « personnes qui ne participent pas ou plus ou aux hostilités », qu'elles soient ou non privées de liberté. Le Protocole additionnel II a également prévu des dispositions spéciales pour combler l'absence du statut de prisonnier de guerre. L'article 5 encadre le statut et le traitement des « personnes privées de liberté pour des motifs en relation avec le conflit ». L'article 6 de ce protocole fixe également les garanties concernant « la poursuite et la répression d'infractions pénales en relation avec le conflit armé ». Ces garanties judiciaires du droit international humanitaire sont importantes car, dans les conflits non internationaux, le seul fait de prendre les armes contre les autorités nationales est considéré comme un crime en droit interne. Les garanties contenues dans ces articles sont des garanties minimales qui peuvent être complétées par des dispositions plus favorables contenues dans le reste du droit humanitaire avec l'accord des parties.

Le statut des combattants et des membres des groupes armés non étatiques est assimilé à celui des civils qui prennent part directement aux hostilités.

▶ **Garanties fondamentales ▷ Groupes armés non étatiques ▷ Population civile.**

◆ **Les combattants illégaux**

Le terme de combattants illégaux a été utilisé dans le cadre des débats juridiques liés à la guerre contre le terrorisme. Le statut de combattant et les droits qui y sont attachés leur étaient refusés par certains États car ils ne remplissaient pas les critères conventionnels relatifs au statut de combattant et à celui de prisonnier de guerre. Le statut de civil et les droits qui y sont attachés leur étaient également refusés du fait de leur participation à des actions de combat. Ces débats ont finalement été tranchés par plusieurs décisions de justice, notamment celles de la Cour suprême américaine et de la Cour suprême israélienne (US Supreme Court, *Hamdan v. Rumsfeld,* 548 U.S. (2006), et Supreme Court of Israel sitting as High Court of Justice, *The Public Committee against Torture in Israel v. The Government of Israel et al,* HCJ 769/02, arrêt, 11 décembre 2005).

Ces jugements ont rappelé une évidence juridique : le droit humanitaire ne peut pas être invoqué pour priver de droits certains acteurs des conflits ni pour créer des conflits qui échapperaient à tout droit. En effet, l'interprétation de ces Conventions doit rester fidèle à leur esprit, et leurs dispositions ne peuvent pas être utilisées pour conduire à des situations absurdes.

Ainsi, à propos des combattants illégaux, la Cour suprême israélienne a rappelé que les catégories de combattant et de civil sont exclusives l'une de l'autre et qu'il n'existe pas de troisième catégorie qui concernerait les combattants illégaux. Elle en a déduit que les terroristes appartiennent donc à la catégorie des civils qui prennent part aux hostilités (voir ▷ Population civile ▷ Terrorisme). La Cour suprême américaine a également rappelé que les catégories de conflit armé international et non international sont exclusives l'une de l'autre et qu'il n'existe donc pas d'autre catégorie de conflits armés pour lesquels aucun droit international humanitaire serait applicable. Elle en a déduit qu'au minimum l'article 3 commun aux quatre Conventions de Genève était toujours applicable dans ces situations (voir ▷ Conflit armé non international ▷ Terrorisme).

Consulter aussi

▶ **Prisonnier de guerre ▷ Mauvais traitements ▷ Mercenaire ▷ Insurgés**

▷ **Espion-Espionnage** ▷ **Mouvement de résistance** ▷ **Terrorisme** ▷ **Guerre** ▷ **Méthodes de guerre** ▷ **Devoirs des commandants** ▷ **Responsabilité** ▷ **Crime de guerre-Crime contre l'humanité** ▷ **Attaque** ▷ **Population civile** ▷ **Garanties fondamentales** ▷ **Enfant** ▷ **Non-combattant** ▷ **Détention** ▷ **Groupes armés non étatiques** ▷ **Sociétés militaires privées.**

Pour en savoir plus

CALLEN J., « Unlawfull combattant and the Geneva Conventions », *Virginia Journal of international Law*, 2003-2004, vol. 44, p. 1025-1072.

DAVID E., *Principes de droit des conflits armés*, Université libre de Bruxelles, Bruylant, 2012 (5e éd.), 1 152 p.

DORMANN K., « The legal situation of "unlawful/unprivileged" combattants », *Revue internationale de la Croix-Rouge,* mars 2003, vol. 85, n° 849, p. 45-85.

MILANOVIC M., « Lessons for human rights and humanitarian law in the war on terror : comparing Hamdan and the Israeli Targeted killings case », *Revue internationale de la Croix-Rouge*, vol. 89, n° 866, juin 2007, p. 373- 393.

SASSOLI M. et OLSON L. M., « The relationship between international humanitarian law and human rights law where it matters : admissible killings of fighters and internment in non-international armed conflicts », *Revue internationale de la Croix-Rouge*, vol.90, n° 871, septembre 2008, p. 599-627.

SCHMITT M. N., « Direct participation in hostilities and 21st Century armed conflicts », *in* FISHER H.*et al.*, eds, *Crisis Management and Humanitarian Protection : Festschrift fur Dieter Fleck*, BWV, Berlin, 2004, p. 505-592.

SJOBERG L., « Women fighters and the "beautiful soul" narrative », *Revue internationale de la Croix-Rouge,* vol. 91, n° 877, mars 2010, p. 53-68.

WATKIN K., « Warriors without rights ? Combattants, unpriviledged belligerent, and the struggle over legitimacy », Occasional Paper Series, Program on Humanitarian Policy and Conflit Research, Harvard University, hiver 2005.

ZEMMALI A., *Combattants et prisonniers de guerre en droit islamique et en droit humanitaire,* Pedone, Paris, 1997, 519 p.

Comité des droits de l'enfant (CDE)

Ce Comité est prévu par l'article 43 de la Convention relative aux droits de l'enfant du 20 novembre 1989. Il est entré en fonction en février 1991. En avril 2013, 193 États y étaient parties. En mai 2000, les Nations unies ont adopté deux Protocoles facultatifs à cette convention, l'un concernant l'implication d'enfants dans les conflits armés, entré en vigueur en février 2002 et liant 151 États, l'autre relatif à la vente d'enfants, la prostitution des enfants et la pornographie mettant en scène des enfants, entré en vigueur en janvier 2002 et liant 163 États.

◆ **• Chargé de veiller à l'application de cette convention, le Comité des droits de l'enfant est compétent à l'égard de tous les États qui ont signé cette convention ainsi qu'à l'égard des États ayant ratifié ses deux Protocole facultatifs.**

• Il dispose pour cela d'une procédure d'examen des rapports périodiques rédigés par les États. Il ne peut pas se saisir d'un problème en urgence.

• Il n'existe pas encore de procédure permettant aux enfants ou à leurs représentants de déposer une plainte individuelle (le Protocole facultatif établissant une procédure de communications, adopté le 19 décembre 2011, n'est pas encore entré en vigueur). Cependant, le

Comité peut exercer une certaine pression sur un État donné en lui demandant de lui fournir des « renseignements complémentaires relatifs à l'application de la convention » sur une question ou un cas précis (article 44.4 de la Convention sur les droits de l'enfant).
• Les ONG peuvent à tout moment lui soumettre des informations.
• Cette procédure ne permet pas au Comité de prendre en compte des situations ou des cas urgents puisque les rapports des États et leur examen ont lieu seulement tous les cinq ans.

I. Composition et fonctions

Il est composé de dix-huit experts indépendants, élus par les États parties à la convention pour un mandat de quatre ans renouvelable une fois, sur la base d'une représentation géographique équitable et en tenant compte des principaux systèmes juridiques. Un amendement adopté en décembre 1995 a porté de dix à dix-huit le nombre des membres du Comité.
Il est responsable de la surveillance de la mise en œuvre de la Convention sur les droits de l'enfant ainsi que de l'application de ses deux Protocoles facultatifs. Il remplit cette fonction principalement par l'examen des rapports des États que ces derniers doivent lui soumettre : un rapport initial deux ans après l'entrée en vigueur du traité, puis un rapport périodique tous les cinq ans.
Dans la poursuite de ces objectifs, il peut demander et recevoir des informations ou des conseils de tout organe compétent du système des Nations unies ou de toute autre organisation, telle qu'une ONG (art. 45). Il peut aussi réclamer des informations supplémentaires aux États, comme expliqué précédemment.
La procédure d'examen des rapports par le Comité est une procédure publique qui comporte une phase écrite et une phase orale.
Après l'examen des rapports, il peut formuler des suggestions et des recommandations générales qui ne sont pas obligatoires.
Le Comité doit normalement se réunir en session ordinaire deux fois par an, au siège des Nations unies, à des dates décidées par le Comité, en consultation avec le secrétaire général des Nations unies, et en tenant compte du calendrier des conférences approuvé par l'Assemblée générale. (Des sessions extraordinaires peuvent également être organisées.) Sa première session, en octobre 1991, a été consacrée à l'adoption de son règlement intérieur et de directives encadrant la présentation des rapports. Le Comité remet tous les deux ans un rapport d'activités à l'Assemblée générale de l'ONU.

II. Mandat

La convention lui attribue une double mission, de protection et de promotion des droits de l'enfant.

1. *Protection : le rapport obligatoire des États*

Le Comité est un organe de contrôle non judiciaire chargé de veiller à la bonne application de la convention. Il jouit à ce titre d'une compétence obligatoire vis-à-vis de tous les États qui ont signé la convention (art. 44).

– Les 193 États parties à la Convention relative aux droits de l'enfant sont obligés de lui présenter un rapport initial deux ans après l'entrée en vigueur du traité à leur égard, puis un rapport périodique tous les cinq ans. Les rapports des États rendent compte de l'application de la convention dans leur ordre interne et de leurs éventuelles difficultés à le faire.
– Un groupe présessionnel du Comité, réuni deux à trois mois avant la session du Comité, commence l'étude des rapports pour identifier les problèmes qui mériteront une discussion approfondie lors de la réunion officielle du Comité. C'est à ce stade que les ONG sont les plus actives car elles sont souvent invitées à participer au groupe présessionnel. C'est en outre la seule étape dans l'examen des rapports pendant laquelle elles sont autorisées à prendre la parole.
– La procédure d'examen des rapports par le Comité est une procédure publique qui comporte une phase écrite et une phase orale.
– Le Comité peut demander aux États des informations complémentaires et bien souvent en effet une liste de questions leur est envoyée, à laquelle ils doivent répondre par écrit. L'une des questions fréquemment posées par le Comité concerne la définition de l'enfant prévue dans le droit interne des États. Ce point est important pour comprendre l'âge auquel un enfant est pénalement responsable, et les recours qui lui sont ouverts.

▶ **Mineur.**

Bien que la convention ne les y oblige pas, la coutume veut que chaque État dépêche un représentant pour répondre aux questions du Comité pendant la discussion orale du rapport. À l'issue de la procédure, les États publient en général leur rapport, le compte rendu de l'examen et les observations finales du Comité.
Ce contrôle sur rapport a commencé en janvier 1993. Les méthodes de travail du Comité pour l'examen des rapports sont mouvantes de session en session, notamment sur :
– la question de la participation des ONG à l'examen des rapports ;
– le délai laissé aux États pour répondre à la liste de questions ;
– la forme (écrite ou orale) de cette réponse ;
– le temps consacré à l'étude de chaque rapport.

2. *Communications individuelles*

Le 19 décembre 2011, les Nations unies ont adopté le Protocole facultatif à la Convention relative aux droits de l'enfant établissant une procédure de présentation de communications, qui a été ouvert aux États membres pour signature le 28 février 2012. En avril 2013, 35 États ont signé ce protocole et 4 l'ont ratifié. Conformément aux dispositions de l'article 19.1, le protocole entrera en vigueur trois mois après la date du dépôt du dixième instrument de ratification ou d'adhésion. Lorsque ce protocole sera en vigueur, les individus ou groupes d'individus citoyens des États l'ayant ratifié pourront présenter des communications auprès du Comité des droits de l'enfant (art. 5), à la condition que ces communications ne soient pas anonymes et que les individus aient épuisé tous les recours internes (sauf si la procédure de recours excède des délais raisonnables).

3. *Promotion*

Le Comité peut organiser des journées de discussion thématique, demander des études sur les droits de l'enfant, effectuer des visites informelles, etc., afin d'assurer la diffusion des principes de la Convention sur les droits de l'enfant et de stimuler la coopération internationale en la matière.

Consulter aussi

▶ **Enfant ▷ Mineur ▷ Droits de l'homme ▷ Recours individuels ▷ Liste des États signataires des conventions internationales relatives au droit humanitaire et aux droits de l'homme (n° 11).**

Contact

Comité des droits de l'enfant
Haut-Commissariat des Nations unies aux droits de l'homme
52, rue Pâquis, 1202 Genève / Suisse.
Tél. : (00 41) 22 917 91 59.

Comité des droits de l'homme (CDH)

Il s'agit d'un organe institué par le Pacte international relatif aux droits civils et politiques adopté dans le cadre de l'ONU en 1966 et entré en vigueur le 23 mars 1976. Cet organe prévu par les articles 28 à 39 du pacte est chargé de veiller à sa bonne application.

I. Composition

Le Comité des droits de l'homme est composé de dix-huit membres indépendants, de « haute moralité » et de « compétence reconnue » (art. 38 du pacte), élus, pour un mandat de quatre ans renouvelable, par les États parties au pacte. Chaque État peut proposer deux personnes, mais le Comité ne peut comprendre plus d'un ressortissant d'un même État et l'élection est fondée sur trois critères : une répartition géographique équitable, la représentation des diverses formes de civilisation et des principaux systèmes juridiques (art. 40 du pacte).
Le Comité n'a commencé à fonctionner que dans les années 1980. Il siège à Genève et ses réunions se tiennent en public trois fois par an. Il remet à l'Assemblée générale et au Conseil économique et social de l'ONU un rapport annuel d'activités qui est rendu public.
Contrairement aux activités du Conseil des droits de l'homme, qui concernent l'ensemble des États membres de l'ONU, la compétence du Comité est non seu-

lement limitée aux États parties au pacte (en avril 2013 167 États y sont parties), mais, de surcroît, elle est bien souvent facultative.

II. Compétences

◆ **Le Comité exerce un contrôle sur l'application de la convention dans trois domaines différents.**
• Il examine, de façon obligatoire et pour tous les États, les rapports périodiques qui lui sont remis par tous les États et retracent les efforts entrepris au niveau national pour favoriser le respect des droits de l'homme et de la convention.
• Si deux États membres ont accepté la compétence facultative du Comité prévue par l'article 41, il peut recevoir des plaintes ou communications d'un État alléguant du non-respect de la convention par l'autre État membre.
• Si l'État concerné a reconnu la compétence facultative du Comité prévue par le Protocole additionnel, il peut recevoir des communications de la part d'individus alléguant de violations par cet État.

1. Le contrôle sur rapports

C'est le système de base, en matière de protection des droits de l'homme. Les États signataires du pacte s'engagent au titre de l'article 40 de cet instrument à fournir au Comité un rapport initial, un an après leur adhésion, puis un rapport périodique tous les cinq ans. Ce rapport doit faire état des mesures nationales prises par cet État pour faire appliquer le Pacte à l'intérieur de son propre pays.

Ce rapport est transmis au Comité par l'intermédiaire du secrétaire général de l'ONU. Le secrétaire général peut aussi, après consultation du Comité, transmettre une copie des passages des rapports aux agences spécialisées de l'ONU dont le mandat couvre ces points. Le Comité procède à l'examen des différents rapports et à l'audition des États concernés. Cette audition comporte une phase écrite et orale, pendant laquelle l'État doit rendre compte des mesures adoptées pour l'application du Pacte dans son ordre interne, et répondre aux questions du Comité sur les éventuels difficultés ou retards pour faire appliquer et respecter le pacte.

Contrairement aux deux autres mécanismes, le contrôle prévu par l'article 40 de la convention n'est pas facultatif. Il s'impose aux 167 États parties au pacte.

◆ **Les ONG peuvent soumettre des documents écrits au Comité. Elles peuvent également assister aux réunions publiques du Comité. Les questions du Comité aux gouvernements lors de l'examen public des rapports peuvent être alimentées par des informations qu'il aura reçues de sources non gouvernementales.**

2. Le contrôle sur communications étatiques

C'est la possibilité pour un État partie au pacte d'appeler l'attention, par écrit, d'un autre État partie, pour violation des droits de l'homme.

Ce contrôle est prévu par un article facultatif du pacte : l'article 41. Il ne s'applique donc pas de façon obligatoire à tous les États signataires.

Pour que le Comité puisse procéder à un tel contrôle, deux conditions doivent être remplies : premièrement, l'État demandeur et l'État défendeur doivent avoir accepté la clause de compétence du Comité, prévue par l'article 41. Deuxièmement,

la victime des violations doit avoir épuisé tous les recours internes. Cette règle ne s'applique pas dans les cas où les procédures de recours excèdent les délais raisonnables (article 41.1.c).
C'est seulement si les deux États ne parviennent pas à régler le problème de façon bilatérale, au bout de six mois, qu'ils peuvent saisir le Comité des droits de l'homme (article 41.1.b).
Le Comité propose ses bons offices pour trouver une solution à l'amiable et dispose d'un délai de douze mois pendant lesquels il peut recevoir les explications écrites et orales des États concernés, et à l'issue duquel il leur remet un rapport. Le rapport contient soit une brève présentation des faits avec la solution proposée, et s'il n'y a pas de solution proposée, un bref récapitulatif des explications écrites et orales des États concernés.
Si aucune solution n'est trouvée, une commission de conciliation peut être créée, à la demande des parties, qui reprend le travail du Comité avec les mêmes objectifs et demande des informations complémentaires aux États concernés (art. 42). Elle dispose de douze mois, à l'issue desquels elle remet un rapport aux intéressés. Ce type de contrôle fonctionne mal et est très limité, puisque seulement 48 États ont accepté la compétence du Comité des droits de l'homme en matière de communications étatiques en 2013.
Liste des pays qui ont accepté ce contrôle : Afrique du Sud, Algérie, Allemagne, Argentine, Australie, Autriche, Belgique, Biélorussie, Bosnie-Herzégovine, Bulgarie, Canada, Chili, Congo, Corée, Croatie, Danemark, Équateur, Espagne, États-Unis, Finlande, Gambie, Ghana, Guyane, Hongrie, Islande, Irlande, Italie, Liechtenstein, Luxembourg, Malte, Nouvelle-Zélande, Norvège, Pays-Bas, Pérou, Philippines, Pologne, République tchèque, Royaume-Uni, Russie, Sénégal, Slovaquie, Slovénie, Sri Lanka, Suède, Suisse, Tunisie, Turquie, Ukraine, Zimbabwe.

3. *Le contrôle sur communications individuelles*

C'est la possibilité offerte à un particulier ou à son représentant légal (mais jamais à une personne morale, comme une ONG) de transmettre une plainte écrite au Comité, pour une violation des droits de l'homme dont il aurait été la victime directe.
La compétence du Comité ne s'applique dans ce cas que pour les 114 États qui ont adhéré au Protocole facultatif se rapportant au Pacte international relatif aux droits civils et politiques, qui prévoit cette possibilité de saisine du Comité par des individus.

▶ **Liste des États signataires des conventions internationales relatives aux droits de l'homme et au droit humanitaire (n° 6 et 7).**

Plusieurs conditions de recevabilité de la plainte sont prévues par ce même protocole :
– la victime doit nécessairement être ressortissante d'un pays partie au Protocole facultatif du Pacte international sur les droits civils et politiques ;
– la victime doit avoir épuisé tous les recours internes (art. 2 et 5 du Protocole facultatif) ;

– la plainte ne doit pas être anonyme, ni être considérée comme un abus de droit par le Comité ou être incompatible avec les dispositions du pacte (art. 3 du Protocole facultatif) ;
– elle ne peut être déjà en cours d'examen devant une autre instance internationale (art. 5).
La procédure s'étale sur six mois : le Comité examine d'abord la plainte, puis demande des explications à l'État concerné. Elles sont transmises à la victime et c'est sur la base de ce dialogue État/victime que le Comité prend sa décision (on parle de « constatation ») (art. 5.4 du Protocole facultatif) qui n'a pas de force obligatoire.
Le Comité est aussi chargé de veiller à l'application d'un second Protocole facultatif au Pacte relatif aux droits civils et politiques, adopté le 15 décembre 1989 par l'Assemblée générale, entré en vigueur le 11 juillet 1991 et qui concerne l'abolition de la peine de mort. Ce second protocole a fait l'objet de 75 ratifications.

Liste des 114 pays qui ont adhéré au Protocole additionnel permettant la saisine du Comité par des individus : Afrique du Sud, Algérie, Allemagne, Angola, Andorre, Argentine, Arménie, Australie, Autriche, Azerbaïdjan, Barbade, Belgique, Bénin, Biélorussie, Bolivie, Bosnie-Herzégovine, Brésil, Bulgarie, Burkina-Faso, Cameroun, Canada, Cap-Vert, Chili, Chypre, Colombie, Congo, Corée, Costa Rica, Côte-d'Ivoire, Croatie, Danemark, Djibouti, Équateur, El Salvador, Espagne, Estonie, Finlande, France, Gambie, Géorgie, Ghana, Grèce, Guatemala, Guinée, Guinée équatoriale, Guyane, Honduras, Hongrie, Irlande, Islande, Italie, Kazakhstan, Jamaïque, Kirghizistan, Lesotho, Lettonie, Libye, Liechtenstein, Lituanie, Luxembourg, Macédoine, Madagascar, Malawi, Mali, Maldives, Malte, île Maurice, Mexique, Mongolie, Monténégro, Namibie, Népal, Nouvelle-Zélande, Nicaragua, Niger, Norvège, Ouganda, Ouzbékistan, Panama, Paraguay, Pays-Bas, Pérou, Philippines, Pologne, Portugal, République centrafricaine, République démocratique du Congo, République dominicaine, République de Moldavie, République tchèque, Roumanie, Russie, Saint-Vincent et les Grenadines, Saint-Marin, Sénégal, Serbie et Monténégro, Seychelles, Sierra Leone, Slovaquie, Slovénie, Somalie, Sri Lanka, Suède, Suriname, Tadjikistan, Tchad, Togo, Trinité-et-Tobago, Tunisie, Turkménistan, Turquie, Ukraine, Uruguay, Venezuela, Zambie.

Consulter aussi

▶ **Droits de l'homme ▷ Haut-Commissariat aux droits de l'homme-Conseil des droits de l'homme ▷ Liste des États signataires des conventions internationales relatives au droit humanitaire et aux droits de l'homme (n° 6, 7 et 8) ▷ Peine de mort ▷ Recours individuels.**

Contact

Comité des droits de l'homme
Haut-Commissariat des Nations unies aux droits de l'homme
52, rue Pâquis, 1202 Genève / Suisse.
Tél. : (00 41) 22 917 91 59.

Comité des droits économiques, sociaux et culturels

Le Comité des droits économiques, sociaux et culturels a été fondé en 1985 par le Conseil économique et social des Nations Unies (ECOSOC) afin de superviser le Pacte international relatif aux droits économiques, sociaux et culturels, qui lie actuellement 160 Etats parties.

I. Composition

Le Comité est composé de 18 membres, élus à bulletin secret par l'ECOSOC pour un mandat de quatre ans renouvelable. Les membres sont élus sur la base d'une liste proposée par les Etats parties au Pacte. Ce sont des experts indépendants, ayant une expertise reconnue dans le domaine des droits de l'homme, et siégeant à titre personnel. L'élection s'effectue selon une répartition géographique équitable et tend à représenter les différents modèles sociaux et juridiques mondiaux.

II. Mandat

Le Pacte international relatif aux droits économiques, sociaux et culturels a pour objectif de protéger et promouvoir plusieurs droits ; le droit de travailler dans des conditions justes et favorables ; le droit à la sécurité sociale ; le droit de toute personne à un niveau de vie suffisant ; le droit de jouir du meilleur état de santé physique et mental, ainsi que le droit à l'éducation, le droit de participer à la vie culturelle et de bénéficier du progrès scientifique. Le Pacte surveille l'application de ces droits, sans discrimination d'aucune sorte.
Périodiquement, les Etats parties doivent soumettre un rapport au Comité sur la manière dont ils ont mis en œuvre les droits consacrés par le Pacte. Le Comité examine ces rapports et fait part de ses recommandations aux Etats parties concernés sous formes « d'observations finales ». Le Comité soumet lui-même un rapport d'activité au Conseil économique et social, contenant ses observations sur chaque Etat partie, afin de permettre au Conseil d'assumer ses responsabilités au nom des articles 21 et 22 du Pacte.
Le Comité siège à Genève et se réunit deux fois par an, pour une période allant jusqu'à trois semaines.

Les ONG ayant un statut consultatif à l'ECOSOC sont autorisées à soumettre au Comité des communiqués écrits, qui peuvent contribuer à la réalisation globale et universelle des droits consacrés par le Pacte (Résolution 1988/4 de l'ECOSOC).

▶ **ECOSOC ▷ Droits de l'Homme ▷ Recours individuels ▷ Liste des États parties aux conventions internationales en droits de l'homme et droit humanitaire (N° 5)**

Contact

Comité des droits économiques, social et culturels
Haut Commissariat des Nations Unies pour les Droits de l'Homme
52 rue des Pâquis
1202 Genève, Suisse
Tel.: (00 41) 22 917 92 39
Fax: (00 41) 22 917 90 12

Pour en savoir plus

Leckie, Scott. "The Committee on Economic, Social and Cultural Rights: Catalyst for Change in a System Needing Reform", In *The Future of United Nations Human Rights Treaty Monitoring*, Ph. Alston & J. Crawford (ed.), Cambridge University Press (2000), 129-144.

Comités des sanctions

Il s'agit d'organes mis en place par le Conseil de sécurité des Nations unies pour surveiller le respect et les effets des mesures d'embargo ou de sanctions décidées contre certains pays. Un embargo peut porter uniquement sur certains biens comme les armes, mais il peut aussi être total. Il consiste alors en un gel de tous les échanges commerciaux.

I. Leur rôle et leur structure

◆ **Même dans une situation d'« embargo total », le gel des échanges commerciaux ne peut pas conduire à interdire l'envoi de secours humanitaires prévus par le droit international au profit des populations en danger. Le Comité des sanctions doit donc examiner les demandes d'exemption concernant les biens en prenant en considération la nature commerciale ou humanitaire de la transaction ou des biens en question.**

▶ **Embargo ▷ Sanctions diplomatiques, économiques ou militaires.**

Les comités des sanctions examinent les demandes d'exemption et autorisent au cas par cas les importations de secours à caractère humanitaire. Ces demandes ne peuvent être déposées que par des organisations internationales humanitaires (les agences de l'ONU et le CICR), ainsi que par les États. Les ONG doivent obligatoirement passer par l'intermédiaire de l'État où se trouve leur siège. Concrètement, elles transmettent leur demande au ministère concerné (il varie selon les pays), qui la remet à son tour à son ambassadeur auprès de l'ONU. C'est ce dernier qui la transmet enfin au comité des sanctions.
Chaque comité prend en général le nom de la résolution du Conseil de sécurité qui impose l'embargo. La plupart du temps, les comités sont créés par la résolution qui décide des sanctions, mais il arrive qu'ils soient mis en place par une résolution postérieure. Ils sont créés conformément à l'article 28 du règlement intérieur provisoire du Conseil de sécurité. En avril 2013, sept comités des sanctions existaient pour les pays suivants ; Guinée-Bissau (depuis 2012) ; Libye (depuis 2011) ; Soudan (depuis 2005) ; Côte-d'Ivoire (depuis 2004) ; Liberia depuis 2003) ;

République démocratique du Congo (depuis 2003) ; et Somalie et Érythrée (depuis 1992). Les comités 1267 et 1373 ont été mis en place en 1999 et 2001 pour gérer les sanctions prises contre les individus et entités associés au groupe d'Al-Qaeda et aux talibans puis contre ceux qui soutiennent le terrorisme.
Des comités de sanctions ont également existé pour les pays suivants : Sierra Leone (1997-2010), Rwanda (1994-2008), Liberia (1995-2001 and 2001-2003), Érythrée et Éthiopie (2000-2001), Angola (1993-2002), Haïti (1993-1994), ex- Yougoslavie (1991-1996), Libye (1992-2003), Irak et Koweït (1990-2003), et Afrique du Sud (1977-1994).
Chaque comité est composé des quinze membres du Conseil de sécurité et élit un président pour un an parmi les membres non permanents. Il est assisté d'un secrétariat (un secrétaire et cinq à six personnes), qui fait partie du département des affaires politiques de l'ONU. Chaque comité adopte aussi ses règles de fonctionnement, mais elles sont en fait communes à tous les comités. Les décisions sont prises par consensus (il y a donc un droit de veto) et en présence de tous les membres (l'absence de l'un d'eux bloque donc toute décision).

II. Les procédures d'exemption

On distingue deux procédures de décision, qui varient selon la nature des biens humanitaires concernés.
– La *notification*. Pour les biens humanitaires par nature, l'organisation humanitaire envoie une lettre de notification au comité des sanctions. C'est le simple accusé de réception du président du comité qui sert ensuite d'autorisation pour importer les biens.
– La *procédure de non-objection*. Pour tous les autres biens, la demande d'exemption faite sur un formulaire standard doit être expédiée au secrétariat du comité des sanctions. Ce dernier la communique à tous les membres et un délai est fixé pour chaque demande. Si, à l'échéance de ce délai, aucun membre du comité n'a émis la moindre objection, la demande est considérée comme acceptée et le président en informe l'auteur par lettre. L'autorisation est accordée pour une durée précise (trois mois dans le cas du comité 724 sur l'ex-Yougoslavie, par exemple, qui surveillait « l'embargo général et complet sur toutes les importations d'armes et d'équipements militaires » pour l'ex-Yougoslavie, imposé par le Conseil de sécurité avec sa résolution 724 du 15 décembre 1991). Si au contraire la demande est l'objet de contestation de la part d'un ou plusieurs membres du comité, elle est soumise à un, voire deux examens. Les décisions du comité sont sans appel.
Les ONG ont souvent critiqué les comités des sanctions pour le manque de transparence de leurs décisions. Ces décisions sont prises à huis clos, ne doivent pas obligatoirement être motivées et ne font l'objet d'aucun procès-verbal. Les critiques portent en outre sur les délais d'exécution des demandes d'exemption. De tels délais sont évidemment incompatibles avec des situations d'urgence.
Enfin, la procédure d'embargo et le comité des sanctions sont destinés à exercer des pressions politiques sur un gouvernement. Ce contexte pèse souvent lourdement sur l'indépendance des actions humanitaires entreprises dans de telles circonstances.

III. Les biens humanitaires exclus de l'embargo

– Les fournitures à usage strictement médical et les denrées alimentaires, c'est-à-dire les médicaments, les biens médicaux et la nourriture (les comités parlent de « biens humanitaires par nature »). Ces biens sont soumis à la procédure de notification.
– Les marchandises destinées à permettre le fonctionnement d'institutions considérées comme indispensables à la survie des populations, comme les hôpitaux et les écoles (les comités parlent alors de « biens humanitaires par destination »). Elles sont soumises à la procédure un peu plus lourde de non-objection.

Consulter aussi

▶ **Sanctions diplomatiques, économiques ou militaires ▷ Secours ▷ Embargo ▷ Biens protégés ▷ Conseil de Sécurité des Nations unies.**

Comité contre la torture (CCT)

Il s'agit de l'organe qui surveille l'application de la Convention contre la torture et autres peines ou traitements cruels, inhumains ou dégradants, adoptée le 10 décembre 1984 et ratifiée en avril 2013 par 153 États. Son existence est prévue par l'article 17 de la convention. Il est entré en fonction en 1987 et est composé de dix experts indépendants, « de haute moralité et possédant une compétence reconnue dans le domaine des droits de l'homme ». Les membres du Comité sont ressortissants des États parties et sont élus par ces derniers, respectant une représentation géographique équitable, pour un mandat de quatre ans renouvelable.

◆ **La compétence du Comité est celle d'un organe conventionnel, c'est-à-dire qu'elle est limitée aux États parties qui ont accepté ses différentes compétences en signant la convention. Les États ont aussi la possibilité de faire des réserves concernant certaines activités du Comité. En dehors des activités du Comité, la convention autorise les victimes à porter plainte devant les tribunaux de tout pays où l'auteur est localisé.**

La convention prévoit quatre types de contrôles différents, qui dépendent pour la plupart de l'acceptation des États. Un Protocole facultatif à la convention, adopté en décembre 2002 par les Nations unies et entré en vigueur en juin 2006, prévoit également la mise en place d'un système de visite des lieux où des personnes sont privées de liberté, effectuées par un sous-comité contre la torture et un ou plusieurs organes nationaux indépendants.

1. *Contrôle sur rapports*

L'article 19 prévoit que chaque État partie doit remettre un rapport initial, un an après ratification de la convention, puis un rapport périodique tous les quatre ans. La procédure d'examen par le Comité, qui n'a commencé qu'en 1990, donne lieu à des « commentaires » transmis à l'État et éventuellement publiés dans le rapport annuel sur les activités du Comité.

Ce contrôle est obligatoire : il s'applique par conséquent aux 153 États parties à la Convention de 1984.

2. *Recueil de renseignements et pouvoir d'enquête*
L'article 20 autorise le Comité à recevoir des informations transmises par des États, des organisations gouvernementales et non gouvernementales et des particuliers. Si ces renseignements comportent des indications bien fondées et crédibles (avec par exemple une présentation de l'organisation qui transmet) et s'ils révèlent le caractère systématique de la torture, le Comité peut demander des explications à l'État accusé, puis charger un de ses membres d'effectuer une enquête, qui peut comprendre une visite sur le territoire de cet État avec son consentement, pour un rapport rapide. Cette procédure d'enquête reste confidentielle et les conclusions sont transmises à l'État mis en cause.
Cette compétence est en principe obligatoire, mais certains États l'ont écartée en émettant une réserve sur l'article 20. En avril 2013, 12 États avaient émis une telle réserve : Afghanistan, Arabie Saoudite, Chine, Émirats arabes unis, Guinée équatoriale, Israël, Koweït, Laos, Mauritanie, Pakistan, Pologne, Syrie.

3. *Contrôle sur communications étatiques (art. 21)*
C'est la possibilité pour un État partie à la convention d'appeler l'attention, par écrit, d'un autre État partie, pour violation de ses obligations au titre de la convention (art. 21). C'est seulement si les deux États ne parviennent pas à résoudre leur différend de façon bilatérale, au bout de six mois, qu'ils peuvent saisir le Comité contre la torture. Le Comité propose ses bons offices pour trouver une solution à l'amiable. Il peut créer à cette fin une commission de conciliation. Il dispose d'un délai de douze mois pendant lesquels il peut recevoir les explications écrites et orales des États concernés, et à l'issue duquel il leur remet un rapport.
La compétence du Comité est soumise à deux conditions cumulatives :
– l'État demandeur et l'État défendeur doivent avoir accepté la clause de compétence du Comité prévue par l'article 21 de la convention. 61 États parties à la Convention de 1984 ont accepté la compétence du Comité en matière de communications étatiques ;
– la victime des violations doit avoir épuisé tous les recours internes, sauf si ces recours sont longs et inefficaces.

4. *Contrôle sur communications individuelles (art. 22)*
Il permet à un particulier (la victime, un membre de sa famille ou son représentant légal) de porter plainte pour torture devant le Comité.
Cette possibilité est limitée aux individus se trouvant sur le territoire des États qui ont souscrit à la clause facultative de l'article 22 de la convention (65 à ce jour). La plainte est en outre soumise à plusieurs conditions de recevabilité : la plainte ne doit être ni anonyme ni considérée par le Comité comme un abus de droit ou comme incompatible avec les dispositions de la convention. Elle ne doit pas non plus avoir été ou être examinée par une autre instance internationale. La victime doit enfin avoir épuisé tous les recours internes. L'examen sur le fond

est confidentiel et dure six mois, pendant lesquels les explications de l'État et de l'auteur de la plainte sont transmises au Comité. C'est sur la base de ces informations qu'il prend sa décision. Les « constatations » du Comité sont transmises à l'État mis en cause et au particulier. Elles n'ont pas force obligatoire.
Le Comité contre la torture tient deux sessions ordinaires par an à Genève et remet un rapport annuel d'activités à l'Assemblée générale de l'ONU et aux États parties à la Convention de 1984.
Liste des 55 pays qui ont accepté la compétence du Comité au titre des deux articles 21 et 22 (communications étatiques et communications individuelles) : Afrique du Sud, Algérie, Andorre, Allemagne, Argentine, Australie, Autriche, Belgique, Bolivie, Bulgarie, Cameroun, Canada, Chili, Chypre, Costa Rica, Croatie, Danemark, Équateur, Espagne, Finlande, France, Géorgie, Ghana, Grèce, Hongrie, Irlande, Islande, Italie, Kazakhstan, Liechtenstein, Luxembourg, Malte, Monaco, Monténégro, Norvège, Nouvelle-Zélande, Paraguay, Pays-Bas, Pérou, Pologne, Portugal, République tchèque, République de Corée, République de Moldavie, Russie, Sénégal, Slovaquie, Slovénie, Serbie, Suède, Suisse, Togo, Tunisie, Turquie, Ukraine, Uruguay, Venezuela.
Le Royaume-Uni et les États-Unis, le Japon, et l'Ouganda ont seulement accepté la compétence du Comité au titre de l'article 21. L'Azerbaïdjan, le Burundi, le Brésil, la Bosnie-Herzégovine, le Guatemala, le Maroc, le Mexique et les Seychelles ont accepté sa compétence au titre de l'article 22 uniquement.

5. *Visites des lieux de détention*

Un Protocole facultatif à la Convention contre la torture, adopté par l'Assemblée générale de l'ONU le 18 décembre 2002, prévoit la mise en place d'un système de visites régulières des lieux où des personnes sont privées de liberté, afin de prévenir la torture et les traitements cruels, inhumains et dégradants. Ces inspections seront effectuées par un « sous-comité pour la prévention de la torture et autres peines ou traitements cruels, inhumains ou dégradants » et par un ou plusieurs organes nationaux indépendants (art. 1, 2 et 3 du protocole). Ce dispositif international et national est entré en vigueur en 2006, soit un mois après la vingtième ratification ou adhésion. En avril 2013, 68 États avaient ratifié ce protocole.
Le sous-comité est composé de 25 membres indépendants siégeant à titre individuel, élus pour quatre ans renouvelables par les États parties au protocole, sur la base des critères habituels de l'ONU : haute moralité, expérience professionnelle reconnue, répartition géographique équitable, représentation des divers systèmes juridiques des États parties... Le sous-comité se réunit toujours à huis clos, autant de fois que nécessaire, et tient une session au moins une fois par an, simultanément avec le Comité contre la torture.
Quant au mécanisme national de prévention, le protocole ne précise pas le nombre de ses membres, ni le calendrier de ses réunions, mais il fixe des garanties d'indépendance, de professionnalisme et de représentation équitable des groupes ethniques et minoritaires du pays. Ces mécanismes nationaux peuvent entretenir des contacts directs et confidentiels avec le sous-comité et bénéficier de ses conseils, de son assistance et de sa formation.

Chaque État partie au protocole s'engage à autoriser le sous-comité contre la torture et le ou les organes nationaux à effectuer des visites dans « tout lieu placé sous sa juridiction ou son contrôle où se trouvent ou pourraient se trouver des personnes privées de liberté sur l'ordre d'une autorité publique ou à son instigation ou avec son consentement » (art. 4). Pour permettre l'application concrète de ce mandat, le protocole liste une série d'obligations précises à la charge des États parties (art. 12, 14 et 20). Ces derniers doivent notamment permettre au sous-comité et aux organes nationaux de prévention contre la torture d'accéder sur leur territoire, de leur donner accès à tous les lieux où des personnes sont privées de liberté, de s'entretenir en privé avec elles, de communiquer tous les renseignements nécessaires à leur mandat, de choisir les lieux visités et les personnes rencontrées. Toutefois, les États ont la possibilité d'ajourner l'exécution de leurs obligations, au choix, soit à l'égard du sous-comité, soit à l'égard du dispositif national, pour une période maximum de trois ans, renouvelable sous certaines conditions pour deux ans. Ils peuvent également refuser au sous-comité contre la torture la visite d'un lieu de détention « pour des raisons pressantes et impérieuses liées à la défense nationale, à la sécurité publique, à des catastrophes naturelles ou à des troubles graves là où la visite doit avoir lieu ». Ces arguments ne sont toutefois pas opposables à l'organe national de prévention de la torture.

Les recommandations et observations du sous-comité et des mécanismes nationaux de prévention sont transmises aux États à titre confidentiel. Par ailleurs, les rapports du sous-comité ne peuvent être publiés que dans quatre situations : à la demande de l'État concerné, si celui-ci en rend publique une partie, s'il refuse de coopérer avec le sous-comité ou de prendre des mesures pour améliorer la situation. Dans ces deux derniers cas, c'est le Comité contre la torture qui prend la décision et il peut également choisir de faire une déclaration publique. En revanche, les États parties au protocole doivent publier et diffuser les rapports annuels des mécanismes nationaux de prévention.

Le système de visites prévu par le Protocole facultatif à la Convention contre la torture s'applique en situation de paix, de troubles et de tensions internes et de conflit. En temps de guerre, le CICR dispose également du droit d'inspecter tous les lieux où des personnes sont privées de liberté, conformément au droit international humanitaire.

▶ **Liste des États signataires des conventions internationales relatives au droit humanitaire et aux droits de l'homme (n° 14) ▷ Torture ▷ Droits de l'homme ▷ Recours individuels.**

Contact

Comité contre la torture
Haut-Commissariat des Nations unies aux droits de l'homme
52, rue Pâquis, 1202 Genève / Suisse.
Tél. : (00 41) 22 917 91 59.

Comité européen contre la torture (CPT)

Il s'agit de l'organe chargé de contrôler l'application de la Convention européenne pour la prévention de la torture et des traitements inhumains ou dégradants, adoptée sous l'égide du Conseil de l'Europe en 1987. Il a été créé en novembre 1989, en application de l'article 1er de la convention.

Son nom exact est « Comité pour la prévention de la torture et des peines ou traitements inhumains ou dégradants ».

Son rôle est « d'examiner le traitement des personnes privées de liberté en vue de renforcer, le cas échéant, leur protection contre la torture et les peines ou traitements inhumains ou dégradants » (art. 1 de la Convention européenne contre la torture).

◆ **• Le Comité est partie intégrante du système européen de protection des droits de l'homme, c'est-à-dire que sa compétence est obligatoire et que les États ne peuvent pas la refuser en signant la convention.**

• Le Comité organise un mécanisme non judiciaire qui cherche uniquement à prévenir la torture. Il complète, en amont, le contrôle judiciaire effectué et la Cour européennes des droits de l'homme. La Cour est compétente en matière de torture en vertu de la Convention européenne des droits de l'homme, qui interdit cette pratique et organise les recours.

• Le Comité exerce son contrôle au moyen de visites périodiques ou *ad hoc*, menées en général par deux de ses membres, dans « tout lieu [...] où des personnes sont privées de liberté par une autorité publique » (art. 2). Il dispose ainsi d'un mandat assez large, qui s'étend à tous les types de lieux où se trouvent des individus privés de liberté par quelque autorité publique que ce soit (administrative, judiciaire, militaire).

• Les ONG et les individus peuvent transmettre au Comité des informations relatives à des suspicions de torture.

1. *Composition*

Il est composé d'un nombre de membres égal à celui des parties à la convention, 47 à ce jour, élus par le Comité des ministres du Conseil de l'Europe, à la majorité absolue, sur une liste présentée par l'Assemblée consultative. Ces membres, « de haute moralité et de compétence reconnue en matière de droits de l'homme », sont indépendants et impartiaux, et deux membres du Comité ne peuvent pas être les nationaux d'un même pays. Leur mandat est de quatre ans, renouvelable une fois (art. 3 et 4 de la Convention européenne contre la torture).

2. *Mandat : visites et rapports*

La convention donne uniquement au Comité une mission de prévention de la torture. Il ne prononce donc ni jugements ni sanctions en cas de violations des textes européens relatifs à la torture.

▶ **Cour européenne des droits de l'homme.**

• Le Comité organise des visites périodiques des lieux de détention dans les États parties. Il peut également procéder librement à des visites *ad hoc* ou visites surprises des lieux de détention lorsqu'elles lui paraissent « exigées par les circonstances ».

Ainsi, de sa création en 1989 à 2012, le Comité a effectué 334 visites (art. 7), dont 134 *ad hoc*. Il peut demander à être assisté d'experts, comme des médecins, pendant ses visites.

• Dans l'exercice de ses fonctions, le Comité jouit en théorie de pouvoirs assez étendus, fixés par l'article 8 de la Convention européenne contre la torture :

– accès au territoire de l'État visité et droit de s'y déplacer librement ;

– obtention des renseignements sur les lieux où se trouvent des personnes privées de liberté ;

– possibilité de se rendre à son gré dans tout lieu où se trouvent des personnes privées de liberté y compris le droit de se déplacer sans entrave à l'intérieur de ces lieux ;

– obtention de toute information dont dispose l'État et qui est nécessaire au Comité pour l'accomplissement de sa tâche ;

– possibilité de s'entretenir sans témoin avec les personnes privées de liberté ;

– possibilité d'entrer en contact librement avec toute personne dont il pense qu'elle peut lui fournir des informations utiles.

• Chaque visite donne lieu à un rapport confidentiel accompagné de recommandations qui ne sont pas obligatoires. Le Comité peut toutefois décider de faire une déclaration publique si l'État se montre peu coopératif ou s'il refuse de tenir compte de ses conclusions (art. 10). Entre 1992 et 1996, le Comité a émis huit déclarations publiques contre la Turquie ; entre 2001 et 2007, trois déclarations publiques contre la Fédération de Russie ; puis, en 2011, une déclaration publique contre la Grèce. Les griefs portaient principalement sur le traitement des personnes détenues par la police Le Comité peut aussi publier un rapport avec tous les commentaires de l'État concerné, chaque fois que cet État le demande. Cependant, aucune donnée à caractère personnel ne sera rendue publique sans le consentement explicite de la personne concernée (art. 11).

Suivant les règles sur la confidentialité, le Comité présente un rapport annuel d'activités au Comité des ministres qui le transmet à l'Assemblée consultative du Conseil de l'Europe, avant de le rendre public.

3. *Compétence*

La compétence du Comité est obligatoire à l'égard de tous les États parties à la convention et elle s'applique en tout temps (paix, guerre, danger public). Toutefois, en période de conflit, sa compétence est subsidiaire par rapport à celle du CICR : les Conventions de Genève s'appliquent donc en priorité et « le Comité ne visitera pas les lieux que des représentants ou des délégués de puissances protectrices ou du Comité international de la Croix-Rouge visitent effectivement et régulièrement en vertu des Conventions de Genève du 12 août 1949 et de leurs Protocoles additionnels » (art. 17.3 de la Convention européenne contre la torture).

Consulter aussi

▶ Torture ▷ Cour européenne des droits de l'homme ▷ Recours individuels ▷ Liste des États signataires des conventions internationales relatives au droit humanitaire et aux droits de l'homme (n° 15) ▷ Droits de l'homme.

Contact

Comité européen contre la torture
Conseil de l'Europe
670075 Strasbourg Cedex / France.
Tél. : 03 88 41 32 54/Fax : 03 88 41 27 72.

Comité pour l'élimination de la discrimination à l'égard des femmes

Le Comité pour l'élimination de la discrimination à l'égard des femmes a été créé conformément à l'article 17 de la Convention sur l'élimination de toutes les formes de discrimination à l'égard des femmes (CEDAW). En avril 2013, 187 États y étaient parties. Le Comité est chargé de veiller à l'application de la convention par les États parties.

Il est composé de 23 experts indépendants, désignés par les États parties, pour une période de quatre ans, sur la base d'une représentation géographique équitable et d'une représentation des principaux systèmes juridiques.

1. *Procédure*

Le Comité suit une procédure similaire à celle des autres organes créés par les traités sur les droits de l'homme des Nations unies : il fait des recommandations suite à l'examen des rapports des États sans que celles-ci obligent les États concernés.

Les États parties à la convention doivent soumettre un rapport au Comité un an après son entrée en vigueur, puis « tous les quatre ans » (art. 18.2).

Le Comité se réunit seulement une fois par an pour « une période ne dépassant pas deux semaines » (art. 20). Afin d'effectuer le travail nécessaire à l'examen des rapports, le Comité a mis en place un groupe de travail qui prépare la liste de toutes les questions qui ont été envoyées par avance aux États. Il existe également deux groupes de travail, qui se réunissent pendant la session et étudient les moyens pour accélérer et améliorer le travail du Comité. Tous les ans, le Comité soumet un rapport de ses activités à l'Assemblée générale des Nations unies par le biais du Conseil économique et social.

L'article 22 de la convention stipule que les agences spécialisées des Nations unies ont le droit d'assister à la présentation des rapports et que le comité « peut inviter des agences spécialisées à soumettre des rapports sur la mise en œuvre de la convention dans des domaines relevant de leurs compétences ». Aucune référence n'est faite à un rôle direct des ONG, cependant le Comité a recommandé que les gouvernements coopèrent avec les ONG lors de la préparation de leur rapport. En pratique, les informations fournies par les ONG et les agences indépendantes sont des éléments importants pour le Comité dans son travail d'évaluation de la condition des femmes dans les différents États.

Le 6 octobre 1999, les Nations unies ont adopté le Protocole facultatif à la Convention sur l'élimination de toutes les formes de discrimination à l'égard des femmes, qui est entré en vigueur le 22 décembre 2000. Ce protocole, ratifié par 104 États, reconnaît la compétence du Comité pour recevoir et examiner des communications individuelles. Les communications sont soumises à deux conditions de recevabilité : elles ne doivent pas être anonymes et l'individu ou le groupe d'individus doit avoir épuisé les recours internes, sauf s'ils excèdent des délais raisonnables.

2. Les rapports des États

Le Comité exerce un contrôle non juridictionnel. Il a pour responsabilité de superviser la mise en œuvre de la convention. Son mandat s'impose aux États parties, qui doivent en contrepartie se soumettre à ses procédures (art. 18.1).
Les rapports des États parties informent le Comité des mesures prises par chaque État pour incorporer les dispositions de la convention dans son droit interne et des possibles difficultés rencontrées.
Les « suggestions et les recommandations générales » faites par le Comité après les réunions, généralement rendues publiques, sont reprises dans le rapport du Comité à l'Assemblée générale avec les commentaires des États parties.

▶ **Femme ▷ Droits de l'homme ▷ Recours individuels ▷ Liste des États parties aux conventions internationales relatives aux droits de l'homme et au droit humanitaire (n° 26).**

Contact

Comité pour l'élimination de la discrimination à l'égard des femmes
Haut-Commissariat des Nations unies aux droits de l'homme
52, rue Pâquis, 1202 Genève / Suisse.
Tél. : (00 41) 22 917 91 59.

Comité pour l'élimination de la discrimination raciale

C'est l'organe chargé de contrôler l'application de la Convention pour l'élimination de la discrimination raciale. Adoptée le 21 décembre 1965 et entrée en vigueur en 1969, cette convention rassemblait 176 États parties en mai 2013.
Le Comité, prévu par l'article 8 de la convention, est le premier organe chargé de veiller à l'application d'un traité relatif aux droits de l'homme mis en place par les Nations unies. Il a ouvert la voie à la création par la suite d'autres comités du même type.

▶ **Comité des droits de l'homme ▷ Comité des droits de l'enfant ▷ Comité pour l'élimination de la discrimination à l'égard des femmes ▷ Comité contre la torture.**

Le Comité tient deux sessions annuelles de deux ou trois semaines environ, en mars et en août. La convention prévoit qu'il se réunit au siège de l'ONU à New York (art. 10.4), mais les sessions se tiennent en général à Genève.
Le Comité est composé de dix-huit experts indépendants élus pour quatre ans par les États parties. Il est tenu compte d'une représentation géographique équitable, ainsi que d'une représentation des différentes civilisations et des divers systèmes juridiques.
Le Comité dispose de quatre types de procédures pour contrôler l'application de la convention.

1. *Contrôle sur rapport*

Les États parties sont tenus de présenter un rapport sur l'application de la convention, en particulier sur les mesures législatives, judiciaires, administratives qu'ils ont prises pour la mettre en œuvre dans leur ordre interne. En général, un représentant de l'État vient présenter le rapport et répond aux questions du Comité, qui peut demander des informations supplémentaires à l'État. Le Comité formule ensuite des recommandations qui ne sont pas obligatoires.
À l'origine, les États devaient présenter un rapport initial, un an après l'entrée en vigueur de la convention à leur égard, puis tous les deux ans (art. 9.1). Toutefois, le Comité a décidé en 1988 de demander aux États un rapport détaillé tous les quatre ans, puis un rapport intermédiaire de mise à jour tous les deux ans. Le Comité peut aussi demander à l'État un rapport spécial à tout moment, quand il estime que la situation dans le pays l'exige.
Dans le cas où un État n'a pas présenté de rapport depuis cinq ans ou plus, le Comité va automatiquement exercer son contrôle et demander des comptes à cet État.
Les ONG peuvent utilement transmettre des informations au Comité pour alimenter le contrôle sur rapport.

2. *Contrôle sur communications étatiques*

C'est la possibilité pour un État partie qui considère qu'un autre État partie n'applique pas ou viole les dispositions de la convention d'attirer l'attention du Comité sur ce point (art. 11). En avril 2013, cette procédure n'avait jamais été utilisée ; les États sont en effet peu désireux de se mettre en cause mutuellement pour violations des droits de l'homme.
La plainte de l'État est examinée selon une procédure décrite dans les articles 11 à 13 de la convention. La procédure vise à trouver une solution à l'amiable entre les deux États. La plainte est transmise par le Comité à l'État visé. Ce dernier dispose de trois mois pour fournir des explications ou des déclarations écrites afin d'éclaircir la question et exposer éventuellement les mesures prises pour remédier à la situation.
Une fois que le Comité a étudié ces informations, il met en place une commission de conciliation, composée de cinq membres désignés avec l'accord des États parties au litige. Les membres de la commission sont indépendants et ne peuvent pas être ressortissants de pays impliqués dans le différend ni d'États non parties à la convention. Ils peuvent ou non être membres du Comité. La commission

de conciliation met ses bons offices à la disposition des parties afin de parvenir à une solution à l'amiable. Après avoir examiné les informations que le Comité lui a transmises et d'autres renseignements qu'elle peut avoir demandés aux États intéressés, la commission remet au comité un rapport avec ses conclusions sur les faits et ses recommandations. Ce rapport est également remis aux parties. Elles disposent d'un délai de trois mois pour faire savoir au Comité si elles acceptent ou non les recommandations.

3. *Contrôle sur communications individuelles*
C'est la possibilité pour un individu ou un groupe de personnes qui estiment être victimes de violations de la convention par l'État dans lequel ils résident de saisir le Comité. Ce recours est ouvert uniquement si l'État visé a accepté la compétence du Comité pour recevoir des communications individuelles (art. 14). En avril 2013, 54 États avaient reconnu cette compétence. Il s'agit des pays suivants : Afrique du Sud, Algérie, Allemagne, Andorre, Argentine, Australie, Autriche, Azerbaïdjan, Belgique, Bolivie, Brésil, Bulgarie, Chili, Chypre, Costa Rica, Espagne, Estonie, ex-République yougoslave de Macédoine, Danemark, Équateur, Fédération de Russie, Finlande, France, Géorgie, Hongrie, Islande, Irlande, Italie, Kazakhstan, Lichtenstein, Luxembourg, Malte, Maroc, Mexique, Monténégro, Monaco, Norvège, Pays-Bas, Pérou, Pologne, Portugal, République de Corée, République tchèque, Roumanie, Saint-Marin, Sénégal, Serbie et Monténégro, Slovaquie, Slovénie, Suède, Suisse, Ukraine, Uruguay, Venezuela.
Les communications sont soumises à deux conditions de recevabilité : elles ne doivent pas être anonymes et l'individu ou le groupe d'individus doit avoir épuisé les recours internes, sauf s'ils excèdent des délais raisonnables.
Le Comité a commencé à examiner les communications individuelles en 1982, après que dix États ont accepté de souscrire à cette compétence facultative, conformément à l'article 14.9.
La procédure d'examen de ces communications est fixée dans les articles 14.6 à 14.8 de la convention.
La plainte est transmise à l'État mis en cause, sans mention de l'identité de l'auteur de la communication. L'État dispose de trois mois pour soumettre par écrit des explications et indiquer les mesures éventuelles qu'il a prises pour remédier à la situation. Le Comité examine ensuite la communication à la lumière des informations transmises par les parties au litige. Il adresse finalement ses suggestions et ses recommandations éventuelles à l'État accusé et à l'auteur de la plainte.

4. *Prévention de la discrimination raciale, alerte rapide et procédure d'urgence*
Le Comité peut décider de s'intéresser de façon *ad hoc* à toute situation qui présente un risque de discrimination raciale ou dans laquelle les dispositions de la convention sont violées. Dans ce cadre, les ONG peuvent utilement faire parvenir des informations au comité.
Ce dernier peut alors demander à l'État visé de soumettre un rapport spécial ou inviter cet État à dépêcher un représentant lors de ses sessions pour s'expliquer sur la situation et répondre à ses questions.

Consulter aussi

▶ **Apartheid ▷ Recours individuels ▷ Droits de l'homme ▷ Rapporteur spécial ▷ Liste des États parties aux conventions relatives aux droits de l'homme et au droit humanitaire (n° 25) ▷ Discrimination.**

Consulter aussi

Comité pour l'élimination de la discrimination raciale
Haut-Commissariat des Nations unies aux droits de l'homme
52, rue Pâquis, 1202 Genève / Suisse.
Tél. : (00 41) 22 917 91 59.

Commission internationale humanitaire d'établissement des faits

C'est un organe d'enquête permanent sur les violations graves du droit humanitaire. Elle complète les Conventions de Genève en créant un mécanisme d'enquête indépendant sur toute « infraction grave » ou autre « violation grave » des Conventions de Genève et du Protocole additionnel I. Elle a été prévue en 1977 par l'article 90 du Protocole additionnel I aux Conventions de Genève. L'installation de la Commission nécessitait l'adhésion à l'article 90 d'au moins 20 États. Elle n'est devenue effective qu'en 1991 dans le sillage de la guerre du Golfe. En avril 2013, 72 États avaient accepté sa compétence ; le dernier à l'avoir acceptée est le Lesotho (le 13 août 2010).

▶ **Liste des États parties aux conventions internationales (n° 2a).**

1. *Compétence*

La Commission est compétente pour enquêter sur les infractions et violations graves définies par les Conventions de Genève de 1949 et le Protocole additionnel I de 1977. On parle également dans ces cas de crimes de guerre et de crimes contre l'humanité. Bien que les Conventions de Genève et le Protocole additionnel I s'appliquent exclusivement aux conflits armés internationaux, la Commission a toutefois annoncé, lors de sa deuxième session quinquennale en 1996, qu'elle était disposée à enquêter sur les violations graves du droit humanitaire, notamment les violations de l'article 3 commun, commises dans les conflits armés non internationaux, quand les parties au conflit seront d'accord.
Son rôle est aussi de « faciliter, en prêtant ses bons offices, le retour à l'observation des dispositions des Conventions et du présent protocole » (GPI art. 90.2.c.II).

2. *Composition*

Elle est composée de quinze membres « de haute moralité et d'une impartialité reconnue » nommés pour cinq ans (GPI art. 90.1.a). Ils sont choisis par les États ayant accepté la compétence de la commission parmi une liste établie par ces mêmes États. Les deux premières élections ont eu lieu en 1991 et 1996. Le dernier renouvellement des membres a eu lieu le 9 décembre 2011 à l'issue d'une réunion des 72 hautes parties contractantes ayant accepté la compétence de la Commission.

3. *Fonctionnement*

a) Saisine

La Commission apporte deux nouveautés par rapport aux mécanismes traditionnels d'enquête sur les violations du droit humanitaire.

• Tout État qui a souscrit à l'article 90 peut demander l'ouverture d'une enquête, même s'il n'est pas lui-même directement impliqué ou concerné par le conflit. L'enquête ainsi demandée échappe au soupçon de partialité qui lui serait attaché si elle était demandée par l'une des parties au conflit. Elle apparaît davantage comme un mécanisme de contrôle collectif des États, fondé sur des motifs d'ordre public et de respect de la légalité internationale. Mais encore faut-il que la partie au conflit incriminée ait reconnu la compétence de la commission.

• Les États peuvent adhérer à un article facultatif et reconnaître la compétence de la Commission une fois pour toutes à l'égard d'un autre État qui fait la même reconnaissance, sans qu'il soit ensuite besoin d'un accord spécifique au moment du déclenchement d'une enquête (GPI art. 90.2.a).

Si cette reconnaissance n'a pas été faite de façon explicite, la Commission n'ouvrira une enquête à la demande d'une partie au conflit qu'avec le consentement de l'autre ou des autres parties intéressées (GPI art. 90.2.d).

b) Enquête

Elle est menée par une chambre de sept personnes non ressortissantes des parties au conflit et choisies parmi les membres de la Commission selon « une répartition géographique équitable » La Commission peut demander la fourniture des éléments de preuve aux parties au conflit mais également recourir à sa propre enquête, y compris sur place. Elle débouche sur la présentation d'un rapport aux États accusés de violations, qui ont un droit de réponse. Ce rapport est confidentiel, mais la Commission peut décider de le rendre public si les parties au conflit le lui demandent, ou si elle estime que rien n'est fait pour faire cesser les violations. C'est l'État qui demande l'enquête qui doit avancer l'argent nécessaire à celle-ci. Les charges doivent ensuite être remboursées par la ou les parties au conflit qui sont mises en cause.

◆ **• Les États qui ont créé cette commission ne lui ont pour l'instant confié aucune enquête à réaliser. Il y a une tendance générale des États à ne pas mettre en accusation d'autres États pour des violations du droit humanitaire. Quand ces violations sont flagrantes, les États préfèrent désigner des organes d'enquête *ad hoc* qui ont une fonction plus diplomatique que judiciaire.**
• Les ONG ne peuvent pas saisir directement la Commission d'établissement des faits, mais elles peuvent demander aux États de saisir de façon prioritaire cet organe, qui est le seul organe d'enquête permanent prévu par les Conventions de Genève.

Liste des pays ayant reconnu la compétence de la Commission internationale humanitaire d'établissement des faits : Algérie, Allemagne, Argentine, Australie, Autriche, Belarus, Belgique, Bolivie, Bosnie-Herzégovine, Brésil, Bulgarie, Burkina Faso, Canada, Cap-Vert, Chili, Chypre, Colombie, Costa Rica, Croatie, Danemark, Émirats arabes unis, Espagne, Estonie, Finlande, Grèce, Guinée, Hongrie, Iles Cook, Irlande, Islande, Italie, Japon, Laos, Lesotho, Liechtenstein, Lituanie, Luxembourg, Macédoine, Madagascar, Mali, Malte, Mongolie, Monténégro, Monaco, Namibie, Norvège, Nouvelle-Zélande, Panama, Paraguay, Pays-Bas, Pologne, Portugal, Qatar, République de Corée, République démocratique du Congo, République tchèque, Roumanie, Royaume-Uni, Russie, Rwanda, Serbie et Monténégro, Seychelles, Slovaquie, Slovénie, Suède, Suisse, Tadjikistan, Togo, Tonga, Trinité et Tobago, Ukraine, Uruguay.

■ Les autres mécanismes juridiques de sanction des violations graves du droit humanitaire

– En dehors de ce mécanisme de surveillance et d'application des conventions, le droit humanitaire prévoit différentes méthodes légales pour enquêter, poursuivre et sanctionner les infractions graves : elles reposent sur l'obligation des États de punir les auteurs des violations graves, mais aussi sur la possibilité pour les victimes individuelles de porter plainte devant les tribunaux nationaux de n'importe quel pays. Il s'agit du système de compétence universelle.

– D'autres mécanismes ont en outre été créés de façon *ad hoc* pour sanctionner les violations graves du droit humanitaire, comme les tribunaux pénaux internationaux.

– Le statut de la Cour pénale internationale a été adopté à Rome le 17 juillet 1998. Elle est compétente, sous certaines conditions, pour juger les auteurs de crimes de guerre, de crimes contre l'humanité et de génocide. L'entrée en vigueur du statut s'est faite le 1er juillet 2002, date à partir de laquelle les individus qui se rendent coupables de l'un des crimes énoncés dans le statut peuvent sous certaines conditions être passibles de poursuites devant la Cour. ■

Consulter aussi

► **Crime de guerre-Crime contre l'humanité ▷ Recours individuels ▷ Sanctions pénales du droit humanitaire ▷ Compétence universelle ▷ Droit international humanitaire ▷ Cour pénale internationale ▷ Tribunaux pénaux internationaux ▷ Liste des États signataires des conventions internationales relatives au droit humanitaire et aux droits de l'homme (n° 2a).**

Contact

Commission internationale humanitaire d'établissement des faits
Palais fédéral, CH 3003 Berne / Suisse.
Tél. : (00 41) 31 322 30 82/Fax : (00 41) 31 324 90 69.
www.ihffc.org

Pour en savoir plus

ASHLEY ROACH J., « La Commission internationale d'établissement des faits. L'article 90 du protocole I additionnel aux Conventions de Genève », *Revue internationale de la Croix-Rouge*, n° 788, mars-avril 1991, p. 178-203.

BARBIER S., « Les commissions d'enquête et d'établissements des faits », *in Droit international pénal*, sous la dir. de Hervé ASCENSIO, Emmanuel DECAUX et Alain PELLET, Pedone, 2000, 1 053 p., p. 697-713.

CONDORELLI L., « La Commission internationale humanitaire d'établissement des faits : un outil obsolète ou un moyen utile de mise en œuvre du droit international humanitaire », *RICR*, n° 842, juin 2001, p. 393-406.

SARACCO M., « La Commission internationale d'établissement des faits : une efficacité encore inconnue », *Situation*, n° 29, journal du Centre de recherches Droit international 90, printemps-été, 1997, p. 35-43.

Commission et Cours africaines des droits de l'homme

La Commission et la Cour africaine des droits de l'homme et des peuples sont chargées de promouvoir et surveiller l'application de la Charte africaine des droits de l'homme et des peuples, adoptée le 26 juin 1981 par l'Organisation de l'Unité africaine (aujourd'hui l'Union africaine). Le siège de la Commission est situé à Banjul (Gambie), celui de la Cour à Arusha (Tanzanie). La Cour africaine des droits de l'homme et des peuples a fusionné en 2008 avec la Cour de justice de l'Union africaine pour former la Cour africaine de justice et des droits de l'homme. Les deux Cours continuent à fonctionner pendant la période transitoire nécessaire à l'entrée en vigueur du traité de 2008. La Commission et la Cour sont compétentes selon des procédures différentes pour examiner les situations de violations des droits de l'homme et les plaintes ou communications émanant des États ou des particuliers. Il existe également d'autres cours et mécanismes africains de défense des droits de l'homme dans le cadre des organisations régionales telles que la Cour de justice de la Communauté économique des États de l'Afrique de l'Ouest (CEDEAO), la Cour de justice de la Communauté de l'Afrique de l'Est (EAC) et le Tribunal de la Communauté de développement de l'Afrique australe (SADC). Tous se réfèrent et appliquent la Charte africaine des droits de l'homme et des peuples et aux autres conventions adoptées dans ce domaine dans le cadre de l'Union africaine.

◆
- **Les particuliers et les ONG peuvent sous certaines conditions soumettre une communication à la Commission africaine des droits de l'homme.**
- **Les particuliers et les ONG ne peuvent porter plainte devant la Cour africaine des droits de l'homme que vis-à-vis des États qui ont expressément accepté cette option facultative dans le traité**

1. *La Commission*

La Commission a été créée en 1987 conformément à l'article 30 de la Charte africaine des droits de l'homme. Elle est composée de onze experts indépendants, élus pour un mandat de six ans renouvelable, par la Conférence des chefs d'État et de gouvernement.

– La Commission tient ordinairement deux sessions annuelles de deux semaines chacune, dans des lieux qui varient chaque année.

– À chacune de ses sessions, la Commission remet un rapport d'activités à la Conférence des chefs d'État et de gouvernement.

– Ses missions sont définies par l'article 45 de la Charte. Il s'agit de :

• l'interprétation des dispositions de la Charte africaine ;

• la promotion des droits de l'homme et des peuples tels que définis par la Charte. L'article 45 précise quelques-uns des moyens que la Commission peut mettre en œuvre pour remplir sa fonction de promotion : préparation d'instruments juridiques relatifs aux droits de l'homme, centralisation de la documentation, études, recherches, information et sensibilisation, coopération avec tout organisme compétent, etc. ;

• la protection des droits de l'homme.

Les articles 46 à 59 de la Charte détaillent les procédures et pouvoirs de protection confiés à la Commission. Elle dispose notamment du droit de recevoir et d'examiner des communications étatiques ou individuelles relatives à des violations, et de procéder à des investigations (art. 46, 51). Son rapport et ses recommandations sur les situations dont elle est saisie sont transmis de façon confidentielle aux États concernés et à la Conférence des chefs d'État et de gouvernement (art. 52, 58-59).

2. *Les communications étatiques*

La saisine de la Commission par un État partie est automatique (art. 47, 49). En effet, tout État partie qui considère qu'un autre État partie a violé les dispositions de la Charte a la possibilité, par communication écrite, d'attirer l'attention de cet État et de lui demander des explications (art. 47). Dans ce cas, c'est seulement en cas d'échec pour trouver une solution dans un délai de trois mois que l'une ou l'autre des parties au différend peut saisir la Commission. L'État alléguant une violation des droits de l'homme par un autre État partie peut aussi saisir directement la Commission. La Commission n'est compétente que si les recours internes disponibles dans le cas mentionné ont été épuisés, sauf s'il est manifeste qu'ils se prolongent d'une façon anormale (art. 50). Une fois saisie, la Commission n'a pas pour but de prononcer un jugement mais de chercher une solution à l'amiable, à la lumière des explications écrites et orales fournies par les États intéressés. En cas d'échec du règlement amiable, elle remet un rapport aux États concernés et à la Conférence des chefs d'État et de gouvernement, accompagné éventuellement de recommandations qui ne sont pas obligatoires (art. 52). L'ensemble de cette procédure reste confidentiel. Sur décision de la Conférence des chefs d'État et de gouvernement, le rapport peut toutefois être publié (art. 59).

3. *Les « autres communications »*

C'est sous ce vocable que la Charte désigne les plaintes qui proviennent de personnes physiques et morales (particuliers ou ONG). L'examen de ces communications n'est pas automatique. Avant chaque session, la Commission examine la liste de ces communications et peut, par vote à la majorité simple de ses membres, décider d'examiner certaines d'entre elles (art. 55). Ces communications individuelles sont en outre soumises à sept conditions de recevabilité (art. 56) : la plainte ne doit pas être anonyme, insultante, incompatible avec la Charte africaine des droits de l'homme et des peuples. Elle doit avoir épuisé les recours internes. Elle ne doit pas se limiter à rassembler des nouvelles diffusées par des moyens de communication de masse et elle doit être introduite dans un délai raisonnable, compris entre l'épuisement des recours internes et la saisine de la Commission. Enfin, l'affaire ne doit pas avoir déjà été réglée conformément aux principes de la Charte de l'ONU ou de la Charte africaine des droits de l'homme. Après cet examen sur la forme, la Commission commence l'examen sur le fond et prévient l'État accusé pour recueillir ses explications (art. 58). Si la communication révèle l'existence d'un « ensemble de violations graves ou massives des droits de l'homme et des peuples », la Commission en informe la Conférence des chefs d'État et de gouvernement ou directement, en cas d'urgence, la présidence de cet organe, qui peuvent alors lui demander une étude approfondie. Elle donnera lieu à un rapport accompagné de recommandations. L'ensemble de cette procédure reste confidentiel, sauf décision contraire de la Conférence des chefs d'État et de gouvernement.

Le règlement intérieur de la Commission africaine des droits de l'homme et des peuples autorise également la Commission à créer des organes subsidiaires (chapitre VI, articles 28 et 29). Le Commission dispose actuellement de cinq (5) mécanismes spéciaux, ou rapporteurs spéciaux, travaillant sur des points identifiés comme sensibles en matière de droits de l'homme :

- la liberté d'expression et l'accès à l'information en Afrique ;
- les prisons et les conditions de détention en Afrique ;
- les réfugiés, demandeurs d'asile, migrants et personnes déplacées en Afrique ;
- les défenseurs des droits de l'homme ;
- les droits des femmes en Afrique ; le rapporteur spécial sur les droits de la femme en Afrique assume également des responsabilités spécifiques vis-à-vis du Protocole de 2003 à la Charte africaine des droits de l'homme et des peuples relatif aux droits de la femme en Afrique, plus connu sous le nom de Protocole de Maputo.

Elle compte également huit groupes de travail permanents qui doivent soumettre un rapport à chaque session ordinaire de la Commission, suivent et examinent les diverses questions relevant de la compétence de la Commission :

- Comité pour la prévention de la torture en Afrique ;
- Groupe de travail sur les populations/communautés autochtones en Afrique ;
- Groupe de travail sur les droits économiques, sociaux et culturels ;
- Groupe de travail sur la peine de mort ;
- Groupe de travail sur les droits des personnes âgées et des personnes handicapées ;
- Groupe de travail sur les industries extractives, l'environnement et les violations des droits de l'homme ;
- Comité sur la protection des droits des personnes vivant avec le VIH (PVVIH), des personnes à risque, vulnérables et affectées par le VIH ;
- Groupe de travail sur les communications.

4. *La Cour africaine des droits de l'homme et des peuples (1998)/Cour africaine de justice et des droits de l'homme (2008)*

Un Protocole à la Charte africaine des droits de l'homme a été adopté le 9 juin 1998 par l'Organisation de l'Unité africaine (Union africaine) et est entré en vigueur le 25 janvier 2004. Il crée la Cour africaine des droits de l'homme et des peuples dont la mission principale est d'examiner les plaintes pour les violations des droits de l'homme qui peuvent lui être transmises sur la base de la Charte africaine mais aussi de tout autre instrument relatif aux droits de l'homme ratifié par les États concernés. Elle est donc compétente pour juger des violations de la Charte africaine des droits de l'homme et des peuples mais également de celles de la Charte africaine des droits et du bien-être de l'enfant signée à Addis-Abeba en 1990 et du Protocole à la Charte africaine des droits de l'homme et des peuples relatif aux des femmes signé à Maputo en 2003.

Le 22 janvier 2006, les onze premiers juges de la Cour africaine des droits de l'homme et des peuples ont été élus pour une période de six ans lors de la huitième session ordinaire du Conseil exécutif. Ils sont rééligibles une seule fois. Le président et le vice-président sont quant à eux élus pour une période de deux ans. La Cour s'est réunie pour la première fois du 2 au 5 juillet 2006 et a rendu son premier jugement le 15 décembre 2009.

Le 1er juillet 2008, lors de son 11e sommet à Charm el-Cheikh, l'Union africaine a décidé de fusionner ces deux instances judiciaires : la Cour africaine des droits de l'homme et des peuples et la Cour africaine de justice (CAJ). Le protocole de fusion, intitulé Protocole portant statut de la Cour africaine de justice et des droits de l'homme, a été adopté en 2008 et n'est pas encore entré en vigueur. Il remplace le Protocole de la Charte africaine des droits de l'homme et des peuples sur l'établissement d'une Cour africaine des droits de l'homme et des peuples (adopté le 10 janvier 1998 et entré en vigueur le 25 janvier 2004) et le Protocole de la Cour de justice de l'Union africaine (adopté le 1er juillet 2003 et entré en vigueur le 25 novembre 2005). Le statut de la Cour africaine de justice et des droits de l'homme se trouve dans l'annexe du protocole de 2008. Cette Cour, désormais connue sous le nom de Cour africaine de justice et des droits de l'homme, est l'organe judiciaire principal de l'Union africaine. Le siège de la Cour se trouve à Arusha, en Tanzanie. La Cour se compose de deux sections : la section des droits de l'homme et celle des affaires générales. Seize juges indépendants, élus par le Conseil exécutif selon une répartition géographique équitable, sont élus au scrutin secret à la majorité des deux tiers des États membres ayant droit de vote et nommés par l'Assemblée. Il est prévu que la Cour décide chaque année des périodes de ses sessions ordinaires et tienne des sessions extraordinaires sur la demande de la majorité des juges.

Pour plus de simplicité, les numéros des articles des traités de 1998 et de 2008 seront présentés ensemble pour permettre la compréhension des compétences et des modes de saisine de la Cour sur les questions de droits de l'homme pendant la période de transition.

a) *Compétence de la cour*

La Cour est compétente pour tous les litiges et différends relatifs à l'interprétation et à l'application de la Charte africaine des droits de l'homme et tous les protocoles de la Charte ainsi que toutes les autres conventions relatives aux droits de l'homme ratifiés par les États concernés (1998, art. 3). Les éléments suivants de compétence de la Cour ont été rajoutés par le traité de 2008 : l'interprétation et l'application de la Charte africaine des droits de la femme et celle sur les droits de l'enfant ; toute question de droit international ; tout acte, décision et directive des organes de l'Union africaine qui donnent compétence à la Cour ; l'existence de tout fait qui, s'il était établi, constituerait la violation d'une obligation envers un autre État partie de l'Union ; la nature ou l'étendue de la réparation due pour la rupture d'un engagement international (2008, art. 28).

La Cour peut aussi donner des avis consultatifs sur toute question juridique relative aux diverses conventions sur les droits de l'homme à l'exception des questions qui sont en cours d'examen par la Commission (1998, art. 4 ; 2008, art. 53).

La Cour est donc compétente pour : (a) rassembler les documents et mener des études et des recherches sur les questions des droits de l'homme et des peuples en Afrique ; (b) fixer les règles visant à résoudre les problèmes juridiques liés aux droits de l'homme et des peuples ; (c) garantir la protection des droits de l'homme et des peuples ; et (d) interpréter les dispositions de la Charte. Le processus de fusion des deux Cours est lent. En décembre, seuls cinq pays avaient ratifié ledit Protocole alors que quinze ratifications sont requises pour son entrée en vigueur.

b) *Saisine de la Cour*

Les entités suivantes peuvent saisir la Cour africaine au titre des traités de 1998 et de 2008 : la Commission de l'Union africaine, l'État partie qui a déposé plainte auprès de la Commission, l'État partie contre lequel une plainte a été introduite, l'État partie dont le ressortissant est victime et les organisations intergouvernementales africaines (1998, art. 5.1). Cette liste a été élargie en 2008 et rajoute la Conférence, le Parlement et les autres organes de l'Union africaine autorisés par la Conférence ; le Comité africain d'experts sur les droits et le bien-être de l'enfant, et les institutions nationales des droits de l'homme (2008, art. 29, 30).

Les particuliers et les ONG dotées du statut d'observateur auprès de la Commission peuvent également introduire directement des requêtes auprès de la Cour, à condition que l'État ayant ratifié le protocole ait fait une déclaration spéciale acceptant la compétence de la Cour pour recevoir ce type de requête (1998, art. 5.3, art. 34.6 ; 2008, art. 8.3, art. 30.f).

La Cour a le pouvoir de rechercher un règlement amiable des cas qui lui sont soumis (1998, art. 9). Si la Cour constate des violations des droits de l'homme, elle peut décider des mesures de réparations et de compensations (1998, art. 27 ; 2008, art. 45) ou de mesures conservatoires urgentes (1998, art. 27.2 ; 2008, art. 35). Ses jugements sont obligatoires pour les États (1998, art. 30 ; 2008, art. 46).

5. *Autres cours africaines des droits de l'homme*

En marge du système mis en place dans le cadre de l'Union africaine, des organisations africaines régionales ont également développé un système de défense des droits de l'homme.

– La Cour de justice de la CEDEAO

Cette Cour existe depuis 1991, mais n'est fonctionnelle que depuis 2001. Elle siège à Abuja au Nigeria et a compétence pour statuer sur les violations de la Charte africaine des droits de l'homme et des peuples. Depuis 2005, les citoyens de la CEDEAO peuvent déposer plainte devant elle pour des violations des droits de l'homme commis par des acteurs étatiques. Il faut souligner que la Cour n'exige pas que les recours internes aient d'abord été épuisés par les individus, comme cela est exigé dans la plupart des procédures internationales similaires. Les victimes individuelles peuvent la saisir y compris pendant qu'une affaire est soumise à une procédure nationale. Les décisions de la Cour sont obligatoires pour les États et elle peut condamner l'État au paiement de réparations aux victimes. En 2008, elle a condamné le gouvernement du Niger à payer des réparations à une personne victime d'esclavage. Bien que la plaignante ait été victime en l'espèce d'un acteur non étatique, la Cour a engagé la responsabilité de l'État au motif qu'il n'avait pas respecté ses obligations internationales de protection contre l'esclavage en raison de sa tolérance, sa passivité et son inaction dans ce domaine (jugement, Dame Hadijatou Mani Koraou c/République du Niger, 27 octobre 2008).

– La Cour de justice de l'Afrique de l'Est

Elle a été créée comme institution judiciaire de la Communauté des États d'Afrique de l'Est depuis 1999 et siège temporairement à Arusha en Tanzanie. Elle lie ses États membres. Elle n'a pas un mandat clair ou spécifique concernant les droits de l'homme contrairement à la Cour de la CEDAO mais elle peut se prononcer sur l'application et les violations de la Charte africaine des droits de l'homme et des peuples. Elle peut être saisie par les personnes morales ou physiques.

– Le Tribunal de la Communauté de développement de l'Afrique Australe (SADC)

Il a été crée en 1992 dans le cadre des institutions de cette organisation régionale et siège a Windhoek en Namibie. Il est habilité à juger des plaintes entre les États membres de cette communauté, mais aussi entre les particuliers, les personnes morales y compris des ONG et les États membres. L'épuisement des recours internes est exigé pour qu'une plainte soit recevable.

▶ **Droits de l'homme ▷ Recours individuels ▷ Liste des États signataires des conventions internationales relatives au droit humanitaire et aux droits de l'homme (n° 12) ▷ Union africaine.**

Contacts

Cour africaine de droits de l'homme et des peuples
Arusha / Tanzanie
www.african-court.org

Commission africaine des droits de l'homme et des peuples
Kairaba Avenue, PO Box 673, Banjul / Gambie
Tél. : +220 39 29 62/Fax : +220 39 07 64.
www.achpr.org

Cour de justice de la CEDEAO
N° 10, Dar es Salaam Crescent ; Off Aminu Kano Crescent
Wuse II, Abuja / Nigeria
Fax : +234 09 5240780
Autres mécanismes régionaux africains
www.claiminghumanrights.org/au

Pour en savoir plus

ATANGANA AMOUGOU J. L. « Avancées et limites du système africain de protection des droits de l'homme : la naissance de la Cour africaine des droits de l'homme et des peuples », *Droits fondamentaux*, n° 3, décembre 2003 ; www.droits-fondamentaux.org

DEBOS M. « La création de la Cour africaine des droit de l'homme et des peuples. Les dessous d'une ingénierie institutionnelle multicentrée », *Culture et Conflits*, n° 60 (2005) p. 159-182.

FÉDÉRATION INTERNATIONALE DES DROITS DE L'HOMME (FIDH), *La Cour africaine des droits de l'homme et des peuples : vers la Cour africaine de justice et des droits de l'homme*, Guide pratique, avril 2010, 222 p.

GUEGUERGOU F., « Les mécanismes continentaux de protection de la personne humaine : gros plan sur la Commission africaine des droits de l'homme et des peuples », *Observateur des Nations unies*, n° 10, printemps-été 2001, p. 103-139.

NATIONS UNIES, « Guide des procédures internationales disponibles en cas d'atteinte aux droits fondamentaux dans un pays africain », disponible sur http://www.claiminghumanrights.org/au

Compétence universelle

Mécanisme exceptionnel en droit pénal prévu en 1949 par les quatre Conventions de Genève pour la sanction des crimes les plus graves, la compétence universelle permet de poursuivre un individu présumé coupable d'une violation grave du droit humanitaire devant n'importe quel tribunal de n'importe quel pays. Ce système a permis de combler l'absence de juridiction internationale compétente et efficace. Ce principe est applicable à toutes les infractions graves des Conventions de Genève qui entrent pour la plupart dans la catégorie des crimes de guerre ou des crimes contre l'humanité. Toutefois, les définitions de ces crimes contenues dans les différents textes internationaux et nationaux, applicables en temps de paix ou de conflit, ne se recoupent pas totalement.

▸ **Crime de guerre-Crime contre l'humanité.**

Les États peuvent exercer une compétence universelle sur d'autres crimes précis prévus par d'autres conventions : la torture, le commerce d'esclaves, les attaques ou les détournements d'avions et certains actes de terrorisme. Le fait que les États aient le droit de conférer à leurs tribunaux nationaux une compétence universelle en matière de crimes de guerre a été érigé au rang de norme coutumière (règle 157 de l'étude sur les règles du droit international humanitaire coutumier publiée par le CICR en 2005).

Les principes normaux de droit pénal limitent la compétence des tribunaux d'un pays aux crimes qui se sont déroulés sur le territoire national ou dont la victime ou le coupable possède la nationalité. La nature des crimes de guerre et des crimes

contre l'humanité et les contextes dans lesquels ils se déroulent rendent difficile leur jugement sur le territoire du pays où ils sont commis.
Le statut de la Cour pénale internationale adopté à Rome le 17 juillet 1998, afin de juger les crimes les plus graves tels que le génocide, les crimes contre l'humanité, les crimes de guerre et le crime d'agression ne permet pas de répondre à l'ensemble des situations de violations graves du droit humanitaire. Le statut, entré en vigueur le 1er juillet 2002, pose plusieurs limites à la compétence de la Cour pénale internationale. Il promeut la complémentarité des tribunaux nationaux, justifiant l'importance de renforcer les capacités judiciaires nationales.

▶ **Cour pénale internationale.**

■ En vertu de la compétence universelle

- Les victimes des crimes de guerre, crimes contre l'humanité et de torture peuvent, en principe, porter plainte devant des tribunaux nationaux étrangers, sur la base de la compétence universelle prévue par les quatre Conventions de Genève de 1949 et par la Convention contre la torture de 1984. L'utilisation de cette procédure est actuellement le recours le plus efficace pour sanctionner internationalement les crimes les plus graves.
- Ces plaintes peuvent cependant être mises en échec si les pays concernés n'ont pas mis leur législation en conformité avec cette obligation internationale. Des dispositions spéciales doivent être incluses dans le code pénal et le code de procédure pénale du pays concerné pour que la compétence des tribunaux nationaux soit effective.
- Le Conseil de sécurité de l'ONU a demandé aux États d'adapter leur législation interne pour intégrer le principe de compétence universelle, afin de sanctionner les auteurs de violations du droit humanitaire (déclaration présidentielle du 12 février 1999). Le secrétaire général de l'ONU a formulé la même demande dans son rapport sur la protection des populations civiles dans les conflits armés du 8 septembre 1999.
- Certains pays, principalement les membres de l'Union européenne (et quelques autres tels que la Suisse et le Canada), ont mis leur législation nationale en accord avec cette obligation. D'autres États sont plus réticents, notamment la France ou les États-Unis.
- Dans la plupart des pays, la présence du criminel sur le territoire national est exigée pour déclencher la compétence des tribunaux. ■

C'est pour éviter que l'absence de tribunaux pénaux internationaux ne conduise à l'impunité des auteurs de ces crimes, que les États parties aux Conventions de Genève se sont engagés à participer à la recherche, à la poursuite et à la répression des auteurs des crimes de guerre et crimes contre l'humanité.
Les Conventions de Genève imposent donc à tous les États signataires l'obligation :
– de rechercher les personnes suspectées d'avoir commis ou d'avoir donné l'ordre de commettre l'une ou l'autre des infractions graves ;
– de les déférer devant ses propres tribunaux quelle que soit leur nationalité ;
– ou de les remettre pour jugement à une autre partie contractante, intéressée à la poursuite, pour peu qu'elle ait retenu contre l'auteur présumé du crime des charges suffisantes (GI art. 49 ; GII art. 50 ; GIII art. 129 ; GIV art. 146).
Ces dispositions vont bien au-delà de la simple entraide judiciaire prévue entre les États pour éviter que les criminels se mettent à l'abri des poursuites pénales en

franchissant des frontières. L'entraide judiciaire implique en général le choix entre l'obligation de juger ou celle d'extrader. Le droit humanitaire y rajoute celle de rechercher activement les criminels. Il exige également des garanties pour s'assurer que l'extradition ne soit pas synonyme d'impunité pour le criminel présumé. Le principe de compétence universelle constitue aujourd'hui la procédure de sanction la plus efficace au niveau international. Il est réservé aux crimes les plus graves. Il a été intégré dans la convention contre la torture et autres peines et traitements cruels, inhumains ou dégradants adoptée à New York le 10 décembre 1984. Les personnes victimes de la torture peuvent donc bénéficier de la possibilité de porter plainte devant les tribunaux d'un État étranger, à la condition que la personne accusée se trouve sur son territoire et que cet État ait adapté sa législation interne.

▶ **Torture.**

Des mécanismes d'entraide judiciaire et l'extradition sont également prévus en droit international pour faciliter la répression des crimes.

▶ **Entraide judiciaire.**

Consulter aussi

▶ **Crime de guerre-crime contre l'humanité ▷ Immunité ▷ Impunité ▷ Cour pénale internationale ▷ Recours individuels ▷ Entraide judiciaire ▷ Torture.**

Pour en savoir plus

PRADELLE DE LA G., « La compétence universelle », *in Droit international pénal,* sous la dir. de ASCENSIO H., DECAUX E. et PELLET A., Pedone, 2000, 1 053 p., p. 905-918.

BASSIOUNI C., *Aut Dedere Aut Judicare,* Martinus Nijhoff, La Haye, 1995.

GRADITZKY T., « La responsabilité pénale individuelle pour violation du droit international humanitaire applicable en situation de conflit armé non international », *Revue internationale de la Croix-Rouge,* n° 829, mars 1998, p. 38-48.

PEYRO LLOPIS A., *La Compétence universelle en matière de crimes contre l'humanité,* Bruylant, coll. du CREHDO, 2003, 178 p.

« Portée et application du principe de compétence universelle. Déclaration du CICR aux Nations unies, 2011 ». Disponible en ligne sur http://www.icrc.org/fre/resources/documents/statement/united-nations-universal-jurisdiction-statement-2011-10-12.htm

XAVIER P., « The principles of universal jurisdiction and complementarity : how do the two principles intermesh », *Revue internationale de la Croix-Rouge,* vol. 88, n° 862, juin 2006, p. 375-398.

Conflit armé international

Les conflits armés sont à la fois un état de fait et une question de droit. La Charte des Nations unies interdit depuis 1945 le recours à la force armée dans les relations entre États, à part en cas de légitime défense face à une agression. Mais la définition juridique de l'agression a fait défaut en droit international pénal jusqu'en 2010. Il n'existe pas non plus de définition juridique internationale des conflits armés en tant que tels. Depuis 1949, l'article 2 commun aux quatre Conventions de

Genève donne une définition du conflit armé international entraînant l'application du droit humanitaire. L'article 3 commun aux conventions de Genève (article 3 commun) pose les règles minimales applicables dans les conflits armés non internationaux sans fournir de définition de ces confits. Le Protocole additionnel I de 1977 aux Conventions de Genève ainsi que la jurisprudence des tribunaux internationaux ont élargi la définition des conflits armés internationaux et fourni des critères d'interprétation de cette définition.

L'enjeu de ces définitions réside dans l'obligation de respecter les règles du droit humanitaire conventionnel et coutumier spécifiquement applicable aux conflits armés internationaux plutôt que celles plus limitées applicables aux conflits armés non internationaux.

◆

• La définition et la qualification de ce type de conflit est importante car elle permet l'application des règles de droit international prévues pour les conflits armés internationaux.

• Un conflit armé interne peut être internationalisé quand un État tiers soutient et contrôle en réalité les activités d'un groupe armé agissant contre son propre gouvernement, ou par l'implication sur le territoire d'une force multinationale de maintien de la paix.

• Un conflit armé qui oppose, sur un (ou des) territoire(s) occupé(s), la puissance occupante et un groupe armé non étatique, même s'il a les caractéristiques d'un groupe terroriste, constitue un conflit armé international.

• Les règles du droit des conflits armés internationaux peuvent être utilisées pour interpréter celles des conflits armés non internationaux.

• Le droit international humanitaire coutumier harmonise la plupart des règles applicables dans les conflits armés internationaux et non internationaux et s'impose aux parties au conflit qui ne sont pas signataires des conventions internationales.

1. *Définition conventionnelle : les conflits armés entre États*

Selon le droit humanitaire conventionnel, le conflit armé international désigne les conflits armés qui opposent deux ou plusieurs États parties aux Conventions de Genève, ainsi que les cas d'occupation militaire de tout ou partie du territoire d'un État signataire et les guerres de libération nationale (GI, GII, GIII, GIV art. 2 commun, GPI art. 1.3-4).

– La définition de l'article 2 commun aux Conventions de Genève de 1949 recouvre les cas de guerre déclarée mais aussi tout autre conflit armé surgissant entre deux ou plusieurs hautes parties contractantes, même si l'état de guerre n'est pas reconnu par l'une d'elles.

L'application du droit humanitaire n'est donc plus soumis au formalisme de la déclaration de guerre, ni à la reconnaissance de l'état de conflit par l'un ou l'autre des États engagés dans celui-ci. Elle repose sur des critères objectifs destinés à éviter les polémiques politiques de qualification.

Le droit des conflits armés internationaux s'applique également dans tous les cas d'occupation de tout ou partie du territoire d'une haute partie contractante même si cette occupation ne rencontre aucune résistance militaire et qu'il n'y a donc pas d'affrontements armés proprement dits, ou que ces affrontements se font avec des groupes armés non étatiques sur le(s) territoire(s) occupé(s).

– Le Protocole additionnel I de 1977 aux Conventions de Genève assimile à des conflits armés internationaux les guerres de libération nationale dans lesquelles

les peuples luttent contre la domination coloniale, l'occupation étrangère ou un régime raciste et veulent exercer leur droit à l'autodétermination (GPI art. 1.4). Le droit des conflits armés internationaux peut donc être appliqué à ce type de conflit à condition que l'autorité représentant le peuple en lutte contre un État accepte formellement d'appliquer les Conventions de Genève et le Protocole additionnel I dans le cadre de sa lutte armée (GPI art. 96.3).

Le droit humanitaire conventionnel et coutumier ne fournit pas de définition claire de la notion de conflit armé en tant que tel. Le commentaire de l'article 2 des Conventions de Genève de 1949 précise que tout différend qui surgit entre deux États parties et qui conduit à utiliser les membres des forces armées est un conflit armé international au sens des Conventions de Genève. Il précise que la durée de ce conflit, le nombre des forces militaires impliquées et le nombre de morts sont sans importance sur la qualification. Le simple fait que les forces armées de l'une des parties aient capturé des membres des forces armées adverses, même s'il n'y a pas eu de morts, suffit pour déclencher l'application du droit humanitaire applicable aux conflits armés internationaux. L'existence d'un conflit armé international n'est donc soumise à aucune exigence concernant l'intensité des affrontements contrairement à ce qui est imposé dans le cas des conflits armés internes.

2. *Définition jurisprudentielle : les conflits armés internationaux ou internationalisés*

Certains conflits armés impliquent une grande hétérogénéité d'acteurs armés, à la fois étatiques, non étatiques et internationaux, débordant sur les territoires d'États non officiellement parties au conflit. Cette complexité soulève des problèmes de qualification et de droit applicable aux différents acteurs et situations.

Si l'implication militaire directe de plusieurs États est aisée à établir, elle ne suffit pas à rendre compte de la réalité des conflits armés contemporains, qui défient les critères juridiques trop formels d'États et de territoire contenus dans la définition conventionnelle. En effet, certains conflits armés peuvent se déployer sur les territoires de plusieurs États sans pour autant impliquer directement leurs armées nationales. D'autres se déroulent sur un seul territoire national mais impliquent des groupes armés non étatiques agissant à partir du territoire d'un État voisin avec ou sans le soutien de celui-ci. Enfin, certains conflits armés se déroulent totalement à l'extérieur du territoire national d'une des parties au conflit. Il est également nécessaire d'aller au-delà des apparences juridiques concernant la nature non étatique d'un acteur armé et de vérifier s'il n'agit pas en réalité au nom et pour le compte d'un État.

Enfin, la présence de forces armées internationales mandatées ou non par l'ONU peut également modifier la nature d'un conflit armé si les missions incluent la participation directe dans les combats et ne limitent pas le recours à la force à la seule légitime défense.

La jurisprudence internationale a défini les critères d'internationalisation d'un conflit armé qui n'oppose pas directement deux ou plusieurs États et qui n'est donc pas international au sens littéral de la définition.

• Soutien et contrôle étatiques de l'action de groupes armés non étatiques
Plusieurs décisions de la Cour internationale de justice et des tribunaux pénaux internationaux ont examiné les conditions permettant d'attribuer à un État tiers l'action de groupes armés non étatiques et donc de requalifier un conflit interne en conflit international ou internationalisé.
Dans son jugement dans l'affaire Tadic du 15 juillet 1999, le Tribunal pénal international *ad hoc* pour l'ex-Yougoslavie (TPIY) s'est prononcé sur la qualification du conflit. Il a affirmé qu'« un conflit armé interne qui éclate sur le territoire d'un État peut devenir international (ou, selon les circonstances, présenter parallèlement un caractère international) si i) les troupes d'un autre État interviennent dans le conflit ou encore si ii) certains participants au conflit armé interne agissent au nom de cet autre État » (IT-94-1-A, § 84).

Les tribunaux internationaux ont tenté de préciser les notions de soutien direct et de contrôle permettant éventuellement d'attribuer à un État la responsabilité des actions d'un groupe armé non étatique ou de requalifier ce groupe en agent de l'État. Il y a un accord général sur le fait que, pour internationaliser un conflit, il faut que le contrôle d'un groupe armé par un État tiers aille au-delà du simple soutien matériel. Dans son arrêt rendu dans l'affaire Tadic, le TPIY a précisé qu'un État doit exercer un contrôle global sur un groupe armé pour qu'on puisse lui attribuer la responsabilité des actes commis par ce groupe. Ce contrôle global implique que non seulement l'État tiers équipe et finance un groupe armé mais également qu'il coordonne ou participe à la planification d'ensemble de ses activités militaires. Il ne serait pas nécessaire de prouver que l'État tiers est directement impliqué dans les décisions concernant chaque action miliaire spécifique. Cette théorie du contrôle global et des critères qui y sont associés a été développée dans les décisions ultérieures des tribunaux pénaux internationaux (*infra* Jurisprudence). Il existe cependant une controverse entre la Cour internationale de justice et les tribunaux pénaux internationaux concernant le niveau de contrôle exigé pour considérer qu'un groupe armé agit en fait au nom d'un État tiers et engage sa responsabilité. Au lieu du « contrôle global » défini par les tribunaux pénaux internationaux, la CIJ exige un « contrôle effectif », notion plus contraignante qui implique une absence d'autonomie du groupe armé vis-à-vis de l'État tiers concerné. La Cour internationale de justice a tenté de réconcilier ces deux notions en estimant dans une décision de 2007 qu'on pourrait se contenter de prouver l'existence d'un contrôle global pour qualifier une situation de conflit armé international. Par contre, elle réaffirme que ce contrôle doit être quasiment total s'il s'agit d'engager la responsabilité de l'État en droit international en lui imputant les actes criminels commis par un groupe armé étranger (*infra* Jurisprudence).
Le raisonnement de la CIJ rappelle de façon très utile que le droit humanitaire doit être interprété de façon plus large que le droit international de la responsabilité de l'État et le droit pénal international. L'apport de la jurisprudence pénale internationale dans le domaine du droit humanitaire doit donc être examiné avec vigilance à la lumière de la différence des objectifs poursuivis par ces différentes branches du droit international.

▶ **Responsabilité (de l'État) ▷ Cour internationale de justice.**

• Présence de forces armées internationales autorisées par l'ONU
Concernant les opérations de maintien de la paix et autres interventions armées internationales autorisées par l'ONU, les débats juridiques concernant leur éventuel statut de partie au conflit ou de simple médiateur ont été nombreux. Ces débats ont bien sûr une influence sur la qualification des conflits dans lesquels elles sont déployées et sur la nature du droit humanitaire qui leur est applicable. Il est aujourd'hui reconnu que la seule présence de forces multinationales déployées sous mandat de l'ONU dans un conflit armé ne suffit pas à internationaliser celui-ci. En effet, dans la grande majorité des situations, ses forces sont déployées avec l'accord du ou des États concernés et elles ne sont pas autorisées à utiliser la force en dehors des cas de légitime défense. Dans ce cas, elles ne peuvent pas être qualifiées *a priori* de parties au conflit. Le statut de la Cour pénale internationale a d'ailleurs reconnu le caractère civil de ces forces dans certaines situations en prévoyant que l'attaque délibérée de ces personnels soit considérée comme crime de guerre. Par contre, dans les cas où les forces internationales sont autorisées à utiliser la force de manière offensive et à participer à des actions de combat, elles peuvent perdre ce statut civil. Le conflit armé peut alors être internationalisé et ces forces soumises au respect du droit humanitaire.

▶ **Maintien de la paix.**

3. *Le droit humanitaire applicable aux conflits armés internationaux*

Les règles applicables aux conflits armés internationaux sont les quatre Conventions de Genève de 1949 et le Protocole additionnel I de 1977 ainsi que les règles de droit international humanitaire coutumier, compilées par le CICR et publiées en 2005. Les règles contenues dans les quatre Conventions de Genève et le Protocole additionnel I ne sont applicables qu'aux conflits entre États signataires. Toutefois, si l'une des parties au conflit n'est pas signataire des Conventions, les autres parties resteront entre elles tenues par leurs engagements et seront également tenues par leurs engagements vis-à-vis de la partie non signataire si celle-ci accepte et applique les dispositions du droit humanitaire (GI, GII, GIII, GIV art. 2 commun, GPI art. 1.3-4). Les règles de droit international humanitaire coutumier s'appliquent même aux États non signataires des Conventions ou du Protocole additionnel I.
Les règles de droit humanitaire sont plus nombreuses et plus détaillées dans le cadre des conflits armés internationaux. Elles posent les limitations aux moyens et méthodes de guerre et les obligations des parties au conflit en matière de secours et de protection des populations civiles et des personnes hors de combat. Elles organisent le droit des organisations de secours et la répression des crimes de guerre.
La jurisprudence internationale a également affirmé que les règles des conflits armés internationaux peuvent être utilisées pour interpréter ou compléter celles des conflits armés internes.
En plus de leur application obligatoire par les États signataires dans les cas couverts par les Conventions (application conventionnelle), certaines de ces règles

peuvent aussi être appliquées de façon *ad hoc* par voie d'accord spécial signé par les parties au conflit.

▶ **Accord spécial ▷ Droit international humanitaire.**

Les décisions des tribunaux internationaux ont enrichi les critères et raisonnements juridiques permettant de cerner la réalité des conflits armés. Elles ont permis d'aller au-delà de l'apparence non étatique de certains groupes armés pour requalifier ces situations de conflit international. Mais ces décisions ont aussi ouvert des espaces de débats techniques et pratiques qui sont incompatibles avec les impératifs d'application immédiate du droit humanitaire en période de conflit. En effet, il n'est ni possible ni souhaitable de différer la qualification d'un conflit et donc la détermination du droit applicable à cette situation en attendant la décision d'un juge international statuant après les faits sur les différents éléments et critères du cas d'espèce. C'est pour cela que le droit humanitaire cherche à limiter la définition des conflits armés internationaux et non internationaux à des critères simples et objectifs capables *a minima* de couvrir toutes les situations. Le droit humanitaire demande également aux parties au conflit de mettre en vigueur dès le début des hostilités tout ou partie des Conventions par voie d'accord spécial, au cas où l'application conventionnelle directe serait problématique.

Ces décisions ont également créé une insécurité juridique sur des questions liées au droit pénal international et à la responsabilité de l'État. Ils n'ont pas clarifié le contenu du droit humanitaire dans ce type de conflit, notamment concernant la définition du statut des combattants appartenant aux groupes armés non étatiques. En attendant une clarification judiciaire, la doctrine juridique actuelle reconnaît le caractère mixte de certains conflits armés qui peuvent comporter des dimensions internationales et non internationales simultanées. Dans ce type de situations, le droit humanitaire pourrait être appliqué de façon différenciée selon la nature des acteurs armés. Ainsi, les affrontements armés qui opposent des forces étatiques entre elles ou avec des forces internationales doivent impérativement être soumises au droit des conflits armés internationaux. Les autres types d'affrontements qui opposent des groupes armés non étatiques entre eux ou avec des forces étatiques ou des forces internationales doivent au minimum obéir au droit des conflits armés non internationaux.

Cette approche fragmentée des situations conduit à appliquer un régime juridique différent sur un même territoire en fonction de la nature des adversaires et des affrontements armés. Elle prend acte de la coexistence possible de plusieurs types de conflits armés simultanés impliquant des acteurs étatiques et non étatiques qui ont des capacités et des obligations différentes au regard du droit national et international général, notamment en matière de maintien de l'ordre, de jugement et de détention.

La lourdeur de ce système est partiellement compensée par l'unification récente des règles de droit humanitaire coutumier applicables dans les deux types de conflit armé. Elle est également relativisée par l'élargissement et l'unification de la définition des crimes applicables aux conflits armés internationaux et non internationaux, réalisés par le statut de Rome de la Cour pénale internationale.

Enfin, cette insécurité juridique peut toujours être compensée par les parties au conflit en acceptant dans le doute d'appliquer les mesures les plus protectrices du droit humanitaire. Cela permettrait d'empêcher la multiplication des régimes juridiques applicables aux conflits armés, mais également d'empêcher les gouvernements de créer de nouvelles catégories de conflits qui échapperaient à toute application du droit humanitaire. Dans l'affaire Hamdam (US Supreme Court, n° 05-184, *Salim Ahmed Hamdam, petitioner, v. Donald H. Rumsfeld, Secretary of Defense, et al., on writ of certiorari to the US Court of Appeals for the district of Columbia circuit*, June 26, 2006, p. 65-69), la Cour suprême américaine a rejeté l'interprétation abusive des critères de qualification des conflits utilisés par les autorités américaines pour invoquer l'existence d'une troisième catégorie de conflit armé non couverte par le droit humanitaire existant.

▶ **Terrorisme ▷ Conflit armé non international.**

Jurisprudence

1- Le contrôle des groupes armés non étatiques dans la jurisprudence des tribunaux pénaux internationaux

La Chambre d'appel du TPIY dans l'affaire Tadic du 15 juillet 1999 (IT-94-1-A) a développé l'argumentation juridique concernant le contrôle exercé par un État tiers sur des groupes armés non étatiques.

• Concernant l'attribution à un État des actes de ce groupe armé, elle établit que l'État doit exercer un contrôle global sur ce groupe (§ 131) : « Pour imputer la responsabilité d'actes commis par des groupes militaires ou paramilitaires à un État, il faut établir que ce dernier exerce un contrôle global sur le groupe, non seulement en l'équipant et le finançant, mais également en coordonnant ou en prêtant son concours à la planification d'ensemble de ses activités militaires. Ce n'est qu'à cette condition que la responsabilité internationale de l'État pourra être engagée à raison des agissements illégaux du groupe. Il n'est cependant pas nécessaire d'exiger de plus que l'État ait donné, soit au chef du groupe soit à ses membres, des instructions ou directives pour commettre certains actes spécifiques contraires au droit international. »

• Concernant les éléments constitutifs du contrôle global exercé par l'État. Ces éléments sont moins stricts s'il s'agit d'un groupe armé organisé plutôt que d'individus ou de groupes inorganisés (§ 137) : « Les règles de droit international n'exigent pas toujours le même degré de contrôle sur cet individu que sur des membres de groupes armés. Le degré de contrôle requis peut, en effet, varier [...]. »

* Concernant les groupes armés organisés, le contrôle global doit aller au-delà de la simple aide financière, fourniture d'équipements militaires ou formation (§ 131 *supra* et 137) : « [...] Le contrôle exercé par un État sur des forces armées, des milices ou des unités paramilitaires subordonnées peut revêtir un caractère global (mais doit aller au-delà de la simple aide financière, fourniture d'équipements militaires ou formation). Cette condition ne va toutefois pas jusqu'à inclure l'émission d'ordres spécifiques par l'État ou sa direction de chaque opération. Le droit international n'exige nullement que les autorités exerçant le contrôle planifient toutes les opérations des unités qui dépendent d'elles, qu'elles choisissent leurs cibles ou leur donnent des instructions spécifiques concernant la conduite d'opérations militaires ou toutes violations présumées du droit international humanitaire. Le degré de contrôle requis en droit international peut être considéré comme avéré lorsqu'un État (ou, dans le contexte d'un conflit armé, une partie au conflit) joue un rôle dans l'organisation, la coordination ou la planification des actions militaires du groupe militaire, en plus de le financer, l'entraîner, l'équiper ou lui apporter son soutien opérationnel. Les actes commis par ce groupe ou par ses membres peuvent dès lors être assimilés à des actes d'organes de fait de l'État, que ce dernier ait ou non donné des instructions particulières pour la perpétration de chacun d'eux » (§ 137).

* Concernant les individus ou les groupes qui ne sont pas militairement organisés, la responsabilité de l'État ne peut être engagée que si l'on établit qu'il a donné à ce groupe ou à ces individus des instructions et ordres précis de commettre chacune des actions qui leur sont reprochées : « Lorsque se pose la question de savoir si un particulier isolé ou un groupe qui n'est pas militairement organisé a commis un acte en qualité d'organe de fait d'un État, il est nécessaire de déterminer si ce dernier lui a donné des instructions spécifiques pour commettre ledit acte. À défaut, il convient d'établir si l'acte illicite a été *a posteriori* publiquement avalisé ou approuvé par l'État en question » (§ 137).

Cette définition du contrôle global a été confirmée par la Chambre d'appel du TPIY dans des affaires ultérieures. Le Tribunal a précisé que le critère de « contrôle global » appelle une évaluation de tous les éléments de contrôle pris dans leur ensemble, et que c'est seulement sur la base de cette analyse que le degré de contrôle requis pourra être avéré (affaire Aleksovski, Chambre d'appel du TPIY, 24 mars 2000, § 145). Dans l'affaire Čelebići (Mucić et consorts) du 20 février 2001, la Chambre d'appel du TPIY a validé le raisonnement juridique relatif au critère de « contrôle global » et sa pertinence pour s'affranchir du formalisme juridique et mettre en cause la responsabilité d'un État à travers l'activité de groupes prétendument indépendants mais agissant dans les faits en son nom ou dans son intérêt. Le Tribunal précise également que lorsque l'État exerçant le contrôle se trouve être le voisin de l'État où se déroule le conflit et qu'il vise à satisfaire ses visées expansionnistes, le degré de contrôle requis pourrait être rempli même si le groupe armé concerné conservait le choix des moyens et de la tactique tout en participant à une stratégie établie d'un commun accord avec l'État exerçant le contrôle (§ 47).

Ce critère du « contrôle global » retenu par le TPIY est moins strict que celui du « contrôle effectif » utilisé antérieurement par la Cour internationale de justice et confirmé dans sa jurisprudence ultérieure.

2- Le contrôle des groupes armés non étatiques dans la jurisprudence de la Cour internationale de justice

Dans sa décision du 27 juin 1986 relative à l'affaire des Activités militaires et paramilitaires au Nicaragua et contre celui-ci (Nicaragua c. États-Unis d'Amérique), fond, arrêt, *C.I.J. Recueil 1986*, p. 14, la CIJ affirme en effet que, « même prépondérante ou décisive, la participation des États-Unis à l'organisation, à la formation, à l'équipement, au financement et à l'approvisionnement des contras, à la sélection de leurs objectifs militaires ou paramilitaires et à la planification de toutes leurs opérations demeure insuffisante en elle-même pour que puissent être attribués aux États-Unis les actes commis par les contras. [...] Pour que la responsabilité juridique de ces derniers soit engagée, il devrait en principe être établi qu'ils avaient le contrôle effectif des opérations militaires ou paramilitaires au cours desquelles les violations en question se seraient produites » (§ 115). En 2007, la Cour internationale de justice a réaffirmé la différence entre les notions de « contrôle global » et de « contrôle effectif » (Application de la Convention pour la prévention et la répression du crime de génocide (Bosnie-Herzégovine c. Serbie-et-Monténégro), arrêt, *C.I.J. Recueil 2007*, p. 43). Dans cette affaire, la Cour a implicitement reconnu que le critère du « contrôle global » était pertinent pour la qualification d'un conflit armé international, mais elle a clairement affirmé qu'il était insuffisant pour engager la responsabilité internationale de l'État pour les actes illicites commis par des groupes armés. Ce faisant, elle a procédé à une interprétation différenciée du droit humanitaire d'une part et du droit pénal ou du droit de la responsabilité internationale des États d'autre part. « Pour autant que le critère de "contrôle global" soit utilisé aux fins de déterminer si un conflit armé présente ou non un caractère international, ce qui était la seule question que la chambre d'appel (du TPIY dans l'affaire Tadic, *NdlR*) avait à résoudre, il se peut parfaitement qu'il soit pertinent et adéquat [...] » (§ 404) En revanche, « les actes commis par des personnes ou groupes de personnes — qui ne sont ni des organes de l'État ni assimilables à ces organes — ne peuvent engager la responsabilité de l'État que si ces actes, à supposer qu'ils soient internationalement illicites, lui sont attribuables. [...] Tel est le cas lorsqu'un organe de l'État a fourni les instructions ou donné les directives, sur la base desquelles les auteurs de l'acte illicite ont agi ou lorsqu'il a exercé un contrôle effectif sur l'action au cours de laquelle l'illicéité a été commise. À cet égard, le critère du "contrôle global" est inadapté, car il distend trop, jusqu'à rompre presque, le lien qui doit exister entre le comportement des organes d'État et la responsabilité internationale de ce dernier » (§ 406).

Dans cette affaire, la CIJ rappelle qu'« il convient d'aller au-delà du seul statut juridique, pour appréhender la réalité des rapports entre la personne qui agit et l'État auquel elle se rattache si étroitement qu'elle en apparaît comme le simple agent : toute autre solution permettrait aux États d'échapper à leur responsabilité internationale en choisissant d'agir par le truchement de personnes ou d'entités dont l'autonomie à leur égard serait une pure fiction » (§ 392). Mais elle précise que, pour engager la responsabilité de l'État, il faut démontrer que i) les personnes ayant accompli les actes prétendument contraires au droit international étaient placées sous la « totale dépendance » de l'État défendeur et que ii) ces personnes ont agi selon les instructions ou sous le « contrôle effectif » de ce dernier (§ 400). Elle rajoute qu'il est également « nécessaire de démontrer que ce "contrôle effectif" s'exerçait, ou que ces instructions ont été données, à l'occasion de chacune des opérations au cours desquelles les violations alléguées se seraient produites, et non pas en général, à l'égard de l'ensemble des actions menées par les personnes ou groupes de personnes ayant commis lesdites violations » (§ 400).

3- Les situations d'occupation militaire

Concernant le droit applicable aux affrontements liés à des situations d'occupation militaire, la Cour suprême d'Israël a reconnu dans son jugement du 14 décembre 2006 que le conflit entre Israël et les groupes armés présents dans la région, qu'ils soient ou non considérés comme organisations terroristes, est considéré comme un conflit armé international (*The Public Committee against Torture in Israel v. Israel*, HCJ 769/02, 11 décembre 2005, § 18).

La Cour internationale de justice a confirmé dans plusieurs décisions l'application du droit des conflits internationaux dans les situations d'occupation (voir ▷ **Territoire occupé**).

Consulter aussi

▶ **Agression ▷ Légitime défense ▷ Droit international humanitaire ▷ Conventions de Genève de 1949 et Protocoles additionnels de 1977 ▷ Conflit armé non international ▷ Troubles et tensions internes ▷ Groupes armés non étatiques ▷ Parties au conflit ▷ Situations et personnes non couvertes ▷ Statut juridique des parties au conflit ▷ Accord spécial ▷ Maintien de la paix ▷ Sécurité collective ▷ Responsabilité (de l'État) ▷ Cour internationale de justice ▷ Territoire occupé.**

Pour en savoir plus

BARTELS R., « Timelines, borderlines and conflicts. The historical evolution of the legal divide between international and non-international armed conflicts », *Revue internationale de la Croix-Rouge*, vol. 91, n° 873, mars 2009, p. 35-67.

CARSWELL A. J., « Classifying the conflict : a soldier's dilemma », *Revue internationale de la Croix-Rouge*, vol. 91, n° 873, mars 2009, p. 143-161.

CORN G. S., « Hamdan, Lebanon, and the regulation of armed conflict : The need to recognize a hybrid category of armed conflict », *Vanderbilt journal of Transnational Law*, vol. 40, n° 2, mars 2007.

CRAWFORD E., « Unequal before the law : the case for the elimination of the distinction between international and non-international armed conflict », *Leiden Journal of International Law*, vol. 20, n° 2, 2007

DAVID E., *Principes de droit des conflits armés*, Université libre de Bruxelles, Bruxelles, 2012 (5e ed), 1 152 p.

PAULUS A., VASHAKMADZE M., « Asymmetrical war and the notion of armed conflict - a tentative conceptualization », *Revue internationale de la Croix-Rouge*, vol. 91, n° 873, mars 2009, p. 95-125.

PELIC J., « Status of conflict », *in* WILMSHURST Elisabeth et BREAU Susan (eds), *Perspective on the ICRC Study on Customary International Humanitarian Law*, Cambridge University Press, Cambridge, 2007, p. 85.

SCHONDORF R. S., « Extra-state armed conflicts : Is there a need for a new legal regime ? », *New York University Journal of International Law and Politics*, vol. 37, n° 1, 2004, p. 61-75.

SIVAKUMARAN S., « Re-envisaging the international law of internal armed conflict », *European Journal of International Law*, (2011) 22 (1) : 219.

STEWART J. G., « Vers une définition unique des conflits armés dans le droit international humanitaire : une critique des conflits armés internationalisés », *Revue internationale de la Croix-Rouge*, n° 850, juin 2003.

VITE S., « Typologie des conflits armés en droit international humanitaire : concepts juridiques et réalités », *Revue internationale de la Croix-Rouge*, vol. 91, n° 873, mars 2009, p. 69-94. Disponible en ligne sur http://www.icrc.org/fre/assets/files/other/irrc-873-vite-fre.pdf

WILMOTT D., « Removing the distinction between international and non-international armed conflict in the Rome Statute of the International Criminal Court », *Melbourne Journal of International Law*, vol. 5, n° 1, 2004.

Conflit armé non international-Conflit armé interne-Guerre civile -Insurrection-Rébellion

Le droit international humanitaire ne définit et réglemente que deux catégories de conflits armés. Il utilise le terme de conflit armé non international pour désigner des situations très diverses dans la forme et l'objectif des affrontements armés. Ce terme est utilisé par opposition à la catégorie des conflits armés internationaux d'une part et à la catégorie des troubles et tensions internes d'autre part, qui sont exclus de la définition des conflits armés.

Il remplace et englobe les notions de conflit armé interne, guerre civile, rébellion et insurrection, qui ne sont pas des catégories spécifiques définies et reconnues par le droit humanitaire.

La qualification d'un conflit armé non international pose des questions politiques autant que juridiques. Ces conflits sont marqués par une très forte asymétrie politique, juridique et militaire. En effet, les affrontements opposent, d'un côté, l'armée et l'appareil national de maintien de l'ordre et, de l'autre, des individus et groupes armés dissidents ou rebelles plus ou moins organisés et qui sont considérés comme criminels par le droit national. L'État national dont l'autorité et la souveraineté sont attaquées de l'intérieur est naturellement réticent à reconnaître le statut d'adversaire à ceux qui menacent son pouvoir. La tentation de l'État concerné sera le plus souvent de nier l'existence d'un conflit et d'invoquer une situation de troubles lui permettant juridiquement de criminaliser l'action des groupes d'opposition armée et de mobiliser tout l'appareil sécuritaire et militaire national au nom du maintien de l'ordre. En effet, dans les situations de troubles et tensions intérieurs, le droit humanitaire ne s'applique pas encore, et le droit du recours à la force par l'État n'est limité que par les conventions internationales relatives aux droits de l'homme, dont l'efficacité immédiate reste limitée.

La définition du seuil qui sépare les situations de troubles et tensions internes et celle de conflit armé non international est un enjeu juridique et politique majeur puisque c'est la qualification de conflit armé non international qui déclenche l'application du droit humanitaire. Ce droit permet de poser des limites dans le recours à la force par l'État et d'ouvrir un droit à l'assistance et à la protection pour les victimes de ces situations. Il permet aussi d'atténuer la forte asymétrie juridique qui caractérise ces situations.

◆ **• La définition et la qualification de ce type de conflit sont importantes car elles permettent l'application des règles de droit humanitaire conventionnel et coutumier relatives aux conflits armés non internationaux. C'est l'intensité des combats et l'organisation des groupes armés qui permettent de faire la différence entre un conflit et une situation de troubles ou de tensions internes. Ces critères objectifs doivent permettre d'éviter que l'État concerné nie l'existence d'un conflit armé sur son territoire pour s'affranchir du respect du droit humanitaire dans l'usage de la force armée.**

• La qualification du conflit n'appartient pas aux parties au conflit mais dépend de critères objectifs fixés par les Conventions de Genève et leurs Protocoles.

• Un conflit armé non international peut être internationalisé si un groupe armé non étatique agit en réalité sous le contrôle ou pour le compte d'un État étranger.

• Les situations de troubles et tensions internes, comme les émeutes, les actes isolés et sporadiques de violence et autres actes analogues, ne sont pas considérés comme des conflits armés (GPII art. 1). Cependant, même dans ces situations, les garanties fondamentales contenues dans les principes fondamentaux des droits de l'homme et dans les principes de l'article 3 commun aux Conventions de Genève restent applicables.

Les conflits armés non internationaux sont prévus et encadrés par l'article 3 commun aux quatre Conventions de Genève de 1949 (« article 3 commun ») et par le Protocole additionnel II (« Protocole additionnel II ») de 1977 aux Conventions de Genève, qui contient 28 articles complétant les garanties prévues par l'article 3 commun pour les victimes de conflits armés non internationaux.

L'absence de définition juridique unique entre l'article 3 commun de 1949, le Protocole additionnel II de 1977 et la jurisprudence des tribunaux pénaux internationaux a produit une profusion de commentaires juridiques techniques qui doivent être hiérarchisés et résumés. La définition des conflits armés non internationaux est l'objet d'intenses débats juridiques alimentés par la jurisprudence internationale, par la diversité des formes de conflits issus de la fin de la guerre froide et de la guerre globale contre le terrorisme et par la multiplication d'acteurs ou groupes armés non étatiques (1;2). Cette qualification détermine le droit applicable à ces situations (3).

1. *Définition conventionnelle*

• L'article 3 commun aux quatre Conventions de Genève contient les garanties minimales applicables dans les conflits armés qui ne présentent pas un caractère international. Cet article ne fournit aucune définition spécifique de ce type de conflits armés. Il s'agit d'une définition en creux, qui a pour but de recouvrir toutes les formes de conflits armés qui ne peuvent pas être qualifiés d'internationaux et qui ne sont donc pas couverts par les autres dispositions des Conventions de Genève. L'article 3 commun ne fournit aucune définition du conflit armé non international ni des troubles et tensions internes permettant de délimiter la frontière entre les deux types de situations. Il ne s'agit certainement pas d'un oubli mais bien d'une stratégie juridique destinée à préserver l'application de ces garanties fondamentales de toute polémique concernant la qualification de la situation.

L'article 1 du Protocole additionnel II procède au contraire à un énoncé descriptif du conflit armé non international, en précisant que le conflit armé non international se distingue du confit armé international ainsi que des situations de troubles et tensions internes qui ne sont pas des conflits armés. Cet énoncé descriptif a donné lieu à une intense activité d'interprétation juridique de chaque critère mentionné, qui a en retour dangereusement et inutilement complexifié la qualification des conflits armés non internationaux.

• L'article 1.1 du Protocole additionnel II précise d'abord que le protocole complète l'article 3 commun aux Conventions de Genève sans modifier ses conditions d'application. Cela signifie donc qu'aucun des critères énoncés dans la suite de la définition du Protocole II ne peut être invoqué pour contester l'application de l'article 3 commun à une situation (*infra*) qui ne remplirait pas ces critères.

• L'article 1.1 affirme ensuite qu'il s'applique à tous les conflits qui ne sont pas considérés comme internationaux « et qui se déroulent sur le territoire d'une haute partie contractante entre ses forces armées et des forces armées dissidentes ou des groupes armés organisés qui, sous la conduite d'un commandement responsable, exercent sur une partie de son territoire un contrôle tel qu'il leur permette de mener des opérations militaires continues et concertées et d'appliquer le présent protocole ».

• L'article 1.2 du Protocole additionnel II conclut cette définition des conflits armés non internationaux en affirmant qu'il « ne s'applique pas aux situations de tensions internes, de troubles intérieurs, comme les émeutes, les actes isolés et sporadiques de violence et autres actes analogues, qui ne sont pas considérés comme des conflits armés ».

Cette dernière disposition de l'article 1 fournit en creux le seuil d'intensité de la violence qui fonde la définition d'un conflit armé non international par opposition aux troubles et tensions intérieurs. Les termes « émeutes » et « actes sporadiques et isolés de violence » s'opposent ici à des actes de violence qui seraient continus et massifs ou organisés selon que le terme « isolé » fait référence à l'élément territorial ou humain. Ce seuil d'intensité de violence a donc une double dimension temporelle et territoriale. Il implique clairement des actes de violence continus et installés sur la durée. Ce critère de durée a été reconnu par la jurisprudence internationale (*infra*).

Ces deux critères temporels et territoriaux sont complétés par un troisième concernant le caractère organisé des groupes armés, qui doivent disposer d'un commandement et être capables de mener des opérations militaires concertées.

En dehors de la question du seuil d'intensité de la violence, la définition fait aussi référence à une série d'éléments matériels tels que la territorialité du conflit, l'organisation des groupes armés, la qualité du commandement de ces groupes, le contrôle d'une partie du territoire par ces groupes, la continuité et la concertation des opérations militaires de ces groupes et leur capacité à respecter le droit humanitaire. L'interprétation de ces critères soulève des difficultés. Certains y voient des éléments descriptifs objectifs permettant de distinguer le conflit armé des situations de troubles et tensions internes, définis comme des actes sporadiques et isolés de violence. D'autres y voient des critères juridiques impératifs et cumulatifs préalables à toute invocation ou application du Protocole II. Cette interprétation littérale et cumulative des éléments de la définition donne des résultats absurdes.

Ainsi, le Protocole II ne pourrait par exemple pas s'appliquer dans des situations où un conflit non international s'étendrait sur le territoire de plusieurs États parties, ou impliquerait des groupes armés transnationaux ou étrangers à l'État partie au conflit.
Le droit international impose des règles d'interprétation des traités respectueuses de l'intention des rédacteurs et conformes à leur objectif. Il s'oppose à toute interprétation qui donnerait un résultat absurde ou contraire à l'objectif du texte (*infra*).
L'objectif de la définition contenue dans le Protocole additionnel II était de disposer de critères objectifs permettant de répondre à la réticence historique de certains États à reconnaître l'existence d'un conflit armé sur leur territoire national et des droits aux victimes. Il s'avère pourtant que, mis à part le seuil d'intensité de violence qui conserve un aspect objectif, les autres critères fixés par la définition relèvent d'interprétations subjectives et nécessitent de disposer d'éléments d'informations matériels qui risquent de retarder ou de rendre impossible l'application du Protocole additionnel II. Ceci est particulièrement vrai pour les critères liés à l'existence d'un commandement responsable, au caractère organisé des groupes armés, ou au contrôle du territoire.
Ceci s'oppose à l'esprit du droit humanitaire, qui consiste à établir le droit applicable dès le début d'un conflit et à éviter que les parties au conflit aient le contrôle de la qualification du conflit. Il semble donc logique de considérer que ces éléments ne constituent pas des conditions préalables de qualification du conflit armé non international et d'application du Protocole additionnel II.
Les décisions des tribunaux pénaux internationaux ont pu préciser l'interprétation des critères contenus dans la définition du Protocole additionnel II. La jurisprudence a permis dans certains cas de rétablir une interprétation de ces définitions qui reste conforme à l'esprit des Conventions de Genève et des deux Protocoles additionnels. Cependant, les argumentations des tribunaux pénaux internationaux doivent être prises avec précaution car ils n'avaient pas pour but de qualifier le conflit en tant que tel mais de définir les crimes de guerre qui y sont applicables. Or le droit pénal est soumis à des règles d'interprétation strictes, contrairement au droit humanitaire qui doit recevoir une application la plus large possible. De même, le concept de groupes armés organisés a fait l'objet d'importants développements dans le cadre de la jurisprudence internationale en tant que critère d'internationalisation des conflits armés et non pas en tant qu'élément de qualification d'un conflit armé non international.

2. *Définition jurisprudentielle*

Les tribunaux internationaux et nationaux ont retenu et précisé le contenu des critères de durée, d'organisation et d'intensité. Ils n'appliquent pas ces critères de façon stricte et cumulative mais s'en servent uniquement dans le but de distinguer un conflit armé non international de troubles intérieurs, du banditisme et des insurrections inorganisées. Ils fournissent une interprétation de la définition des conflits armés non internationaux conforme à l'esprit de ces conventions. Ils disqualifient les interprétations abusives développées par certains États qui créent des trous noirs juridiques dans la gestion des conflits armés et empêchent l'application du droit humanitaire. Ils précisent également les critères et les conditions d'internationalisation des conflits internes. Ces éléments initiés dans le cadre des différents jugements rendus par le Tribunal pénal international pour l'ex-Yougoslavie (TPIY) dans l'affaire Tadić ont été repris et développés par la jurisprudence ultérieure.

- ***Critère d'intensité et d'organisation***
  Dans l'affaire Tadić (IT-94-1-T, 7 mai 1997), la Chambre de première instance du TPIY a décidé que « un conflit armé existe chaque fois qu'il y a recours à la force armée entre États ou un conflit armé prolongé entre les autorités gouvernementales et des groupes armés organisés ou entre de tels groupes au sein d'un État » (§ 561). Pour déterminer l'existence d'un conflit armé non international au sens de l'article 3 commun aux Conventions de Genève, il faut examiner deux éléments du conflit : son intensité et l'organisation des parties à ce conflit : « Dans un conflit armé de caractère interne ou mixte, ces critères étroitement liés servent, au minimum, uniquement aux fins de distinguer un conflit armé du banditisme, d'insurrections inorganisées et de courte durée ou d'activités terroristes, qui ne relèvent pas du droit international humanitaire » (§ 562). Cette interprétation est confirmée dans les affaires Musema (TPIR) et Boskovski (TPIY) (*infra* Jurisprudence).
  La jurisprudence a donc retenu un niveau minimal d'organisation dans les conflits armés non internationaux. Ce critère minimal ne doit pas être confondu avec les débats juridiques qui entourent le rôle et le statut des groupes armés non étatiques dans l'internationalisation des conflits.

  ▶ **Conflit armé international ▷ Groupes armés non étatiques.**

- ***Critère de durée et critère d'intensité***
  « Les Chambres de première instance, y compris celle saisie de l'affaire Tadić, ont considéré que le critère tiré des violences armées prolongées se rapportait davantage à l'intensité de ces violences qu'à leur durée. Afin d'apprécier l'intensité des violences, les Chambres ont tenu compte d'éléments symptomatiques dont aucun n'est par lui-même essentiel pour établir que les combats sont suffisamment intenses. Parmi ces éléments, il faut citer le nombre, la durée et l'intensité des différents affrontements, les types d'armes et autres matériels militaires utilisés, le nombre de munitions tirées et leur calibre ; le nombre de personnes et le type de forces engagées dans les combats ; le nombre de victimes ; l'étendue des destructions ; le nombre de civils ayant fui la zone des combats. L'engagement du Conseil de sécurité des Nations unies peut également témoigner de l'intensité d'un conflit » (TPIY, affaire Haradinaj, IT-04-84-T, jugement du 3 avril 2008, § 49).
  « Pour apprécier l'intensité d'un conflit, les Chambres de première instance ont pris en compte divers éléments symptomatiques, tels que la gravité des attaques et la multiplication des affrontements armés, la propagation des affrontements sur un territoire et une période donnés, le renforcement et la mobilisation des forces gouvernementales, et l'intensification de l'armement des deux parties au conflit, ainsi que la question de savoir si le Conseil de sécurité de l'ONU s'est

intéressé au conflit et a adopté des résolutions le concernant. Elles ont également pris en compte le nombre de civils qui ont été forcés de fuir les zones de combat ; le type d'armes utilisées, en particulier le recours à l'armement lourd et à d'autres équipements militaires, tels que les chars et autres véhicules lourds ; le blocus ou le siège de villes et leur pilonnage intensif ; l'ampleur des destructions et le nombre de victimes causées par les bombardements ou les combats ; le nombre de soldats ou d'unités déployés ; l'existence de lignes de front entre les parties et le déplacement de ces lignes de front ; l'occupation d'un territoire, de villes et de villages ; le déploiement de forces gouvernementales dans la zone de crise ; la fermeture de routes ; l'existence d'ordres ou d'accords de cessez-le-feu et les efforts des représentants d'organisations internationales pour obtenir et faire respecter des accords de cessez-le-feu » (TPIY, affaire Boskovski, IT-04-82-T, 10 juillet 2008, § 177).

- ***Critère d'interprétation***
La jurisprudence affirme que les critères de qualification des conflits ne peuvent pas être laissés à l'appréciation des parties au conflit. Elle rappelle que « les quatre Conventions de Genève, ainsi que les deux Protocoles s'y rapportant, ont pour vocation première de protéger les victimes potentielles des conflits armés. Si l'application du droit international humanitaire dépendait de la seule appréciation subjective des parties aux conflits, celles-ci auraient dans la plupart des cas tendance à en minimiser l'intensité. Aussi, sur la base de critères objectifs, l'article 3 commun et le Protocole additionnel II trouvent-ils application dès lors qu'il est établi qu'il existe un conflit armé interne qui satisfait leurs critères préétablis respectifs ». (TPIR, affaire Akayesu, ICTR-96-4-T, 2 septembre 1998, § 603). C'est pour cela que la définition des conflits ne prend pas en compte les considérations subjectives des parties sur la nature du conflit, mais repose sur des critères objectifs relatifs à la nature et à l'étendue du recours à la force armée (Ibid § 624).

- ***La guerre contre le terrorisme ne constitue pas une troisième catégorie de conflits armés non définis par le droit***
Dans l'affaire Hamdam, la Cour suprême américaine a rejeté l'interprétation abusive des critères de qualification des conflits utilisés par les autorités américaines pour refuser les garanties de l'article 3 commun à certains détenus de la guerre contre le terrorisme. En s'appuyant sur une interprétation littérale des Conventions de Genève, le gouvernement américain affirmait que le conflit armé avec Al-Qaeda n'était couvert par aucune disposition du droit international humanitaire, pas même l'article 3 commun. Il invoquait pour cela le fait que le conflit n'était pas international puisqu'il n'opposait pas deux entités étatiques, mais qu'il n'était pas non plus non international puisqu'il se situait sur le territoire de plusieurs États. Cette interprétation était en contradiction avec l'esprit et l'objet des textes qu'il prétendait servir, et aboutissait de façon absurde à opposer des dispositions juridiques rédigées pour être complémentaires. Il créait des trous noirs juridiques, là où le droit international humanitaire avait au contraire prévu un continuum juridique capable de couvrir toute la diversité des situations de conflit armé.

La Cour suprême a rappelé que le terme de conflit de caractère non international est utilisé dans l'article 3 commun par opposition aux conflits armés entre nations réglementés par l'article 2 commun aux Conventions de Genève. Elle a affirmé que l'article 3 commun doit être interprété de façon littérale et dans l'esprit de ses rédacteurs qui ont enlevé tous les termes qui auraient limité son champ d'application de la version finale du texte. Cet article offre une protection minimale, qui n'a rien à voir avec celle prévue par les conventions, à des individus associés à un État signataire ou non. Son champ d'application est très large mais les droits octroyés sont plus limités (Cour suprême des États-Unis, n° 05-184, *Salim Ahmed Hamdam, petitioner, v. Donald H. Rumsfeld, Secretary of Defense, et al., on writ of certiorari to the US Court of Appeals for the district of Columbia circuit*, 29 juin 2006, p. 65-69). Dans un jugement de 2005, la Cour suprême israélienne a également réfuté les arguments similaires du gouvernement israélien concernant le fait que la guerre opposant un État et des organisations et personnes terroristes constituerait une troisième catégorie juridique de conflit échappant au droit international humanitaire applicable aux conflits armés internationaux et non internationaux. Le juge a déclaré que la question qu'il devait trancher ne concernait pas le droit souhaitable mais le droit existant. Dans ce cadre, il a confirmé que le droit existant ne prévoyait pas cette troisième catégorie de conflit armé (The Supreme Court Sitting as the High Court of Justice, HCJ 769/02, *The Public Committee against Torture in Israel*, 11 décembre 2005, § 27, 28).

▶ **Terrorisme.**

Ces décisions ont donc utilement rappelé que le droit international humanitaire ne reconnaît que deux types de conflits armés : les conflits internationaux et les conflits non internationaux. Par conséquent, les éléments de définition et les critères de qualification existant pour ces deux types de conflits ne peuvent pas être utilisés ou interprétés pour créer de nouvelles catégories de conflits non couvertes par le droit international humanitaire. Le travail de description et de typologie des formes actuelles de conflits armés est utile pour appréhender les formes particulières des affrontements propres à chaque contexte, mais il ne peut pas créer de nouvelles catégories juridiques échappant à l'application du droit humanitaire (concernant les règles d'interprétation du droit international, voir aussi ▷ **Droit, droit international**).

- ***Critères d'internationalisation d'un conflit armé non international***

La jurisprudence a également introduit la notion non conventionnelle de conflit armé « internationalisé ». Dans l'affaire Tadić (TPIY, IT-94-1-A, 15 juillet 1999, § 84), la Chambre d'appel affirme qu'un conflit armé non international peut être « internationalisé » sur la base de critères qui attestent du rôle d'un État étranger ou de son contrôle de fait sur certains groupes armés.

Compte tenu de la complexité des conflits actuels, la doctrine reconnaît qu'une situation de conflit armé puisse être constituée par la superposition de plusieurs conflits simultanés définis chacun en fonction de la nature étatique ou non étatique des forces qui s'opposent. L'application du droit des conflits armés internationaux ou non internationaux dans ces conflits mixtes devrait se faire en fonction de la nature étatique ou non étatique des acteurs qui s'affrontent. Cette doctrine conduit à morceler l'application du droit humanitaire dans un même contexte et sur le même territoire en conflit. L'impact de ce système est limité par l'unification des règles applicables aux conflits armés internationaux et non internationaux.

▶ **Conflit armé international.**

3. *Droit applicable dans les conflits armés non internationaux*

Les règles de droit humanitaire applicables aux conflits armés non internationaux sont contenues dans :
- l'article 3 commun aux quatre Conventions de Genève de 1949 ;
- le deuxième Protocole additionnel aux Conventions de Genève de 1977 (« Protocole additionnel II ») ;
- le droit international humanitaire coutumier

Le droit international humanitaire limite les moyens et les méthodes de guerre durant les conflits armés non internationaux et organise la protection et le secours des populations civiles. Il prévoit également un droit d'initiative humanitaire au profit de tout organisme humanitaire impartial pour lui permettre de mettre en œuvre ces actions de secours (GI-IV art. 3 commun ; GI, GII, GIII art. 9 ; GIV art. 10 ; GPII art. 18.2).

Prenant appui sur le fait que l'article 3 commun et le Protocole additionnel II n'utilisent pas la même définition des conflits armés non internationaux, certains auteurs estiment qu'il existerait deux types de conflits armés non internationaux. Les conflits ne remplissant pas tous les critères du Protocole additionnel II ne seraient donc couverts que par l'article 3 commun. Le Protocole II ne s'appliquerait que dans les situations où tous les critères de la définition sont remplis, notamment ceux relatif à l'organisation des groupes armés et à leur contrôle d'une partie du territoire. Cette position relève d'un juridisme contraire à l'esprit et à la lettre du droit humanitaire. Le droit humanitaire n'a prévu et réglementé que deux catégories de conflits armés internationaux ou non internationaux

Quand le Protocole additionnel II mentionne l'action de groupes armés agissant i) sous la conduite d'un commandement responsable ; ii) exerçant sur une partie du territoire de l'État un contrôle tel qu'il leur permette de iii) mener des opérations militaires continues et concertées et d'appliquer le présent Protocole, il cherche d'abord à distinguer les situations de conflit des simples troubles internes ou de l'insécurité dans lesquels les affrontements ne sont pas structurés, organisés et planifiés par un ou plusieurs commandements identifiables.

Le Protocole additionnel II rappelle également qu'un groupe non étatique qui mène des opérations militaires a des obligations d'organisation qui doivent intégrer la discipline et le respect des règles du DIH dans ses propres actions de combat. Ce groupe armé non étatique est en effet soumis au respect des mêmes obligations que l'État alors qu'il dispose de capacités très différentes. Ainsi, par exemple, les obligations relatives à la détention sont très dépendantes de la capacité de contrôle d'une partie du territoire par le groupe non étatique. Les critères d'organisation des groupes armés contenus dans le Protocole II ne sont donc pas destinés à modifier la qualification de conflit armé non international ni les obligations qui en découlent pour l'État concerné. Ils sont destinés à rappeler l'obligation d'organisation qui pèse sur le groupe non étatique et à ajuster le niveau de responsabilité des individus et du commandement de ce groupe dans les violations du droit humanitaire à son niveau d'organisation. Si l'organisation du groupe armé non étatique est défaillante, l'État ne sera pas pour autant délié de ses propres obligations de respect du Protocole II. Sur le plan pratique, il est important de rappeler que l'article 3 commun encourage les parties au conflit à mettre en vigueur dès le commencement du conflit tout ou partie des conventions par voie d'accord spécial.

Les règles prévues pour les conflits non internationaux sont moins nombreuses et moins détaillées que celles relatives aux conflits armés internationaux. L'article 3 commun est complété par le Protocole additionnel II qui ne totalise de son côté que 28 articles.
Cependant, le développement des règles de droit international humanitaire coutumier montre une nette tendance à l'harmonisation du contenu des règles applicables à ces deux types de conflits, tant au regard de la limitation des méthodes de guerre que du droit aux secours pour les populations. L'étude publiée par le CICR en 2005 sur ce sujet identifie 161 règles de droit international humanitaire coutumier, parmi lesquelles 147 sont communes aux conflits armés internationaux et internes. Cette harmonisation limite la pertinence de l'obsession textuelle liée à la définition des conflits armés contenue dans le Protocole additionnel II.

La jurisprudence des tribunaux internationaux a largement contribué à cette évolution coutumière pour aligner les règles de droit humanitaire applicables dans les conflits armés non internationaux sur celles prévues pour les conflits armés internationaux. Il est ainsi largement admis aujourd'hui que les règles plus détaillées relatives aux conflits internationaux peuvent servir de cadre pour l'interprétation des principes plus généraux prévus pour les conflits internes ou s'appliquer par analogie à ces conflits.
Dés 1995, le Tribunal pénal international pour l'ex-Yougoslavie estimait que : « Dans le domaine des conflits armés, la distinction entre conflits entre États et guerres civiles perd de sa valeur en se qui concerne les personnes. Pourquoi protéger les civils de la violence de la guerre, ou interdire le viol, la torture ou la destruction injustifiée d'hôpitaux, édifices du culte, musées ou biens privés ainsi qu'interdire des armes causant des souffrances inutiles quand deux États souverains sont en guerre et, dans le même temps, s'abstenir de décréter les mêmes interdictions ou d'offrir les mêmes protections quand la violence armée éclate "uniquement" sur le territoire d'un État souverain ? Si le droit international, tout en sauvegardant, bien sûr, les intérêts légitimes des États, doit progressivement assurer la protection des êtres humains, l'effacement progressif de la dichotomie susmentionnée n'est que naturel. » Le Tribunal affirme également que, « de fait, des considérations élémentaires d'humanité et de bon sens rendent absurde le

fait que les États puissent employer des armes prohibées dans des conflits armés internationaux quand ils essayent de réprimer une rébellion de leurs propres citoyens sur leur propre territoire. Ce qui est inhumain et, par conséquent, interdit dans les conflits internationaux ne peut pas être considéré comme humain et admissible dans les conflits civils » (TPIY, affaire Tadić, arrêt relatif à l'appel de la défense concernant l'exception préjudicielle d'incompétence, 2 octobre 1995, § 97, 119,125).

Cette tendance à l'unification du droit international humanitaire applicable aux deux types de conflits armés s'est d'abord exprimée dans le cadre du droit pénal international relatif aux crimes de guerre. Alors que la définition des crimes de guerre n'existait que dans les conflits armés internationaux depuis 1949, les violations de l'article 3 commun ont été reconnues comme des crimes par la jurisprudence internationale en 1995 (TPIY, affaire Tadić, voir *infra*). Depuis, le statut de la Cour pénale internationale adopté en 1998 a permis de combler le vide juridique qui entourait la définition et la répression internationale des crimes de guerre commis dans les conflits armés internes. Les définitions des crimes de guerre contenues dans le statut pour les deux types de conflits armés sont aujourd'hui très similaires.
La différence essentielle entre les conflits armés internationaux et ceux de caractère non international réside dans l'asymétrie structurelle et juridique de ces derniers. Dans un droit international dominé par les États, il est particulièrement difficile de maintenir un équilibre juridique entre les droits de l'État et ceux des groupes armés non étatiques qui contestent son pouvoir par la force. Le statut des combattants appartenant aux groupes non étatiques constitue donc le principal problème politique et juridique dans ce type de conflit. En effet dans ce contexte, le droit humanitaire coexiste avec le droit national, qui maintient des prérogatives et obligations particulières des autorités et forces gouvernementales.
C'est pourquoi la complémentarité entre le droit humanitaire et les droits de l'homme est mentionnée dans le préambule du Protocole II. Les conventions internationales relatives aux droits de l'homme restent en vigueur pour garantir la protection générale de la population par son propre État et particulièrement le sort de ceux qui prennent part à la violence armée.
L'application complémentaire et simultanée du droit international humanitaire et des droits de l'homme doit aussi permettre d'assurer la transition entre les situations de troubles et tensions internes et celles de conflit armé non international. Les règles principales du droit humanitaire ont donc été transposées dans ce type de conflit : limitation des méthodes de combat, protection de la population civile, garanties fondamentales, protection du personnel médical et religieux et de secours, droit au secours impartial pour les populations privées des biens essentiels à leur survie, respect de l'impartialité de la mission médicale et des soins aux blessés et malades, garanties judiciaires pour la répression des infractions en lien avec le conflit et garanties fondamentales pour toutes les personnes privées de liberté en relation avec le conflit.

Cependant, le statut de combattant prévu pour les conflits internationaux n'a pas été transposé dans les conflits armés non internationaux. Le statut des individus et des groupes armés non étatiques qui prennent les armes contre leur propre État reste soumis à l'application du droit national du pays concerné. Cela signifie qu'il n'existe pas de privilège du combattant dans ce type de conflit et que les individus ou membres des groupes armés qui prennent part aux hostilités contre l'armée nationale et les autorités officielles sont coupables d'activités criminelles au regard du droit national. Lorsqu'elles participent aux combats, ces personnes entrent dans la catégorie des civils qui prennent directement part aux hostilités. Ils peuvent donc être pris pour cible pendant cette participation directe. S'ils sont blessés ou capturés par les forces gouvernementales, le Protocole II prévoit des garanties de traitement et de soins mais aussi des garanties de détention pour les personnes privées de liberté en relation avec le conflit et des garanties judiciaires en cas de poursuites pénales en lien avec le conflit (art. 6). Rien n'empêche, avec l'accord des parties au conflit, d'étendre par analogie certaines dispositions du droit humanitaire relatives aux combattants prévues dans les conflits armés internationaux. Le statut des groupes armés non étatiques se pose également dans certains types de conflits armés internationaux prévus par le Protocole additionnel I (art. 43-45).

▶ **Droits de l'homme ▷ Troubles et tensions internes ▷ Population civile ▷ Combattant ▷ Groupes armés non étatiques.**

Jurisprudence

• Dans l'affaire Tadić (IT-94-1-A, 15 juillet 1999, § 84), la Chambre d'appel du TPIY affirme qu'un conflit armé non international peut être « internationalisé » sur la base de critères qui attestent du rôle d'un État étranger ou de son contrôle de fait sur certains groupes armés.

Voir à ce sujet ▷ **Conflit armé international.**

• Dans l'affaire Musema (ICTR-96-13-T, 27 janvier 2000), La Chambre de première instance du TPIR affirme qu'« un conflit armé non international est différent d'un conflit armé international en raison du statut juridique des parties en présence : les parties au conflit ne sont pas des États souverains, mais le gouvernement d'un seul et même État en conflit avec une ou plusieurs factions armées à l'intérieur de son territoire. L'expression conflit armé introduit un critère matériel : l'existence d'hostilités ouvertes entre des forces armées qui sont plus ou moins organisées ». Ce caractère organisé exclut de la définition les situations de tensions internes et de troubles intérieurs caractérisées par des actes de violence isolés ou sporadiques (§ 247-248).

• Dans l'affaire Boskovski (IT-04-82-T, 10 juillet 2008), la Chambre de première instance II du TPIY a détaillé les deux critères d'intensité des affrontements et d'organisation des groupes armés nécessaires pour la qualification du conflit armé non international :

1. Intensité des affrontements (§ 177). Pour juger de cette intensité, le tribunal examine les critères suivants : la gravité des attaques et la multiplication des affrontements armés, la propagation des affrontements sur un territoire et une période donnés, le renforcement et la mobilisation des forces gouvernementales, et l'intensification de l'armement des deux parties au conflit, ainsi que la question de savoir si le Conseil de sécurité de l'ONU s'est intéressé au conflit et a adopté des résolutions le concernant. Le Tribunal prend également en compte le nombre de civils qui ont été forcés de fuir les zones de combat ; le type d'armes utilisées, en particulier le recours à l'armement lourd et à d'autres équipements militaires, tels que les chars et autres véhicules lourds ; le blocus ou le siège de villes et leur pilonnage intensif ; l'ampleur des destructions et le nombre de victimes causées par les bombardements ou les combats ; le nombre de soldats ou d'unités déployés ; l'existence de lignes de front entre les parties et le déplacement de ces lignes de front ; l'occupation d'un territoire, de villes et de villages ; le déploiement de forces gouvernementales dans la zone de crise ; la fermeture de routes ; l'existence d'ordres ou d'accords de cessez-le-feu et les efforts des représentants d'organisations internationales pour obtenir et faire respecter des accords de cessez-le-feu.

2. *L'organisation d'un groupe armé (§ 199-203).* Le Tribunal a regroupé les facteurs d'organisation des groupes armés en cinq grandes catégories. Il s'agit de facteurs indicatifs du niveau d'organisation et non pas de critères obligatoires.

* Le premier groupe indique l'existence d'une structure de commandement (état-major général ou commandement supérieur) qui nomme les commandants et leur donne des ordres, fait connaître le règlement interne, organise l'approvisionnement en armes, autorise les actions militaires, confie des missions aux membres de l'organisation, publie des bulletins et des communiqués politiques, et qui est tenu informé par les unités opérationnelles de toute évolution au sein de la zone de responsabilité de celles-ci. L'existence de règles de discipline interne, la nomination d'un porte-parole officiel par un groupe armé et la diffusion de communiqués relatifs aux actions et opérations militaires menées par le groupe armé sont également des indices retenus.

* Le deuxième groupe d'indices illustre la capacité du groupe armé à mener des opérations militaires de façon organisée et il inclut : la possibilité de définir une stratégie militaire cohérente et de mener des opérations militaires à grande échelle, la capacité de contrôler une partie du territoire, la question de savoir si le territoire est divisé en plusieurs zones de responsabilité au sein desquelles les commandants respectifs sont habilités à former des brigades et d'autres unités et à nommer les responsables de ces unités, la capacité des unités opérationnelles de coordonner leurs actions, et la transmission efficace par voie orale ou écrite des ordres et des décisions.

* Le troisième groupe de facteurs indique le niveau d'organisation logistique, au regard de la capacité à recruter de nouveaux membres, l'existence d'une formation militaire organisée, un approvisionnement organisé en armes militaires, la fourniture d'armes et d'uniformes, et l'existence d'un matériel de communication permettant de relier les postes de commandement aux unités ou les unités entre elles.

* Le quatrième groupe examine le niveau de discipline interne et la capacité à faire respecter au sein du groupe les obligations minimales de l'article 3 commun. Cela passe par l'existence de règles et de mécanismes disciplinaires et les formations.

* Le cinquième groupe d'éléments indique le fait que le groupe est capable de parler d'une seule voix. Par exemple, il a la capacité d'agir au nom de ses membres dans des négociations politiques avec des représentants d'organisations internationales ou de pays étrangers, et celle de négocier et de conclure des accords de cessez le feu ou des accords de paix.

Les décisions des tribunaux pénaux internationaux harmonisent les règles applicables aux conflits internationaux et non internationaux, notamment en matière de répression des crimes.

• Dans l'affaire Tadić, le jugement de la Chambre d'appel du TPIY du 2 octobre 1995 a permis une avancée jurisprudentielle significative sur le droit applicable aux conflits armés non internationaux (arrêt relatif à l'appel de la défense concernant l'exception préjudicielle d'incompétence). Le Tribunal liste les normes de caractère coutumier applicables aux conflits armés non internationaux et affirme que « ce qui est inhumain et, par conséquent, interdit dans les conflits internationaux ne peut pas être considéré comme humain et admissible dans les conflits civils » (§ 119). Le Tribunal affirme que : « La pratique des États démontre que les principes généraux du droit international coutumier ont également évolué en ce qui concerne les conflits armés internes dans des domaines se rapportant aux méthodes de guerre » (§ 125). Il précise que i) « seul un certain nombre de règles et de principes régissant les conflits armés internationaux ont progressivement été étendus aux conflits internes ; et ii) cette évolution n'a pas revêtu la forme d'une greffe complète et mécanique de ces règles aux conflits internes ; plutôt, l'essence générale de ces règles, et non la réglementation détaillée qu'elles peuvent renfermer, est devenue applicable aux conflits internes » (§ 126). Le Tribunal affirme que, « nonobstant ces limites, il est indéniable que des règles coutumières sont apparues pour régir les conflits internes. Ces règles, spécifiquement identifiées dans l'examen qui précède, couvrent des domaines comme la protection des civils contre des hostilités, en particulier à l'encontre d'attaques commises sans motifs, la protection des biens civils, en particulier les biens culturels, la protection de tous ceux qui ne participent pas (ou ne participent plus) directement aux hostilités ainsi que l'interdiction d'armements prohibés dans les conflits armés internationaux et de certaines méthodes de conduite des hostilités » (§ 127).

Dans la même affaire, le Tribunal a également confirmé l'existence d'une règle coutumière internationale qui impose une responsabilité pénale individuelle pour les violations graves de l'article 3 commun ; pour les violations des autres principes généraux et règles de protection des victimes de conflits armés non internationaux et pour le non-respect de certains principes et règles fondamentales concernant les moyens et méthodes de combat dans les situations de conflit interne (*id.*, § 134). Il affirme que les violations de l'article 3 commun étaient constitutives de crimes de guerre, qu'elles aient été commises dans un conflit armé interne ou international (§ 137). Le Tribunal a ainsi tranché un débat concernant le statut juridique des crimes de guerre dans les conflits armés non internationaux et l'apparente faiblesse du contenu du Protocole II en matière de répression des infractions. Reprenant l'argumentation développée par le tribunal de Nuremberg, le TPIY a affirmé la possibilité de poursuivre les auteurs de tels crimes, même en l'absence de ratification formelle du Protocole II (§ 100, 119).

• Dans l'affaire du camp Celebici, la Chambre d'appel du TPIY précise, le 20 février 2001 (IT-96-21-A), que « quand on sait que la majorité des conflits contemporains sont internes, se fonder sur la nature différente des conflits pour maintenir une distinction entre les deux régimes juridiques et leurs conséquences sur le plan pénal pour des actes d'un même degré d'atrocité reviendrait à ignorer l'objet même des Conventions de Genève qui est de protéger la dignité de la personne humaine » (§ 172).

• Dans l'affaire Rutaganda du 6 décembre 1999, la Chambre de première instance du TPIR affirme qu'en cas de conflit le droit humanitaire s'applique sur tout le territoire et à toute la population. La chambre précise à ce sujet que « la protection accordée aux personnes en vertu des Conventions de Genève et des Protocoles additionnels l'est sur l'ensemble du territoire de l'État où se déroulent les hostilités » (...) et ne se limite par au « front » ni au « contexte géographique étroit du territoire effectif des combats » (§ 102-103). Cette décision a été confirmée par la Chambre de première instance du TPIR dans plusieurs autres affaires : Akayesu, ICTR-96-4-T, 2 septembre 1998 (§ 635) ; Kayishema et Ruzindana, ICTR-95-1-T, 21 mai 1999 (§ 182-183) ; Musema, ICTR-96-13-A, 27 janvier 2000 (§ 284) ; Semanza, ICTR-97-20-T, 15 mai 2003 (§ 367).

Consulter aussi

▶ **Droit international humanitaire ▷ Conventions de Genève de 1949 et Protocoles additionnels de 1977 ▷ Situations et personnes non couvertes ▷ Garanties fondamentales ▷ Statut juridique des parties au conflit ▷ Troubles et tensions internes ▷ Droit d'initiative humanitaire ▷ Accord spécial ▷ Droits de l'homme ▷ Groupes armés non étatiques ▷ Conflit armé international ▷ Population civile ▷ Terrorisme.**

Pour en savoir plus

BARTELS R., « Timelines, borderlines and conflicts. The historical evolution of the legal divide between international and non international armed conflicts », *Revue internationale de la Croix-Rouge,* vol. 91, n° 873, mars 2009, p. 35-67.

CARSWELL A. J., « Classifying the conflitct : a soldier's dilemma », *Revue internationale de la Croix-Rouge,* vol. 91, n° 873, mars 2009, p. 143-161.

CICR, « Le droit international humanitaire et les défis posés par les conflits armés contemporains », extrait du *Rapport du Comité international de la Croix-Rouge pour la 28e conférence internationale de la Croix-Rouge et du Croissant-Rouge,* Genève, décembre 2003.

EWUMBUE-MONONO C., « Respect for international humanitarian law by armed non state actors in Africa », *Revue internationale de la Croix-Rouge,* n° 864, décembre 2006, p. 905-924.

INTERNATIONAL INSTITUTE OF HUMANITARIAN LAW, « The manual on the law of non international armed conflict », San Remo 2006, disponible à http://www.iihl.org/iihl/Documents/The%20 Manual%20on%20the%20Law%20of%20NIAC.pdf

MOIR L., *The Law of Internal Armed Conflict,* Cambridge University Press, Cambridge, 2002.

PAULUS A., VASHALMADZE M., « Asymmetrical war and the notion of armed conflict : a tentative conceptualization », *Revue internationale de la Croix-Rouge,* vol. 91, n° 873, mars 2009, p. 95-125.

PELIC J., « Status of conflict », *in* WILMSHURST E. et BREAU S. (eds), *Perspective on the ICRC Study on Customary International Humanitarian Law,* Cambridge University Press, Cambridge, 2007.

PFANNER T., « Les guerres asymétriques vues sous l'angle du droit humanitaire et de l'action humanitaire », *Revue internationale de la Croix-Rouge,* n° 857, mars 2005.

« Règles du droit international humanitaire relatives à la conduite des hostilités dans les conflits armés non internationaux », conclusions de la XIVe table ronde de l'Institut international de droit humanitaire, *Revue internationale de la Croix-Rouge,* n° 785, septembre-octobre 1990, p. 415-437.

SOMER J., « Jungle justice : passing sentence on the equality of belligerents in non international armed conflict », *Revue internationale de la Croix-Rouge,* vol. 89, n° 867, septembre 2007, p. 655-690.

STEWART J. G., « Vers une définition unique des conflits armés dans le droit international humanitaire : une critique des conflits armés internationalisés », *Revue internationale de la Croix-Rouge,* n° 850, juin 2003.

VITE S., « Typologie des conflits armés en droit international humanitaire : concepts juridiques et réalités », *Revue internationale de la Croix-Rouge,* n° 873, mars 2009, p. 69-94. Disponible en ligne sur http://www.icrc.org/fre/assets/files/other/irrc-873-vite-fre.pdf

Conseil économique et social des Nations unies (ECOSOC)

L'un des six principaux organes des Nations unies, le Conseil économique et social (ECOSOC) est l'organe central de l'ONU sur toutes les questions internationales d'ordre économique et social. Il est prévu par le chapitre X de la Charte. Le Conseil coordonne le travail économique et social des Nations unies qui représente 70 % des ressources humaines et financières du système. Toutes les agences et institutions spécialisées et autres fonds, tels que l'Organisation mondiale de la santé, l'Organisation pour l'alimentation et l'agriculture, l'UNICEF ou le Programme alimentaire mondial, font rapport à l'ECOSOC.

La Charte de l'ONU en fait l'organe principal pour promouvoir de meilleurs standards de vie, le plein emploi, le progrès social et économique, la santé, la culture et l'éducation, et le respect universel des droits de l'homme et des libertés fondamentales. Le Conseil est un organe central pour discuter ces problèmes, faciliter la coopération internationale dans ces domaines et formuler des recommandations. Il permet également aux ONG de participer par leur expertise à l'action des Nations unies. Le statut consultatif qu'il offre aux ONG peut permettre d'établir un lien entre l'ONU et la société civile.

L'ECOSOC est constitué de cinquante-quatre membres élus par l'Assemblée générale pour trois ans. Chaque État membre de l'ECOSOC dispose d'un représentant (art. 61). Les sièges sont répartis en fonction du principe de représentation géographique. Au total, on compte : 14 États africains, 11 États asiatiques, 6 États d'Europe orientale, 10 États d'Amérique latine et caraïbes et 13 États de l'Europe occidentale et autres. Le vote se fait à la majorité simple, chaque État a une voix. Il se réunit un mois chaque année en sessions alternées entre Genève et New York. Une réunion spéciale des ministres discute les questions les plus urgentes. Au début de 1998, le Conseil a élargi ses compétences en incluant les questions humanitaires. Pendant le reste de l'année le travail du Conseil s'effectue au sein des organes subsidiaires.

Il fait des recommandations et prépare des projets de conventions (art. 62.3).
Il peut consulter les ONG compétentes dans ces domaines, par le biais du statut consultatif (art. 71).
Il travaille par un système de commissions, dont le Conseil des droits de l'homme et la Commission de la condition de la femme qui intéressent particulièrement les ONG.
Son programme actuel de travail concerne la lutte contre la pauvreté, le développement en Afrique, les effets de la globalisation, le renforcement des relations avec la Banque mondiale et le Fonds monétaire international.
Le Sommet mondial de 2005 a confié deux nouvelles fonctions au Conseil : l'Examen ministériel annuel d'une part, le Forum pour la Coopération en matière de développement d'autre part. L'Examen ministériel annuel vise à évaluer les progrès accomplis dans la réalisation des Objectifs du Millénaire pour le Développement (OMD) et des autres objectifs convenus lors des grandes conférences et réunions au sommet organisées sous l'égide de l'ONU. Il se compose d'examens thématiques et de présentations volontaires par pays sur les progrès et les défis existant dans la réalisation des objectifs. Le Forum pour la Coopération en matière de développement vise quant à lui à améliorer l'efficacité et la cohérence des activités des différents partenaires du développement. En examinant les tendances et les progrès réalisés en matière de coopération internationale dans le domaine du développement, le Forum formule orientations générales et recommandations visant à rendre plus efficace la coopération des acteurs du développement.
Le programme de travail du Conseil consiste actuellement à : renforcer le dialogue avec les institutions financières et commerciales ; améliorer la coopération internationale dans le domaine du développement ; améliorer l'assistance économique, humanitaire et de secours aux populations sinistrées ; assurer l'intégration d'une perspective de genre dans les programmes du système des Nations unies ; favoriser le développement durable et le développement social et ; enfin, promouvoir le système de lutte contre le crime et la justice pénale.

▸ **ONU ▷ ONG ▷ Comité des droits de l'homme ▷ Haut-Commissariat aux droits de l'homme-Conseil des droits de l'homme.**

Pour en savoir plus

Sodini R., *Le Comité des droits économiques, sociaux et culturels*, CEDIN n° 18, Montchrestien, 2000, 220 p.

Conseil de sécurité des Nations unies (CS)

Prévu par le chapitre V de la Charte de l'ONU, il s'agit de l'organe restreint des Nations unies chargé de trancher par ses votes et ses décisions les questions relatives à la paix et à la sécurité internationales.

1. *Composition*

Il est composé de quinze membres, dont cinq ont un siège permanent (États-Unis, Russie, France, Grande-Bretagne, Chine), communément appelés les « cinq grands », et dix sont élus par l'Assemblée générale tous les deux ans, en respectant une répartition géographique équitable (art. 23). Celle-ci a été définie par une résolution de l'Assemblée générale (adoptée en 1963) : trois sièges pour les États d'Afrique, deux pour l'Asie, un pour l'Europe orientale, deux pour l'Amérique latine, deux pour l'Europe occidentale et le reste du monde.

Certains pays nouvellement influents réclament une révision de la Charte et revendiquent un siège permanent au Conseil (Japon, Allemagne, Inde, Brésil). Ils font valoir que l'ordre international a évolué depuis 1945, et qu'il faut y adapter l'Organisation. Une telle réforme passe par l'accord des cinq membres permanents actuels.

2. *Système de vote*

Les résolutions sont prises par un vote affirmatif de neuf membres dans lequel sont comprises les voix de tous les membres permanents. Ceux-ci ont donc un droit de veto, c'est-à-dire qu'aucune résolution ne peut être adoptée si l'un d'entre eux s'y oppose (art. 27.3 de la Charte).

Ce droit de veto peut être évité dans deux cas :

– lors des votes sur les questions de procédure (art. 27.2) ;

– éventuellement lors des votes effectués dans le cadre du chapitre VI de la Charte pour le règlement pacifique des différends. Les États qui sont parties aux différends doivent en effet s'abstenir de voter (art. 27.3).

3. *Compétences*

Le Conseil existe afin « d'assurer l'action rapide et efficace de l'Organisation ».

Les États membres lui ont confié la « responsabilité principale du maintien de la paix et de la sécurité internationales » (art. 24.1).

Pour accomplir cette tâche, il dispose de plusieurs types d'interventions définies dans les chapitres VI, VII, VIII et XII.

– *Chapitre VI.* Règlement pacifique des différends : le Conseil est médiateur politique entre des États pour les aider à régler pacifiquement leurs différends. Il peut être saisi par les États concernés, d'autres États, ou se saisir tout seul (art. 33, 34, 35, 37). Il peut alors faire des recommandations et proposer des solutions. Il peut procéder à des enquêtes.

Dans la pratique, c'est sur la base de ce chapitre que les opérations de maintien de la paix ont été développées. Elles s'effectuent avec l'accord du ou des États en conflit et ont pour but de garantir l'application du cessez-le-feu ou d'un autre accord conclu entre les États, soit par le déploiement d'observateurs ou la mise en place de forces d'interposition, soit par d'autres formes de surveillance du respect de cet accord. Il s'agit donc d'actions effectuées avec le consentement des États concernés.

– *Chapitre VII.* Menaces à la paix, rupture de la paix et actes d'agression : dans de telles situations, le Conseil de sécurité dispose de pouvoirs accrus.

Les décisions qu'il prend sur la base du chapitre VII sont obligatoires et s'imposent à tous les États, y compris ceux en conflit, sans que leur accord soit nécessaire. Il a le choix entre plusieurs types de mesures :
– il peut décider de mesures n'impliquant pas l'emploi de la force armée (art. 41), telles que les sanctions diplomatiques et économiques contre des États, des entités non étatiques ou des individus. Ces mesures vont de la rupture complète ou partielle des relations économiques, diplomatiques, des communications ferroviaires, aériennes, maritimes, postales, radioélectriques et autres, du gel de certains avoirs financiers ou de l'interdiction de voyager pour certaines personnes ;
– il peut utiliser le pouvoir que lui donne le chapitre VII de la Charte de l'ONU pour imposer à certains États la compétence d'un tribunal international chargé de juger les auteurs des crimes de guerre, crimes contre l'humanité et génocide commis sur leur territoire. C'est notamment le cas des tribunaux internationaux *ad hoc* créés pour l'ex-Yougoslavie et le Rwanda. C'est aussi le cas de la saisine en 2005, par le Conseil de sécurité, de la Cour pénale internationale pour juger les crimes commis au Soudan. Cette saisine a permis d'imposer la compétence de la CPI à un pays qui n'a pas ratifié le statut de la Cour ;
– il peut également décider de l'emploi de la force pour rétablir la paix (art. 42).

◆ **• Le Conseil de sécurité a le pouvoir, considérable sur le plan juridique, de qualifier les faits (art. 39). Il n'existe aucune définition précise des atteintes et des menaces à la paix internationale. C'est lui qui décrète ou non l'échec du règlement pacifique des différends et l'existence d'une atteinte à l'ordre public international. Lui seul décide si une situation donnée constitue ou non une rupture ou une menace à la paix et à la sécurité internationales. Il peut alors prendre les mesures nécessaires impliquant ou non l'emploi de la force pour faire cesser cette situation. Le statut de la Cour pénale internationale, chargée de juger les actes de génocide, crimes contre l'humanité et crimes de guerre préserve les prérogatives du Conseil de sécurité dans ces situations. Il lui fournit également un moyen de pression judiciaire sur les États dans la gestion des crises.**
• Le statut de la Cour prévoit que le Conseil de sécurité peut interdire ou interrompre les enquêtes et les poursuites judiciaires en matière de génocide, crime contre l'humanité ou crime de guerre entreprises devant la Cour pénale internationale pendant une période de douze mois renouvelable (art. 16).
• Le Conseil de sécurité peut également saisir le procureur de la CPI en vertu du chapitre VII et par conséquent imposer le jugement de ces crimes à des États qui n'auraient pas ratifié le statut de la Cour (art. 13.c).

En cas d'intervention armée, la Charte prévoit que les plans pour l'emploi de la force sont établis par le Conseil de sécurité avec l'aide d'un Comité d'état-major (art. 46). Toutefois, ce dernier n'a jamais fonctionné.
– *Chapitre VIII*. Le Conseil de sécurité encourage le règlement pacifique des différends d'ordre local, par le moyen d'accords ou d'organismes régionaux dont les activités sont compatibles avec les buts et principes des Nations unies (art. 52). Le Conseil de sécurité peut donc utiliser des organismes régionaux pour appliquer les décisions de maintien ou de rétablissement de la paix prises par lui (art. 53). Un certain nombre d'opérations de maintien de la paix ont ainsi été « sous-traitées » par l'ONU à des organismes régionaux comme l'Organisation du traité de l'Atlantique-Nord (OTAN) en ex-Yougoslavie, l'Union africaine au

Liberia ou au Soudan, ou l'Organisation pour la sécurité et la coopération en Europe (OSCE) en Tchétchénie.

◆ **• C'est le Conseil de sécurité qui assume la responsabilité juridique de la façon dont la force sera utilisée (art. 47.3). C'est auprès de lui que doivent être adressées les réclamations en cas de non-respect du droit humanitaire dans les mesures d'embargo ou dans l'emploi de la force internationale.**
• En cas de délégation du maintien de la paix à des organisations régionales (OTAN, OSCE, UEO, UA), ces dernières assument alors la responsabilité juridique de l'usage de la force. Le Conseil de sécurité conserve néanmoins un devoir de contrôle sur les actes entrepris par délégation (art. 53 et 54).

– *Le chapitre XII* concernant le régime international de tutelle pour les territoires non autonomes est tombé en désuétude.
– Le Conseil est par ailleurs chargé théoriquement de la réglementation des armements (art. 26), mais il n'a jamais réellement exercé cette prérogative.

4. *Moyens*

Le Conseil de sécurité est organisé « de manière à pouvoir exercer ses fonctions en permanence » (art. 28.1), et peut, si besoin est, se réunir à tout endroit ailleurs qu'au siège de l'Organisation (art. 28.3) y compris dans l'urgence. Il peut être saisi d'une situation par tout État membre (art. 35.1) ou non membre (art. 35.2), par l'Assemblée (art. 11.3), par le secrétaire général (art. 99) ou se saisir lui-même (art. 34).
Le Conseil adopte soit des résolutions, qui sont obligatoires pour les États (art. 25), soit des recommandations, qui ne sont pas contraignantes. Les règles de droit produites par les organisations internationales sont regroupées sous le terme de « droit dérivé ». Elles ont une autorité juridique variable.

▶ **ONU ▷ Maintien de la paix ▷ Sécurité collective ▷ Droit dérivé (ou *soft law*) ▷ Ordre public ▷ Légitime défense ▷ Ingérence ▷ Sanctions diplomatiques, économiques et militaires ▷ Comité des sanctions ▷ Cour pénale internationale ▷ Veto ▷ Agression ▷ Terrorisme ▷ Tribunaux pénaux internationaux**

Pour en savoir plus

NOVOSSELOFF A., *Le Conseil de sécurité et la maîtrise de la force armée : dialectique du politique et du militaire en matière de paix et de sécurité internationales*, Bruylant, 2003, 660 p.

Conventions de Genève de 1949 et Protocoles additionnels I et II de 1977

Les quatre Conventions de Genève de 1949 et leurs deux Protocoles additionnels de 1977 constituent le cœur du droit international humanitaire. Elles ont repris et codifié de nombreuses règles du droit des conflits armés dispersées dans des accords antérieurs, en réaction aux horreurs de la Seconde Guerre mondiale. Ces

Conventions ont été presque universellement ratifiées. En 1977, deux Protocoles additionnels ont été adoptés pour fournir une protection supplémentaire pour les victimes des conflits armés. Ces Protocoles sont optionnels, néanmoins, les trois quarts des pays du monde les ont ratifiés.

On distingue souvent, de façon artificielle, deux branches du droit humanitaire : le droit de la guerre et celui de l'assistance. Le droit de la guerre tente de limiter les effets des hostilités ; il est notamment illustré par les conventions de La Haye de 1899 et de 1907. Le droit de l'assistance prévoyait la protection et les secours pour les non-combattants durant les conflits.

En fait, les Conventions de Genève et leurs Protocoles additionnels ne se contentent pas de codifier l'assistance et la protection des civils. Elles fixent également les règles de conduite des hostilités, elles réglementent certaines méthodes de guerre et établissent la responsabilité des belligérants.

▶ **Méthodes de guerre ▷ Conventions de La Haye ▷ Droit international humanitaire.**

Les Conventions de Genève ont réunifié et codifié le droit de la violence et celui de l'assistance. Elles procèdent par catégories. Chacune d'entre elles organise en effet les secours en temps de conflit pour une catégorie particulière de population.

■ Quatre Conventions de Genève du 12 août 1949

– 1re Convention de Genève pour l'amélioration du sort des blessés et malades des forces armées en campagne sur terre (GI) ;
– 2e Convention de Genève pour l'amélioration du sort des blessés et malades et des naufragés des forces armées sur mer (GII) ;
– 3e Convention de Genève relative au traitement des prisonniers de guerre (GIII) ;
– 4e Convention de Genève relative à la protection des personnes civiles en temps de guerre (GIV).
195 États sont parties aux quatre Conventions de Genève en avril 2013. ■

■ Deux Protocoles additionnels de 1977

– Protocole I additionnel aux Conventions de Genève relatif à la protection des victimes des conflits armés internationaux (GPI). 173 États parties en avril 2013.
– Protocole II additionnel aux Conventions de Genève relatif à la protection des victimes des conflits armés non internationaux (GPII). 167 États parties. ■

Les trois premières Conventions règlent le sort des combattants blessés, naufragés ou prisonniers en période de conflit armé international. Seule la quatrième Convention organise la protection de la population civile en période de conflit armé international.

Les deux Protocoles additionnels de 1977 renforcent la protection des victimes des conflits. Le premier renforce la protection prévue par la quatrième Convention au profit des victimes des conflits armés internationaux.

Le second complète l'article 3 commun des quatre Conventions de Genève relatif à la protection des victimes des conflits armés non internationaux (Voir ▷ **Conflit armé international** ▷ **Conflit armé non international**).
Le contenu de ces conventions est présenté dans la rubrique ▷ **Droit international humanitaire.**
Bien que de nature conventionnelle, le contenu du droit humanitaire a aujourd'hui un caractère largement coutumier. Cela signifie que ces règles s'imposent même aux États et aux acteurs qui n'auraient pas signé ces conventions.

Consulter aussi

▶ **Droit international humanitaire ▷ Convention internationale ▷ Coutume ▷ Garanties fondamentales ▷ Garanties judiciaires ▷ Conventions de La Haye ▷ Méthodes de guerre ▷ Liste des États parties aux conventions internationales relatives au droit humanitaire et aux droits de l'homme.**

Pour en savoir plus

BUGNION F., « Droit de Genève et droit de La Haye », *Revue de la Croix-Rouge internationale*, n° 844, décembre 2001, p. 901-922.

HAROUEL-BURELOUP V., *Traité de droit humanitaire*, PUF, Paris, 2005, p. 163-199.

PICTET J. (sous la dir. de), Commentary on the Additional Protocols of 8 june 1977 to Geneva Conventions of 12 August 1949, éd. par ICRC, Martinus Nijhoff Publishers, Genève, 1987, 1 625 p.

Convention internationale

Accord écrit entre deux ou plusieurs États énonçant leurs devoirs et leurs droits dans un domaine particulier. On parle aussi de « traité ». Le contenu des conventions est fixé librement par les États, avec une limite importante : les dispositions d'un traité doivent respecter le *jus cogens*, c'est-à-dire les règles impératives du droit international.

▶ **Droit, droit international.**

1. *Ratification*

• Après avoir été négocié, rédigé et signé, un traité doit être ratifié. La ratification est l'approbation du traité par les organes nationaux compétents (le plus souvent, le chef de l'État avec ou non l'autorisation du Parlement). C'est elle qui engage internationalement l'État. L'entrée en vigueur d'un traité est conditionnée à un certain nombre de ratifications fixées par la convention elle-même.
• Même ratifiés, les traités ne produisent pas toujours automatiquement des effets dans l'ordre interne. Pour ce faire, il faut souvent que les États modifient leur législation nationale.
• Certains traités tels que les Conventions de Genève ont progressivement acquis une valeur coutumière. Cela signifie qu'ils s'imposent mêmes aux États qui ne les ont pas signés et ratifiés.

▶ **Coutume.**

2. *Valeur de la convention*

• Les dispositions du traité sont obligatoires entre les États parties.

• Dans la plupart des systèmes juridiques nationaux, les dispositions d'un traité ont une valeur supérieure aux lois nationales. Un État doit en effet pouvoir prendre des engagements auprès d'autres États sans qu'ils risquent ensuite d'être contredits.

▶ **Hiérarchie des normes.**

3. *Réciprocité*

• L'application d'un accord international repose le plus souvent sur la réciprocité des engagements pris entre les États parties. La violation de ses engagements par l'une des parties peut être invoquée par les autres pour les dispenser du respect de ces mêmes obligations vis-à-vis de l'auteur de la violation.

• Les traités relatifs aux droits de l'homme et au droit humanitaire font cependant exception à cette règle. L'article 60.5 de la Convention de Vienne de 1969 réserve un sort particulier aux « dispositions relatives » à la protection de la personne humaine contenues dans les traités de caractère humanitaire. Dans ce cas, un État ne peut pas justifier le non-respect de ses obligations en prétextant de la violation du droit par un autre État. Cette spécificité tient au fait que le droit humanitaire et les droits de l'homme ouvrent des droits objectifs pour les individus et pas seulement pour les États. Les États ne peuvent en conséquence pas marchander entre eux le respect ou le non-respect de ces droits.

La violation du droit humanitaire par un État ou une partie au conflit ne peut jamais être utilisée comme mesure de représailles contre une autre partie au conflit qui elle-même viole ce droit.

• Les Conventions de Genève de 1949 et le Protocole additionnel I de 1977 prévoient que les États s'engagent à respecter et faire respecter ces textes en toutes circonstances (GI-GIV art. 1 commun ; GPI art. 1.1). Cette formulation indique que l'obligation de respecter est impérative et qu'elle n'est donc pas subordonnée au principe de réciprocité.

• Le fait qu'une partie au conflit dénonce les obligations que lui imposent les Conventions de Genève ne déliera pas l'autre partie du respect du droit humanitaire (GI art. 63 ; GII art. 62 ; GIII art. 142 ; GIV art 158 ; GPI art. 99).

• Les Conventions de Genève ont été signées par les hautes parties contractantes qui sont des États reconnus. Dans la pratique, les conflits opposent des belligérants qui ne sont pas tous des États signataires. C'est notamment le cas dans les situations de guerre civile, dans lesquelles un État est opposé à une rébellion. Cette particularité ne peut pas empêcher l'application du droit humanitaire. Les Conventions de Genève s'imposent donc aux parties au conflit indépendamment de leur statut juridique (GI-GIV art. 3 commun, GPI art. 1.1).

• La non-réciprocité est également traduite par les Conventions de Genève en termes de responsabilité pénale. Aucune haute partie contractante ne pourra s'exonérer elle-même, ni exonérer une autre partie contractante des responsabilités encourues par elle-même ou une autre partie en raison des infractions graves au droit humanitaire qu'elle aurait commises (GIV art. 148).

▶ **Amnistie ▷ Haute partie contractante ▷ Partie au conflit.**

4. *Réserve*

• Les États ont la possibilité d'émettre des réserves à l'application de certains articles d'une convention. La réserve est une formulation unilatérale par laquelle un État écarte, ajoute ou modifie le sens d'une disposition d'un traité auquel il va devenir partie. La réserve peut porter sur un article, un mot, une phrase, etc.
• Les limites aux réserves sont fixées de façon spécifique par le traité lui-même et de façon générale par le droit des traités codifié par la Convention de Vienne de 1969 :
– le traité peut interdire toutes les réserves ;
– le traité peut autoriser certaines réserves seulement ;
– les réserves incompatibles avec l'objet et le but du traité sont interdites (Convention de Vienne, art. 19).
• Lorsqu'un État émet une réserve, les conséquences juridiques provoquées par cette réserve dépendent de l'acceptation ou de l'objection des autres États :
– la réserve est acceptée : elle s'applique au profit de l'État qui a émis la réserve (l'État réservataire). Si la réserve porte sur un article, le traité moins cet article entre donc en vigueur entre l'État réservataire et les États qui ont accepté la réserve ;
• si un État fait une objection simple à cette réserve, il n'empêche pas le traité d'entrer en vigueur, mais la disposition sur laquelle porte la réserve ne peut s'appliquer entre l'État réservataire et l'État objecteur. Il faudra chercher le consentement commun aux deux États pour arriver à un compromis ;
• si un État fait une objection aggravée, il empêche le traité dans son ensemble d'entrer en vigueur entre lui et l'État réservataire. Il n'existe donc aucun lien conventionnel entre les deux États.
– Le système des réserves permet d'augmenter le nombre d'États parties à un traité, mais peut en contrepartie en menacer la nature. En outre, avec les réserves, le contenu d'un traité n'est jamais le même pour tous ses États parties.
– Afin de limiter les réserves, la pratique retenue dans les textes relatifs au droit humanitaire et aux droits de l'homme est celle des articles ou des protocoles facultatifs ou optionnels. Ces articles ou protocoles facultatifs concernent en général les procédures de plainte, d'enquête ou de contrôle du respect de la convention. Les États peuvent donc devenir parties aux conventions sans être obligés d'adhérer à ces dispositions.

5. *Interprétation des conventions*

Un traité, comme tout texte juridique, fait l'objet d'une interprétation lors de son application. Bien souvent, des parties opposées cherchent à utiliser le droit chacune à leur profit et en font une interprétation contradictoire. Il était donc important que les États fixent, dans une convention spécifique, des règles communes dans ce domaine.

◆ **La Convention de Vienne sur le droit des traités du 23 mai 1969 établit les règles générales qui régissent les traités internationaux, et notamment la façon dont ils doivent être interprétés. Elle limite ainsi le risque de voir chaque État interpréter à sa façon le texte des obligations auxquelles il a souscrit dans les conventions internationales. C'est un outil important pour répondre au cynisme et à la mauvaise foi de certains partenaires dans l'interprétation du droit. Il peut être utilisé à l'occasion des négociations concernant l'action humanitaire.**

a) Les règles d'interprétation des conventions

• La Convention de Vienne établit les principes suivants (art. 31) :
– un traité doit être interprété de bonne foi, à la lumière de son objet et de son but ;
– un traité doit également être interprété par rapport à l'intention de ceux qui l'ont rédigé. Il faut donc aussi recourir à l'esprit et au contexte dans lesquels la règle a été formulée.
– Les dispositions d'un traité organisant la protection des individus ne peuvent jamais être interprétées de façon à entraver ou limiter cette protection. Les Conventions de Genève de 1949 prennent la précaution de rappeler ce principe (GI, GII, GIII art. 9 ; GIV art. 10 ; GPI art. 75.8).
– La connaissance de ces principes d'interprétation est utile pour permettre aux acteurs non gouvernementaux de contester, dans des cas pratiques, l'interprétation que les États ou des acteurs non étatiques peuvent faire du droit pour justifier leurs agissements. Il est plus simple, pour un État, de nier l'existence d'une obligation en biaisant l'interprétation du droit, plutôt que de reconnaître et d'assumer sa violation.

b) Les organes d'interprétation

• En droit international, ce sont les États qui font la loi et eux qui l'interprètent. La Cour internationale de justice est l'organe judiciaire prévu par le chapitre XIV de la Charte des Nations unies dans le but de régler les différends de nature juridique entre les États. Elle est compétente entre autres pour répondre à toutes les demandes d'avis consultatifs ou toutes les plaintes relatives à l'interprétation d'un traité, ou toute question de droit international qui lui sont soumises par l'Assemblée générale ou le Conseil de sécurité de l'ONU (avis consultatif), et par les États qui ont accepté sa compétence (plainte) (art. 36 de son statut).
La Cour internationale de justice s'est prononcée dans de nombreuses affaires pour rappeler les principes d'interprétation du droit international tels qu'ils ressortent du droit coutumier et de la Convention de Vienne sur le droit des traités. En plus du principe d'interprétation d'un texte de bonne foi et selon l'intention de ses rédacteurs, la CIJ insiste sur le fait que l'interprétation faite par les États ne peut pas laisser le sens ambigu ou obscur ; ou conduire à un résultat qui est manifestement absurde ou déraisonnable. (Voir Affaire des Plates-formes pétrolières (République islamique d'Iran c. États-Unis d'Amérique), exception préliminaire, arrêt, *C.I.J. Recueil 1996 (II)*, p. 812, § 23 ; voir dans le même sens Île de Kasikili/Sedudu (Botswana c. Namibie), arrêt, *C.I.J. Recueil 1999 (II)*, p. 1059, § 18, et Souveraineté sur Palau Ligitan et Palau Sipadan (Indonésie c. Malaisie), arrêt, *C.I.J. Recueil 2002*, p. 625, § 37 ; et Conséquences juridiques

de l'édification d'un mur dans le territoire palestinien occupé, avis consultatif, *C.I.J. Recueil 2004*, p. 136, § 94.)

Certaines conventions internationales relatives aux droits de l'homme prévoient des mécanismes spécifiques d'interprétation que les États peuvent ou non accepter :

– la Cour européenne des droits de l'homme est compétente pour interpréter la Convention européenne des droits de l'homme (art. 32) ;

– la Cour interaméricaine des droits de l'homme pour la Convention interaméricaine et d'autres textes américains relatifs aux droits de l'homme (art. 64) ;

– la Commission africaine des droits de l'homme pour la Charte africaine des droits de l'homme (art. 45).

Les Conventions de Genève de 1949 confient au CICR une fonction en matière d'interprétation. Elles prévoient qu'en cas de désaccord entre les parties au conflit sur l'interprétation de leurs dispositions, les puissances protectrices prêteront leurs bons offices pour trouver une solution au différend, dans l'intérêt des personnes protégées par les conventions (GI, GII, GIII art. 11 ; GIV art. 12). En l'absence de puissance protectrice, c'est le Comité international de la Croix-Rouge qui assure le rôle de substitut aux puissances protectrices.

▸ **Croix-Rouge, Croissant-Rouge ▷ Puissance protectrice ▷ Cour internationale de justice.**

6. *Contrôle de l'application des conventions*

Un certain nombre de conventions prévoient un organe de contrôle chargé de veiller à leur application. En cas de violation du traité, cet organe peut être saisi selon les cas par des États, des individus ou des personnes morales (les ONG surtout). Ces organes peuvent être judiciaires. Dans ce cas, ils sont habilités à dire le droit et à sanctionner sa violation. Dans le domaine des droits de l'homme et du droit humanitaire, il s'agit en général d'organes non judiciaires, dont les procédures sont plutôt diplomatiques.

Les possibilités d'action en cas de violation des droits de l'homme et du droit humanitaire sont développées dans les rubriques ▷ **Recours individuels,** ▷ **Droits de l'homme** et sous l'intitulé des différentes cours, commissions et comités existants dans ce domaine.

Consulter aussi

▸ **Droits de l'homme ▷ Droit, droit international ▷ Recours individuels ▷ Comité des droits de l'enfant ▷ Comité des droits de l'homme ▷ Comité contre la torture ▷ Comité européen contre la torture ▷ Comité pour l'élimination de la discrimination contre les femmes ▷ Comité pour l'élimination de la discrimination raciale ▷ Commission internationale d'établissement des faits ▷ Commission et Cour africaines des droits de l'homme ▷ Haut-Commissariat aux droits de l'homme-Conseil des droits de l'homme ▷ Cour européenne des droits de l'homme ▷ Cour et Commission interaméricaines des droits de l'homme ▷ Cour internationale de justice ▷ Cour pénale internationale.**

Conventions de La Haye

Leur nom vient du fait qu'elles ont été adoptées pendant les conférences de la paix de La Haye en 1899 et 1907. Elles constituent le droit de la guerre au sens strict du terme, c'est-à-dire l'ensemble des règles que doivent observer les belligérants dans la conduite des hostilités. Ces règles sont détaillées sous la rubrique ▷ **Méthodes de guerre**. C'est cette branche du droit international humanitaire que l'on appelle parfois aussi le « droit de la violence », par opposition au « droit de l'assistance » prévu par les Conventions de Genève qui organisent les secours en temps de conflit.

Les conventions et déclarations de La Haye du 29 juillet 1899 portent sur des questions telles que le règlement pacifique des conflits internationaux et les droits et coutumes de la guerre qui ont été renforcés dans les conventions de 1907. Elles portent aussi sur :

– l'interdiction de l'emploi de projectiles répandant des gaz asphyxiants ;

– l'interdiction d'employer des balles qui s'épanouissent ou s'aplatissent facilement dans le corps humain.

Les principales conventions de La Haye du 18 octobre 1907 portent quant à elles sur :

– le règlement pacifique des conflits internationaux (convention I) ;

– l'ouverture des hostilités (convention III) ;

– les lois et coutumes de la guerre (convention IV avec les annexes et règlements, qui développent la convention II de 1899) et les cas d'occupation militaire ;

– les droits et devoirs des puissances et des personnes neutres en cas de guerre sur terre (V) ;

– le régime des navires de commerce ennemis au début des hostilités (VI) ;

– la transformation des navires de commerce en bâtiments de guerre (VII) ;

– la pose de mines sous-marines automatiques de contact (VIII) ;

– le bombardement par des forces navales en temps de guerre (IX) ;

– l'adaptation à la guerre maritime des principes de la Convention de Genève de 1906 (X) ;

– certaines restrictions à l'exercice du droit de capture dans la guerre maritime (convention XI) ;

– l'établissement d'une Cour internationale des prises (XII) ;

– les droits et devoirs des puissances neutres en cas de guerre maritime (XIII).

Il existe également d'autres textes qui réglementent ou interdisent l'usage de certaines armes.

▶ **Guerre ▷ Méthodes de guerre ▷ Arme ▷ Mine ▷ Droit international humanitaire ▷ Conventions de Genève de 1949 et Protocoles additionnels de 1977.**

Pour en savoir plus

BUGNION F., « Droit de Genève et droit de La Haye », *Revue internationale de la Croix-Rouge*, n° 844, décembre 2001, p. 901-922.

HAROUEL-BURELOUP V., *Traité de droit humanitaire*, PUF, Paris, 2005, p. 163-199.

Cour européenne des droits de l'homme

I. Compétence

La Cour est principalement chargée de contrôler le respect des droits de l'homme et de sanctionner les violations de la convention européenne des droits de l'homme de 1950, commises par les pays membres du Conseil de l'Europe (art. 32, 33 et 34). Jusqu'au 1er novembre 1998, cette mission était confiée à deux organes : la Commission et la Cour. L'entrée en vigueur du Protocole 11, qui amende le texte de 1950, a entraîné une refonte du système de contrôle. La Commission a été supprimée et une Cour unique et permanente a été instituée. Sa compétence est devenue obligatoire pour tous les États membres du Conseil de l'Europe. Elle peut recevoir des plaintes étatiques et individuelles (personne physique, organisation non gouvernementale et groupe de particuliers).
En mai 2004, les États membres du Conseil de l'Europe ont adopté le Protocole 14 à la Convention européenne des droits de l'homme, qui prévoit une deuxième réforme de la Cour. Ce texte est entré en vigueur le 1er juin 2010 avec pour objectif principal de simplifier le système de filtrage des plaintes individuelles et de faciliter le traitement au fond de ces requêtes.
Officiellement, ces deux réformes successives visent à maintenir et à renforcer l'efficacité de la protection des droits de l'homme. Elles font suite à une augmentation importante des requêtes et au nombre croissant de membres du Conseil de l'Europe.
La Cour a également une compétence interprétative (art. 32 et 47) : elle peut, à la demande du Comité des ministres du Conseil de l'Europe, donner des avis consultatifs sur l'interprétation de la Convention européenne des droits de l'homme et de ses protocoles.

II. Composition

La Cour est composée d'autant de juges que d'États parties à la convention (en avril 2013, tous les États parties au Conseil de l'Europe, à savoir 47 États, avaient signé et ratifié la convention). Ils sont élus par l'Assemblée parlementaire du Conseil de l'Europe au titre de chaque État partie, parmi une liste de trois personnes, proposée par chaque pays membre.
Les juges sont indépendants et leur mandat est de neuf ans non renouvelable depuis l'entrée en vigueur du Protocole 14.
Les juges élisent le président, deux vice-présidents (qui sont également présidents de section), les présidents et les vice-présidents des sections, le greffier et deux greffiers adjoints. Ils rédigent le règlement de procédure. Le dernier en date a été adopté en avril 2012 et est entré en vigueur le 1er septembre 2012.

La Cour est composée d'au moins quatre sections et d'une Grande Chambre. Chaque section est composée pour trois ans, selon des critères de représentation équitable du point de vue de la géographie, du sexe des juges et des différents systèmes juridiques existant dans les États membres du Conseil de l'Europe. Au sein de chaque section sont constitués des comités de trois juges (pour douze mois) et des chambres de sept membres (selon un système de rotation).

La Grande Chambre est composée de dix-sept juges et d'au moins trois juges suppléants. Elle est constituée d'une part de membres de droit (le président et les deux vice-présidents de la Cour, les présidents des sections, le juge élu au titre de l'État en cause) et d'autre part de juges désignés par un tirage au sort qui doit assurer une représentation équitable du point de vue géographique et des différents systèmes juridiques existant au sein des États membres de l'Organisation.

La Grande Chambre est chargée d'examiner les demandes d'avis consultatifs sur l'interprétation de la Convention européenne des droits de l'homme. Elle intervient exceptionnellement dans le règlement des litiges.

◆ **• Tous les États membres du Conseil de l'Europe sont soumis obligatoirement à la compétence de la Cour.**

• La Cour peut être saisie par un État membre du Conseil de l'Europe qui estime qu'un autre État membre a violé la Convention européenne des droits de l'homme (requête étatique prévue par l'article 33). Il est cependant très rare qu'un État en dénonce un autre. En comparaison des centaines de milliers de cas déposés par des particuliers, seulement 16 cas ont été déposés par des États depuis la création de la Cour. Les cas présentés par les États ont souvent lieu dans le contexte plus large des conflits, comme les cas Irlande c. Royaume-Uni ou Chypre c. Turquie dans les années 1970 et 1990, ou les trois cas Géorgie c. Russie déposés depuis 2007.

• La Cour peut également être saisie par une personne physique (ressortissant d'un État partie, réfugiés et apatrides, mineurs incapables en vertu de la législation nationale), une ONG ou un groupe de particuliers qui pense être victime d'une violation des droits reconnus par la Convention européenne des droits de l'homme (requête individuelle prévue par l'article 34).

• Les États membres du Conseil de l'Europe sont tenus de n'entraver par aucune mesure l'exercice efficace de ce droit de recours (art. 34).

• Les requérants individuels peuvent soumettre eux-mêmes des requêtes, selon un formulaire disponible auprès du greffe et sur le site Internet de la Cour. En revanche, une fois que la requête a été déclarée recevable, il leur est conseillé de se faire représenter par un avocat. La Cour a mis en place un système d'assistance judiciaire pour les personnes qui n'en ont pas les moyens financiers.

• Les requêtes individuelles sont soumises à des conditions de recevabilité qui sont toujours interprétées en faveur de la victime. Ainsi, le critère d'épuisement des recours internes peut être rejeté par la Cour, quand ces recours sont pratiquement impossibles, traînent manifestement en longueur ou sont déclenchés par l'État au moment où la Cour est saisie, afin d'écarter sa compétence.

III. Examen des litiges devant la Cour

1. *Procédure relative à la recevabilité des requêtes*

Les requêtes étatiques ne font pas l'objet d'une procédure de recevabilité.

Les requêtes individuelles sont quant à elles soumises à plusieurs conditions de recevabilité (art. 35) : outre la condition d'épuisement des recours internes, ces requêtes ne doivent pas être anonymes, incompatibles avec les dispositions de la convention, manifestement mal fondées ou abusives. La requête déposée ne doit pas être la même qu'une autre précédemment examinée par la Cour ou déjà soumise à un autre organe international d'enquête ou de règlement, sauf si elle contient des faits nouveaux. La réforme prévue par le Protocole 14 ajoute un nouveau critère de recevabilité : la Cour peut écarter une plainte individuelle si son auteur n'a pas subi de préjudice important, sauf si le respect des droits de l'homme oblige la Cour à examiner l'affaire au fond et si cette affaire n'a pas été dûment examinée par un tribunal interne. Cette nouvelle condition de recevabilité a été critiquée par les organisations de droits de l'homme, par plusieurs États membres et par l'Assemblée parlementaire du Conseil de l'Europe qui la jugeaient trop vague et de nature à porter atteinte au droit de recours individuel. En pratique, il appartient aux juges de la Cour d'interpréter ces nouvelles dispositions. Le pouvoir d'appréciation des juges dans ces domaines a été affirmé par la jurisprudence de la Cour, qui reconnaît par exemple que la condition d'épuisement des recours internes est exigée uniquement dans les cas où ces recours sont effectivement disponibles et crédibles.

C'est un comité de trois juges ou une chambre de sept juges qui statue sur la recevabilité de la requête. Si c'est le comité de trois juges qui statue et s'il déclare la requête recevable, il transmet alors la requête à une chambre. Depuis l'entrée en vigueur du Protocole 14, un juge unique (qui ne peut pas être ressortissant de l'État mis en cause) peut lui aussi statuer sur les plaintes individuelles : il peut soit écarter celles qui sont manifestement irrecevables, soit renvoyer vers un comité de trois juges ou une chambre celles qui sont recevables.

La chambre peut se dessaisir en faveur d'une Grande Chambre lorsqu'une affaire soulève une question grave relative à l'interprétation de la Convention européenne des droits de l'homme ou quand la solution d'une question peut conduire à une contradiction avec un arrêt rendu antérieurement par la Cour (art. 30). Les parties au litige peuvent s'opposer à ce renvoi, dans le délai d'un mois à compter de la notification de l'intention de la chambre de se dessaisir.

2. *Procédure relative au fond*

L'examen des requêtes individuelles et étatiques, mené par la Cour et les représentants des parties, est contradictoire et sauf circonstances exceptionnelles, public. La chambre/Grande Chambre peut procéder à une enquête, à laquelle les États intéressés sont tenus de coopérer (art. 38.1.a).

Tout au long de l'examen, des négociations confidentielles peuvent être menées par l'intermédiaire du greffier, en vue d'un règlement à l'amiable.

Avec l'entrée en vigueur de la réforme prévue du Protocole 14, un comité de trois juges peut statuer au fond, ce qui relève jusqu'à présent de la compétence exclusive des chambres et de la Grande Chambre. Cette possibilité sera toutefois limitée aux affaires répétitives pour lesquelles la jurisprudence de la Cour est bien établie. Les arrêts de la Cour sont sans appel et obligatoires pour les États mis en cause (art. 46). Ils peuvent accorder une indemnisation à la victime (art. 41). Le Comité des ministres du Conseil de l'Europe est chargé de veiller à l'exécution de ces arrêts. L'État sanctionné est tenu de prendre des mesures individuelles pour remédier à la violation constatée, mais il n'est pas obligé de modifier la loi, la réglementation ou la pratique. Toutefois, dans ces situations, les États modifient parfois leur législation, réglementation ou pratique pour éviter de nouvelles condamnations. Dans un délai de trois mois suivant l'arrêt d'une chambre, toute partie au litige peut demander le renvoi de l'affaire devant la Grande Chambre, si cette affaire soulève une question grave relative à l'interprétation ou à l'application de la convention ou de ses protocoles ou une question grave de caractère général (art. 43). La recevabilité de ces demandes est examinée par un collège de cinq juges de la Grande Chambre, puis par la Grande Chambre si la demande est déclarée recevable.

Jurisprudence

Bien que prévue pour surveiller l'application de la Convention européenne de sauvegarde des droits de l'homme et des libertés fondamentales, la Cour européenne s'est déclarée compétente pour examiner des requêtes relatives à des violations des garanties fondamentales des droits de l'homme commises dans des situations de conflit armé et d'occupation militaire. Elle s'est ainsi prononcée sur le traitement de la guerre en Tchétchénie, sur le cadre de la lutte antiterroriste en Turquie, mais aussi plus récemment sur les conditions d'intervention des forces armées britanniques en Irak en 2003 au sein de la force multinationale dirigée par les États-Unis.

La jurisprudence de la CEDH aborde un certain nombre de points juridiques en débat au niveau international.

– La CEDH reconnaît l'application simultanée et complémentaire des règles relatives au droit international humanitaire et de celles relatives aux droits de l'homme dans les situations de conflit. Elle précise que l'application des droits de l'homme n'est limitée dans ces situations que par l'effet des dérogations officiellement mises en œuvre par les États conformément aux procédures légales.

– La Cour contrôle également l'adéquation et la proportionnalité entre les restrictions aux droits de l'homme et les menaces à la sécurité nationale invoquées par les États pour justifier les dérogations à la Convention européenne.

– Elle affirme aussi l'application extraterritoriale des obligations liées aux droits de l'homme dans les cas où l'État exerce un contrôle de fait sur un territoire ou des individus étrangers.

– La Cour a une position spéciale sur l'application simultanée et complémentaire des droits de l'homme et du droit international humanitaire. Contrairement à ceux qui pensent que le droit international humanitaire devrait prévaloir sur les droits de l'homme en situation de conflit du fait de son statut de loi spéciale (*lex specialis*), la Cour adopte une position différente. Elle décide de faire primer les obligations relatives aux droits de l'homme sur celles relatives au droit international humanitaire quand celles-là sont plus protectrices pour les individus (et plus contraignantes pour les États) et dans les cas où elles ne sont pas en conflit direct avec une obligation contraire prévue par le droit international humanitaire. Cette jurisprudence peut créer une certaine confusion car le contenu et l'interprétation des règles relatives aux droits de l'homme et au droit international humanitaire s'appuient sur des notions qui ne sont pas toujours équivalentes. Elle contribue cependant à éviter une application opportuniste du droit le moins contraignant pour les États dans toutes les situations de crise et de conflit dans lesquelles l'application intégrale du droit international humanitaire est contestée.

• Affaire Aksoy c. Turquie, requête n° 21987/93, arrêt (Chambre), 18 décembre 1996

Dans ce jugement, la Cour encadre et contrôle les dérogations aux droits de l'homme qu'un État peut prendre pour des raisons d'ordre public et particulièrement au titre de la lutte contre le terrorisme sur son territoire. Elle précise aussi l'obligation de prévention et d'enquête concernant les mauvais traitements et la torture sur les personnes détenues dans ce cadre légal d'exception.

La Cour reconnaît qu'« il incombe à chaque État contractant, responsable de "la vie de [sa] nation", de déterminer si un "danger public" la menace et, dans l'affirmative, jusqu'où il faut aller pour essayer de le dissiper ». Cependant, la Cour rappelle que « les États ne jouissent pas pour autant d'un pouvoir illimité en ce domaine. La Cour a compétence, notamment, pour décider s'ils ont excédé la "stricte mesure" des exigences de la crise. La marge de manœuvre nationale s'accompagne donc d'un contrôle européen » (§ 68).

Elle affirme aussi que lorsqu'un individu est placé en garde à vue alors qu'il se trouve en bonne santé et que l'on constate qu'il est blessé au moment de sa libération, il incombe à l'État de fournir une explication plausible de l'origine des blessures, à défaut de quoi la torture est présumée (§ 61).

Concernant l'obligation d'épuiser les recours internes comme condition de recevabilité d'une plainte individuelle par la CEDH, la Cour affirme également qu'elle conserve un droit d'appréciation sur l'effectivité des recours dans ce domaine car « rien n'impose d'user de recours qui ne sont ni adéquats ni effectifs » (§ 52).

• **Affaire Ergi v. Turkey, requête n° 23818/94, jugement, 28 juillet 1998**

Dans ce jugement, la Cour considère que la responsabilité de l'État concernant la protection du droit à la vie n'est pas uniquement engagée dans les cas où des preuves significatives montrent que des tirs mal dirigés d'agents de l'État ont provoqué la mort d'un civil. « Elle peut aussi l'être lorsque lesdits agents n'ont pas, en choisissant les moyens et méthodes à employer pour mener une opération de sécurité contre un groupe d'opposants, pris toutes les précautions en leur pouvoir pour éviter de provoquer accidentellement la mort de civils, ou à tout le moins pour réduire ce risque » (§ 79). La Cour affirme par ailleurs qu'étant donné que les autorités turques n'ont pas fourni d'éléments se rapportant directement à la préparation et à la conduite de l'embuscade, on peut raisonnablement déduire que des précautions suffisantes n'ont pas été prises pour épargner la vie de la population civile (§ 81). Au contraire de ce qu'affirme le gouvernement turc, la Cour considère que cette obligation ne vaut pas seulement pour les cas où il a été établi que la mort avait été provoquée par un agent de l'État. « En l'espèce, le simple fait que les autorités aient été informées du décès donnait *ipso facto* naissance à l'obligation, découlant de l'article 2 [de la Convention européenne, *NdlR*], de mener une enquête efficace sur les circonstances dans lesquelles il s'était produit » (§ 82).

Dans deux arrêts du 24 février 2005, la Cour s'est déclarée compétente pour les requêtes présentées par des victimes de violations commises par les forces armées russes en Tchétchénie.

• **Affaire Issaieva, Youissoupova et Bazaïeva c. Russie**, requêtes n° 57947/00, 57948/00 et 57949/00, arrêt de la Cour (Première section) du 24 février 2005. Dans cet arrêt, la Cour a reconnu la violation par la Russie de l'article 2 de la CEDH (droit à la vie), l'article 1 du Protocole n° 1 de la CEDH (protection de la propriété) à l'égard d'une des requérantes et de l'article 13 (droit à un recours effectif) de la CEDH.

• **Affaire Khgachiev et Akaieva c. Russie**, requêtes n° 57942/00 et 57945/00, arrêt de la Cour (Première section) du 24 février 2005. Dans cet arrêt, la Cour a reconnu la violation par la Russie de l'article 2, 3 (interdiction de la torture), et 13 de la CEDH.

• **Affaire Chamaiev et autres c. Géorgie et Russie** (requête n° 36378/02, arrêt de la Cour, Deuxième section, 12 avril 2005). Dans cet arrêt, la Cour a par reconnu la violation par la Géorgie de l'article 3 de la CEDH (interdiction de la torture) pour onze des treize requérants, de l'article 13 (droit à un recours effectif) pour cinq des treize requérants et de l'article 34 (droit à une requête individuelle) pour quatre des treize requérants.

Dans les affaires **Al-Skeini** et **Al-Jedda**, la Cour a détaillé les obligations extraterritoriales de respect de la Convention par les forces armées britanniques impliquées dans l'intervention internationale en Irak notamment en tant que force d'occupation mais aussi en matière de détention.

• **Affaire Al-Skeini et autres c. Royaume-Uni**, requête n° 55721/07, arrêt de la Cour (Grande Chambre) du 7 juillet 2011

Dans l'affaire Al-Skeini et autres c. Royaume-Uni, la Cour européenne a reconnu deux exceptions au principe de territorialité de l'application de la Convention européenne des droits de l'homme. Suite au renversement du régime Baas en Irak, la Cour a estimé que le Royaume-Uni (avec les États-Unis) assumait l'exercice de tout ou partie des pouvoirs publics normalement exercés par un gouvernement souverain en Irak, jusqu'à la désignation d'un gouvernement intérimaire et que, à ce titre, le gouvernement britannique restait tenu au respect de la Convention européenne des droits de l'homme dans tous ses agissements sur le territoire irakien et vis-à-vis des personnes placées sous son contrôle.

La Cour précise qu'un État signataire de la Convention européenne est tenu d'appliquer celle-ci à l'extérieur de son territoire national et au profit de ressortissants étrangers chaque fois qu'il exerce, à travers ses agents, un contrôle et une autorité sur un individu étranger, et chaque fois que, du fait d'une action militaire légitime ou non, il exerce un contrôle effectif sur un territoire autre que le territoire national.

La Cour a rappelé que l'État qui contrôle a la responsabilité de garantir, dans le territoire qu'il contrôle, l'entièreté des droits contenus dans la Convention européenne et les Protocoles additionnels qu'il a ratifiés. L'appréciation du caractère effectif du contrôle est un élément de fait qui est déterminé par la Cour en tenant compte de la puissance de la présence militaire de l'État dans le territoire concerné et de sa capacité à influencer ou à subordonner les administrations ou autorités présentes sur ce territoire (§ 131-140).

La CEDH conclut ainsi à « l'exercice extraterritorial de sa juridiction par l'État contractant qui, en vertu du consentement, de l'invitation ou de l'acquiescement du gouvernement local, assume l'ensemble ou certaines des prérogatives de puissance publique normalement exercées par celui-ci » (§ 135).

Elle ajoute que « le principe voulant que la juridiction de l'État contractant soit limitée à son propre territoire connaît une autre exception lorsque, par suite d'une action militaire – légale ou non –, l'État exerce un contrôle effectif sur une zone située en dehors de son territoire. L'obligation d'assurer dans une telle zone le respect des droits et libertés garantis par la convention découle du fait de ce contrôle, qu'il s'exerce directement, par l'intermédiaire des forces armées de l'État ou par le biais d'une administration locale subordonnée. [...] Du fait qu'il assure la survie de cette administration grâce à son soutien militaire et autre, cet État engage sa responsabilité à raison des politiques et actions entreprises par elle. L'article 1 [de la convention] lui fait obligation de reconnaître sur le territoire en question la totalité des droits matériels énoncés dans la convention et dans les Protocoles additionnels qu'il a ratifiés, et les violations de ces droits lui sont imputables » (§ 138). La Cour rappelle ainsi la décision qu'elle avait rendue dans son arrêt du 10 mai 2001 dans l'affaire Chypre c. Turquie (§ 77).

Elle précise que, « dans certaines circonstances, le recours à la force par des agents d'un État opérant hors de son territoire peut faire passer sous la juridiction de cet État [...] toute personne se retrouvant ainsi sous le contrôle de ceux-ci. [...] Dès l'instant où l'État, par le biais de ses agents, exerce son contrôle et son autorité sur un individu, et par voie de conséquence sa juridiction, il pèse sur lui [...] une obligation de reconnaître à celui-ci les droits et libertés contenus dans la Convention européenne des droits de l'homme » (§ 136-137).

Selon la Cour, « la question de savoir si un État contractant exerce ou non un contrôle effectif sur un territoire hors de ses frontières est une question de fait. Pour se prononcer, la Cour se réfère principalement au nombre de soldats déployés par l'État sur le territoire en cause [...]. D'autres éléments peuvent aussi entrer en ligne de compte, par exemple la mesure dans laquelle le soutien militaire, économique et politique apporté par l'État à l'administration locale subordonnée assure à celui-ci une influence et un contrôle dans la région » (§ 139).

• **Affaire Al-Jedda c. Royaume-Uni**, requête n° 27021/08, arrêt de la Cour (Grande Chambre) du 7 juillet 2011

Dans cet arrêt, la Cour a confirmé l'obligation d'application extraterritoriale de la Convention européenne par le gouvernement britannique dans le cadre de ses activités militaires en Irak en tant que puissance occupante et détentrice de prisonniers sur ce territoire. Elle a développé une interprétation originale du principe de primauté de la loi spéciale. En effet, elle considère que les règles de la Convention européenne continuent à s'appliquer en situation de conflit tant qu'elles ne sont pas en contradiction directe avec celles du droit international humanitaire. La Cour fait ainsi prévaloir les règles plus protectrices de la Convention européenne sur les autres dispositions relatives au droit des conflits armés et au mandat des forces internationales issu des résolutions des Nations unies permettant aux forces d'occupation d'interner des individus (§ 105, 107, et 109).

« La Cour considère que le libellé de cette résolution [1546, *NdlR*] n'indique pas sans ambiguïté que le Conseil de sécurité entendait donner aux États membres, dans le cadre de la force multinationale, l'obligation de procéder à des internements d'une durée indéfinie, sans inculpation ni garanties judiciaires, en violation de leurs engagements découlant d'instruments internationaux de protection des droits de l'homme, dont la convention » (§ 105). Même si la résolution 1546 du Conseil de sécurité stipulait que la force multinationale avait autorité pour prendre toutes les mesures nécessaires afin de contribuer au maintien de la sécurité et de la stabilité en Irak, « en l'absence d'une disposition claire en sens contraire, il faut présumer que le Conseil de sécurité entendait que les États membres de la force multinationale contribuent au maintien de la sécurité en Irak en respectant leurs obligations découlant du droit international relatif aux droits de l'homme » (§ 105). « Il semble par ailleurs ressortir des dispositions de la quatrième Convention de Genève telles qu'analysées par la Cour que, d'après le droit humanitaire international, l'internement doit être considéré non pas comme une mesure que la puissance occupante serait tenue de prendre mais comme une action de dernier ressort » (§ 107). Par conséquent, le Royaume-Unis n'était pas libéré de ses obligations en matière de détention au regard de l'article 5 de la Convention européenne ; « en l'absence d'obligation contraignante de recourir à l'internement, il n'y avait aucun conflit entre les obligations imposées au Royaume-Uni par la Charte et celles découlant de l'article 5 § 1 de la convention » (§ 109).

Consulter aussi

▶ **Droits de l'homme ▷ Liste des États signataires des conventions internationales relatives au droit humanitaire et aux droits de l'homme (n° 10) ▷ Torture ▷ Recours individuels ▷ Réparation-Indemnisation.**

Contact

Cour européenne des droits de l'homme
Conseil de l'Europe, F-67075 Strasbourg Cedex / France.
Tél. : 03 88 41 20 18/Fax : 03 88 41 27 30.
www.echr.coe.int

Pour en savoir plus

ABRESCH W., « A human rights law of internal armed conflict : the European Court of human rights in Chechnya », *European Journal of International Law*, vol. 16, 2005, p. .

BERGER V., *Jurisprudence de la Cour européenne des droits de l'homme*, Sirey, 2004, 818 p.

COHEN-JONATHAN G. et PETTITI C., *La Réforme de la Cour européenne des droits de l'homme*, Bruylant, Nemesis, « Droit et justice », n° 48, 2003, 194 p.

COSTA J.-P. et O'BOYLE M., « The European Court of human rights and international humanitarian law », *in La Convention européenne des droits de l'homme, un instrument vivant : Mélanges en l'honneur de Christos L. Rozakis*, Bruylant, Bruxelles, 2011.

DOSWALD-BECK L., *Human Rights in Times of Conflict and Terrorism*, Oxford University Press, Oxford, 2011, 600 p.

FLAUSS J. F. et LAMBERT-ABDELGAWAD E., *La Pratique d'indemnisation par la Cour européenne des droits de l'homme*, Bruylant, 2011, 360 p.

HAMPSON F., « The relationship between international humanitarian law and human rights law from the perspective of a human rights treaty body », *Revue internationale de la Croix-Rouge*, vol. 90, n° 871, septembre 2008, p. 549-572.

PELIC J., « The European Court of human rights'Al-Jedda judgment : the oversight of international humanitarian law », *Revue internationale de la Croix-Rouge*, vol. 93, n° 883, 2011, p. 837-851.

SASSOLI M., « The European Court of human rights and armed conflicts », *in* S. BREITENMOSER *et al.* (eds.). *Human Rights, Democracy and the Rule of Law : Liber Amicorum Luzius Wildhaber*, Dike, Zurich, 2007, p. 724-725.

SUDRE F., MARGUENAUD J. P., ANDRIAANTSIMAZOVINA J., GOUTTENOIRE A., LEVINET M., *Les Grands Arrêts de la Cour européenne des droits de l'homme*, PUF, « Thémis », 2003, 617 p.

Cour et Commission interaméricaines des droits de l'homme

La Convention américaine des droits de l'homme a été adoptée le 22 novembre 1969 sous l'égide de l'Organisation des États américains (OEA). Elle est entrée en vigueur le 18 juillet 1978. Elle a créé un système de protection des droits de l'homme qui repose sur la Commission et la Cour interaméricaines des droits de l'homme, prévues par son article 33. Ce mécanisme est en deux étapes : les affaires portées devant la Cour ont été d'abord examinées par la Commission.
La Commission est compétente pour tous les États parties à la Convention américaine des droits de l'homme. 25 États l'ont ratifiée sur les 35 États membres de l'OEA. Trinidad et Tobago ainsi que le Venezuela ont dénoncé la convention, respectivement en 1998 et 2012, ramenant ainsi à 23 le nombre d'États parties « actifs ».
La Cour n'a compétence que pour les États ayant expressément accepté cette compétence, soit 18 d'entre eux (voir liste en fin de section).

I. La Commission interaméricaine des droits de l'homme

Elle est composée de sept membres indépendants, élus pour un mandat de quatre ans renouvelable une fois, par l'Assemblée générale de l'OEA sur une liste présentée par les États membres de l'Organisation. Elle tient en général trois sessions par an à son siège de Washington mais elle peut aussi se réunir ailleurs. Elle soumet un rapport annuel d'activités à l'Assemblée générale de l'OEA.
La Commission interaméricaine n'a pas été créée par la Convention américaine des droits de l'homme. Elle a été créée en 1959 par la Déclaration américaine des droits et des devoirs de l'homme, adoptée à Bogota en Colombie en 1948. Cependant, la Convention interaméricaine lui confie une mission de protection et de promotion des droits de l'homme (art. 34 à 51).
La fonction de protection de la Commission repose sur le traitement des « pétitions » émanant de particuliers ou d'ONG et des « communications » étatiques qui lui parviennent (art. 44 et 45).

1. *Recevabilité*

◆ **• La compétence de la Commission pour examiner des pétitions individuelles est obligatoire à l'égard de tous les États qui ont signé la convention. Ceci est une originalité au regard des autres organes de protection des droits de l'homme qui en font le plus souvent une disposition facultative.**
• La compétence de la Commission en matière de communications étatiques est au contraire facultative. L'État auteur de la communication et l'État accusé doivent avoir expressément souscrit à l'article 45.

Ces pétitions et communications sont soumises à des conditions de recevabilité communes fixées par l'article 46 : absence d'anonymat, épuisement des recours internes et introduction dans un délai de six mois suivant l'épuisement des recours internes. L'affaire ne doit pas non plus avoir été déjà examinée ou être en cours d'examen devant la commission ou toute autre instance internationale. Les deux dernières conditions ne s'appliquent pas dans les cas où : « il n'existe pas, dans la législation interne de l'État considéré, une procédure judiciaire pour la protection du droit ou des droits dont la violation est alléguée » ; l'individu qui est présumé lésé dans ses droits s'est vu refuser l'accès des voies de recours internes ou a été mis dans l'impossibilité de les épuiser ; ou s'il y a un retard injustifié dans la décision des instances saisies (art. 46.2).

Tout individu, groupe de personnes ou ONG peut déposer une plainte ou une pétition. Les États ne peuvent le faire que si eux-mêmes et les États accusés ont expressément accepté la compétence de la Cour pour recevoir de telles communications (article 45).

2. *Règlement du litige*

La procédure d'examen sur le fond n'a pas pour but de prononcer une condamnation. La Commission, organe non judiciaire, recherche un règlement à l'amiable, à la lumière des informations écrites et orales transmises par les États intéressés. Dans les cas graves et urgents, l'examen proprement dit peut être précédé d'une enquête dans le pays en cause, avec son consentement. Dans les autres cas, l'enquête reste un moyen au service de la Commission, mais elle est déclenchée au cours de l'examen (art. 48 de la Convention américaine des droits de l'homme).

Si un règlement à l'amiable est trouvé, la Commission remet aux États intéressés, au pétitionnaire et au secrétaire général de l'OEA un rapport exposant les faits et la solution obtenue. Ce rapport a vocation à être publié (art. 49).

Si un règlement n'est pas trouvé, la Commission remet aux États intéressés un rapport exposant les faits et ses conclusions, accompagné éventuellement de propositions et recommandations. Ce rapport n'est pas rendu public. Si dans les trois mois l'affaire n'a pas été portée devant la Cour, la Commission en poursuit l'examen. Elle émet un avis et des conclusions, formule des recommandations et fixe un délai à l'État mis en cause pour qu'il adopte des mesures appropriées. À l'expiration de ce délai, la Commission décide si l'État a pris lesdites mesures et si elle rend son rapport public.

Au lieu de préparer un second rapport, la Commission peut aussi, dans les trois mois à partir de la date à laquelle elle a remis son rapport initial à l'État intéressé, décider de renvoyer l'affaire devant la Cour interaméricaine.

Liste des États qui ont accepté le contrôle sur communications étatiques : Bolivie, Chili, Colombie, Costa Rica, Équateur, Jamaïque, Nicaragua, Pérou, El Salvador et Uruguay.

3. *Les autres fonctions de la Commission*

En plus de son mandat de « promotion et de défense des droits de l'homme », la Commission a aussi pour rôle :

– d'observer la situation générale des droits de l'homme dans les États membres et publier des rapports spéciaux quand elle le juge nécessaire ;

– de sensibiliser le public aux droits de l'homme en Amérique, notamment par la publication d'études sur des sujets comme l'indépendance de la justice, les activités de groupes paramilitaires, la condition des enfants, des femmes et des minorités ;
– de recommander aux États membres de l'OEA d'adopter certaines mesures favorables à la protection des droits de l'homme ;
– de répondre aux demandes des États en matière de droits de l'homme ;
– de demander à la Cour d'ordonner des « mesures provisoires » dans des cas urgents où des personnes sont menacées, même si l'affaire n'a pas encore été soumise à la Cour ;
– de demander l'avis de la Cour sur l'interprétation de la Convention américaine des droits de l'homme (article 41).

II. La Cour interaméricaine des droits de l'homme

C'est l'organe judiciaire de l'OEA. Elle siège à San José (Costa Rica). Elle a été créée en 1969 par la Convention américaine des droits de l'homme, mais elle a été véritablement établie en 1979 après l'entrée en vigueur de la convention. Elle est composée de sept juges indépendants, élus pour un mandat de six ans renouvelable une fois, par les États parties à la convention.
Elle tient ordinairement deux sessions annuelles (une par semestre), mais des sessions spéciales sont possibles. Elle désigne son président, son vice-président pour deux ans renouvelables une fois, et son greffier. Ce dernier est consulté par le secrétaire général de l'OEA pour la nomination des autres membres du greffe. La Cour a adopté son règlement en 1980, il a été modifié pour la dernière fois en novembre 2009.

1. *Compétence*

La Cour est compétente pour interpréter la Convention américaine des droits de l'homme, tout autre texte américain relatif aux droits de l'homme et toutes questions relevant de la compétence des organes de l'OEA, à la demande des États membres de l'OEA. En particulier, elle peut donner son avis sur la compatibilité des lois nationales avec les instruments de droits de l'homme aux États en faisant la demande.

◆

• La compétence de la Cour pour juger des violations est facultative (art. 62). Les États ont la possibilité de l'accepter une fois pour toutes (18 États l'ont fait jusqu'à présent) (art. 62.1). Ils ont également la possibilité de reconnaître cette compétence au cas par cas (art. 62.2).
• La saisine de la Cour est réservée à la Commission et aux États parties (art. 61). Les particuliers ne peuvent pas accéder directement à la Cour, mais peuvent soumettre des pétitions à la Commission.
• Les plaintes éventuellement portées devant la Cour interaméricaine concernent donc des affaires pour lesquelles la Commission n'a pu trouver une solution à l'amiable et pour lesquelles les États concernés ont accepté la compétence de cette Cour. Le filtrage de la Commission est même une condition de recevabilité devant la Cour (art. 61.2). Les jugements rendus par la Cour interaméricaine des droits de l'homme peuvent comprendre une réparation pour les victimes. Il faut noter que les mécanismes internationaux de droits de l'homme prévoient rarement une telle possibilité.

Elle est également compétente pour surveiller l'application de la Convention américaine des droits de l'homme et statuer sur les plaintes pour violations des droits de l'homme. Cependant la compétence de la Cour n'est pas automatiquement obligatoire pour les États, excepté pour les 18 l'ayant expressément acceptée (voir ci-dessus). Ils peuvent l'accepter une fois pour toutes ou au cas par cas.

2. *Décisions*

Si la Cour décide qu'une violation des droits ou libertés protégés par la Convention américaine des droits de l'homme a été commise, elle ordonnera que soit garantie à la partie lésée la jouissance du droit ou de la liberté enfreints. Elle peut également décider la réparation des conséquences et le paiement d'une juste indemnité à la partie lésée (art. 63). La Cour rend des arrêts obligatoires et sans appel, dont l'Assemblée générale de l'OEA surveille l'exécution (art. 67).

En cas d'urgence grave, elle peut aussi ordonner des mesures provisoires, soit de sa propre initiative, si la plainte lui a déjà été transmise, soit sur requête de la Commission, dans le cas d'une affaire qui n'a pas encore été portée à sa connaissance (art. 63).

La Cour remet un rapport annuel d'activités à l'Assemblée générale de l'OEA, dans lequel elle peut, le cas échéant, signaler les États qui ne se sont pas conformés à ses décisions (art. 65). L'OEA peut choisir de signaler les États qui ont échoué dans l'exécution des décisions.

Liste des États qui ont accepté la compétence de la Cour : Argentine, Bolivie, Brésil, Chili, Colombie, Costa Rica, El Salvador, Équateur, Guatemala, Haïti, Honduras, Mexique, Nicaragua, Panama, Paraguay, Pérou, Suriname et Uruguay.

▶ **Liste des États signataires des conventions internationales relatives au droit humanitaire et aux droits de l'homme (n° 11) ▷ Droits de l'homme ▷ Recours individuels.**

Contacts

Inter-American Commission for Human Rights
1889 F Street, NW, Washington DC / USA 20006.
Tél. : (00 1) 202 458 60 02/Fax : (00 1) 202 458 39 92

Inter-American Court for Human Rights
Po Box 6906 ñ 1000
San José / Costa-Rica
Tél. : (00 506) 234 05 81/Fax : (00 506) 234 05 84.
www.cidh.oas.org/

Pour en savoir plus

MARTIN F., « Application du droit international humanitaire par la Cour interaméricaine des droits de l'homme », *Revue internationale de la Croix-Rouge*, décembre 2001, vol. 83, n° 844, p. 1037-1066.

TIGROUDJIA H. et PANOUSSIS I., *La Cour interaméricaine des droits de l'homme : analyse de la jurisprudence consultative et contentieuse*, Bruylant, « Droit et Justice », n° 41, 2003, 330 p.

Cour internationale de justice (CIJ)

La Cour internationale de Justice (CIJ) est l'organe judiciaire créé par la Charte de l'ONU (ci-après dénommée la « Charte ») pour régler les litiges entre les États. Son statut est intégré à la Charte. Il constitue le chapitre XIV et dernier de celle-ci. La Cour ne juge pas les individus mais les États. Il ne faut pas la confondre avec la Cour pénale internationale (CPI) qui juge les individus sur la base de leur responsabilité pénale individuelle au regard des crimes prévus par le droit pénal international, alors que la CIJ se prononce sur les obligations et la responsabilité internationale des États. Même si la CIJ est un organe prévu par la Charte, sa compétence n'est pas obligatoire pour les États membres de l'ONU qui restent libres de s'y soumettre de façon permanente ou *ad hoc*.

Les États peuvent seulement porter plainte devant la Cour contre d'autres États qui ont également reconnu sa compétence.

La juridiction de la Cour s'exerce sur tous les différends ayant une composante juridique telle que : l'interprétation d'un traité ; tout point de droit international ; la réalité de tout fait qui, s'il était établi, constituerait la violation par un État d'un engagement international ; la nature ou l'étendue de la réparation due pour la rupture de cet engagement international par l'État concerné (article 36 du statut de la CIJ, ci-après dénommé « statut »).

Dans ses décisions, la CIJ applique les règles du droit international existant telles que les conventions internationales, la coutume, la jurisprudence, les principes généraux de droit et la doctrine. Elle peut aussi, si les États concernés sont d'accord, fonder son jugement sur la notion plus large d'« équité » (art. 38 du statut). Dans ce cas, sa décision ressemblera alors davantage à un arbitrage qu'à un jugement.

Les jugements ou arrêts rendus par la Cour sont obligatoires, définitifs et sans recours pour les États (art. 94.1 de la Charte et art. 60 du statut). Le Conseil de sécurité peut également, à la demande de l'État lésé, décider de prendre des mesures spéciales pour faire exécuter un arrêt rendu par la Cour (art. 94.2).

Les jugements et arrêts de la Cour peuvent établir les faits et le droit applicable et déterminer si un État est responsable d'un fait violant ses engagements internationaux. On parle de fait internationalement illicite engageant la responsabilité internationale de l'État et ouvrant droit à réparation s'il peut être attribué au comportement de l'État, de ses agents ou sous son contrôle. Dans ce cas, l'État en question est tenu de réparer intégralement le préjudice causé par son comportement internationalement illicite, conformément aux principes généraux du droit international public concernant la responsabilité de l'État. La CIJ ne fixe pas elle-même en première intention le montant des réparations dans ses jugements. La question de la réparation est renvoyée à la négociation directe entre États. En cas de désaccord entre les États au sujet de cette réparation, ils peuvent décider de soumettre ce différend spécifique à la CIJ.

En plus de ses jugements et arrêts sur les différends soumis par les États, l'article 65 du statut prévoit qu'elle peut rendre des avis consultatifs à la demande de tout organe ou organisation internationaux (intergouvernementaux) autorisés par la

Charte. L'article 96 de la Charte confère ce pouvoir à l'Assemblée générale des Nations unies et au Conseil de sécurité ainsi qu'à tout autre organe de l'ONU et institution spécialisée spécialement autorisés dans ce but par une décision de l'Assemblée générale. Bien que non contraignants juridiquement, les avis consultatifs de la Cour contribuent à la clarification et au développement du droit international. Ils revêtent également une autorité morale et juridique qui peut jouer un rôle dans le cadre d'une diplomatie préventive. En effet, la Charte promeut la CIJ parmi les moyens non militaires dont dispose le Conseil de sécurité pour obtenir le règlement pacifique des différends et gérer les menaces à la paix et à la sécurité internationales (articles 36 à 41 de la Charte).

◆

- **Les individus et les organisations non étatiques ne peuvent jamais saisir la CIJ.**
- **Pour les États, la compétence de la Cour n'est pas obligatoire. Ils doivent procéder formellement à cette acceptation soit de manière générale, soit de façon *ad hoc* à l'occasion et au regard d'un litige particulier (art. 36 du statut). Dès lors qu'ils acceptent de soumettre une affaire à la Cour, les décisions de cette dernière sont juridiquement contraignantes.**
- **La Cour peut également, en dehors de tout litige, rendre des avis consultatifs sur l'interprétation du droit international et des traités internationaux à la demande de certains organes de l'ONU (art. 96 de la Charte et art. 65-68 du statut de la CIJ).**

I. Composition

Elle est composée de quinze juges élus pour neuf ans par l'Assemblée générale et le Conseil de sécurité (art. 3 du statut). Le choix des juges doit permettre une juste représentation des principaux systèmes juridiques du monde. La Cour siège à La Haye (art. 22 du statut).

II. Compétence

1. *Différends entre États*

Tous les États membres de l'ONU sont parties au statut de la Cour internationale de justice. La compétence de la Cour reste néanmoins facultative, c'est-à-dire que les États doivent concrètement accepter de lui soumettre des questions de droit ou de fait qui les opposent à un autre État. Dès lors que les États acceptent la compétence de la Cour sur un différend, ils seront automatiquement liés par la décision de la Cour en l'espèce. Les États peuvent accepter cette compétence de diverses façons :

– Ils peuvent faire à tout moment une déclaration formelle dans laquelle ils acceptent, en dehors de tout conflit particulier et une fois pour toutes, la compétence obligatoire de la Cour (art. 36.2 du statut). Ce faisant, ils s'engagent à soumettre au règlement de la Cour les différends d'ordre juridique qu'ils auraient avec un autre État qui aurait lui aussi fait la même déclaration. La Cour est alors compétente pour trancher des questions de droit relatives à l'interprétation d'un traité, tout point de droit international, ainsi que la réalité de tout fait qui, s'il était établi, constituerait la violation d'un engagement international, la nature ou l'étendue de la réparation due pour la rupture d'un engagement international.

– À l'occasion d'un différend, les deux États concernés peuvent également choisir d'un commun accord de le soumettre à la Cour (art. 36.1 du statut).
– Plus de 300 conventions et traités internationaux renvoient également à la Cour internationale de justice pour les questions d'interprétation ou de gestion des différends entre États parties.

2. *Renvoi et avis consultatif*
– Le renvoi devant la Cour peut également être suggéré aux États par le Conseil de sécurité quand celui-ci est saisi du règlement pacifique d'un différend entre États, dont la nature est essentiellement juridique (art. 36.2 du statut ; art. 33 et 36.3 de la Charte).
– L'Assemblée générale et le Conseil de sécurité peuvent également demander en leur nom propre un avis consultatif à la Cour sur toute question juridique. Les autres organes et les institutions de la famille des Nations unies peuvent également être autorisés par l'Assemblée générale de l'ONU à demander des avis consultatifs à la CIJ sur des questions en rapport avec leur mandat et leurs activités (art. 96 de la Charte et art. 65.1 du statut).

3. *Mesures conservatoires*
Compte tenu de la longueur et de la lenteur des procédures, la Cour peut, quand la nature du litige le justifie, prendre une décision imposant des mesures conservatoires à l'une ou l'autre des parties au litige (art. 41 du statut). Il s'agit de protéger les droits de chacune des parties et d'éviter que des faits graves et irréversibles ne soient commis pendant le temps nécessaire à l'examen sur le fond d'une affaire. Ces mesures, qui ne préjugent pas de la décision finale, ont un caractère obligatoire. Le non-respect de ces mesures conservatoires constitue une violation des engagements internationaux de l'État concerné et engage sa responsabilité juridique. Le jugement final de la Cour rend compte du respect ou de la violation des mesures conservatoires prononcées en cours d'examen.

4. *Réparations*
La Cour est compétente pour régler tout différend que les État lui soumettent, relatifs à la nature et l'étendue des réparations dues en raison de la violation de leurs engagements internationaux (art. 36 du statut). La jurisprudence de la Cour affirme qu'il est bien établi que l'État responsable d'un fait internationalement illicite est tenu de réparer intégralement le préjudice causé par ce fait (affaire de l'Usine de Chorzow, compétence, arrêt n° 8, 1927, C.I.J., Série A, n° 9, p. 21 ; Application de la Convention pour la prévention et la répression du crime de génocide (Bosnie-Herzégovine c. Yougoslavie), demandes reconventionnelles, ordonnance du 17 décembre 1997, *C.I.J., Recueil 1997*, p. 243, § 152 et affaire Avena et autres ressortissants mexicains (Mexique c. États-Unis d'Amérique), arrêt du 31 mars 2004, § 119). Cependant, la CIJ ne statue pas directement sur le montant et la nature des réparations. Elle se prononce d'abord sur l'existence d'un comportement illicite de l'État et renvoie la question de la réparation aux États dans le cadre d'une seconde phase de négociation après le prononcé de ses jugements.

La Cour encadre cependant cette négociation en affirmant que, dans la phase de la procédure consacrée à la réparation, ni l'une ni l'autre des parties ne pourront remettre en cause les conclusions de son jugement (Activités militaires et paramilitaires au Nicaragua et contre celui-ci (Nicaragua c. États-Unis d'Amérique), fond, arrêt. *C.I.J. Recueil 1986*, p. 14, § 284). La Cour limite son rôle dans ce domaine en déclarant qu'« il n'appartient pas à la Cour de déterminer le résultat final de ces négociations devant être menées par les parties. Au cours de ces négociations, les parties devront rechercher de bonne foi une solution concertée fondée sur les conclusions du présent arrêt » (Activités armées sur le territoire du Congo (République démocratique du Congo c. Ouganda), arrêt, *CIJ Recueil 2005*, p. 168, § 261). Le fait que les parties au différend ne parviennent pas à se mettre d'accord sur le sujet des réparations ne suffit pas selon la Cour à justifier sa compétence. Dans cette affaire, la CIJ laisse entendre qu'il faudrait que ce désaccord fasse apparaître un différend de nature juridique et pas seulement financier pour que les parties puissent de nouveau le soumettre à la CIJ.

▶ **Réparation-Indemnisation.**

III. Jugements et avis consultatifs d'intérêt pour le droit humanitaire

Dans le cadre de ses jugements et avis, la CIJ a été saisie de questions relatives à plusieurs situations de conflits armés dont certaines étaient également examinées par les tribunaux pénaux internationaux *ad hoc* pour l'ex-Yougoslavie et le Rwanda (ci-après dénommés les « tribunaux pénaux internationaux »). Le travail de la CIJ définit et établit les différents aspects de la responsabilité de l'État dans ces situations. Il complète celui des tribunaux pénaux internationaux, qui est limitée à l'examen de la responsabilité pénale individuelle. Les décisions de la Cour internationale de justice précisent donc à la lumière du droit international général certaines notions de droit humanitaire examinées sous l'angle du droit pénal international par les tribunaux pénaux internationaux ainsi que par la Cour pénale internationale. Les arrêts et avis de la Cour fournissent une compréhension et une interprétation complémentaires de nombreuses notions du droit international et humanitaire.

1. *L'action de la CIJ en lien avec les conflits armés*

L'implication de la CIJ dans diverses situations de conflit armé illustre son rôle en tant qu'organe judiciaire de gestion des conflits entre États en complément de l'action du Conseil de sécurité de l'ONU en matière de maintien de la paix et de l'action des tribunaux pénaux internationaux. Dans diverses décisions, la CIJ a réaffirmé sa compétence pour agir en parallèle de l'action du Conseil de sécurité quand elle est saisie par d'autres organes des Nations unies afin de rendre un avis consultatif sur des situations dont le Conseil est déjà saisi.

Elle a été saisie en 1984 par le Nicaragua pour obtenir la condamnation de l'ingérence militaire des États-Unis à travers le soutien à des groupes armés agissant sur le territoire du Nicaragua (affaire des Activités militaires et paramilitaires au

Nicaragua et contre celui-ci, voir *supra*). Dans cette affaire, la Cour s'est prononcée sur les critères distinguant i) l'action humanitaire de l'ingérence illicite dans les affaires intérieures d'un État, ii) le caractère coutumier et la responsabilité de l'État au titre de l'action de groupes armés étrangers agissant sous son contrôle effectif, et iii) sur la définition de l'agression et du droit de légitime défense (*infra 2*).

Concernant le conflit en ex-Yougoslavie, la CIJ a eu une activité intense parallèlement à l'intervention militaire onusienne et à l'action du Tribunal pénal international *ad hoc*, crées tous deux par le Conseil de sécurité des Nations unies. Elle a en effet été saisie à huit reprises pour des affaires différentes. Le déroulement de la procédure traduit un parallèle parfait entre l'évolution du conflit armé en ex-Yougoslavie et sa traduction en bataille judiciaire simultanée. Le 20 mars 1993, la Bosnie-Herzégovine a saisi la CIJ au titre de l'application de la Convention pour la prévention et la répression du crime de génocide. Cette plainte était relative aux actes de génocide commis durant les affrontements ayant opposé la Bosnie à la Serbie et Monténégro entre 1991 et 1995 puis entre 1999 et 2000. La CIJ devait notamment déterminer si les actes commis par les milices serbes de Bosnie pouvaient engager la responsabilisé de l'État serbe du fait du soutien et du contrôle qu'il fournissait à ces groupes armés sur le territoire de la Bosnie-Herzégovine. La CIJ a pris une ordonnance de mesures conservatoires le 8 avril 1993, avant de procéder à l'examen des exceptions préliminaires soulevées par la Serbie-Monténégro concernant la compétence de la CIJ en matière de génocide. Le 11 juillet 1996, la CIJ a rendu son arrêt sur les exceptions préliminaires et a commencé l'examen au fond de la plainte. La Serbie-Monténégro a fait une demande de révision de l'arrêt du 11 juillet 1996, qui a été refusée par décision de la Cour le 3 juillet 2003. L'arrêt au fond sur cette affaire n'est intervenu que le 27 février 2007 (Application de la Convention pour la prévention et la répression du crime de génocide (Bosnie-Herzégovine c. Serbie-et-Monténégro), arrêt, *C.I.J. Recueil 2007*, p. 43), soit 16 ans après les faits et 12 ans après la fin du conflit. Dans cet arrêt, la CIJ a conclu que les actes de génocide commis à Srebrenica en juillet 1995 ne pouvaient pas être attribués à la Serbie car il n'est pas établi qu'ils aient été commis par ses propres organes ni par des personnes ou entités étrangères totalement dépendantes de la Serbie (§ 395). Ce jugement reprend et développe les règles concernant l'attribution à un État de la responsabilité des actes de groupes armés étrangers. Le 2 juillet 1999, la Croatie a également porté plainte contre la Serbie-Monténégro pour les actes de génocide commis pendant la guerre de 1991 à 1995 (Croatie c. Serbie-et-Monténégro). Suite aux mêmes exceptions préliminaires de compétence soulevées par la Serbie, la Cour a rendu son arrêt déclarant la plainte recevable le 18 novembre 2008 (Application de la Convention pour la prévention et la répression du crime de génocide (Croatie c. Serbie), exceptions préliminaires, arrêt, *C.I.J. Recueil 2008*, p. 412). Entre-temps, le 29 avril 1999, suite aux bombardements de l'OTAN sur la Serbie et le Kosovo, la Serbie-Monténégro avait également saisi la Cour de huit affaires simultanées concernant la licéité de l'emploi de la force par l'Allemagne, la Belgique, le Canada, la France, l'Italie, les Pays-Bas, le Portugal, le Royaume-Uni et les États-Unis. Le 23 décembre 2003, la Cour a joint les huit instances. Elle a rendu un arrêt le 15 décembre 2004 rejetant sa compétence dans cette affaire sans se prononcer sur le fond (Licéité de l'emploi de la force (Serbie-et-Monténégro c. Belgique), exceptions préliminaires, arrêt, *C.I.J. Recueil 2004*, p. 279). En 1999, la Cour a examiné trois plaintes déposées par le Congo concernant les accusations d'activités armées menées sur son territoire par l'Ouganda, le Rwanda et le Burundi. Cette plainte concerne un contexte de guerre régionale pour lequel le Conseil de sécurité de l'ONU gère depuis 1996 l'une de ses plus importantes missions de maintien de la paix, la MONUSCO (auparavant la MONUC). La CPI est également saisie par le gouvernement congolais ainsi que par le gouvernement ougandais depuis 2004 pour des activités criminelles de groupes armés rebelles. La procédure de la CIJ s'est étalée sur plusieurs années et a abouti à un jugement en 2005 (Activités armées sur le territoire du Congo (République démocratique du Congo c. Ouganda), arrêt, *C.I.J. Recueil 2005*, p. 168). Dans cette affaire, la Cour a clarifié plusieurs notions du droit des conflits armés relatives à la définition de l'occupation et à la responsabilité particulière de l'État en tant que puissance occupante, mais aussi à la responsabilité de l'État du fait du contrôle effectif ou de la tolérance de l'activités de groupes armés non étatiques, et de la prise en compte de l'activité de ces groupes armés dans la définition de l'agression et du recours à la légitime défense armée. (Voir *infra* 2.)

L'Assemblée générale des Nations unies a saisi la CIJ de deux situations complexes concernant les territoires palestiniens et l'indépendance du Kosovo en se fondant sur sa compétence complémentaire à celle du Conseil de sécurité en matière de maintien de la paix et de la sécurité internationales (art. 24 de la Charte). La CIJ a rendu le 9 juillet 2004 un avis consultatif sur les conséquences juridiques de l'édification d'un mur dans le territoire palestinien occupé. Cet avis examine la question du droit applicable dans les territoires occupés et la responsabilité de la puissance occupante en droit international général et en droit international humanitaire. Il affirme également l'application extraterritoriale des conventions relatives aux droits de l'homme par la puissance occupante dans les territoires sous son contrôle (*infra* 2.) Dans cette affaire, la Cour s'est également prononcée sur l'interprétation des dispositions de la Charte concernant les responsabilités complémentaires de l'Assemblée générale et du Conseil de sécurité en matière de maintien de la paix. Elle a affirmé sa compétence pour rendre un avis consultatif à la demande de l'Assemblée générale sur une situation dont le Conseil de sécurité était lui-même saisi (Conséquences juridiques de l'édification d'un mur dans le territoire palestinien occupé, avis consultatif, *C.I.J. Recueil 2004*, p. 136, § 24, 25, 47, 50, 96). Elle a également rendu le 22 juillet 2010 un avis consultatif sur la conformité au droit international de la déclaration unilatérale d'indépendance relative au Kosovo (Conformité au droit international de la déclaration unilatérale d'indépendance relative au Kosovo, avis consultatif, *C.I.J. Recueil 2010*, p. 403).

2. *Contribution à l'interprétation du droit international humanitaire*

Les décisions de la CIJ ont apporté des clarifications et précisions sur plusieurs notions de droit international liées au droit international humanitaire, aux droits de l'homme mais aussi à la responsabilité de l'État et à ses obligations internationales en matière notamment de sécurité, de légitime défense, d'agression et d'occupation de territoire.

• *Action humanitaire et ingérence dans les affaires intérieures d'un État*
(Activités militaires et paramilitaires au Nicaragua et contre celui-ci (Nicaragua c. États-Unis d'Amérique), fond, arrêt. *C.I.J. Recueil 1986*, p. 14, § 202-203, 242-243). Dans cette affaire, la Cour a précisé les conditions que doit remplir l'aide humanitaire fournie par un État pour ne pas être considérée comme une ingérence dans les affaires intérieures d'un État. « Selon la Cour, pour ne pas avoir le caractère d'une intervention condamnable dans les affaires intérieures d'un autre État, non seulement "l'assistance humanitaire" doit se limiter aux fins consacrées par la pratique de la Croix- Rouge, à savoir "prévenir et alléger les souffrances des hommes" et "protéger la vie et la santé [et] faire respecter la personne humaine" : elle doit aussi, et surtout, être prodiguée sans discrimination à toute personne dans le besoin au Nicaragua, et pas seulement aux contras et à leurs proches » (§ 243).

▶ **Ingérence ▷ Principes humanitaires.**

• *Coutume*
Dans l'affaire Nicaragua c. États-Unis d'Amérique (*supra*), la CIJ a précisé que le non-respect par un État d'une règle coutumière ne suffit pas à faire disparaître celle-ci (§ 186).

▶ **Coutume.**

• *Légitime défense et agression*
La Cour internationale de justice a précisé dans plusieurs jugements la définition de l'agression et les conditions légales du recours à la force armée par les États au titre de la légitime défense prévue par la Charte des Nations unies et le droit international coutumier (Nicaragua c. États-Unis d'Amérique, § 35, 74, 176, 194, 195, 199, 200, 211, 247 ; République démocratique du Congo c. Ouganda, § 143-148). Elle précise le lien juridique existant entre la légitime défense et l'agression (Nicaragua c. États-Unis d'Amérique, § 74, 211 ; République démocratique du Congo c. Ouganda, § 143-148).
Elle distingue l'agression des autres menaces à la sécurité intérieure d'un État qui ne permettent par d'invoquer la légitime défense et de légitimer le recours à la force (Nicaragua c. États-Unis d'Amérique, § 224).
La Cour fournit une définition de l'agression armée qui inclut sous certaines conditions les actes commis par un État par l'intermédiaire de groupes armés non étatiques (Nicaragua c. États-Unis d'Amérique, § 195, 247).
La CIJ rappelle l'existence d'une « règle bien établie en droit international coutumier – selon laquelle la légitime défense ne justifierait que des mesures proportionnées à l'agression armée subie, et nécessaires pour y riposter » (Nicaragua c. États-Unis d'Amérique, § 176).

▶ **Légitime défense ▷ Agression.**

• *Responsabilité de l'État du fait de ses agents et organes*
Dans plusieurs affaires, la Cour internationale de justice a précisé que le comportement d'un organe de l'État engage toujours la responsabilité de cet État sans

qu'il soit besoin de prouver que cet organe ait agi sur ordre ou qu'il ait outrepassé ceux-ci.
(Différend relatif à l'immunité de juridiction d'un rapporteur spécial de la Commission des droits de l'homme, avis consultatif, *C.I.J. Recueil 1999 (I)*, p. 87, § 6 ; et République démocratique du Congo c. Ouganda, § 213-214).

▶ **Responsabilité.**

• *Responsabilité de l'État du fait de son contrôle de groupes armés* non étatiques
La responsabilité de l'État pour des actions commises par des groupes armés non étatiques agissant sous son contrôle plus ou moins étroit a été précisée dans trois affaires majeures par la Cour internationale de justice. La Cour a clarifié la notion de contrôle effectif permettant d'attribuer les actes de ces groupes non étatiques à l'État qui assure ce contrôle (Nicaragua c. États-Unis d'Amérique, § 109-116 ; Bosnie-Herzégovine c. Serbie-et-Monténégro, § 391-406 ; République démocratique du Congo c. Ouganda, § 161-165, 213-214, 220, 245, 248-250, 277 et 300-301).

▶ **Responsabilité ▷ Conflit armé international.**

• *Occupation*
La question de la définition de l'occupation et des obligations de la puissance occupante a été examinée par la CIJ dans le cadre de deux affaires importantes (République démocratique du Congo c. Ouganda, § 172-180 et Conséquences juridiques de l'édification d'un mur dans le territoire palestinien occupé, § 78, 89, 90 et 95).
La CIJ reconnaît que la définition de l'occupation et des obligations qui y sont attachées est contenue à la fois dans le règlement de La Haye de 1907 et dans la quatrième Convention de Genève de 1949. Elle affirme le caractère coutumier d'une partie de ce droit, qui n'est donc pas soumis au formalisme de la ratification par l'État occupant (Conséquences juridiques de l'édification d'un mur dans le territoire palestinien occupé, § 79, 89 et République démocratique du Congo c. Ouganda, § 172).
La CIJ précise la définition et les obligations de la puissance occupante (République démocratique du Congo c. Ouganda, § 172, 178, 179 et 180).
Dans le cadre particulier de l'occupation, la Cour a également affirmé l'application extraterritoriale de conventions relatives aux droits de l'homme par la puissance occupante aux personnes et aux territoires placés sous son contrôle.

▶ **Territoire occupé ▷ Droits de l'homme.**

• *Application simultanée des droits de l'homme et du droit international humanitaire*
La Cour internationale de justice a posé les principes de l'application simultanée et extraterritoriale des droits de l'homme et du droit international humanitaire. Elle affirme que l'application des droits de l'homme ne cesse pas pendant les conflits armés, à part du fait des clauses de dérogation existantes et dans le respect des procédures prévues à cet effet. Elle rajoute que les conventions relatives aux droits de l'homme s'appliquent de façon extraterritoriale notamment dans les situations d'occupation ou de détention, du fait du contrôle exercé par un État sur certains

individus ou territoires étrangers (Licéité de la menace ou de l'emploi d'armes nucléaires, avis consultatif, *C.I.J. Recueil 1996*, p. 226, § 24 ; Conséquences juridiques de l'édification d'un mur dans le territoire palestinien occupé, § 102-109, 111-113 et République démocratique du Congo c. Ouganda, § 216-217).

▶ **Droits de l'homme ▷ Droit international humanitaire.**

• *Interprétation du droit*
La CIJ précise les règles d'interprétation du droit international contenues dans la Convention de Vienne sur le droit des traités (1969) et refuse la validité des interprétations étatiques du droit international humanitaire qui conduisent à des résultats manifestement absurdes ou déraisonnables (Plates-formes pétrolières (République islamique d'Iran c. États-Unis d'Amérique), exceptions préliminaires, arrêt, *C.I.J. Recueil 1996 (II)*, p. 8 12, § 23 ; Île de Kasikili/Sedudu (Botswana c. Namibie), arrêt, *C.I.J. Recueil 1999 (II)*, p. 1059, § 18 ; Souveraineté sur Palau Ligitan et Palau Sipadan (Indonésie c. Malaisie), arrêt, *C. 1. J. Recueil 2002*, p. 645, § 37 et Conséquences juridiques de l'édification d'un mur dans le territoire palestinien occupé, § 94).

▶ **Droit, droit international.**

• *Réparations et immunité juridictionnelles des États*
La CIJ rappelle dans plusieurs décisions l'existence d'une obligation pour les États de réparer les conséquences de leurs comportements illicites (Usine de Chorzów, compétence, 1927, *C.P.J.I. série A,* n° 9, p. 21 ; Projet Gabcíkovo-Nagymaros (Hongrie c. Slovaquie), arrêt, *C.I.J. Recueil 1997*, p. 81, § 152 ; Avena et autres ressortissants mexicains (Mexique c. États-Unis d'Amérique), *C.I.J. Recueil 2004*, p. 59, § 119 et République démocratique du Congo c. Ouganda, § 259-261).
Cependant, la CIJ distingue cette obligation étatique du droit individuel à réparation pour les personnes victimes de violations et réaffirme l'immunité de juridiction des États par rapport aux demandes de réparation provenant directement des individus victimes de crimes de guerre nazis. Elle confirme que le droit international coutumier impose toujours de reconnaître l'immunité à l'État dont les forces armées ou d'autres organes sont accusés d'avoir commis sur le territoire d'un autre État des actes dommageables au cours d'un conflit armé. Elle confirme également que cette immunité n'est pas dépendante de la gravité des actes reprochés (Affaire sur les immunités juridictionnelles de l'État (Allemagne c. Italie ; Grèce (intervenant), arrêt, 3 février 2012, § 78-93, 100-101).
La CIJ confirme dans une autre affaire l'existence de l'immunité de juridiction dont bénéficie les chefs d'État et de gouvernement et les ministres des Affaires étrangères en exercice. Elle précise que cette immunité ne signifie pas que ces personnes bénéficient d'une impunité au titre des crimes qu'elles auraient pu commettre. En effet, la CIJ considère que l'immunité de juridiction pénale et la responsabilité pénale individuelle sont des concepts distincts. L'immunité de juridiction n'est pas permanente et n'empêche les poursuites pénales que pendant une durée limitée. En outre, elle persiste devant les tribunaux nationaux mais elle ne peut pas être invoquée devant la Cour pénale internationale (mandat d'arrêt

du 11 avril 2000 (République démocratique du Congo c. Belgique), arrêt, *C.I.J. Recueil 2002*, p. 3, § 58, 60).

▶ **Réparation-Indemnisation ▷ Immunité.**

Consulter aussi

▶ **Agression ▷ ONU ▷ Assemblée générale des Nations unies ▷ Conseil de sécurité des Nations unies ▷ Conflit armé international ▷ Cour européenne des droits de l'homme ▷ Cour et Commission interaméricaines des droits de l'homme ▷ Tribunaux pénaux internationaux ▷ Crime de guerre-Crime contre l'humanité ▷ Conflit armé non international ▷ Convention internationale ▷ Hiérarchie des normes ▷ Recours individuels ▷ Droit international humanitaire ▷ Arbitrage ▷ Cour pénale internationale ▷ Réparation-Indemnisation ▷ Responsabilité.**

Contact

CIJ, Palais de la Paix
NL 2517 KJ La Haye / Pays-Bas.
Tél. : (00 31) 70 302 23 23/Fax : (00 31) 70 364 99 28.
www.Icj-cij.org

Pour en savoir plus

ABI-SAAB R., « Conséquences juridiques de l'édification d'un mur dans le territoire palestinien occupé : quelques réflexions préliminaires sur l'avis consultatif de la Cour internationale de justice », *Revue internationale de la Croix-Rouge*, septembre 2004, vol. 86, n° 850, p. 633-657.

APOSTOLIDIS C., *Les Arrêts de la Cour internationale de justice*, Université de Dijon, Dijon, 2005, 208 p.

CHETAIL V., « The contribution of the International Court of justice to International humanitarian law », *Revue internationale de la Croix-Rouge*, juin 2003, vol. 85, n° 850, p. 235-269.

GUILLAUME, *La Cour internationale de Justice, à l'aube du XXI*e *siècle : le regard d'un juge*, Paris, Pedone, 2003, 331 p.

KHDIR M., *Dictionnaire juridique de la Cour internationale de justice*, Bruylant, 2e, 2000, 527 p.

LABRECQUE G., *La Force et le Droit. Jurisprudence de la Cour internationale de justice*, Bruylant, Éditions Yvon Blais, Canada, 2008.

QUOC NGUYEN D., DAILLER P., PELLET A., *Droit international public*, LGDJ, 2002, 1 520 p., p. 889-911.

Cour pénale internationale (CPI)

I. Origines

Le statut de la Cour pénale internationale a été adopté à Rome, le 17 juillet 1998, à l'issue d'une conférence diplomatique internationale organisée sous l'égide de l'ONU. Ce statut, aussi appelé « statut de Rome », est entré en vigueur le 1er juillet 2002 et la Cour, dont le siège se trouve à La Haye (Pays-Bas), s'est effectivement mise en place en mars 2003, après la nomination du procureur, des juges et du greffier. En avril 2013, 122 États avaient ratifié le statut de Rome. Les derniers États à avoir déposé leurs instruments de ratification à la Cour sont Grenade, la Tunisie, les Philippines, les Maldives, le Cap-Vert, Vanuatu, le Guatemala et la Côte-d'Ivoire, respectivement en mai, juin, août, septembre, octobre, décembre 2011 avril 2012 et février 2013.

Cette Cour vient combler un vide concernant la répression pénale par la communauté internationale des crimes internationaux les plus graves et est une promesse de justice pour les victimes. Son statut a été adopté dans le but de poursuivre le travail des tribunaux pénaux internationaux *ad hoc* pour l'ex-Yougoslavie (TPIY) et le Rwanda (TPIR). Elle est compétente pour juger, sous certaines conditions, les crimes de génocide, les crimes contre l'humanité, les crimes de guerre et le crime d'agression (statut, art. 5).

Cependant, contrairement aux TPIY et TPIR, la CPI connaît une limite à sa compétence internationale par le fait qu'elle n'a pas primauté sur les juridictions internes. Sa compétence reste subsidiaire. L'existence de poursuites devant des juridictions nationales empêchera l'action de la Cour, sauf si elle parvient à prouver que l'État en question ne veut pas ou ne peut pas faire aboutir ces procès (statut, art. 17) (voir section IV). Le but de cette approche est d'encourager les États à exercer leur compétence chaque fois que cela est possible.

Un autre compromis posé lors de sa création consacre l'exigence du consentement des États pour le fonctionnement de la Cour. En effet, qu'il s'agisse de génocide, de crimes contre l'humanité ou de crimes de guerre, la Cour ne peut juger ces crimes qu'après acceptation de la compétence de la Cour par l'État de la nationalité du criminel ou par l'État sur le territoire duquel le crime a été commis (statut, art. 12). L'abandon de toute référence à l'État de nationalité de la victime ou à celui sur le territoire duquel se trouve le criminel a limité les possibilités de déclenchement des poursuites. En effet, 90 % des conflits actuels sont des conflits internes. L'État de nationalité du criminel et celui sur lequel le crime a été commis est donc très souvent le même. Enfin, les États se sont vu accorder la possibilité de refuser la compétence de la Cour sur les crimes de guerre pendant une période de sept ans après l'entrée en vigueur du statut à leur égard (statut, art. 124).

La CPI constitue un progrès en matière de droit pénal international car, depuis la création du tribunal spécial de Nuremberg, les États n'étaient pas parvenus à créer un tribunal international permanent, ni à s'entendre sur une définition précise de ces crimes. De plus, ce statut représente une étape importante dans la prise en compte des différents systèmes juridiques existants. Par exemple, si on la compare aux TPIY et TPIR, la création d'une chambre préliminaire assurant le contrôle du procureur et la possibilité pour les victimes de demander des réparations sont autant d'éléments de droit romain qui contrastent avec l'influence prédominante du droit anglo-saxon dans les deux tribunaux pénaux internationaux.

Le statut de la CPI apporte des innovations importantes dans la définition des crimes ainsi que dans la reconnaissance du droit à réparation des victimes.

Malgré l'institution d'un procureur indépendant, une partie du fonctionnement de la Cour s'effectue dans le cadre plus politique du maintien de la paix. En effet le statut de Rome prévoit des pouvoirs élargis au profit du Conseil de sécurité de l'ONU dans le cadre de gestion des situations qui mettent en danger la paix et la sécurité internationales. Dans ce cadre, le Conseil peut imposer la compétence de la Cour à un État même non signataire du statut. Il peut également suspendre le travail de la Cour pour une durée d'un an renouvelable afin de favoriser d'autres mécanismes diplomatiques de gestion d'un conflit.

Dans les autres situations, le caractère subsidiaire de sa compétence obligera la Cour à « juger » d'abord les autorités nationales concernées pour prouver que celles-ci ne veulent pas ou ne peuvent pas poursuivre elles-mêmes les crimes.

En septembre 2002, à l'entrée en vigueur du statut de Rome, l'Assemblée des États parties a adopté deux documents : le *Règlement de procédure et de preuve* et les *Éléments des crimes*. Le *Règlement de procédure et de preuve* aide la Cour à appliquer le statut de Rome ; les *Éléments des crimes* l'aident quant à eux à interpréter et appliquer les articles 6, 7 et 8 du statut, à savoir ceux consacrés au génocide, aux crimes contre l'humanité et aux crimes de guerre. Les *Éléments des crimes* et le *Règlement de procédure et de preuve* peuvent être modifiés sur proposition (a) de tout État partie, (b) des juges statuant à la majorité absolue et, (c) du procureur. Les amendements doivent être adoptés à la majorité des deux tiers des membres de l'Assemblée des États parties et doivent être en cohérence avec le statut de Rome.

II. Organisation et fonctionnement de la Cour

La Cour se compose de quatre organes principaux : un organe d'instruction et de poursuites, un organe judiciaire, un organe administratif et la présidence (art. 34 du statut).

La Cour se compose également d'une Assemblée des États parties (statut, art. 112), au sein de laquelle chaque État partie dispose d'un représentant. C'est cette Assemblée, et non pas la Cour elle-même, qui est notamment chargée d'adopter et d'amender le Règlement de procédure et de preuve, de donner à la présidence, au procureur et au greffier des orientations générales pour l'administration de la Cour, d'examiner et d'arrêter le budget et d'examiner toute question relative à la non-coopération des États.

Le budget de la Cour (118,4 millions d'euros comme budget présenté pour 2013) est alimenté par les contributions des États parties, les ressources financières fournies par l'ONU et par des contributions volontaires versées par des gouvernements, des organisations internationales, des particuliers, des entreprises, etc. (statut, art. 115 et 116).

1. L'organe d'instruction et de poursuites : le Bureau du procureur

C'est le Bureau du procureur qui est chargé de recevoir les communications et toute information sur les crimes relevant de la compétence de la Cour, de les examiner, de conduire les enquêtes et de soutenir l'accusation devant la Cour (statut, art. 42).

Le 15 juin 2012, Fatou Bensouda, de Gambie, a été investie en tant que nouveau procureur de la CPI. Elle succède à Luis Moreno-Ocampo, auprès duquel elle occupait le poste de procureur adjoint depuis 2004.
Le procureur peut être assisté d'un ou de plusieurs procureurs adjoints. Il ou elle est élu(e) par l'Assemblée des États parties à la majorité absolue de ses membres pour une période de neuf ans non renouvelable. Le ou les procureurs adjoints sont élus de la même manière sur une liste de candidats présentée par le procureur.
Le procureur et son ou ses adjoints sont indépendants et tous de nationalité différente. Ils doivent jouir d'une haute considération morale, de solides compétences et d'une grande expérience en matière pénale. Ils ne peuvent pas exercer d'autre activité professionnelle.
Le procureur nomme le personnel qui est nécessaire à son travail. Il peut s'agir notamment de conseillers et d'enquêteurs.
Le procureur peut, sous certaines conditions, ouvrir une enquête de sa propre initiative, sur la base d'informations reçues de sources diverses, qui concernent les crimes relevant de la compétence de la Cour. Il peut chercher à obtenir des renseignements supplémentaires auprès d'États, d'organes de l'ONU, d'organisations intergouvernementales, d'organisations non gouvernementales et de toute autre source qu'il juge appropriée. Il peut également recueillir des dépositions écrites ou orales.
S'il estime que ces éléments justifient l'ouverture d'une enquête, il doit en demander l'autorisation à la Chambre préliminaire. En attendant la décision de cette Chambre, le procureur peut cependant lui demander, à titre exceptionnel, l'autorisation de poursuivre les investigations nécessaires pour préserver des éléments de preuve, si l'occasion de les recueillir se présente ou s'il existe un risque notable que ces éléments de preuve ne soient plus disponibles par la suite (statut, art. 18.6).

2. *L'organe judiciaire : les juges*

Cet organe est composé de dix-huit juges, qui se répartissent dans les différentes Chambres.
Les juges sont élus par l'Assemblée des États parties sur la liste des candidats présentés par les États parties (statut, art. 36). Les candidats sont choisis parmi des personnes jouissant d'une haute considération morale, et connues pour leur impartialité et leur intégrité ; ils doivent avoir une compétence reconnue en droit pénal et procédure pénale ou dans les domaines pertinents du droit international, tels le droit international humanitaire et les droits de l'homme. Une grande expérience dans une profession juridique est aussi requise. Enfin, les États parties veillent dans le choix des juges à une représentation des principaux systèmes juridiques du monde et à une représentation équitable entre les zones géographiques et entre les hommes et les femmes. Le mandat des juges est de neuf ans non renouvelable. Ils ne peuvent exercer aucune autre activité professionnelle.
Les juges sont répartis en trois sections, qui à leur tour constituent les Chambres (statut, art. 39) :
– la section d'appel est composée du président et de quatre autres juges ; elle forme la Chambre d'appel ;

– la section de première instance est composée de six juges au moins ; les Chambres de première instance sont composées de trois juges de cette section ;
– la section préliminaire compte elle aussi six juges au moins ; la composition des Chambres préliminaires est renvoyée au Règlement de procédure et de preuve.
Le statut de Rome prévoit la constitution simultanée de plusieurs Chambres préliminaires et de plusieurs Chambres de première instance, chaque fois que le travail de la Cour l'exige.

3. *L'organe administratif : le greffe*

Le greffe est chargé des aspects non judiciaires de l'administration et du service de la Cour (statut, art. 43). Le greffier est élu par les juges pour cinq ans et rééligible une fois. Il peut être secondé par un greffier adjoint, lui aussi élu. Le greffier exerce ses fonctions sous l'autorité du président de la Cour. Parmi ses services, le greffier crée une Division d'aide aux victimes et aux témoins (statut, art. 43.6). Cette Division est chargée d'aider les témoins et les victimes qui comparaissent devant la Cour et les autres personnes auxquelles leur déposition peut faire courir un risque, notamment leur famille ; elle prévoit les mesures à prendre pour assurer leur protection.

4. *La présidence*

Trois juges sont élus par les juges aux titres de président, premier et second vice-présidents pour une durée de trois ans ; ils sont rééligibles une fois. La présidence est chargée de la bonne administration de la Cour ainsi que de diverses fonctions qui lui sont conférées par le statut (art. 38).

III. Saisine

1. *L'exercice de la saisine*

Le statut prévoit que la Cour pourra être saisie par un État partie (art. 14), par le Conseil de sécurité (art. 13), mais aussi par le procureur du tribunal de sa propre initiative (art. 15). Le procureur agit dans ce cas sous le contrôle d'une Chambre préliminaire (art. 15). En cas de saisine par un État ou par le procureur, la compétence de la Cour n'est cependant possible que si l'État sur le territoire duquel le crime a été commis ou l'État de nationalité du criminel est partie au statut de la Cour. Seule la saisine par le Conseil de sécurité permet d'échapper à cette limitation (art. 13). Il est aussi possible pour un État non partie au statut, mais qui est l'État de nationalité de l'accusé ou l'État où le crime a été commis, d'accepter la compétence de la Cour pour ce cas, sur une base *ad hoc,* et il doit alors coopérer pleinement avec la Cour (art. 12).
En outre, même si la Cour est déjà saisie, le Conseil de sécurité peut à tout moment, en invoquant ses pouvoirs prévus au chapitre VII de la Charte de l'ONU, interrompre ou empêcher le travail de la Cour. Cette suspension concerne aussi bien les enquêtes que les poursuites. Elle s'étend sur une période de douze mois renouvelable (statut, art. 16).

En avril 2013, le Bureau du procureur procédait à 18 enquêtes dans le contexte de 8 situations : en République démocratique du Congo, en Ouganda, au Soudan (Darfour), en République centrafricaine, au Kenya, en Libye, en Côte-d'Ivoire et au Mali. Concernant l'Ouganda, la République démocratique du Congo, la République centrafricaine et le Mali, les situations ont été directement déférées à la CPI par les États concernés. Le Mali est le dernier pays à avoir utilisé cette procédure, le 13 juillet 2012, concernant la situation dans le nord du pays depuis la prise de contrôle par des groupes armés en mars 2012. Concernant le Soudan et la Libye, c'est le Conseil de sécurité des Nations unies qui a déféré la situation au procureur, imposant ainsi la compétence de la Cour sur le gouvernement soudanais concernant la situation au Darfour (résolution 1593 du 31 mars 2005) et sur le gouvernement libyen (résolution 1970 du 26 février 2011). La Libye et le Soudan n'ont pas ratifié le statut de Rome de la CPI.
Le 31 mars 2010, la Chambre préliminaire II a autorisé le procureur à ouvrir une enquête de sa propre initiative (*propio motu*) dans le cadre de la situation au Kenya concernant des crimes contre l'humanité qui auraient été commis à la suite des élections présidentielles de 2007-2008. Le 3 octobre 2011, la Chambre préliminaire II a également autorisé le procureur à ouvrir une enquête *propio motu* dans le cadre de la situation en Côte-d'Ivoire concernant des crimes qui auraient été commis depuis le 28 novembre 2010 dans le contexte postélectoral. La Côte-d'Ivoire a ratifié le statut de Rome en février 2013, mais elle avait fait une déclaration acceptant la compétence de la Cour le 18 avril 2003 et plus récemment le 3 mai 2011.
Le Bureau du procureur effectue actuellement des examens préliminaires dans un certain nombre de pays dont l'Afghanistan, la Géorgie, la Guinée, la Colombie, le Honduras, la Corée et le Nigeria.

■ Règles de compétence

• La compétence de la Cour vis-à-vis d'un crime ne s'exerce que si l'État de la nationalité de l'accusé ou celui sur le territoire duquel le crime a été commis ont reconnu par ratification la compétence de la Cour pour ce crime (art. 12). Cette compétence est réduite lorsque l'État de nationalité de l'accusé et l'État où le crime a été commis est le même. Ce qui est souvent le cas dans les conflits actuels.
• Cette restriction ne s'applique pas dans le cas où une situation est soumise à la Cour par le Conseil de sécurité agissant sur la base du chapitre VII de la Charte des Nations unies (art. 2.2).
• Les États ont la possibilité en adhérant à la Cour de refuser sa compétence pour les crimes de guerre pendant une période de sept ans (art. 124).
• La compétence de la Cour ne s'exerce pas si l'État concerné entreprend lui-même des poursuites au niveau national (art. 17). Cet obstacle peut éventuellement être levé si la Cour prouve que les poursuites nationales ont été engagées dans le but de soustraire l'accusé à la compétence de la Cour pénale internationale, ou si la procédure nationale a été indûment retardée, ou bien encore si elle n'a pas été menée de manière indépendante ou impartiale (art. 17 et 20).
• La Cour pourra être compétente si elle prouve que l'État est dans l'incapacité de procéder lui-même au jugement en raison de l'effondrement total ou notable ou de la non-disponibilité de son système judiciaire national (art. 17.3). ■

2. *Compétence ratione materiae*

L'article 5 du statut de Rome énonce les crimes pour lesquels la Cour est compétente. Il s'agit :

– du crime de génocide (défini à l'article 6). Aux fins du statut, on entend par crime de génocide l'un quelconque des crimes ci-après, commis dans l'intention de détruire, en tout ou partie, un groupe national, ethnique, racial ou religieux, comme tel :

a) meurtre de membres du groupe,

b) atteinte grave à l'intégrité physique ou psychique des membres du groupe,

c) soumission intentionnelle des membres du groupe à des conditions d'existence de nature à entraîner la destruction physique totale ou partielle du groupe,

d) mesures visant à entraver les naissances au sein du groupe,

e) transfert forcé d'enfants du groupe à un autre groupe.

Cette définition découle de la Convention de 1948 sur la prévention et la répression du crime de génocide.

▶ **Génocide.**

– des crimes contre l'humanité (définis à l'article 7) ;

▶ **Crime de guerre-Crime contre l'humanité.**

– des crimes de guerre (définis à l'article 8) ;

▶ **Crime de guerre-Crime contre l'humanité.**

Cependant, au moment de la ratification, les États peuvent décider de refuser la compétence de la Cour pour les crimes de guerre, et ce pour une période de sept ans (article 124) ;

– du crime d'agression. Le statut n'octroie pour l'instant à la Cour qu'une compétence de principe à ce sujet (art. 5). Lors de la Conférence de révision du statut de Rome à Kampala (Ouganda), qui s'est tenue du 31 mai au 11 juin 2010, la Cour a adopté une définition du crime d'agression ainsi que les conditions d'exercice de sa compétence à l'égard de ce crime. La définition du crime d'agression adoptée est inspirée de la résolution 3314 de l'Assemblée générale des Nations unies de 1974, et doit être insérée comme article 8 *bis* au statut de Rome.

▶ **Agression.**

Les Éléments des crimes de la Cour ont été également amendés pour intégrer ceux du crime d'agression. Un des éléments affirme que le crime d'agression doit être perpétré par un ou plusieurs individus ayant un véritable contrôle effectif ou direct sur l'appareil politique et militaire d'un État.

À la différence des autres crimes prévus dans le statut, le crime d'agression fait l'objet d'un régime juridictionnel unique. En effet, le procureur ne peut ouvrir une enquête de sa propre initiative (*propio motu*) ou sur renvoi par un État seulement i) après s'être assuré que le Conseil de sécurité des Nations unies a constaté l'acte d'agression (voir art. 39 de la Charte de l'ONU), ii) en cas d'agression commise entre États parties, et iii) à condition que la Section préliminaire de la Cour ait

autorisé l'ouverture d'une enquête dans le cas où le Conseil de sécurité n'aurait pas constaté l'acte d'agression dans les six mois après l'événement.
La Cour ne pourra exercer sa compétence à l'égard du crime d'agression que lorsque au moins trente (30) États parties auront ratifié ou accepté l'amendement, et que les deux tiers des États parties auront adopté une décision pour activer la compétence de la Cour, à compter du 1er janvier 2017.

3. *Compétence ratione personae*
La Cour est compétente à l'égard de toute personne physique qui a commis un crime relevant de sa compétence, à l'exception des personnes qui ont moins de dix-huit ans au moment où elles commettent les faits (statut, art. 26).
Le statut de la Cour prévoit expressément qu'aucune immunité ne pourra être invoquée concernant les crimes sur lesquels elle a compétence.
L'article 27 du statut stipule que la Cour sera compétente pour toute personne, sans distinction fondée sur l'exercice de fonctions officielles. En particulier, les dirigeants tels que les chefs d'État et de gouvernement, les membres de gouvernement ou les parlementaires, les représentants élus ou les fonctionnaires ne pourront jamais tirer argument de leurs fonctions ou de leur statut pour échapper à leur responsabilité pénale ou pour demander à bénéficier de circonstances atténuantes durant leur procès.
Cet article confirme les principes énoncés par la jurisprudence du tribunal de Nuremberg et des deux tribunaux pénaux internationaux pour l'ex-Yougoslavie et le Rwanda et leur donne une valeur juridique permanente et obligatoire. Il confirme également les dispositions déjà prévues à ce sujet dans plusieurs conventions spécifiques.

▶ **Immunité.**

4. *Compétence ratione temporis*
La Cour est compétente pour les crimes qui sont commis après l'entrée en vigueur de son statut à l'égard de l'État concerné (statut, art. 11 et 12). Cette compétence découle du principe juridique bien établi de la non-rétroactivité de la loi pénale selon lequel une loi ne peut pas s'appliquer à des actes commis avant que la loi ne soit entrée en vigueur.

▶ **Non-rétroactivité.**

5. *Exécution des peines*
Les peines encourues devant la Cour (statut, art. 77) sont l'emprisonnement pendant trente ans au plus ou l'emprisonnement à perpétuité. Des amendes et la confiscation des profits, biens et avoirs tirés du crime sont aussi applicables. Elle sera la seule institution internationale qui pourra condamner des individus à de telles peines.
Les peines d'emprisonnement sont purgées dans un État choisi par la Cour parmi les États qui ont déclaré qu'ils étaient disposés à recevoir des condamnés (statut, art. 103). L'exécution de la peine est soumise au contrôle de la Cour ; les conditions

de détention sont régies par la législation de l'État chargé de l'exécution (statut, art. 106). Seule la Cour peut se prononcer sur une demande de révision (statut, art. 105).

IV. Coopération avec les États

1. *Articulation avec les tribunaux nationaux*

Contrairement aux tribunaux *ad hoc,* la Cour n'a pas la priorité sur les juridictions nationales. Sa juridiction est subsidiaire. Cela signifie que chaque fois que des poursuites sont engagées contre une personne devant les tribunaux d'un État, la Cour ne peut engager de poursuites contre elle pour les mêmes faits, à moins de démontrer que la procédure avait pour but de soustraire la personne à sa responsabilité pénale pour des crimes relevant de la compétence de la Cour, qu'il y a un retard injustifié dans la procédure ou que celle-ci n'est pas menée de manière indépendante et impartiale, que l'État n'a pas la réelle intention ou est incapable d'exercer des poursuites effectives en raison de l'effondrement de la totalité ou d'une partie substantielle de son propre appareil judiciaire ou de l'indisponibilité de celui-ci (statut, art. 17 et 20).

2. *Non bis in idem*

C'est un principe de droit bien établi en droit pénal général et en droit international selon lequel une personne ne peut être jugée deux fois pour le même crime (aussi connu comme la protection contre la double peine). C'est l'une des principales garanties judiciaires reprise dans l'article 20 du statut de la CPI.

Un individu jugé par la CPI ne peut pas être jugé par une juridiction nationale pour le même crime. Dans le même sens, la CPI ne peut pas statuer sur un acte pour lequel une personne a déjà été jugée par une juridiction nationale. Cependant, il existe des exceptions : la Cour peut juger une personne si la procédure devant l'autre juridiction avait pour but « de soustraire la personne concernée à sa responsabilité pénale pour des crimes relevant de la compétence de la Cour, ou n'a pas été menée de manière indépendante ou impartiale, dans le respect des garanties prévues par le droit international, mais de manière qui, dans les circonstances, démentait l'intention de traduire l'intéressé en justice » (statut, art. 20.3).

3. *Devoir de coopération et d'entraide judiciaire*

Le statut prévoit que les États ont une obligation générale de coopérer (art. 86). Toutefois, si un État refuse de coopérer, aucune sanction n'est prévue à son encontre : l'article 87.5 et 87.7 prévoit seulement dans ce cas que la Cour en prend acte et peut en saisir l'Assemblée des États parties (qui ne dispose d'aucun pouvoir de sanction) ou le Conseil de sécurité si c'est lui qui a saisi la Cour.

L'obligation de coopération concerne toutes les demandes adressées par la Cour dans le cadre des enquêtes et poursuites engagées. Les demandes peuvent viser, par exemple, l'arrestation et la remise de personnes à la Cour, le rassemblement et la

production d'éléments de preuve, l'identification et la localisation d'une personne, l'exécution des perquisitions et saisies...
Dans le cas où des informations touchant à la sécurité nationale d'un État risqueraient d'être divulguées au cours de la procédure (art. 72), l'État concerné peut s'y opposer. Il appartient alors à la Cour et à l'État de s'entendre pour trouver une solution permettant l'utilisation des documents dans la procédure sans porter atteinte à la sécurité nationale de ce dernier. Si, en dépit des mesures proposées, l'État estime qu'il ne peut pas autoriser la communication des documents, il en avise la Cour, qui n'a d'autres recours que ceux prévus à l'article 87.5 et 87.7 précité.

4. *Le statut spécial accordé au Comité international de la Croix-Rouge*

Les contraintes propres à l'action humanitaire déployée dans des situations de conflit et de violence, comme sa nature même, ont amené le CICR à demander, et à obtenir, un statut d'exemption de toute obligation de coopération avec la Cour. Ce statut spécial permet au CICR de ne pas avoir à transmettre de documents, informations et/ou renseignements et à ne pas avoir à témoigner dans des affaires examinées par la Cour. Ces privilèges sont accordés au CICR de façon permanente par la règle 73 du Règlement de procédure et de preuve adopté par l'Assemblée des États parties en 2002.
Cette règle reconnaît également ce privilège aux individus et informations liées par le secret professionnel : médecins, journalistes, avocats, etc.
Les organisations humanitaires intervenant dans des situations analogues de conflit armé ou de violence ne peuvent bénéficier directement d'une telle exemption générale. Ils peuvent toutefois revendiquer des privilèges similaires au cas par cas. Leur demande doit alors être en lien avec l'esprit même de la règle et en adéquation avec leur propre pratique et comportement.

▶ **Responsabilité (des acteurs humanitaires).**

V. Statut des victimes et des témoins

1. *Réparation pour les victimes*

Contrairement aux tribunaux internationaux *ad hoc* existants, les victimes peuvent être représentées devant la Cour et obtenir réparation. C'est un pas important dans la réponse judiciaire apportée aux victimes des crimes pour lesquels la Cour aura compétence. Elle distingue pour cela le statut des victimes et celui des témoins.
Le statut autorise les victimes à se faire représenter devant la Cour par des avocats lorsque leurs intérêts personnels sont concernés (art. 68.3). L'article 75 permet à la Cour de fixer l'ampleur des dommages et établit les principes applicables aux diverses formes de réparations, telles que la restitution, l'indemnisation ou la réhabilitation à accorder aux victimes ou à leurs ayants droit. Pour faciliter les démarches des victimes, la Cour a prévu un formulaire type qui pourra être utilisé pour les demandes de réparation. L'article 79 crée un Fonds au profit des victimes (FPV) et de leurs familles géré selon des critères fixés par l'Assemblée des États par-

ties. Ce fonds, mis en place en septembre 2002, est administré par un conseil de direction composé de cinq membres indépendants élus par l'Assemblée des États parties pour un mandat de trois ans renouvelable une fois. La Cour peut ordonner que le produit des amendes et des biens confisqués aux accusés soit versé au profit de ce fonds. Ce fonds est également alimenté par des contributions volontaires, faites par des gouvernements, des organisations internationales, des individus et d'autres fonds alloués par l'Assemblée des États parties.
Les réparations peuvent être accordées à titre individuel ou à titre collectif, à la charge d'une personne jugée coupable ou par l'intermédiaire du fonds. Elles peuvent être versées aux victimes directement ou par le biais d'organisations internationales ou nationales agréées par le fonds (statut, art. 79).

En 2005, lors de sa quatrième session, l'Assemblée des États parties a examiné, puis adopté, un projet de règlement du Fonds au profit des victimes. Malgré de nombreuses discussions, les États sont restés divisés quant à l'allocation des contributions volontaires aux victimes d'un pays donné. La portée du mandat du fonds ainsi que ses mécanismes de déclenchement ont également été l'objet de débats. Il s'agissait principalement de décider si le fonds devait être utilisé seulement pour exécuter les réparations ordonnées par la Cour au profit des victimes identifiées d'une personne condamnée ou, si le fonds pouvait aussi apporter une assistance générale aux victimes affectées par une situation préoccupant la Cour, et cela avant même la fin d'un procès. Si pour certains États, parmi lesquels la France, la Belgique et la RDC, le fonds devait également avoir une composante d'assistance susceptible d'être mise en œuvre avant même une condamnation et indépendamment de la Cour, pour d'autres, dont le Royaume-Uni et le Canada, le fonds ne devait avoir qu'une fonction de réparation et n'intervenir que sur ordre de la Cour.
Un compromis a été trouvé, autorisant le fonds à disposer d'un mandat d'assistance générale pour les pays et situations faisant l'objet d'une enquête de la Cour. Ainsi, dans de telles situations, le fonds peut utiliser les contributions volontaires des bailleurs pour offrir aux victimes et à leur famille des services de réadaptation physique et/ou psychologique ainsi qu'un soutien matériel.
S'il décide d'entreprendre de telles activités, le Conseil de direction du fonds doit préalablement en informer les Chambres concernées. En outre, de telles activités ne sauraient avoir un quelconque impact sur les questions débattues par la Cour (parmi lesquelles le statut de victime à titre individuel), ni violer la présomption d'innocence, ou encore être préjudiciable ou en contradiction avec les droits de l'accusé à un procès équitable et impartial.

En 2013, le fonds gérait 31 projets (sur les 34 acceptés par la Cour), dont 16 en RDC et 18 dans le nord de l'Ouganda, dont on estime qu'ils bénéficient à quelque 80 000 victimes de crimes relevant de la compétence de la Cour. L'attribution des fonds est destinée aux différents programmes d'ONG soutenant les victimes de violence dans les domaines de préoccupation de la Cour. En novembre 2010, le montant global des contributions volontaires s'élevait à 5,8 millions d'euros. Environ 4,45 millions d'euros des contributions totales ont été provisionnés pour les activités en RDC et au nord de l'Ouganda depuis 2007-2008. 1,35 million d'euros ont quant à eux été alloués à des activités en République centrafricaine (600 000 euros) et aux ordonnances de réparations pouvant être ordonnées par la Cour (750 000 euros). Les dix principaux bailleurs sont l'Allemagne, le Royaume-Uni, la Suède, la Finlande, la Norvège, les Pays-Bas, l'Irlande, la Belgique, le Danemark, et la France.

Le 7 août 2012, la Chambre de première instance I de la CPI a rendu le premier jugement définissant les principes applicables aux réparations pour les victimes de crimes de guerre et crimes contre l'humanité commis par Thomas Lubanga Dyilo, reconnu coupable par jugement de la CPI du 14 mars 2012. La Chambre a décidé que les réparations seraient accordées « par l'intermédiaire » du Fonds au profit des victimes (FPV) (*infra* Jurisprudence).

▶ **Réparation-Indemnisation.**

2. *Protection des victimes et témoins*

Des règles ont également été prévues pour protéger la sécurité, le bien-être physique et psychologique, la dignité et le respect de la vie privée des victimes et des témoins (statut, art. 68). Ces règles comprennent notamment le huis clos des audiences, et le recueil des dépositions par voie électronique. Une division d'aide aux victimes et aux témoins attachée au greffe est créée pour mettre en œuvre cette protection.

■ Mandats d'arrêt et affaires en cours (en date d'avril 2013)

République démocratique du Congo (RDC). Cinq mandats d'arrêt ont été délivrés ; un en 2006 à l'encontre de Thomas Lubanga Dyilo, dirigeant de l'Union des patriotes congolais (UPC) ; un en 2007 contre l'ancien commandant de la Force de résistance patriotique en Ituri (FRPI), Germain Katanga ; un en 2007 à l'encontre de l'ancien commandant du Front des nationalistes et intégrationnistes (FNI), Mathieu Ngudjolo Chui ; un en 2006 puis 2012 contre Bosco Ntaganda, l'ancien chef d'état-major général adjoint des Forces patriotiques pour la libération du Congo (FPLC) et actuellement chef d'état-major présumé du Congrès national pour la défense du peuple (CNDP) ; et un dernier, lancé en 2012 contre Sylvestre Mudacumura, commandant de l'aile militaire des Forces démocratiques de libération du Rwanda (FDLR).

Dans cette situation, les cinq affaires suivantes sont en cours d'examen : Le procureur c. Thomas Lubanga Dyilo, Le procureur c. Bosco Ntaganda, Le procureur c. Germain Katanga et Mathieu Ngudjolo Chui, et Le procureur c. Callixte Mbarushimana et Le procureur c. Sylvestre Mudacumura. Les accusés Thomas Lubanga Dyilo, Germain Katanga, Callixte Mbrarushimana et Bosco Ntanganda (ce dernier s'est rendu à la Cour le 22 mars 2013) sont actuellement détenus par la Cour. Le suspect Mathieu Ngudjolo Chui a été remis en liberté le 21 décembre 2012 suite à son acquittement. Dans l'affaire Le procureur c. Thomas Lubanga Dyilo, le procès s'est ouvert le 26 janvier 2009 et s'est terminé le 14 mars 2012. À l'issue de ce procès, M. Lubanga a été déclaré coupable, en qualité de coauteur, des crimes de guerre consistant en l'enrôlement et la conscription d'enfants de moins de 15 ans et à les faire participer activement à des hostilités, dans le cadre d'un conflit armé non international du 1er septembre 2002 au 13 août 2003. Le 10 juillet 2012, Thomas Lubanga a été condamné à 14 ans d'emprisonnement. Le procès dans l'affaire Le procureur c. Germain Katanga et Mathieu Ngudjolo Chui s'est ouvert le 24 novembre 2009. L'audience de confirmation des charges contre Callixte Mbarushimana s'est tenue du 16 au 21 septembre 2011. Le 16 décembre 2011, la Chambre préliminaire I a décidé à la majorité de ne pas confirmer les charges portées à l'encontre de M. Mbarushimana et d'ordonner la remise en liberté de l'intéressé, une fois prises les dispositions nécessaires.

Nord de l'Ouganda. Les juges de la CPI ont délivré le 8 juillet 2005 des mandats d'arrêt à l'encontre des plus hauts dirigeants de l'Armée de résistance du Seigneur : Joseph Kony, Vincent Otti, Okoy Odhiambo, Raska Lukwiya et Dominic Ongwen.
Dans le contexte de cette situation, la Chambre préliminaire II est actuellement saisie de l'affaire Le procureur c. Joseph Kony, Vincent Otti, Okot Odhiambo et Dominic Ongwen. À la suite de la confirmation du décès de Raska Lukwiya, les procédures engagées à son encontre ont été abandonnées. Les quatre autres suspects demeurent en fuite.

Soudan (Darfour). En ce qui concerne l'enquête dans la région du Darfour au Soudan à propos des crimes commis en 2003-2004, deux mandats d'arrêt ont été délivrés le 27 avril 2007 à l'encontre de Ahmad Muhammad Harun, ancien ministre soudanais délégué aux Affaires humanitaires, et de Ali Kushayb, présumé dirigeant de miliciens Janjaouid (milice associée au gouvernement). Après une deuxième enquête, la Chambre préliminaire I a délivré le 4 mars 2009 (renouvelé en juillet 2010) un mandat d'arrêt à l'encontre de l'ancien président soudanais Omar Hassan Ahmad al-Bachir. Des citations à comparaître ont également été adressées à Bahar Idriss Abu Garda, Abdallah Banda Abakaer Nourain et Saleh Mohammed Jerbo Jamus, membres du Front uni de résistance, mouvement opposé au gouvernement soudanais. Un dernier mandat d'arrêt a été émis le 1er mars 2012 à l'encontre d'Abdel Raheem Muhammad Hussein, ancien ministre de l'Intérieur soudanais. L'exécution de ce mandat d'arrêt est en attente.
Dans le contexte de cette situation, la Chambre préliminaire I est actuellement saisie de cinq affaires : Le procureur c. Ahmad Muhammad Harun (« Ahmad Harun ») et Ali Muhammad Ali Abd-Al-Rahman (« Ali Kushayb ») ; Le procureur c. Omar Hassan Ahmad al-Bachir ; Le procureur c. Bahar Idriss Abu Garda ; Le procureur c. Abdallah Banda Abakaer Nourain et Saleh Mohammed Jerbo Jamus et Le procureur c. Abdel Raheem Muhammad Hussein. Les trois premiers suspects sont actuellement en fuite. M. Abu Garda a comparu volontairement devant la Chambre le 18 mai 2009, mais le 8 février 2010 la Chambre préliminaire I a refusé de confirmer les charges retenues contre lui. M. Banda et M. Jerbo ont également comparu volontairement devant la Chambre préliminaire I le 17 juin 2010. Le 7 mars 2011, la Chambre a décidé à l'unanimité de confirmer les charges à leur encontre et l'ouverture du procès est prévue pour le 5 mai 2014.

République Centrafricaine (RCA). Un mandat d'arrêt a été délivré le 23 mai 2008 à l'encontre de M. Jean Pierre Bemba, ancien vice-président de la RDC, pour crimes contre l'humanité et crimes de guerre en RCA. M. Bemba a été arrêté à Bruxelles (Belgique) le 24 mai 2008. M. Bemba, première personne à avoir été arrêtée dans le cadre d'une enquête de la CPI en République centrafricaine, a ensuite été transféré à La Haye le 3 juillet 2008.
Dans l'affaire Le procureur c. Jean-Pierre Bemba Gombo, la seule actuellement en cours d'examen dans le cadre de cette situation, la Chambre préliminaire II a, le 15 juin 2009, confirmé deux charges de crimes contre l'humanité et trois charges de crimes de guerre, et a renvoyé l'accusé pour être jugé devant une Chambre de première instance. Les crimes allégués ont été commis en RCA entre le 26 octobre 2002 et

le 15 mars 2003. Son procès, qui était initialement prévu pour le 14 juillet 2010, a été reporté en raison d'un appel. Le 19 octobre 2010, la Chambre d'appel de la CPI a rejeté l'appel de Jean-Pierre Bemba contre la décision relative à la recevabilité de l'affaire le concernant. Par conséquent, la Chambre de première instance III a fixé la date d'ouverture du procès au 22 novembre 2010. Le 6 juin 2011, la défense a déposé une requête de mise en liberté provisoire durant les vacances judiciaires de la Cour et les périodes durant lesquelles la Chambre ne siège pas pendant au moins trois jours consécutifs. Le 26 septembre 2011, la Chambre de première instance III a rejeté cette requête de mise en liberté provisoire.

Libye. Le 26 février 2011, le Conseil de sécurité des Nations unies a décidé de saisir le procureur de la CPI de la situation en Libye depuis le 15 février 2011. Le 3 mars 2011, le procureur de la CPI a annoncé l'ouverture d'une enquête *priopio motu* dans le contexte de la situation en Libye. Le 27 juin 2011, la Chambre préliminaire I de la CPI a délivré des mandats d'arrêt à l'encontre de l'ancien chef d'État Mouammar Mohammed Abu Minyar Kadhafi, son fils Saif al-Islam Kadhafi, porte-parole du gouvernement libyen, et Abdullah al-Senussi, directeur des services de renseignement, pour les crimes contre l'humanité (meurtre et persécution) qu'ils auraient commis en Libye du 15 au 28 février 2011. Le 22 novembre 2011, la Chambre préliminaire I a ordonné la clôture de l'affaire à l'encontre de Mouammar Kadhafi suite à la mort du suspect. Saif al-Islam Kadhafi a été arrêté par les autorités libyennes le 19 novembre 2011. Cependant, la Libye refuse de remettre Saif al-Islam à la Cour, et souhaite qu'il soit jugé par la justice libyenne, arguant du principe de complémentarité et de priorité au droit national prévus dans le statut de Rome. Les autorités libyennes ont donc fait le 1er mai 2012 une demande d'irrecevabilité de l'affaire, demande à laquelle n'a pas encore répondu la Cour. Dans l'attente de cette réponse, la CPI a autorisé la Libye à reporter la mise en œuvre de la requête aux fins de la remise de Saif al-Islam Kadhafi à la Cour, conformément à l'article 95 du statut de Rome. Le dernier suspect demeure en fuite.

Côte-d'Ivoire. La Côte-d'Ivoire, qui est partie au statut de Rome depuis février 2013, avait déjà accepté la compétence de la Cour en 2003 puis en 2011. Le 3 octobre 2011, la Chambre préliminaire III a autorisé le procureur à ouvrir une enquête *proprio motu* pour les crimes présumés relevant de la compétence de la Cour, qui auraient été commis en Côte-d'Ivoire depuis le 28 novembre 2010, ainsi que sur les crimes qui pourraient être commis dans le futur dans le contexte de cette situation. Le 23 novembre 2011, la Chambre préliminaire III a émis un mandat d'arrêt dans l'affaire Le procureur c. Laurent Gbagbo, pour quatre chefs de crimes contre l'humanité. L'ancien président ivoirien a été transféré à La Haye le 30 novembre 2011. Le 5 décembre 2011, il a comparu pour la première fois devant la Chambre préliminaire III. L'audience sur la confirmation des charges, qui devait s'ouvrir le 18 juin 2012, a finalement eu lieu du 19 au 28 février 2013. Par ailleurs, le 23 février 2012, la Cour a décidé d'élargir le cadre temporel de l'enquête du procureur pour inclure les crimes qui auraient été commis dans le pays entre le 19 septembre 2002 et le 28 novembre 2010.

République du Kenya. Le 31 mars 2010, la Chambre préliminaire II a autorisé le procureur à ouvrir une enquête *proprio motu* sur la situation au Kenya, État partie depuis 2005. Suite à la délivrance de citations à comparaître le 8 mars 2011, six citoyens kényans ont comparu volontairement devant la Chambre préliminaire II les 7 et 8 avril 2011. La confirmation des charges dans l'affaire Le procureur c. William Samoei Ruto, Henry Kiprono Kosgey et Joshua Arap Sang a été décidée le 23 janvier

2012. L'ouverture du procès est prévue pour le 28 mai 2013 pour les accusés William Samoei Ruto et Joshua Arap Sang. La Chambre préliminaire II a rejeté les charges retenues à l'encontre de M. Kosgey après avoir constaté qu'il n'y avait pas de motifs raisonnables de croire qu'il était un coauteur indirect des crimes présumés. La confirmation des charges dans l'affaire Le procureur c. Francis Kirimi Muthaura, Uhuru Muigai Kenyatta et Mohammed Hussein Ali a également été décidée le 23 janvier 2012. L'ouverture du procès est prévue pour le 7 juillet 2013 pour les accusés Kirimi Muthaura et Mohammed Hussein Ali, alors que la Chambre préliminaire II a refusé de confirmer les charges à l'encontre de M. Ali.

Mali. Le 13 juillet 2012, le gouvernement malien a déféré à la CPI la situation au Mali. Le 16 janvier 2013, le Bureau du procureur a décidé d'ouvrir une enquête sur les crimes présumés commis dans le nord du Mali depuis janvier 2012.
Dans la plupart de ces affaires, le procureur a ciblé ses enquêtes et ses actes d'accusation sur certains crimes exemplaires tels que l'enrôlement d'enfants soldats et les violences sexuelles. De 2002 à 2012, le procureur a délivré trente mandats d'arrêts et citations à comparaitre. Parmi les quinze suspects qui ont comparu devant les juges, quatre ont bénéficié d'un non-lieu et un cinquième a été acquitté. Un tiers des affaires a donc échoué à produire une condamnation. Cela doit conduire à une modification de la politique d'enquête et d'inculpation du Bureau du procureur. ■

Jurisprudence

1) Compétence, admissibilité des affaires et droit applicable

– Conditions préalables à la compétence de la Cour

Les conditions préalables à la compétence de la Cour ont été examinées dans deux décisions de la CPI s'agissant de l'affaire Lubanga ainsi que de la situation en République du Kenya (*Decision pursuant to Article 15 of the Rome Statute on the Authorization of an Investigation into the situation in the Republic of Kenya,* 31 mars 2010). S'agissant de la situation en République du Kenya, le procureur a pour la première fois ouvert une enquête de sa propre initiative. Depuis, le procureur a utilisé son pouvoir *proprio motu* pour ouvrir une enquête sur la situation en Côte-d'Ivoire.

Dans l'affaire Lubanga (Le procureur c. Thomas Lubanga Dyilo, décision sur les demandes de participation à la procédure, 17 janvier 2006), La Chambre préliminaire I a rappelé les conditions devant être réunies pour qu'un crime relève de la compétence de la Cour :

(a) il doit s'agir d'un des crimes mentionnés à l'article 5 du statut, à savoir le crime de génocide, les crimes contre l'humanité et les crimes de guerre ;

(b) il doit avoir été commis durant la période posée à l'article 11 du statut, ce qui veut dire que la Cour peut exercer sa compétence uniquement à l'égard des crimes commis après l'entrée en vigueur du statut de Rome pour l'État concerné, à moins que l'État en question n'ait fait une déclaration en vertu de l'article 12 (compétence *ratione temporis*)

(c) le crime doit remplir une des deux conditions alternatives décrites à l'article 12 du statut, c'est-à-dire soit avoir eu lieu sur le territoire d'un État partie au statut de Rome, soit avoir été perpétré par un ressortissant des États parties au statut ;

(d) la situation doit avoir été déférée au procureur par un État partie, par le Conseil de Sécurité en vertu du chapitre VII de la Charte des Nations Unies ou par le procureur lui-même.

Dans sa décision, la Chambre préliminaire est également revenue sur la différence existant entre une « affaire » et une « situation ». Cette différence peut être comprise au regard des différents types de poursuite qui en découlent. La Chambre a estimé que les « situations » peuvent généralement être définies en termes de paramètres temporels et territoriaux, par exemple en RDC depuis le 1er juillet 2002, pour lesquels le statut prévoit les procédures appropriées pour déterminer si une situation particulière doit donner lieu à une enquête criminelle. Les « affaires » comprennent quant à elles des incidents spécifiques au cours desquels un ou plusieurs crimes de la compétence de la Cour semblent avoir été commis par un ou plusieurs suspects identifiés, et font l'objet de procédures après la délivrance d'un mandat d'arrêt (§ 65). Les situations peuvent comprendre plusieurs affaires. Par exemple, quatre affaires sont actuellement entendues dans le cadre de la situation en République démocratique du Congo : Le procureur c. Thomas Lubanga Dyilo, Le procureur c. Bosco Ntaganda ; Le procureur c. Germain Katanga et Mathieu Ngudjolo Chui et Le procureur c. Callixte Mbarushimana.

– Recevabilité des affaires

Dans l'affaire Lubanga (Le procureur c. Thomas Lubanga Dyilo, 24 février 2006, § 29-63), la Chambre préliminaire I de la CPI a estimé que, en vertu de l'article 17.1 du statut de Rome, deux critères cumulatifs devaient être remplis pour qu'une affaire soit recevable :

(a) le manque de volonté ou l'incapacité d'un État à mener à bien les poursuites, pourvu que cette incapacité ne soit pas contraignante pour la Cour, et

(b) le seuil de gravité, qui signifie que seules les affaires contre les plus hauts dirigeants responsables des crimes les plus graves sont recevables.

Les deux mêmes conditions d'admissibilité ont été réaffirmées par la Chambre préliminaire II dans les décisions suivantes : *Decision pursuant to Article 15 of the Rome Statute on the Authorisation of an Investigation into the situation in the Republic of Kenya* (31 mars 2010, § 40-62) ; Le procureur c. William Sumoei Ruto, Henry Kiprono Kosgey et Joshua Arap Sang (*Decision on the Application by the Government of Kenya challenging the Admissibility of the Case Pursuant of Article 19 (2) (b) of the Statute,* 30 mai 2011, § 47-70 ; et Le procureur c. Francis Kirimi Muthaura, Uhuru Muigai Kenyatta et Mohammed Hussein Ali (*Decision on the Application by the Government of Kenya Challenging the Admissibility of the Case pursuant to Article 19 (2) (b) of the Statute,* 30 mai 2011, § 43-66). Dans *Judgment on the appeal of the Republic of Kenya against the decision of admissibility by Pre-Trial Chamber II of 30 May 2011 entitled « Decision on the Application by the Government of Kenya Challenging the Admissibility of the Case Pursuant to Article 19 (2) (b) of the Statute »* (30 août 2011), la Chambre d'appel de la CPI a confirmé les décisions antérieures de la Chambre préliminaire. La Chambre a statué que, afin de déclarer une affaire irrecevable, une enquête nationale doit être en cours et doit concerner les mêmes individus et les mêmes conduites qui sont alléguées devant la CPI (§ 39). Elle a en outre indiqué que la Chambre préliminaire II n'a pas commis d'erreur en concluant que le gouvernement du Kenya n'avait pas fourni de preuves suffisantes étayant l'allégation selon laquelle il est en train de poursuivre les suspects (§ 82-83).

Dans l'affaire Lubanga (Le procureur c. Thomas Lubanga Dyilo, 9 novembre 2005), la Chambre a statué que, en vertu de l'article 19 du statut, peuvent contester la recevabilité de l'affaire :

(a) l'accusé ou la personne à l'encontre de laquelle a été délivré un mandat d'arrêt ou une citation à comparaître en vertu de l'article 58 ;

(b) l'État qui est compétent à l'égard du crime considéré du fait qu'il exerce ou a exercé des poursuites ; ou

(c) l'État qui doit avoir accepté la compétence de la Cour selon l'article 12.

En outre, dans une décision ultérieure (Le procureur c. Thomas Lubanga Dyilo, 14 décembre 2006, § 24), la Chambre d'appel de la CPI a estimé que l'« abus de procédure » ne saurait constituer un motif d'incompétence de la Cour.

– Le droit applicable

Les juridictions internationales et nationales ne constituent pas des sources du droit applicable « en tant que telles ».

Dans l'affaire Kony (Le procureur c. Joseph Kony, Vincent Otti, Raska Lukwiya, Okot Odhiambo et Dominique Ongwen, 28 octobre 2005, § 19), la Chambre préliminaire II de la CPI a fait une interprétation restrictive de l'article 21 du statut, estimant que les règles et les pratiques des autres juridictions, qu'elle soient nationales ou internationales, « ne représentent pas en soi un droit applicable devant la Cour en dehors du champ d'application de l'article 21 du statut ». Cela signifie que le droit interne peut être utilisé comme un droit applicable devant la Cour seulement si celle-ci a échoué dans son application d'autres sources du droit, à savoir le statut de Rome, les Éléments des crimes et le Règlement de procédure et de preuve ainsi que, s'il convient, les traités applicables et les principes et règles du droit international. En outre, si dans le champ d'application de l'article 21 les lois nationales peuvent constituer du droit applicable, elles doivent être compatibles avec le statut de Rome, le droit international et les règles et normes internationales reconnues.

Si les règles et pratiques des tribunaux pénaux internationaux ne sont pas considérées comme un droit applicable *per se* par la Cour, ils peuvent toutefois lui fournir une orientation implicite (Le procureur c. Thomas Lubanga Dyilo, 3 octobre 2006).

La Cour a également estimé que l'application et l'interprétation du droit doivent être compatibles avec les droits de l'homme internationalement reconnus, qui, dans l'opinion de la Cour, renvoient aux résolutions de l'Assemblée générale et du Conseil de sécurité des Nations unies ainsi qu'à la jurisprudence de la Cour interaméricaine des droits de l'homme comme à celle de la Cour européenne des droits de l'homme (Le procureur c. Thomas Lubanga Dyilo, 17 janvier 2006, § 81, 115-116).

2) L'utilisation de documents confidentiels par la Cour

– L'affaire Lubanga

Thomas Lubanga Dyilo est le premier accusé à avoir été poursuivi par la CPI. En 2004, la République démocratique du Congo a demandé à ce que la Cour ouvre une enquête et engage des poursuites à l'encontre des crimes commis en RDC depuis le 1er juillet 2002. En 2006, la CPI a délivré un mandat d'arrêt accusant Thomas Lubanga Dyilo de crime de guerre pour la conscription et l'enrôlement d'enfants soldats. Cela a conduit à de nombreuses questions de procédure relatives au traitement de documents confidentiels et à la protection des témoins sans pour autant compromettre le droit de la défense à un procès équitable.

En 2006, la Chambre préliminaire I a statué que la Cour pouvait entrer dans un « régime de coopération » avec les Nations unies par le biais d'un accord devant être approuvé par l'Assemblée des États parties puis conclu par le président de la Cour en son nom. Un tel régime autorise l'Organisation des Nations unies à communiquer des informations confidentielles à la Cour tout en sachant que ces documents ne seraient pas divulgués (Le procureur c. Thomas Lubanga Dyilo, décision relative aux requêtes de la défense aux fins de communication des pièces, 17 novembre 2006, pages 5, 7).

La Chambre préliminaire I a rappelé que, conformément à l'article 54.3.e du Statut de Rome, le procureur doit demander le consentement de l'informateur s'il veut divulguer le document dans sa version non censurée (Le procureur c. Thomas Lubanga Dyilo, 28 septembre 2006, page 7).

La Chambre préliminaire I a rappelé la règle 82.3 du Règlement de procédure et de preuve qui dispose que si le procureur cite un témoin à comparaître pour qu'il communique comme élément de preuve une pièce ou un renseignement couvert par l'alinéa e) du paragraphe 3 de l'article 54, les Chambres ne peuvent obliger ce témoin à répondre à aucune question relative à ces pièces ou à ces renseignements ou à leur origine si l'intéressé refuse de le faire en invoquant la confidentialité (Le procureur c. Thomas Lubanga Dyilo, 9 novembre 2006).

La Chambre préliminaire I a estimé que la remise de l'accusé à la Cour (en l'espèce, la remise de M. Thomas Lubanga Dyilo à la Cour le 17 mars 2006) déclenchait l'obligation du procureur de communiquer « dès que possible » tout élément de preuve à décharge à la défense, tel que mentionné à l'article 67.2 du statut de Rome. Dans une nouvelle décision sur la même affaire (Situation en RDC, Le procureur c. Thomas Lubanga Dyilo, 15 mai 2006), la Chambre a décidé que les éléments de preuve à décharge devaient être communiqués par le procureur avant l'audience de confirmation des charges (§ 119) et que cette obligation devait être élargie chaque fois que de nouvelles charges, ou de nouvelles allégations factuelles soutenant les charges actuelles, étaient présumées (§ 123).

La Cour a rappelé que le droit d'être jugé sans retard et avec rapidité constitue l'un des attributs d'un procès équitable. Ceci doit être respecté à tous les stades de la procédure (Le procureur c. Thomas Lubanga Dyilo, 13 juillet 2006, § 11).

Selon la Chambre préliminaire I, le fait que le procureur ait pleinement accès à l'identité des victimes ne constitue pas une infraction de la présomption d'innocence : « ne pas communiquer l'identité des requérants à la défense ne constitue pas une infraction de la présomption d'innocence » (Le procureur c. Thomas Lubanga Dyilo, 6 novembre 2006, page 7).

En juin 2008, la Cour a mis un terme aux poursuites du fait de la complexité des questions de procédure. Cela s'est traduit par la remise en liberté de l'accusé. Suite à l'appel du procureur, la Chambre de première instance a rétabli les poursuites le 26 janvier 2009. Les questions de procédure sont les suivantes :

Le 13 juin 2008 (Le procureur c. Thomas Lubanga Dyilo, 13 juin 2008, § 94), la Chambre de première instance a décidé de suspendre la procédure du fait de l'incapacité du procureur à révéler des informations potentiellement à décharge à la défense, incapacité qui, selon la Chambre, était en violation du droit à un procès équitable.

Dans leur décision de suspendre la procédure dans l'affaire Lubanga, les juges ont estimé que les plaignants n'avaient pas utilisé correctement l'article 54.3.e du statut de Rome autorisant le procureur à recevoir des documents ou renseignements confidentiels lui permettant d'obtenir de nouveaux éléments de preuve, et sous la condition que ces documents ne soient pas utilisés lors du procès. La Chambre a en effet statué que le procureur avait largement utilisé cet article, qui ne doit être utilisé que de façon exceptionnelle. Elle a également estimé que, en vertu de l'article 67.2 du statut, la communication des éléments de preuve que le procureur a en sa possession est un aspect fondamental du droit de l'accusé à un procès équitable. Lorsqu'il a été décidé de suspendre la procédure, les Nations unies n'avaient pas encore accepté d'autoriser la communication des documents confidentiels qu'elles avaient soumis au procureur. La Chambre a, en conséquence, suspendu le procès, estimant que le droit à un procès équitable était compromis. Cette permission a finalement été obtenue et les éléments divulgués. En novembre 2008, les juges ont conclu que le procureur avait pris toutes les mesures nécessaires pour assurer que les droits de Lubanga à un procès équitable étaient respectés, levant ainsi la suspension des procédures.

3) La protection des victimes et des témoins

– Mesures à mettre en œuvre dans le cadre de la protection des victimes et des témoins

Selon l'article 68.1 du statut de Rome, la Cour doit prendre toutes les mesures appropriées pour protéger les victimes et les témoins. La Cour a recommandé que différentes mesures soient adoptées telles que la mise en place de formations sur les procédures de la Cour par l'Unité d'aide aux victimes et aux témoins ; une amélioration de la coopération en matière de protection avec l'État concerné, les autres États parties, les parties non étatiques et les organisations intergouvernementales (Le procureur c. Thomas Lubanga Dyilo, 19 septembre 2006) ; l'autorisation de participation anonyme à l'audience de confirmation des charges lorsque nécessaire (Le procureur c. Thomas Lubanga Dyilo, 22 septembre 2006) ; la restriction des contacts entre les organes de la Cour et les victimes (Le procureur c. Thomas Lubanga Dyilo, 21 juillet 2005) ; et la reclassification d'une décision publique comme confidentielle (Le procureur c. Thomas Lubanga Dyilo, 9 novembre 2006). Néanmoins, la Cour a estimé que ces mesures protectrices ne devaient ni porter préjudice, ni être incompatibles avec le droit de l'accusé à un procès équitable et impartial (Le procureur c. Thomas Lubanga Dyilo, 14 décembre 2006, § 34).

– Les modalités de participation des victimes aux procédures

Selon l'article 68.3 du statut de Rome, « lorsque les intérêts personnels des victimes sont concernés, la Cour permet que leurs vues et préoccupations soient exposées et examinées, à des stades de la procédure qu'elle estime appropriés et d'une manière qui n'est ni préjudiciable ni contraire aux droits de la défense et aux exigences d'un procès équitable ». La Cour a clarifié les modalités de cette participation : les victimes ont le droit d'être entendues ; avoir leurs vues et préoccupations exprimées ; présenter des observations ; assister aux audiences publiques et à toute audience en lien avec leurs intérêts ; demander à la Chambre d'ordonner des mesures spécifiques ; être informées sur les procédures et être notifiées lors de la publication de documents publics et de tout autre document lié à leurs intérêts (Le procureur c. Thomas Lubanga Dyilo, 17 janvier 2006, § 70-76). Les victimes sont également autorisées à ne pas assister aux audiences si leur sécurité est en jeu (Le procureur c. Thomas Lubanga Dyilo, 20 octobre 2006, p. 11) et de décider si elles acceptent ou non de communiquer leur identité à la défense avant le début du procès (Le procureur c. Thomas Lubanga Dyilo, 15 septembre 2006, p. 9).

– Réparation des victimes

Par décision du 7 août 2012 dans l'affaire Thomas Lubanga Dyilo (ICC-01/04-01/06, *Prosecutor v. Thomas Lubanga Dyilo, Decision establishing the principles and procedures to be applied to reparations*), la Chambre de première instance I de la CPI a fixé les principes applicables à la réparation des victimes. Compte tenu de la nature et de l'ampleur des crimes affectant des communautés entières, elle a adopté une approche collective. Ces principes affirment que :

1. Le droit à réparation est un droit de l'homme fondamental bien établi (§ 185).

2. Les victimes devraient être traitées de façon juste et équitable, qu'elles aient pris part ou non au procès. Les besoins de toutes les victimes devraient être pris en compte et en particulier ceux des enfants, des personnes âgées, des personnes handicapées et des victimes de violences sexuelles ou sexistes. Les victimes devraient être traitées avec humanité et respect pour leur dignité, leurs droits de l'homme, leur sécurité et leur bien-être. Les mesures de réparations devraient être accordées et mises en œuvre sans aucun caractère discriminatoire tel que l'âge, l'ethnie ou le sexe. Les réparations devraient éviter la stigmatisation des victimes et leur discrimination par leurs familles et communautés (§ 187-193).

3. Les réparations peuvent être accordées aux victimes directes ou indirectes, y compris les membres de la famille de victimes directes, mais aussi les entités légales (§ 194).

4. Les réparations devraient être accessibles à toutes les victimes, en suivant une approche sensible au genre. Les victimes, leurs familles et leurs communautés devraient pouvoir participer au processus de réparation et recevoir un soutien adéquat (§ 195-196).

Consulter aussi

▶ **Agression ▷ Crime de guerre-Crime contre l'humanité ▷ Tribunaux pénaux internationaux ▷ Viol ▷ Femme ▷ Enfant ▷ Sanctions pénales du droit humanitaire ▷ Imprescriptibilité ▷ Réparation-Indemnisation ▷ Génocide ▷ Recours individuels ▷ Droits de l'homme ▷ Conseil de sécurité ▷ Non-rétroactivité ▷ Liste des États parties aux conventions relatives au droit humanitaire et aux droits de l'homme.**

Contact

www.icc-cpi.int/

Pour en savoir plus

AKSAR Y., *Implementing International Humanitarian Law : From the ad hoc Tribunals to a Permanent International Criminal Court*, Routledge, Londres-New York, 2004, 314 p.

BAUMGARTNER E., « Aspect of victim participation in the proceedings of the International Criminal Court », *International Review of the Red Cross*, vol. 90, n° 870, juin 2008, p. 409-440.

BENNOUNA M., « La cour pénale internationale », *in Droit international pénal*, sous la dir. de ASCENSIO H., DECAUX E. et PELLET A., CEDIN-Paris-X, Pedone, 2000, 1053 p., p. 735-746.

BOURDON W. et DUVERGER E., *La Cour pénale internationale, le statut de Rome*, Paris, Seuil, 2000, 364 p.

CHAVARIO M., *Justice pénale internationale entre passé et avenir*, Paris, Dalloz, 2003, 398 p.

COSNARD M., « Les immunités de témoignage devant les tribunaux internationaux », dans TAVERNIER P, *Actualité de la jurisprudence internationale à l'heure de la mise en place de la CPI*, Bruylant, Bruxelles, 2004, p. 137-167.

DORMAN K. (sous la dir.), *Elements of War Crimes under the Rome Statute of the International Criminal Court-Sources and Commentary*, CICR, Cambridge University Press, 2003, 580 p.

DRAŽN Đ., « Transitional justice and the International Criminal Court – "in the interest of justice ?" », *International Review of the Red Cross*, vol. 89, n° 867, septembre 2007, p. 691-718.

LA ROSA A. M., « Humanitarian organizations and international criminal tribunals, or trying to square the circle », *International Review of the Red Cross*, vol. 88, n° 861, mars 2006, p. 169-186.

LAUCCI C., *The Annotated Digest of the International Criminal Court*, vol.1 : 2004-2006, Martinus Nijhoff Publishers, Leyde, 2007, 673 p.

LAUCCI C., *The Annotated Digest of the International Criminal Court,* vol.3 : 2008, Martinus Nijhoff Publishers, Leyde, 2010, 795 p.

« Numéro spécial : Impunité : La Cour pénale internationale », *Revue internationale de la Croix-Rouge,* mars 2002, n° 845.

SCHABAS W. A., *An Introduction to the International Criminal Court,* 2e éd. Cambridge University Press, 2004, 481 p.

STAHN C. et SLUITER G., *The Emerging Practice of the International Criminal Court,* Martinus Nijhoff Publishers, Leyde-Boston, 2009, 770 p.

WENQI Z., « On co-operation by states not party to the International Criminal Court », *International Review of the Red Cross,* vol. 88, n° 861, mars 2006, p. 87-110.

YEE L., « Not just a war crimes court : The penal regime established by the Rome Statute of the ICC », *Singapore Academy of Law Journal,* vol. 10, n° 321, 1998.

Coutume

La coutume a été définie par la Cour internationale de justice (CIJ) comme « la preuve d'une pratique générale acceptée comme étant le droit » (art. 38 du statut de la CIJ). C'est l'une des plus anciennes sources du droit, en marge du droit écrit et codifié par les lois nationales et les traités ou conventions internationales.

En droit international, les États créent le droit en exprimant leur volonté dans des conventions internationales, on parle dans ce cas de droit international conventionnel, mais également à travers leurs propres comportements. Une pratique ou un comportement répété et considéré comme légitime par les États crée des précédents et acquiert petit à petit l'autorité du droit international coutumier. Un manquement à cette coutume devient alors une violation du droit. Cette violation ne fait pas disparaître l'existence de la règle coutumière. Le droit conventionnel écrit ne représente donc qu'une partie du droit international. Le droit coutumier permet de faire face aux situations et cas non précisément prévus par le droit conventionnel ou aux problèmes d'interprétations contradictoires du contenu de ce droit par les États. La coutume joue un rôle très important dans le droit des conflits armés et de l'action humanitaire car elle permet de codifier les interactions entre des États d'une part et des entités non étatiques de l'autre.

1. *La coutume est un droit de l'action*

◆ **• La coutume est un droit de l'action. Elle naît des comportements qui constituent autant de « précédents » que l'on pourra invoquer comme preuves du droit. Parallèlement, certains comportements répétés de violation du droit peuvent entraîner une disparition progressive du droit international s'ils ne sont pas ouvertement dénoncés.**

• Dans le domaine de l'action humanitaire, le comportement des acteurs étatiques, mais aussi de plus en plus celui des acteurs non gouvernementaux, peuvent donc occasionner, selon les cas, un renforcement ou un affaiblissement du droit international et des principes humanitaires. Il est du devoir des acteurs humanitaires de défendre les principes humanitaires dans leurs actions et de dénoncer les manquements à ces principes.

La coutume précède souvent le droit écrit. Ensuite, il arrive qu'elle soit codifiée par une convention, ou reconnue par une résolution solennelle de l'Assemblée générale des Nations unies. Cela tranche avec la tradition écrite de nombreux systèmes juridiques nationaux influencés par le droit romain et donne une importance considérable aux comportements adoptés par chaque acteur des relations internationales. En tant que droit de l'action, la coutume prend en compte la notion d'acteur non étatique dans les situations de conflit. Elle comble partiellement le vide juridique créé par l'asymétrie entre les États qui sont acteurs du droit international conventionnel et les groupes non étatiques qui sont parties aux conflits armés sans être parties aux conventions internationales qui les réglementent.

La coutume, enfin, joue un rôle important de palliatif aux lacunes ou à l'inapplication du droit écrit. L'application des conventions internationales dépend de la signature, de la ratification et des réserves éventuelles effectuées par chaque État. C'est particulièrement important en droit humanitaire pour éviter que des personnes ne se retrouvent sans protection ni assistance parce que leur cas ou leur situation n'ont pas été prévus par les conventions, ou que la convention n'est pas en vigueur vis-à-vis de l'État concerné. Les Conventions de Genève rappellent que les personnes et situations non couvertes par les conventions restent protégées par la coutume. C'est la clause Martens, incluse dans les quatre Conventions de Genève et le Protocole additionnel I : « Dans les cas non prévus par le présent protocole ou par d'autres accords internationaux, les personnes civiles et les combattants restent sous la sauvegarde et sous l'empire des principes du droit des gens, tels qu'ils résultent des usages établis, des principes d'humanité et des exigences de la conscience publique » (GI art. 63 ; GIII art. 62 ; GIII art. 142 ; GIV art. 158 ; GPI art. 1.2).

◆ **• En droit international, la coutume s'impose aux États dans les mêmes conditions que les conventions auxquelles ils sont parties (art. 38 du statut de la Cour internationale de justice). L'absence de signature par les États d'une convention internationale n'empêche donc pas l'application du droit international coutumier**
• Aujourd'hui, les quatre Conventions de Genève de 1949 ainsi que de nombreuses dispositions des Protocoles additionnels de 1977 ont acquis une valeur coutumière. Cela signifie que ces textes s'appliquent même aux parties au conflit qui n'ont pas signé les conventions ou à celles qui ne peuvent pas les signer comme les groupes armés non étatiques.

2. *Le droit international humanitaire coutumier*

La Commission du droit international a reconnu en 1980 que ces quatre conventions expriment « les principes généraux de base du droit humanitaire ». Le secrétaire général de l'ONU a également estimé dans son rapport sur la création du tribunal pénal pour l'ex-Yougoslavie que les Conventions de Genève faisaient partie du droit international coutumier (rapport S/25704 du 3 mai 1993). Le Conseil de sécurité a également approuvé ce rapport dans sa résolution 827 (25 mai 1993).
En 2005, le Comité international de la Croix-Rouge (CICR) a publié une étude sur le droit international humanitaire (DIH) coutumier mettant en lumière l'existence de 161 règles coutumières dans ce domaine. Cette étude, fruit d'un travail approfondi basé sur la pratique des États en matière de DIH, a permis d'identifier les règles considérées comme contraignantes par les États dans les conflits armés

internationaux et non internationaux. Elle a par ailleurs mis en évidence qu'un grand nombre de règles de droit international coutumier s'appliquent de façon identique dans les deux types de conflits armés tant internationaux que non internationaux. L'existence de ces règles de droit coutumier simplifie l'interprétation et facilite l'application des règles du DIH. Elle renforce également la sécurité juridique en matière d'applicabilité du droit humanitaire dans la mesure où l'autorité et la valeur de ces 161 règles est établie en dehors de toute procédure de signature et de ratification par les États impliqués dans une situation concrète (Voir ▷ **Droit international humanitaire**).

▶ **Droit, droit international** ▷ **Convention internationale** ▷ **Hiérarchie des normes** ▷ **Droit naturel, droit religieux, droit positif** ▷ **Garanties fondamentales** ▷ **Cour internationale de justice.**

Jurisprudence

Dans son jugement dans l'affaire du Nicaragua, la Cour internationale de justice a précisé que les violations d'une règle coutumière ne permettaient pas de faire disparaître l'existence de cette règle. « La Cour ne pense pas que, pour qu'une règle soit coutumièrement établie, la pratique correspondante doive être rigoureusement conforme à cette règle. Il lui paraît suffisant, pour déduire l'existence de règles coutumières, que les États y conforment leur conduite d'une manière générale et qu'ils traitent eux-mêmes les comportements non conformes à la règle en question comme des violations de celle-ci et non pas comme des manifestations de la reconnaissance d'une règle nouvelle. Si un État agit d'une manière apparemment inconciliable avec une règle reconnue, mais défend sa conduite en invoquant des exceptions ou justifications contenues dans la règle elle-même, il en résulte une confirmation plutôt qu'un affaiblissement de la règle » (Activités militaires et paramilitaires au Nicaragua et contre celui-ci (Nicaragua c. États-Unis d'Amérique), fond, arrêt, *C.I.J. Recueil 1986*, p. 14, § 186).

Les tribunaux pénaux internationaux pour l'ex-Yougoslavie et le Rwanda ont affirmé à plusieurs reprises leur rôle dans la mise en évidence de règles coutumières internationales relatives aux violations du droit humanitaire.

Dans l'affaire Kayishema et Ruzindana du 21 mai 1999 jugée par la Chambre de première instance du TPIR (§ 88), le crime de génocide est considéré comme faisant partie intégrante du droit international coutumier qui, de surcroît, est une norme impérative du droit. La même chambre du TPIR a déclaré le 6 décembre 1999 dans l'affaire Rutaganda, que le texte de la Convention sur le génocide faisait partie du droit international coutumier (§ 46). La jurisprudence de ces tribunaux précise également l'interprétation de cette convention (voir ▷ **Génocide**).

Concernant le droit des conflits armés non internationaux, la Chambre de première instance du TPIR dans le jugement Akayesu du 2 septembre 1998 (§ 608-609, 616) souligne que « l'article 3 commun a acquis le statut de règle du droit coutumier en ce sens que la plupart des États répriment dans leur code pénal des actes qui, s'ils étaient commis à l'occasion d'un conflit armé interne, constitueraient des violations de l'article 3 commun ».

La Chambre d'appel du TPIY dans l'affaire Tadić du 2 octobre 1995, souligne que le Protocole additionnel II n'a pas été universellement reconnu comme faisant partie du droit coutumier dans son ensemble. Elle précise que seules certaines dispositions de ce texte peuvent être considérées comme cristallisant des règles naissantes du droit coutumier, et non l'ensemble. Cependant, les éléments fondamentaux du Protocole additionnel II se reflètent, dans l'article 3 commun aux Conventions de Genève de 1949 et, par conséquent, ils font partie du droit coutumier généralement accepté. Ces éléments fondamentaux comprennent spécifiquement : l'interdiction des violences à l'encontre de personnes ne participant pas directement aux hostilités, l'interdiction de la prise d'otages, l'interdiction des traitements dégradants et de l'obligation de respect des garanties judiciaires (§ 117).

Pour en savoir plus

BRUDERLEIN C., « De la coutume en droit international humanitaire », *Revue internationale de la Croix-Rouge*, n° 792, novembre-décembre 1991, p. 612-629.

BUGNION F., « La coutume internationale » (chapitre III) *in Le Comité international de la Croix-Rouge et la protection des victimes de la guerre*, Publ. du CICR, Genève, 1994, 1 438 p., p. 392-412.

HENCKAERT J. M., DOSWALD-BECK L., *Customary International Humanitarian Law, volume I* : Rules *and volume II : Practice (Two Parts)*, I.C.R.C., Cambridge University Press, 2005, 4 411 p.

HENCKAERT J. M., « Study on customary international humanitarian law : a contribution to the understanding and respect for the rule of law in armed conflict », *Revue internationale de la Croix-Rouge*, n° 857, mars 2005, p. 175-212.

Crime de guerre-Crime contre l'humanité

Il existe diverses définitions de ces crimes qui renvoient à des systèmes de sanction différents aux niveaux national et international. Ces crimes ont clairement été codifiés après la Seconde Guerre mondiale, au niveau international, dans les statuts des tribunaux militaires internationaux de Nuremberg et de Tokyo créés par les Alliés, dans les Conventions de Genève de 1949 et dans leurs Protocoles additionnels de 1977 (sous le nom d'infractions graves à ces conventions), et en 1993 et 1994 dans les statuts des tribunaux pénaux internationaux *ad hoc* pour l'ex-Yougoslavie et le Rwanda. Le statut de la Cour pénale internationale (CPI), adopté en juillet 1998 et entré en vigueur le 1er juillet 2002, donne une liste la plus complète des crimes punissables par un organe judiciaire international. Le statut de Rome a joué un rôle essentiel dans l'harmonisation des définitions de ces crimes aux niveaux national et international. En avril 2013, 122 États avaient ratifié le statut de Rome.
Cette rubrique présentera les systèmes de répression et les définitions des crimes contenus dans :
- la législation nationale
- les statuts des tribunaux internationaux *ad hoc* (I) ;
- le statut de la CPI (II) ;
- les Conventions de Genève et leurs Protocoles additionnels (III).

- ***Au niveau national***

Les crimes contre la paix, crimes de guerre, crimes contre l'humanité et crimes de génocide sont prévus et définis par le code pénal des différents pays sous des appellations et des contenus assez différents selon les droits nationaux. Le statut de Rome de la CPI a permis une harmonisation des définitions nationales et internationale de ces crimes. La sanction de ces crimes par les voies judiciaires nationales s'est souvent révélée périlleuse. En effet, ces crimes sont le plus souvent commis à l'occasion d'un conflit et ils impliquent souvent des armées nationales et des représentants de la puissance publique. L'autorité judiciaire nationale ne dispose souvent ni de l'indépendance, ni de l'impartialité, ni des moyens requis pour juger.

Les codes de discipline militaire des forces armées prévoient dans chaque pays des mécanismes de sanction pour des comportements violant le règlement militaire. Ces sanctions relèvent de la justice militaire ou civile de chaque pays et permettent d'assurer la discipline interne des forces armées comme le respect des ordres des commandants. Toutefois, elles ne permettent pas d'engager la responsabilité des plus hautes autorités politiques et militaires.

Les Conventions de Genève de 1949 élargissent la compétence des juridictions nationales à la poursuite de tels crimes, même s'ils sont commis dans un autre pays, en codifiant le principe de la compétence universelle. Ce principe pose que tous les États s'engagent à rechercher et à juger devant leurs tribunaux les auteurs de certains crimes graves, notamment les crimes de guerre et les crimes contre l'humanité, même si l'État n'a pas de lien avec l'accusé, la victime ou les actes commis. Pour pouvoir utiliser cette compétence, les États doivent l'incorporer dans leur droit interne.

▶ **Compétence universelle.**

La sanction des crimes de guerre et des crimes contre l'humanité repose donc en pratique sur l'action et la coopération judiciaires internationales et sur l'action des tribunaux pénaux internationaux. Pour éviter l'impunité totale de ces crimes, le droit prévoit qu'ils sont imprescriptibles. Cela signifie qu'il n'existe pas de délais pour les juger et que les poursuites pourront toujours être entreprises, même de nombreuses années après les faits, quand le climat politique ou militaire aura suffisamment évolué pour permettre des poursuites pénales.

▶ **Imprescriptibilité ▷ Impunité.**

- ***Au niveau international***

Il existe plusieurs mécanismes internationaux de répression. La définition des infractions graves aux Conventions de Genève de 1949 poursuivies en vertu du principe de compétence universelle est partiellement différente de celle des crimes de guerre et crimes contre l'humanité établie par les tribunaux pénaux internationaux.

◆ **• Il a fallu cinquante ans à l'ONU pour parvenir à la rédaction d'un code des crimes contre la paix et la sécurité de l'humanité. La liste des crimes n'a cessé de s'allonger, incorporant le génocide, le terrorisme, etc. Toutefois, l'Organisation n'est pas parvenue à le faire adopter, ni à créer un tribunal international permanent compétent pour juger ces crimes jusqu'en 1998. La répression internationale de ces crimes s'est faite de façon ponctuelle, en créant des tribunaux *ad hoc* à Nuremberg et à Tokyo, puis pour les crimes commis en ex-Yougoslavie et au Rwanda.**
• Le statut de la Cour pénale internationale a été adopté à Rome le 17 juillet 1998. Celle-ci est chargée, sous certaines conditions, de juger les auteurs de génocide, crimes contre l'humanité et crimes de guerre, quand les États concernés n'ont pas pu ou pas voulu entreprendre des poursuites.

I. Le système de répression devant les tribunaux internationaux *ad hoc*

1. *Les tribunaux internationaux de Nuremberg et Tokyo*

La répression des crimes de guerre et des crimes contre l'humanité commis pendant la Seconde Guerre mondiale s'est effectuée devant le tribunal militaire international

de Nuremberg, créé de façon *ad hoc* le 8 août 1945, ainsi que devant celui créé, également par les Alliés, à Tokyo le 19 janvier 1946.
Ces deux tribunaux militaires internationaux ont jugé les personnes qui, parmi les forces armées des pays vaincus, s'étaient rendues coupables de ces crimes.
La jurisprudence du tribunal de Nuremberg fait la distinction entre plusieurs types de crimes commis en temps de guerre : crimes contre la paix, crimes de guerre et crimes contre l'humanité.
Les définitions contenues dans l'article 6 des statuts du tribunal de Nuremberg sont les suivantes.
– Les crimes contre la paix, qui visent « la direction, la préparation, le déclenchement ou la poursuite d'une guerre d'agression ou d'une guerre en violation des traités ».
Les crimes contre la paix ne sont pas imprescriptibles.
– Les crimes de guerre, qui visent :
• l'assassinat, les mauvais traitements ou la déportation pour travaux forcés ou tout autre but des populations dans les territoires occupés ;
• l'assassinat ou les mauvais traitements des prisonniers de guerre ou des personnes en mer ;
• l'exécution des otages, le pillage des biens publics ou privés ;
• la destruction sans motif des villes et des villages ;
• la dévastation que ne justifient pas les exigences militaires.
Ces crimes sont commis en temps de guerre et ils sont imprescriptibles.
– Les crimes contre l'humanité concernent « l'assassinat, l'extermination, la réduction en esclavage, la déportation et tout acte inhumain commis contre toutes populations civiles avant ou pendant la guerre, ou bien les persécutions pour des motifs politiques et religieux, lorsque ces actes ou persécutions, qu'ils aient constitué ou non une violation du droit interne du pays où ils ont été perpétrés, ont été commis à la suite de tout crime rentrant dans la compétence du tribunal ou en liaison avec ce crime ».

◆ **Pour éviter que l'absence de tribunal international permanent ne conduise à reconnaître l'impunité de ces crimes, l'ONU a adopté une Convention sur l'imprescriptibilité des crimes de guerre et des crimes contre l'humanité en date du 26 novembre 1968 (résolution AG 2391 [XXIII]). Cela signifie que des poursuites pénales contre leurs auteurs pourront être entreprises même très longtemps après les faits. Seuls 54 États ont actuellement ratifié cette convention. Ce principe a été intégré au statut de la Cour pénale internationale signé en 1998 et ratifié par 122 États en avril 2013. L'article 29 du statut de Rome prévoit que « les crimes relevant de la compétence de la Cour ne se prescrivent pas ».**

▶ **Imprescriptibilité.**

2. *Les tribunaux pénaux internationaux ad hoc pour le Rwanda et l'ex-Yougoslavie*

Deux tribunaux pénaux internationaux *ad hoc* ont été constitués en 1993 et 1994 par l'ONU pour juger les crimes commis en ex-Yougoslavie et au Rwanda. Il s'agit cette fois-ci de tribunaux civils. Ils ont adopté une définition renouvelée de ces différents crimes. Ils font référence notamment à la définition des infractions graves prévue par les Conventions de Genève de 1949. En outre, dans le cas d'un conflit interne comme celui du Rwanda, le tribunal international a intégré dans sa définition des infractions les violations de l'article 3 commun des Conventions de Genève et du deuxième Protocole additionnel. Il s'agit d'une évolution importante vers l'élargissement de la répression des infractions graves du droit humanitaire dans les conflits internes. L'autorité de ces tribunaux reste limitée par le caractère *ad hoc* de ces institutions, qui signifie que leur compétence est strictement limitée à certains crimes précis commis pendant une période limitée sur un territoire déterminé.

▶ **Tribunaux pénaux internationaux.**

II. Le système de répression devant la Cour pénale internationale et sa définition des crimes

Le statut de la Cour pénale internationale a été adopté à Rome le 17 juillet 1998 et est entré en vigueur le 1er juillet 2002 après la 60e ratification du statut de Rome. La CPI est chargée, sous certaines conditions, de juger les auteurs de génocide, crimes contre l'humanité et crimes de guerre, quand les États concernés n'ont pas pu ou pas voulu entreprendre des poursuites.
La Cour pénale internationale complète les mécanismes de poursuite par les tribunaux nationaux. Elle n'intervient que lorsque les États ne peuvent pas ou ne veulent pas juger les crimes sur lesquels ils ont compétence.

▶ **Cour pénale internationale ▷ Compétence universelle ▷ Sanctions pénales du droit humanitaire.**

◆ **Les articles 7 et 8 du statut de Rome donnent les définitions des crimes de guerre et crimes contre l'humanité sur lesquels la CPI a compétence. Ces dispositions – présentées en détail ci-dessous – correspondent à une certaine avancée dans la codification du droit international. Ces définitions sont complétées et clarifiées par le document intitulé *Éléments des crimes*, adopté par l'Assemblée des États parties au statut de Rome. Ce document énonce l'ensemble des conditions à remplir pour invoquer l'existence des différents crimes et la culpabilité de leur auteur.**

• L'article 7 relatif aux crimes contre l'humanité précise explicitement que la définition de ces crimes s'applique également à des actes commis en dehors de toute situation de conflit. Il rajoute dans la liste des actes criminels la pratique des disparitions forcées.

• La définition des crimes de guerre prévue par l'article 8 n'est pas la même que celle des infractions graves aux Conventions de Genève de 1949 et du Protocole additionnel I de 1977. En effet, les Protocoles additionnels n'étant pas ratifiés par tous les États, il a été considéré que les interdictions qu'ils contiennent ou les crimes qu'ils définissent n'ont pas un caractère universel et coutumier comme les Conventions de Genève.

Le statut de Rome fonde donc sa compétence pénale sur les infractions graves aux Conventions de Genève et sur sa propre définition des crimes de guerre, qu'il considère comme appartenant aux règles coutumières du droit des conflits armés.

Les dispositions contenues dans les Protocoles additionnels de 1977 restent cependant obligatoires pour les États qui les ont ratifiés.

▶ **Droit international humanitaire.**

◆ **• L'article 8 ajoute notamment deux éléments nouveaux dans la définition de ces crimes applicables aux conflits armés internationaux ou internes, à savoir :**

– le viol, l'esclavage sexuel, la prostitution forcée, la grossesse forcée, la stérilisation forcée ou toutes autres formes de violence sexuelle constituant une violation grave des Conventions de Genève ;
– le fait de procéder à la conscription ou à l'enrôlement d'enfants de moins de 15 ans dans les forces armées nationales ou de les faire participer activement à des hostilités.
• L'article 8.2.c à 8.2.f comble le vide laissé par la définition des crimes de guerre en situation de conflit armé non international et en fournit une définition précise. Celle-ci résume les interdictions prévues par l'article 3 commun des quatre Conventions de Genève et les autres violations graves des lois et coutumes de guerre applicables aux conflits armés non internationaux.
• Certains actes interdits par le Protocole additionnel II des Conventions de Genève relatif aux conflits armés non internationaux n'ont cependant pas été inclus dans cette définition : le fait de soumettre délibérément la population civile à la famine et de la priver des approvisionnements essentiels, d'utiliser les civils comme boucliers humains, de diriger des attaques délibérées tout en sachant qu'elles causeront de nombreuses pertes en vies humaines et d'utiliser des armes interdites, n'apparaissent pas, par exemple, dans la liste des crimes de guerre prévus par le statut lors des conflits internes. Cette interdiction continue toutefois de s'appliquer à l'égard des États qui ont signé le Protocole II additionnel aux Conventions de Genève et du fait de leur nature coutumière.

▶ **Tribunaux pénaux internationaux ▷ Femme ▷ Viol ▷ Enfant.**

1. *Définition des crimes contre l'humanité : article 7 du statut de Rome*

Aux fins du statut, on entend par « crimes contre l'humanité » l'un quelconque des actes ci-après, lorsqu'il est perpétré dans le cadre d'une attaque généralisée ou systématique dirigée contre une population civile et en connaissance de l'attaque :
a) le meurtre ;
b) l'extermination ;
c) la réduction en esclavage ;
d) la déportation ou le transfert forcé de population ;
e) l'emprisonnement ou autre forme de privation grave de liberté physique en violation des dispositions fondamentales du droit international ;
f) la torture ;
g) le viol, l'esclavage sexuel, la prostitution forcée, la grossesse forcée, la stérilisation forcée et les autres formes de violence sexuelle de gravité comparable ;
h) la persécution de tout groupe ou de toute collectivité identifiable inspirée par des motifs d'ordre politique, racial, national, ethnique, culturel, religieux, sexiste, ou sur d'autres critères universellement reconnus comme inadmissibles en droit international, en corrélation avec tous actes visés dans le présent paragraphe ou tous crimes relevant de la compétence de la Cour ;
i) les disparitions forcées ;
j) le crime d'apartheid ;
k) d'autres actes inhumains de caractère analogue causant intentionnellement de grandes souffrances ou des atteintes graves à l'intégrité physique ou à la santé mentale.
Aux fins de ce paragraphe 1 :
a) par « attaque dirigée contre une population civile », on entend un comportement consistant en la commission multiple d'actes visés au paragraphe 1 contre toute la population civile, en application ou dans la poursuite de la politique d'un État ou d'une organisation ayant pour but une telle attaque ;

b) par « extermination », on entend notamment le fait d'imposer intentionnellement des conditions de vie telles que la privation d'accès à la nourriture et aux médicaments, calculées pour entraîner la destruction d'une partie de la population ;
c) par « réduction en esclavage » on entend le fait d'exercer sur une personne l'un ou l'ensemble des pouvoirs liés au droit de propriété, y compris dans le cadre de la traite des personnes, en particulier des femmes et des enfants à des fins d'exploitation sexuelle ;
d) par « déportation ou transfert forcé de population », on entend le fait de déplacer, en les expulsant ou en employant d'autres moyens coercitifs, les personnes concernées de la région où elles se trouvent légalement, sans motifs admis en droit international ;
e) par « torture », on entend le fait d'infliger intentionnellement une douleur ou des souffrances aiguës, physiques ou mentales, à une personne se trouvant sous la garde ou sous le contrôle de l'accusé ; ce terme ne s'étend pas à la douleur ou aux souffrances résultant uniquement de sanctions légales inhérentes à ces sanctions ou occasionnées par elles ;
f) par « grossesse forcée », on entend la détention illégale d'une femme mise enceinte de force, dans l'intention de modifier la composition ethnique d'une population ou de commettre d'autres graves violations du droit international. Cette définition ne peut en aucune manière s'interpréter comme ayant une incidence sur les lois nationales relatives à l'interruption de grossesse ;
g) par « persécution », on entend le déni intentionnel et grave de droits fondamentaux en violation du droit international pour des motifs liés à l'identité du groupe ou de la collectivité ;
h) par « crime d'apartheid », on entend des actes inhumains analogues à ceux visés au paragraphe 1, commis dans le cadre d'un régime institutionnalisé d'oppression systématique et de domination d'un groupe racial sur tout autre groupe racial ou tous autres groupes raciaux et dans l'intention de maintenir ce régime ;
i) par « disparitions forcées », on entend les cas où des personnes sont arrêtées, détenues ou enlevées par un État ou une organisation politique ou avec l'autorisation, l'appui ou l'assentiment de cet État ou de cette organisation, qui refuse ensuite d'admettre que ces personnes sont privées de liberté ou de révéler le sort qui leur est réservé ou l'endroit où elles se trouvent, dans l'intention de les soustraire à la protection de la loi pendant une période prolongée.

2. *Définition des crimes de guerre : article 8 du statut de Rome*

La Cour a compétence pour connaître des crimes de guerre, en particulier lorsque ceux-ci s'inscrivent dans le cadre d'un plan ou d'une politique ou font partie d'une série de crimes analogues commis sur une grande échelle.
Le statut définit les crimes de guerre dans les deux types de conflits.

a. *Dans un conflit armé international*

a) Les infractions graves aux Conventions de Genève du 12 août 1949, à savoir l'un quelconque des actes ci-après lorsqu'il vise des personnes ou des biens protégés par les dispositions de la Convention de Genève pertinentes :

– l'homicide intentionnel ;
– la torture ou les traitements inhumains, y compris les expériences biologiques ;
– le fait de causer intentionnellement de grandes souffrances ou de porter gravement atteinte à l'intégrité physique ou à la santé ;
– la destruction et l'appropriation de biens, non justifiées par des nécessités militaires et exécutées sur une grande échelle de façon illicite et arbitraire ;
– le fait de contraindre un prisonnier de guerre ou toute autre personne protégée à servir dans les forces armées d'une puissance ennemie ;
– le fait de priver un prisonnier de guerre ou toute autre personne protégée de son droit d'être jugé régulièrement et impartialement ;
– les déportations ou transferts illégaux ou les détentions illégales ;
– les prises d'otage.

b) Les autres violations graves des lois et coutumes applicables aux conflits armés internationaux dans le cadre établi du droit international, à savoir l'un quelconque des actes ci-après :
– le fait de lancer des attaques délibérées contre la population civile en général ou contre des civils qui ne prennent pas directement part aux hostilités ;
– le fait de lancer des attaques délibérées contre des biens civils qui ne sont pas des objectifs militaires ;
– le fait de lancer des attaques délibérées contre le personnel, les installations, le matériel, les unités ou les véhicules employés dans le cadre d'une mission d'aide humanitaire ou de maintien de la paix conformément à la Charte des Nations unies, pour autant qu'ils aient droit à la protection garantie aux civils et aux biens de caractère civil par le droit international des conflits armés ;
– le fait de lancer une attaque délibérée en sachant qu'elle causera incidemment des pertes en vies humaines dans la population civile, des blessures aux personnes civiles ou des dommages aux biens de caractère civil, ou des dommages étendus, durables et graves à l'environnement naturel qui seraient manifestement excessifs par rapport à l'ensemble de l'avantage militaire concret et direct attendu ;
– le fait d'attaquer ou de bombarder, par quelque moyen que ce soit, des villes, villages, habitations ou bâtiments qui ne sont pas défendus et qui ne sont pas des objectifs militaires ;
– le fait de tuer ou de blesser un combattant qui, ayant déposé les armes ou n'ayant plus de moyens de se défendre, s'est rendu à discrétion ;
– le fait d'utiliser le pavillon parlementaire, le drapeau ou des insignes militaires et l'uniforme de l'ennemi ou de l'Organisation des Nations unies, ainsi que des signes distinctifs prévus par les Conventions de Genève, et, ce faisant, de causer la perte de vies humaines ou des blessures graves ;
– le transfert, direct ou indirect, par la puissance occupante d'une partie de sa population civile, dans le territoire qu'elle occupe, ou la déportation ou le transfert à l'intérieur ou hors du territoire occupé de la totalité ou d'une partie de la population de ce territoire ;
– le fait de diriger des attaques délibérées contre des bâtiments consacrés à la religion, à l'enseignement, à l'art, à la science ou à l'action caritative, des monuments

historiques, des hôpitaux et des lieux où des malades ou des blessés sont rassemblés, à condition que ces bâtiments ne soient pas alors utilisés à des fins militaires ;
– le fait de soumettre des personnes, tombées au pouvoir d'une partie adverse, à des mutilations ou à des expériences médicales ou scientifiques quelles qu'elles soient qui ne sont ni motivées par un traitement médical, dentaire ou hospitalier, ni effectuées dans l'intérêt de ces personnes, et qui entraînent la mort desdites personnes ou mettent sérieusement en danger leur santé ;
– le fait de tuer ou de blesser par traîtrise des individus appartenant à la nation ou à l'armée ennemie ;
– le fait de déclarer qu'il ne sera pas fait de quartier ;
– le fait de détruire ou de saisir les biens de l'ennemi sauf dans les cas où ces destructions ou saisies seraient impérieusement commandées par les nécessités de la guerre ;
– le fait de déclarer éteints, suspendus ou non recevables en justice les droits et actions des nationaux de la partie adverse ;
– le fait pour un belligérant de contraindre les nationaux de la partie adverse à prendre part aux opérations de guerre dirigées contre leur pays, même s'ils étaient au service de ce belligérant avant le commencement de la guerre ;
– le pillage d'une ville ou d'une localité, même prise d'assaut ;
– le fait d'utiliser du poison ou des armes empoisonnées ;
– le fait d'utiliser des gaz asphyxiants, toxiques ou assimilés et tous liquides, matières ou engins analogues ;
– le fait d'utiliser des balles qui se dilatent ou s'aplatissent facilement dans le corps humain, telles que des balles dont l'enveloppe dure ne recouvre pas entièrement le centre ou est percée d'entailles ;
– le fait d'employer les armes, projectiles, matériels et méthodes de combat ci-après, qui sont de nature à causer des maux superflus ou des souffrances inutiles ou agissent par nature sans discrimination en violation du droit international des conflits armés, à condition que ces moyens fassent l'objet d'une interdiction générale et qu'ils soient inscrits dans une annexe au présent statut, par voie d'amendement adopté en conformité avec les dispositions des articles 121 et 123 ;
– les atteintes à la dignité de la personne, notamment les traitements humiliants et dégradants ;
– le viol, l'esclavage sexuel, la prostitution forcée, la grossesse forcée, la stérilisation forcée ou toutes autres formes de violences sexuelles constituant une violation grave des Conventions de Genève ;
– le fait d'utiliser la présence d'un civil ou de toute autre personne protégée pour éviter que certains points, zones ou forces militaires soient la cible d'opérations militaires ;
– le fait de diriger des attaques délibérées contre des bâtiments, du matériel, des unités et moyens de transport sanitaires et du personnel utilisant les signes distinctifs prévus par les Conventions de Genève conformément au droit international ;
– le fait d'affamer délibérément des civils, comme méthode de guerre, en les privant de biens indispensables à leur survie, notamment en empêchant intentionnellement l'arrivée des secours prévus par les Conventions de Genève ;

– le fait de procéder à la conscription ou à l'enrôlement d'enfants de moins de 15 ans dans les forces armées nationales ou de les faire participer activement aux hostilités.

b. Dans un conflit armé non international

c) En cas de conflit armé ne présentant pas un caractère international, les violations graves de l'article 3 commun aux quatre Conventions de Genève de 1949, à savoir l'un quelconque des actes ci-après commis à l'encontre de personnes qui ne participent pas directement aux hostilités, y compris les membres de forces armées qui ont déposé les armes et les personnes qui ont été mises hors de combat par maladie, blessure, détention ou pour toute autre cause :
– les atteintes portées à la vie et à l'intégrité corporelle, notamment le meurtre sous toutes ses formes, les mutilations, les traitements cruels et la torture ;
– les atteintes à la dignité des personnes, notamment les traitements inhumains et dégradants ;
– les prises d'otages ;
– les condamnations prononcées et les exécutions effectuées sans jugement préalable, rendu par un tribunal régulièrement constitué, assorti des garanties judiciaires généralement reconnues comme indispensables.

d) L'alinéa c) du paragraphe 2 s'applique aux conflits armés ne présentant pas un caractère international et ne s'applique donc pas aux situations de troubles ou tensions internes telles que les émeutes, les actes de violence sporadiques ou isolés et les actes de nature similaire.

e) D'autres violations graves des lois et coutumes applicables aux conflits armés ne présentant pas un caractère international, dans le cadre établi du droit international, à savoir l'un quelconque des actes ci-après :
– le fait de diriger des attaques délibérées contre la population civile en général ou contre des civils qui ne prennent pas directement part aux hostilités ;
– le fait de diriger des attaques délibérées contre les bâtiments, le matériel, les unités et les moyens de transport médicaux, et le personnel utilisant, conformément au droit international, les signes distinctifs prévus par les Conventions de Genève ;
– le fait de diriger des attaques délibérées contre le personnel, les installations, le matériel, les unités ou les véhicules mis en œuvre aux fins de l'aide humanitaire ou d'une mission de maintien de la paix conformément à la Charte des Nations unies, pour autant qu'ils aient droit à la protection que le droit des conflits armés garantit aux civils et biens de caractère civil ;
– le fait de diriger des attaques délibérées contre des bâtiment consacrés à la religion, à l'enseignement, à l'art, à la science ou à l'action caritative, des monuments historiques, des hôpitaux et des lieux où des malades et des blessés sont rassemblés, à condition que ces bâtiments ne soient pas alors utilisés à des fins militaires ;
– le pillage d'une ville ou d'une localité, même prise d'assaut ;
– le viol, l'esclavage sexuel, la prostitution forcée, la grossesse forcée, telle que définie précédemment, la stérilisation forcée, ou toute autre forme de violence sexuelle constituant une violation grave des Conventions de Genève ;

– le fait de procéder à la conscription ou à l'enrôlement des enfants de moins de 15 ans dans les forces armées ou de les faire participer activement à des hostilités ;
– le fait d'ordonner le déplacement de la population civile pour des raisons ayant trait au conflit, sauf dans les cas où la sécurité des civils ou des impératifs militaires l'exigent ;
– le fait de tuer ou de blesser par traîtrise un adversaire combattant ;
– le fait de déclarer qu'il ne sera pas fait de quartier ;
– le fait de soumettre des personnes tombées au pouvoir d'une partie au conflit à des mutilations ou à des expériences médicales ou scientifiques quelles qu'elles soient qui ne sont ni motivées par un traitement médical, dentaire ou hospitalier, ni effectuées dans l'intérêt de ces personnes, et qui entraînent la mort ou mettent sérieusement en danger la santé desdites personnes ;
– le fait de détruire ou de saisir les biens de l'adversaire sauf les cas où ces destructions ou saisies seraient impérieusement commandées par les nécessités du conflit.

f) L'alinéa e) s'applique aux conflits armés ne présentant pas un caractère international et ne s'applique donc pas aux situations de tensions internes et de troubles intérieurs comme les émeutes, les actes isolés et sporadiques de violence et autres actes analogues. Il s'applique aux conflits armés opposant sur le territoire d'un État partie ses forces armées à des forces armées dissidentes ou à d'autres groupes armés organisés qui, sous un commandement responsable, exercent sur une partie de ce territoire un contrôle tel qu'ils sont en mesure de mener des opérations militaires soutenues et concertées.

◆ **La définition de crimes de guerre sur lesquels la CPI a compétence dans le cadre d'un conflit armé non international, bien qu'elle soit proche de la définition de crimes de guerre commis dans le cas d'un conflit international, est cependant plus restrictive que celle-ci. Par exemple, l'usage de la famine contre les civils et l'utilisation d'armes prohibées n'y sont pas inclus.**

▸ **Cour pénale internationale.**

III. Le système de répression prévu par le droit humanitaire

À côté des secours, l'exigence de justice et la lutte contre l'impunité constituent un élément central du droit humanitaire.

Les Conventions de Genève de 1949 et le Protocole additionnel I de 1977 n'utilisent pas le terme « crimes de guerre ». Ils définissent les infractions simples et les infractions graves. Le mode de répression varie selon qu'il s'agit d'infractions graves ou simples. Seules les infractions graves peuvent déclencher le « principe de compétence universelle » qui permet d'intenter des poursuites devant n'importe quel tribunal national, sans égard à la nationalité de l'auteur de l'infraction ou de la victime, et quel que soit le lieu où le crime a été commis. Ces dispositions ne s'appliquent que dans le cadre des conflits armés internationaux.

La définition des infractions graves diffère légèrement de celle des crimes de guerre contenue dans le statut de la Cour pénale international.

Les règles 156 à 161 de l'étude sur le droit international humanitaire coutumier publiée en 2005 par le CICR sont applicables aux crimes de guerre commis dans les conflits armés tant internationaux que non internationaux. Elles précisent que « les violations graves du droit international humanitaire constituent des crimes de guerre » (règle 156). Le terme de violations graves va au-delà de la catégorie des infractions graves et couvre les conflits armés non internationaux. L'ensemble de ces éléments peut porter à confusion et doit inciter à une lecture attentive.

▶ **Compétence universelle.**

1. *Les infractions simples*

Il s'agit de toutes les violations du droit humanitaire autres que les infractions graves. Le droit humanitaire ne donne pas de définition précise de ces infractions simples. La répression de ces infractions est laissée aux soins des autorités nationales compétentes. La sanction de ces infractions se fait à travers le système disciplinaire et judiciaire normal, c'est-à-dire devant les tribunaux nationaux civils ou militaires. Ces crimes peuvent parfois faire l'objet d'amnistie dans le cadre d'une loi nationale adoptée à la suite d'un conflit. Ils n'appartiennent pas à la catégorie des crimes imprescriptibles, qui ne concerne que les crimes de guerre prévus par le tribunal de Nuremberg et les infractions graves aux Conventions de Genève. Ils s'inscrivent dans une échelle de responsabilité qui touche les autorités nationales, les commandants militaires et les individus.

▶ **Responsabilité ▷ Sanctions pénales du droit humanitaire.**

2. *Les infractions graves*

Les Conventions de Genève et le premier Protocole additionnel de 1977 définissent de façon très précise une catégorie plus limitée de crimes les plus graves. Il s'agit des infractions graves. Elles font partie de la catégorie des crimes imprescriptibles. Pour ces crimes, un système particulier de répression est mis en place.
La définition de ces infractions graves varie selon qu'elles sont commises dans une situation de conflit armé international ou interne. Les Conventions de Genève de 1949 donnent une première définition des infractions graves dans les conflits armés internationaux, qui a été élargie et précisée par l'art. 85 du Protocole additionnel I de 1977.

a. Les infractions graves dans les conflits internationaux

• *Conventions de Genève de 1949.*

Ce sont des violations particulières des normes du droit des conflits armés, que les États ont l'obligation de prévenir et de réprimer.
Les infractions graves sont celles qui comportent l'un ou l'autre des actes suivants, s'ils sont commis contre des personnes ou des biens protégés par les quatre conventions :
– l'homicide intentionnel, la torture ou les traitements inhumains, y compris les expériences biologiques ;
– le fait de causer intentionnellement de grandes souffrances ou de porter des atteintes graves à l'intégrité physique ou à la santé ;

– la déportation ou le transfert illégal, la détention illégale, la prise d'otages ;
– le fait de contraindre une personne protégée par les conventions (personne civile ou prisonnier de guerre) à servir dans les forces armées de la puissance ennemie, ou celui de la priver de son droit d'être jugée régulièrement et impartialement selon les prescriptions du droit international humanitaire ;
– la destruction ou l'appropriation de biens, non justifiées par des nécessités militaires et exécutées sur une grande échelle de façon arbitraire et illicite.
L'ensemble de ces actes est donc interdit :
– contre les personnes civiles, les malades et les blessés (GIV art. 147) ;
– contre les prisonniers de guerre (GIII art. 130) ;
– contre les malades, blessés et naufragés des forces armées sur mer (GII art. 51) ;
– contre les malades et blessés des forces armées en campagne (GI art. 50).

◆ **Le Protocole additionnel I de 1977 élargit et précise le contenu des infractions graves. Il inclut notamment dans les crimes de guerre le non-respect du personnel et du matériel de secours (GPI art. 85) et de la mission médicale (GPI art.11).**

• *Protocole additionnel I de 1977 (GPI art. 85).*
Tous les actes qualifiés d'infraction grave par les Conventions de Genève constituent des infractions graves au Protocole additionnel I de 1977 s'ils sont commis contre :
– des personnes au pouvoir d'une partie adverse protégées par les conventions et le protocole (définition des personnes protégées, GPI art. 44, 45, 73) ;
– des blessés, des malades ou des naufragés de la partie adverse ;

▶ **Personnes protégées.**

– le personnel sanitaire ou religieux, les unités sanitaires ou des moyens de transport sanitaire qui sont sous le contrôle de la partie adverse et protégés par le présent protocole (GPI art. 85.2).
En outre, les actes suivants, lorsqu'ils sont commis intentionnellement, en violation du Protocole I, et qu'ils entraînent la mort ou causent des atteintes graves à l'intégrité ou à la santé, sont considérés comme des infractions graves (GPI art. 85.3) :
– soumettre la population civile ou des personnes civiles à une attaque ;
– lancer une attaque sans discrimination atteignant la population civile ou des biens de caractère civil, en sachant que cette attaque causera des pertes en vies humaines, des blessures aux personnes civiles ou des dommages aux biens de caractère civil (GPI art. 57.2) ;
– lancer une attaque contre des ouvrages ou installations contenant des forces dangereuses en sachant que cette attaque causera des pertes en vies humaines, des blessures aux personnes civiles ou des dommages aux biens de caractère civil, qui sont excessifs (voir GPI art. 57.2) ;
– soumettre à une attaque des localités non défendues et des zones démilitarisées ;
– soumettre une personne à une attaque en la sachant hors de combat ;
– utiliser perfidement, en violation de l'article 37, le signe distinctif de la Croix-Rouge, du Croissant-Rouge ou du Lion et Soleil rouge ou d'autres signes protecteurs reconnus par les conventions ou par le présent protocole.

▶ **Attaque.**

Les actes suivants sont considérés comme des infractions graves lorsqu'ils sont commis intentionnellement et en violation des conventions ou du protocole, même s'ils n'entraînent pas la mort ni ne causent des atteintes graves à l'intégrité ou à la santé (GPI art. 85.4e) :
– le transfert par la puissance occupante d'une partie de sa population civile dans le territoire qu'elle occupe, ou la déportation ou le transfert à l'intérieur ou hors du territoire occupé de la totalité ou d'une partie de la population de ce territoire, en violation de l'article 49 de la quatrième Convention (il s'agit notamment de la pratique de purification ethnique) ;
– tout retard injustifié dans le rapatriement des prisonniers de guerre ou des civils ;
– les pratiques d'apartheid et les autres pratiques inhumaines et dégradantes, fondées sur la discrimination raciale, qui donnent lieu à des outrages à la dignité personnelle ;
– le fait de diriger des attaques contre les monuments historiques, les œuvres d'art ou des lieux de culte clairement reconnus qui constituent le patrimoine culturel ou spirituel des peuples et auxquels une protection spéciale a été accordée en vertu d'un arrangement particulier, provoquant ainsi leur destruction sur une grande échelle, alors qu'il n'existe aucune preuve de violation par la partie adverse de l'article 53, alinéa b, et que les monuments historiques, œuvres d'art et lieux de culte en question ne sont pas situés à proximité immédiate d'objectifs militaires ;
– le fait de priver une personne protégée par les conventions de son droit d'être jugée régulièrement et impartialement.

• *Protocole additionnel I 1977 (GPI art. 11).*

La santé et l'intégrité physiques ou mentales des personnes au pouvoir de la partie adverse ou internées, détenues ou d'une autre manière privées de liberté ne doivent être compromises par aucun acte ni par aucune omission injustifiés.

En conséquence, il est interdit de soumettre ces personnes à un acte médical qui ne serait pas motivé par leur état de santé et qui ne serait pas conforme aux normes médicales généralement reconnues que la partie responsable de l'acte appliquerait, dans des circonstances médicales analogues, à ses propres ressortissants jouissant de leur liberté (GP1 art. 11.1).

Il est en particulier interdit de pratiquer sur ces personnes, même avec leur consentement :
– des mutilations physiques ;
– des expériences médicales ou scientifiques ;
– des prélèvements de tissus ou d'organes pour des transplantations sauf si ces actes sont conformes aux normes médicales généralement reconnues que la partie responsable de l'acte appliquerait, dans des circonstances médicales analogues, à ses propres ressortissants jouissant de leur liberté (GPI art. 11.2).

Il ne peut être dérogé à cette interdiction que lorsqu'il s'agit de dons de sang en vue de transfusion ou de peau destinés à des greffes, à la condition que ces dons soient volontaires et ne résultent pas de mesures de coercition ou de persuasion

et qu'ils soient destinés à des fins thérapeutiques dans des conditions compatibles avec les normes médicales généralement reconnues et avec les contrôles effectués dans l'intérêt tant du donneur que du receveur (GPI art. 11.3).
Tout acte ou omission volontaire qui met gravement en danger la santé ou l'intégrité physique ou mentale de toute personne au pouvoir d'une partie autre que celle dont elle dépend et qui, soit contrevient à l'une des interdictions ci-dessus, soit ne respecte pas les conditions de ces actes, constitue une infraction grave du présent protocole (GPI art. 11.4).

b. Les infractions graves ou violations graves applicables aux conflits armés non internationaux

La définition des infractions graves aux Conventions de Genève n'a pas été incluse dans le Protocole additionnel II relatif aux conflits armés non internationaux. L'article 3 commun aux quatre Conventions de Genève relatif aux garanties minimales pour les victimes de conflits armés non internationaux n'a pas été expressément inclus dans la liste des infractions graves du droit international humanitaire conventionnel. Les statuts et la jurisprudence des tribunaux pénaux internationaux ont développé la définition des crimes de guerre applicables dans ces situations.

• En 1994, le statut du tribunal pénal international pour le Rwanda a reconnu sa compétence pour juger, les crimes de génocide, les crimes de guerre et crimes contre l'humanité ainsi que les violations graves de l'article 3 commun aux Conventions de Genève et du Protocole additionnel II de 1977.

• La Commission internationale humanitaire d'établissement des faits prévue par les Conventions de Genève (GPI art. 90) a formellement reconnu sa compétence pour enquêter sur des violations graves de l'article 3 commun aux quatre Conventions de Genève relatif aux conflits armés non internationaux. Cette enquête s'effectuera dans les conditions générales de saisine et de procédure propres à cette Commission.

L'article 3 commun interdit :

a) Les atteintes portées à la vie et à l'intégrité corporelle, notamment le meurtre sous toutes ses formes, les mutilations, les traitements cruels, tortures, supplices ;
b) les prises d'otages ;
c) les atteintes à la dignité des personnes, notamment les traitements inhumains et dégradants ;
d) les condamnations prononcées et les exécutions effectuées sans un jugement préalable, rendu par un tribunal régulièrement constitué, assorti des garanties judiciaires reconnues comme indispensables par les peuples civilisés.

Cette évolution a été consacrée par la publication en 2005 d'une étude du CICR sur le droit international humanitaire coutumier relatif aux crimes de guerre (*infra*).

◆ **• Les États s'engagent à respecter et à faire respecter le droit humanitaire (GI- IV art. 1). Ils doivent tout faire, seuls ou en coopération avec l'ONU, pour faire cesser les violations graves (GPI art. 89).**

• Les violations graves des Conventions de Genève sont qualifiées de crimes de guerre. Dans certains cas, de tels actes peuvent aussi entrer dans la catégorie des crimes contre l'humanité. Cela signifie que tous les États sont tenus par l'obligation de rechercher les personnes accusées

d'avoir commis ou ordonné de commettre de tels crimes, et de les déférer devant leurs propres tribunaux, indépendamment de leur nationalité, selon le principe de la compétence universelle.

• Les États, les organisations et les individus peuvent transmettre au CICR toute plainte concernant des violations graves des conventions (statut du CICR, art. 4.1c).

• Des procédures d'enquête et une Commission internationale humanitaire d'établissement des faits sont prévues pour enquêter sur ces violations graves

• Les témoignages relatifs aux violations du droit humanitaire peuvent donc être transmis à l'ensemble des États concernés, à l'ONU, au CICR et à la Commission internationale humanitaire d'établissement des faits ou au procureur de la nouvelle Cour pénale internationale.

▶ **Compétence universelle ▷ Droits de l'homme ▷ Recours individuels ▷ Respect du droit humanitaire.**

c. *Le régime de répression des infractions graves*

Plusieurs principes, définitions et restrictions posent le cadre à partir duquel les violations graves pourront être sanctionnées.

Le droit humanitaire oblige les États à rechercher et à juger toute personne soupçonnée d'avoir commis ou ordonné de commettre des infractions graves (GIV. art. 146). Il limite les possibilités d'amnistie à l'occasion des accords de paix ou de toute autre circonstance. Les Conventions de Genève prévoient en effet qu'aucune partie contractante ne pourra s'exonérer elle-même des responsabilités encourues en raison des infractions prévues par le droit international humanitaire (GI art. 51 ; GII art. 52 ; GIII art. 131 ; GIV art. 148).

▶ **Amnistie.**

Ces infractions graves sont considérées comme des crimes de guerre (GPI art. 85.5). Dans certains cas, elles peuvent aussi être qualifiées de crimes contre l'humanité. À ce titre, elles sont imprescriptibles au titre l4, article 1 de la Convention des Nations unies du 26 novembre 1968 ainsi que de l'article 29 du statut de Rome. La notion d'imprescriptibilité des crimes de guerre est devenue une norme de droit coutumier, y compris en cas de conflit armé non international. La règle 160 de l'étude sur le droit international humanitaire coutumier précise en effet que « les crimes de guerre ne se prescrivent pas ».

▶ **Imprescriptibilité.**

• Le principe de compétence universelle : une obligation internationale de répression des infractions graves pèse sur tous les États parties aux Conventions de Genève. Il s'agit d'un véritable système de sécurité collective au niveau judiciaire. Les États ont l'obligation de rechercher les personnes soupçonnées d'avoir commis ou d'avoir ordonné de commettre de telles infractions graves. Ils se sont également engagés à déférer les auteurs de ces crimes devant leurs propres tribunaux, quelle que soit la nationalité des auteurs de ces crimes. Les États ne peuvent remettre ces individus aux autorités d'un autre État que si des poursuites y sont déjà engagées et que l'individu encourt une peine adéquate. (GI art. 49 ; GII art. 50 ; GIII art. 129 ; GIV art. 146).

Une procédure d'entraide judiciaire en matière pénale est instituée entre les États parties aux conventions (GI art. 49 ; GII art. 50 ; GIII art. 129 ; GIV art146 ; GPI art. 86, 88).

◆ • Le statut de la Cour pénale internationale affirme qu'elle n'est compétente que si les États n'ont pas voulu ou pas pu procéder eux-mêmes au jugement de ces criminels. Dans ce contexte, les États continuent d'avoir la responsabilité de rechercher et de punir les auteurs de tels crimes en vertu des critères de compétence nationale et universelle.
• Les tribunaux nationaux de l'ensemble des États parties aux conventions sont déclarés compétents pour les juger. Les États se sont engagés à modifier leur législation pour rendre ces jugements possibles, mais très peu d'États ont effectivement rempli cette obligation.
• Il importe donc que les États mettent leur droit interne en conformité avec les conventions internationales pertinentes pour permettre l'action des tribunaux nationaux éventuellement saisis de ces crimes.
(GI art. 49, 5 ; GII art. 50, 52 ; GIII art. 129, 131 ; GIV art. 146, 148 ; GPI art. 85, 86, 87).

▶ **Entraide judiciaire ▷ Compétence universelle.**

• Une procédure d'enquête est prévue par les conventions pour établir l'existence d'une violation (GI art. 52 ; GII art. 53 ; GIII art. 132 ; GIV art. 149). Elle s'effectue avec l'accord des parties en conflit concernées.

• L'article 90 du premier Protocole additionnel aux Conventions de Genève prévoit en outre la création d'une Commission internationale d'établissement des faits. Il s'agit d'un organe indépendant et permanent chargé d'enquêter sur l'existence des infractions graves et des violations graves. L'article 90 est facultatif, c'est-à-dire que la Commission n'est compétente que vis-à-vis des pays qui ont reconnu sa compétence.

▶ **Commission internationale humanitaire d'établissement des faits.**

◆ Règles du droit international humanitaire coutumier
Les principes généraux de répression des infractions graves prévues par les conventions de droit humanitaire dans les conflits armés internationaux sont aujourd'hui reconnus comme règles de droit coutumier applicables également dans les conflits armés non internationaux.
Ces principes reconnaissent que :
• les violations graves du droit international humanitaire constituent des crimes de guerre (règle 156) ;
• les États ont le droit de conférer à leurs tribunaux nationaux une compétence universelle en matière de crimes de guerre (règle 157) ;
• les États doivent enquêter sur les crimes de guerre qui auraient été commis par leurs ressortissants ou par leurs forces armées, ou sur leur territoire, et, le cas échéant, poursuivre les suspects. Ils doivent aussi enquêter sur les autres crimes de guerre relevant de leur compétence et, le cas échéant, poursuivre les suspects (règle 158) ;
• à la cessation des hostilités, les autorités au pouvoir doivent s'efforcer d'accorder la plus large amnistie possible aux personnes qui auront pris part à un conflit armé non international ou qui auront été privées de liberté pour des motifs en relation avec le conflit armé, à l'exception des personnes soupçonnées ou accusées de crimes de guerre ou condamnées pour crimes de guerre (règle 159) ;
• les crimes de guerre ne se prescrivent pas (règle 160) ;
• les États doivent tout mettre en œuvre pour coopérer entre eux, dans la mesure du possible, afin de faciliter les enquêtes sur les crimes de guerre et les poursuites contre les suspects (règle 161).

■ Recours en cas d'infractions et de violations graves du droit humanitaire, crimes de guerre, crimes contre l'humanité et génocide

• Les victimes de violations graves du droit humanitaire peuvent en principe porter plainte devant les tribunaux nationaux étrangers quels qu'ils soient sur la base de la

compétence universelle prévue par les quatre Conventions de Genève de 1949. Ces plaintes peuvent toutefois être mises en échec si les pays concernés n'ont pas mis leur législation en conformité avec cette obligation internationale.
• Les victimes des violations du droit humanitaire ne peuvent pas saisir directement la Commission internationale humanitaire d'établissement des faits chargée d'établir l'existence des violations graves et des infractions graves du droit humanitaire. Elles doivent s'adresser aux États membres qui sont les seuls à pouvoir la saisir.
• Les victimes de génocide, crimes de guerre et crimes contre l'humanité peuvent saisir le procureur de la Cour pénale internationale mais ne peuvent engager des poursuites. Le principe de compétence universelle s'applique également aux cas de torture sur la base de la Convention de 1989
• Pour de telles violations, les victimes disposent des recours judiciaires classiques au niveau national.
• Des recours régionaux ou non judiciaires sont également prévus au niveau international pour les victimes de violations graves des droits de l'homme. Ils ne relèvent toutefois pas du pénal et par conséquent ne peuvent qu'engager la responsabilité de l'État ■

▶ **Droits de l'homme ▷ Recours individuels.**

Consulter aussi

▶ **Devoirs des commandants ▷ Responsabilité ▷ Sanctions pénales du droit humanitaire ▷ Cour pénale internationale ▷ Tribunaux pénaux internationaux ▷ Commission internationale d'établissement des faits ▷ Compétence universelle ▷ Imprescriptibilité ▷ Entraide judiciaire ▷ Amnistie ▷ Impunité ▷ Recours individuels ▷ Immunité.**

Jurisprudence

1. Infractions graves aux Conventions de Genève du 12 août 1949 et crimes de guerre

a. Définition

Selon le TPIY et le TPIR, quatre conditions préalables sont requises pour engager des poursuites contre un individu pour infraction grave aux Conventions de Genève au titre de l'article 2 du statut : (a) l'existence d'un conflit armé ; (b) l'établissement d'un lien de connexité entre les infractions alléguées et le conflit armé ; (c) le conflit armé doit être international ; et (d) les victimes des infractions alléguées doivent être qualifiées de personnes protégées conformément aux dispositions des Conventions de Genève de 1949. TPIY : affaires Blaskic (29 juillet 2004, § 170), Naletilic et Martinovic (31 mars 2003, § 176), Tuta et Stela (31 mars 2003, § 176) et Brdjanin (1er septembre 2004, § 121) ; et TPIR : affaires Ntagerura et consorts (25 février 2004, § 766) et Bagosora et consorts (18 décembre 2008, § 2229).

Conformément aux décisions des tribunaux pénaux internationaux, la CPI a estimé que pour prouver qu'un crime constitue un crime de guerre tel que défini par le statut de Rome, l'existence d'un lien entre le conflit armé et le crime supposé doit être démontré : affaires Le procureur c. Jean Pierre Bemba Gombo (10 juin 2008, § 55) et Le procureur c. Germain Katanga et Mathieu Ngudjolo Chui (30 septembre 2008, § 379-384).

La décision de la Chambre d'appel du TPIY du 2 octobre 1995, dans l'affaire Tadic, a permis une avancée jurisprudentielle significative et comblé le fossé existant entre les conflits armés internationaux et non internationaux quant à leur définition des crimes de guerre et infractions graves. Elle affirme que les violations de l'article 3 commun aux Conventions de Genève étaient constitutives de crimes de guerre, qu'elles aient été commises dans un conflit armé interne ou international (§ 137). Par conséquent, bien que les infractions graves aux Conventions de Genève s'appliquent seulement aux conflits armés internationaux et ne mentionnent pas l'article 3 commun, les juges ont consacré l'existence d'une règle coutumière qui s'impose notamment aux États qui n'auraient pas ratifié le statut de la Cour pénale internationale et qui prévoit que les crimes de guerre, constitués par la violation de l'article 3 commun regroupant les infractions graves du DIH, peuvent être sanctionnés aussi bien en temps de conflit armé international que non international.

Cette avancée a été confirmée dans des décisions ultérieures. Dans l'affaire Bagosora et consorts (18 décembre 2008, § 2242, 2250), la Chambre de première instance du TPIR a statué que, selon l'article 4 du statut, « le tribunal est habilité à poursuivre les personnes qui commettent ou donnent l'ordre de commettre des violations graves de l'article 3 commun et du Protocole additionnel II qui comportent notamment les atteintes portées à la vie, à la santé et au bien-être physique ou mental des personnes, en particulier le meurtre, de même que les traitements cruels tels que la torture, les mutilations ou toutes formes de peines corporelles ». Dans l'affaire Ntagerura et consorts (25 février 2004, § 766), la Chambre de première instance du TPIR a rappelé que, concernant les crimes de guerre, l'existence d'un conflit armé non international sur le territoire de l'État en question doit être prouvée.

Dans l'affaire Rutaganda du 6 décembre 1999, la Chambre de première instance du TPIR a affirmé qu'en cas de conflit le droit humanitaire s'applique sur tout le territoire et à toute la population. La chambre précise à ce sujet que « la protection accordée aux personnes en vertu des Conventions de Genève et des Protocoles additionnels l'est sur l'ensemble du territoire de l'État où se déroulent les hostilités [...] et ne se limite par au "front" ni au "contexte géographique" étroit du territoire effectif des combats » (§ 102-103). Cette décision a été confirmée par la Chambre de première instance du TPIR dans plusieurs autres affaires : Akayesu, 2 septembre 1998 (§ 635) ; Kayishema et Ruzindana, 21 mai 1999 (§ 182-183) ; Musema, 27 janvier 2000 (§ 284) ; Semanza, 15 mai 2003 (§ 367).

b. L'intention spécifique requise pour les auteurs indirects de tels crimes

Dans l'affaire Boškoski & Tarčulovski (19 mai 2010, § 67-68), la Chambre d'appel du TPIY a estimé que la preuve de l'intention spécifique (*mens rea*) était nécessaire pour pouvoir condamner un accusé d'avoir planifié, incité et ordonné des crimes notamment ceux prévus à l'article 3 commun, c'est-à-dire les crimes de guerre.

2. Crimes contre l'humanité

a. Définition

Dans l'affaire Akayesu du 2 septembre 1998, la Chambre de première instance du TPIR a estimé que les crimes contre l'humanité « comportent *grosso modo* quatre éléments essentiels, à savoir : 1) l'acte inhumain par définition et par sa nature, doit infliger des souffrances graves ou porter gravement atteinte à l'intégrité physique ou à la santé mentale ou physique, 2) il doit s'inscrire dans le cadre d'une attaque généralisée ou systématique, 3) il doit être dirigé contre les membres d'une population civile, 4) et enfin il doit être commis pour un ou plusieurs motifs discriminatoires, notamment pour des motifs d'ordre national, politique, ethnique, racial ou religieux » (§ 578). Voir également les affaires Bagosora et consorts (18 décembre 2008, § 2165), Seromba (13 décembre 2006, § 354), Zigiranyirazo (18 décembre 2008, § 430), Bikindi (2 décembre 2008, § 428), Nzabirinda (23 février 2007, § 20) et Nchamihigo (12 novembre 2008, § 340).

« Discrimination » : l'intention discriminatoire n'est pas exigée pour des actes autres que la persécution (TPIR, Zigiranyirazo, 18 décembre 2008, § 430).

Les tribunaux ont également précisé la signification du caractère « généralisé ou systématique » de l'attaque, précisant que les prescriptions générales relatives au crime contre l'humanité doivent être appréhendées comme des éléments distincts.

– Le caractère généralisé résulte du fait que l'acte présente un caractère massif, fréquent, et que, mené collectivement, il revêt une gravité considérable et est dirigé contre une multiplicité de victimes. Chambre de première instance du TPIR : Rutaganda du 6 décembre 1999 (§ 69), Musema du 27 janvier 2000 (§ 204), Bagilishema du 7 juin 2001 (§ 77), Kayishema et Ruzindana du 21 mai 1999 (§ 123). Voir également les décisions rendues par la Chambre de première instance du TPIY : Kordic et Cerkez du 26 février 2001 (§ 179), et Blaskic du 3 mars 2000 (§ 206) et Blagojevi et Joki (9 mai 2007, § 101-102). Le seuil numérique n'est toutefois pas un élément décisif. Dans l'affaire Krajisnik (17 mars 2009, § 309), la Chambre d'appel du TPIY a rappelé que, à l'exception de l'extermination, il n'est pas nécessaire qu'un crime provoque de nombreuses victimes pour constituer un crime contre l'humanité : un acte dirigé contre un nombre limité de victimes peut constituer un crime contre l'humanité, à condition qu'il fasse partie d'une attaque généralisée ou systématique contre la population civile.

– Le caractère systématique tient, quant à lui, au fait que l'acte est soigneusement organisé selon un modèle régulier, en exécution d'une politique concertée mettant en œuvre des moyens publics ou privés considérables. Il n'est nullement exigé que cette politique soit officiellement adoptée comme politique d'État. Il doit cependant exister une espèce de plan ou de politique préconçus. Chambre de première instance du TPIR : Akayesu du 2 septembre 1998 (§ 580), Rutaganda du 6 décembre 1999 (§ 69), Musema du 27 janvier 2000 (§ 204), ainsi que les jugements de la Chambre de première instance du TPIY dans l'affaire Tuta et Stela du 31 mars 2003 (§ 236) et de la Chambre d'appel du TPIY dans l'affaire Foca du 12 juin 2002 (§ 94).

Dans le jugement Kayishema et Ruzindana du 21 mai 1999, la Chambre de première instance du TPIR souligne que « l'auteur des crimes contre l'humanité doit avoir agi en connaissance de cause, c'est-à-dire qu'il doit comprendre le contexte général dans lequel s'inscrit son acte, [...] l'auteur du crime doit être conscient du contexte plus large dans lequel il est commis [...]. Ce qui transforme l'acte d'un individu en crime contre l'humanité, c'est notamment le fait que cet acte soit classé dans une catégorie d'infractions présentant un niveau de gravité accrue [...]. L'accusé devrait par conséquent être conscient de ce degré de gravité pour être tenu responsable desdits crimes. De ce fait, une connaissance objective ou raisonnée du contexte plus large dans lequel s'inscrit l'attaque s'avère nécessaire pour que l'intention exigée soit constatée » (§ 133-134).

Ces éléments ont été confirmés dans les décisions ultérieures des tribunaux internationaux statuant que « l'accusé doit avoir eu connaissance du contexte général dans lequel s'inscrivait l'attaque et avoir su que ses actes faisaient partie intégrante d'une attaque généralisée ou systématique dirigée contre une population civile ». Voir TPIR : affaires Gacumbitsi (7 juillet 2006, § 86) ; Ruggiu (1er juin 2000, § 19-20), et Bagilishema (7 juin 2001, § 94) ; voir TPIY (Chambre de première instance) : affaires Tadic (15 juillet 1999, § 271), Brcko (14 décembre 1999, § 56), Blaskic (3 mars 2000, § 244 et 247), Foca (22 février 2001, § 410), ainsi que Kordic et Cerkez (26 février 2001, § 185) ; et (Chambre d'appel) : affaire Foca (12 juin 2002, § 102).

Dans l'affaire Katanga et consorts (Le procureur c. Germain Katanga et Mathieu Ngudjolo Chui, 6 juillet 2007, § 32-35), la Chambre préliminaire I de la CPI a estimé que l'élément contextuel énoncé à l'article 7 du statut de Rome, à savoir qu'un crime contre l'humanité implique une « attaque généralisée ou systématique », constitue un élément indispensable à la définition. La Chambre a fondé son raisonnement sur la jurisprudence des tribunaux pénaux internationaux *ad hoc*. Voir également l'affaire Bemba (10 juin 2008, § 32-36). L'élément de préméditation est par ailleurs essentiel à la définition ; la notion d'« attaque généralisée ou systématique » implique que l'attaque soit soigneusement organisée selon un modèle régulier, en exécution d'une politique concertée mettant en œuvre des moyens publics ou privés considérables (Katanga et consorts, 30 septembre 2008, § 394-396, 400). Toujours s'agissant de la notion d'« attaque généralisée ou systématique », la Chambre a estimé qu'il n'était pas nécessaire de prouver que ces deux éléments sont réunis dès lors que l'existence de l'un d'entre eux était effectivement prouvée : « puisque la Chambre a conclu que l'attaque était généralisée, elle n'a pas besoin de déterminer si l'attaque était également systématique » (Katanga et consorts, 30 septembre 2008, § 412).

b. Des crimes commis contre une population civile

Dans l'affaire Martic (8 octobre 2008, § 313-314), la Chambre d'appel du TPIY a conclu que, en vertu de l'article 5 du statut, une personne mise hors de combat peut être victime d'un acte constituant un crime contre l'humanité, à condition que l'ensemble des autres conditions nécessaires soient réunies, et notamment que les crimes soient commis dans le cadre d'une attaque généralisée ou systématique contre *toute* population civile. Voir également l'affaire Milosevic (12 novembre 2009, § 59). Par conséquent, même si les civils doivent être les cibles principales de l'attaque pour qu'il y ait crime, la présence de non-civils dans la population visée ne modifie ni le caractère civil de la population ni la nature même du crime (TPIR, affaire Nzabirinda, 23 février 2007, § 22). Voir également les affaires Semanza (15 mai 2003, § 330) et Seromba (13 décembre 2006, § 358). Il n'est pas requis que les crimes contre l'humanité soient dirigés contre la population entière pour être considérés comme tels : TPIR, affaire Bisengimana (13 avril 2006, § 49, 50).

Un tel crime doit faire partie d'une attaque généralisée ou systématique. S'agissant de cette dernière exigence, la Chambre a rappelé que : (a) la population civile doit être la cible principale de l'attaque ; (b) les facteurs pertinents pour déterminer si l'attaque était ainsi dirigée incluent les moyens et les méthodes utilisés au cours de l'attaque, le statut des victimes, leur nombre, la nature discriminatoire de l'attaque, la nature des crimes commis pendant celle-ci, la résistance alors opposée aux assaillants et dans quelle mesure les forces attaquantes semblent avoir respecté ou essayé de respecter les précautions énoncées par le droit de la guerre ; et (c) que la population civile doit être essentiellement civile. TPIY : affaire Mrksic et Slijvancanin (27 septembre 2007, § 429, 440).

Dans la lignée du TPIY, la Chambre préliminaire I de la CPI a conclu dans l'affaire Katanga et consorts (30 septembre 2008, § 399) que le terme « toute population civile » signifie indépendamment de toute condition de nationalité, d'appartenance ethnique ou d'autres attributs distinctifs ; et que des crimes contre l'humanité peuvent être commis contre des civils de la même nationalité que l'auteur.

Pour en savoir plus

ABI-SAAB G. et R., « Les crimes de guerre », in *Droit international pénal,* sous la dir. de Hervé ASCENSIO, Emmanuel DECAUX et Alain PELLET, CEDIN-Paris X, Pedone, 2000, 1 053 p., p. 265-291.

BETTATI M., « Les crimes contre l'humanité », in *Droit international pénal,* sous la dir. de H. ASCENSIO, E. DECAUX et A. PELLET, CEDIN-Paris X, Pedone, 2000, 1 053 p., p. 293-317.

DAVID E., *Principes de droit des conflits armés,* Université libre de Bruxelles, Bruxelles, 2002, p. 645-850.

JUROVICS Y., STERN B., *Réflexions sur la spécificité du crime contre l'humanité,* LGDJ, « Bibliothèque de droit international et communautaire », 2002, 525 p.

OBERG M. D., « The absorption of grave breaches into war crimes law » *Revue internationale de la Croix-Rouge,* n° 873, juin 2003, p. 163-183.

QUEGUINER F., « Dix ans après la création du tribunal pénal international pour l'ex-Yougoslavie : évaluation de l'apport de la jurisprudence au droit international humanitaire », *Revue internationale de la Croix-Rouge,* n° 850, juin 2003, p. 271-311.

TERNON Y., *L'État criminel. Les génocides au XXe siècle,* Seuil, Paris, 1995.

WAGNER N., « Le développement du régime des infractions graves et de la responsabilité pénale individuelle par le tribunal pénal pour l'ex-Yougoslavie », *Revue de la Croix-Rouge internationale,* n° 850, juin 2003.

Croix-Rouge, Croissant-Rouge

Le mouvement international de la Croix-Rouge et du Croissant-Rouge est composé de trois types d'institutions distinctes : le Comité international de la Croix-Rouge (CICR), la Fédération internationale des sociétés de la Croix-Rouge et du Croissant-Rouge, et les sociétés nationales.

L'ensemble du mouvement se réunit tous les quatre ans avec les représentants des États signataires des Conventions de Genève pour une conférence internationale qui est son organe de décision (art. 1.3 des statuts du Mouvement international de la Croix-Rouge et du Croissant-Rouge). Le mouvement est organisé conformément aux statuts de la Croix-Rouge internationale adoptés par la conférence internationale de la Croix-Rouge à Genève en 1986. Le CICR et la Fédération disposent en outre de statuts propres.

À l'intérieur du mouvement, chaque composante a une existence autonome, des organes de direction indépendants et des missions distinctes. Mais toutes doivent

respecter les sept principes d'action du mouvement : humanité, impartialité, neutralité, indépendance, volontariat, unité, universalité.
L'action humanitaire contemporaine ne se réfère pas à tous les principes de la Croix-Rouge, mais à un nombre plus limité de termes tels que l'humanité, l'indépendance, l'impartialité et la neutralité. Le contenu et l'interprétation de ces principes ont également fait l'objet de débats. C'est notamment le cas pour la neutralité, qui ne représente plus aujourd'hui un dogme absolu de l'action humanitaire mais un moyen dont la valeur peut être remise en question dans certaines situations.
Les Conventions de Genève ne font référence qu'à deux principes. Elles exigent que les organisations de secours soient humanitaires et impartiales.
Elles établissent un certain nombre de principes opérationnels concernant les activités concrètes de secours ou de protection de ces organisations.

▶ **Principes humanitaires.**

1. *Les sociétés nationales (la Croix-Rouge nationale et le Croissant-Rouge)*
Leur existence est évoquée dans les Conventions de Genève pour promouvoir la diffusion du droit humanitaire et de l'idéal de la Croix-Rouge et pour organiser les secours dès le temps de paix.
Elles se constituent dans les pays signataires des Conventions de Genève. Elles sont auxiliaires sanitaires des pouvoirs publics. En temps de paix, elles peuvent constituer un réseau de santé civile (formation, secourisme, banques du sang). En période de conflit armé, elles sont auxiliaires du service sanitaire des armées. Leur personnel est « soumis aux lois et règlements militaires » (statut type, art. 2 ; GI art. 26).

◆ **Le droit international humanitaire distingue le rôle des organisations humanitaires impartiales et celui des sociétés nationales de secours appartenant à l'une des parties au conflit. Les sociétés nationales de la Croix-Rouge ne sont pas reconnues par le droit humanitaire comme un intermédiaire humanitaire, neutre et indépendant pendant un conflit. Les Conventions de Genève limitent l'utilisation qu'elles sont autorisées à faire de l'emblème de la Croix-Rouge en temps de guerre (GI art. 44).**

Malgré cette fonction d'auxiliaire sanitaire des pouvoirs publics, elles doivent garder à l'égard de leur propre gouvernement suffisamment d'autonomie dans leur fonctionnement pour toujours être en mesure de respecter les sept principes fondamentaux du mouvement.
En février 2012, il existait 188 sociétés nationales reconnues par le CICR.

2. *La Fédération internationale des sociétés de la Croix-Rouge et du Croissant-Rouge (anciennement Ligue des sociétés de la Croix-Rouge)*
Elle regroupe les sociétés nationales (art. 6 des statuts du mouvement). Elle favorise la création de sociétés nationales dans chaque pays. Elle a notamment pour fonction d'agir en qualité d'organe permanent de liaison, de coordination et d'étude entre les sociétés nationales et de leur apporter l'assistance qu'elles pourraient lui demander (art. 6.4.a des statuts du mouvement).

La Fédération coordonne les actions des sociétés nationales et elle leur fournit un support opérationnel, comme l'expertise et le financement (art. 5.1.a du statut de la Ligue). Elle coordonne les activités d'urgence auxquelles plusieurs sociétés participent (tremblement de terre, épidémie). Elle exécute directement certains projets de secours aux victimes de catastrophes naturelles (art. 5.1.c du statut).

◆ **• La Fédération met en œuvre les principes de la Croix-Rouge et du Croissant-Rouge dans les situations non couvertes par le droit humanitaire et le mandat spécifique du CICR. Elle est donc compétente en temps de paix ou de catastrophes naturelles.**
• Elle intervient depuis quelques années dans des situations de réfugiés, mais le CICR veille à ce que ses propres prérogatives prévues par le droit humanitaire soient respectées en période de conflit. Un accord sur l'organisation des activités internationales des composantes du Mouvement a été adopté par le conseil des délégués du mouvement, réuni à Séville en 1997.

3. *Le Comité international de la Croix-Rouge (CICR)*
En 1863, suite à la parution de *Un souvenir de Solférino,* un Comité de secours aux militaires blessés fut créé. Celui-ci, composé d'Henri Dunant et de quatre autres membres, fut rebaptisé CICR en 1876.

■ **Principes fondamentaux de la Croix-Rouge**

L'action humanitaire de la Croix-Rouge repose sur sept principes proclamés en 1965 et précisés en 1986 pour être incorporés aux statuts du mouvement à l'occasion de la révision de ces derniers.
• Humanité
Né du souci de porter secours sans discrimination aux blessés des champs de bataille, le Mouvement international de la Croix-Rouge et du Croissant-Rouge s'efforce de prévenir, d'alléger, en toutes circonstances, les souffrances des hommes. Il tend à protéger la vie et la santé ainsi qu'à faire respecter la personne humaine. Il favorise la compréhension mutuelle, l'amitié, la coopération et une paix durable entre tous les peuples.
• Impartialité
Le mouvement ne fait aucune distinction de nationalité, de race, de religion, de condition sociale ou d'appartenance politique. Il s'applique seulement à secourir les individus dans la mesure de leur souffrance et à subvenir par priorité aux détresses les plus urgentes.
• Neutralité
Afin de garder la confiance de tous, le mouvement s'abstient de prendre part aux hostilités et, en tout temps, aux controverses d'ordre politique, racial, religieux et idéologique.
• Indépendance
Le mouvement est indépendant. Auxiliaires des pouvoirs publics dans leurs activités humanitaires et soumises aux lois qui régissent leur pays respectif, les sociétés nationales doivent pourtant conserver une autonomie qui leur permette d'agir toujours selon les principes du mouvement.
• Volontariat
Le mouvement est une organisation de secours volontaire et désintéressée.
• Unité
Il ne peut y avoir qu'une seule société de Croix-Rouge ou du Croissant-Rouge dans un même pays. Elle doit être ouverte à tous et étendre son action humanitaire au territoire entier.

• Universalité
Le Mouvement international de la Croix-Rouge et du Croissant-Rouge, au sein duquel toutes les sociétés ont des droits égaux et le devoir de s'entraider, est universel. ■

Le fonctionnement de cette première structure inspire encore l'actuel comité. Le Mouvement de la Croix-Rouge a su allier l'initiative privée en matière de secours et d'humanité et l'adhésion indispensable des États.

Le CICR est sur le plan juridique, une association suisse. Il jouit de droits et de responsabilités particuliers que lui ont confiés les États dans les Conventions de Genève pour la mise en œuvre du droit humanitaire. Son statut est annexé à ces conventions. L'organe suprême du CICR est l'assemblée des membres recrutés par cooptation parmi les citoyens suisses, qui comprend de quinze à vingt-cinq membres. C'est cette assemblée qui fixe la doctrine et la politique générale du CICR et qui exerce la haute surveillance sur l'ensemble des activités du CICR.

Le budget ordinaire est couvert à environ 50 % par le gouvernement suisse. Le budget extraordinaire (urgences) est financé par les États, les sociétés nationales et les dons privés sur la base d'appels de fonds par programmes. C'est donc une institution hybride et unique dans la mesure où le CICR affirme son indépendance en assumant des liens étroits avec les États. Dans ses moyens de fonctionnement d'ailleurs, le CICR dispose de possibilités dont aucun organisme privé ne jouit (un siège d'observateur à l'Assemblée générale des Nations unies depuis 1990 ; une fréquence radio internationale attribuée par l'Union internationale des télécommunications).

◆ **• Le CICR dispose au sein du Mouvement de la Croix-Rouge d'une indépendance garantie par ses propres statuts. Bien qu'il s'agisse d'un organisme privé, sa mission est expressément définie par les Conventions de Genève. Il est donc reconnu et accepté par les États parties à ces conventions (statut du 21 juin 1973 révisé en dernier lieu le 20 juillet 1998).**
• Le CICR s'efforce d'assurer, de sa propre initiative ou en se fondant sur les Conventions de Genève, protection et assistance aux victimes de conflits armés internationaux et non internationaux et de troubles et tensions internes.
• Il est aussi le gardien de ces conventions. Cela signifie qu'il travaille à la compréhension et à la diffusion du droit humanitaire et qu'il en prépare les développements éventuels.
• Il dispose d'un statut d'observateur à l'ONU.

Le Comité est présidé depuis le 1er juillet 2012 par Peter Maurer, succédant à Jacok Kellenberger qui occupait ce poste depuis l'an 2000. Le Comité a reçu quatre prix Nobel de la paix (en la personne d'Henri Dunant en 1901, puis en 1917, 1944, 1963).

Le CICR intervient dans toutes les situations de conflit armé pour assurer le secours et la protection des victimes de guerre (statut art. 4.1.d).

Le CICR est à l'origine de la rédaction du droit international humanitaire. Il entretient des relations privilégiées avec les gouvernements puisque, aux termes de ces conventions et de son statut, les États lui ont reconnu la qualité d'intermédiaire neutre et impartial dans les conflits armés, chargé de défendre les droits des victimes militaires et civiles des conflits. Dans toutes ses interventions, il garantit aux

États et aux individus le respect de la confidentialité sur ce dont il est témoin. Il bénéficie d'un emblème international protégé.

▶ **Signes distinctifs.**

◆ **Les Conventions de Genève ont prévu un certain nombre de droits et d'obligations pour assurer le secours et la protection des victimes de guerre. Certains de ces droits sont réservés à l'activité du seul CICR (mandat exclusif), alors que d'autres sont prévus au profit du CICR et de toute autre organisation humanitaire impartiale (mandat humanitaire général).**

I. Mandat exclusif

Les Conventions de Genève et le statut du Comité donnent mandat au CICR et à lui seul pour certaines interventions.

1. *Visite des lieux d'internement et de détention*

Les délégués du CICR seront « autorisés à se rendre dans tous les lieux où se trouvent des personnes protégées, notamment dans les lieux d'internement, de détention et de travail ; ils auront accès à tous les locaux utilisés par les personnes protégées et ils pourront s'entretenir sans témoin avec elles » (GIV art. 143). *Idem* pour les prisonniers de guerre (GIII art 126).

▶ **Détention ▷ Prisonniers de guerre.**

2. *Contrôle de l'application des conventions*

Le CICR est compétent pour « recevoir toute plainte au sujet de violations alléguées des conventions humanitaires » (art. 4.1c du statut).

Il travaille par ailleurs au développement et à la diffusion du droit humanitaire. Il établit des commentaires des conventions et d'autres textes de référence du droit humanitaire, contribuant ainsi à éclairer la pensée des législateurs que sont les États en la matière. Il définit également les principes généraux du droit humanitaire. Ce n'est pas forcément son rôle de défendre une interprétation favorable aux victimes lorsque les textes ne sont pas assez clairs, puisqu'il est gardien de l'orthodoxie de ces textes. En revanche, il travaille à leur amélioration et propose régulièrement des résolutions au vote de la Conférence diplomatique (statut art. 4.1g).

3. *Recherche des disparus, échange de courrier*

Les familles ont le droit de connaître le sort de leurs proches. Les Conventions de Genève organisent donc un système par lequel les renseignements seront collectés et transmis aux familles. Le CICR organise les échanges de courrier et la recherche des disparus en garantissant la confidentialité totale de ces informations. Il s'agit en effet d'éviter que les gens qui fuient un danger puissent être retrouvés par ceux qui les menacent (GIV art. 136 à 141). Cette activité se fait donc au sein d'un organe distinct : l'agence centrale de recherches.

▶ **Agence centrale de recherches.**

II. Mandat « humanitaire » exclusif de fait

Les Conventions de Genève donnent la possibilité à toute organisation « humanitaire et impartiale » d'être substitut aux puissances protectrices. Dans les faits, seul le CICR a la possibilité diplomatique et effective d'assumer ce rôle. C'est ainsi qu'il est souvent impliqué dans les négociations de libération des prisonniers de guerre.

▶ **Puissance protectrice.**

III. Mandat humanitaire général

Le droit humanitaire reconnaît au CICR et à tout autre organisme humanitaire impartial le droit d'entreprendre des opérations de secours et de protection conformes aux conventions. Ce droit est prévu de façon générale dans les articles relatifs au droit d'initiative humanitaire (GI-GIII art. 9 ; GIV art. 10 ; GPI art. 81 ; art. 4.2 du statut du CICR). Il est renforcé par certaines dispositions spécifiques vis-à-vis des malades et blessés (GI-GIV art. 3.2), vis-à-vis de la protection des personnes protégées (GIV art. 30), vis-à-vis des secours aux populations (GIV art. 59), etc.

◆ **Les droits accordés au CICR sont devenues des normes de droit coutumier. La règle 124 de l'étude sur les règles du droit international humanitaire coutumier publiée par le CICR en 2005 impose que :**
– Dans les conflits armés internationaux, le CICR doit se voir accorder un accès régulier à toutes les personnes privées de liberté afin de vérifier leurs conditions de détention et de rétablir le contact entre ces personnes et leur famille.
– Dans les conflits armés non internationaux, le CICR peur offrir ses services aux parties au conflit afin de visiter toutes les personnes privées de liberté pour des raisons liées au conflit, dans le but de vérifier leurs conditions de détention et de rétablir le contact entre ces personnes et leur famille.

Consulter aussi

▶ **Agence centrale de recherches ▷ Principes humanitaires ▷ Droit humanitaire ▷ Secours ▷ Protection ▷ Puissance protectrice ▷ Droit d'initiative ▷ Signes distinctifs-Signes protecteurs.**

Contacts

Fédération internationale des sociétés de la Croix-Rouge et du Croissant-Rouge,
17, chemin des Crêts, 1211 Genève 19 / Suisse.
Tél. : (00 41) 22 730 42 22/Fax : (00 41) 22 733 03 95.
www.Ifrc.org

CICR, 19, avenue de la Paix, CH 1202 Genève / Suisse.
Tél. : (00 41) 22 734 60 01/Fax : (00 41) 22 733 20 57.
www.Icrc.org

Pour en savoir plus

Dominice C., « La personnalité juridique internationale du Comité international de la Croix-Rouge », in Swinarski C. (éd.), *Études et essais sur le droit international humanitaire et sur les principes de la Croix-Rouge en l'honneur de Jean Pictet*, CICR/Martinus Nijhoff, La Haye, 1984, p. 663-673.

BUGNION F., *Le Comité international de la Croix-Rouge et la protection des victimes de la guerre*, Genève, CICR, 2e édition, 2000, 1 444 p.

FORSYTHE D., « The ICRC : a unique humanitarian protagonist », *Revue internationale de la Croix-Rouge*, vol. 89, n° 865, mars 2007, p. 63-96.

HAROUEL-BURELOUP V., « La naissance de la Croix-Rouge et du droit humanitaire » in *Traité de droit humanitaire*, PUF, Paris, 2005, p 107-140.

HAUG H., *Humanité pour tous*, Institut Henri-Dunant et Haupt, Genève, 1993.

Manuel du Mouvement international de la Croix-Rouge et du Croissant- Rouge, 14e éd., CICR et Fédération, Genève, 2011.

PICTET J. S., *Le Comité international de la Croix-rouge : une institution unique en son genre*, Genève, Institut Henry Dunant, 1985, 110 p.

TROYON B. et PALMIERI D., « Délégué du CICR : un acteur humanitaire exemplaire ? », *Revue internationale de la Croix-Rouge*, n° 865, mars 2007, p. 97-111. Disponible en ligne sur http://www.icrc.org/fre/assets/files/other/irc_89_1_troyon_fre.pdf

Déclaration universelle des droits de l'homme

1. Origines

Déclaration adoptée par la résolution 217/A (III) de l'Assemblée générale de l'ONU, le 10 décembre 1948 (48 voix pour, 8 abstentions et aucune voix contre). Elle fut préparée par la Commission des droits de l'homme de l'ONU, sous l'inspiration de René Cassin (France), Charles Malik (Liban) et Eleanor Roosevelt (USA).

Cette déclaration contient trente articles qui énoncent les droits civils et politiques mais aussi les droits économiques et sociaux fondamentaux des individus.

C'est le premier texte de base à vocation universelle en la matière. Il représente un idéal à atteindre pour l'ensemble des États plutôt qu'un ensemble d'engagements précis et contraignants de leur part. Les résolutions de l'Assemblée générale ne sont pas des textes obligatoires comme les conventions internationales. Avant qu'elle n'acquière une valeur coutumière et donc obligatoire, la Déclaration a constitué une référence essentielle pour l'élaboration nationale et internationale des instruments relatifs aux droits de l'homme, qui ont eux une valeur obligatoire et contraignante.

▶ **Coutume ▷ Droit, droit international ▷ Convention internationale.**

Ainsi, elle a servi de base à la rédaction, en 1966, sous l'égide de l'ONU, du pacte international relatif aux droits civils et politiques (et son protocole facultatif) et du pacte international relatif aux droits économiques, sociaux et culturels, qui lient tous deux les États parties. Elle est en outre citée dans plusieurs autres conventions régionales et internationales, dans les textes fondateurs de l'Organisation de l'Unité africaine (OUA) et de la Conférence pour la sécurité et la coopération en Europe (actuelle OSCE), et invoquée régulièrement par les organes du système onusien et une dizaine de constitutions nationales.

Elle sert aussi de base pour identifier les probables « schémas de violations flagrantes et massives des droits de l'homme et des libertés fondamentales » qui peuvent déclencher une procédure confidentielle devant le Conseil des droits de l'homme des Nations unies (procédure 1503 révisée). La procédure 1503 révisée a été mise en place pour connaître des communications et plaintes d'individus ou de groupes déclarant être victimes de violations de leurs droits, et de toute personne ou groupe de personnes qui ont une connaissance directe des violations (comme les ONG) des principes reconnus des droits de l'homme. Si la plainte est retenue, elle pourra être envoyée au pays en question, une enquête confidentielle pourra être lancée, ou la question pourra être abordée en séance publique.

La Déclaration universelle des droits de l'homme ne doit pas être confondue avec la Déclaration française des droits de l'homme et du citoyen de 1789.

▶ **Haut-Commissariat des droits de l'homme-Conseil des droits de l'homme ▷ Coutume ▷ Droit, droit international ▷ Convention internationale.**

2. *Les droits énoncés par la déclaration*

Article 1 : égalité des êtres humains en dignité et en droit.

Article 2 : non-discrimination entre les êtres humains notamment en raison de la race, de la couleur, du sexe, de la langue, de la religion, des opinions politiques ou autres, de l'origine nationale ou sociale, de la fortune, de la naissance, ou d'une autre situation, y compris le statut politique, juridique ou international du territoire dont une personne est ressortissante.

Article 3 : droit à la vie et à la sûreté de sa personne.

Article 4 : interdiction de l'esclavage.

Article 5 : interdiction de la torture et des peines et traitements cruels, inhumains ou dégradants.

Article 6 : droit à la personnalité juridique.

Article 7 : droit de tous à bénéficier d'une égale protection de la loi.

Article 8 : droit à un recours effectif devant des tribunaux contre les violations des droits fondamentaux.

Article 9 : interdiction de l'arrestation et de la détention ou de l'exil arbitraires.

Article 10 : droit à un recours judiciaire devant des tribunaux indépendants.

Article 11 : garanties judiciaires des individus.

Article 12 : respect de la vie privée.

Article 13 : liberté de circulation et d'établissement dans son pays. Droit de quitter son pays et d'y revenir.

Article 14 : droit de fuite devant les persécutions et de demander l'asile.

Article 15 : droit à une nationalité.

Article 16 : droit au mariage et protection du mariage.

Article 17 : droit à la propriété.

Article 18 : droit à la liberté de pensée, de conscience et de religion.

Article 19 : droit à la liberté d'opinion et d'expression. Liberté de recevoir et de répandre les informations et les idées sans considérations de frontières.

Article 20 : droit à la liberté de réunion et d'association pacifiques.

Article 21 : droit de participer à la direction des affaires publiques fondé sur le suffrage universel.

Article 22 : droit à la sécurité sociale.

Article 23 : droit au libre choix du travail et à la rémunération équitable de celui-ci.

Article 24 : droit aux repos et aux loisirs.

Article 25 : droit à un niveau de vie suffisant pour assurer la santé et le bien-être, droit à une assistance spéciale pour les plus vulnérables.

Article 26 : droit à l'éducation.

Article 27 : droit de participer à la vie culturelle, et protection de la production scientifique, littéraire ou artistique.
Article 28 : droit de vivre dans des conditions d'ordre public national et international qui permettent la jouissance des droits de l'homme.
Article 29 : devoirs de l'individu envers la communauté. Les limitations aux droits et libertés seront définies par la loi afin de satisfaire aux justes exigences de la morale, de l'ordre public et du bien-être général dans une société démocratique. Les droits et libertés ne peuvent pas être exercés contrairement aux buts et principes des Nations unies.
Article 30 : aucune disposition de la Déclaration universelle des droits de l'homme ne peut être interprétée pour permettre une activité visant à détruire les droits et libertés qui y sont énoncés.

Consulter aussi

▶ **Droits de l'homme ▷ Recours individuels ▷ Garanties judiciaires ▷ Discrimination ▷ Sécurité ▷ Réfugié ▷ Nationalité ▷ Ordre public.**

Pour en savoir plus

AMNESTY INTERNATIONAL, *Au-delà de l'État. Le droit international et la défense des droits de l'homme* (organisations et textes), EFAI et Syros, Paris, 1992.

Déontologie médicale

Les règles éthiques contenues dans les codes de déontologie ont été élaborées par les associations professionnelles pour protéger la qualité et l'indépendance de leur mission. Ces codes d'éthique sont reconnus et protégés par le droit national et international et concernent plusieurs types de professions tels que les médecins, les journalistes, les avocats, etc.
Compte tenu du pouvoir des médecins sur la vie et la mort des malades et sur leur intégrité physique et mentale, l'éthique professionnelle médicale s'est développée dès l'Antiquité, notamment à travers le célèbre serment d'Hippocrate.
Ces règles d'éthique médicale ont par la suite été renforcées pour limiter la participation des médecins à des formes extrêmes et totalitaires de contrôle social et de violence politique. La participation des médecins dans des politiques de torture et d'eugénisme a été mise en évidence lors de la Seconde Guerre mondiale. Loin d'être un phénomène isolé imputable à la barbarie, à la dictature ou à la guerre froide, les études et les pratiques multiples montrent qu'il s'agit au contraire d'une tentation et d'une dérive permanentes de l'utilisation des savoirs et des personnels médicaux. L'utilisation des médecins militaires et civils dans les tortures et mauvais traitements infligés aux détenus de la guerre globale contre la terreur constitue une étape dans la prise de conscience de la nature et de l'ampleur de ce phénomène. Elle a conduit à l'adoption de nouvelles règles internationales dans le domaine de l'éthique médicale.

Ces règles d'éthique poursuivent deux objectifs complémentaires. Elles cherchent à protéger le patient face aux abus du médecin mais elles cherchent aussi à protéger le médecin face aux pressions de la société et du pouvoir politique.
Des règles spécifiques sont prévues pour les situations de plus grande vulnérabilité du patient et/ou du médecin. Elles concernent notamment les situations de conflits armés, de détention, mais aussi la recherche médicale et de façon générale les situations où le médecin se trouve face à une obligation duelle de défense de l'intérêt individuel du malade et de défense d'intérêts collectifs plus larges relatifs à l'ordre ou à la santé publique.

Le non-respect des principes d'éthique médicale peut faire l'objet de sanctions disciplinaires prononcées contre les médecins par des organisations professionnelles et donner lieu à des indemnisations pour les victimes devant les tribunaux civils. Il peut également constituer un délit pénal passible de poursuites devant les tribunaux au titre de la violation du secret médical ou de la complicité de torture.
En cas de conflit armé, certaines violations des règles d'éthique médicale peuvent aussi constituer des crimes de guerre et encourir des sanctions pénales devant les tribunaux nationaux ou internationaux.

▶ **Torture ▷ Crime de guerre-Crime contre l'humanité ▷ Compétence universelle ▷ Mission médicale.**

I. Les règles générales

Il n'existe aucune convention internationale qui fixe le contenu de la déontologie médicale. Celle-ci est réglementée au niveau national par les règlements des associations des professionnels de santé, qui assurent également les sanctions disciplinaires au sein de la profession. Les codes nationaux de santé publique reconnaissent l'autorité de cette réglementation et de ses mécanismes disciplinaires. Les violations les plus graves des règles éthiques peuvent également être sanctionnées par le droit pénal national, les moins graves donnent lieu à indemnisation devant les tribunaux civils. Le contenu des différents codes nationaux varie mais les principes essentiels de l'éthique médicale sont reconnus dans tous les pays.

L'Association médicale mondiale (AMM) a rédigé et adopté en novembre 1983 un Code international d'éthique médicale (amendé en 2006), qui illustre le consensus existant sur les principes fondamentaux en matière d'éthique médicale.
Ce texte complète les règles nationales et celles contenues dans les textes internationaux précédents tels que :
– le code de Nuremberg de 1947 relatif à l'éthique médicale et notamment aux expérimentations médicales ;
– le serment des médecins de 1948 (Déclaration de Genève) ;
– les règles internationales spécifiques encadrant la mission médicale en situation de conflit armé, notamment le droit pour tous les blessés et malades d'être soignés

selon des règles déontologiques renforcées (Conventions de Genève de 1949 et Protocoles additionnels de 1977).
– les règles internationales spécifiques encadrant la mission médicale dans les situations de détention.

Le Code de l'Association médicale mondiale développe les principes et obligations fondamentaux suivants :
– *Obligation de soin*
L'obligation de ne pas refuser des soins à celui qui en a besoin et de ne pas discriminer pour des raisons financières ou autres est liée à l'obligation de respecter la vie et de considérer les soins d'urgence comme une obligation humanitaire. Cette obligation éthique se traduit dans le droit à la santé et dans le droit pénal sous la forme du délit de non-assistance à personne en danger. Cette obligation de fournir des soins médicaux oblige aussi le médecin à agir dans l'intérêt exclusif du patient.
– *Respect du consentement*
L'obligation d'informer le malade, d'obtenir et de respecter son consentement éclairé avant tout acte de soin est un impératif qui protège l'équilibre de la relation médecin-malade et le respect de la dignité du patient. Cette obligation relativise le pouvoir du médecin sur le patient. Même si le médecin doit toujours agir dans l'intérêt supérieur du patient, il ne peut pas se substituer à lui pour décider de ce qu'il souhaite. Cette obligation est protégée par la plupart des droits nationaux et ouvre des droits à réparations civiles. Quand le patient ne peut pas consentir pour lui-même pour des raisons médicales ou légales (patient inconscient ou mineur) ou quand le consentement n'est pas libre (patients détenus, dépendants), le médecin est garant du caractère éthique de la décision et de l'acte. Les critères éthiques peuvent aller au-delà ou à l'encontre des règles légales ou des instructions administratives. La gestion et l'arbitrage de ces obligations duelles qui reposent sur le médecin sont encadrées par des principes éthiques spécifiques (*infra*).
– *Secret médical*
L'obligation de confidentialité médicale est un impératif éthique qui lie le médecin et son malade y compris après la mort de celui-ci selon le serment de Genève. Toutefois, cette exigence a perdu son caractère absolu dans la formulation retenue par le Code international d'éthique médicale amendé en 2006. Celui-ci mentionne le fait qu'il est conforme à l'éthique de divulguer des informations confidentielles lorsque le patient y consent ou lorsqu'il existe une menace dangereuse réelle et imminente pour le patient ou les autres et que cette menace ne peut être éliminée qu'en rompant la confidentialité. Cette obligation de garder le secret est aussi tempérée par le droit national de nombreux pays sous la forme d'une obligation faite au médecin de notifier aux autorités nationales des informations couvertes par le secret médical au nom de la défense de l'ordre public (pour les cas de victimes de violence ou de maltraitance) et au nom de la santé publique (pour les patients souffrants de certaines pathologies). Le secret médical se trouve donc placé au centre d'obligations duelles qui doivent être arbitrées par le médecin sur la base de critères éthiques et pas seulement légaux (voir *infra*). Quand la révélation de

certaines informations risque de causer un préjudice au patient, le médecin a l'obligation éthique de faire prévaloir l'intérêt supérieur du patient et de respecter la confidentialité. La plupart des droits nationaux permettent des dérogations fondées sur l'éthique professionnelle médicale.

– *Ne pas nuire, respecter l'intérêt supérieur du patient*

L'obligation d'agir dans l'intérêt supérieur du patient et de ne pas nuire implique l'obligation de référer un patient à une personne compétente quand le cas médical excède ses propres capacités professionnelles. Elle interdit de procéder à un traitement médical dont les effets négatifs excèdent les bénéfices thérapeutiques. Elle encadre aussi la possibilité de passer outre le consentement et interdit de procéder à des expérimentations médicales si cela n'est pas dans l'intérêt direct du patient, avec un équilibre positif entre le risque encouru et le bénéfice escompté et avec le consentement libre et éclairé du patient.

Ces éléments d'éthique sont présents dans des codes de déontologie professionnelle destinés à garantir la qualité des pratiques et leur indépendance vis-à-vis des différentes formes de pressions extérieures. Cette indépendance est assurée par des mécanismes d'autorégulation et de discipline au sein de la profession en marge de l'État, ainsi que par la protection du secret professionnel y compris vis-à-vis des autorités nationales. Le droit national incorpore certaines de ces règles éthiques pour leur donner une valeur juridique contraignante. Les règles qui établissent l'obligation de notification aux autorités visent à protéger le médecin d'une plainte de la part du patient dans ces cas-là. Elles n'autorisent pas le médecin à agir contre l'interêt du patient et sans son accord.

C'est l'inscription d'un médecin à l'ordre des médecins qui autorise la pratique de la médecine dans le pays où il est inscrit. À l'exception des actes dits de premier secours (*Samaritan acts*), la pratique de la médecine dans un pays étranger n'est autorisée que conformément aux règles propres à ce pays. Le médecin en mission temporaire dans un pays étranger reste soumis aux règles déontologiques de l'ordre duquel il dépend en plus des règles en vigueur dans le pays de sa mission.

Il existe également des associations internationales et régionales représentant les diverses branches et spécialités des professions de santé : Association psychiatrique mondiale, Conseil international des infirmières, Organisation islamique pour les sciences médicales, Fédération des associations médicales islamiques, qui débattent des règles éthiques propres à leur activités ou spécificités. Le Code islamique d'éthique médicale, également connu sous le nom de Déclaration de Koweït, a notamment été adopté en 1981 au cours de la 1re Conférence internationale sur la médecine islamique. Il a par ailleurs été révisé et élargi en 2004 par l'Organisation islamique pour les sciences médicales.

L'Association médicale mondiale a également adopté plusieurs déclarations spécifiques destinées à approfondir certains domaines de l'éthique médicale :

– Déclaration d'Helsinki de 1964, révisée en 2008, concernant les règles d'éthique médicale en matière de recherche (*infra*) ;
– Déclaration de Tokyo de 1975 sur l'interdiction de la participation des médecins à la torture et aux mauvais traitements. (Cette déclaration est complétée par la Déclaration de Hawaii de l'Association mondiale de psychiatrie en 1977 ; celle du Conseil international des infirmières en 1975 ; et par la Déclaration de Koweït de la Conférence internationale sur la médecine islamique en 1981) ;
– Déclaration de Tokyo de 1986 sur l'indépendance des médecins et la liberté professionnelle ;
– Déclaration de Lisbonne de 1995 sur les droits des patients ;
– Déclaration de Hambourg de 1997 sur le soutien des médecins qui résistent aux pressions pour participer à la torture.

◆ **Règles éthiques en matière de recherche médicale**

Le code de Nuremberg adopté en 1947 fournit les principes fondateurs de l'éthique médicale en matière de recherche. Parmi les dix principes de ce code figurent notamment la demande de consentement volontaire du patient qui participe à une étude, la liberté pour tout patient de se retirer d'une étude en cours, et l'obligation pour le chercheur d'évaluer les risques inhérents à la recherche et de pratiquer la recherche de manière à éviter toute souffrance physique pour le patient.

Ces règles ont été durcies pour éviter les abus concernant la sincérité et le caractère libre du consentement des patients dans les situations de conflit ou de détention.

Ainsi, le principe 22 de « l'Ensemble de principes pour la protection de toutes les personnes soumises à une forme quelconque de détention ou d'emprisonnement », adopté par l'Assemblée générale des Nations unies dans sa résolution 43/173 du 9 décembre 1988, prévoit qu'« aucune personne détenue ou emprisonnée ne pourra, même si elle y consent, faire l'objet d'expériences médicales ou scientifiques de nature à nuire à sa santé ».

Cette disposition est également reprise dans le cadre des conflits armés internationaux par le Protocole additionnel I aux Conventions de Genève, qui prévoit qu'il est interdit de pratiquer sur les personnes internées ou détenues par la partie adverse, même avec leur consentement, des expériences médicales ou scientifiques, des prélèvements de tissus ou d'organes pour des transplantations sauf si ces actes sont motivés par l'état de santé de la personne concernée et sont conformes aux normes médicales généralement acceptées et que la partie responsable de l'acte appliquerait dans des circonstances médicales analogues à ses propres ressortissants (GPI art. 11).

La Déclaration d'Helsinki, adoptée en 1964 par l'AMM et révisée plusieurs fois (dernière révision en 2008), reprend et complète les règles d'éthique médicale en matière de recherche, notamment en rappelant que le bien-être de chaque personne impliquée dans la recherche doit prévaloir sur tous les autres intérêts. Cette déclaration fournit les principes réglementant toute recherche médicale : i) la rédaction d'un protocole de recherche, ii) la soumission de ce protocole à un comité éthique indépendant, et iii) la demande de consentement pour toute recherche impliquant des sujets humains. Par ailleurs, les protections garanties par la Déclaration d'Helsinki aux personnes impliquées dans la recherche ne peuvent être restreintes ou exclues par aucune disposition éthique, légale ou réglementaire, nationale ou internationale.

Les règles internationales de recherche sont moins strictes que certaines règles nationales, particulièrement celles des pays occidentaux. Cela permet aux organisations effectuant des recherches médicales dans certains pays d'appliquer des règles et des standards minimum de protection pour les participants à ces recherches.

Dans ces cas, deux critères essentiels s'appliquent. Le premier concerne la réelle liberté du consentement du patient et notamment l'absence de pression concernant son droit au soin en cas de refus. Le second critère concerne l'équilibre entre les bénéfices directs et les risques prévisibles assumés par le patient. Pour éviter l'affaiblissement des règles protectrices, la réglementation internationale et européenne prévoit une double obligation de respect des

règles éthiques et légales applicables dans le pays où la recherche est effectuée et dans le pays d'origine de l'organisateur de la recherche.

Les États se sont imposé des règles spécifiques de respect de l'éthique médicale dans les situations telles que les conflits armés ou la détention, pour lesquelles il existe des risques particuliers compromettant l'indépendance des médecins. Ces règles réglementent notamment le respect de l'intégrité physique et l'accès aux soins des individus.

▶ **Détention ▷ Blessés et malades.**

II. Les règles spécifiques aux situations de conflit armé

◆ **• En période de conflit, la protection générale accordée à la mission médicale par le droit humanitaire est liée au respect des principes de la déontologie médicale. La déontologie médicale en tant que telle est donc hissée au rang de norme obligatoire du droit international par les Conventions de Genève. Cela signifie que des réglementations nationales ou des ordres contraires à ces principes ne peuvent pas être imposés au personnel médical, quelles que soient les circonstances. L'obligation de respect de la déontologie médicale est destinée à éviter les pressions sur le personnel médical et sa complicité dans des actes de torture ou de mauvais traitements sur les blessés ou malades liés au conflit ou sur les détenus.**

• Les Conventions de Genève et leurs Protocoles additionnels protègent l'indépendance des médecins en prévoyant que nul ne sera puni pour avoir exercé une activité médicale conforme à la déontologie, quelles qu'aient été les circonstances ou les bénéficiaires (GPI art. 16.1 ; GPII art. 10.1).

• Le fait de pratiquer des actes non conformes à l'éthique médicale et qui nuisent gravement à la santé physique ou mentale des personnes, ou le fait de refuser délibérément de donner les soins nécessaires à une personne malade ou blessée constituent des infractions graves et donc des crimes de guerre (GI art. 50 ; GII art. 51 ; GIII art. 130 ; GIV art. 147 ; GPI art. 11).

Dans les situations de conflit, les Conventions de Genève défendent l'impératif de garantir la pérennité de la mission médicale pour les malades et les blessés, sans discrimination et dans le respect des règles de déontologie médicale. Cet impératif est inscrit au cœur du droit humanitaire depuis la première Convention de Genève de 1864. Les Conventions de Genève ne donnent pas une définition précise et complète du contenu de la déontologie médicale. Cependant, plusieurs articles des conventions s'y réfèrent directement et lui confèrent le statut de norme impérative de droit international liant l'ensemble des États. Les conventions organisent la défense de la mission médicale autour de deux axes essentiels. Le premier établit la protection des blessés et malades et interdit les comportements contraires à la déontologie médicale. Le second protège l'indépendance et l'autonomie du médecin qui doit, en retour, défendre lui-même le caractère éthique, neutre et impartial des structures et des activités médicales.

1. Obligation de soins et protection des malades et blessés

La préservation de la mission médicale en période de conflit est un élément central du droit international humanitaire et de la coutume. Historiquement, c'est pour réglementer le sort et les soins des blessés sur les champs de bataille qu'Henri

Dunant a créé le premier Comité de la Croix-Rouge et la première Convention de Genève en 1864.

En vertu du droit humanitaire, nul ne peut être laissé de façon préméditée sans secours médical ou sans soins. La privation de soins ou la discrimination dans les soins sont interdites de façon absolue par les Conventions de Genève. L'article 3 commun aux quatre Conventions de Genève, applicable en tout temps et en tout lieu, prévoit de façon impérative que les blessés et les malades seront toujours recueillis et soignés, qu'ils seront en toute circonstance traités avec humanité, sans discrimination fondée sur la race, religion, croyance, sexe, naissance, richesse ou toute autre critère similaire.

Cette obligation a été renforcée en 1977 dans les deux Protocoles additionnels aux Conventions de Genève pour les conflits armés internationaux et non internationaux. Ces textes affirment que tous les blessés, malades et naufragés, quelle que soit la partie au conflit à laquelle ils appartiennent et qu'ils aient ou non pris part au conflit armé, doivent être respectés et protégés. Ils doivent en toutes circonstances être traités avec humanité et recevoir, dans la mesure du possible et dans les délais les plus brefs, les soins médicaux qu'exige leur état. Aucune distinction fondée sur des critères autres que médicaux ne doit être faite entre eux (GPI art. 10, GPII art. 7).

La règle 110 de l'étude sur les règles de droit international coutumier publiée par le CICR en 2005 réaffirme par ailleurs le droit d'accès aux soins sans discrimination. Cette règle s'applique aux situations de conflit armé tant international que non international.

S'agissant de l'interdiction de discrimination dans la délivrance des soins, le Code international d'éthique médicale dispose pour sa part que « le médecin ne devra pas se laisser influencer dans son jugement par un profit personnel ou une discrimination injuste », qu'il « devra toujours avoir à l'esprit son obligation de respecter la vie humaine » et « considérer les soins d'urgence comme un devoir humanitaire à moins d'avoir la certitude que d'autres sont prêts et capables d'apporter des soins ». Ce code n'est pas contraignant en tant que tel pour les États, mais sa valeur juridique en période de conflit armé est confirmée par l'obligation de respecter l'éthique médicale, prévue par les Conventions de Genève et leurs Protocoles additionnels.

2. *Interdictions et infractions graves du droit humanitaire*

Le droit humanitaire interdit formellement certains actes qualifiés d'infractions graves ou de crimes de guerre, passibles de poursuites pénales internationales. Sont inclus dans cette catégorie : l'homicide intentionnel, la torture ou les traitements inhumains, y compris les expériences biologiques, le fait de porter des atteintes graves à l'intégrité physique ou à la santé, commis contre des personnes protégées dont les malades et les blessés (GI art. 50). L'article 3 commun aux quatre Conventions de Genève interdit également les atteintes à la vie et à l'intégrité corporelle, notamment le meurtre sous toute ses formes, les mutilations, les traitements cruels, la torture et les supplices mais aussi les atteintes à la dignité des personnes vis-à-vis entre autres des personnes malades et blessées. Les violations

de l'article 3 commun sont reconnues par la jurisprudence internationale comme des infractions graves du droit humanitaire. L'omission délibérée de soins a été rajoutée en 1977 à la liste des infractions graves par le Protocole additionnel I aux Conventions de Genève. Son article 11 prévoit :
– § 1 : « La santé et l'intégrité physique ou mentale des personnes au pouvoir de la partie adverse ou internées, détenues ou d'une autre manière privées de liberté en raison d'une situation de conflit ne doivent être compromises par aucun acte ni par aucune omission injustifiés. En conséquence, il est interdit de soumettre les personnes visées au présent article à un acte médical qui ne serait pas motivé par leur état de santé et qui ne serait pas conforme aux normes médicales généralement reconnues que la partie responsable de l'acte appliquerait dans des circonstances médicales analogues à ses propres ressortissants jouissant de leur liberté. »
– § 2 : « Il est en particulier interdit de pratiquer sur ces personnes, même avec leur consentement :
a) des mutilations physiques ;
b) des expériences médicales ou scientifiques ;
c) des prélèvements de tissus ou d'organes pour des transplantations sauf si ces actes sont justifiés dans les conditions prévues au § 1. »
– § 3 « Il ne peut être dérogé à ces interdictions que lorsqu'il s'agit de dons de sang en vue de transfusion ou de peau destinés à des greffes, à la condition que ces dons soient volontaires et ne résultent pas de mesures de coercition ou de persuasion et qu'ils soient destinés à des fins thérapeutiques dans des conditions compatibles avec les normes médicales généralement reconnues et avec les contrôles effectués dans l'intérêt tant du donneur que du receveur.
– Tout acte ou omission volontaire qui met gravement en danger la santé ou l'intégrité physiques ou mentales de toute personne au pouvoir d'une partie autre que celle dont elle dépend, et qui soit contrevient à l'une des interdictions énoncées aux § 1 et 2, soit ne respecte pas les conditions du § 3, constitue une infraction grave au présent protocole. »

Ces interdictions, comme l'impératif de protection des malades et des blessés, font aujourd'hui partie du droit international humanitaire coutumier. Les règles 90 à 92 de l'étude sur les règles de DIH coutumier énoncent des interdictions absolues au titre des garanties de la mission médicale dans les situations de conflit armé international et non international
La règle 90 confirme l'interdiction de la torture, des traitements cruels ou inhumains et des atteintes à la dignité de la personne, notamment les traitements humiliants et dégradants. La règle 92 interdit les mutilations, les expériences médicales ou scientifiques ou tout autre acte médical qui ne serait pas motivé par l'état de la personne et qui ne serait pas conforme aux normes généralement reconnues. La règle 91 interdit également les châtiments corporels dans les situations de conflit armés internationaux et non internationaux y compris en tant que sanction pénale appliquée par les autorités étatiques ou des groupes armés non étatiques en cas d'occupation ou de contrôle militaire sur un territoire et des

personnes. La double interdiction des règles 91 et 92 oblige les médecins à refuser toute participation à l'administration de châtiments corporels au titre de sanction pénale en période de conflit armé.

▶ **Crime de guerre-Crime contre l'humanité.**

3. *Protection de l'indépendance du médecin et de son action*

Le droit international humanitaire pose des règles claires en ce qui concerne la protection de l'indépendance des médecins. Cette indépendance est capitale et leur donne la capacité de défendre leur éthique médicale face aux pressions extérieures.

• Le personnel sanitaire et religieux sera respecté et protégé. Il recevra toute l'aide disponible dans l'exercice de ses fonctions et ne sera pas astreint à des tâches incompatibles avec sa mission humanitaire (GPI art. 15 ; GPII art. 9.1). Les règles 25 et 28 de l'étude sur les règles de droit humanitaire coutumier réaffirment cette obligation de respecter le personnel et les unités sanitaires dans tous les types de conflits armés.

• Il ne sera pas exigé du personnel sanitaire que sa mission s'accomplisse en priorité au profit de qui que ce soit, sauf pour des raisons médicales (GPII art. 9.2).

• Nul ne sera puni pour avoir exercé une activité de caractère médical conforme à la déontologie, quelles qu'aient été les circonstances ou les bénéficiaires de cette activité (GPI art. 16.1 ; GPII art. 10.1).

• Les personnes exerçant une activité de caractère médical ne pourront être contraintes ni d'accomplir des actes ou d'effectuer des travaux contraires à la déontologie ou aux autres règles médicales qui protègent les blessés et les malades, ou aux autres dispositions du droit international, ni de s'abstenir d'accomplir des actes exigés par ces règles ou dispositions (GPI art. 16.2 ; GPII art. 10.2).

La règle 26 de l'étude sur les règles de DIH coutumier confirme ces deux dernières dispositions en affirmant qu'« il est interdit de punir une personne pour avoir accompli des tâches médicales conformes à la déontologie ou de contraindre une personne exerçant une activité de caractère médical à accomplir des actes contraires à la déontologie ».

4. *Secret médical renforcé*

Le secret médical est un enjeu primordial de la protection des patients dans les situations de conflit et de détention. Le principe du secret médical peut être limité en temps normal par les obligations médico-légales existantes dans le droit national concernant la notification aux autorités publiques de certaines pathologies contagieuses et de certains cas de patients victimes de violence. Les dispositions du droit humanitaire et notamment leur référence aux principes éthiques permettent de faire primer le principe du secret sur les éventuelles limitations qui ne peuvent être justifiées que dans l'intérêt du patient.

Même pour la répression des crimes les plus graves, la Cour pénale internationale protège le secret médical et déclare irrecevables les informations obtenues en violation du secret professionnel, sauf si le patient y consent (RPP, Règle 73).

◆ • **Le serment d'Hippocrate assignait déjà le médecin au secret de son art : « Tout ce que je verrai ou entendrai autour de moi, dans l'exercice de mon art ou hors de mon ministère, et qui ne devra pas être divulgué, je le tairai et le considérerai comme un secret. »**
• **Dans les situations de troubles ou de conflit, le secret médical doit s'appliquer de façon absolue et stricte entre le personnel soignant et les malades ou blessés.**
• **Le droit international humanitaire interdit la levée du secret médical concernant des patients vis-à-vis d'autorités appartenant à la partie adverse au conflit. Il limite les possibilités de restrictions du secret médical découlant des lois nationales. Il prévoit que les règles déontologiques imposant le secret médical priment sur les obligations contraires du droit national. Le médecin ne pourra donc jamais transmettre des informations si cette transmission risque de nuire au patient.**
• **Il interdit toute sanction contre un médecin qui respecterait l'éthique médicale et qui refuserait de lever le secret médical.**
• **La tendance actuelle du droit international est de clarifier les dilemmes entre l'éthique médicale et la loi en reconnaissant l'existence d'une interdiction éthique absolue de lever le secret médical si cela doit nuire au patient.**

Dans les situations de conflit armé international, le droit international humanitaire pose un principe absolu de respect du secret médical vis-à-vis de la partie adverse au conflit. Il prévoit qu'aucune personne exerçant une activité médicale ne doit être contrainte de donner à quiconque appartenant soit à une partie adverse, soit à la même partie qu'elle, sauf dans les cas prévus par la loi de cette dernière, des renseignements concernant les blessés et les malades qu'elle soigne ou qu'elle a soignés, si elle estime que de tels renseignements peuvent porter préjudice à ceux-ci ou à leur famille. Cette disposition ne prévoit qu'une exception, qui doit impérativement être prévue par une loi et qui ne peut être invoquée par une partie au conflit que vis-à-vis des blessés et malades qui sont ses citoyens nationaux. Comme toute exception, cette disposition doit en outre être interprétée de façon restrictive. En cas de doute sur le lien entre cette partie au conflit et les malades et blessés concernés, elle ne peut pas être appliquée. La seule exception au secret médical, acceptée par le même article du Protocole additionnel I concerne le respect des règlements régissant la notification obligatoire des maladies transmissibles (GPI art. 16.3).

Dans les situations de conflits internes, il y a un déséquilibre légal entre les deux parties au conflit. Le droit humanitaire rappelle cependant que seule la loi peut limiter le principe du secret médical. Le Protocole additionnel II précise que « les obligations professionnelles des personnes exerçant des activités de caractère médical, quant aux renseignements qu'elles pourraient obtenir sur les blessés et les malades soignés par elles, devront être respectées sous réserve de la législation nationale » (GPII art. 10.3). Il affirme également que, « sous réserve de la législation nationale, aucune personne exerçant des activités de caractère médical ne pourra être sanctionnée de quelque manière que ce soit pour avoir refusé ou s'être abstenue de donner des renseignements concernant les blessés et les malades qu'elle soigne ou qu'elle a soignés » (GPII art. 10.4).

Malgré la complexité de la rédaction de ces dispositions relatives au secret médical, le droit humanitaire permet néanmoins de faire prévaloir l'éthique médicale sur la loi nationale dans tous les types de conflits armés. En effet, dans les cas où la loi nationale et l'éthique médicale s'opposent, le droit humanitaire prévoit que le médecin ne peut pas être sanctionné pour avoir agi conformément à la déontologie, quels qu'aient été les circonstances ou les bénéficiaires de son activité médicale (GPI art. 16.1 ; GPII art. 10.1).

III. Les règles d'éthique médicale concernant la torture et les soins des personnes détenues

La participation active ou passive du personnel médical à la pratique de la torture et des mauvais traitements sur les personnes détenues ou privées de liberté est une pratique mise en évidence dans de très nombreuses situations. Cette participation accroît le sentiment d'impuissance et d'effroi de la victime et augmente donc l'efficacité de la torture dans son objectif de détruire toute capacité de résistance physique ou morale chez un individu ou un groupe et de faire durer la souffrance sans causer la mort. Des règles éthiques spécifiques ont été développées pour limiter l'exposition du personnel de santé aux injonctions des forces de sécurité en charge de l'interrogatoire des personnes détenues et pour renforcer sa prise de conscience de la gravité de ces pratiques. Il ressort de nombreuses études que le personnel de santé est mal équipé sur le plan professionnel et psychosociologique pour refuser sa coopération à des autorités et pratiques considérées comme dépassant sa sphère de responsabilité directe. Certains considèrent qu'ils ne sont pas dans une relation thérapeutique avec le patient mais dans une relation technique avec des autorités et que par conséquent les règles éthiques traditionnelles ne sont pas en jeu dans ces pratiques. La participation des médecins aux interrogatoires et mauvais traitements peut prendre des formes multiples et le plus souvent indirectes. Cette participation peut inclure la supervision, l'observation, l'assistance, la transmission d'informations médicales sur la vulnérabilité d'une personne, l'administration de substances non justifiées par l'état médical et sans consentement du patient, la falsification de rapports médicaux ou de certificats de décès ou encore des soins permettant que la torture puisse continuer. Il était donc nécessaire de préciser les règles concernant la participation active et passive de ce personnel à la torture et de cadrer le contenu éthique de ses obligations vis-à-vis des patients détenus.

L'ONU a procédé en 1982 à la codification des principes d'éthique médicale pour les situations de détention. Ces règles visent particulièrement à éviter la complicité active ou passive des médecins dans les mauvais traitements et la torture des personnes détenues. Ils complètent les règles définies par les Conventions de Genève pour l'exercice de la mission médicale vis-à-vis des prisonniers et autres personnes privées de liberté en période de conflit. Ils s'ajoutent également aux règles minima pour le traitement des détenus adoptés en 1977 par les Nations unies (résolution 2076 LXII du 13 mai 1977) qui contenaient déjà un certain nombre de règles relatives au droit aux soins et à l'exercice de la mission médicale dans les lieux de détention. Mais ces règles s'adressaient principalement aux États et ne définissaient pas les contours de l'éthique médicale et la responsabilité personnelle du personnel de santé dans ces violations.

▶ **Détention.**

1. *Les principes d'éthique médicale applicables au personnel de santé et en particulier aux médecins, dans la protection des prisonniers et des détenus contre la torture et autres peines ou traitements cruels, inhumains ou dégradants*

Ils ont été adoptés par l'Assemblée générale des Nations unies par consensus le 18 décembre 1982 (résolution 37/194).

Ces principes vont au-delà des principes de déontologie médicale fixés par le code de Nuremberg en 1947, qui se limitait à la réglementation des expériences médicales pratiquées sur les détenus. Ils complètent les règles relatives à l'exercice de la mission médicale dans les situations de conflit, qui interdisent la participation active ou passive des médecins à des actes de torture, de traitements cruels, inhumains ou dégradants sur des personnes détenues, et qui leur donnent une force de convention internationale. Ils renforcent les règles générales d'éthique médicale en les adaptant aux risques particuliers relatifs aux personnes détenues.

• Ils énoncent 6 principes fondamentaux auxquels aucune dérogation n'est autorisée quelles que que soient les circonstances et notamment pour des motifs d'ordre public (principe 6).

• Ils détaillent la règle de non-discrimination et d'égalité de traitement médical, quelle que soit la condition des personnes concernées par ces soins. Le personnel médical n'est donc pas autorisé à modifier ses règles normales d'exercice médical en fonction du statut des patients : « Les membres du personnel de santé, en particulier les médecins, chargés de dispenser des soins médicaux aux prisonniers et aux détenus sont tenus d'assurer la protection de leur santé physique et mentale, et, en cas de maladie, de leur dispenser un traitement de la même qualité et répondant aux mêmes normes que celui dont bénéficient les personnes qui ne sont pas emprisonnées ou détenues » (principe 1).

- Ils précisent le contenu de la responsabilité personnelle du soignant dans la participation active ou passive aux mauvais traitements. Ils affirment que la complicité passive du médecin dans la torture et les mauvais traitements est acquise dès l'instant où le rôle du personnel médical poursuit un autre objectif que celui d'évaluer, de protéger ou d'améliorer la santé physique ou mentale des individus concernés. « Il y a violation flagrante de l'éthique médicale et délit au regard des instruments internationaux applicables si des membres du personnel de santé, en particulier des médecins, se livrent, activement ou passivement, à des actes par lesquels ils se rendent coauteurs, complices ou instigateurs de tortures et autres traitements cruels, inhumains ou dégradants ou qui constituent une tentative de perpétration » (principe 2). Par ailleurs, « il y a violation de l'éthique médicale si les membres du personnel de santé, en particulier des médecins, ont avec des prisonniers ou des détenus des relations d'ordre professionnel qui n'ont pas uniquement pour objet d'évaluer, de protéger ou d'améliorer leur santé physique et mentale » (principe 3). Il y a violation de l'éthique médicale si des membres du personnel de santé et en particulier des médecins : a) font usage de leurs connaissances et de leurs compétences pour aider à soumettre des prisonniers ou détenus à un interrogatoire qui risque d'avoir des effets néfastes sur la santé physique ou mentale ou sur l'état physique ou mental desdits prisonniers ou détenus et qui n'est pas conforme aux instruments internationaux pertinents ; b) certifient, ou contribuent à ce qu'il soit certifié, que des prisonniers ou des détenus sont aptes à subir une forme quelconque de traitement ou de châtiment qui peut avoir des effets néfastes sur leur santé physique ou mentale et qui n'est pas conforme aux instruments internationaux pertinents, ou participent, de quelque manière que ce soit, à un tel traitement ou châtiment non conforme aux instruments internationaux pertinents (principe 4). En outre, « il y a violation de l'éthique médicale si des membres du personnel de santé, en particulier des médecins, participent, de quelque manière que ce soit, à la contention de prisonniers ou de détenus, à moins que celle-ci ne soit jugée, sur la base de critères purement médicaux, nécessaire pour la protection de la santé physique ou mentale ou pour la sécurité du prisonnier ou du détenu lui-même, des autres prisonniers ou détenus, ou de ses gardiens et ne présente aucun danger pour sa santé physique et mentale » (principe 5).

2. *Le Manuel pour enquêter efficacement sur la torture et autres peines ou traitements cruels, inhumains ou dégradants*
Sous le nom de Protocole d'Istanbul, ce manuel adopté en 2004 par les Nations unies fournit des principes directeurs de gestion des dilemmes éthiques que connaissent les professionnels de santé confrontés à la torture et aux mauvais traitements. Il rappelle aussi utilement les obligations des médecins dans la documentation de la torture et des mauvais traitements ainsi que l'interdiction de toute participation dans ce type de traitements.

- ***Éthique de la relation thérapeutique***
Le manuel confirme que la seule relation éthique entre un prisonnier et un professionnel de santé est celle dont le but est d'évaluer, de protéger et d'améliorer la santé du prisonnier. L'évaluation de la santé d'un prisonnier dans le but de faciliter une punition ou la torture est donc clairement en violation de l'éthique professionnelle médicale. Toutes les activités destinées à évaluer la capacité d'un individu à supporter les mauvais traitements, les activités de soins ou de réanimation destinées à permettre la poursuite de ces mauvais traitements, mais aussi le fait de prodiguer des soins avant ou juste après des actes de torture à la demande de personnes vraisemblablement responsables de ces actes, ainsi que toute transmission d'informations médicales aux tortionnaires, entrent dans la définition de la participation du médecin à la torture.
Ce document rappelle les trois obligations fondamentales du médecin : i) fournir des soins de façon compassionnelle en considérant uniquement l'intérêt supérieur du patient ; ii) respecter le consentement éclairé du patient dans son appréciation

de ce qui constitue l'intérêt supérieur du patient ; et iii) la confidentialité vis-à-vis de son patient pour garantir le fait de ne pas lui nuire.
Le manuel énonce les dilemmes liés aux obligations du personnel de santé vis-à-vis du patient d'une part et de la société d'autre part et fournit des principes directeurs de gestion de ces dilemmes éthiques.

- ***Gestion éthique des obligations duelles du personnel de santé***
Le manuel constate que les médecins peuvent fréquemment se retrouver face à une double obligation contradictoire, qu'ils doivent arbitrer au regard de principes éthiques. Il cite par exemple la tension et la contradiction qui peuvent apparaitre dans certaines situations entre le devoir de fournir des soins et le devoir de ne pas participer aux mauvais traitements, mais aussi entre le secret médical dû au patient et l'obligation de rapporter des informations médicales aux autorités.
Il précise les principes directeurs qui doivent servir à la gestion de ces obligations duelles par le personnel de santé. Il s'agit de principes éthiques supérieurs permettant de guider et de cadrer la résolution des dilemmes éthiques qui apparaissent dans certaines situations telles que la torture ou les mauvais traitements.
– Le manuel affirme que l'interdiction absolue de porter préjudice au patient est le seul critère éthique de gestion des dilemmes relatifs à la levée ou au maintien du secret médical.
Il précise que quand le dilemme se situe entre une obligation éthique et une obligation légale telle que l'obligation de révéler des informations confidentielles sur un patient, c'est la règle d'éthique médicale qui doit toujours prévaloir. Par contre, quand le dilemme se situe entre deux règles éthiques différentes, le principe supérieur qui doit toujours prévaloir est celui qui consiste à éviter tout préjudice ou danger pour le patient. Cela est manifeste dans l'obligation pour le médecin de soigner un patient en respectant le secret médical mais aussi de protéger un patient victime de mauvais traitements en alertant les autorités sur sa situation et en révélant des informations confidentielles. Le manuel rappelle que le médecin ne doit jamais fonder sa décision éthique sur la seule obéissance à une obligation légale. Afin de prendre sa décision, il doit évaluer le risque qu'il fait courir au patient et à d'autres en alertant les autorités sur des abus commis dans des lieux placés sous leur contrôle. Cela inclut notamment les pressions et actions des autorités pour obtenir les informations et dossiers médicaux personnels des patients concernés, ou pour limiter l'autonomie des médecins et l'accès aux soins pour ces patients. Ce faisant, le manuel réaffirme la suprématie du principe éthique de confidentialité sur toutes autres obligations légales de notification ou de levée du secret médical.
– Concernant les dilemmes liés à la nature de la relation entre le médecin et le patient, le manuel précise que chaque fois qu'un médecin n'intervient pas à la demande du patient ou dans le cadre d'une relation thérapeutique guidée par l'intérêt supérieur du patient, il doit informer le patient de la nature de sa mission et de ses contraintes notamment en matière de confidentialité. Il doit préciser le motif de l'examen ou du traitement qu'il effectue. Le patient est libre de consentir ou non. Quand le médecin intervient à la demande d'un tiers, administration pénitentiaire ou acteur militaire ou de sécurité, le médecin doit refuser de respecter toute

consigne qui pourrait porter atteinte à la santé physique ou morale du patient. Il doit aussi s'assurer que le patient a toujours accès aux soins nécessaires et qu'aucun chantage ne puisse être effectué sur l'accès aux soins appropriés dans un lieu de détention. Il doit également défendre l'indépendance de ses diagnostics et de ses décisions médicales. Il doit enfin s'assurer que la confidentialité des informations médicales recueillies dans le cadre de son travail ne sera pas rompue sans information/accord du patient.

IV. Recours et sanction des violations de l'éthique médicale

Certaines violations de l'éthique médicale sont aujourd'hui reconnues comme des infractions pénales nationales et internationales, couvertes par l'interdiction de participation et de complicité dans les actes de torture ou des crimes de guerre et crimes contre l'humanité. Les Protocoles additionnels aux Conventions de Genève ont d'ailleurs étendu la liste des infractions graves du droit humanitaire aux actes et omissions affectant délibérément l'état de santé des personnes protégées en cas de conflit armé (GPI art. 11.4, GPII art 5.2.e). Ces actions pénales peuvent donner lieu à des actions en justice devant les tribunaux nationaux ou étrangers si l'accusé se trouve dans un autre pays, en application du principe de compétence universelle prévu par la Convention internationale contre la torture (art. 2 et 5) et par les Conventions de Genève (GI-IV art. 49, 50, 129, 146 et GPI art. 85.1). La compétence de la Cour pénale internationale peut aussi être envisagée selon les cas. Il est également possible de poursuivre les auteurs de violations des règles d'éthique médicale devant les instances disciplinaires professionnelles nationales (Conseils de l'ordre des médecins). Ces instances disciplinaires ne peuvent pas prononcer de sanctions pénales mais peuvent révoquer le droit d'exercer la médecine au praticien concerné. Il ne s'agit pas là de punir le coupable mais de protéger la société des agissements contraires aux bons usages professionnels. Toutefois, dans des cas impliquant la participation de personnel médical à des pratiques étatiques abusives telles que les mauvais traitements ou l'usage de la torture contre des détenus, les instances disciplinaires professionnelles ont tendance à considérer qu'il s'agit d'un problème politique plutôt qu'éthique et qu'il doit donc être traité devant des instances judiciaires nationales. C'est en tout cas ce qu'a décidé en 2005 le Conseil de l'ordre des médecins de Californie, qui a refusé d'examiner le cas d'un médecin responsable du traitement des détenus de Guantanamo. Le problème avait déjà été posé de façon antérieure concernant le caractère éthique ou non éthique de la participation des médecins dans l'application de la peine de mort par injection létale. Sur ce dernier point, toutefois, le problème d'éthique médicale est déconnecté de la question pénale de la participation à la torture puisque la définition contenue dans la Convention contre la torture exclut expressément les souffrances découlant de l'application d'une sanction pénale prononcée par un tribunal régulier. Face à la difficulté pour les associations médicales nationales de se saisir de cette question particulière de la participation des médecins aux mauvais traitements et à la torture sur les détenus, il a été proposé que cette fonction soit donnée à une instance professionnelle internationale telle que l'Association médicale mondiale ou de créer une nouvelle entité. Cela n'affaiblirait nullement la compétence pénale nationale ou internationale qui reste aujourd'hui largement virtuelle sur ces questions, mais permettrait au contraire de stimuler la réflexion et les prises de position éthiques au sein du milieu médical particulièrement concerné.

Consulter aussi

▶ **Mission médicale ▷ Personnel sanitaire Services sanitaires ▷ Blessés et malades ▷ Détention ▷ Mauvais traitements ▷ Torture ▷ OMS.**

Contacts

Association médicale mondiale : http://www.wma.net/fr/10home/index.html
Association psychiatrique mondiale : http://www.wpanet.org/
Conseil international des infirmières :
http://www.icn.ch/fr/about-icn/code-deontologique-du-cii/
Organisation islamique pour les sciences médicales :
http://www.islamset.com/ioms/main.html
Federation of Islamic Medical Associations : http://fimaweb.net/cms/
Commonwealth Medical Association : http://www.sci-tech-soc.org/CMA.html

Pour en savoir plus

ALMERAS P., PEQUIGNOT H., *La Déontologie médicale*, Litec, Paris, 1996.

AMBROSELLI C., *L'Éthique médicale*, « Que sais-je ? », Paris, 1998, 127 p.

AMNESTY INTERNATIONAL, *Codes d'éthique et déclarations concernant les professions médicales* (recueil de textes déontologiques), Amnesty International, Paris, 1992, 124 p. (http://web.amnesty.org/pages/health-ethicsindex-eng).

ASSOCIATION MÉDICALE MONDIALE, *Code international d'éthique médicale*, 2006. Disponible en ligne : http://www.wma.net/fr/30publications/10policies/c8/index.html.pdf?print-media-type&footer-right=[page]/[toPage]

ASSOCIATION MÉDICALE MONDIALE, *Manuel d'éthique médicale*, 2009 (2e éd.). Disponible en ligne : http://www.wma.net/fr/30publications/30ethicsmanual/pdf/ethics_manual_fr.pdf

BACCINO ASTRADA A., *Manuel des droits et des devoirs du personnel sanitaire lors des conflits armés*, CICR, Genève, 1982.

Code islamique d'éthique médicale, disponible en ligne sur : http://www.islamset.com/ethics/code/index.html

« Ensemble de règles minima pour le traitement des détenus », adopté par le premier Congrès des Nations unies pour la prévention du crime et le traitement des délinquants, tenu à Genève en 1955 et approuvé par le Conseil économique et social dans ses résolutions 663 C (XXIV) du 31 juillet 1957 et 2076 (LXII) du 13 mai 1977. Disponible en ligne : http://www2.ohchr.org/french/law/detenus.htm

GRODIN M. et ANNAS G., « Physicians and torture : Lessons from the Nazi doctors », *Revue internationale de la Croix-Rouge*, vol. 89, n° 867, septembre 2007. Disponible en ligne : http://www.icrc.org/eng/assets/files/other/irrc-867-grodin.pdf

MARANGE V., *Médecins tortionnaires, médecins résistants*, La Découverte, Paris, 1989.

MILES S. H., « Abu Ghraib : its legacy for military medicine », *The Lancet*, vol. 364, n° 9435, p. 725-9, août 2004.

O'DWYER DE MACEDO H., « Le psychanalyste sous la terreur », Matrice, 2001, 364 p.

PHYSICIANS FOR HUMAN RIGHTS, *Break them down. Systematic Use of Psychological Torture by US Forces*, Cambridge, 2005, 131 p. Disponible en ligne : http://humanrights.ucdavis.edu/resources/library/documents-and-reports/physicians_for_human_rights

Protocole d'Istanbul, Manuel pour enquêter efficacement sur la torture et autres peines ou traitements cruels, inhumains ou dégradants, Nations unies, 2004. Disponible en ligne http://www2.ohchr.org/french/about/publications/docs/8rev1_fr.pdf

Principes d'éthique médicale, résolution 37/194 de l'Assemblée générale des Nations unies. Disponible en ligne : http://www.un.org/french/documents/view_doc.asp?symbol=A/RES/37/194.

SCHOENHOLDER J. P., *Le Médecin dans les Conventions de Genève de 1949*, CICR, Paris, 1988.

« The role of medical professionals in detention and interrogations operations », *in* THE CONSTITUTION PROJECT, *The Report of The Constitution Project's Task Force on Detainee Treatment*, 2013, p. 203-242.

TORRELLI M., *Le Médecin et les droits de l'homme*, Berger-Levrault, Paris, 1983.

VINAR M. N, « Civilization and torture : Beyond the medical and psychiatric approach », *Revue internationale de la Croix-Rouge*, vol. 89, n° 867, septembre 2007. Disponible en ligne : http://www.icrc.org/eng/assets/files/other/irrc-867-vinar.pdf

Déplacement de population

Dans le cadre des conflits, l'interdiction d'attaquer la population civile ne suffit pas à assurer sa sécurité. Des mouvements de population sont naturellement déclenchés par la marche des opérations militaires. Les mouvements de population peuvent être spontanés ou décidés par les forces armées.

En temps de paix, le principe de la liberté de circulation s'applique à la population d'un pays. Cette liberté de circulation se transforme en droit de fuite pour permettre aux individus d'échapper à un danger. Il est toujours interdit aux États de refouler des personnes vers un territoire où elles sont en danger.

En temps de guerre, le droit humanitaire énonce des dispositions précises pour limiter ou contrôler les déplacements de la population civile. Il interdit aux États de procéder à des déplacements forcés de population (déportation ou transfert). Cette interdiction est au cœur du système de protection des populations civiles.

■ Statut des personnes déplacées

Les mouvements de population peuvent conduire les individus à l'extérieur de leur propre pays. Ils sont alors protégés par le droit des réfugiés. Les individus peuvent également trouver refuge à l'intérieur de leur propre pays, ou être empêchés de franchir une frontière internationale en raison de sa fermeture par les États riverains. On parle dans ce cas de « déplacés internes ». Ils restent alors sous l'autorité de leurs propres autorités nationales. Si le pays est en conflit, ils sont protégés au titre de personne civile par le droit international humanitaire. Si la situation de conflit n'est pas avérée, ils sont protégés par les normes internationales relatives aux droits de l'homme. Ils peuvent bénéficier de l'assistance internationale conformément aux 30 « principes directeurs relatifs au déplacement de personnes à l'intérieur de leur propre pays » adoptés par la Commission des droits de l'homme le 11 février 1998 puis entérinés par l'Assemblée générale de l'ONU lors du Sommet mondial de 2005.

À ce jour, il n'existe pas d'institution internationale disposant d'un mandat spécifique de protection pour ces populations. Le mandat du Haut-Commissariat aux réfugiés a été élargi à plusieurs reprises pour lui permettre de prendre en charge l'assistance dans des camps de personnes déplacées, sans cependant lui conférer une capacité juridique de protection. Par ailleurs, le bureau de coordination des affaires humanitaires de l'ONU (OCHA) dispose depuis 1997 d'un mandat de coordination de l'assistance à ces populations (Voir ▷ **Personnes déplacées**) ■

▶ **Réfugié ▷ Personnes déplacées ▷ Population civile ▷ Asile ▷ Refoulement (expulsion).**

I. En temps de paix ou de troubles et de tensions internes

Les conventions internationales sur les droits de l'homme prévoient un certain nombre de dispositions relatives à la liberté de mouvement des individus. Ces dispositions sont susceptibles de restrictions de la part des autorités nationales pour divers motifs liés à l'ordre public, à la planification urbaine ou à l'aménagement du territoire. Il faut savoir cependant que, si les raisons d'ordre public sont invoquées, elles doivent être justifiées et offrir des garanties aux individus concernés (Pacte des Nations unies sur les droits civils et politiques, art. 12).
En outre, même quand l'ordre public est menacé ou que des troubles existent, les garanties fondamentales prévues par les droits de l'homme (celles qui ne peuvent jamais être suspendues, quelles que soient les circonstances) restent applicables. Si le niveau de violence atteint un certain seuil, sans pouvoir être qualifié de conflit, les garanties fondamentales prévues par le droit humanitaire pour les périodes de conflit peuvent également être invoquées. Un certain nombre de pratiques politiques telles que l'apartheid, la purification ethnique, qui supposent des déplacements forcés de population, sont également interdites. Enfin la liberté de circulation inclut pour les individus celle de fuir leur pays et de chercher asile dans un autre. Ce droit est cependant limité par le fait qu'il n'existe pas d'obligation réciproque pour les États d'offrir l'asile, sous réserve du principe de non-refoulement, qui signifie que même en cas d'entrée ou de séjour irrégulier dans un pays, il est interdit de refouler des individus vers un territoire où leur vie ou leur liberté sont en danger.

▶ **Garanties fondamentales ▷ Ordre public ▷ Refoulement (expulsion).**

■ La liberté de circulation et le droit de fuite

La Déclaration universelle des droits de l'homme prévoit que :
Article 13
« 1) Toute personne a le droit de circuler librement et de choisir sa résidence à l'intérieur d'un État.
2) Toute personne a le droit de quitter tout pays, y compris le sien, et de revenir dans son pays. »
Article 14
« 1) Devant la persécution, toute personne a le droit de chercher asile et de bénéficier de l'asile d'un autre pays.
2) Ce droit ne peut être invoqué dans le cas de poursuites réellement fondées sur un crime de droit commun ou sur des agissements contraires aux buts et aux principes des Nations unies. »

Le Pacte international des Nations unies relatif aux droits civils et politiques prévoit que :
Article 12
« 1) Quiconque se trouve légalement sur le territoire d'un État a le droit d'y circuler librement et d'y choisir librement sa résidence.
2) Toute personne est libre de quitter n'importe quel pays, y compris le sien.
3) Les droits mentionnés ci-dessus ne peuvent être l'objet de restrictions que si celles-ci sont prévues par la loi, nécessaires pour protéger la sécurité nationale, l'ordre public, la santé ou la moralité publiques, ou les droits et libertés d'autrui, et compatibles avec les autres droits reconnus par le présent pacte.
4) Nul ne peut être arbitrairement privé du droit d'entrer dans son propre pays. » ■

II. En période de conflit

Le droit international humanitaire distingue les mouvements spontanés et forcés de la population. Il parle de :
– mouvement de population, pour parler de déplacements spontanés à l'intérieur ou à l'extérieur du territoire d'un État ;
– déplacement, transfert ou évacuation pour parler de déplacements forcés à l'intérieur d'un État en conflit ;
– déportation, pour parler de déplacements forcés avec franchissement de frontière.

1. *Mouvements spontanés de population*

La population peut être amenée à fuir spontanément certains lieux, en raison de l'avancée des combats. On assiste alors à des mouvements de type exode, exil ou réfugiés, qui peuvent même occasionner un franchissement de frontière internationale. Dans ce cas, le droit humanitaire prévoit des procédures d'assistance et de protection et interdit certaines pratiques militaires propres à créer la panique et la fuite de la population. Ces interdictions sont les suivantes :
– le droit humanitaire interdit que la population civile soit prise pour cible des combats (GPII art. 13.2 ; GPI art. 51.2) ;
– les attaques dont l'objectif est de semer la terreur parmi la population sont interdites (GPI art. 51.2 ; GPII art. 13.2) ;
– il interdit de priver les civils de l'approvisionnement en biens essentiels à leur survie dans l'objectif de provoquer leur déplacement (GPI art. 54.2 ; GPII art. 14) ;
– il interdit d'utiliser la population civile pour mettre des objectifs militaires à l'abri des attaques adverses (GIV art. 28 ; GPI art. 51.7 ; GPII art. 13) ;
– il interdit d'utiliser les mouvements de population, de les diriger vers des destinations déterminées, aux fins de protéger ou de faire obstacle à des objectifs militaires ou des opérations militaires en général (GIV art. 28 ; GPI art. 51.7) ;
– il interdit de refouler des individus vers un territoire où leur vie ou leur liberté sont en danger (art. 33 de la convention sur les réfugiés de 1951 et autres conventions internationales).

2. *Déplacements forcés de population, transferts, déportations*
Des mouvements de population peuvent être dus à l'utilisation de la force ou de la contrainte contre la population civile. Le droit humanitaire parle alors de déplacements forcés, de transferts forcés, d'évacuations ou de déportations.

■ **Déportation, évacuation et transfert forcé**

• La déportation désigne le transfert forcé de personnes civiles (ou d'autres personnes protégées par les Conventions de Genève) à l'extérieur du territoire où elles ont leur résidence, vers le territoire de la puissance occupante ou tout autre territoire occupé ou non.
• Le transfert de population désigne un déplacement forcé de population à l'intérieur d'un même territoire national.
• L'évacuation désigne un déplacement temporaire de la population pour des raisons militaires impératives ou d'impérieuses raisons de sécurité pour la population.

▶ **Déportation ▷ Évacuation.**

• Le droit humanitaire interdit ces mouvements forcés de population. La violation de ces interdictions est un crime de guerre.
• Le statut de la Cour pénale internationale adopté à Rome en juillet 1998 (art. 8.2.b.VII et 8.2.e.VIII du statut de la CPI) rappelle que, quand ils sont commis en relation avec une attaque systématique et à grande échelle contre la population civile, la déportation et le transfert forcé de population constituent des infractions graves aux Conventions de Genève. Ils peuvent aussi être qualifiés de crime contre l'humanité (art. 7.1.d du statut de la CPI). Les auteurs de tels crimes pourront être jugés, sous certaines conditions, par la Cour pénale internationale. ■

▶ **Crime de guerre-Crime contre l'humanité ▷ Cour pénale internationale ▷ Compétence universelle.**

• ***Interdictions dans les conflits armés internationaux.*** Dans les territoires soumis à l'occupation militaire, le droit humanitaire interdit :
– le transfert forcé, individuel ou en masse, ainsi que les déportations des habitants d'un territoire occupé vers les territoires de la puissance occupante ou d'un autre pays sont interdits quel qu'en soit le motif (GIV art. 49) ;
– la puissance occupante peut procéder à l'évacuation provisoire, totale ou partielle d'une zone déterminée si la sécurité de la population ou une nécessité militaire impérieuse l'exige. Cette évacuation ne peut pas comporter le déplacement des personnes à l'extérieur du territoire occupé sauf si, pour des motifs matériels, il se révèle impossible de l'empêcher (GIV art. 49) ;
– il est interdit à la puissance ennemie occupante de retenir les personnes civiles dans une zone particulièrement exposée aux dangers de la guerre (GIV art. 49) ;
– il est interdit d'utiliser la présence ou les mouvements de population civile pour mettre certains points ou certaines zones à l'abri d'opérations militaires, notamment pour mettre des objectifs militaires à l'abri d'attaques (GPI art. 51.7) ;

– il est interdit à la puissance occupante de déporter ou de transférer une partie de sa propre population civile dans le territoire que cette puissance occupe (GIV art. 49).
Les violations des dispositions énumérées ci-dessus sont considérées comme des crimes de guerre (GIV art. 147 ; GPI art. 85.4a).

- ***Interdictions dans les conflits armés internes.*** Le droit international établit que :
– le déplacement de la population civile ne peut pas être ordonné pour des raisons ayant trait au conflit, sauf dans les cas où la sécurité des personnes civiles ou une nécessité militaire impérieuse l'exigent (GPII art. 17) ;
– si un tel déplacement doit être effectué, toutes les mesures seront prises pour que la population civile soit accueillie dans des conditions satisfaisantes de logement, de salubrité, d'hygiène, de sécurité et d'alimentation (GPII art. 17) ;
– la population civile jouit en outre de la protection contre les effets du conflit citée précédemment sous le titre « mouvement de population » : ni la population civile en tant que telle ni les personnes civiles ne devront être l'objet d'attaques. Sont interdits les actes ou menaces de violence dont le but principal est de répandre la terreur parmi la population civile (GPII art. 13.2).

■ L'interdiction de déplacement de population en droit international humanitaire coutumier

L'étude du CICR publiée en 2005 sur les règles du droit international humanitaire coutumier prescrit que :
Règle 129 :
A. Les parties à un conflit armé international ne peuvent procéder à la déportation ou au transfert forcé de la totalité ou d'une partie de la population d'un territoire occupé, sauf dans les cas où la sécurité des civils ou des impératifs militaires l'exigent.
B. Les parties à un conflit armé non international ne peuvent ordonner le déplacement de la totalité ou d'une partie de la population civile pour des raisons ayant trait au conflit, sauf dans les cas ou la sécurité des civils où des impératifs militaires l'exigent.
La **règle 130** prévoit que dans le cas d'un conflit armé international, les États ne peuvent déporter ou transférer une partie de leur population civile dans un territoire qu'ils occupent.
La **règle 131** prescrit qu'en cas de déplacement, en situation de conflit armé tant international que non international, toutes les mesures possibles doivent être prises afin que les personnes civiles concernées soient accueillies dans des conditions satisfaisantes de logement, d'hygiène, de salubrité, de sécurité et d'alimentation et afin que les membres d'une même famille ne soient pas séparés les uns des autres.
La **règle 132** stipule que les personnes déplacées ont le droit de regagner volontairement et dans la sécurité leur foyer ou leur lieu de résidence habituel dès que les causes de leur déplacement forcé ont cessé d'exister. Cette règle s'applique aux conflits armés tant internationaux que non internationaux.
Enfin la **règle 133**, qui s'applique en situation de conflit armé tant international que non international, prescrit que les droits de propriété des personnes déplacées doivent être respectés en tout lieu et en tout temps. Les déplacements de population peuvent

parfois conduire des individus hors de leur propre pays. Dans ce cas, ces derniers sont protégés par le droit des réfugiés.

▶ **Réfugié ▷ Personnes déplacées ▷ Population civile ▷ Asile ▷ Refoulement (expulsion).** ■

Consulter aussi

▶ **Population civile ▷ Réfugié ▷ Personnes déplacées ▷ Évacuation ▷ Déportation ▷ Internement ▷ Purification ethnique ▷ Apartheid ▷ Guerre ▷ Asile ▷ Refoulement (expulsion) ▷ Zones protégées ▷ Bureau de coordination des affaires humanitaires (OCHA) ▷ HCR.**

Pour en savoir plus

BRAUMAN R., « Les dilemmes de l'action humanitaire dans les camps de réfugié et les transferts de population », in MOORE J. éd., *Des choix difficiles : les dilemmes moraux de l'action humanitaire,* Gallimard, 1998, p. 233-256.

CONTAT-HICKEL M., « Protection des personnes déplacées en raison d'un conflit armé : un concept et des enjeux », *Revue internationale de la Croix-Rouge,* n° 843, septembre 2001, p. 699-711.

« Déplacement », *Revue internationale de la Croix-Rouge,* vol. 91, n° 875, septembre 2009.

HCR, *Les Réfugiés dans le monde. Les personnes déplacées : l'urgence humanitaire,* La Découverte, Paris, 1997.

KÄLIN, « Protection juridique des déplacés internes. Protection selon le droit international des droits de l'homme », *Personnes déplacées à l'intérieur de leur pays,* rapport du symposium de Genève du CICR, 23-25 octobre 1995, CICR, Genève, 1996, p. 15-27.

KELLENBERGER J., « L'action du CICR face aux situations de déplacement interne : atouts, enjeux et limites », *Revue internationale de la Croix-Rouge,* vol. 91, n° 875, septembre 2009. Disponible en ligne sur http://www.icrc.org/fre/assets/files/other/irrc-875-kellenberger-fre.pdf

LAVOYER J. P., « Protection juridique des déplacés internes. Protection en droit international humanitaire », *Personnes déplacées à l'intérieur de leur pays, rapport du symposium de Genève du CICR, op. cit.,* Genève, 1996, p. 28-39.

MANGALA J. M., « Prévention des déplacements forcés de population : possibilités et limites », *RICR,* décembre 2001, vol. 83, n° 844, p. 1067-1095.

Principes directeurs relatifs au déplacement de personnes à l'intérieur de leur propre pays, E/CN.4/1998/53/Add.2, 11 février 1998.

TERRY F., *Condemn to Repeat ? The Paradox of Humanitarian Action,* Cornell University Press, London, 2002, 282 p.

WILLMS J., « Without order, anything goes ? The prohibition of forced displacement in non international armed conflict », *Revue internationale de la Croix-Rouge,* vol. 91, n° 875, septembre 2009, p. 547-565.

Déportation

Ce phénomène affecte la population des territoires soumis à occupation ou à conquête. Il désigne le transfert forcé de personnes civiles (ou d'autres personnes protégées par les Conventions de Genève) à l'extérieur du territoire où elles ont leur résidence, vers le territoire de la puissance occupante ou tout autre territoire occupé ou non.
Le mot « transfert de population » est utilisé pour décrire un mouvement forcé de population qui se produit à l'intérieur du territoire national.

▶ **Déplacement de population.**

◆ **• La déportation de population ou d'individus est interdite quel qu'en soit le motif par la quatrième Convention de Genève (art. 49 et règle 130 de l'étude sur les règles du DIH coutumier publiée par le CICR en 2005).**
• La puissance occupante ne pourra pas procéder à la déportation ou au transfert d'une partie de sa propre population civile dans les territoires occupés par elle.
• Ces pratiques constituent des crimes de guerre (GIV art. 147). Elles participent aussi de crimes tels que la purification ethnique ou le génocide.
• La déportation et le transfert sont également qualifiés de crime de guerre et de crime contre l'humanité par le statut de la Cour pénale internationale, adopté à Rome en juillet 1998 (art. 8.2.a.vii, 8.2.b.viii, et art. 7.1.d). Le transfert par la puissance occupante de sa propre population civile dans le territoire occupé est aussi considéré comme un crime de guerre (art. 8.2.b.viii). Les auteurs de ces crimes peuvent donc être jugés, sous certaines conditions par la Cour pénale internationale.

L'article 49 de la quatrième Convention de Genève tolère certaines évacuations de population civile dans des conditions très précises et restrictives, dans les cas où la sécurité de la population ou d'impérieuses nécessités militaires l'exigent.
Dans ces cas :
– la puissance occupante ne peut évacuer les individus qu'à l'intérieur du territoire occupé ;
– la puissance protectrice de cette population doit être informée des transferts dès qu'ils auront lieu ;
– le transfert ne peut avoir lieu vers une région exposée aux dangers de la guerre ;
– la puissance occupante doit assurer que les personnes sont accueillies dans des installations convenables, que les déplacements sont effectués dans des conditions satisfaisantes de salubrité, d'hygiène, de sécurité et d'alimentation, et que les membres d'une même famille ne sont pas séparés les uns des autres.
La déportation s'inscrit dans le cadre plus large des déplacements de population.

Jurisprudence

Dans l'arrêt Stakić (22 mars 2006, § 278), la Chambre d'appel du Tribunal pénal international pour l'ex-Yougoslavie a soutenu que « l'élément matériel de la déportation est constitué par le fait de déplacer de force des personnes, en les expulsant ou par d'autres moyens de coercition, de la région où elles se trouvent légalement, au-delà des frontières officielles d'un État ou, dans certains cas, de frontière *de facto*, sans motif admis en droit international ». La Chambre d'appel a également considéré que « l'élément moral de la déportation n'exige pas que l'auteur ait l'intention de déplacer à jamais sa victime ». Cela a été confirmé dans l'arrêt Krajišnik (TPIY, 27 septembre 2006, § 725). En l'espèce, la Chambre de première instance a souligné que le droit international humanitaire n'autorise que dans un nombre limité de cas le déplacement de civils pendant un conflit armé : la sécurité des personnes doit être en jeu ou il faut d'impérieuses raisons militaires. En outre, la Chambre a considéré que la déportation n'exige pas qu'un nombre minimum d'individus ait été transféré de force pour engager la responsabilité pénale de l'auteur du crime.

Dans l'arrêt Stakić (22 mars 2006, § 317), la Chambre d'appel a considéré que « les transferts forcés peuvent être suffisamment graves » pour entrer dans la catégorie des « autres actes inhumains », c'est-à-dire un crime contre l'humanité. Dans l'arrêt Krajišnik (17 mars 2009, § 330,331), la Chambre d'appel du TPIY a conclu que, pour prouver qu'un transfert forcé entre dans la catégorie des « autres actes inhumains » au titre de l'article 5.i du statut, il doit être démontré que le transfert forcé en question est d'une gravité similaire aux autres crimes contre l'humanité énumérés.

Consulter aussi

▶ **Population civile ▷ Évacuation ▷ Déplacement de population ▷ Personnes déplacées ▷ Purification ethnique ▷ Réfugié ▷ Internement ▷ Camp ▷ Cour pénale internationale ▷ Puissance protectrice.**

Pour en savoir plus

FAVEZ J. C., *Une mission impossible ? Le CICR, les déportations et les camps.*
WIEVIORKA A., *Déportation et génocide : entre la mémoire et l'oubli*, Paris, Plon, 1992, 506 p.

Détention

Le droit national classique distingue la détention et l'internement. La détention consiste en la privation de liberté à la suite d'une décision judiciaire. La détention pour des raisons administratives ou de sécurité est souvent appelée internement, et est décidée par un organe administratif. Elle peut être décidée en période de paix ou de conflit armé.
Le droit international humanitaire distingue les notions de détention et d'internement dans les situations de conflits armés internationaux seulement. Par conséquent, le mot « détention » est utilisé dans cette rubrique comme un terme générique pour décrire les diverses situations dans lesquelles des personnes sont privées de liberté dans un cadre administratif, militaire ou judiciaire.
▷ **Internement.**

◆
- **La privation de liberté crée un environnement propice aux mauvais traitements. Les individus risquent d'être soumis, sans défense et sans possibilité de fuite, à des pressions, des abus, des privations et des violences multiples. La privation de liberté peut avoir des conséquences graves sur la santé et sur la pratique médicale.**
- **Compte tenu de la paralysie de l'appareil judiciaire dans de nombreux pays, la prison se transforme très souvent en lieu de séjour durable pour des personnes qui attendent un jugement. Les délinquants et les criminels côtoient des personnes victimes de dénonciations abusives et/ou qui constituent une population d'indésirables au plan social : enfants des rues, pauvres, marginaux, malades, etc.**
- **Dans le contexte carcéral marqué par la pénurie et la violence, l'action humanitaire doit s'appuyer sur des droits précis pour secourir les individus et limiter la complicité aux mauvais traitements.**

En dehors des protections spécifiques accordées aux personnes protégées telles que les prisonniers de guerre, le droit international humanitaire met en place des garanties minimum de protection pour les personnes privées de libertés pour des raisons liées au conflit.
Dans les situations de conflits armés internationaux et non internationaux, les Conventions de Genève donnent au CICR le droit d'avoir accès à tous les lieux de détention où se trouvent des « personnes protégées » au titre des Conventions, et le droit de s'entretenir sans témoin avec elles. Ceci concerne à la fois les personnes civiles (GIV art. 143) et les prisonniers de guerre (GIII art. 126) et toutes les personnes privées de liberté en relation avec le conflit, dans les conflits armés non

internationaux (GPII. art. 5) et internationaux (GPI. art.75). Pour ne pas affaiblir les capacités de protection confiées par le droit humanitaire au CICR, la présence d'autres organisations humanitaires agissant auprès de personnes détenues devrait se faire en pleine connaissance des règles de droit applicables à ces situations.

• Certaines garanties judiciaires spécifiques entourent les conditions d'arrestation et de mise en détention (I).

• D'autres normes encadrent les conditions matérielles de la détention, y compris la mission médicale (II).

• Des normes spécifiques sont prévues dans les situations de conflit (III).

La terminologie juridique classique parle de « détenus » pour les personnes incarcérées après leur condamnation et de « prévenus » pour les individus qui attendent leur jugement. Le terme « personnes détenues » ou « détenus en prévention » renvoie aussi à celles qui sont privées de liberté pour des raisons autres que la condamnation (Ensemble de principes pour la protection de toutes les personnes soumises à une forme quelconque de détention ou d'emprisonnement, AG rés. 43/173, 1988). Dans les situations de conflits armés, le droit international humanitaire utilise les termes de « détenus », « internés », « prisonniers de guerre » et autres « personnes privée de libertés pour des motifs en relation avec le conflit armé ».

I. Garanties judiciaires concernant l'arrestation et la mise en détention

En temps normal, les personnes qui sont détenues le sont sur la base d'une décision de justice. Le régime de la détention est donc garanti par le cadre légal et judiciaire de l'interdiction de la détention arbitraire et par celui de la détention provisoire.

1. *Interdiction de la détention arbitraire*

La détention sans jugement est interdite par tous les textes internationaux relatifs aux droits de l'homme, ainsi que par les lois pénales nationales de la plupart des pays (art. 9 de la Déclaration universelle des droits de l'homme de 1948, repris et développé par l'art. 9 du pacte international sur les droits civils et politiques de 1966).

• Tout individu a droit à la liberté de sa personne. Aucune personne ne peut faire l'objet d'une arrestation ou d'une détention arbitraire. Aucun individu ne peut être privé de sa liberté, en dehors des motifs et conformément à la procédure prévus par la loi.

• Tout individu arrêté doit être informé, au moment de son arrestation des raisons de cette arrestation. Il doit également savoir, dans le plus court délai, quelles sont les accusations qui sont portées contre lui.

• Tout individu arrêté ou détenu pour une infraction pénale doit être traduit dans le plus court délai devant un juge ou une autre autorité habilitée par la loi à exercer des fonctions judiciaires. Il doit être jugé dans un délai raisonnable ou libéré. La détention de personnes qui attendent de passer en jugement ne doit pas être la règle.

• La mise en liberté peut être subordonnée à des garanties assurant la comparution de l'intéressé à l'audience. Elle peut aussi être demandée quand l'enquête est terminée, ou quand il n'y a pas de risques que l'inculpé entrave le cours de l'instruction.

- Toute personne privée de sa liberté par arrestation ou détention a le droit d'introduire un recours devant un tribunal afin que celui-ci statue sans délai sur la légalité de sa détention et ordonne sa libération si la détention est illégale.
- Tout individu victime d'arrestation ou de détention illégale a droit à réparation.

2. *Limitation de la détention provisoire*

Il existe des possibilités de détention provisoire ou préventive pour des personnes soupçonnées d'avoir commis un délit ou un crime et qui ne sont pas encore jugées. La décision de mise en détention provisoire est prise en principe par l'autorité judiciaire dans le but de faciliter l'enquête ou d'éviter la fuite du prévenu. Des délais précis sont fixés dans ce cas par le code de procédure pénale du pays concerné. À l'expiration du délai légal de détention provisoire, la mise en liberté est automatique, sauf si une décision officielle de prolongation intervient.

◆ **Dans de nombreux pays, la paralysie du système judiciaire conduit un nombre important de personnes à être détenues pendant une très longue durée, avant leur jugement et au-delà du délai légal de détention provisoire. Il est possible d'agir au cas par car sur les dossiers des détenus pour peu que l'on se réfère au délai fixé par le droit pénal national et en conformité avec le droit international des droits de l'homme.**

II. Normes minimales relatives aux conditions de détention

En dehors des garanties judiciaires concernant l'arrestation et la mise en détention, un certain nombre de normes réglementent les conditions de détention pour protéger le respect de la dignité des individus dans ces situations.

On parle de « détenus » pour les personnes incarcérées après leur condamnation et de « prévenus » pour les individus qui attendent leur jugement. Le régime carcéral est lui-même placé sous le contrôle et la responsabilité de l'autorité judiciaire nationale, mais des standards *a minima* de traitement des détenus ont été adoptés au niveau international.

1. *Conditions matérielles minimales de détention*

- ***Article 10 du Pacte international relatif aux droits civils et politiques***

  « Toute personne privée de sa liberté est traitée avec humanité et avec le respect de la dignité inhérente à toute personne humaine.

  a) les prévenus sont, sauf dans des circonstances exceptionnelles, séparés des condamnés et sont soumis à un régime distinct, approprié à leur condition de personnes non condamnées ;

  b) les jeunes prévenus sont séparés des adultes et il est décidé de leur cas aussi rapidement que possible ;

  c) le régime pénitentiaire comporte un traitement des condamnés dont le but essentiel est leur amendement et leur reclassement social. »

◆ **• La prison est un monde de contrainte, de pénurie et de violence, dans lequel les individus peuvent être victimes de mauvais traitements.**
• Des textes internationaux fixent des règles relatives au traitement minimum des détenus pour s'assurer :
– que leurs conditions de détention ne constituent pas en tant que telles des tortures ou traitements inhumains ou dégradants ;
– qu'ils disposent des moyens de survie en termes d'espace vital, de nourriture, de soins, d'air, de lumière et d'activité physique.

• ***Ensemble des « Règles minimales pour le traitement des détenus »***
La résolution 2076 (LXII) du 13 mai 1977 du Conseil économique et social des Nations unies complète et précise de façon concrète et pratique l'article 10 du pacte international. Ces règles n'ont pas de force juridique obligatoire puisqu'elles sont inscrites dans une simple résolution de l'ONU. Leur contestation par les autorités nationales est toujours possible sur le plan du droit. Elle est difficilement recevable dans la pratique puisque ces règles ne fixent pas un cadre idéal, mais un cadre minimal des comportements acceptés et acceptables y compris dans les situations de crise, d'urgence ou de conflit. Ces principes ont été réaffirmés sous la même forme en 1988 par l'« Ensemble de principes pour la protection de toutes les personnes soumises à une forme quelconque de détention ou d'emprisonnement » (AG rés. 43/173 du 9 décembre 1988) et en 1990 par les « Principes de base applicables au traitement des prisonniers » (AG rés. 45/111). On peut en conclure qu'ils ont maintenant une nature coutumière et qu'ils sont obligatoires pour tous les États. Ils doivent donc servir de référence et être défendus dans des actions concrètes de secours ou de témoignage.
Les règles minimales, posées par la résolution 2076 du Conseil économique et social de l'ONU, devant être respectées en situation de paix, de crise, d'urgence ou de conflit sont principalement les suivantes :
– Règle 7 : tenue d'un registre. Dans tout endroit où des personnes sont détenues, il faut tenir à jour un registre relié et coté indiquant pour chaque détenu : son identité, les motifs de sa détention et l'autorité compétente qui l'a décidée, le jour et l'heure d'admission et de la sortie. Aucune personne ne peut être admise dans un établissement sans un titre de détention valable, dont les détails auront été consignés dans le registre.
– Règle 8 : séparation des différentes catégories de détenus. Les différentes catégories de détenus doivent être placés dans des quartiers d'établissement distincts : les jeunes détenus séparés des adultes, les détenus en prévention doivent êtres séparés des condamnés, l'ensemble des locaux destinés aux femmes doit être entièrement séparé de celui des hommes, et il doit être tenu compte du motif de détention.
– Règles 9 à 14 : locaux de détention. Ces locaux doivent être suffisamment aérés, éclairés, chauffés, équipés au niveau de la literie et des installations sanitaires pour permettre une vie décente et digne.
– Règles 15 à 20 : conditions de vie des détenus. Ils doivent pouvoir conserver le respect d'eux-mêmes et pour cela doivent pouvoir se laver, disposer de vêtements propres, de literie individuelle, d'alimentation en quantité suffisante et pratiquer des exercices physiques.

– Règles 21 à 26 : services médicaux (*cf. infra* : 3.).
– Règles 27 à 34 : disciplines et punitions. La discipline et l'ordre ne peuvent être assurés à l'intérieur des établissements pénitentiaires qu'en application de lois ou d'un règlement disciplinaire écrit qui fixe les différentes conduites qui constituent une infraction disciplinaire, les différentes sanctions qui sont encourues, et l'autorité compétente pour prononcer ces sanctions. Les peines corporelles et toute autre peine cruelle inhumaine ou dégradante ne peuvent pas être infligées à titre disciplinaire. Les peines d'isolement et de réduction de nourriture ne peuvent pas être infligées sans un examen préalable et écrit du médecin attestant que le détenu peut supporter cette peine. Le médecin doit visiter tous les jours les détenus qui subissent des sanctions disciplinaires.
– Règles 33 et 34 : moyens de contrainte.
– Règles 35 et 36 : information et droit de plainte des détenus.
– Règles 37 à 39 : contact avec le monde extérieur.
– Règles 40 à 42 : bibliothèque et religion.
– Règle 43 : dépôt des objets appartenant aux détenus.
– Règles 44 et 45 : notification de décès, maladie, transfert.
– Règles 46 à 55 : personnel pénitentiaire et inspection.

2. *Conditions particulières de détention*

Des règles spéciales sont destinées à des catégories particulières ou particulièrement vulnérables d'individus comme les enfants, les malades mentaux et physiques ou les femmes enceintes. Elles s'inscrivent également dans le cadre des « Règles minimum pour le traitement des détenus » (ECOSOC rés. 2076).

- ***Le traitement des détenus condamnés : règles 56 à 81.*** Ces règles rappellent que la punition est constituée par la privation de liberté et que le but de la détention est de permettre au détenu de s'amender. Les modalités de la détention ne doivent pas créer de nouvelles souffrances et doivent permettre à terme la réinsertion dans la vie sociale. Elles font des propositions concrètes pour matérialiser ces principes dans le domaine du traitement des détenus, du travail, de l'instruction et du suivi social.

- ***Les détenus aliénés et anormaux mentaux : règles 82 et 83.*** Les aliénés ne doivent pas être détenus en prison. Des dispositions doivent être prises pour les transférer aussitôt que possible dans des établissements pour malades mentaux. Le service médical ou psychiatrique des établissements pénitentiaires doit assurer le traitement psychiatrique de tous les autres détenus qui ont besoin d'un tel traitement.

- ***Les personnes en détention préventive : règles 84 à 93 et les personnes arrêtées ou incarcérées sans avoir été inculpées : règle 95.*** Toute personne qui n'a pas été jugée est qualifiée de prévenu et jouit de la présomption d'innocence. Les prévenus doivent être séparés des condamnés, les jeunes prévenus doivent être séparés des adultes. Un prévenu doit être autorisé à garder ses vêtements personnels. S'il porte l'uniforme de l'établissement, celui-ci doit être différent de celui des condamnés. La possibilité doit lui être donnée de travailler, mais on ne doit pas l'exiger. S'il travaille, il doit être rémunéré. Un prévenu doit pouvoir prévenir sa famille et son avocat et disposer des facilités nécessaires pour communiquer, notamment de façon confidentielle, avec son avocat. On ne peut leur imposer de mesures de rééducation ou de réadaptation tant qu'ils ne sont convaincus d'aucune infraction.

- ***Les personnes condamnées pour dettes : règle 94.*** Dans les pays où la prison pour dettes est légale, ces prisonniers doivent bénéficier du même traitement que les prévenus, sous réserve qu'il peut leur être fait obligation de travailler pour rembourser leurs dettes.

- ***Les femmes : règles 8.a, 53 et 23.*** Les hommes et les femmes doivent être détenus dans des établissements différents ; dans un établissement recevant à la fois des hommes et des femmes, l'ensemble des locaux destinés aux femmes doit être entièrement séparé et elles doivent être sous l'autorité d'un responsable femme.
Les femmes prisonnières doivent être surveillées seulement par des femmes. Cependant, le personnel masculin, dont les médecins et les professeurs, peut exercer ses activités même dans les établissements pour femmes.
Dans un établissement pour femmes, il doit y avoir les installations spéciales nécessaires pour le traitement des femmes enceintes, relevant de couches ou convalescentes. Dans toute la mesure du possible, des dispositions doivent être prises pour que l'accouchement ait lieu dans un hôpital civil. Si l'enfant naît en prison, il importe que son acte de naissance n'en fasse pas mention (règle 23).

- ***Les enfants.*** La règle selon laquelle les jeunes prévenus doivent être séparés des adultes est affirmée dans tous les instruments pertinents : l'article 10.2b du Pacte des Nations unies sur les droits civils et politiques, les règles 8.d et 85 des règles minimales pour le traitement des détenus (ECOSOC rés. 2076).
La convention de l'ONU sur les droits de l'enfant de 1989 y ajoute par son article 37 plusieurs compléments essentiels.
– Nul enfant ne doit être soumis à la torture ni à des peines ou traitements cruels inhumains ou dégradants : ni la peine de mort ni l'emprisonnement à vie sans possibilité de libération ne doivent être prononcés pour des infractions commises par des personnes âgées de moins de dix-huit ans.
– Nul enfant ne doit être privé de liberté de façon illégale ou arbitraire : l'arrestation, la détention ou l'emprisonnement d'un enfant doit être en conformité avec la loi, n'être qu'une mesure de dernier ressort, et être d'une durée aussi brève que possible.
– Tout enfant privé de liberté doit être traité avec humanité et avec le respect dû à la dignité de la personne humaine, et d'une manière tenant compte des besoins des personnes de son âge (notamment en termes de nourriture et d'éducation). En

particulier, tout enfant privé de liberté sera séparé des adultes, à moins que l'on estime préférable de ne pas le faire dans l'intérêt supérieur de l'enfant, et il a le droit de rester en contact avec sa famille par la correspondance et par les visites, sauf circonstances exceptionnelles.
– Les enfants privés de liberté ont le droit d'avoir rapidement accès à l'assistance juridique ou à toute autre assistance appropriée, ainsi que le droit de contester la légalité de leur privation de liberté devant un tribunal ou une autre autorité compétente [...].
La résolution 40/33 de l'Assemblée générale de l'ONU du 29 novembre 1985 énonce sous le titre « Règles de Beijing » les principes relatifs à la responsabilité pénale des mineurs et aux sanctions prises contre eux. Ces principes directeurs ont été complétés par l'adoption des « Règles des Nations unies pour la protection des mineurs privés de liberté » (AG rés. 45/113 du 14 décembre 1990) (Voir ▷ **Enfant**).

3. *Mission médicale en milieu carcéral*

Diverses règles encadrent également l'exercice de la mission médicale en milieu carcéral. La privation de liberté peut avoir de graves conséquences sur la santé et sur la notion même de pratique médicale. La fonction médicale dans ces circonstances est encadrée par le respect de règles de déontologie et par les normes sur les services médicaux en situation carcérale.
• Éthique médicale : une résolution de l'Assemblée générale des Nations unies de 1982 a adopté des « Principes d'éthique médicale applicables au rôle du personnel de santé, en particulier des médecins, dans la protection des prisonniers et détenus contre la torture et autres peines ou traitements cruels inhumains ou dégradants » (résolution 37/194 du 18 décembre 1982).
– Ces principes prévoient que dans les situations carcérales, le médecin doit dispenser un traitement de la même qualité et répondant aux mêmes normes que celui dont bénéficient les personnes qui ne sont pas emprisonnées ou détenues (principe 1).
– Ils donnent en outre une définition large de l'éthique médicale et donc de la responsabilité du médecin puisqu'ils prévoient notamment « qu'il y a violation flagrante de l'éthique médicale et délit au regard des instruments internationaux applicables si des membres du personnel de santé, en particulier des médecins, se livrent, activement ou passivement, à des actes par lesquels ils se rendent coauteurs, complices ou instigateurs de tortures et autres traitements cruels, inhumains ou dégradants ou qui constituent une tentative de perpétration ». Il découle de ce texte que la présence du médecin dans un lieu de détention peut le placer dans la position de complice passif des actes inhumains commis contre les détenus. Il ne pourra rompre cette complicité passive qu'en prenant des mesures d'alerte et de prévention, en plus des actes médicaux normaux (principe 2).
• Il existe également des directives de l'Organisation mondiale de la santé et des déclarations de l'Association médicale mondiale (AMM) sur des aspects précis de l'exercice de la médecine en situation carcérale (par exemple sur le dépistage obligatoire du sida). Ces textes ne sont pas obligatoires pour les États, mais les ONG

peuvent utilement s'en servir comme cadre de référence pour leurs opérations de terrain.

• Les droits qui sont donnés aux médecins pour exercer la mission médicale en milieu carcéral sont détaillés dans les articles 22 à 26 des « Règles minimales de traitement des détenus » adoptées par le Conseil économique et social de l'ONU en 1977 (résolution 2076 [LXII] du 13 mai 1977).

– Règle 22 : chaque établissement pénitentiaire doit disposer au moins des services d'un médecin qualifié (règle 22). En l'absence de médecin titulaire de l'administration pénitentiaire, il est important que le personnel médical qui serait amené à se substituer ait connaissance des responsabilités, autres que curatives, qui sont attachées au médecin en milieu carcéral.

– Règle 23 : les soins aux femmes, voir la 2e partie.

– Règles 24 et 25.1 : le médecin doit examiner tous les détenus dès leur admission, il est responsable de la santé physique et mentale des prisonniers. Il doit ensuite voir chaque jour tous les détenus malades, tous ceux qui se plaignent d'être malades, et tous ceux sur lesquels son attention est particulièrement attirée.

– Règle 32 : il est requis également pour statuer sur les capacités d'un détenu à endurer une punition. Il devra visiter tous les jours les détenus qui subissent des sanctions disciplinaires et prévenir le directeur si la peine devrait être arrivée à son terme ou si elle altère la santé mentale ou physique du prisonnier.

– Règle 25.2 : il doit présenter un rapport au directeur de la prison chaque fois qu'il estime que la santé physique ou mentale d'un détenu a été ou sera affectée par la prolongation ou par une modalité quelconque de détention.

– Règles 26 : le médecin doit faire des inspections régulières et conseiller le directeur sur l'alimentation, l'hygiène, et les autres questions sanitaires : chauffage, éclairage et ventilation, qualité et propreté de la literie…

Des normes spécifiques sont également prévues pour protéger l'exercice de la mission médicale et son éthique en période de conflit armé, qu'il s'agisse des soins médicaux auprès des prisonniers de guerre ou de la population en général.

▶ **Blessés et malades ▷ Prisonnier de guerre ▷ Déontologie médicale.**

III. Normes supplémentaires applicables dans les conflits armés

Les règles minimales de traitement des détenus évoquées précédemment restent un cadre de référence, valable en période de conflit dans la mesure où elles fixent justement des règles minimales. Les personnes dont la détention n'est pas liée au conflit continuent d'être protégées par ces règles.

D'autres règles sont prévues en plus par le droit humanitaire au profit des personnes privées de liberté en relation avec le conflit.

Ce terme de « personnes détenues pour des motifs en relation avec le conflit » a été introduit par les deux Protocoles additionnels aux Conventions de Genève pour garantir un statut de protection aux personnes qui n'entraient pas dans la définition du combattant et/ou ne bénéficiaient pas du statut de prisonnier de guerre. Cela concernait particulièrement le sort des personnes civiles qui participent directement aux hostilités à titre individuel ou de façon temporaire mais aussi les membres des groupes armés non étatiques qui ne disposent pas du statut de combattant dans les conflits armés non internationaux.

▶ **Population civile ▷ Groupes armés non étatiques.**

En période de conflit, les garanties judiciaires applicables en temps de paix sont largement inefficaces, du fait de la paralysie des institutions ou de leur rattachement à la partie étatique en conflit. Les risques d'abus sont accrus du fait que l'autorité qui contrôle les personnes détenues appartient souvent à la partie adverse. C'est pourquoi le droit humanitaire prévoit des garanties particulières pour contrôler le sort des détenus. Il ne s'agit pas de simples principes communs mais de véritables règles de droit qui s'imposent aux États de façon obligatoire.

1. *Dans les conflits armés internationaux*

◆ **• Parmi les personnes détenues en relation avec le conflit pour lesquelles s'applique le droit humanitaire, on distingue deux grandes catégories : les combattants et les personnes civiles.**
• Les combattants qui se retrouvent aux mains de la puissance adverse sont le plus souvent couverts par le statut de prisonniers de guerre. Les 143 articles de la troisième Convention de Genève réglementent le traitement des prisonniers de guerre.
• Les civils privés de liberté en relation avec le conflit sont protégés par des règles précises relatives à la détention et à l'internement. Le droit humanitaire prend en compte et réglemente de façon spécifique l'administration de la justice et les conditions de détention dans les territoires occupés par l'ennemi.

▶ **Prisonnier de guerre ▷ Internement.**

a) ***Garanties générales.*** Le Protocole additionnel I de 1977 prévoit des garanties générales pour les civils.

– Toute personne arrêtée, détenue ou internée pour des actes en relation avec le conflit armé sera informée sans retard, dans une langue qu'elle comprend, des raisons pour lesquelles ces mesures ont été prises. Sauf en cas d'arrestation ou de détention du chef d'infractions pénales, cette personne sera libérée dans les plus brefs délais possibles et, en tout cas, dès que les circonstances justifiant l'arrestation ou la détention auront cessé d'exister (GPI art. 75.3).

– Aucune condamnation ne sera prononcée, ni aucune peine exécutée à l'encontre d'une personne reconnue coupable d'une infraction pénale commise en relation avec le conflit armé si ce n'est en vertu d'un jugement préalable rendu par un tribunal impartial et régulièrement constitué (GPI art. 75.4).

– Toutes les personnes arrêtées, détenues ou internées pour des motifs en relation avec le conflit bénéficieront des garanties judiciaires fixées par l'article 75 (GPI art. 75.4).

▶ **Garanties judiciaires.**

– Les femmes privées de liberté pour des motifs en relation avec le conflit armé seront gardées dans des locaux séparés de ceux des hommes. Elles seront placées sous la surveillance immédiate de femmes. Toutefois, si les familles sont arrêtées, détenues ou internées, l'unité de ces familles sera préservée autant que possible pour leur logement (GPI art. 75.5).

*b) **Détention des civils dans les territoires occupés.*** Des règles ont été fixées pour protéger le fonctionnement normal de la justice et de la détention dans les cas où un territoire est occupé par une puissance ennemie.

– Il est interdit à la puissance occupante de modifier le statut des fonctionnaires ou des magistrats du territoire occupé ou de prendre à leur encontre des sanctions ou des mesures de discrimination ou de pression [...] (GIV art. 54).

– La législation pénale du territoire occupé demeurera en vigueur [...] (GIV art. 64).

– La puissance occupante pourra adopter de nouveaux textes pour réglementer les conditions d'occupation et les nouvelles infractions contre l'autorité d'occupation dans des conditions limitées par la convention. Celles-ci n'auront jamais d'effet rétroactif (GIV art. 65, 67).

– La quatrième Convention de Genève limite les cas où la puissance occupante peut décider d'appliquer la peine de mort, notamment en ce qui concerne les infractions commises contre l'autorité d'occupation (GIV art. 68).

– Les articles 71 à 74 de cette même convention organisent les garanties judiciaires et les droits de la défense lors des procès devant les tribunaux de la puissance occupante.

– Les personnes protégées inculpées ou condamnées seront détenues dans le pays occupé. Elles seront soumises à un régime alimentaire, hygiénique suffisant pour les maintenir dans un bon état de santé et correspondant au moins au régime des établissements pénitentiaires du pays occupé. Elles recevront les soins médicaux exigés par leur état de santé. Les femmes seront détenues dans des locaux séparés et placées sous la surveillance immédiate de femmes. Il sera tenu compte pour les mineurs du régime spécial prévu en leur faveur prévu par l'article 50 de la quatrième Convention de Genève (GIV art. 76). *Voir infra* : protection spéciale pour les enfants. Les personnes détenues auront le droit de recevoir au moins un colis de secours par mois (GIV art. 76).

– Les personnes protégées auront le droit de recevoir la visite de délégués de la puissance protectrice ou du Comité international de la Croix-Rouge. Ils pourront s'entretenir avec elles sans témoin. La fréquence et la durée de ces visites ne pourront être limitées (GIV art. 143).

– Les personnes inculpées ou condamnées par les tribunaux en territoire occupé seront remises, à la fin de l'occupation, avec le dossier les concernant, aux autorités du territoire libéré (GIV art. 77).

*c) **Internement des personnes civiles.*** Une partie au conflit peut décider de prendre des mesures de privation de liberté à l'encontre des ressortissants étrangers ou des ressortissants de l'autre partie au conflit présents sur son territoire ou sur un territoire occupé. Le droit humanitaire parle dans ces cas d'« internement » ou de « mise en résidence forcée ».

Ces mesures ne peuvent être décidées que pour d'impérieuses raisons de sécurité. La puissance occupante peut également décider sous certaines conditions d'interner des personnes civiles protégées par le droit humanitaire qui constituent une menace pour l'autorité d'occupation (GIV art. 41, 42, 43, 68, 78).

Ces internements doivent obéir aux règles précises fixées dans la quatrième Convention de Genève et faire l'objet d'un réexamen périodique (GIV art. 79 à 141).

▶ **Internement.**

d) ***Garanties particulières pour les enfants détenus.*** L'enfant arrêté, détenu ou interné bénéficie de garanties particulières liées à son âge, à ses besoins physiologiques et psychologiques particuliers et au fait qu'il ne peut pas être tenu pour responsable des crimes et délits commis selon le droit pénal général. Cette protection se traduit dans les textes de la façon suivante :

– Les enfants doivent toujours bénéficier d'une priorité dans la distribution des secours (GIV art. 23, 50 ; GPI art. 70).

– L'enfant interné par la puissance occupante doit pouvoir vivre avec sa famille dans les lieux d'internement (GIV art. 82) ; bénéficier de suppléments de nourriture proportionnés à ses besoins physiologiques (GIV art. 89) ; pouvoir fréquenter l'école, soit à l'intérieur, soit à l'extérieur des lieux d'internement (GIV art. 94) ; être libéré de façon prioritaire, même avant la fin des hostilités (GIV art. 132).

– Pour le traitement des personnes inculpées ou détenues, il sera tenu compte du régime spécial prévu pour les mineurs à l'article 50 de la quatrième Convention (GIV art. 76).

Ce régime prévoit notamment l'interdiction d'enrôler les enfants dans des formations dépendant de la puissance détentrice, l'obligation d'assurer l'entretien matériel et l'éducation des enfants en les faisant bénéficier de mesures préférentielles en ce qui concerne l'alimentation, les soins médicaux et la protection contre les effets de la guerre.

– S'ils sont arrêtés, détenus, ou internés pour des raisons liées au conflit armé, les enfants seront gardés dans des locaux séparés de ceux des adultes, sauf dans le cas où l'arrestation concerne la famille dont l'unité devra alors être maintenue dans le lieux de détention (GPI art. 77.4 et 75.5).

▶ **Enfant.**

e) ***Garanties particulières pour les femmes.*** Le droit humanitaire énonce des garanties supplémentaires pour les femmes, spécialement pour les femmes enceintes et les mères de jeunes enfants.

– « Les femmes privées de liberté pour des motifs en relation avec le conflit armé seront gardées dans des locaux séparés de ceux des hommes. Elles seront placées sous la surveillance immédiate de femmes. Toutefois, si des familles sont arrêtées, détenues ou internées, l'unité de famille sera préservée autant que possible pour leur logement » (GPI art. 75.5 ; GIV art. 82).

– Les femmes enceintes et les mères d'enfants en bas âge dépendant d'elles qui sont arrêtées, détenues ou internées pour des raisons liées au conflit armé verront leur cas examiné en priorité (GPI art. 76.2). En particulier, en dehors des enfants, il doit être donné priorité aux femmes enceintes, en couches ou allaitantes lors de la distribution des secours (GIV art. 23 et 50, GPI art. 70), et elles doivent recevoir un supplément alimentaire si leurs besoins physiologiques l'exigent (GIV art. 89).

– Les femmes enceintes, les mères avec des nourrissons et enfants en bas âge doivent être libérées en priorité et si possible même avant la fin des hostilités (GIV art. 132).
– L'article 50 des quatre Conventions de Genève énonce que le traitement des détenus et internés doit tenir compte des mesures préférentielles qui auraient pu être prises en faveur des femmes enceintes et des mères d'enfants de moins de sept ans (GIV art. 76).

▸ **Femme.**

*f) **Prisonniers de guerre, blessés et malades.*** Le droit humanitaire prévoit des mesures spéciales de protection pour les prisonniers de guerre affectés par certaines maladies ou blessures graves. Celles-ci tiennent compte de la vulnérabilité des personnes atteintes de blessures et maladies graves et de l'avantage qu'il y a à les soigner dans un contexte paisible et sûr (GIII art. 109 à 117). Il dresse la liste de ces maladies ou blessures graves et prévoit qu'il sera possible d'évacuer et de faire hospitaliser dans un pays neutre les prisonniers de guerre qui en sont affectés, plutôt que de les faire soigner dans les hôpitaux de la puissance détentrice et de continuer à les considérer comme prisonniers de guerre. Cette mesure est également possible pour les internés civils atteints de maladies ou de blessures graves (GIV art. 132). Le détail de ces dispositions figure à ▷ **Prisonnier de guerre**.

◆ **Les autorités sont responsables de la santé et de l'intégrité physique des personnes qui sont en leur pouvoir.**
• Elles sont coupables de crimes de guerre si elles refusent que les soins nécessaires leur soient prodigués, ou si elles mettent délibérément la santé des individus en danger. En effet, le premier Protocole additionnel aux Conventions de Genève de 1977 a renforcé la protection due aux victimes des conflits en général, et aux malades et blessés en particulier. Il affirme que « la santé et l'intégrité physique ou mentale des personnes au pouvoir de la partie adverse ou internées, détenues ou d'une autre manière privées de liberté en raison du conflit, ne doivent être compromises par aucun acte, ni par aucune omission injustifiés ». De tels actes ou omissions peuvent constituer des crimes de guerre (GPI art. 11).
• Cette disposition renforce la responsabilité des organisations humanitaires médicales à l'égard de la surveillance de l'état de santé de la population civile.

▸ **Déontologie médicale ▷ Prisonnier de guerre ▷ Blessés et malades.**

2. *Dans les conflits armés non internationaux*

La distinction entre les civils et les combattants est plus délicate en période de conflit armé non international. Le Protocole additionnel II de 1977 applicable aux conflits armés internes ne cherche plus à définir les différentes catégories de personnes détenues. Il s'applique de façon uniforme aux « personnes privées de liberté pour des motifs en relation avec le conflit armé » (GPII art. 5.1).
Les droits qu'il prévoit sont applicables aussi bien aux personnes détenues qu'aux personnes internées. Ils se doublent d'obligations pour l'autorité détentrice.
– Le statut de prisonniers de guerre et les garanties qui lui sont attachées par la troisième Convention peuvent éventuellement être invoqués par les individus

qui entrent dans la catégorie générale des combattants (GIII art. 4.a.1, 2, 3, 6), sous condition de réciprocité et selon un accord spécial. Le bénéfice de ce statut de prisonnier de guerre n'est pas automatique. Il découle de l'existence d'un tel accord entre les parties au conflit interne.

▶ **Accord spécial ▷ Combattant ▷ Prisonnier de guerre ▷ Groupes armés non étatiques ▷ Population civile.**

- ***Garanties minimales de traitement des personnes détenues***

– L'article 3 commun aux quatre Conventions de Genève de 1949 prévoit des garanties minimales au profit des personnes qui ne participent pas directement aux hostilités, y compris les membres des forces armées qui ont déposé les armes et les personnes qui ont été mises hors de combat par maladie, blessure, détention, ou pour toute autre cause.

Il s'applique donc aux personnes civiles qui ont pris part directement aux hostilités au sein de groupes armés non étatique ou à titre individuel.

Il interdit l'usage de la torture et des peines et traitements cruels inhumains ou dégradants.

Il interdit également de façon absolue les condamnations prononcées et les exécutions effectuées sans un jugement préalable, rendu par un tribunal régulièrement constitué, assorti des garanties judiciaires reconnues comme indispensables par les peuples civilisés (article 3.1.d).

Cet article a aujourd'hui le statut de norme coutumière impérative. Son application ne peut donc jamais être refusée quels que soient la situation concernée et le statut des personnes impliquées. Il sert à la fois de garantie fondamentale concernant le statut de détention mais aussi de garantie judiciaire fondamentale applicable en tout temps en tout lieu y compris à des personnes appartenant à des groupes terroristes ou non étatiques qui ne sont pas signataires des Conventions de Genève et qui ne respectent pas les dispositions de ce droit.

Les tribunaux internationaux ainsi que la Cour suprême américaine ont affirmé que son application ne pouvait pas être limitée par des interprétations restrictives concernant les critères de qualification des conflits ou des combattants (voir ▷ **Garanties fondamentales** ▷ **Coutume**)

– L'article 5.1 du Protocole additionnel II renforce ces garanties. Il affirme que les dispositions suivantes seront au minimum respectées à l'égard des personnes privées de liberté pour des motifs en relation avec le conflit armé, qu'elles soient internées ou détenues.

a) Les blessés et les malades, qu'ils aient ou non pris part aux hostilités, seront respectés et protégés. Ils seront traités avec humanité et recevront dans toute la mesure du possible et dans les délais les plus brefs les soins médicaux qu'exige leur état. Aucune distinction fondée sur des critères autres que médicaux ne sera faite entre eux (GPII art. 7).

b) Ces personnes recevront dans la même mesure que la population civile locale des vivres et de l'eau potable et bénéficieront de garanties de salubrité et d'hygiène et d'une protection contre les rigueurs du climat et les dangers du conflit armé.

c) Elles seront autorisées à recevoir des secours individuels ou collectifs.
d) Elles pourront pratiquer leur religion et recevoir à leur demande une assistance spirituelle.
e) Elles devront bénéficier, si elles doivent travailler, de conditions de travail et de garanties semblables à celles dont jouit la population civile locale.
Les personnes qui ne sont pas détenues mais dont la liberté est limitée pour des motifs en relation avec le conflit bénéficieront des mêmes droits.

- ***Obligation et responsabilité des autorités détentrices (GPII art. 5.2)***
Ceux qui sont responsables de l'internement ou de la détention des personnes privées de leur liberté pour des motifs en relation avec le conflit respecteront dans toute la mesure de leurs moyens les dispositions suivantes :
a) sauf lorsque les hommes et les femmes d'une même famille sont logés ensemble, les femmes seront gardées dans des locaux séparés de ceux des hommes et placées sous la surveillance immédiate de femmes ;
b) les personnes privées de liberté seront autorisées à expédier et à recevoir des lettres et cartes [...] ;
c) les lieux d'internement et de détention ne seront pas situés à proximité de la zone de combat. Les personnes privées de liberté pour des motifs en relation avec le conflit seront évacuées si les lieux d'internement deviennent particulièrement exposés aux dangers et si leur évacuation peut se faire dans des conditions satisfaisantes de sécurité ;
d) les personnes internées et détenues devront bénéficier d'examens médicaux ;
e) leur santé et l'intégrité physique ou mentale des personnes privées de liberté ne seront compromises par aucun acte ni par aucune omission injustifiés émanant des autorités détentrices [...].
S'il est décidé de libérer des personnes privées de liberté, les mesures nécessaires pour assurer la sécurité de ces personnes devront être prises par les autorités qui décideront de les libérer (GPII art. 5.4).
Cet article 5.2 est rédigé de telle sorte qu'il s'impose également à des autorités détentrices officielles telles que les gouvernements ou non officielles telles que les groupes armés non étatiques. Ceux-ci sont donc également tenus au respect de ces obligations dans leurs activités de détention et de jugement des individus sous leur contrôle pendant la durée du conflit.

◆ **RÈGLES DE DROIT INTERNATIONAL HUMANITAIRE COUTUMIER**

L'étude sur les règles de droit international humanitaire coutumier publiée par le CICR en 2005 a identifié des normes concernant la détention qui s'imposent à toutes les parties aux conflits armés internationaux (CAI) et non internationaux (CANI), qu'elles soient ou non signataires des Conventions de Genève. Le respect de ces règles ne dispense pas les parties au conflit des règles plus contraignantes qu'elles ont acceptées dans le cadre des conventions.
Règle 118 : Les personnes privées de liberté doivent se voir fournir de la nourriture, de l'eau et des vêtements en suffisance, ainsi qu'un logement et des soins médicaux convenables (CAI/CANI).
Règle 119 : Les femmes privées de liberté doivent être gardées dans des locaux séparés de ceux des hommes, sauf dans le cas de familles logées en tant qu'unités familiales, et elles doivent être placées sous la surveillance immédiate de femmes (CAI/CANI).

Règle 120 : Les enfants privés de liberté doivent être gardés dans des locaux séparés de ceux des adultes, sauf dans le cas de familles logées en tant qu'unités familiales (CAI/CANI).
Règle 121 : Les personnes privées de liberté doivent être gardées dans des locaux éloignés de la zone de combat et qui permettent de préserver leur santé et leur hygiène (CAI/CANI).
Règle 123 : Les données personnelles des personnes privées de liberté doivent être enregistrées (CAI/CANI).
Règle 124 :
A. Dans les conflits armés internationaux, le CICR doit se voir accorder un accès régulier à toutes les personnes privées de liberté afin de vérifier leurs conditions de détention et de rétablir le contact entre ces personnes et leur famille (CAI).
B. Dans les conflits armés non internationaux, le CICR peut offrir ses services aux parties au conflit afin de visiter toutes les personnes privées de liberté pour des rasons liées au conflit, dans le but de vérifier leurs conditions de détention et de rétablir le contact entre ces personnes et leur famille (CANI).
Règle 125 : Les personnes privées de liberté doivent être autorisées à maintenir une correspondance avec leur famille, moyennant des conditions raisonnables touchant la fréquence des échanges et la nécessité de la censure par les autorités (CAI/CANI).
Règle 126 : Les internés civils et les personnes privées de liberté en relation avec un conflit armé non international doivent être autorisés, dans la mesure du possible, à recevoir des visites, et en premier lieu celles de leurs proches (CAI/CANI).
Règle 127 : Les convictions personnelles et les pratiques religieuses des personnes privées de liberté doivent être respectées (CAI/CANI).
Règle 128 :
A. Les prisonniers de guerre doivent être libérés et rapatriés sans délai après la fin des hostilités actives (CAI).
B. Les internés civils doivent être libérés dès que les causes qui ont motivé leur internement cessent d'exister, mais en tout cas dans les plus brefs délais possibles après la fin des hostilités actives (CAI).
C. Les personnes privées de leur liberté en relation avec un conflit armé non international doivent être libérées dès que les causes qui ont motivé leur privation de liberté cessent d'exister (CANI).
La privation de liberté des personnes susmentionnées peut se poursuivre si des procédures pénales sont en cours à leur encontre ou si elles purgent une peine qui a été prononcée dans le respect de la loi.

Consulter aussi

▶ **Prisonnier de guerre ▷ Internement ▷ Enfant ▷ Femme ▷ Garanties judiciaires ▷ Garanties fondamentales ▷ Déontologie médicale ▷ Mauvais traitements ▷ Sécurité ▷ Groupes armés non étatiques ▷ Population civile ▷ Droit international humanitaire ▷ Coutume ▷ Croix-Rouge, Croissant-Rouge ▷ Camp.**

Jurisprudence

1. Tribunaux pénaux internationaux

Les tribunaux pénaux internationaux se sont prononcés sur les arrestations arbitraires de civils lors des conflits et leur détention dans divers camps et sous divers motifs. Les tribunaux ont énoncé les divers éléments qui peuvent permettre de qualifier ces détentions arbitraires de crimes contre l'humanité. Selon la Chambre de première instance du TPIY dans l'affaire Foca du 15 mars 2002 (§ 115), ces conditions sont les suivantes : 1) l'individu doit être privé de sa liberté, 2) cette privation doit être imposée arbitrairement de sorte qu'aucune base légale ne puisse être invoquée pour la justifier, enfin, 3) l'acte ou l'omission par lequel l'individu est privé de sa liberté physique doit être commis par l'accusé ou, une ou des personnes dont l'accusé assume la responsabilité, avec l'intention ou la connaissance raisonnable que l'acte ou l'omission est susceptible de causer une privation arbitraire de sa liberté physique.

Dans la décision Kordic et Cerkez du 26 février 2001 (§ 302-303), la Chambre de première instance du TPIY, précise qu'il doit s'agir d'un emprisonnement arbitraire, autrement dit, la privation de liberté d'un individu sans procès équitable, dans le cadre d'une attaque systématique et généralisée dirigée contre une population civile. Le tribunal distingue la détention arbitraire et la possibilité d'internement des personnes civiles dans les conflits prévue par le droit humanitaire. La Chambre d'appel du TPIY dans l'affaire Celebici du 20 février 2001 (§ 322 et 327) rappelle que, la mesure d'internement d'un civil n'est légale que si elle respecte les conditions strictes prescrites aux articles 42 et 43 de la Convention IV de Genève de 1949. Si ces conditions ne sont pas respectées, on peut légalement qualifier la situation de détention arbitraire.

Les tribunaux pénaux internationaux ont établi la responsabilité pénale particulière des responsables des camps et autres lieux de détention. Dans la décision Celebici du 20 février 2001 (§ 378-379), la Chambre d'appel du TPIY précise qu'une personne ayant la position de commandant de camp, commet l'infraction d'internement illégal de civils quand il a autorité pour libérer les civils détenus et pour autant n'exerce pas ce pouvoir, alors que :

1) il n'a pas de motif raisonnable de croire que les détenus présentent un vrai risque pour la sécurité de l'État ou

2) il sait que les garanties procédurales relatives à la détention n'ont pas été respectées.

2. Cour suprême américaine

• Détention arbitraire et droit au recours judiciaire pour contester la légalité d'une détention

En 2004, la Cour suprême américaine a reconnu aux personnes de nationalité américaine détenues à Guantanamo le droit de contester devant un tribunal la légalité et les motifs de leur détention. La Cour a affirmé que, même en période de guerre, les pouvoirs du président des États-Unis n'étaient pas absolus en ce qui concerne le traitement des citoyens américains. (US Supreme Court, *Yaser Esam Hamdi and Esam Fouad Hamdi v. Donald Rumsfeld, Secretary of Defence, et al,* 542 US 507 (2004), 28 juin 2004). Les juges ont ainsi affirmé que « we have long since made clear that a state of war is not a blank check for the President when it comes to the rights of the Nation's citizens » [jugement uniquement disponible en anglais, *NdlR*] (p. 29 de l'opinion du juge O'Connor).

Dans son jugement de 2004 dans l'affaire *Rasul and others v. Bush,* la Cour suprême a reconnu que rien n'empêchait que les tribunaux américains soient compétents pour juger de la légalité de la détention des personnes détenues à Guantanamo ne disposant pas de la citoyenneté américaine, mais elle ne s'est pas prononcée sur l'existence d'un véritable droit à l'*habeas corpus* au profit de ces détenus non américains de Guantanamo. (US Supreme Court, *Shafiq Rasul, et al., Petitioners v. George W. Bush, President of the United States, and Al.Fawzi Khalid Abdullah Fahad al Odah, et al. v. United States, et al.* 542 US466, 28 juin 2004).

En 2006, dans l'affaire *Hamdam vs. Rumsfeld,* la Cour suprême américaine est allée au-delà des deux jugements précédents. Elle a affirmé que les garanties judiciaires minimales relatives à la détention contenues dans l'article 3 commun aux Conventions de Genève s'appliquaient à tous les individus détenus par les États-Unis dans le cadre de la guerre contre le terrorisme, quels que soient leur nationalité et le territoire où était situé leur lieu de détention. La Cour a également considéré que les commissions militaires créées par décret présidentiel pour permettre la contestation de leur détention par les individus violaient les garanties minimales établies par l'article 3 commun car ces commissions étaient des organes exécutifs et non pas judiciaires. (US Supreme Court, *Salim Ahmed Hamdam, Petitioner v. Donald H. Rumsfeld and Others,* 548 US 557 (2006)).

En juin 2008, dans l'affaire *Boumediene et. al v. Bush,* la Cour suprême américaine a également reconnu que le droit de contester la légalité des motifs et des procédures de détention devant un tribunal (*habeas corpus*) s'appliquait aux personnes détenues par les autorités américaines à Guantanamo, quels que que soient leur nationalité et leur lieu de détention. La Cour a ainsi rejeté toute les limitations qui avaient jusque-là été imposées à l'exercice de ce droit pour les détenus de la guerre contre le terrorisme. Dans cette affaire, la Cour suprême américaine a également accepté l'application extraterritoriale des garanties fondamentales des droits de l'homme (US Supreme Court, *Boumediene et. al. v. Bush, President of the United States, et. al.*, no.06-1195, 12 juin 2008).

3. Cour européenne des droits de l'homme (CEDH)

Dans plusieurs décisions, la CEDH a rappelé l'application complémentaire et simultanée du droit international humanitaire et du droit international des droits de l'homme, notamment les dispositions concernant la détention arbitraire et le respect des garanties judicaires en situations de conflit armé. (Voir ▷ **CEDH**.)

Pour en savoir plus

AERCHLIMANN A., « Protection des détenus : l'action du CICR derrière les barreaux », *Revue internationale de la Croix-Rouge*, Genève, n° 85, 2005, p. 83-122.

ASHDOWN J. et JAMES M., « Les femmes dans les lieux de détention », *Revue internationale de la Croix-Rouge*, n° 877, mars 2010. Disponible en ligne sur http://www.icrc.org/fre/assets/files/other/irrc-877-james-ashdown-fre.pdf

BORELLI S., « Casting light on the legal black hole : international law and detention abroad in the "war on terror" », *Revue internationale de la Croix-Rouge*, Genève, n° 857, 2005, p. 38-68.

BUGNION F., *Le Comité international de la Croix-Rouge et la protection des victimes de la guerre*, CICR, Paris, 1994, p. 623-735.

CICR, « Numéro spécial détention : Détention », *Revue internationale de la Croix-Rouge*, Genève, n° 857, 2005, 231 p.

DELAPLACE E., POLLARD M., « Visits by human rights mechanisms as a mean of greater protection for persons deprived of their liberty », *Revue internationale de la Croix-Rouge*, Genève, n° 857, 2005, p. 69-82.

DE ZAYAS A., « Droits de l'homme et détention pour une durée illimitée », *Revue internationale de la Croix-Rouge*, Genève, n° 857, 2005, p. 15-38.

DOSWALD-BECK L., *Human Rights in Times of Armed Conflict and Terrorism*, Oxford University Press, Oxford, 600 p.

DROEGE C., « Transfers of detainees : legal framework, non refoulement and contemporary challenges », *Revue internationale de la Croix-Rouge*, vol. 90, n° 871, septembre 2008, p. 669-701.

DUFFY H., « Human rights litigation and the war on terror », *Revue internationale de la Croix Rouge*, vol. 90, n° 871, septembre 2008, p. 573-597.

PELIC J., « Procedural principles and safeguards for internment/administrative detention in armed conflict and other situations of violence », *Revue internationale de la Croix-Rouge*, n° 858, juin 2005, p. 375-391.

PROULX V. J., « If the hat fits wear it, if the turban fits run for your life : Reflection on the indefinite detention and targeted killings of suspected terrorists », *Hastings Law Journal*, vol. 56, n° 5, 2005, p. 801-900.

REDRESS, *Le Terrorisme, la lutte antiterroriste et la torture : Droit international et lutte contre le terrorisme*, juillet 2004, 86 p., p. 43-60.

REYES H. et RUSSBACH R., « Le rôle du médecin dans les visites du CICR aux prisonniers », *Revue internationale de la Croix-Rouge*, n° 791, septembre-octobre 1991, p. 497-510.

RODLEY N. S, *The Treatment* of *Prisoners under International Law*, Clarendon Press, Oxford, 1999.

SASSÒLI M. et OLSON L. M., « The relationship between international humanitarian law and human rights law where it matters : admissible killings of fighters and internment in non-international armed conflicts », *International Review of the Red Cross*, vol. 90, n° 871, septembre 2008, p. 599-627.

Devoirs des commandants

Les États parties aux Conventions de Genève et au Protocole additionnel I sont tenus de respecter et de faire respecter le droit humanitaire dans les situations de conflit armé (GI, GII, GIII, GIV art. 1 ; GPI art. 1 et 80.2). Ils sont également obligés de réprimer les violations de ce droit (GI art. 49 à 52 ; GII art. 50 à 53 ; GIII art. 129 à 132 ; GIV art. 146 à 149 ; GPI art. 86.1).
Pour assurer le respect de ces obligations, le droit humanitaire impose aux États une définition des forces armées qui permet, à travers l'organisation hiérarchique et la discipline interne, le contrôle des combattants.

◆ **Le principe d'autorité est toujours doublé d'un principe de responsabilité. Pour les situations de conflit armé international, le droit humanitaire affirme de façon précise les devoirs et responsabilités des commandants (GPI art. 87) :**
– les commandants doivent s'assurer que les membres des forces armées placés sous leur commandement connaissent leurs obligations aux termes des Conventions de Genève et du Protocole additionnel I ;
– les commandants doivent empêcher les membres des forces armées placés sous leur commandement et les autres personnes sous leur autorité de commettre des infractions aux Conventions de Genève et au Protocole additionnel I. Au besoin, ils doivent les réprimer et les dénoncer aux autorités compétentes ;
– tout commandant qui a appris que des subordonnés ou d'autres personnes sous son autorité vont commettre ou ont commis une infraction aux Conventions ou au Protocole I doit prendre les mesures qui sont nécessaires pour empêcher de telles violations et au besoin prendre les mesures disciplinaires ou pénales à l'encontre des auteurs des violations.

Le droit humanitaire organise également une chaîne de responsabilités qui permet de déterminer le niveau de culpabilité des combattants et des divers échelons du commandement militaire en cas de violation de ses règles.

▶ **Responsabilité ▷ Combattant.**

D'autres dispositions du droit humanitaire mettent particulièrement en avant la responsabilité des commandants, y compris au niveau pénal.
• Des précautions doivent être prises par ceux qui décident ou préparent une attaque pour épargner au maximum les objectifs civils (GPI art. 57).
• La responsabilité pénale ou disciplinaire des supérieurs n'est pas écartée par le fait que la violation du droit humanitaire est commise par un subordonné, dans le cas où ce supérieur savait ou possédait des informations lui permettant de conclure, dans les circonstances du moment, que ce subordonné commettait ou allait commettre une telle infraction, et s'il n'a pas pris toutes les mesures pratiquement possibles en son pouvoir pour empêcher ou réprimer cette infraction (GPI art. 86.2).
• Les commandants en chef ne peuvent pas invoquer le silence des Conventions de Genève pour justifier une totale liberté d'action. Dans des situations qui n'ont pas été explicitement prévues par les conventions ou quand les détails d'exécution n'ont pas été prévus par les textes, ils ont la responsabilité de combler le vide juridique et d'agir dans ces cas conformément aux principes généraux des conventions (GI art. 45 ; GII art. 46).

▶ **Personnes et situations non couvertes.**

Les dispositions concernant le devoir des commandants en situation de conflit armé interne ne sont pas aussi explicites. Cependant, le Protocole additionnel II pose que toutes les parties à un conflit sont tenues par l'obligation de respecter le droit humanitaire, et les groupes armés doivent être sous « la conduite d'un commandement responsable (capable) d'appliquer le présent Protocole » (GPII article 1.1). C'est pourquoi les dispositions relatives au devoir des commandants contenues dans le Protocole additionnel II peuvent toujours être interprétées en utilisant les règles prévues dans les conflits armés internationaux.

Certaines décisions des tribunaux pénaux internationaux ont précisé le contenu de ce devoir des commandants en établissant leur responsabilité pénale dans des actes et omissions commis par eux-mêmes ou par leurs subordonnés (voir à ce sujet la rubrique ▷ **Responsabilité**).

L'étude sur les règles de droit international humanitaire coutumier publiée par le CICR en 2005 a confirmé le devoir des commandants dans les conflits armés internationaux et non internationaux. La règle 152 de cette étude prescrit que « les commandants et autres supérieurs hiérarchiques sont pénalement responsables des crimes de guerre commis sur leurs ordres », tandis que la règle 153 dispose que « les commandants et autres supérieurs hiérarchiques sont pénalement responsables des crimes de guerre commis par leurs subordonnés s'ils savaient, ou avaient des raisons de savoir, que ces subordonnés s'apprêtaient à commettre ou commettaient ces crimes et s'ils n'ont pas pris toutes les mesures nécessaires et raisonnables qui étaient en leur pouvoir pour en empêcher l'exécution ou, si ces crimes avaient déjà été commis, pour punir les responsables ». Ces règles sont applicables en période de conflits armé international et non-international.

Consulter aussi

▶ **Combattant ▷ Sanctions pénales du droit humanitaire ▷ Responsabilité ▷ Attaque ▷ Groupes armés non étatiques ▷ Proportionnalité ▷ Immunité.**

Consulter aussi

AUBERT M., *La Question de l'ordre supérieur et la responsabilité des commandants dans le Protocole additionnel aux Conventions de Genève du 12 août 1949 relatif à la protection des victimes des conflits armés internationaux (Protocole I) du 8 juin 1977*, CICR, Genève, 1988, (tiré à part de la *Revue internationale de la Croix-Rouge*).

MULINEN F. DE, « Responsabilité du commandement », *Manuel sur le droit de la guerre pour les forces armées*, CICR, Genève, 1989, p. 63-81.

Discrimination

La clé de voûte de tout système de protection des individus réside dans le principe de non-discrimination. Il existe deux façons de protéger les individus. Le premier consiste à édicter des droits et des garanties particuliers à leur égard. Le second consiste, au minimum, à surveiller que les personnes sont toutes traitées de façon identique. La non-discrimination constitue donc un outil essentiel de protection. L'adoption par un gouvernement d'une législation créant une discrimination négative à l'encontre de certaines personnes ou groupes de personnes est souvent une première étape vers une mise à l'écart de ces personnes qui peut éventuellement conduire à des persécutions ou d'autres crimes, voire au génocide.

Il est important de distinguer entre les discriminations ou distinctions défavorables qui sont illégales et les formes positives de discrimination ayant pour but d'améliorer les conditions d'un groupe de personnes ou de compenser une inégalité plutôt que d'en oppresser d'autres. De tels actes ou législations apparaissent à la fois aux niveaux interne et international et ne sont pas illégaux. La Convention sur l'élimination de toutes les formes de discrimination à l'égard des femmes, par exemple, pose dans son article 4 que « l'adoption par les États parties de mesures temporaires spéciales visant à accélérer l'instauration d'une égalité de faits entre les hommes et les femmes n'est pas considérée comme un acte de discrimination tel qu'il est défini dans la présente Convention, mais ne doit en aucune façon avoir pour conséquence le maintien de normes illégales ou distinctives ».

1. *En période de conflit*

Le droit humanitaire interdit de procéder, dans le traitement des individus ou des populations des pays en conflit, à des distinctions de caractère défavorable fondées sur la race, la couleur, le sexe, la langue, la religion ou la croyance, les opinions politiques ou autres, l'origine nationale ou sociale, la fortune, la naissance ou toute autre situation ou critère analogue (GI, GII art. 3 et 12 ; GIII art. 3 et 16 ; GIV art. 3 et 13 ; GPI art. 9 ; GPII art. 2). Le statut de la Cour pénale internationale, adopté le 17 juillet 1998, ajoute expressément à cette liste : « l'âge, les origines ethniques » et reprend le critère du sexe en interdisant toute discrimination fondée sur l'appartenance à l'un ou l'autre sexe.

Selon cette clause de non-discrimination, les articles des Conventions et Protocoles détaillent, selon les situations, l'interdiction de procéder à des discriminations :

- Les dispositions des Conventions ayant pour but d'atténuer les souffrances causées par la guerre aux civils doivent être appliquées de manière égale à tous les individus (GIV art. 13).
- Dans les territoires occupés : l'approvisionnement des populations civiles doit se faire sans aucune distinction de caractère défavorable entre les individus (GPI art. 69), tout comme les actions de secours (GPI art. 70 ; GPII art. 18).
- À l'égard des prisonniers de guerre : le droit humanitaire rappelle que le principe de non-discrimination doit leur être appliqué (GIII art. 16). Il prévoit à de nombreuses reprises qu'ils bénéficieront en outre du même traitement que celui qui est réservé par la puissance détentrice à ses propres troupes et à sa population civile, en ce qui concerne le logement (GIII art. 25), le transfert (GIII art. 46), les conditions de travail (GIII art. 51), les sanctions pénales et disciplinaires (GIII art. 82, 84, 88, 102 et 106).

• Les internés ne pourront être condamnés qu'à des peines disciplinaires s'ils commettent des actes qui ne sont pas punissables quand ils sont commis par des personnes qui ne sont pas internées (GIV art. 117).
• Les secours sanitaires doivent être menés sans discrimination, notamment les soins médicaux (GPI art. 10 et 11 ; GPII art. 7.2 et 9.2) et le ravitaillement de la population (GPI art. 69 et 70 ; GPII art. 18.2).

◆ **Il est toujours possible d'améliorer le régime général et d'accorder à une catégorie d'individus un traitement plus favorable justifié par son état ou sa vulnérabilité (enfants, femmes en couches, malades, etc.).**

2. *En temps de paix*

La discrimination est également interdite. Elle contrevient à l'un des principes généraux des sociétés selon lequel tous les individus sont égaux devant la loi. La discrimination s'effectue selon divers critères. Plusieurs textes et conventions internationales interdisent cette pratique :
– Convention internationale sur l'élimination de toutes les formes de discrimination raciale (rés. 2106 A [XX] du 21 décembre 1965) ;
– Convention internationale sur l'élimination et la répression du crime d'apartheid (rés. 3068 A [XXVIII] du 30 novembre 1973) ;
– Convention concernant la discrimination dans le domaine de l'enseignement, adoptée sous l'égide de l'UNESCO, le 14 décembre 1960 ;
– Convention sur l'égalité de rémunération, adoptée sous l'égide de l'Organisation internationale du travail, le 29 juin 1951 ;
– Convention sur l'élimination de toute forme de discrimination à l'égard des femmes (rés. A 34/180 du 18 décembre 1979) ;
– Déclaration sur l'élimination de toutes les formes d'intolérance et de discrimination fondées sur la religion ou la conviction (rés. A 36/55 du 25 novembre 1981).

3. *Les recours individuels*

• Les discriminations sont interdites de façon générale par les conventions relatives aux droits de l'homme. Il est donc possible sous certaines conditions de lancer des recours devant les organes de contrôle appropriés.
• Dans le cadre de la discrimination raciale ou de la discrimination contre les femmes, les recours peuvent être également adressés aux comités *ad hoc* prévus par ces deux conventions.

▶ **Droits de l'homme ▷ Recours individuels ▷ Comité pour l'élimination de la discrimination raciale ▷ Comité pour l'élimination de la discrimination à l'égard des femmes.**

Consulter aussi

▶ **Protection ▷ Apartheid ▷ Femme ▷ Crime de guerre-Crime contre l'humanité ▷ Liste des États parties aux conventions relatives aux droits de l'homme et au droit humanitaire (n° 25, 26 et 27).**

Contact

Comité sur l'élimination de toutes les formes de discrimination raciale
Haut-Commissariat des Nations unies aux droits de l'homme
52, rue Pâquis, 1202 Genève / Suisse.
Tél. : (00 41) 22 917 91 59.

Pour en savoir plus

SCHOKKENBROEK J., « Renforcement de la protection européenne contre la discrimination : le nouveau protocole n° 12 à la convention européenne des droits de l'homme », octobre 2001, *Actualité et Droit international.* Disponible sur [www.ridi.org/adi]

Droit, droit international

Le droit est constitué de l'ensemble des règles adoptées par une collectivité humaine et qui organisent la vie des individus en société. Chaque société se donne ainsi les moyens d'organiser sa vie collective et ses relations avec les autres communautés d'une façon harmonieuse selon une « règle du jeu » préétablie et connue de tous. Il comprend une fonction normative qui consiste à fixer le contenu des standards de comportement. Il comprend également une fonction judiciaire qui consiste à fixer les moyens d'en assurer le respect. Dans un système de droit, ce n'est pas la victime qui se rend justice. C'est la collectivité qui sanctionne les manquements à l'ordre public ou social établi et c'est elle qui se charge d'indemniser ensuite la victime.
– Dans les sociétés nationales, le principe du « contrat social » exprime le consentement de l'ensemble des individus à être régis par des règles collectives. On peut parler également de l'acceptation par les individus d'appartenir à la collectivité et d'en partager les règles.
– Dans la société internationale, les acteurs dominants sont les États. Ils adoptent entre eux des pactes ou conventions. Les États restent souverains, mais ils peuvent limiter eux-mêmes leur souveraineté en prenant, par convention, des engagements qui limitent leur liberté dans certains domaines d'une façon qui reste compatible avec leur droit national.
Le droit international est l'ensemble des règles adoptées par les États pour régir leurs relations entre eux (droit international public) et entre les personnes physiques ou morales de nationalités différentes (droit international privé). Il existe une diversité des systèmes juridiques nationaux qui peuvent se regrouper entre plusieurs grandes familles. Certains systèmes sont basés sur l'influence du droit romain et germanique, d'autres sur le droit anglo-saxon, d'autres sur l'influence religieuse notamment islamique, d'autres encore sur l'influence idéologique notamment communiste. Toutefois le droit international constitue un compromis entre toutes ces sources, traditions et tendances. Il exprime les règles communes acceptées par tous les États qui leur permettent de régler leurs relations, de partager un minimum de valeurs communes et de défendre une certaine notion de l'ordre public international, de la sécurité et de l'intérêt collectifs. Les différents tribunaux internationaux

existants expriment également dans leur composition et leur fonctionnement cette recherche d'une représentation équilibrée de tous les systèmes juridiques existants, tout en identifiant les règles et principes qui leur sont communs.

▶ **Droit naturel, droit religieux, droit positif ▷ Droit international humanitaire ▷ Droits de l'homme.**

1. *Sources*

Le droit national ou international a trois sources.

• Les textes écrits rédigés et adoptés par les autorités légitimes pour valoir règle de droit. En droit national, ces textes prennent des formes diverses : lois, ordonnances, règlements, circulaires, etc. Le droit international est essentiellement contenu dans les conventions internationales.

• La coutume, c'est-à-dire la pratique répétée, perçue comme légitime. Toutes les règles ne sont pas écrites et certaines sociétés fonctionnent sur un système de droit coutumier, non écrit, mais défendu et établi en cas de litige par les tribunaux. Le droit international laisse une grande place à la coutume, c'est-à-dire au comportement établi et répété des États. Le droit s'établit ainsi par l'existence de précédents. La responsabilité des acteurs internationaux est donc grande dans la défense et dans l'évolution du droit international. En effet, si une règle n'est pas défendue dans la pratique des relations internationales, elle s'affaiblit ou même disparaît. En revanche, si la pratique des acteurs internationaux est régulière et cohérente, elle participe à établir de nouveaux droits. Les ONG disposent d'un droit international d'initiative en matière humanitaire qui les rend responsables de l'évolution de la coutume dans ce domaine.

• La jurisprudence, c'est-à-dire le contenu des décisions rendues par les tribunaux normalement constitués qui appliquent et interprètent dans un cas précis les règles de droit. Il existe des tribunaux internationaux qui participent à la création du droit international jurisprudentiel. Les tribunaux internationaux participent également à la mise en évidence de certaines règles coutumières.

▶ **Convention internationale ▷ Coutume ▷ Cour internationale de justice ▷ Tribunaux pénaux internationaux ▷ Cour pénale internationale.**

2. *Hiérarchie des normes*

Les règles de droit sont multiples et ont une autorité différente selon la forme sous laquelle elles ont été adoptées et selon l'autorité de l'organe qui les a adoptées. En outre, certaines règles sont écrites et d'autres ne le sont pas. Il faut donc, dans chaque situation, comparer les règles applicables en l'espèce, selon l'échelle officielle de hiérarchie des normes. S'il y a contradiction entre plusieurs règles, c'est celle qui a l'autorité la plus élevée qui doit prévaloir. En outre, certaines règles, même non écrites, restent toujours supérieures au droit écrit (droit positif). Cette réalité s'est traduite pendant longtemps par un affrontement entre d'une part les tenants du droit naturel ou d'un droit d'inspiration morale ou religieuse et d'autre part les tenants du droit positif écrit, exprimant la libre volonté de la majorité des États ou des citoyens (selon que l'on parle du droit international ou du droit national). Aujourd'hui, la plupart des États et des systèmes juridiques reconnaissent l'existence d'un certain nombre de normes coutumières supérieures aux autres. On parle de *jus cogens* ou de normes impératives.

■ ***Jus cogens***

Notion consacrée par la Convention de Vienne de 1969 sur le droit des traités (art. 53). Il s'agit de normes coutumières, acceptées et reconnues par la communauté internationale des États. Ces normes sont impératives. Elles s'imposent à tous, sans conditions. Toute convention ou tout acte juridique international qui violerait ces normes impératives serait nul. Les États s'accordent pour placer dans cette catégorie l'interdiction du génocide, de l'esclavage, de l'agression, etc. Mais il reste à définir les autres droits contenus dans ce *jus cogens*. C'est le rôle de la Cour internationale de justice.
Les conventions internationales relatives aux droits de l'homme et au droit humanitaire énoncent certains droits auxquels les États ne peuvent déroger quelles que soient les circonstances. Il s'agit des garanties fondamentales. Ces garanties s'apparentent à des normes impératives liées à la reconnaissance universelle de la dignité de l'être humain. ■

▶ **Hiérarchie des normes ▷ Droit naturel, droit religieux, droit positif ▷ Garanties fondamentales.**

3. *Interprétation*

Le droit s'interprète selon des principes définis qui sont, entre autres :
– le respect de l'esprit du législateur ou des rédacteurs de la norme,
– la non-contradiction entre l'interprétation qui est donnée d'une norme et l'objectif qu'elle cherche à atteindre, et
– la bonne foi.
Chaque règle de droit peut faire l'objet de différences d'interprétation. Il n'existe pas toujours de tribunal compétent pour dire le droit dans les questions internationales. Les ONG doivent veiller à ce que le droit international humanitaire et celui relatif aux droits de l'homme ne soient pas interprétés de façon unilatérale ou abusive par les États. La convention de Vienne sur le droit des traités a codifié les règles d'interprétation des conventions internationales. La Cour internationale de justice joue également un rôle pour arbitrer les conflits d'interprétation des conventions internationales entre les États. Ainsi, la CIJ a récemment rappelé que, « selon le droit international coutumier tel qu'exprimé à l'article 31 de la Convention de Vienne sur le droit des traités du 23 mai 1969, un traité doit être interprété de bonne foi suivant le sens ordinaire à attribuer à ses termes dans leur contexte et à la lumière de son objet et de son but. Selon l'article 32, il peut être fait appel à des moyens complémentaires d'interprétation, et notamment aux travaux préparatoires et aux circonstances dans lesquelles le traité a été conclu, en vue soit de confirmer le sens résultant de l'application de l'article 31, soit de déterminer le sens lorsque l'interprétation donnée conformément à l'article 31 [...] laisse le sens ambigu ou obscur ; ou [...] conduit à un résultat qui est manifestement absurde ou déraisonnable » (Conséquences juridiques de l'édification d'un mur dans le territoire palestinien occupé, avis consultatif, *C.I.J Recueil 2004*, p. 136, § 94).

▶ **Convention internationale ▷ Cour internationale de justice.**

4. *Application*

Le droit international s'applique de façon différente selon les cas sur le territoire de chaque État. Si une norme est écrite de façon suffisamment précise, elle peut créer des droits directement au profit de ceux qui vont l'invoquer.

D'autres normes nécessitent l'adoption de règles complémentaires ou la mise en place de procédures pour que les individus puissent se prévaloir des droits qu'elles énoncent. Il faut souvent en effet qu'une loi intègre dans le droit national les dispositions d'une convention internationale pour qu'un individu puisse l'invoquer à son profit.

5. *Sanction*

La sanction des violations du droit est effectuée par des tribunaux. Cette sanction a pour but de rétablir l'ordre public et d'indemniser la victime.

• Dans l'ordre international, la fonction judiciaire qui est restée longtemps très limitée, connaît une évolution importante depuis la fin de la guerre froide. Il existe actuellement deux tribunaux internationaux permanents. La Cour internationale de justice (CIJ) est chargée de juger les États en cas de violations de leurs obligations internationales. Mais elle n'est pas compétente en matière pénale et ne peut pas juger des individus. De son côté, la Cour pénale internationale (CPI), dont le statut adopté à Rome en 1998 est entré en vigueur le 1er juillet 2002, a pour mission de sanctionner les auteurs de crimes de guerre, crimes contre l'humanité et génocide. Il existe également deux tribunaux pénaux internationaux *ad hoc* chargés de juger les auteurs des crimes commis en ex-Yougoslavie et au Rwanda.

Parallèlement à ces mécanismes de sanctions judiciaires, les comportements qui représentent une menace à la paix et à la sécurité internationales peuvent être sanctionnés sur décision du Conseil de sécurité des Nations unies. Le chapitre VII de la Charte de l'ONU permet en effet d'adopter des sanctions diplomatiques, économiques et militaires contre des États ou des acteurs non étatiques (individus, partis politiques, belligérants...). Ces sanctions comprennent les mesures suivantes : embargo, limitation ou interruption des relations économiques et diplomatiques, gel des avoirs financiers, interdiction de voyager, recours à la force armée internationale...

• Au niveau régional, trois tribunaux sont chargés de sanctionner les États responsables de violations des droits de l'homme : la Cour européenne, la Cour interaméricaine et la Cour africaine des droits de l'homme et des peuples (qui va bientôt fusionner avec la Cour africaine de justice lorsque le Protocole portant statut de la Cour africaine de justice et des droits de l'homme entrera en vigueur).

• Au niveau national, les auteurs de violations graves du droit humanitaire (crimes de guerre, crimes contre l'humanité) peuvent être poursuivis, sous certaines conditions, par n'importe quel tribunal de n'importe quel pays, selon le principe de compétence universelle.

Des recours non judiciaires existent aussi. Ils sont détaillés aux rubriques ▷ **Recours individuels** et ▷ **Droits de l'homme**.

■ Réparation-indemnisation des victimes de violations des droits de l'homme

• Le droit à réparation ou à l'indemnisation des victimes de violations des droits de l'homme et du droit humanitaire est récent en droit international. Le statut de la nouvelle Cour pénale internationale (art. 75), adopté en juillet 1998, prévoit désormais cette possibilité vis-à-vis des victimes de crimes de guerre, crimes contre l'humanité et génocide.
• Pendant longtemps, les victimes et leurs familles n'ont pu compter que sur les rares décisions des tribunaux nationaux ou sur des mécanismes *ad hoc* tels que les commissions de vérité et de réconciliation ou des fonds mis en place dans le cadre de l'ONU.
• Il existe notamment deux fonds de ce type, créés par l'Assemblée générale des Nations unies. Il s'agit du Fonds pour les victimes de la torture, créé en 1982, et du Fonds pour les victimes de formes contemporaines d'esclavage, créé en 1991.
• Au niveau régional, les Cours européenne, interaméricaine et africaine des droits de l'homme peuvent également octroyer des indemnisations aux victimes de violations des Conventions européenne, interaméricaine et africaine des droits de l'homme (art. 13 de la Convention européenne, art. 25 et 63 de la Convention interaméricaine, art. 7 de la Charte africaine des droits de l'homme et art. 28.h et 45 du Protocole portant statut de la Cour africaine de justice et des droits de l'homme de 2008, et art. 3.2 du Protocole supplémentaire au Protocole relatif à la Cour de Justice de la CEDAO de 2005). ■

▶ **Réparation-Indemnisation.**

Jurisprudence

La Cour internationale de justice (CIJ) s'est prononcée dans de nombreuses affaires pour rappeler les principes d'interprétation du droit international tels qu'ils ressortent du droit coutumier et de la convention de Vienne sur le droit des traités. En plus du principe d'interprétation d'un texte de bonne foi et selon l'intention de ses rédacteurs, la CIJ insiste sur le fait que l'interprétation faite par les États ne peut pas laisser le sens ambigu ou obscur ; ou conduire à un résultat qui est manifestement absurde ou déraisonnable. Voir Plates-formes pétrolières (République islamique d'Iran c. États-Unis d'Amérique), exception préliminaire, arrêt, *C.I.J. Recueil 1996 (II)*, p. 8 12, § 23 ; Île de Kasikili/Sedudu (Botswana v. Namibie), arrêt, *C.I.J. Recueil 1999 (II)*, p. 1059, § 18 ; Souveraineté sur Palau Ligitan et Palau Sipadan (Indonésie v. Malaisie), arrêt, *C.I.J. Recueil 2002*, p. 645, § 37 ; et Conséquences juridiques de 1'édification d'un mur dans le territoire palestinien occupé, avis consultatif, *C.I.J. Recueil 2004*, p. 136, § 94.

Consulter aussi

▶ **Hiérarchie des normes ▷ Droit dérivé (ou *soft law*) ▷ Droit naturel, droit religieux, droit positif ▷ Coutume ▷ Convention internationale ▷ Sanctions diplomatiques, économiques et militaires ▷ Sanctions ▷ Sanctions pénales du droit humanitaire ▷ Crime de guerre-Crime contre l'humanité ▷ Compétence universelle ▷ Recours individuels ▷ Cour internationale de justice ▷ Cour pénale internationale ▷ Cour européenne des droits de l'homme ▷ Cour et Commission interaméricaines des droits de l'homme ▷ Cour et Commission africaines des droits de l'homme ▷ Réparation-Indemnisation ▷ Tribunaux pénaux internationaux.**

Pour en savoir plus

BOTHE M., BRUCH C., DIAMOND J. et JENSEN D., « Droit international protégeant l'environnement en période de conflit armé : lacunes et opportunités », *Revue internationale de la Croix-*

Rouge, n° 879, septembre 2010. Disponible en ligne sur http://www.icrc.org/fre/assets/files/review/2010/irrc-879-bothe-bruch-diamond-jensen-fre.pdf

CARREAU D., *Droit international,* Pedone, Paris, 1997.

CHEMILLIER-GENDREAU M., *Humanité et souverainetés : Essai sur la fonction du droit international,* La Découverte, Paris, 1995.

DUPUY P. M., « Normes internationales pénales et droit impératif », in *Droit international pénal,* sous la dir. de Hervé ASCENSIO, Emmanuel DECAUX et Alain PELLET, CEDIN-Paris-X, Pedone, 2000, 1053 p., p. 71-80.

LEJBOWICZ A., *Philosophie du droit international,* PUF, Paris, 1999, 431 p.

NGUYEN QUOC D., DAILLIER P., PELLET A., *Droit international public,* LGDJ, Paris, 2002, 7e éd., 1 444 p.

PAYE O., *Sauve qui veut ? Le droit international face aux crises humanitaires,* Bruylant-Université de Bruxelles, Bruxelles, 1996.

Droit d'accès

Dans les situations de conflit, le droit humanitaire organise de façon pratique le droit et les conditions d'accès aux victimes par les organisations de secours. Le droit d'accès auprès des victimes est un élément central de l'action humanitaire car il permet aux organismes de secours de procéder à une évaluation indépendante des besoins, d'assurer l'efficacité de leur action et de contrôler la distribution et la répartition équitable de ces secours. Des règles différentes organisent ce droit d'accès auprès des différentes catégories de victimes. Elles donnent un droit d'accès plus large dans le domaine médical que dans le domaine des secours généraux. Elles sont plus détaillées dans les conflits internationaux (I) que dans les conflits internes (II). Certaines résolutions de l'ONU ont invoqué le droit d'accès aux victimes. Elles n'ont en général pas de force obligatoire contrairement aux Conventions de Genève de 1949 et leurs deux Protocoles additionnels de 1977 (III).

◆

- **Le droit d'accès est prévu par le droit humanitaire au profit du CICR, des organisations humanitaires impartiales dans certains cas, et des puissances protectrices dans d'autres cas. Ce droit est lié à une mission et une responsabilité que le droit humanitaire confie aux organisations de secours vis-à-vis des différentes catégories de victimes.**
- **Cette mission ne se résume jamais à la simple distribution de secours matériels. La présence sur le terrain implique des responsabilités et des devoirs de protection envers les populations assistées. Ils doivent être connus et assumés par les organisations de secours.**

I. L'accès aux victimes dans les conflits internationaux

1. *Les blessés et les malades*

Pour qu'il puisse efficacement porter secours aux blessés et malades, le personnel sanitaire doit pouvoir accéder aux lieux où ses services sont indispensables. Ce droit est expressément prévu, sous réserve cependant des mesures de contrôle et de sécurité que la partie au conflit intéressée jugerait nécessaires (GPI art. 15.4). De façon plus générale, le droit humanitaire organise le libre accès médical en protégeant les véhicules, le personnel et les installations sanitaires et en prévoyant que nul ne pourra être puni pour ses activités médicales. Il prévoit également des arrangements pour permettre l'évacuation ou l'échange des blessés et malades d'une zone assiégée ou encerclée et pour le passage du personnel sanitaire et religieux et de matériel sanitaire à destination de cette zone (GI art. 15 ; GII art. 18 ; GIV art. 16-17, 20).

▶ **Mission médicale ▷ Personnel sanitaire ▷ Blessés et malades.**

2. *Les prisonniers de guerre et les lieux de détention*
Le CICR est autorisé à se rendre dans tout lieu où se trouvent des prisonniers de guerre ou des personnes détenues en relation avec le conflit. Le droit humanitaire prévoit également le droit d'accès auprès des prisonniers de guerre pour les sociétés de secours et autres organismes (GIII art. 125). Les puissances détentrices ne peuvent pas interdire l'accès, mais seulement limiter le nombre des sociétés de secours autorisées à visiter et secourir les prisonniers. Elles doivent cependant respecter, dans ces décisions limitatives, le rôle spécifique confié par les conventions au CICR pour l'accès et la visite aux prisonniers de guerre (GIII art. 126).

▶ **Prisonnier de guerre ▷ Croix-Rouge, Croissant-Rouge ▷ Détention.**

3. *Les personnes protégées*
Les personnes protégées par le droit humanitaire sont celles détenues ou internées, la population des territoires occupés, les blessés et malades, les ressortissants ennemis sur le territoire national de la partie adverse.
Le droit d'accès à l'ensemble des personnes protégées par la quatrième Convention de Genève est prévu dans les situations de conflits internationaux. Il s'agit cette fois-ci de permettre l'accès et le secours auprès de la population civile des territoires occupés ou des personnes civiles regroupées dans des lieux d'internement, de détention et de travail, ainsi que les malades et blessés. L'accès aux personnes protégées est prévu au profit des organismes et sociétés de secours (GIV art. 142) et des représentants des puissances protectrices ou de leurs substituts tels que le CICR (GIV art. 143).
Ce droit d'accès ne peut pas être interdit mais seulement limité par les États en conflit. Ils doivent respecter certaines garanties minimales.
• Sous réserve des mesures qu'elles estimeraient indispensables pour garantir leur sécurité ou faire face à toute autre nécessité raisonnable, les puissances détentrices réserveront le meilleur accueil aux organisations religieuses, sociétés de secours ou tout autre organisme qui viendrait en aide aux personnes protégées. Elles leur accorderont toutes facilités nécessaires, ainsi qu'à leurs délégués dûment accrédités, pour visiter les personnes protégées, pour leur distribuer des secours (GIV art. 142).
• La puissance détentrice pourra limiter le nombre de sociétés et d'organismes autorisés à exercer leur activité sur son territoire et sous son contrôle, à condition toutefois qu'une telle limitation n'empêche pas d'apporter une aide efficace et suffisante à toutes les personnes protégées (GIV art. 142).

▶ **Internement ▷ Détention ▷ Personnes protégées ▷ Puissance protectrice ▷ Croix Rouge, Croissant-Rouge.**

◆ **Le CICR et les puissances protectrices disposent d'un droit d'accès et d'une mission de protection spécifique auprès de ces personnes qui ne doivent pas être mis en danger par l'action d'autres organisations de secours. Une organisation humanitaire peut assumer le rôle de substitut aux puissances protectrices. Elle doit alors remplir la fonction de protection qui est prévue par le droit humanitaire au profit des individus concernés.**

4. *La population civile*

Le droit humanitaire prévoit le libre passage des secours auprès des personnes protégées et de la population civile en général.

• Chaque partie contractante des Conventions de Genève de 1949 doit accorder le libre passage de tout envoi de médicaments et de matériel sanitaire ainsi que des objets de culte destinés uniquement à la population civile de l'autre partie, même ennemie. Elle doit également autoriser le libre passage de tout envoi de vivres indispensables, de vêtements et de fortifiants réservés aux enfants de moins de quinze ans, aux femmes enceintes ou en couches (GIV art. 23).

L'obligation pour une partie contractante d'accorder le libre passage des envois de secours est subordonnée à la condition que cette partie n'ait aucune raison sérieuse de craindre que :

– les envois puissent être détournés de leur destination, ou

– que le contrôle puisse ne pas être efficace,

– que l'ennemi puisse en tirer un avantage manifeste pour ses efforts militaires ou son économie [...].

La puissance qui autorise le passage de ces envois peut poser comme condition à son autorisation que la distribution aux bénéficiaires soit faite sous le contrôle effectué sur place par les puissances protectrices (GIV art. 23). En l'absence de puissance protectrice, ce contrôle est le plus souvent effectué par les organisations humanitaires.

• Ce libre passage est également prévu au profit de la population des territoires occupés. Lorsque la population d'un territoire occupé ou une partie de celle-ci est insuffisamment approvisionnée, la puissance occupante doit accepter les actions de secours faites en faveur de cette population et les faciliter dans toute la mesure de ses moyens (GIV art. 59).

La seule limitation qui peut être imposée est de demander que les organisations humanitaires ou la puissance protectrice contrôlent la distribution des secours pour s'assurer qu'ils profitent à la population dans le besoin (GIV art. 59).

▶ **Population civile ▷ Personnes protégées ▷ Personnel humanitaire et de secours ▷ Secours ▷ Ravitaillement ▷ Droit d'initiative humanitaire.**

■ Dispositions spéciales sur le droit d'accès à la population civile pour les organisations humanitaires

Ce principe de libre accès a été élargi et détaillé dans les Protocoles additionnels de 1977. Dans les pays qui n'ont pas signé ces protocoles, les organisations de secours peuvent malgré tout utiliser ces textes pour préciser, interpréter et compléter les règles prévues par la quatrième Convention et le droit humanitaire coutumier.

1) Lorsque la population civile d'un territoire sous le contrôle d'une partie au conflit, autre qu'un territoire occupé, est insuffisamment approvisionnée en matériel et denrées nécessaires à la survie de la population, des actions de secours de caractère humanitaire et impartial et conduites sans aucune distinction de caractère défavorable seront entreprises sous réserve de l'agrément des parties concernées par ces actions de secours (GPI art. 70 ; GPII art. 18).
Les offres de secours remplissant les conditions ci-dessus ne seront considérées ni comme une ingérence dans le conflit armé, ni comme des actes hostiles. Lors de la distribution de ces envois de secours, priorité sera donnée aux personnes qui, tels les enfants, les femmes enceintes ou en couches et les mères qui allaitent, doivent faire l'objet d'un traitement de faveur ou d'une protection particulière.
2) Les parties au conflit et chaque haute partie contractante autoriseront et faciliteront le passage rapide et sans encombre de tous les envois, de l'équipement et du personnel de secours fournis conformément aux prescriptions de la présente section, même si cette aide est destinée à la population civile de la partie adverse.
3) Les parties au conflit et chaque haute partie contractante autorisant le passage de secours, d'équipement et de personnel, conformément au paragraphe précédent :
– disposeront du droit de prescrire les réglementations techniques, y compris les vérifications auxquelles un tel passage est subordonné ;
– pourront subordonner leur autorisation à la condition que la distribution de l'assistance soit effectuée sous le contrôle sur place d'une puissance protectrice (ou de son substitut en la personne d'une organisation de secours reconnue impartiale) ;
– ne détourneront en aucune manière les envois de secours de leur destination ni n'en retarderont l'acheminement, sauf dans des cas de nécessité urgente, dans l'intérêt de la population civile concernée.
4) Les parties au conflit assureront la protection des envois de secours et en faciliteront la distribution rapide (GPI art. 70).
5) Le libre passage des secours comprend aussi le droit d'accès et le libre passage du personnel de secours participant aux opérations d'approvisionnement (GPI art. 71).
6) La liberté de déplacement du personnel médical est aussi garantie.
7) Les parties au conflit et chaque haute partie contractante intéressée devront encourager et faciliter une coordination internationale efficace des actions de secours mentionnées au paragraphe 1 de l'article 70 (GPI art. 70.5).
Le droit d'accès est devenu un principe essentiel du droit au secours humanitaire pour les victimes des conflits armés internationaux et non internationaux. Ce droit a par ailleurs acquis le statut de norme coutumière, intégré dans l'étude sur les règles de DIH coutumier publiée par le CICR en 2005. Ces règles sont obligatoires dans tous les types de conflits armés et s'imposent à toutes les parties aux conflits, même les parties non signataires des Conventions comme les groupes armés non étatiques.
La règle 55 de l'étude du CICR prescrit que « les parties au conflit doivent autoriser et faciliter le passage rapide et sans encombre des secours humanitaires destinés aux personnes civiles dans le besoin, de caractère impartial et fournis sans aucune distinction de caractère défavorable, sous réserve de leur droit de contrôle ».
La règle 56 affirme « les parties au conflit doivent assurer au personnel de secours autorisé la liberté de déplacement essentielle à l'exercice de ses fonctions. Ses déplacements ne peuvent être temporairement restreints qu'en cas de nécessité militaire impérieuse ». Ces règles s'appliquent aux conflits armés tant internationaux que non internationaux. ■

II. L'accès aux victimes dans les conflits armés non internationaux

Lorsque la population civile souffre de privations excessives par manque des approvisionnements essentiels à sa survie, tels que les vivres et le ravitaillement sanitaire, le principe du libre passage des secours de caractère exclusivement humanitaire et impartial est affirmé par le deuxième Protocole additionnel aux Conventions de Genève, sans plus de détail (GPII art. 18).
La liberté de déplacement du personnel médical est également affirmée. Chaque fois que les circonstances le permettront, et notamment après un engagement, toutes les mesures seront prises sans retard pour rechercher et recueillir les blessés et les malades, pour les protéger et leur assurer les soins appropriés (GPII art. 8).
Le principe posé dans ce protocole peut être interprété en utilisant les dispositions plus précises prévues par le droit humanitaire dans le cadre des conflits armés internationaux (*cf. supra*).

▶ **Personnel humanitaire et de secours ▷ Population civile ▷ Blessés et malades.**

III. L'accès prévu par les résolutions de l'ONU

Les règles de droit humanitaire concernant le droit d'accès ont été incluses dans certaines résolutions des Nations unies dans des situations de « catastrophes naturelles et situations d'urgence du même ordre » ou « catastrophes naturelles ou créées par l'homme ». Le droit humanitaire ne s'applique que dans les situations de conflit.

◆ **• Ces résolutions comblent un vide juridique si elles concernent des situations de paix. Elles risquent d'affaiblir le droit existant si elles sont utilisées pour éviter de reconnaître au niveau diplomatique une situation de conflit et si elles posent des exigences inférieures à celles prévues par le droit humanitaire.**
• Ces résolutions n'ont pas de force juridique obligatoire, sauf si elles sont adoptées par le Conseil de sécurité dans le cadre du chapitre VII de la Charte de l'ONU.

• Ces résolutions ne créent pas un droit d'ingérence humanitaire.
• Elles réaffirment « la souveraineté, l'intégrité territoriale et l'unité nationale » des États et reconnaissent que c'est à chaque État qu'il incombe au premier chef de prendre soin des victimes de catastrophes naturelles et situations d'urgence du même ordre se produisant sur son territoire.
• Elles prennent acte du fait que dans ces situations, des secours massifs doivent être apportés rapidement pour limiter le nombre des morts, et que les organisations internationales et les ONG jouent un rôle majeur et positif dans ces secours.
• Elles invitent en conséquence tous les États qui ont besoin d'une telle assistance à faciliter la mise en œuvre par les organisations internationales et les ONG de l'assistance humanitaire, notamment l'apport de nourriture, de médicaments et de soins médicaux « pour lesquels un accès aux victimes est indispensable » (rés. A 43/131 du 8 décembre 1988). Pour faciliter cet accès, l'Assemblée générale a proposé la création, en cas de besoin, de couloirs humanitaires et elle a demandé la coopération des États riverains à cet effet (rés. A 45/100 du 14 décembre 1990).

• La notion de « couloirs humanitaires » a été déclinée avec des nuances dans de nombreuses résolutions du Conseil de sécurité (conflits soudanais, irakien, libérien, angolais, somalien, yougoslave, etc.), avec des termes devenant parfois plus pressants. Dans la résolution 688 (5 avril 1991), le Conseil de sécurité « insiste » pour que l'Irak permette un accès immédiat des organisations humanitaires internationales à tous ceux qui ont besoin d'assistance dans toutes les parties de l'Irak et pour qu'il mette à leur disposition tous les moyens nécessaires.

■ **Les couloirs humanitaires**

La création et le respect des couloirs humanitaires prévus par les résolutions de l'ONU ne créent pas une véritable obligation juridique pour les États. En effet, les résolutions pertinentes ne sont pas toujours adoptées sur la base du chapitre VII de la Charte de l'ONU. De même, s'appliquant à des situations de conflit plus ou moins reconnues, elles ne font pas systématiquement référence aux obligations du droit humanitaire. Ces résolutions se sont inscrites dans le cadre plus général d'opérations de maintien de la paix soutenues par l'usage de la force internationale, comme au Kurdistan irakien ou en Somalie. Elles ont limité la notion de protection des victimes prévue par le droit humanitaire à la simple escorte de convois. ■

Consulter aussi

▶ **Maintien de la paix ▷ Zones protégées ▷ Droit international humanitaire ▷ Droit d'initiative humanitaire ▷ Puissance protectrice ▷ Secours ▷ Mission médicale ▷ Personnes protégées ▷ Biens protégés ▷ Personnel humanitaire et de secours ▷ Ingérence ▷ Maintien de la paix.**

Pour en savoir plus

ABRIL STOFFELS R., « Le régime juridique de l'assistance humanitaire dans les conflits armés : acquis et lacunes », *Revue internationale de la Croix-Rouge*, septembre 2004, vol. 86, n° 855, p. 515-546.

Le Droit face aux crises humanitaires. L'accès aux victimes : droit d'ingérence ou droit à l'assistance humanitaire ?, Commission européenne, Bruxelles, 1995.

Droit dérivé (ou *soft law*)

On qualifie par ces termes l'ensemble des décisions adoptées par les organes collectifs (juridictionnels ou non juridictionnels) des organisations internationales ou intergouvernementales. Ces décisions d'organisations internationales utilisent de façon très libre les termes de résolution, recommandation ou décision.
On parle de droit dérivé, de *soft law* ou d'actes unilatéraux pour distinguer ces règles des règles classiques du droit international, le *hard law*. Ce dernier est constitué des règles élaborées et adoptées avec la participation et le consentement explicite des États ou autres acteurs qui doivent être liés par ces règles, comme par exemple les traités et conventions internationales.

1. *Définitions*

Les mots « résolution », « recommandation » et « décision » sont employés sans rigueur juridique. On peut toutefois tenter de clarifier le sens réel de chacun de ces termes, même si cette rigueur ne se traduit pas dans la pratique.

■ **Résolution, décision et recommandation**

• *Résolution* : ce terme est employé pour désigner indifféremment l'ensemble des normes de droit dérivé, obligatoires ou non. Ainsi, une recommandation et une décision sont des résolutions.
• *Décision* : ce terme est parfois employé pour qualifier une norme obligatoire. Ainsi, une résolution du Conseil de sécurité fondée sur le chapitre VII est une décision (art. 25 de la Charte).
• *Recommandation* : ce terme est utilisé pour désigner une résolution qui se résume à une déclaration d'intention sans force juridique. ■

2. *Force juridique*

La force juridique du droit dérivé est relative.

• La plupart du temps, ces décisions n'ont pas de force juridique contraignante pour les États. C'est-à-dire qu'elles ne s'imposent pas à eux de façon obligatoire. Cependant, selon l'organe, les formes et le contenu sous lesquels sont prises les décisions, elles peuvent créer des obligations pour les États et avoir une certaine valeur juridique.

Par exemple, la majorité des normes élaborées dans les instances onusiennes n'ont aucune force juridique obligatoire : c'est le cas des résolutions et recommandations du Conseil de sécurité de l'ONU qui ne sont pas prises dans le cadre du chapitre VII de la Charte ; ou des résolutions et recommandations de l'Assemblée générale de l'ONU.

Elles conservent cependant une force morale puisqu'elles expriment l'opinion des États sur un sujet précis. Le consentement des États membres à être liés par la recommandation peut donner une force contraignante à celle-ci.

L'absence de force juridique tient souvent au caractère extrêmement flou des formulations utilisées par les organisations internationales pour obtenir un consensus des États.

A contrario, il ne faut pas sous-estimer la portée juridique d'une norme dont la formulation est suffisamment précise pour permettre son exécution et qui a été adoptée à l'unanimité des États membres. On peut estimer qu'elle n'a pas créé des droits nouveaux, mais qu'elle a codifié une norme coutumière que les États avaient déjà reconnue dans leur pratique constante. La valeur de la norme juridique ne découle donc pas de la nature de l'organe qui l'a énoncée mais de son caractère coutumier.

La valeur juridique d'une norme de droit dérivé s'apprécie donc au cas par cas en fonction de la précision de son contenu et de son mode d'adoption. Elle s'apprécie également dans le cadre de la hiérarchie et de l'interprétation des normes du droit international.

• Une minorité de ces décisions ont toutefois force obligatoire : cela dépend de l'organe et des compétences sur lesquelles il se fonde. Ainsi, en se limitant à l'ONU et de façon schématique, seules les résolutions du Conseil de sécurité adoptées dans le cadre du chapitre VII de la Charte (action en cas de menace contre la paix, de rupture de la paix et d'acte d'agression) sont obligatoires, en vertu de l'article 25 de la Charte. Malgré l'interprétation large donnée à la portée de cet article par la Cour internationale de justice en 1971, le doute persiste sur le caractère contraignant ou non des résolutions du Conseil de sécurité adoptées en dehors du chapitre VII.
• Une distinction doit être faite entre :
– les normes autorégulatrices : c'est-à-dire les règles qui s'appliquent à l'organisation internationale qui les adopte, par exemple celles qui concernent son fonctionnement interne. Dans ce cas, elles ont une force juridique obligatoire ;
– les normes extra-régulatrices : c'est-à-dire celles qui ont vocation à régir les relations internationales. Celles-ci n'ont en principe pas de force juridique obligatoire, mais peuvent cependant avoir une valeur juridique.

▶ **Droit, droit international ▷ Hiérarchie des normes.**

Droits de l'homme

Au niveau national, le terme de droits de l'homme désigne les droits revendiqués et acquis au fil du temps par le peuple vis-à-vis de ses dirigeants tels par exemple que la « Magna Carta » ou la Déclaration des droits de l'homme et du citoyen proclamée en 1789 dans la foulée de la Révolution française.
Au niveau international, l'expression « droits de l'homme » recouvre une branche du droit international qui s'est développée à partir de 1945 dans le cadre de la Charte des Nations unies, signée en 1945 à San Francisco et qui s'est notamment traduite par l'adoption en 1948 de la Déclaration universelle des droits de l'homme. Le Préambule de la Charte de l'ONU établit un lien entre le respect des droits fondamentaux de l'homme et le maintien de la paix dans le monde. L'un des postulats sous-jacents est le suivant : un État qui agresse ses citoyens finit par agresser ses voisins. La Charte des Nations unies cherche donc à rétablir le double contrat social de la communauté internationale et nationale en régulant les relations entre les États mais aussi les relations entre chaque État et sa propre population. Développer et encourager le respect des droits de l'homme et des libertés fondamentales pour tous, sans distinction de race, de sexe, de langue et de religion, apparaît ainsi à la fois comme un but et un moyen de résoudre les problèmes internationaux (Charte des Nations unies, art. 1.3).
Ces droits sont organisés en deux catégories différentes. Les droits économiques, sociaux et culturels d'une part et les droits civils et politiques ou libertés publiques d'autre part. Les premiers supposent que l'État garantisse des services, prestations et droits à l'ensemble des citoyens tels que le droit à la santé, à l'éducation, ou au travail. Les seconds supposent que l'État s'abstienne d'interférer ou de limiter

des droits et libertés fondamentaux tels que le droit à la vie, l'interdiction de la torture et de la détention extrajudiciaire, la liberté de conscience, d'expression, d'association, etc.
Ces droits consacrent la reconnaissance internationale de la dignité humaine et de l'égalité entre les hommes. Ils définissent les conditions indispensables du respect de la personne au sein des États. Il existe une tension théorique entre ces deux familles de droits, liée notamment à la période de la guerre froide où le respect des libertés publiques était opposé aux droits économiques et sociaux tels que le droit au travail. Pour éviter qu'une hiérarchisation de ces droits ne permette de relativiser et de justifier la violation de certains d'entre eux, on affirme que les droits de l'homme sont indivisibles, inaliénables et universels.
Ces droits sont contenus dans des conventions internationales et régionales mais aussi dans des documents techniques, de type normes minimales ou standards de traitement des individus, qui sont adoptés par consensus sous forme de résolutions par les organes de l'ONU disposant d'un mandat dans ce domaine (**I**).
Même si les droits de l'homme sont reconnus au niveau international, c'est au sein de l'espace national que les individus doivent les faire valoir, dans le cadre de la relation politique et juridique qui lie l'État et ses ressortissants. C'est aussi devant les tribunaux nationaux que les individus peuvent porter plainte contre les violations dont ils sont victimes du fait des agents de l'État ou de leur propre gouvernement. Ceci crée des blocages plus politiques que juridiques qui illustrent les faiblesses du système de protection internationale des droits de l'homme (**II**). Il existe cependant des possibilités de recours internationaux ou régionaux pour les violations les plus graves (**III**).
Pendant de très nombreuses années, le droit international humanitaire et le droit international des droits de l'homme ont été considérés comme des branches différentes du droit international. De façon simplifiée, les droits de l'homme ne s'appliquaient principalement et pleinement qu'en période de paix et ils créaient des obligations pour l'État envers sa population et son territoire. Le droit international humanitaire était quant à lui applicable aux situations de conflits armés et il créait des obligations pour l'État vis-à-vis de la population et du territoire de l'autre partie au conflit (**IV**). Cette dichotomie a été remise en question par la diversification des formes de conflits armés d'une part et par la militarisation de la gestion de la sécurité interne des États d'autre part. La définition des conflits armés s'est complexifiée avec l'intervention de groupes armés non étatiques agissant sur plusieurs territoires nationaux, avec ou sans contrôle des États concernés. Elle s'est aussi complexifiée avec le refus de certains États de reconnaître l'existence d'un conflit armé sur leur territoire, et la justification de l'usage de la force armée au nom du rétablissement de l'ordre public.
Les débats concernant le droit applicable à la lutte contre le terrorisme international ont illustré la nécessité de redéfinir les interactions et l'application de ces deux branches du droit international. Ils ont montré que l'application sélective et l'interprétation restrictive des règles du droit international humanitaire et des droits de l'homme conduisaient à créer des trous noirs juridiques privant de toute protection juridique les personnes les plus vulnérables.

Les tribunaux internationaux sont intervenus pour rappeler l'application conjointe et complémentaire des droits de l'homme dans les situations de troubles ou de conflits armés, pour préciser l'articulation entre ces deux branches du droit et pour affirmer l'application extraterritoriale des droits de l'homme dans certaines situations telles que l'occupation et la détention.
Les droits de l'homme jouent donc un rôle important dans les situations non ou mal couvertes par le droit international humanitaire du fait du silence de celui-ci, de son ambigüité, mais aussi du fait du refus par les États de reconnaître son application.
En outre, les conventions relatives aux droits de l'homme et celles relatives au droit international humanitaire contiennent chacune un socle minimal de garanties fondamentales très similaire, dont l'application peut être optimisée pour s'assurer que des standards minimum de protection de la personne humaine restent applicables pour tous en toutes circonstances.
Dans les situations de troubles et de tensions internes par exemple, il est utile de pouvoir utiliser cette complémentarité qui existe entre ces deux branches du droit international.

▶ **Conflit armé international ▷ Conflit armé non international ▷ Déclaration universelle des droits de l'homme ▷ Droit international humanitaire ▷ Troubles et tensions internes ▷ Garanties fondamentales ▷ Situations et personnes non couvertes.**

I. Les droits fondamentaux

Des conventions internationales ou régionales énoncent les principaux droits fondamentaux de l'homme reconnus par la communauté internationale. D'autres conventions ont une approche thématique et réglementent des droits et garanties particuliers. L'application des droits de l'homme pose un certain nombre de problèmes notamment en période de troubles ou de conflit.

1. Les conventions sur les droits de l'homme au plan universel

Le cadre général des droits de l'homme internationalement reconnus est constitué de la Déclaration universelle des droits de l'homme (1948) à laquelle se sont ajoutés en 1966 deux pactes internationaux qui décrivent plus précisément ces droits.

▶ **Déclaration universelle des droits de l'homme.**

- Le Pacte international relatif aux droits civils et politiques. Adopté par l'Assemblée générale de l'ONU le 16 décembre 1966 et entré en vigueur en 1976, il regroupe 167 États parties. Les droits énumérés dans ce texte protègent les droits et libertés fondamentaux des individus contre les atteintes et empiétements des autorités de l'État.
- Le Pacte international relatif aux droits économiques, sociaux et culturels. Adopté par l'Assemblée générale de l'ONU le 16 décembre 1966 et entré en vigueur en 1976, il lie 160 États. Les droits qui y sont énumérés obligent les États parties à prendre des mesures concrètes pour assurer le bien-être de chaque personne.

On distingue souvent entre les droits économiques et les libertés fondamentales. Les premiers supposent une action des États pour pouvoir se réaliser dans le domaine social, tandis que les secondes impliquent un devoir d'abstention de l'État pour pouvoir exister.
Ces droits et libertés fondamentaux regroupent essentiellement :
- le droit à l'intégrité physique et mentale ;
- la liberté de mouvement ;
- la liberté personnelle, de pensée, de réunion et d'association ;
- le droit à l'égalité, à la propriété, à la réalisation de ses aspirations ;
- le droit à la participation à la vie politique.

2. *Les conventions régionales sur les droits de l'homme*

• La Convention européenne de sauvegarde des droits de l'homme et des libertés fondamentales, adoptée le 4 novembre 1950 par le Conseil de l'Europe et entrée en vigueur en 1953. Elle lie 47 États.
• La Convention américaine relative aux droits de l'homme, adoptée le 22 novembre 1969 par l'Organisation des États américains et entrée en vigueur en 1978. 25 États y sont parties.
• La Charte africaine des droits de l'homme et des peuples, adoptée le 27 juin 1981 par l'Organisation de l'Unité africaine et entrée en vigueur en 1986. Elle lie 53 États.
• La Charte arabe des droits de l'homme, adoptée le 15 septembre 1994 par le Conseil de la Ligue arabe et amendée lors du sommet de Tunis de 2004. La Charte est entrée en vigueur le 16 mars 2008, deux mois après sa ratification par le septième État membre de la Ligue arabe.

3. *Principales conventions thématiques à vocation universelle*

Elles ont été adoptées pour protéger certains droits spécifiques et interdire certains comportements.
• La Convention pour la prévention et la répression du crime de génocide, adoptée sous l'égide de l'ONU le 9 décembre 1948 et entrée en vigueur en 1951. Elle compte 142 États parties en avril 2013.
• La Convention relative à l'abolition de l'esclavage, de la traite des esclaves et des institutions et pratiques analogues à l'esclavage. 123 États sont parties à ce traité adopté sous l'égide de l'ONU le 7 septembre 1956 et entré en vigueur en 1957.
• La Convention internationale sur l'élimination de toutes les formes de discrimination raciale, adoptée le 21 décembre 1965 sous l'égide de l'ONU et entrée en vigueur en 1969. Elle lie 175 États.
• La Convention internationale sur l'élimination et la répression du crime d'apartheid, adoptée sous l'égide des Nations unies le 30 novembre 1973 et entrée en vigueur en 1976. 108 États y sont parties.
• La Convention pour l'élimination de toutes les formes de discrimination à l'égard des femmes, adoptée le 18 décembre 1979 et entrée en vigueur en 1981. Elle lie 187 États.
• La Convention relative au statut de réfugié adoptée par l'Assemblée générale des Nations unies le 28 juillet 1951 et entrée en vigueur en 1954. Elle lie 145 États.

• La Convention contre la torture et autres traitements cruels, inhumains ou dégradants, adoptée sous l'égide de l'ONU le 10 décembre 1984 et entrée en vigueur en 1987. Elle compte 153 États parties.
• La Convention relative aux droits de l'enfant, adoptée sous l'égide de l'ONU le 20 novembre 1989 et entrée en vigueur en 1990. Elle lie 193 États. Cette convention a été suivie de deux protocoles facultatifs, adoptés le 25 mai 2000 et entrés en vigueur en 2002 : le Protocole concernant l'implication d'enfants dans les conflits armés, qui lie 151 États, ainsi que le Protocole concernant la vente d'enfants, la prostitution des enfants et la pornographie mettant en scène des enfants, dont sont parties 163 États.
• La Convention relative aux droits des personnes handicapées, adoptée sous l'égide de l'ONU le 13 décembre 2006 et entrée en vigueur en 2008. Elle compte 130 États parties.
• La Convention internationale pour la protection de toutes les personnes contre les disparitions forcées, adoptée sous l'égide de l'ONU le 20 décembre 2006 et entrée en vigueur en 2010. Elle lie 37 États.

4. *Principales conventions thématiques adoptées au niveau régional*
• La Convention européenne pour la prévention de la torture et des peines ou traitements inhumains ou dégradants, adoptée sous l'égide du Conseil de l'Europe le 26 novembre 1987 et entrée en vigueur en 1989. Elle lie 47 États.
• La Convention américaine de prévention et de répression de la torture, adoptée le 9 décembre 1985 sous l'égide de l'OEA et entrée en vigueur en 1987. Elle compte 18 États parties.
• La Convention interaméricaine sur les disparitions forcées adoptée par l'Organisation des États américains le 9 juin 1994 entrée en vigueur en 1996. Elle lie 14 États.
• La Charte africaine des droits et du bien-être de l'enfant, adoptée en 1990 et entrée en vigueur le 12 novembre 1999. Elle lie 41 États.
• Le Protocole à la Charte africaine des droits de l'homme et des peuples relatif aux droits des femmes, adopté en 2003 par l'Union africaine et entré en vigueur le 25 novembre 2005, qui lie 36 États.

▶ **Enfant ▷ Femme ▷ Peine de mort ▷ Torture.**

II. Les difficultés d'application des conventions relatives aux droits de l'homme

Les problèmes d'application des conventions relatives aux droits de l'homme sont de plusieurs natures.

1. *Les États n'ont pas toujours d'obligation précise et opposable*
Il est important de souligner que les conventions relatives aux droits de l'homme ne s'appliquent pas directement dans le droit national. Pour devenir des droits directement utilisables par les individus, ces règles doivent être transformées en lois nationales par chaque État. Les conventions énoncent souvent des droits

généraux qui couvrent des domaines très différents : civil, politique, économique, social et culturel. Ces conventions interdisent aux États certains comportements : torture, détention arbitraire, exécution extrajudiciaire, etc., mais ils ne créent pas d'obligations directes de moyens ou de résultats à la charge des autorités nationales dans la plupart de ces domaines.

Leur application et leur effectivité est donc subordonnée à leur intégration par chaque État dans son droit national et à la disponibilité de moyens matériels permettant de mettre en œuvre des politiques sociales nationales conformes aux droits économiques et sociaux. Ces conventions ont souvent une fonction proclamatoire de l'État vis-à-vis de ses ressortissants. Mais elles contribuent de façon essentielle à unifier au niveau international les règles reconnues par tous les États concernant le traitement de leurs ressortissants. On se réfère à ce sujet à la notion de « standards de traitement des individus ». Les conventions sont en effet complétées par la rédaction et l'adoption au niveau international de standards minimum de traitement des individus dans des domaines précis tels que la détention, la justice des mineurs, la déontologie médicale vis-à-vis des personnes détenues, etc. Le fait qu'il s'agisse de règles minimales ne laisse aucune marge d'appréciation en fonction de considérations nationales particulières.

2. *Ces droits peuvent être restreints en période de troubles et de conflit*

Les conventions applicables aux droits de l'homme contiennent les engagements pris par l'État vis-à-vis de sa propre population, les droits qu'il lui reconnaît et les garanties de traitement qu'il s'engage à mettre en œuvre à travers l'État de droit (*rule of law*). C'est bien sûr en temps de paix que l'État dispose de la plénitude de ses moyens pour remplir ces obligations. Mais c'est en période de troubles, d'insécurité ou de conflit armé que l'arbitrage entre les exigences du maintien de l'ordre et le respect de l'État de droit devient crucial et que les individus ont besoin d'une protection renforcée. Or les conventions internationales autorisent les États à déroger à de nombreux droits de l'homme dans certaines situations telles que les troubles, tensions internes ou les conflits armés. En outre, dans ces périodes de troubles et tensions internes, les garanties prévues par le droit humanitaire ne s'appliquent pas en raison de la trop faible intensité des actes de violence.

Les conventions relatives aux droits de l'homme ont cependant prévu deux mécanismes de sauvegarde dans ces situations ; en listant les droits qui ne peuvent être l'objet d'aucune dérogation quelles que soient les circonstances et en établissant une procédure internationale de notification des dérogations.

Les conventions internationales énumèrent les droits de l'homme qui ne peuvent faire l'objet d'aucune dérogation, quelles que soient les circonstances. On parle dans ce cas de garanties fondamentales, de « droits indérogeables » ou de « noyau dur » des droits de l'homme. Il est donc essentiel d'identifier au sein des droits de l'homme ceux qui sont absolus et ceux qui ne sont que relatifs et peuvent toujours faire l'objet de limitations. Ces garanties fondamentales existent également dans le droit international humanitaire relatif aux conflits armés. Les garanties fondamentales des droits de l'homme et du droit des conflits se recoupent ainsi partiellement pour assurer une protection minimale de la personne dans toutes les circonstances.

La possibilité de restreindre l'application de certains droits de l'homme n'est pas non plus un droit absolu des États. Elle doit respecter un double formalisme : celui de la procédure nationale de dérogation et celui de la procédure internationale de notification des dérogations, justifiées par des actions de défense de la sécurité et de l'ordre public national (obligation de notification en vertu de l'article 4.3 du Pacte international relatif aux droits civils et politiques, de l'article 15.3 de la Convention européenne des droits de l'homme, et de l'article 27.3 de la Convention américaine relative aux droits de l'homme). En outre, dans les cas où il existe des recours judiciaires internationaux, certains tribunaux sont compétents pour apprécier à la fois l'existence du danger public invoqué par l'État et la proportionnalité entre les restrictions aux droits de l'homme et ce danger (*infra* Jurisprudence).

Il est important de préciser que, quand le recours à la force armée par les États dépasse la réponse à des actes sporadiques et isolés de violence tels que les émeutes, les premiers éléments relatifs à la qualification d'un conflit armé sont réunis. Il faut donc examiner la possibilité d'appliquer le droit international humanitaire en complément des droits de l'homme.

▶ **Garanties fondamentales ▷ Situations et personnes non couvertes ▷ Inviolabilité des droits ▷ Inaliénabilité des droits.**

3. *La faiblesse des sanctions en cas de violation des droits de l'homme*

Au niveau universel, la plupart des conventions relatives aux droits de l'homme prévoient des mécanismes de contrôle de leur application mais restent dépourvues de tout système de sanction internationale en cas de violation.

En cas de violation des droits de l'homme, les individus doivent se tourner vers les tribunaux de leur propre État. Ceci suppose l'existence d'un État de droit bien établi et d'un système judiciaire fonctionnel et indépendant car il devra statuer sur les agissements de l'État et de ses agents.

Les violations flagrantes, massives ou systématiques de certaines interdictions peuvent, sous certaines conditions très limitées, ouvrir des recours internationaux contre l'État qui ne respecte pas ses engagements internationaux (*infra* Recours).

Seules les Conventions de Genève de 1949 relatives au droit des conflits armés et la Convention contre la torture de 1984 disposent d'un mécanisme intégré de définition et de sanction pénale internationale des violations graves. Ceci est complété depuis 1998 par l'existence de la Cour pénale internationale, chargée de juger les auteurs des crimes les plus graves commis en temps de paix ou de guerre : crimes de guerre, crime contre l'humanité, actes de génocide.

Au niveau régional, il existe quelques mécanismes judicaires ouverts aux plaintes individuelles, pouvant conduire à la condamnation de l'État pour violation de la convention concernée et à la réparation du préjudice subi par la victime (*infra*).

▶ **Sanctions pénales du droit humanitaire ▷ Torture ▷ Génocide ▷ Cour pénale internationale.**

III. Les organes de contrôle et de recours

Il n'existe pas de système général de recours en cas de violations des droits de l'homme. Un certain nombre de conventions disposent d'un organe de contrôle qui peut être saisi le cas échéant par des États, des individus et des personnes morales (les ONG surtout). Il s'agit le plus souvent de mécanismes plus diplomatiques que judiciaires. Ils sont chargés de vérifier les mesures prises par l'État pour se conformer à ses obligations internationales et peuvent recueillir des informations à cette fin. Cette vérification est axée sur l'examen du contenu et des modifications du droit national plus que sur l'examen de son application dans des cas concrets. On doit distinguer selon les conventions, différents types de procédures de contrôle.

1. *Les procédures non judiciaires de contrôle*

a) *L'examen périodique d'un rapport par pays*

Certaines conventions prévoient l'existence d'un organe de contrôle, chargé d'examiner les rapports périodiques soumis par les pays signataires concernant la mise en œuvre de leurs obligations générales ou spécifiques concernant les droits de l'homme. Cette procédure est obligatoire de façon périodique devant les organes suivants :

– le Comité des droits de l'enfant (Convention relative aux droits de l'enfant, art. 44) ;

– le Comité contre la torture de façon périodique mais aussi *ad hoc* (Convention de l'ONU contre la torture, art. 19 et 20) ;

– le Comité pour l'élimination de la discrimination contre les femmes (Convention contre la discrimination contre les femmes, art. 18.2),

– le Comité pour l'élimination de la discrimination raciale (Convention contre la discrimination raciale, art. 9.1) ;

– le Comité européen contre la torture (Convention européenne contre la torture, art. 1) ;

– le Comité des droits de l'homme (Pacte relatif aux droits civils et politiques, art. 40) ;

– le Comité des droits économiques sociaux et culturels (Pacte international relatif aux droits économiques, sociaux et culturels, art. 16-22) ;

– le Sous-comité pour la prévention de la torture (protocole facultatif à la Convention contre la torture et autres peines ou traitements cruels, inhumains ou dégradants) ;

– le Comité sur les travailleurs migrants (Convention internationale sur la protection des droits de tous les travailleurs migrants et des membres de leur famille, art. 73) ;

– le Comité des droits des personnes handicapées (Convention relative aux droits des personnes handicapées, art. 35) ;

– le Comité africain des experts sur les droits et le bien-être de l'enfant (Charte africaine des droits et du bien être de l'enfant, art. 43) ;

– la Commission africaine des droits de l'homme (Charte africaine des droits de l'homme et des peuples, art. 62) ;

– la Commission interaméricaine de droits de l'homme (Convention interaméricaine pour la prévention et la répression de la torture, art. 17, et Convention interaméricaine des droits de l'homme art. 43, 44) ;
– Le Comité arabe des droits de l'homme (art. 45 et 46 de la Charte arabe des droits de l'homme).

b) La possibilité de communication étatique en cas de violation des droits de l'homme par un autre État partie

Différentes conventions prévoient la possibilité pour un État de dénoncer les violations des droits de l'homme commises par un autre État partie. Cette possibilité est ouverte de plein droit par certaines conventions. Elle n'est prévue que de façon facultative par d'autres. Dans ce dernier cas, la plainte n'est possible que sous réserve d'acceptation explicite de cette clause de compétence par les deux États parties concernés. L'article de la convention qui prévoit cette compétence est dit optionnel.

• Cette procédure est obligatoire devant les organes suivants :
– la Commission africaine des droits de l'homme et des peuples (article 47 de la Charte africaine des droits de l'homme) ;
– la Commission pour l'élimination de la discrimination raciale (article 11 de la Convention sur la discrimination raciale).

• Cette procédure est facultative devant les organes suivants :
– le Comité des droits de l'homme (article 41 du Pacte international relatif aux droits civils et politiques) ;
– le Comité contre la torture (article 21 de la Convention sur la torture) ;
– la Commission interaméricaine des droits de l'homme (article 45 de la Convention américaine des droits de l'homme).

c) La possibilité de communication ou pétition individuelle en cas de violation des droits de l'homme par un État partie

• Cette procédure est obligatoire devant les organes suivants :
– la Commission africaine des droits de l'homme (Charte africaine des droits de l'homme, art. 55) ;
– la Commission américaine des droits de l'homme (Convention américaine des droits de l'homme, art. 44).

• Cette procédure est facultative devant les organes suivants :
– le Comité des droits de l'homme (protocole facultatif au Pacte relatif aux droits civils et politiques de 1966) ;
– le Comité contre la torture (Convention de l'ONU contre la torture, art. 22) ;
– le Comité contre la discrimination raciale (convention du même nom, art. 14) ;
– le Comité africain des experts sur les droits et le bien être de l'enfant (Charte africaine des droits et du bien-être de l'enfant, art. 44) ;
– Le Comité sur les droits des personnes handicapées (protocole facultatif se rapportant à la Convention relative aux droits des personnes handicapées, art. 1) ;
– Le Comité sur les travailleurs migrants (Convention internationale sur la protection des droits de tous les travailleurs migrants et des membres de leur famille, art. 77 – en vigueur une fois que 10 États auront accepté cette procédure).

d) La possibilité de communication ou pétition d'ONG en cas de violation des droits de l'homme par un État partie

• Elle est prévue de façon obligatoire devant :

– la Commission africaine des droits de l'homme (Charte africaine des droits de l'homme, art. 55) ;

– la Commission américaine des droits de l'homme (Convention américaine des droits de l'homme, art. 44).

– Le Comité africain des experts sur les droits et le bien-être de l'enfant (Charte africaine des droits et du bien être de l'enfant, art. 44).

2. Les procédures judiciaires de contrôle

a) Possibilité de plainte individuelle

Un individu peut porter plainte devant un organe international en cas de violation des droits de l'homme par un État partie.

• Cette procédure est obligatoire devant :

– la Cour européenne des droits de l'homme (article 34 de la Convention européenne des droits de l'homme amendée par le Protocole 11).

• Cette procédure est facultative devant :

– La Cour africaine des droits de l'homme et des peuples, créée en 1998 suite à l'adoption d'un protocole à la Charte africaine des droits de l'homme et des peuples, peut statuer sur des plaintes individuelles (art. 5.3). Cette disposition est prévue dans les mêmes termes (art. 8.3) sous forme d'option facultative (art. 30.f) dans le statut de la Cour africaine de justice et des droits de l'homme adopté en 2008, qui fusionnera lors de son entrée en vigueur la Cour africaine des droits de l'homme et des peuples et la Cour de justice de l'Union africaine.

▶ **Recours individuels.**

b) Possibilité de plainte par une ONG

Une ONG peut porter plainte devant un organe international en cas de violations des droits de l'homme.

• Cette procédure est obligatoire devant la Cour européenne des droits de l'homme (article 34 de la Convention européenne des droits de l'homme amendée par le Protocole 11).

• Cette procédure est facultative devant la Cour africaine des droits de l'homme et des peuples (articles 5.3 et 34.6 du Protocole additionnel de 1998 de la Charte africaine des droits de l'homme et des peuples, pour les ONG ayant le statut d'observateur auprès de la Commission africaine des droits de l'homme et des peuples).

c) Possibilité de plainte étatique

Un État partie peut porter plainte contre un autre en cas de violations des droits de l'homme.

• Cette procédure est obligatoire devant :

– la Cour européenne des droits de l'homme (article 33 de la Convention européenne amendée par le Protocole 11) ;
– la Cour africaine des droits de l'homme et des peuples (article 5.1 du protocole à la Charte africaine des droits de l'homme et des peuples. En plus de la saisine par un État membre, la Cour africaine peut aussi être saisie par la Commission africaine et des organisations intergouvernementales africaines.
• Cette procédure est facultative devant :
– la Cour interaméricaine des droits de l'homme (article 62 de la Convention américaine). En plus de la saisine par un État membre, la Cour interaméricaine peut aussi être saisie par la Commission interaméricaine si un État ne respecte pas les décisions et recommandations de celle-ci.

◆ **• Dans les situations de conflit, il est souvent préférable de se référer aux violations du droit humanitaire plutôt qu'aux violations des droits de l'homme. Le droit international humanitaire prévoit des droits plus spécifiques pour les individus. Il définit précisément le contenu des violations graves du droit humanitaire qui tombent sous la catégorie des crimes de guerre et crimes contre l'humanité. En outre il offre également des mécanismes de recours judiciaires et non judiciaires spécifiques qui sont différents de ceux prévus par les conventions sur les droits de l'homme. Il s'agit par exemple du principe de compétence universelle qui existe en cas de violation grave du droit humanitaire et qui ne s'applique qu'à la torture dans le domaine des droits de l'homme.**
• Si les violations des droits de l'homme ne sont pas des actes isolés mais s'inscrivent dans le cadre d'une politique de génocide, de crimes contre l'humanité ou de crimes de guerre, le statut de la Cour pénale internationale prévoit la compétence de celle-ci dans le cadre d'une saisine par les États parties et le Conseil de sécurité. Le procureur de cette Cour peut également, sous certaines conditions, entamer des poursuites sur la base des informations reçues directement des victimes, des ONG ou de toute autre source. Les victimes disposent devant cette Cour d'un droit de représentation et d'un droit à l'indemnisation (art. 68, 75).

▶ **Recours individuels ▷ Compétence universelle ▷ Cour pénale internationale.**

■ Réparation-Indemnisation des victimes de violations des droits de l'homme

• L'indemnisation des victimes de violations des droits de l'homme et du droit humanitaire est récente en droit international. Elle est traditionnellement liée au droit plus large au recours pour les victimes de violations et elle en constitue la dernière phase. Ce droit au recours et à l'indemnisation incombe principalement aux juridictions nationales, compte tenu du faible nombre de recours judicaires internationaux ouverts aux individus.
• Pendant longtemps, les victimes et leurs familles n'ont pu compter que sur les rares décisions des tribunaux nationaux ou sur des mécanismes *ad hoc* tels que les commissions de vérité et de réconciliation ou des fonds mis en place dans le cadre de l'ONU. Les statuts des deux tribunaux internationaux *ad hoc* pour l'ex-Yougoslavie et le Rwanda n'avaient prévu aucun système d'indemnisation des victimes.
• Le statut de la Cour pénale internationale (art. 75) adopté en juillet 1998 prévoit la possibilité d'indemniser les victimes de crimes de guerre, crimes contre l'humanité et génocide. La création d'un Fonds au profit des victimes (FPV) est prévue par l'art 79.1 du statut de Rome de la CPI et a été mis en place en septembre 2002 suite à la résolution 6 de l'Assemblée générale des États parties de la CPI. Ce fonds crée les conditions et les règles de réparation par la communauté internationale du préjudice subi par les victimes et leurs familles, en marge des capacités d'indemnisation directe

par les individus condamnés. Il ne s'agit pas d'indemnisations judicaires individuelles proprement dites mais plutôt de mesures collectives de réparation.

• Il existe deux autres fonds de ce type, créés par l'Assemblée générale des Nations unies. Il s'agit du Fonds pour les victimes de la torture, créé en 1982, et du Fonds pour les victimes de formes contemporaines d'esclavage, créé en 1991. Ces fonds sont alimentés essentiellement par des contributions volontaires d'États, mais ils sont ouverts également aux organisations non gouvernementales, aux individus et aux autres acteurs du secteur privé. Ces deux fonds sont gérés par le Haut-Commissariat des Nations unies pour les droits de l'homme et un conseil d'administration de cinq personnes, nommées pour trois ans renouvelables, par le secrétaire général de l'ONU. C'est ce conseil qui débloque les sommes d'argent, après étude des projets soumis par des ONG qui travaillent au profit des victimes de la torture ou de l'esclavage. Les ONG sont le vecteur obligatoire de l'aide accordée par les fonds, qui ne versent donc jamais d'argent directement aux victimes.

• Au niveau régional, les conventions relatives aux droits de l'homme posent le principe du droit à l'indemnisation et au recours effectif, et les Cours européenne, interaméricaine et africaine des droits de l'homme peuvent décider dans leurs jugements d'octroyer des indemnisations aux victimes des violations en condamnant l'État concerné à payer aux victimes des réparations dont le montant est établi par le juge régional (art. 13 de la Convention européenne, art. 25 et 63 de la Convention interaméricaine, art. 7 de la Charte africaine des droits de l'homme et des peuples, art. 28.h et 45 du Protocole portant statut de la Cour africaine de justice et des droits de l'homme de 2008 et art. 3.2 du Protocole supplémentaire au Protocole relatif à la Cour de Justice de la CEDAO de 2005).

• La Commission des droits de l'homme du Haut-Commissariat des Nations unies aux droits de l'homme a adopté en 2005 les « Principes fondamentaux et directives concernant le droit à un recours et à réparation des victimes des violations flagrantes du droit international des droits de l'homme et de violations graves du droit international humanitaire » (E/CN.4/RES/2005/35). Ces principes ont ensuite été réaffirmés par l'Assemblée générale des Nations unies en 2006 (A/RES60/147 du 21 mars 2006). ■

▶ **Réparation-Indemnisation.**

3. *Les autres organes de recours de l'ONU*

Il existe également des organes de défense des droits de l'homme qui ne sont pas liés à une convention particulière. Il s'agit notamment des différentes procédures existant au niveau du Haut-Commissariat aux droits de l'homme, particulièrement les procédures spéciales assumées par le Conseil des droits de l'homme. Ces procédures spéciales incluent l'examen de communications individuelles confidentielles. Un groupe de travail sur les communications est notamment désigné pour trois ans par le Comité consultatif du Conseil des droits de l'homme. Ce groupe a repris la procédure 1503 (sous le nom de procédure 1503 révisée), permettant l'examen de communications confidentielles fournies par des individus ou des groupes dénonçant des violations des droits de l'homme. Ces procédures spéciales comprennent également le travail des rapporteurs spéciaux nommés pour enquêter sur les violations et promouvoir le respect des droits de l'homme dans des pays particuliers ou sur des sujets précis. Ils n'ont cependant aucune fonction judiciaire. En cas de violations graves des droits de l'homme, leur pouvoir consiste à enquêter, faire des rapports et à les rendre publics en dernier ressort. Ces rapports d'enquête peuvent également être transmis par les différents organes de l'ONU au procureur de la Cour pénale internationale pour servir de base à l'examen d'une situation avant le déclenchement éventuel d'une procédure pénale.

▶ **Rapporteur spécial ▷ Haut Commissariat aux droits de l'homme-Conseil des droits de l'homme.**

IV. Complémentarité entre le droit international humanitaire et les droits de l'homme

Depuis 1977, les deux Protocoles additionnels aux Conventions de Genève de 1949 précisent et complètent les normes relatives à la protection des personnes civiles en temps de guerre, telles qu'énoncées par la Convention (IV) de Genève, mais aussi les autres normes de droit international qui régissent la protection des droits fondamentaux de l'homme en cas de conflit armé (GPI art.72 ; et GPII, Préambule). La Cour internationale de justice (CIJ) a reconnu dans plusieurs jugements cette nécessaire complémentarité et application conjointe du droit international humanitaire et des droits de l'homme. Ces jugements s'inscrivent dans le cadre de l'évolution des formes de conflits armés. Ils précisent les notions juridiques applicables aux enjeux de la guerre contre le terrorisme, et à l'argument de sécurité nationale, mais aussi aux situations d'occupation ou de contrôle effectif engageant la responsabilité de l'État, ainsi qu'au rôle des groupes armés non étatiques (*infra* Jurisprudence).
Trois points essentiels ressortent de ces décisions. Les droits de l'homme restent applicables même pendant les conflits armés (1). L'application des droits de l'homme dans les conflits n'est limitée que par les dérogations que les États décident ou non de mettre en vigueur pendant ces situations exceptionnelles. L'application des droits de l'homme peut sous certaines conditions être étendue à l'extérieur du territoire national ou à des étrangers (2). Enfin, en cas d'application simultanée de ces deux branches du droit, le droit international humanitaire est considéré comme loi spéciale (*lex specialis*) qui prime donc sur le droit général (*lex generalis*) des droits de l'homme. Encore faut-il aménager et interpréter cette primauté pour qu'elle reste compatible avec l'esprit du principe d'application simultanée récemment établi (3).
Les conflits armés non internationaux, mais aussi les situations de détention, d'occupation militaire et les formes nouvelles de lutte transnationale contre l'insécurité ou le terrorisme fournissent les principaux cas susceptibles d'être couverts de façon complémentaire ou simultanée par les droits de l'homme, en raison du silence ou de l'ambiguïté du droit international humanitaire. La jurisprudence internationale a fourni ces dernières années des éléments utiles concernant les modalités et la complémentarité d'application du droit international des droits de l'homme et du droit international humanitaire. Il s'agit notamment de jugements de la Cour internationale de justice et de la Cour européenne des droits de l'homme, qui complètent ou infirment les décisions des Cours suprêmes américaine et israélienne sur plusieurs points essentiels. Dans cette matière complexe, il reste encore à établir et stabiliser les critères d'application et d'interprétation de cette complémentarité (*infra* Jurisprudence).

1. *Application simultanée des droits de l'homme et du droit international humanitaire*
Il est aujourd'hui largement accepté que les droits de l'homme continuent à s'appliquer en période de conflit armé, à la seule exception des dérogations qui seront formulées par les États concernés conformément aux dispositions des conventions sur les droits de l'homme. Cela est particulièrement important compte tenu des formes nouvelles de certains conflits armés, notamment non internationaux, qui conduisent certains États à contester l'application du droit international humanitaire en raison d'une application littérale et restrictive des critères concernant la définition des conflits ou les caractéristiques des groupes armés et combattants non étatiques. Cette application simultanée a été rappelée par plusieurs décisions de justice, dont celles, notables, de la Cour internationale de justice et de la Cour européenne des droits de l'homme. Il s'agit d'une évolution essentielle car elle met un terme à l'usage abusif de certains arguments juridiques qui ont permis d'entraver simultanément l'application des droits de l'homme et du droit international humanitaire dans le cadre de la guerre contre le terrorisme. Ainsi, par exemple, des détenus ont été privés de toute protection issue des conventions relatives aux droits de l'homme au motif qu'ils étaient étrangers et détenus en dehors du territoire national. La protection du droit international humanitaire leur a aussi été refusée au motif qu'il ne s'agissait pas d'un conflit armé international puisque ces individus appartenaient à des groupes armés non étatiques. Mais les garanties fondamentales prévues par l'article 3 commun aux Conventions de Genève, applicables aux conflits armés non internationaux, leur ont été dans le même temps également refusées, au motif que la guerre contre le terrorisme n'était pas un conflit armé non international puisqu'elle affectait plusieurs pays. Dans d'autres cas, les droits de l'homme ont été déclarés inapplicables en situation de conflit armé du fait de la primauté du droit international humanitaire (*lex specialis*) dans ces situations. C'est dans ce contexte de raisonnement par l'absurde, vidant de toute capacité de protection ces deux branches du droit international, qu'il faut comprendre les décisions des juges internationaux et l'abondante production d'analyse juridique par les spécialistes de tout bord.

2. *Application extraterritoriale des obligations relatives aux droits de l'homme*
Les décisions de justice ont également rappelé l'application extraterritoriale des droits de l'homme dans les cas où un État exerce un contrôle effectif sur un (des) territoire(s) ou des individus étrangers. Les États sont liés par leurs obligations en matière de droits de l'homme à l'extérieur du territoire national dans les cas d'occupation militaire directe ou indirecte, mais aussi dans tous les cas de détention d'individus étrangers quel que soit le lieu où ils sont détenus.

3. *Règles d'arbitrage entre l'application des droits de l'homme (lex generalis) et du droit international humanitaire (lex specialis)*
L'application simultanée des droits de l'homme et du droit international humanitaire pose un certain nombre de problèmes concernant l'arbitrage et l'interprétation de règles différentes voire contradictoires applicables aux différentes

situations et individus affectés. La technicité des débats juridiques et leur ampleur doit être resituée dans un cadre plus large pour en comprendre les enjeux. Certes, l'application des droits de l'homme dans les situations de conflit équivaut à un progrès juridique puisque dans plusieurs domaines les droits de l'homme sont plus protecteurs pour les individus. Mais les droits de l'homme se réfèrent à des notions parfois contradictoires avec celles du droit international humanitaire. En règle générale, les droits de l'homme ne s'appliquent que sur le territoire national et n'engagent l'État que vis-à-vis de ses ressortissants. De plus, ils s'appuient sur des notions telles que le droit à la vie, le droit à la liberté, les garanties judiciaires, la non-discrimination et l'État de droit, qui sont en contradiction avec certaines dispositions du droit international humanitaire. Celui-ci reconnaît notamment le principe de nécessité militaire et de proportionnalité qui légitime les atteintes au droit à la vie dans certaines circonstances, et le principe de détention de sûreté sans jugement qui viole le droit à la liberté et aux garanties judiciaires classiques. Il existe une autre difficulté entre ces deux branches de droit : les droits de l'homme s'appliquent sans discrimination à tous les individus alors que le droit international humanitaire repose sur le principe de distinction entre civils et combattants. Cette difficulté est aggravée par le fait qu'en situation de conflit armé non international le droit international humanitaire n'octroie pas systématique le statut de combattant aux membres de groupes armés non étatiques. Le flou entretenu sur leur statut conduit à autoriser que ces « civils » qui participent directement aux hostilités soient pris pour cibles lors d'attaques ou d'assassinats ciblés selon la doctrine développée par plusieurs États, mais aussi que leur détention échappe à certaines garanties. Le flou de ces situations affaiblit les notions de droit à la vie contenues tant dans les conventions sur les droits de l'homme que dans le droit international humanitaire pour les civils. Il affaiblit également l'application des garanties fondamentales concernant les détenus dans les deux branches du droit international.

Pour réguler l'application simultanée de règles différentes, le droit utilise un principe qui fait prévaloir la loi spéciale prévue pour une situation précise (*lex specialis*) sur la loi générale (*lex generalis*). Le droit international humanitaire joue ainsi le rôle de loi spéciale précisément destinée aux situations de conflit armé et devant donc prévaloir sur les droits de l'homme dans ces situations. Mais l'application concrète de ce principe soulève des débats qui ne sont pas encore tranchés, compte tenu du caractère récent de cette double application.

Si l'on interprète cette règle de bonne foi et dans l'esprit du principe qu'elle pose, il est logique de considérer que, dans les cas de conflit armé (international ou non international, en fonction de la qualification qui sera faite de la situation conformément à la définition de ces types de conflits), le droit international humanitaire s'applique en plus des droits de l'homme, et ses règles priment sur celles des droits de l'homme. Comme le principe de primauté de la loi spéciale est justifié par le fait qu'elle est plus précise et plus adaptée que la loi générale, on peut également estimer de façon logique que quand le droit international humanitaire prévoit des dispositions précises, celles-ci s'appliquent en premier lieu. Par contre, dans les situations où le droit international humanitaire est silencieux, flou ou incertain, alors la notion de loi spéciale perd son intérêt et les droits de l'homme restent la norme de référence applicable, y compris de façon extraterritoriale conformément au critère de contrôle effectif. Cette interprétation est conforme à l'esprit de ces deux branches du droit international. Elle permet en outre de combler les éventuels trous noirs juridiques issus d'interprétations trop restrictives et littérales des différentes notions du droit international humanitaire et des droits de l'homme.

Certains États insistent sur le fait que la loi spéciale doit au contraire s'appliquer à la place de la loi générale. Ainsi, dans les situations de conflit armé, le droit international humanitaire devrait supplanter et abolir les obligations relatives aux droits de l'homme. Cette thèse est en contradiction avec la jurisprudence internationale, qui a rappelé que les droits de l'homme restent applicables en tout temps sous la seule réserve des dérogations que l'État aura mis en œuvre du fait d'une situation exceptionnelle.

Certains juristes, inspirés par les décisions récentes de la Cour européenne des droits de l'homme, vont plus loin et souhaitent que, dans chaque situation où le droit international humanitaire et les droits de l'homme sont applicables, ce soit systématiquement la règle la plus favorable et protectrice pour les individus et la plus contraignante pour les États qui soit appliquée, indépendamment de la règle de primauté de la *lex specialis*.

Malgré la qualité des intentions, cette pratique a pour conséquence de créer une incertitude sur le droit immédiatement applicable à une situation donnée. Elle risque de favoriser les contestations et de repousser la décision sur le droit applicable à l'examen *ex post facto* de chaque cas d'espèce par un juge international. Ceci n'est pas compatible avec l'esprit du droit international humanitaire, qui cherche à éviter les controverses juridiques dans les situations de crises et de conflits et à garantir l'application immédiate de règles minimales, simples et indiscutables. Il est capital d'éviter que la complexification des arguments et des concepts juridiques conduise à fragiliser et retarder l'application des règles essentielles à la survie et à la protection des individus dans les situations de crises et de conflit.

▶ **Cour internationale de justice ▷ Cour européenne des droits de l'homme ▷ Territoire occupé ▷ Torture.**

Jurisprudence

La jurisprudence internationale a fourni ces dernières années des éléments utiles concernant les modalités et la complémentarité d'application du droit international des droits de l'homme et du droit international humanitaire. Il s'agit notamment de jugements de la Cour internationale de Justice et de la Cour européenne des droits de l'homme, qui complètent ou modifient les décisions des Cours suprêmes américaine et israélienne sur l'application simultanée des droits de l'homme et du droit international humanitaire, ainsi que sur l'application extraterritoriale des droits de l'homme (1) et sur le contrôle judiciaire des dérogations aux droits de l'homme fondées sur des arguments de sécurité nationale (2).

1. Application simultanée du droit international des droits de l'homme et du droit international humanitaire en période de conflit armé et extraterritorialité de l'application du droit international des droits de l'homme :

Cette application simultanée et/ou extraterritoriale est confirmée par de nombreuses jurisprudences concordantes, basées sur la notion de contrôle effectif de l'État sur des territoires et des individus étrangers. Elle concerne particulièrement les situations d'occupation et de détention.

• CIJ, Licéité de la menace ou de l'emploi d'armes nucléaires, avis consultatif, *C.I.J. Recueil 1996*, p. 226

Dans cet arrêt, la Cour internationale de justice a notamment rappelé l'application simultanée des droits de l'homme et du droit international humanitaire en période de conflit armé et a soulevé les problèmes liés à la différence de contenu du droit à la vie prévu dans ces deux branches du droit international. Elle fait prévaloir le droit international humanitaire pour définir la privation illicite du droit à la vie en cas de conflit armé.

« La protection offerte par le Pacte international relatif aux droits civils et politiques ne cesse pas en temps de guerre, si ce n'est par l'effet de l'article 4 du pacte, qui prévoit qu'il peut être dérogé, en cas de danger public, à certaines des obligations qu'impose cet instrument. Le respect du droit à la vie ne constitue cependant pas une prescription à laquelle il peut être dérogé. En principe, le droit de ne pas être arbitrairement privé de la vie vaut aussi pendant des hostilités. C'est toutefois, en pareil cas, à la *lex specialis* applicable, à savoir le droit applicable dans les conflits armés, conçu pour régir la conduite des hostilités, qu'il appartient de déterminer ce qui constitue une privation arbitraire de la vie », § 25.

• CIJ, Conséquences juridiques de 1'édification d'un mur dans le territoire palestinien occupé, avis consultatif, *C.I.J. Recueil 2004*, p. 136

Dans cet avis consultatif, la CIJ reprend sa jurisprudence concernant la licéité de l'emploi ou de la menace de l'arme nucléaire et l'applique au respect des pactes internationaux relatifs aux droits de l'homme dans les situations d'occupation militaire couvertes par le droit international humanitaire. Elle précise les critères d'application simultanée des deux branches du droit, notamment en cas d'application extraterritoriale de droits de l'homme aux populations des territoires occupés par un État étranger.

« Dans les rapports entre droit international humanitaire et droits de l'homme, trois situations peuvent dès lors se présenter : certains droits peuvent relever exclusivement du droit international humanitaire ; d'autres peuvent relever exclusivement des droits de l'homme ; d'autres enfin peuvent relever à la fois de ces deux branches du droit international. Pour répondre à la question qui lui est posée, la Cour aura en l'espèce à prendre en considération les deux branches du droit international précitées, à savoir les droits de l'homme et, en tant que *lex specialis*, le droit international humanitaire », § 106.

« Il reste à déterminer si les deux pactes internationaux et la Convention relative aux droits de l'enfant sont applicables sur le seul territoire des États parties, ou s'ils sont également applicables hors de ces territoires et si oui dans quelles circonstances », § 107.
« Le champ d'application du Pacte relatif aux droit civils et politiques [...] peut être interprété comme couvrant seulement les individus se trouvant sur le territoire d'un État dans la mesure où ils relèvent en outre de la compétence de cet État. Elle peut aussi être comprise comme couvrant à la fois les individus se trouvant sur le territoire d'un État et ceux se trouvant hors de ce territoire, mais relevant de la compétence de cet État », § 108.

La Cour observe que « [...] en adoptant la rédaction qu'ils ont retenue, les auteurs du pacte n'ont pas entendu faire échapper les États aux obligations qui sont les leurs lorsqu'ils exercent leur compétence hors du territoire national », § 109. Elle juge donc « que le Pacte international relatif aux droits civils et politiques est applicable aux actes d'un État agissant dans l'exercice de sa compétence en dehors de son propre territoire », § 111. Elle observe que « [...] les territoires occupés par Israël sont soumis depuis plus de trente-sept ans à la juridiction territoriale d'Israël en tant que puissance occupante. Dans l'exercice des compétences dont il dispose à ce titre, Israël est tenu par les dispositions du Pacte international relatif aux droits économiques sociaux et culturels », § 112.

• Cour suprême d'Israël, *The Supreme Court Sitting as the High Court of Justice, The Public Committee against Torture in Israel,* HCJ 759/02, 11 décembre 2005

Dans ce jugement, la Cour suprême israélienne affirme que le droit international humanitaire est une loi spéciale qui s'applique en situation de conflit. Ce n'est qu'en cas de lacune du droit international humanitaire que les droits de l'homme pourraient être invoqués afin de combler le vide (§ 18). La Cour suprême reprend à son compte la jurisprudence constante de la CIJ réaffirmée dans son avis consultatif sur la construction du mur par Israël (CIJ, Conséquences juridiques de 1'édification d'un mur dans le territoire palestinien occupé, avis consultatif, *C.I.J. Recueil 2004*, p. 136, § 112 *supra*) mais elle en tire une conclusion différente basée sur une interprétation restrictive de la notion de « lacune ». Elle estime que le droit international humanitaire prévoit des dispositions concernant les territoires occupés et rejette donc l'application extraterritoriale des droits de l'homme aux populations des territoires occupés en faisant prévaloir les obligations moins contraignantes de la *lex spécialis* humanitaire.

• Cour suprême des États-Unis, *Rasul et al. v. Bush, President of the United States, et al.*, 542 US 466, opinion du 28 juin 2004

Dans l'affaire Rasul v. Bush, la Cour suprême américaine a affirmé que les ressortissants étrangers détenus par les autorités américaines à l'extérieur du territoire américain dans la base de Guantanamo étaient couverts par le droit américain et pouvaient à ce titre contester leur détention devant les cours fédérales américaines, au motif que les États-Unis exercent sur ce lieu une juridiction et un contrôle exclusifs.

• Cour européenne des droits de l'homme (CEDH)

Bien que prévue pour surveiller l'application de la Convention européenne de sauvegarde des droits de l'homme et des libertés fondamentales, la Cour européenne s'est déclarée compétente pour examiner des requêtes relatives à des violations des garanties fondamentales des droits de l'homme commises dans des situations de conflit armé et d'occupation militaire. La jurisprudence de la CEDH reconnaît l'application simultanée des règles relatives au droit international humanitaire et celles relatives aux droits de l'homme. Elle s'est donc prononcée sur les critères d'application complémentaire et simultanée de la loi générale (droits de l'homme) et de la loi spéciale (droit international humanitaire)

*** CEDH, affaire Al-Skeini et autres c. le Royaume-Uni, requête n° 55721/07, arrêt (Grande Chambre), 7 juillet 2011 :**

Dans l'affaire Al-Skeini et autres c. le Royaume-Uni, la CEDH a reconnu deux exceptions au principe de territorialité de l'application de la Convention européenne des droits de l'homme. Suite à la chute du régime Baas en Irak, elle a estimé que le Royaume-Uni (avec les USA) assumait l'exercice de tout ou partie des pouvoirs publics normalement exercés par un gouvernement souverain en Irak, jusqu'à la désignation d'un gouvernement intérimaire et que, à ce titre, le gouvernement britannique restait tenu au respect de la Convention européenne des droits de l'homme dans tous ses agissements sur le territoire irakien et vis-à-vis des personnes placés sous son contrôle. Elle a précisé qu'un État signataire de la Convention européenne est tenu d'appliquer celle-ci à l'extérieur de son territoire national et au profit de ressortissants étrangers chaque fois qu'il exerce à travers ses agents un contrôle et une autorité sur un individu étranger, et chaque fois que, du fait d'une action militaire légitime ou non, il exerce un contrôle effectif sur un territoire autre que le territoire national.

La Cour a rappelé que l'État possédant *de facto* le contrôle d'un territoire a la responsabilité de garantir, dans ce territoire, l'entièreté des droits contenus dans la Convention européenne et les protocoles additionnels qu'il a ratifiés. L'appréciation du caractère effectif du contrôle est un élément de fait qui est déterminé par la Cour en tenant compte de la puissance de la présence militaire de l'État dans le territoire concerné et de sa capacité à influencer ou à subordonner les administrations ou autorités présentes sur ce territoire, § 131-140.

Il y a « exercice extraterritorial de sa juridiction par l'État contractant qui, en vertu du consentement, de l'invitation ou de l'acquiescement du gouvernement local, assume l'ensemble ou certaines des prérogatives de puissance publique normalement exercées par celui-ci », § 135.

« Dans certaines circonstances, le recours à la force par des agents d'un État opérant hors de son territoire peut faire passer sous la juridiction de cet État [...] toute personne se retrouvant ainsi sous le contrôle de ceux-ci. [...] Dès l'instant où l'État, par le biais de ses agents, exerce son contrôle et son autorité sur un individu, et par voie de conséquence sa juridiction, il pèse sur lui [...] une obligation de reconnaître à celui-ci les droits et libertés » contenus dans la Convention européenne des droits de l'homme, § 136-137.

« Le principe voulant que la juridiction de l'État contractant soit limitée à son propre territoire connaît une autre exception lorsque, par suite d'une action militaire – légale ou non –, l'État exerce un contrôle effectif sur une zone située en dehors de son territoire. L'obligation d'assurer dans une telle zone le respect des droits et libertés garantis par la Convention découle du fait de ce contrôle, qu'il s'exerce directement, par l'intermédiaire des forces armées de l'État ou par le biais d'une administration locale subordonnée. [...] Du fait qu'il assure la survie de cette administration grâce à son soutien militaire et autre, cet État engage sa responsabilité à raison des politiques et actions entreprises par elle. L'article 1 (de la Convention) lui fait obligation de reconnaître sur le territoire en question la totalité des droits matériels énoncés dans la Convention et dans les Protocoles additionnels qu'il a ratifiés, et les violations de ces droits lui sont imputables », § 138. La Cour rappelle ainsi la décision qu'elle avait rendue dans son arrêt du 10 mai 2001 dans l'affaire Chypre contre Turquie (§ 77).

Selon la Cour, « la question de savoir si un État contractant exerce ou non un contrôle effectif sur un territoire hors de ses frontières est une question de fait. Pour se prononcer, la Cour se réfère principalement au nombre de soldats déployés par l'État sur le territoire en cause [...]. D'autres éléments peuvent aussi entrer en ligne de compte, par exemple la mesure dans laquelle le soutien militaire, économique et politique apporté par l'État à l'administration locale subordonnée assure à celui-ci une influence et un contrôle dans la région », § 139.

*** CEDH, affaire Al-Jedda c. Royaume-Uni, requête n° 27021/08, arrêt (Grande Chambre), 7 juillet 2011**

Dans le contexte de l'intervention internationale en Irak, la Cour européenne a rappelé l'obligation d'application extraterritoriale de la Convention européenne des droits de l'homme par les forces armées britanniques du fait de leur statut de forces d'occupation. Elle a également relativisé la question de la primauté de l'application du droit international humanitaire par rapport aux droits de l'homme dans les situations de conflit. Dans cette affaire relative aux conditions de détention des individus arrêtés par les forces britanniques en Irak, la Cour a décidé que les obligations relatives aux droits de l'homme doivent primer sur celles relatives au droit international humanitaire dans les cas où les premières sont plus protectrices pour les individus (et plus contraignantes pour les États) et à la condition qu'elles ne soient pas en contradiction directe avec d'autres obligations prévues par le droit international humanitaire ou une résolution du Conseil de sécurité des Nations unies concernant le mandat des forces internationales déployées dans le pays concerné (en l'espèce il s'agissait de l'Irak). Cette jurisprudence peut créer une certaine confusion car le contenu et l'interprétation des règles relatives aux droits de l'homme et au droit international humanitaire s'appuient sur des notions qui ne sont pas toujours équivalentes. Elle contribue cependant à éviter une application opportuniste du droit le moins contraignant pour les États dans toutes les situations de crise et de conflit dans lesquelles l'application intégrale du droit humanitaire est contestée, § 107-109.

2. Contrôle judiciaire des dérogations aux droits de l'homme et de leur proportionnalité par rapport aux enjeux de sécurité de l'État

• Cour européenne des droits de l'homme (CEDH), affaire Aksoy c. Turquie, requête n° 21987/93, arrêt (Chambre), 18 décembre 1996

Dans cet arrêt, la Cour rappelle qu'« il incombe à chaque État contractant responsable de la "vie de [sa] nation", de déterminer si un "danger public" la menace et, dans l'affirmative, jusqu'où il faut aller pour essayer de le dissiper. [...] Les États ne jouissent pas pour autant d'un pouvoir illimité en ce domaine. La Cour a compétence pour décider, notamment, s'ils ont excédé la "stricte mesure" des exigences de la crise ». Les mesures de dérogations prises doivent être strictement exigées par la situation et proportionnées au danger, § 68.

• Cour suprême d'Israël

*** *Public Committee against Torture in Israel v. The government of Israel*, HCJ 5100/94, 26 mai 1999**

Dans cet arrêt concernant la légalité du recours à des méthodes d'interrogatoires exceptionnelles dans le cadre de la lutte contre le terrorisme, la Cour affirme que ni le droit international ni le droit national ne reconnaissent l'argument de nécessité nationale pour recourir à la torture ou à des pressions physiques modérées lors d'interrogations dans le cadre de la lutte contre le terrorisme. Selon les juges, l'argument de nécessité ne crée pas un cadre juridique nouveau autorisant l'emploi de méthodes prohibées. L'utilisation de ces pressions physiques modérées ne fait pas partie des méthodes légales et l'argument de nécessité ne peut pas être utilisé *a priori* (« *ex ante* ») pour justifier ces méthodes, § 36-37.

*** *Physician for Human Rights v. the Commander of IDF forces in the West Bank*, HCJ 2117/02, 30 mai 2004**

Cette affaire concerne l'examen de la légalité de l'intervention des forces armées israéliennes à Rafah dans la bande de Gaza en mai 2004. Dans cette décision, la Cour reconnaît l'argument de nécessité qui peut justifier une opération militaire, mais rappelle que ce n'est pas parce qu'une opération militaire est légitime d'un point de vue militaire qu'elle est légale d'un point de vue juridique.

« Judicial review does not examine the wisdom of the decision to carry out military operations. The issue addressed by judicial review is the legality of the military operations. Therefore we presume that the military operations carried out in Rafah are necessary from a military viewpoint. The question before us is whether these military operations satisfy the national and international criteria that determine the legality of these operations. The fact that operations are necessary from a military viewpoint does not mean that they are lawful from a legal viewpoint. Indeed, we do not replace the discretion of the military commander in so far as military considerations are concerned. That is his expertise. We examine their consequences from the viewpoint of humanitarian law. That is our expertise » [arrêt uniquement disponible en anglais, *NdlR*], § 9.

*** *Public Committee against Torture in Israel v. The government of Israel*, HCJ 769/02, 11 décembre 2005**

Dans cet arrêt relatif à l'examen de la politique israélienne d'assassinats ciblés dans le cadre de la lutte contre le terrorisme après la seconde Intifada, la Cour suprême israélienne confirme sa jurisprudence de 1999 sur le contrôle judiciaire de la proportionnalité des dérogations, en affirmant qu'il est nécessaire de trouver un équilibre entre les besoins en termes de sécurité et les droits individuels : « not every sufficient means is also legal. The ends do not justify the means [...] That balancing casts a heavy load upon the judges, who must determine – according to the existing law – what is permitted, and what is forbidden » [arrêt uniquement disponible en anglais, *NdlR*], § 63.

Consulter aussi

▶ **Garanties fondamentales ▷ Déclaration universelle des droits de l'homme ▷ Génocide ▷ Discrimination ▷ Apartheid ▷ Torture ▷ Enfant ▷ Haut-Commissariat aux droits de l'homme-Conseil des droits de l'homme ▷ Comité des droits de l'homme ▷ Comité contre la torture ▷ Comité des droits de l'enfant ▷ Comité pour l'élimination de la discrimination contre les femmes ▷ Comité pour l'élimination de la discrimination raciale ▷ Cour européenne des droits de l'homme ▷ Comité européen contre la torture ▷ Cour et Commission interaméricaines des droits de l'homme ▷ Cour et Commission africaines des droits de l'homme ▷ Rapporteur spécial ▷ Recours individuels ▷ Réparation-Indemnisation ▷ Crime de guerre-Crime contre l'humanité ▷ Tribunaux pénaux internationaux ▷ Cour pénale internationale ▷ Nationalité ▷ Femme ▷ Liste des États parties aux conventions internationales relatives aux droits de l'homme et au droit humanitaire (n° 5 à 16, 22 et 25 à 27).**

Pour en savoir plus

ARNOLD R. et QUENIVERT N. (eds), *International Humanitarian Law and Human Rights Law*, Brill/Martinus Nijhoff, Leyde, 2008.

BECET J. M., COLLARD D., *Les Droits de l'homme, Dimensions nationales et internationales*, Economica, Paris, 1982.

CLAPHAM A., « Human rights obligations of non-state actors in conflict situations », *Revue internationale de la Croix-Rouge*, vol. 88, n° 863, septembre 2006, p. 491-523.

DOSWALD-BECK L., « The right to life in armed conflict : does international humanitarian law provide all answers ? » *Revue internationale de la Croix-Rouge*, vol. 88, n° 864, 2006, p. 881-904.

DROEGE C., « The interplay between international humanitarian law and international human rights law in situation of armed conflict », *Israel Law Review*, vol.40, 2007, p. 347.

DROEGE C., « Droits de l'homme et droit humanitaire : des affinités électives ? », *Revue internationale de la Croix-Rouge*, vol. 91, n° 871, septembre 2008. Disponible en ligne sur http://www.icrc.org/fre/assets/files/other/irrc-871-droege1-fr.pdf

FAVOREU L., *Droit des libertés fondamentales*, Précis Dalloz, Paris, 2002, 530 p.

HAMPSON F., « The relationship between international humanitarian law and human rights law from the perspective of a human rights treaty body », *Revue internationale de la Croix-Rouge*, vol. 90, n° 871, septembre 2008, p. 549-572.

HEINTZE H. J., « On the relationship between human rights law protection and international humanitarian law », *RICR*, n° 856, décembre 2004, p. 789-814.

« Human Rights », *Revue internationale de la Croix-Rouge*, n° 871, septembre 2008, p. 485-814.

KRIEGER H., « A conflict of norms : the relationship between humanitarian law and human rights law in the ICRC Customary Law study », *Journal of Conflict and Security Law*, vol. 11, été 2006, p. 269-271.

ORAKHELASHVILI A., « The interaction between human rights and humanitarian law : fragmentation, conflict, parallelism, or convergence ? », *European Journal of International Law*, vol. 19, n° 1, 2008, p. 167.

PELIC J., « The European Court of Human Rights'Al-Jedda judgment : the oversight of international humanitarian law », *International Review of the Red Cross*, vol. 93, n° 883 (2011), p. 837-851.

PRUD'HOMME N., « *Lex specialis* : oversimplifying a more complex multifaceted relationship ? », *Israel Law Review*, vol. 40 (2), 2007, p. 355-395.

SASSOLI M. et OLSON L. M., « The relationship between international humanitarian law and human rights law where it matters : admissible killing and internment of fighters in non international conflicts », *Revue internationale de la Croix-Rouge*, vol. 90, n° 871, septembre 2008, p. 599-627.

SUDRE F., *Droit européen et international des droits de l'homme*, LGDJ, Paris, 2005, 715 p.

SUPIOT A., *Homo juridicus : essais sur la fonction anthropologique du droit*, Seuil, Paris, 2005, 319 p.

Droit d'initiative humanitaire

Les Conventions de Genève et le droit humanitaire en général édictent des obligations pour les belligérants et des droits pour les personnes protégées qui sont victimes de la violence dans les situations de conflit armé.

Les obligations souscrites par les États en période de conflit concernent l'interdiction de certains comportements de la part des parties au conflit armé. Ces obligations établissent également les responsabilités des parties au conflit vis-à-vis des personnes civiles ou des autres personnes protégées et elles fixent les sanctions en cas de violation.

Afin de protéger et assister plus efficacement ces personnes, le droit humanitaire accorde un droit d'initiative au CICR et aux autres organisations humanitaires et impartiales, leur reconnaissant le droit d'offrir leurs services. Les conventions interdisent aux parties au conflit de les refuser, sauf s'ils montrent qu'il n'y a pas de besoins et interdisent également de considérer ces offres de secours comme une ingérence dans leurs affaires intérieures.

Ces obligations ne suffisent malheureusement pas à garantir la protection et la survie journalière des populations en danger, qui restent l'objectif essentiel du droit humanitaire. L'action humanitaire doit en effet précéder le droit humanitaire.

Il est donc très important que les organisations humanitaires et de secours connaissent leurs droits et obligations prévus par le droit international et soient capables de fournir aide et protection aux populations en danger.

◆ **• Le droit humanitaire ne s'en remet pas seulement à la justice et aux tribunaux pour veiller à son respect et punir ses violations. C'est un droit de l'action qui cherche à préserver la vie dans des situations urgentes. Il confie aux organisations humanitaires impartiales la responsabilité d'intervenir et d'imaginer des formes d'intervention qui permettent de secourir et de protéger efficacement les victimes. En dehors des actions et missions précises de secours et de protection prévues par les textes, les Conventions de Genève accordent également un droit général d'initiative au CICR et aux autres organisations humanitaires impartiales (GI-IV art. 3 commun). En pratique, le CICR et les ONG peuvent concevoir et proposer des actions qui permettent de préserver la vie des personnes et des populations en danger.**

• Les textes précisent que cette initiative ne sera pas considérée par les États comme une ingérence dans leurs affaires intérieures. Les parties au conflit doivent faciliter le passage rapide et sans encombre de tous les envois, des équipements et du personnel de secours (GPI art. 70 et règle 55 de l'étude sur les règles du DIH coutumier publiée par le CICR en 2005).

• Les Conventions de Genève créent ainsi une véritable responsabilité des organisations humanitaires : celle d'imaginer et de proposer des actions qui permettent de préserver la vie des personnes et des populations en danger. Le droit humanitaire renforce les droits des organisations humanitaires dans les situations de conflit. Il est important que ces organisations n'affaiblissent pas ce droit et celui des personnes secourues par la méconnaissance qu'elles en ont.

Le droit humanitaire crée donc un équilibre entre la protection juridique et les actions concrètes pour la sauvegarde des intérêts et de la vie des personnes protégées.

1. *Les puissances protectrices*

Les rédacteurs et les États parties aux Conventions de Genève ont reconnu l'utilité du rôle que jouent dans les situations de conflit les intermédiaires neutres tels que les organisations de secours humanitaire. Ayant la confiance des belligérants, n'ayant pour seul objectif que la protection des non-combattants, ayant des moyens de secourir directement et efficacement les personnes menacées par les pénuries ou la violence, ces organisations ont un rôle officiel dans le dispositif de protection prévu par le droit des conflits armés. Les conventions mentionnent ainsi : les puissances protectrices, ou leur substitut, les intermédiaires neutres et impartiaux, le CICR et toute autre organisation humanitaire impartiale, les sociétés de secours, etc.

Ces organisations jouissent de droits explicitement détaillés par les conventions. Elles disposent également d'un droit général d'initiative dans tous les domaines humanitaires. Cela signifie que, dans toutes les situations, ces organisations peuvent proposer leurs services pour des actions non directement prévues par les Conventions de Genève ou les protocoles.

2. *Le droit d'initiative*

Ce droit d'initiative est prévu en particulier par l'article 3 commun aux quatre Conventions de Genève et par l'article 10 de la quatrième Convention. Il est aussi prévu dans des termes analogues dans d'autres articles du droit humanitaire (GI, GII, GIII, art. 9 ; GPI art. 81 ; GPII art. 18).

• Il permet à toute organisation humanitaire impartiale (le CICR est formellement reconnu comme tel) d'offrir ses services lors d'un conflit. Les États s'engagent à ne pas considérer cet acte comme une ingérence dans leurs affaires intérieures ou comme un « acte inamical » et, en pratique, ils doivent faciliter le passage rapide et sans encombre des envois, des équipements et du personnel (GPI art. 70). Ils ne pourront pas refuser cette offre pour des motifs politiques ou des motifs liés à la guerre.

Ces articles visent à éviter que les règles précises édictées par les Conventions de Genève ne soient interprétées et appliquées par les États pour limiter ou entraver la protection due aux victimes des conflits. Le texte des conventions a voulu de la sorte libérer les organisations humanitaires d'une lecture trop restrictive des Conventions de Genève.

C'est pourquoi il affirme qu'aucune disposition des conventions ne peut être utilisée ou interprétée par un État pour « faire obstacle aux activités humanitaires que le CICR, ainsi que tout autre organisme humanitaire impartial, entreprendra pour la protection des personnes civiles et des autres personnes protégées et les secours à leur apporter moyennant l'agrément des parties au conflit intéressées » (GI, II, III art. 9 ; GIV art. 10).

• Cette liberté d'initiative est ouverte par les conventions au CICR et à toute autre organisation humanitaire impartiale, ce qui semble exclure les actions humanitaires entreprises par des acteurs qui ne rentrent pas dans cette définition, notamment des États. On parle de « droit d'initiative humanitaire ». Il est renforcé pour le CICR par l'article 4.2 de son statut qui l'autorise « à prendre toute initiative humanitaire qui entre dans son rôle d'institution spécifiquement neutre et indépendante, ainsi qu'à étudier toute question dont l'examen par une telle institution s'impose ».

▶ **Droit international humanitaire ▷ Puissance protectrice ▷ Organisations non gouvernementales ▷ Croix-Rouge, Croissant-Rouge ▷ Secours ▷ Protection.**

Pour en savoir plus

BRINGUIER P., « À propos du droit d'initiative humanitaire du CICR et de tout autre organisme humanitaire impartial », *International Geneva Yearbook*, 1990, p. 89-102.

BUGNION F., *Le Comité international de la Croix-Rouge et la protection des victimes de la guerre*, CICR, Genève, 1994, p. 401-412.

GEOUFFRE DE LA PRADELLE P. DE, « Une conquête méthodique : le droit d'initiative humanitaire dans les rapports internationaux », *Études et Essais sur le droit international humanitaire et sur les principes de la Croix-Rouge en l'honneur de Jean Pictet*, CICR et Martinus Nijhoff, Genève-La Haye, 1984, p. 945-950.

MACKINTOSH K., « Beyond the Red Cross : the protection of independent humanitarian organizations and their staff in international humanitarian law », *Revue internationale de la Croix Rouge*, vol. 89, n° 865, mars 2007, p. 113-130.

Droit international humanitaire

Le terme de droit international humanitaire (DIH) désigne une branche spéciale du droit international, aussi appelé « droit des conflits armés » ou « droit de la guerre ». C'est un droit très ancien qui a été établi progressivement par la coutume des États et par des traités. Il cherche à réglementer la conduite des hostilités, principalement en essayant d'empêcher les conflits d'atteindre un point de non-retour. L'un des moyens pour ce faire est la limitation du choix des méthodes de guerre pour éviter les souffrances et destructions inutiles. Il interdit certains comportements et organise notamment le droit aux secours au profit des non-combattants pour atténuer les souffrances engendrées par la guerre.

L'expression « droit international humanitaire » (DIH) est souvent privilégiée car elle fait davantage ressortir l'objectif humanitaire du droit des conflits armés. Cependant, ce sont les mêmes conventions internationales qui autorisent et organisent les secours aux populations par les organisations humanitaires et qui interdisent ou limitent l'usage de la force armée par les responsables militaires. Le droit international humanitaire organise donc le face-à-face entre les acteurs armés et les acteurs de secours dans les situations de conflit. L'interprétation de ce droit doit donc être assurée en tenant compte de l'équilibre entre les nécessité militaires et humanitaires qu'il contient. Cet équilibre repose sur l'existence d'une égalité de compétences entre les experts militaires et civils du droit international humanitaire. Il est également assuré par la jurisprudence des tribunaux internationaux concernant la responsabilité de l'État (Cour internationale de justice) ou la responsabilité pénale individuelle pour les crimes de guerre (Cour pénale internationale).

Bien que le mot « humanitaire » connaisse une utilisation croissante, le terme de « droit international humanitaire » ne recouvre en principe que le droit applicable dans les situations de conflit armé. Cependant, d'autres branches du droit international telles que le droit des réfugiés, les droits de l'homme, du maintien de la paix et de la coopération internationale restent simultanément applicables dans la plupart des situations de troubles, tensions ou conflit. En effet, un certain nombre de situations contemporaines se situent aux marges du conflit au sens classique de la définition juridique. Elles s'inscrivent dans le cadre du maintien de la paix, de la gestion de la sécurité ou des différends entre États tels que définis par la Charte des Nations unies.

L'ensemble de ces droits doit donc être pris en compte pour définir le cadre et le contenu d'une action humanitaire légitime et responsable.

Le droit international humanitaire a longtemps été considéré comme un droit spécial (*lex specialis*) dont l'application remplaçait le cadre général des droits de l'homme (*lex generalis*) en situation de conflit. Cette distinction a été abolie au profit d'une application simultanée de ces deux branches du droit et d'une application extraterritoriale des droits de l'homme dans les situations où un État exerce un contrôle de fait sur un territoire ou des individus étrangers.

Cette évolution du droit a été nécessaire pour éviter les trous noirs juridiques créés par les différentes formes d'interventions étatiques autorisées par l'ONU ou entreprises à titre individuel par les États au nom de la sécurité nationale et dans le cadre de la guerre contre le terrorisme. Elle a été confirmée par les jugements des tribunaux internationaux et régionaux. (Sur l'application simultanée et complémentaire du DIH et des droits de l'homme, voir : Licéité de la menace ou de l'emploi d'armes nucléaires, avis consultatif, *C.I.J Recueil 1996*, p. 226, § 25 ; Conséquences juridiques de l'édification d'un mur dans le territoire palestinien occupé, avis consultatif, *C.I.J Recueil 2004, p. 136*, § 106-112. Sur l'application extraterritoriale des droits de l'homme, voir : CEDH, affaire Al-Skeini et autres c. Royaume Uni, requête n° 55721/07, jugement (Grande Chambre), 7 juillet 2011, § 131-140, et CEDH, affaire Al-Jedda c. Royaume Uni, requête n° 27021/08, jugement (Grande Chambre), 7 juillet 2011, § 107-109 ▷ **Droit de l'homme (jurisprudence)**). Le titre de ce *Dictionnaire* renvoie au droit humanitaire au sens large. D'après le droit international, les activités humanitaires peuvent être entreprises à la fois en période de paix et de conflit.

▶ **Droits de l'homme ▷ Garanties fondamentales ▷ Réfugiés ▷ Cour internationale de justice ▷ Cour pénale internationale ▷ Crime de guerre-Crime contre l'humanité.**

Malgré cette évolution, il est important de prendre en compte la spécificité du droit humanitaire au sens strict. En effet, ce droit déroge largement aux principes généraux et aux modes d'application des droits de l'homme et du droit international interétatique concernant notamment la réciprocité, la prise en compte d'acteurs non étatiques armés ou de secours, la notion d'ingérence, etc. La notion de droits et d'obligations des « parties au conflit » prévaut sur celle de « haute partie contractante » aux conventions. Il confère un statut international aux groupes armés non étatiques agissant dans le cadre des conflits armés internationaux et non internationaux. L'application du droit humanitaire ne repose donc pas que sur les États, mais sur les droits et devoirs de l'ensemble des acteurs d'un conflit et notamment les organisations de secours. Il s'appuie sur des procédures spécifiques pour sa mise en œuvre et pour la sanction des cas de violations graves.

▶ **Accord spécial ▷ Droit d'initiative humanitaire ▷ Droit d'accès ▷ Partie au conflit ▷ Statut juridique des parties au conflit ▷ Compétence universelle ▷ Responsabilité ▷ Sanction pénales du droit humanitaire.**

Le droit international humanitaire conventionnel contemporain est contenu dans :
• Les quatre Conventions de Genève de 1949. Elles ont repris et codifié les règles et coutumes du droit des conflits armés qui fixent les limites aux méthodes de guerre. Elles y ont ajouté des règles relatives à la protection et au secours des non-combattants pendant les hostilités. En avril 2013, 195 États y sont parties. Chacune d'entre elles organise les secours en temps de conflit pour une catégorie particulière de population. Les trois premières (GI, GII, GIII) règlent le sort des combattants blessés, naufragés ou prisonniers en période de conflit armé international. Seule la quatrième Convention (GIV) organise la protection de la population civile en période de conflit armé international.

• Deux Protocoles additionnels aux Conventions de Genève ont été adoptés en 1977 pour unifier et améliorer la protection des victimes des conflits :
– le Protocole additionnel I de 1977 (GPI) renforce et complète la protection prévue par la quatrième Convention au profit des victimes des conflits armés internationaux. 173 États y sont parties ;
– le Protocole additionnel II de 1977 (GPII) complète la protection prévue par l'article 3 commun des quatre Conventions de Genève au profit des victimes des conflits armés non internationaux. 167 États y sont parties.
En dehors des conventions internationales régissant les conflits armés internationaux et non internationaux, le droit international humanitaire est également constitué de règles considérées comme relevant du droit international humanitaire coutumier. En effet, certaines règles des conflits armés sont devenues coutumières du fait de leur durée et de leur constance. Elles sont obligatoires pour les États et pour les belligérants même s'ils n'ont pas formellement adhéré à ces règles. C'est précisément le cas des Conventions de Genève, mais d'autres garanties entrent aussi dans cette catégorie de coutume internationale (*infra*, Droit international humanitaire coutumier).

▶ **Conventions de La Haye ▷ Conventions de Genève ▷ Coutume.**

I. Histoire et codification du droit humanitaire

L'histoire du droit humanitaire plonge ses racines dans l'histoire la plus ancienne. Elle est présente dans toutes les cultures, toutes les religions et toutes les traditions. Elle est étroitement liée à l'histoire des conflits. À toutes les époques, les dirigeants ont entouré l'activité militaire de règles, d'interdits et de tabous. L'objectif de ces règles est de maintenir le contrôle, la discipline et l'efficacité des forces armées. Leur objectif est également de limiter les effets de la violence et de la destructivité sur l'intégrité physique et mentale des combattants pour permettre leur réinsertion dans la société après les conflits. Il s'agit enfin de limiter les destructions sur les territoires et les populations de l'adversaire dans la perspective du retour à la paix. Les premières réglementations de la guerre n'étaient pas universelles mais régionales. Ainsi peut-on parler du premier traité chinois sur l'art de la guerre écrit par Sun Tzu au VI-Ve siècle avant Jésus-Christ. Ces règles étaient le plus souvent d'inspiration politique et religieuse et exprimaient un mélange de pragmatisme et d'efficacité militaire et un souci de maintenir l'activité militaire dans une forme de contrôle et de rationalité politique, économique et humaine. Mais ces règles n'étaient respectées qu'entre les peuples appartenant au même ensemble culturel. Elles étaient par contre bafouées quand il s'agissait de faire la guerre contre des ennemis qui ne parlaient pas la même langue ou vénéraient d'autres dieux. La théorie de la guerre juste ou guerre sainte a illustré l'ambiguïté de ce phénomène. Cette théorie de la guerre juste a progressivement évolué passant d'une exigence de « juste cause » à une exigence de « justes moyens ». Des juristes européens tels que Grotius, Vittoria ou Vattel, mais également musulmans tels que Chaybani ont ensuite traduit ces exigences morales en règles juridiques préfigurant la codification

universelle contemporaine. Il faut noter que d'importants ouvrages islamiques en matière de droit des gens sont antérieurs à la codification européenne et ont sans doute influencé celle ci.
Cette évolution a été consacrée par le droit international contemporain qui limite les possibilités du recours à la guerre dans les relations entre les États et qui affirme que quels que soient les objectifs poursuivis les moyens utilisés sont limités par le droit humanitaire.

▶ **Guerre ▷ Sécurité collective ▷ Conseil de sécurité.**

La codification du droit international humanitaire actuel s'est accélérée à l'occasion des guerres du XIXe siècle sous la double impulsion de l'initiative humanitaire non gouvernementale et des conférences diplomatiques permettant l'adoption de ces conventions par les États.
C'est en effet une association privée, le Comité international de secours aux militaires blessés, créée par Henri Dunant à Genève après avoir constaté les carences de la prise en charge des morts et des blessés sur le champ de bataille de Solferino en 1859, qui va jouer un rôle central dans cette codification ainsi que dans la mise en œuvre des secours. À Solferino, Henri Dunant a découvert la face cachée de l'affrontement militaire des grandes puissances de l'époque : 40 000 morts et blessés des deux armées sont laissés à l'abandon et deviennent la proie des pilleurs sur le champ de bataille. Il prend l'initiative de rédiger en 1864 la première Convention de Genève pour l'amélioration du sort des militaires blessés, et d'en proposer la signature aux États lors d'une conférence diplomatique réunie à cet effet. Cette convention propose entre autres aux États d'accepter le travail d'un comité de secours médical neutre et indépendant autorisé à recueillir et à soigner les militaires blessés et malades quelle que soit leur nationalité. Lors de la guerre de 1870, le Comité prend l'initiative d'étendre ses actions de secours au bénéfice des prisonniers de guerre non couverts par la première Convention. Il fait ainsi la preuve que l'offre de secours humanitaires et neutres doit précéder l'existence du droit international humanitaire et servir de base à sa codification ultérieure par les États.
En 1868, le cabinet impérial de Russie adopte la Déclaration de Saint-Pétersbourg qui vise à interdire l'usage de certaines d'armes et à « fixer les limites où les nécessités de la guerre doivent s'arrêter devant les exigences de l'humanité ». Ce texte affirme que le seul but légitime que les États doivent se proposer, durant la guerre, est l'affaiblissement des forces militaires de l'ennemi et qu'ils doivent en conséquence s'abstenir d'utiliser des armes qui aggraveraient inutilement les souffrances des hommes déjà mis hors de combat ou qui rendraient leur mort inévitable. Il fixe la dialectique spécifique d'un droit humanitaire qui, d'une part, accepte les « souffrances utiles » au regard des nécessités militaires légitimes et objectives et qui, d'autre part, limite les « souffrances inutiles » en réglementant les armes et méthodes de guerre et en créant le droit au secours.
La guerre franco-prussienne de 1870 met à l'épreuve cette dialectique d'humanisation de la guerre car les États tentent de limiter les concessions relatives à la neutralité des secours médicaux. Lors de la Conférence internationale de la paix réunie à La Haye en 1899, les États demandent une révision rapide de la Convention de Genève de

1864. Ils laissent à Genève l'initiative en matière de droit aux secours et adoptent de leur côté les conventions relatives au règlement pacifique des conflits internationaux et le règlement concernant les lois et coutumes de la guerre sur terre. Ces conventions et règlements de La Haye de 1899 sont complétés et modifiés lors de la deuxième Conférence internationale de la paix réunie à La Haye en 1907. Le règlement concernant les lois et coutumes de la guerre sur terre, annexé à la Convention (IV) de 1907, synthétise les règles et principes qui continuent de structurer le droit des conflits armés contemporains. Entre temps, en 1876, le Comité international de secours aux militaires blessés prend le nom définitif de Comité international de la Croix-Rouge (CICR).

La Première Guerre mondiale (1914-1918) marque une nouvelle mise à l'épreuve des équilibres humanitaires et militaires et des besoins nouveaux en matière de secours. Pendant ce conflit, le CICR se pose en interlocuteur obligé des États et leur démontre l'importance de sa fonction d'intermédiaire neutre pour maintenir une certaine forme de dialogue entre les belligérants et combler, par ses propres initiatives de secours, les lacunes du droit face à l'ampleur des besoins créés par un conflit d'une telle intensité. En outre, l'application du principe de réciprocité, clef de voûte du droit international général, a généré des situations dangereuses de vide juridique en matière de traitement et de droit aux secours, puisque les États n'étaient tenus au respect du droit au secours que vis-à-vis des combattants d'un État ayant ratifié les mêmes conventions. C'est la raison pour laquelle le CICR propose, en 1926, une refonte des dispositions relatives au traitement des militaires blessés et malades et rédige une convention supplémentaire relative au traitement des prisonniers de guerre. La majorité des besoins de secours des combattants sont alors couverts par les nouvelles Conventions de Genève de 1926. En revanche, il n'existe à cette époque aucune réglementation concernant les secours aux populations civiles. Dès 1934, le CICR soumet aux États un projet de convention internationale concernant la condition et la protection des civils de nationalité ennemie qui se trouvent sur le territoire d'un État belligérant ou sur un territoire occupé par lui. Ce projet est toutefois accueilli avec beaucoup de réticence par les différentes chancelleries qui considèrent que cette mission n'appartient qu'aux États et à leurs armées. L'examen de ce texte est ensuite interrompu par le déclenchement de la Seconde Guerre mondiale. L'action du CICR à l'égard des civils pendant la Seconde Guerre mondiale est alors privée du support du droit humanitaire.

La Seconde Guerre mondiale a été un laboratoire d'horreurs où les méthodes de la guerre totale ont côtoyé les techniques d'extermination de masse. Dans de telles circonstances, il n'était plus tolérable d'ignorer les lacunes du droit humanitaire concernant la protection des civils. C'est pourquoi, après la fin de la guerre et malgré la création de l'Organisation des Nations unies chargée de garantir la paix et la sécurité internationales, la nécessité de passer à une phase plus ambitieuse de codification du droit humanitaire s'est imposée. Les quatre Conventions adoptées à Genève le 12 août 1949 marquent l'aboutissement de ce travail de recodification. Les trois premières unifient et améliorent le droit humanitaire antérieur, dispersé jusque-là dans les diverses Conventions de Genève et de La Haye et relatif à la protection des combattants blessés, malades ou prisonniers.

La quatrième Convention, consacrée à la protection des populations civiles victimes de conflit, représente pour sa part une véritable révolution politique et juridique. Elle institue plusieurs catégories de civils protégés par le droit international en fonction des diverses situations de vulnérabilité qui peuvent les affecter : pénurie, occupation, déportation, attaques, maladie et blessures, réquisition, détention, internement, etc. Elle laisse en revanche planer un doute sur les obligations d'un État partie au conflit vis-à-vis de ses propres citoyens civils. Cette lacune sera comblée en 1977 par les deux Protocoles additionnels, qui unifient la protection en faisant référence à la notion de victime civile des conflits sans mention de nationalité ennemie – une évolution qui s'imposait pour le Protocole additionnel II applicable aux conflits non internationaux qui, par nature, se déroulent sur le territoire d'un seul État et opposent les forces armées nationales à une partie de sa propre population.

La quatrième Convention refonde et arbitre dans un texte unique les règles relatives aux méthodes de guerre et celles relatives aux secours. Elle évite de déresponsabiliser les États et les armées vis-à-vis des populations placées sous leur contrôle, tout en prévoyant les droits des organisations humanitaires impartiales agissant en tant qu'intermédiaires neutres dans la garantie de secours effectifs et la sauvegarde des droits des plus vulnérables. Ces conventions reconnaissent officiellement le double rôle du CICR en tant que gardien du droit humanitaire chargé de garantir son interprétation et de proposer de nouvelles codifications, ainsi que comme acteur de secours garant de la protection des victimes. Elles consacrent l'union particulière entre des États et l'initiative humanitaire privée en annexant le statut du CICR aux Conventions de Genève.

Les situations couvertes par les Conventions de Genève restent centrées sur les conflits armés entre États et ne traitent des conflits armés non internationaux que dans le cadre restreint de leur article 3 commun.

Les conflits qui ont eu lieu ces cinquante dernières années ne rentrent pas vraiment dans ce contexte. Ils ont été marqués par des conflits d'indépendance et de décolonisation, et de nombreux conflits internes, dont certains ont été internationalisés par l'intervention directe ou indirecte d'autres États.

En 1977, deux protocoles ont donc été ajoutés aux Conventions de Genève pour prendre en compte cette évolution des formes et méthodes de guerre : le fait que les civils sont de plus en plus souvent les cibles et victimes et le nombre croissant de conflits internes.

Le Protocole additionnel I élargit la définition des victimes des conflits armés internationaux déjà couverte par la quatrième Convention de Genève de 1949. Le Protocole additionnel II crée un cadre totalement nouveau de protection des victimes des conflits armés non internationaux qui n'étaient jusque-là couvertes que par l'article 3 commun aux Conventions de Genève de 1949. La difficulté spécifique de ce protocole est d'assumer l'asymétrie politique et militaire de ce type de conflit. Il oppose en effet sur le territoire national l'armée gouvernementale d'un côté et des groupes armés organisés d'opposition de l'autre. Le Protocole additionnel II entre ainsi de plain-pied dans la sphère de la souveraineté nationale. Son contenu est une transcription analogique mais

simplifiée des dispositions essentielles du droit des conflits internationaux en ce qui concerne les méthodes de combat et le droit aux secours des populations civiles. La définition et les droits des combattants arrêtés et détenus sont en revanche limités au minimum et largement laissés à l'accord éventuel des parties au conflit.
De nombreuses dispositions du droit international humanitaire ont été contestées et affaiblies dans le cadre des actions militaires menées dans le cadre de la guerre globale contre le terrorisme lancée à la suite des attaques terroristes du 11 septembre 2001 aux États-Unis. Cependant, le droit international humanitaire continue à se développer pour répondre à ces nouveaux défis.
La jurisprudence des tribunaux nationaux et internationaux a permis de rétablir dans de nombreux cas une interprétation du droit international humanitaire conforme à son esprit et adaptée aux situations dites nouvelles. Par ailleurs, de très nombreuses dispositions du droit international humanitaire ont acquis un caractère coutumier. Le CICR a ainsi publié en 2005 une étude sur les règles de DIH coutumier ; ces règles simplifient et facilitent l'application et l'interprétation du DIH dans les nouvelles situations complexes de conflit.

Le droit humanitaire est aujourd'hui le seul cadre juridique permettant de réglementer les actions de secours dans ces contextes de conflit. Ces règles, comme tout droit, doivent être interprétées pour tenir compte de la réalité. Il est possible dans tous les contextes de guerre, où la violence est plus ou moins organisée ou institutionnalisée, d'identifier des chaînes de responsabilité permettant d'entreprendre une négociation sur l'application et le respect du droit humanitaire.

▶ **Coutume ▷ Droit naturel, droit religieux, droit positif ▷ Respect du droit international humanitaire ▷ Conventions de Genève ▷ Conventions de La Haye ▷ Croix-Rouge, Croissant-Rouge.**

On distingue souvent de façon simpliste deux branches complémentaires du droit humanitaire : le droit de la violence et celui de l'assistance.
Le droit de la violence réglerait la façon de faire la guerre ; il est notamment illustré par les conventions de La Haye.
Le droit de l'assistance prévoirait la protection et les secours pour les non-combattants durant les conflits ; il est notamment contenu dans les Conventions de Genève. Cette distinction est artificielle.
Dans la pratique les Conventions de Genève et leurs Protocoles additionnels ne se limitent pas à organiser les secours pour les personnes civiles. Ces textes ont également rassemblé et codifié de nombreuses règles relatives à la conduite des hostilités. Elles restreignent et interdisent certaines méthodes de guerre et établissent la responsabilité des belligérants en matière de crimes de guerre.
Pour des raisons de commodité et de clarté, nous avons regroupé dans les rubriques ▷ **Guerre** ▷ **Méthodes de guerre** ▷ **Attaque** et ▷ **Armes** tout ce qui concerne les obligations des forces armées dans la conduite des hostilités. Les développements relatifs aux sanctions des violations du droit humanitaire se trouvent sous les

rubriques ▷ **Crime de guerre-Crime contre l'humanité** ▷ **Compétence universelle** ▷ **Sanctions pénales du droit humanitaire** ▷ **Devoirs des commandants**. Ceux relatifs aux actions de secours se trouvent sous les rubriques ▷ **Droit d'initiative humanitaire Droit d'accès** ▷ **Secours** ▷ **Protection** ▷ **Mission médicale** ▷ **Ravitaillement** ▷ **Personnel humanitaire et de secours** ▷ **Personnes protégées** ▷ **Biens protégés.**

◆ **• Le droit humanitaire défend un droit de l'action. Il protège les victimes des conflits par la qualité des actions de secours que les organisations humanitaires mettent en œuvre. La qualité de telles actions dépend de :**
– la quantité des secours : ils doivent être suffisants, appropriés et rapides ;
– leur conformité aux droits prévus par le droit humanitaire pour secourir les différentes catégories de personnes protégées et aux droits et devoirs des organisations de secours eux-mêmes ;
– la capacité de ces organisations à rendre compte des entraves rencontrées dans l'accomplissement de leur mission de secours.

▶ **Personnel humanitaire et de secours** ▷ **Secours** ▷ **Protection** ▷ **Droit d'accès** ▷ **Droit d'initiative humanitaire** ▷ **Mission médicale** ▷ **Ravitaillement.**

II. Les moyens

Pour atteindre son objectif, le droit international humanitaire développe une réglementation complète autour de deux axes :

1. *La responsabilité des commandants militaires*

Le droit humanitaire pose certaines règles, responsabilités et exigences qui doivent être respectées.

• Le droit humanitaire opère une distinction entre les objectifs militaires et les objectifs civils, entre les personnes civiles et les combattants, entre les biens stratégiques et ceux essentiels à la survie de la population. Les combats ne doivent affecter que les combattants et les objectifs stratégiques.

• Il édicte des règles pour que les individus et les populations qui ne participent pas aux combats ne soient pas pris pour cibles des hostilités et soient en tout temps traités avec humanité.

• Il édicte des règles pour que les biens civils et ceux qui sont essentiels à la survie de la population ne soient pas pris pour cible, ni détruits.

• Il exige l'existence d'une chaîne de commandement hiérarchique responsable au sein des forces armés, chargée d'y faire respecter la discipline et de faire respecter les exigences du droit des conflits dans le commandement et la conduite des hostilités.

• Il institue un système de responsabilité pénale personnelle pour les auteurs de crimes de guerre (violations graves du droit humanitaire) autour duquel tous les États s'engagent à coopérer pour rechercher, poursuivre et sanctionner les auteurs de ces crimes où qu'ils se trouvent.

▶ **Devoirs des commandants** ▷ **Responsabilité** ▷ **Combattants** ▷ **Population civile** ▷ **Biens protégés** ▷ **Crime de guerre-Crime contre l'humanité** ▷ **Compétence universelle** ▷ **Sanctions pénales du droit humanitaire.**

2. L'action des organisations humanitaires

• Le droit humanitaire distingue entre plusieurs catégories de situations et de personnes protégées et leur garantit les droits aux secours et à la protection les mieux adaptés à leur situation.

• Il édicte des garanties minimales en termes de secours et de protection qui s'appliquent dans toutes les situations et vis-à-vis de tous les individus.

• Il décrit de façon précise les actions de secours et de protection qui doivent être entreprises au profit des victimes par le CICR, les organisations de secours et les puissances protectrices.

• Il confie aux organisations humanitaires un droit général d'initiative pour imaginer et proposer toute autre action de secours et de protection qui peut être nécessaire pour sauvegarder la vie des populations en danger.

• Il précise que les activités de nature humanitaire ne peuvent être assimilées à une intervention dans les affaires intérieures des États.

• Il confie au CICR un mandat exclusif pour contrôler l'application des conventions, recevoir les plaintes relatives aux violations de ce droit, assurer la diffusion et proposer de nouveaux développement de ce droit en cas de besoin.

▶ **Croix-Rouge, Croissant-Rouge ▷ Puissance protectrice ▷ Personnes protégées ▷ Assistance ▷ Droit d'initiative humanitaire ▷ Droit d'accès.**

III. La méthode

Contrairement aux droits de l'homme, le droit humanitaire ne pose pas de droits universels applicables à tous les individus et en tout temps. La spécificité des quatre Conventions de Genève est de procéder par catégorisation. Elles définissent des normes minimales de traitement applicables à des catégories de personnes protégées, dans les différentes situations de conflit. Ainsi le droit applicable est différent selon qu'il s'agit d'un conflit armé international ou d'un conflit interne, selon qu'il s'agit d'un territoire occupé ou d'une zone assiégée. Il est également différent selon qu'il concerne les malades, les civils, les femmes et les enfants, les internés, les prisonniers de guerre.

▶ **Personnes protégées ▷ Conflit armé international ▷ Conflit armé non international ▷ Troubles et tensions internes ▷ Blessés et malades ▷ Territoire occupé ▷ Population civile ▷ Combattants ▷ Déplacement de population ▷ Détention.**

◆ **• En droit humanitaire, la qualification juridique des situations et des personnes constitue un enjeu juridique et politique majeur, puisque les droits des individus en dépendent.**

• Pour limiter le danger de se trouver avec des individus non protégés parce qu'ils ne rentrent pas dans l'une des catégories, le droit des conflits armés énonce des règles minimales, ainsi que des garanties fondamentales qui sont applicables en tout temps, en tout lieu, à tous ceux qui ne bénéficient pas de droits plus favorables.

• Dans le domaine des droits de l'homme, les conventions internationales énoncent également certains droits qui sont réputés indérogeables. Cela signifie que les États ne peuvent jamais en suspendre l'application en invoquant une situation de troubles intérieurs ou de guerre. Ces droits indérogeables s'appliquent donc à tous les individus quel que soit leur statut et dans toutes les situations, quel que soit le contexte, y compris les situations de conflit.

▶ **Garanties fondamentales ▷ Droits de l'homme.**

• La force de cette approche est d'énoncer des droits précis, particulièrement adaptés pour protéger des individus contre les menaces spécifiques qui pèsent sur eux du fait de leur qualité ou de la nature de la situation.
• Les faiblesses de cette méthode résident dans le fait qu'une application de mauvaise foi peut conduire à refuser ou retarder la protection en contestant la qualité des personnes ou la qualification des situations. Cette méthode laisse également un certain nombre de situations et de personnes non couvertes par le droit des conflits armés lorsque celles-ci n'entrent pas dans une catégorie précise. On invoque dans ce cas les garanties fondamentales du droit humanitaire et les garanties relatives aux droits de l'homme qui restent applicables en toute situation. La définition des conflits armés internationaux et non internationaux fournie par les Conventions de Genève et leurs Protocoles additionnels a fait l'objet d'intenses débats et polémiques juridiques concernant leur adéquation aux situations de conflit armé atypiques et aux nouvelles formes d'affrontement au cours des années 2000. Les termes de conflits armés internes internationalisés, de conflits armés transnationaux voire de conflits armés extraterritoriaux ont parfois été utilisés pour décrire de façon plus détaillée les caractéristiques de ces conflits, mais aussi pour contester ou affaiblir l'application du droit humanitaire dans ces situations.

▶ **Conflit armé international ▷ Conflit armé non international.**

IV. Le contenu du droit international humanitaire

Ce contenu varie selon la nature des conflits. Il faut donc distinguer :
– le droit des conflits armés internationaux prévu par les quatre Conventions de Genève de 1949, le Protocole additionnel I de 1977 et le droit international humanitaire coutumier ;
– le droit des conflits armés non internationaux prévu par l'article 3 commun aux quatre Conventions de Genève de 1949, complété par le Protocole additionnel II de 1977 ;
– le droit humanitaire coutumier.

■ L'interprétation et l'application du droit humanitaire

Si le droit des conflits armés est conçu pour s'appliquer dans des situations précises, à des personnes précises, rien ne s'oppose à ce qu'il soit invoqué et appliqué dans les autres situations.
En effet, de nombreuses dispositions sont présentes sous une forme plus ou moins détaillée dans les différents textes internationaux. Les dispositions les plus protectrices ou les plus détaillées peuvent toujours être utilisées pour servir à interpréter les dispositions générales ou pour servir de cadre de référence à ceux qui élaborent des opérations de secours.
Ceci est particulièrement important puisque les règles gouvernant les conflits armés internationaux sont beaucoup plus détaillées que celles s'appliquant aux conflits

internes. Aussi, les dispositions du premier peuvent être utilisées pour donner un contenu aux principes généraux auxquels se réfèrent les autres textes. Concrètement :
• Bien que les deux Protocoles additionnels aux Conventions de Genève ne soient pas signés par tous les États, leur contenu peut être utilisé pour illustrer et interpréter les dispositions des Conventions de Genève qu'ils complètent.
• Les dispositions applicables aux conflits armés internationaux prévues par les Conventions de Genève et le Protocole additionnel I peuvent également servir à donner un contenu aux principes généraux affirmés dans le Protocole additionnel II pour les conflits armés non internationaux.
• Un certain nombre d'articles sont communs aux quatre Conventions de Genève. On peut en déduire qu'ils sont applicables dans la quasi-totalité des situations : par exemple, ceux sur le droit d'initiative humanitaire, le traitement des malades et des blessés, les garanties générales de traitement humain, etc.
• Enfin, le droit humanitaire encourage les parties au conflit à mettre en œuvre les dispositions du droit humanitaire par voie d'accords spéciaux. Cela permet de ne pas être juridiquement limité aux qualifications juridiques des situations et des personnes et aux règles générales d'application des conventions internationales sur le droit humanitaire. Les ONG peuvent donc toujours invoquer ce droit dans leurs actions de secours.
• Un grand nombre de dispositions du droit international humanitaire ont acquis un caractère coutumier. Ces règles, compilées dans une étude publiée par le CICR en 2005, sont applicables pour la plupart dans les conflits armés internationaux et non internationaux (*infra*). ■

▶ **Accord spécial ▷ Statut juridique des parties au conflit ▷ Haute partie contractante ▷ Garanties fondamentales ▷ Situations et personnes non couvertes ▷ Convention internationale.**

1. *Le droit des conflits armés internationaux*

Il est contenu dans les quatre premières Conventions de Genève et le Protocole additionnel I de 1977.

Les trois premières conventions ne sont relatives qu'au traitement des membres des forces armées. Nous n'en donnerons qu'un aperçu général car il ne manque ni d'experts ni de moyens pour en défendre la connaissance et l'application.

Nous présenterons plus longuement la quatrième Convention relative au traitement des personnes civiles ainsi que le Protocole additionnel I, qui traite de façon indiscriminée du sort des victimes de ces conflits. L'ensemble des droits ou des thèmes couverts par ces conventions est abordé dans les différentes rubriques de ce dictionnaire.

• ***Première Convention de Genève pour l'amélioration du sort des blessés et malades des forces armées en campagne sur terre (GI)***

– Articles 1 à 11 : dispositions générales.
– Articles 12 à 18 : des blessés et des malades.
– Articles 19 à 23 : des formations et des établissements sanitaires.
– Articles 24 à 32 : du personnel sanitaire.
– Articles 33 à 34 : des bâtiments et du matériel.
– Articles 35 à 37 : du transport sanitaire.
– Articles 38 à 44 : du signe distinctif.

– Articles 45 à 48 : de l'exécution de la convention et cas non prévus.
– Articles 49 à 54 : de la répression des abus et des infractions.
– Articles 55 à 64 : dispositions finales.
– Annexe I : projet d'accord relatif aux zones et localités sanitaires.
– Annexe II : carte d'identité pour les membres du personnel sanitaire et religieux attachés aux armées.

- ***Deuxième Convention de Genève pour l'amélioration du sort des blessés et malades et des naufragés des forces armées sur mer (GII)***

– Articles 1 à 11 : dispositions générales.
– Articles 12 à 21 : des blessés, des malades et des naufragés.
– Articles 22 à 35 : des navires-hôpitaux.
– Articles 36 à 37 : du personnel sanitaire.
– Articles 38 à 40 : du transport sanitaire.
– Articles 41 à 45 : du signe distinctif.
– Articles 46 à 49 : conditions d'exécution de la convention et cas non prévus.
– Articles 50 à 53 : répression des abus et des infractions.
– Articles 54 à 63 : dispositions finales.
– Annexe I : carte d'identité pour les membres du personnel sanitaire et religieux attachés aux forces armées en mer.

- ***Troisième Convention de Genève relative au traitement des prisonniers de guerre (GIII)***

– Titre I (articles 1 à 11) : dispositions générales.
– Titre II (articles 12 à 16) : protection générale des prisonniers de guerre.
– Titre III : captivité.
– Articles 17 à 20 ; 69 à 70 : début de captivité et notification de captures.
– Articles 21 à 24 : généralités sur les lieux et modalités d'internement.
– Articles 25 à 28 : logement, alimentation et habillement.
– Articles 29 à 33 : hygiène et soins médicaux.
– Articles 34 à 38 : religion, activités intellectuelles et physiques.
– Articles 39 à 45 : discipline et grades.
– Articles 46 à 48 : modalités de transfert.
– Articles 49 à 68 : travail des prisonniers et ressources pécuniaires.
– Articles 71 à 76 : correspondance et envois de secours.
– Articles 78 à 81 : comité de prisonniers et droit de plainte.
– Articles 82 à 108 : sanctions pénales et disciplinaires.
– Articles 109 à 121 : fin de captivité, libération et rapatriement.
– Articles 122 à 125 : bureau de renseignements et sociétés de secours concernant les prisonniers.
– Articles 126 à 143 : exécution de la convention ; dispositions générales et finales.
– Annexe 1 : accord type concernant le rapatriement direct et l'hospitalisation en pays neutre des prisonniers de guerre blessés et malades.
– Annexe 2 : règlement concernant les commissions médicales mixtes.
– Annexe 3 : règlement concernant les secours collectifs aux prisonniers de guerre.

– Annexe 4 : carte d'identité, carte de capture, carte et lettre de correspondance, avis de décès, certificat de rapatriement.
– Annexe 5 : règlement type relatif aux paiements envoyés par les prisonniers de guerre dans leur propre pays.

- ***Quatrième Convention de Genève relative à la protection des personnes civiles en temps de guerre (GIV)***
– Titre I : dispositions générales.
Les articles 1 à 12 fixent les dispositions générales relatives à l'application de la convention, notamment : les garanties minimales dans les situations non couvertes (art. 3) ; la définition des personnes protégées (art. 4) ; la possibilité des accords spéciaux (art. 7) ; le rôle des puissances protectrices ou de leur substitut, celui du CICR et de toute autre organisation humanitaire impartiale (art. 9, 10, 11).
– Titre II : protection générale des populations contre certains effets de la guerre.
Les articles 13 à 26 fixent notamment : la création de zones et localités sanitaires, de zones neutralisées (art. 14 et 15) ; la protection des malades et des hôpitaux (art. 16 et 20) ; l'envoi de secours, médicaments, vivres et vêtements aux populations civiles (art. 23) ; la protection spéciale de l'enfance et des familles dispersées (art. 24 à 26).
– Titre III : statut et traitement des personnes protégées.
Les articles 27 à 34 fixent les dispositions communes relatives aux territoires occupés. Notamment les responsabilités de l'occupant vis-à-vis de la population (art. 27, 29), les interdictions d'utiliser la population pour servir de protection contre des actions militaires et de prendre des otages (art. 29, 34), l'interdiction des mesures de punition, d'intimidation ou de pression sur la population (art. 31 à 33) ; le droit de la population et des personnes protégées de s'adresser aux puissances protectrices, au CICR ou à tout autre organisme pour obtenir secours et protection (art. 30).
– Les articles 35 à 46 protègent les étrangers sur le territoire d'une partie au conflit.
– Les articles 47 à 78 règlent le statut des territoires occupés, notamment : l'interdiction des transferts forcés en masse ou individuels et des déportations (art. 49) ; la protection des enfants (art. 50) ; la protection des travailleurs et les limites à l'enrôlement (art. 51 et 52) ; les destructions et réquisitions interdites (art. 53 et 57) ; les obligations de l'occupant en matière de ravitaillement, d'hygiène et de santé des populations ainsi que l'organisation des secours (art. 55 à 63) ; les garanties vis-à-vis des lois applicables et du fonctionnement des tribunaux (art. 54, 64 à 75) ; les garanties pour les personnes détenues (art. 76 et 77).
– Les articles 79 à 135 règlent le statut des personnes internées.
– Les articles 136 à 141 règlent les dispositions relatives à l'Agence centrale de recherches, qui centralise les informations sur les personnes internées, détenues ou disparues.
– Les articles 142 à 159 règlent les dispositions générales et finales, notamment les sanctions pénales des infractions graves à la convention (art. 146 à 149).
– Annexe 1 : projet d'accord relatif aux zones et localités sanitaires et de sécurité.
– Annexe 2 : projet de règlement concernant les secours collectifs aux internés civils.
– Annexe 3 : carte d'internement, lettre, carte de correspondance.

- ***Le Protocole additionnel I aux Conventions de Genève relatif à la protection des victimes des conflits armés internationaux (GPI)***
  – Titre I : dispositions générales (art. 1 à 7), notamment : principes généraux, champs d'application et situations non couvertes, statut juridique des parties au conflit.
  – Titre II : blessés, malades et naufragés, notamment :
  – Articles 8 et 9 : champs d'application et terminologie.
  – Articles 10 et 11 : protection et soins.
  – Articles 12 à 16 : protection générale de la mission médicale, des unités et du personnel sanitaire, y compris contre les réquisitions.
  – Articles 17 à 18 : rôle des sociétés de secours et identification.
  – Article 20 : interdiction des représailles contre les blessés malades et les installations sanitaires.
  – Articles 21 à 31 : protection et réglementation des différents moyens de transport sanitaire : terrestre, aérien et naval.
  – Articles 32 à 34 : personnes disparues ou décédées.
  – Titre III : méthodes et moyens de guerre, statut du combattant et du prisonnier de guerre.
  – Articles 35 à 37 : règles fondamentales, armes nouvelles et perfidie.
  – Article 38 : emblèmes reconnus.
  – Articles 43 à 47 : statut du combattant et du prisonnier de guerre, du mercenaire et des espions.
  – Titre IV : population civile.
  Protection générale contre les effets des hostilités et notamment :
  – Articles 48 et 49 : règles fondamentales.
  – Articles 50 et 51 : définition et protection des personnes et de la population civile.
  – Articles 52 à 56 : définition et protection des biens de caractère civil.
  – Articles 49, 57 et 58 : définition des attaques et mesures de précautions dans l'attaque.
  – Articles 59 et 60 : zones et localités spécialement protégées (démilitarisées, non défendues).
  – Articles 61 à 67 : définitions, organisation et identification de la protection civile.
  Secours en faveur de la population civile, notamment :
  – Articles 68 à 71 : définition des besoins essentiels, organisation des actions de secours et statut du personnel de secours.
  Traitement des personnes au pouvoir d'une partie au conflit, notamment :
  – Article 73 : réfugiés et apatrides au pouvoir d'une partie au conflit.
  – Article 74 : regroupement des familles dispersées.
  – Article 75 : garanties fondamentales pour les personnes au pouvoir d'une partie au conflit.
  – Article 76 : protection des femmes.
  – Articles 77 et 78 : protection et évacuation des enfants.
  – Article 79 : protection des journalistes.
  – Titre V : mesures d'exécution des conventions et du protocole, notamment : articles 80 à 84 : activités de la Croix-Rouge et des autres organisations humanitaires

(art. 81), conseillers juridiques dans les forces armées (art. 82), diffusion et lois d'application (art. 83 et 84).
– Articles 85 à 91 : répression des infractions aux conventions et au protocole, notamment : répression (art. 85), répression des omissions (art. 86), devoirs des commandants par rapport aux infractions (art. 87), entraide judiciaire et coopération (art. 88 et 89), Commission internationale d'établissement des faits (art. 90), responsabilité et indemnisation (art. 91).
– Titre VI : dispositions finales (art. 92 à 102), notamment :
– Article 99 : limites posées aux possibilités de dénonciation des conventions ou protocole.
– Annexe I : règlement relatif à l'identification : carte d'identité du personnel sanitaire et religieux, civil et permanent (art. 1) ; carte d'identité du personnel sanitaire et religieux, civil et temporaire (art. 2) ; signe distinctif de la croix rouge : forme, nature et utilisation (art. 3 et 4) ; signaux distinctifs : signal lumineux, signal radio, identification par moyens électroniques (art. 5 à 8) ; communication : radiocommunication, utilisation des codes internationaux, autres moyens de communication, plans de vol, signaux et procédures d'interception des aéronefs sanitaires (art. 9 à 13) ; protection civile : carte d'identité, signe distinctif international (art. 14 et 15) ; ouvrages et installations contenant des forces dangereuses : signe spécial international (art. 16).
– Annexe II : carte d'identité des journalistes en mission périlleuse.

2. *Le droit des conflits armés non internationaux*

Les conflits armés non internationaux sont réglementés par l'article 3 commun aux quatre Conventions de Genève de 1949 et le Protocole additionnel II de 1977.

• ***L'article 3 commun aux quatre Conventions de Genève***

Il organise la protection minimale accordée en période de conflit armé non international mais aussi dans les autres situations ou pour les autres personnes non couvertes par les conventions et qui ne disposent pas de droits plus favorables (GI-GIV art. 3 commun).

L'article 3 commun énonce dans une première partie une interdiction absolue de certains comportements, valable en tout temps et en tout lieu à l'égard des non-combattants. Ce principe est donc applicable dans les situations de troubles et tensions internes dans lesquelles le droit des conflits armés n'est pas applicable.

« Les actes suivants sont et demeurent prohibés en tout temps et en tout lieu à l'égard de personnes qui ne participent pas directement aux hostilités, y compris les membres des forces armées et les personnes qui ont été mises hors de combat par maladie, blessure, détention ou pour toute autre cause :
– les atteintes portées à la vie, à l'intégrité corporelle notamment le meurtre sous toutes ses formes, les mutilations, les traitements cruels, tortures et supplices ;
– les prises d'otages ;
– les atteintes à la dignité de la personne, notamment les traitements humiliants et dégradants ;
– les condamnations prononcées et les exécutions effectuées sans un jugement préalable, rendu par un tribunal régulièrement constitué, assorti des garanties

judiciaires reconnues comme indispensables par les peuples civilisés » (GI-GIV art. 3.1 commun).

L'article 3 commun énonce dans une deuxième partie des droits fondamentaux qui s'appliquent dans les situations de conflit qui n'ont pas de caractère international.

« Les blessés et malades seront recueillis et soignés.

Un organisme humanitaire impartial, tel que le Comité international de la Croix-Rouge, pourra offrir ses services aux parties au conflit.

Les parties au conflit s'efforceront, d'autre part, de mettre en vigueur par voie d'accords spéciaux tout ou partie des autres dispositions de la présente convention.

L'application des dispositions qui précèdent n'aura pas d'effet sur le statut juridique des parties au conflit » (GI-GIV art. 3.2 commun).

- ***Le Protocole additionnel II aux Conventions de Genève relatif à la protection des victimes des conflits armés non internationaux (GPII)***

Le Protocole additionnel II de 1977 concerne la protection des victimes des conflits armés qui se déroulent sur le territoire d'une haute partie contractante entre ses forces armées et des forces armées dissidentes ou des groupes armés organisés qui, sous la conduite d'un commandement responsable, exercent sur une partie de son territoire un contrôle tel qu'il leur permette de mener des opérations militaires continues et concertées et d'appliquer le Protocole additionnel II (GPII art. 1.1).

Ce protocole ne s'applique pas aux situations de tensions internes et de troubles intérieurs, comme les émeutes, les actes isolés et sporadiques de violence et autres actes analogues, qui ne sont pas considérés comme des conflits armés (GPII art. 1.2).

Ce protocole précise la protection due aux victimes d'un conflit armé interne. Il énonce des garanties dues par un État en proie à un conflit armé interne, à ses propres ressortissants. Il renforce entre autres les droits fondamentaux des enfants, la protection contre les violences sexuelles et l'esclavage.

– Il détaille les garanties fondamentales prévues au profit des personnes qui ne participent pas ou plus aux hostilités (GPII art. 4).

– Il prévoit qu'outre les dispositions de l'article 4, certaines dispositions seront au minimum respectées à l'égard des personnes privées de liberté pour des motifs en relation avec le conflit armé, qu'elles soient internées ou détenues (GPII art. 5).

– Il édicte des garanties judiciaires pour assurer le respect des garanties fondamentales (GPII art. 6).

– Il énonce les mesures de protection générale pour les blessés et les malades (GPII art. 7 à 12).

– Il prévoit les mesures de protection et le droit au secours de la population civile en général (GPII art. 13 à 18).

3. *Le droit international humanitaire coutumier applicable aux conflits armés internationaux (CAI) et aux conflits armés non internationaux (CANI)*

En 2005, le CICR a publié une étude sur les règles du droit international humanitaire coutumier. Cette étude, intitulée *Étude sur le droit international humanitaire coutumier : une contribution à la compréhension et au respect du droit des conflits armés* a identifié et codifié 161 règles de droit international humanitaire coutumier concernant les conflits armés internationaux et non internationaux. Il s'agit d'une importante contribution à la clarification et à l'unification du contenu du droit applicable à ces deux types de conflit. En effet, 147 des 161 règles identifiées s'appliquent quelle que soit la nature du conflit armé.

Cette étude très exhaustive de plus de 4 000 pages comprend deux volumes. Le premier volume rassemble les 161 règles de DIH coutumier compilées par le CICR. Le second volume est consacré à l'examen de la pratique des États concernant chaque règle. Il compile et fournit une base de données détaillée du contenu et de l'interprétation de chaque règle à travers les lois, règlements, jugements et pratiques existant au niveau des États mais aussi de l'ONU et des organisation régionales, et du mouvement international de la Croix-Rouge et du Croissant-Rouge..

Les règles contenues dans le volume I sont regroupées autour des thématiques essentielles du droit humanitaire au sein de six sections : (1) Le principe de la distinction, (2) Personnes et biens bénéficiant d'une protection spécifique, (3) Méthodes de guerre spécifiques, (4) Armes, (5) Le traitement des personnes civiles et des personnes hors de combat, et (6) Mise en œuvre. Ces sections sont elles-mêmes divisées en sous-sections couvrant toutes les règles de base du DIH coutumier. L'étude précise pour chacune de ces règles si elle s'applique aux conflits armés internationaux (CAI) et/ou non internationaux (CANI), ainsi que les principaux éléments d'interprétation utilisée en pratique.

▶ **Coutume.**

– La section 1, *Le principe de distinction*, réaffirme l'impératif de distinction entre civils et combattants (règles 1-6), applicable dans la plupart des cas dans les conflits armés tant internationaux que non internationaux, et l'impératif de distinction entre biens de caractère civil et objectifs militaires (règles 7-10), applicable lors de conflits armés internationaux et non internationaux (CAI et CANI). Elle rappelle aussi l'interdiction d'attaques indiscriminées (règles 11-13) et les principes de proportionnalité (règle 14) et de précaution dans les attaques (règles 15-24, CAI et CANI).

– La section 2, *Personnes et biens bénéficiant d'une protection spécifique*, détaille les droits des (a) personnels et biens sanitaires et religieux (règles 25-30, CAI et CANI), (b) personnels et secours humanitaire (règles 31-32, CAI et CANI), (c) personnels et biens employés dans une mission de maintien de la paix (règle 33, CAI et CANI), (d) journalistes (règle 34, CAI et CANI) ; et fournit des motifs de protection pour (e) les zones protégées (règles 35-37, CAI et CANI), (f) les biens culturels (règles 38-41, CAI et CANI), (g) les ouvrages et installations contenant des forces dangereuses (règle 42, CAI et CANI), et (h) l'environnement naturel (règles 43-45), droits applicables dans la plupart des cas dans les conflits armés tant internationaux que non internationaux.

– La section 3, *Méthodes de guerre spécifiques*, liste les règles de droit coutumier applicables dans la conduite des conflits armés internationaux et non internationaux. Elle pose (a) l'interdiction de refus de quartier pour les personnes hors de combat (règles 46-48, CAI et CANI), (b) l'autorisation de saisie des propriétés de l'adversaire à titre de butin de guerre en situation de conflit armé international et l'interdiction

de destruction et de saisie des propriétés de l'adversaire en situation de conflit armé tant international que non international, sauf si celle-ci est exigée par d'impérieuses nécessités militaires (règles 49-52), (c) l'interdiction d'utiliser la famine comme méthode de guerre contre les populations civiles et l'obligation des parties au conflit d'autoriser et faciliter le passage rapide et sans encombre des secours humanitaires (règles 53-56, CAI et CANI) ; et fournit des motifs pour (d) la protection des emblèmes et divers drapeaux reconnus sur le plan international (règles 57-65, CAI et CANI) et pour (e) les moyens de communication avec l'ennemi (règles 66-69, CAI et CANI).
– La section 4, *Armes*, énonce (a) les principes généraux relatifs à l'emploi des armes, tels que l'interdiction des armes de nature à causer des maux superflus (règles 70-71, CAI et CANI) ; (b) l'interdiction d'employer du poison (règle 72, CAI et CANI), (c) des armes biologiques (règle 73, CAI et CANI), (d) des armes chimiques (règles 74-76, CAI et CANI), (e) des balles qui s'épanouissent (règle 77, CAI et CANI), (f) des balles explosives (règle 78, CAI et CANI), (g) des armes blessant principalement par des éclats non localisables (règle 79, CAI et CANI), (h) des pièges (règle 80, CAI et CANI) ; (i) ainsi que des précautions particulières dans l'emploi des mines terrestres (règles 81-83, CAI et CANI), (j) l'interdiction d'employer des armes incendiaires (règles 84-85, CAI et CANI) et (k) des armes à laser aveuglantes (règle 86, CAI et CANI).
– La section 5, intitulée *Le traitement des personnes civiles et des personnes hors de combat*, énonce (a) les garanties fondamentales pour la protection des personnes civiles et des personnes hors de combat en situation de conflit armé international et non international, telles que le principe de traitement avec humanité, l'interdiction de meurtre, torture, peines corporelles, traitements cruels ou inhumains, mutilations, expériences médicales ou scientifiques, viols et autres formes de violence sexuelle, esclavage et traite des esclaves, travail forcé, emploi de boucliers humains, disparitions forcées, privation arbitraire de liberté, arrestations arbitraires, peines collectives, et le respect des convictions et des pratiques religieuses (règles 87-105, CAI et CANI). Elle liste également les règles en matière de protection des (b) combattants et statut de prisonnier de guerre (règles 106-108, CAI), statut applicable seulement en cas de conflit armé international, (c) les blessés, malades et naufragés (règles 109-111, CAI et CANI), (d) les morts (règles 112-116), pour lesquels les règles sont applicables en situation de conflit armé international et non international à l'exception de la Règle 114, seulement applicable en cas de conflit armé international, qui dispose que les parties au conflit doivent faciliter le retour de la dépouille et des effets personnels du défunt, (e) personnes disparues (règle 117, CAI et CANI), (f) les personnes privées de liberté (règles 118-128), dont les règles sont applicables tant dans les conflits armés internationaux que non internationaux, sauf la règle 124, qui dispose qu'en situation de CAI le CICR doit se voir accorder un accès régulier aux personnes privées de liberté, et la règle 128, qui dispose qu'en période de CAI les prisonniers de guerre doivent être libérés et rapatriés sans délai après la fin des hostilités actives alors que les personnes privées de leur liberté en relation avec un conflit armé non international doivent être libérées dès que les causes qui ont motivé leur privation de liberté cessent d'exister, (g) les déplacement de population et les personnes délacées (règles 129-133), qui

s'appliquent en période de CAI et CANI sauf la règle 129 qui ne s'applique pas de la même façon en période de CAI ou de CANI, ainsi que la règle 130, qui ne s'applique qu'en période de CAI, et qui dispose que les États ne peuvent déporter ou transférer une partie de leur population civile dans un territoire qu'ils occupent, et (h) toute autre personne bénéficiant d'une protection spécifique telle que femmes, enfants et personnes âgées (règles 134-138, CAI et CANI).

– La dernière section, intitulée *Mise en œuvre*, liste les règles concernant (a) le respect du droit international humanitaire (règles 139-143, CAI et CANI), (b) l'exécution du droit international humanitaire (règles 144-148), majoritairement applicable lors de conflits armé internationaux, (c) énonce les dispositions quant aux questions de responsabilité et de réparations lors de conflits armés internationaux et non internationaux (règles 149-150) et (d) traite la question de la responsabilité individuelle, particulièrement celle de la responsabilité pénale applicable aux individus, commandants et combattants pour crimes de guerre en situation de conflit armé international et non international (règles 151-155) et (f) énonce les dispositions relatives aux crimes de guerre, rappelant d'une part le droit des États de conférer à leurs tribunaux nationaux une compétence universelle en matière de crime de guerre, leur responsabilité d'enquêter sur les crimes de guerre et de poursuivre les suspects et, d'autre part, réaffirmant la non prescription des crimes de guerre (règles 156-161).

Jurisprudence

Les tribunaux internationaux ont été confrontés à diverses questions d'interprétation du droit humanitaire. L'enjeu était de permettre l'application du droit à des situations concrètes différentes de celles initialement prévues par les rédacteurs des Conventions de Genève de 1949. Les tribunaux ont confirmé la nécessité d'adapter l'interprétation du droit humanitaire pour tenir compte de l'évolution des situations de conflit. Dans l'affaire Celebici, la Chambre d'appel du TPIY a rappelé le 20 février 2001 que les juges peuvent s'écarter de la lettre pour respecter l'esprit des conventions. Les juges s'appuient sur la convention de Vienne sur l'interprétation des traités, pour préciser qu'un traité doit être interprété de bonne foi suivant le sens ordinaire à attribuer à ses termes dans leur contexte et à la lumière de son objet et de son but (affaire Celebici, IT-96-21-A, jugement, 20 février 2001, § 67). La décision souligne qu'afin de préserver la pertinence et l'efficacité des normes des Conventions de Genève il est nécessaire d'adopter une méthode d'interprétation qui permette aux conventions humanitaires de remplir leur objectif visant à assurer une protection effective et qui évite autant que possible de paralyser la procédure judiciaire. Le tribunal confirme que l'interprétation de la Convention va tout à fait dans le sens de l'évolution de la doctrine du droit humanitaire qui a pris une importance croissante au cours des cinquante dernières années. Il serait contraire au concept même de droits de l'homme, qui protège les individus des abus de leur propre État, d'appliquer de façon rigide la condition de nationalité, conduisant à limiter l'application du droit humanitaire à certaines personnes (affaire Celebici, IT-96-21-T, jugement, 16 novembre 1998, § 266).

Pour une étude plus détaillée de la jurisprudence concernant la qualification des conflits voir les entrées : **Conflit armés internationaux** et **Conflit armés non internationaux.**

Consulter aussi

▶ **Méthodes de guerre ▷ Attaque ▷ Situations et personnes non couvertes ▷ Personnes protégées ▷ Garanties fondamentales ▷ Droit d'initiative humanitaire ▷ Guerre ▷ Conflit armé non international ▷ Troubles et tensions internes ▷ Convention internationale ▷ Recours individuels ▷ Cour pénale internationale ▷ Responsabilité ▷ Respect du droit international humanitaire ▷ Sanctions pénales du droit humanitaire ▷ Crime de guerre-Crime contre**

l'humanité ▷ Secours ▷ Protection ▷ Déontologie médicale ▷ Personnel humanitaire et de secours ▷ Droit d'accès ▷ Détention ▷ Croix-Rouge, Croissant-Rouge ▷ Puissance protectrice ▷ Coutume ▷ Droit, droit international.

Pour en savoir plus

BENVENISTI E., « Human dignity in combat : The duty to spare enemy civilians », *Israel Law Review*, vol. 39, n° 2, 2006.

BOUVIER A. A., SASSOLI M., *Un droit dans la guerre ? Cas, documents et supports d'enseignements relatifs à la pratique contemporaine du droit international humanitaire*, CICR, Genève, 2003, 2 vol., 396 p. et 2 084 p.

BUGNION F., *Le Comité international de la Croix-Rouge et la protection des victimes de guerre*, CICR, Genève, 1994, 1 438 p.

CICR, « Le droit international humanitaire et les défis posés par les conflits armés contemporains », *Rapport du Comité international de la Croix-Rouge pour la 31e conférence internationale de la Croix-Rouge et du Croissant-Rouge*, Genève, décembre 2011. Disponible en ligne sur :http://www.icrc.org/fre/assets/files/red-cross-crescent-movement/31st-international-conference/31-int-conference-ihl-challenges-report-11-5-1-2-fr.pdf

CICR, « Étude sur le droit international humanitaire coutumier : une contribution à la compréhension et au respect des conflits armés », *Revue internationale de la Croix-Rouge*, vol. 87 Sélection française 2005. Disponible en ligne sur :

http://www.icrc.org/fre/assets/files/other/icrc_001_0860.pdf

DAVID E., *Principes de droit des conflits armés*, Bruylant, Bruxelles, 2012 (5e ed) 1152p.

FLECK D., *The Handbook of International Humanitarian Law* (2e ed.), Oxford University Press, New York, 2008, 775 p.

HAROUEL V., *Traité de droit humanitaire*, Paris, PUF, 2005, 557 p.

HENCKAERTS J. M. et DOSWALD-BECK L., *Droit international humanitaire coutumier*, vol. I et II *Règles*, CICR, Cambridge University Press, CICR, 2005.

IHOY R., *Handbook on the Practical Use of International Humanitarian Law*, Danish Red Cross, 2008 (revised edition).

INTERNATIONAL INSTITUTE OF HUMANITARIAN LAW, *The Manual on the Law of Non International Armed Conflict*, San Remo, 2006, 75 p.

KOKSENNIEMI M., « Fragmentation of international law : Difficulties arising from the diversification and expansion of international law », Report of the Study Group of the International Law Commission, avril 2006, 256 p.

NAHLIK S. E., *Précis abrégé de droit international humanitaire*, CICR, Genève, 1984 (tiré à part de la *Revue internationale de la Croix-Rouge*).

PFANNER T., « Les guerres asymétriques vues sous l'angle du droit humanitaire et de l'action humanitaire », *RICR*, n° 857, mars 2005.

PREUX J. DE, *Droit international humanitaire*, Textes de synthèse, CICR, Genève, 1993.

Droit naturel, droit religieux, droit positif

1. *Droit positif*

Le droit est en général contenu dans des textes écrits qui ont été adoptés par les autorités chargées de représenter la collectivité humaine concernée par ces règles. Il s'agit de lois, de décrets, de constitutions, etc. En droit international, ce sont les accords interétatiques, les conventions internationales et autres traités reflétant le consentement et la volonté des États d'être liés par de telles

« lois ». On parle de droit positif pour désigner le contenu de ces textes. Les juristes appliquent ce droit en interprétant le sens de chaque mot, chaque silence, chaque virgule à la lumière de l'intention du législateur. Ils évaluent également l'autorité de chaque règle en fonction de la forme plus ou moins solennelle dans laquelle elle a été adoptée. Le juriste est guidé dans son travail par le respect des règles précises relatives à l'interprétation et à la hiérarchie des normes juridiques.

▶ **Hiérarchie des normes ▷ Convention internationale.**

Le droit coutumier international fait partie du droit positif. Même s'il n'est pas écrit et qu'il ne reflète pas le consentement exprès des États. Il reflète leur consentement implicite, exprimé par une pratique constante et répétée et librement consentie. Il représente ainsi la volonté d'un grand nombre de nations qui lui donne force de loi : il est alors obligatoire pour tous les États.

▶ **Coutume.**

2. *Droit naturel*

Le droit naturel est historiquement lié à la morale et à ses influences religieuses. Il s'est développé sur la base de l'idée que les êtres humains ont certains droits naturels inaliénables qui existent indépendamment du fait qu'ils soient reconnus par les dirigeants politiques et codifiés dans des textes écrits. Ces droits sont liés à la croyance dans la dignité spécifique et universelle de tout être humain.
C'est en référence à ce droit naturel que certains juristes ont pu contester le droit positif existant à leur époque par exemple concernant le traitement des indigènes lors de la conquête espagnole de l'Amérique au XVIe-XVIIe siècle.

3. *Droit religieux*

Les grandes religions énoncent un certain nombre de règles qui s'imposent au croyant. Ces règles expriment des impératifs de bonté, de compassion, de solidarité, de justice, de pardon, de respect de l'ennemi. Ces règles ont souvent servi et servent encore de référence pour contester et humaniser certaines lois et pratiques sociales dont la guerre.

▶ **Droit international humanitaire.**

Mais elles énoncent également de nombreuses prescriptions dont certaines semblent parfois contredire ces principes généraux. L'interprétation de ces règles est un impératif pour comprendre et respecter leur signification réelle.
Ainsi, concernant le droit islamique, le Coran et la Sunna fondent la base de la Charia qui exprime les règles du droit islamique. Ces règles doivent être identifiées, comprises et interprétées pour constituer le fiqh. La complexité de cette interprétation tient au grand nombre de prescriptions, à la diversité des écoles doctrinales pratiquant l'interprétation (fiqh), mais aussi à la difficulté de trouver des analogies (qiyas) entre les règles fixées à une société du VIIe siècle et celles applicables de nos jours.

Devant ces difficultés, le principe de compatibilité peut être utilisé. Il s'agit de s'assurer qu'une règle précise est interprétée d'une façon compatible et non contradictoire avec les principes essentiels.

4. *Les règles internationales impératives*

Bien que le droit positif soit devenu le moyen principal et le plus efficace pour réguler les rapports dans la société nationale ou internationale, l'idée de l'existence de règles supérieures qui s'imposent aux États subsiste.

◆ **• Les défenseurs de la théorie du droit naturel rappellent que le droit peut exister en dehors de toute codification et résulter d'une obligation morale inscrite dans la conscience individuelle. Ils ont utilisé cette notion pour contester les règles écrites du droit établi et notamment pour lutter contre l'esclavage. La référence au droit naturel permet d'échapper à la rigueur, à la sécheresse, à l'inadaptation et parfois à l'injustice de règles qui ont été adoptées à une certaine période et qui sont contestées à une autre.**
• La référence à un droit non écrit permet effectivement de s'opposer à l'application littérale de règles qui bafouent la dignité humaine.
• Le droit international a reconnu l'existence de ces règles impératives, même si elles ne sont pas écrites. Il s'agit du *jus cogens*.
• Il est important de ne pas succomber au formalisme du droit et de savoir en toute circonstance :
– déterminer l'autorité d'une règle, la comparer avec une autre règle qui lui est supérieure et l'interpréter à sa lumière ;
– apprécier le contenu d'une règle et le comparer avec celui d'une autre qui peut la contredire ou la compléter.

Les principes modernes des droits de l'homme sont basés sur le concept de droits et libertés fondamentaux inhérents à la dignité de la nature humaine, inaliénables, et qui correspondent à des obligations auxquelles les États ne peuvent déroger. L'article 53 de la convention de Vienne sur le droit des traités du 23 mai 1969 reconnaît l'existence de normes impératives du droit international général, acceptées par la communauté internationale des États dans son ensemble. On parle à leur sujet de *jus cogens*.

Ces normes représentent donc une sorte d'« ordre public international » auquel il est juridiquement impossible de déroger. Il est admis qu'une loi ou un traité qui serait contraire à une règle du *jus cogens* serait nul.
Le contenu exact du *jus cogens* est toujours l'objet de controverse. Toutefois, un certain nombre de droits libertés et garanties fondamentales sont protégées par les instruments relatifs aux droits de l'homme et au droit international humanitaire. Ces textes précisent que les États s'interdisent, quelles que soient les circonstances, de déroger et de porter atteinte à ces droits fondamentaux. La liste de ces droits de l'homme indérogeables donne une première indication sur le contenu concret du *jus cogens*.

▶ **Garanties fondamentales ▷ Droit, droit international.**

Consulter aussi

- **Garanties fondamentales ▷ Droit, droit international ▷ Convention internationale ▷ Hiérarchie des normes ▷ Droits de l'homme ▷ Droit international humanitaire ▷ Inaliénabilité des droits ▷ Intangibilité des droits.**

Pour en savoir plus

« La religion », numéro spécial, *Revue internationale de la Croix-Rouge* n° 858, juin 2005, 374 p.

KUNG H., « Religion, violence et "guerres saintes" », Sheikh WAHBEH AL-ZUHILI, « Islam et droit international », Manoj KUMAR SINHAR, « L'hindouisme et le droit international humanitaire », Norman SOLOMON, « Le judaïsme et l'éthique de la guerre », Elisabeth FERRIS, « Organisations humanitaires confessionnelles et laïques », Andreas WIGER, « L'influence de la religion musulmane dans l'aide humanitaire », Anne-Marie HOLENSTEIN, « Les organismes donateurs gouvernementaux et les organisations confessionnelles ».

HAROUEL-BURELOUP V., « L'apport des grandes religions ou philosophies », in *Traité de droit humanitaire*, PUF, Paris, 2005, p. 41-100.

ZEMMALI A., *Combattants et prisonniers de guerre en droit islamique et en droit humanitaire*, Pedone, Paris, 1997, 519 p.

Embargo

L'embargo n'est pas un acte de guerre comme le blocus. Il s'agit d'une sanction qui peut être pratiquée de façon individuelle ou collective par les États membres de l'ONU à l'encontre d'un pays. Le Conseil de sécurité peut décider un embargo au titre de son chapitre VII en cas de menace contre la paix, rupture de la paix ou acte d'agression (art. 41 de la Charte). Il peut également être décidé par d'autres organisations régionales. C'est l'acte d'autorité d'un État pouvant s'appliquer à tout moyen de transport (à l'origine, seulement pour les navires) ou à toute catégorie de marchandises ou de produits, notamment les armes ou les produits stratégiques ou pétroliers. Il consiste soit à bloquer les moyens de transport vers ou à destination de ce pays sur le territoire de l'État qui décide l'embargo, soit à interdire l'exportation des marchandises vers l'État sur lequel on entend faire pression. Les exportations en provenance de l'État vers le pays qui a décidé l'embargo sont également interdites.

◆ **En cas d'embargo total sur les échanges économiques, les secours humanitaires sont toujours exemptés. En pratique, un comité des sanctions est mis en place au niveau de l'ONU ou de l'organisation régionale qui a décrété l'embargo. C'est lui qui délivre les exemptions en tenant compte du caractère commercial ou humanitaire de la transaction et de la nature des biens concernés.**

Un certain nombre de biens sont considérés comme humanitaires par nature ou par destination, notamment les médicaments, le matériel médical et la nourriture, ils sont partiellement exemptés d'embargo par le comité des sanctions. La liberté de passage des secours humanitaires prévue par les Conventions de Genève couvre une liste de biens plus large qui inclut notamment les vêtements, les abris et le matériel de construction. Cette tolérance s'explique par le fait que les conventions sur le droit humanitaire prévoient déjà un contrôle de la distribution des secours qui est effectué par les organisations humanitaires.
Ce principe a aujourd'hui acquis un caractère de norme coutumière. En effet, la règle 55 de l'étude sur les règles de droit international humanitaire coutumier publiée par le CICR en 2005 prescrit que « les parties au conflit doivent autoriser et faciliter le passage rapide et sans encombre de secours humanitaires destinés aux personnes civiles dans le besoin, de caractère impartial et fournis sans aucune distinction de caractère défavorable, sous réserve de leur droit de contrôle ». Cette règle est applicable dans les conflits armés internationaux et non-internationaux.

▶ **Comité des sanctions ▷ Sanctions diplomatiques, économiques ou militaires ▷ Secours ▷ Ravitaillement ▷ Biens protégés.**

Pour en savoir plus

Bettati M., « Exceptions humanitaires aux sanctions », *in Le Droit d'ingérence. Mutation de l'ordre mondial*, Odile Jacob, Paris, 1996, p. 145-165.

Braumülh C. Von Kulessa M., *The Impact of UN Sanctions on Humanitarian Assistance Activities*, report on a study commissionned by the UN Departement of humanitarian affairs, décembre 1995.

Minear L., « Éthique et sanctions », *in* Moore J. éd., *Des choix difficiles : les dilemmes moraux de l'action humanitaire*, Gallimard, Paris, 1998, p. 297-324.

Enfant

L'enfant est un individu qui ne dispose pas d'une personnalité juridique individuelle. La protection et la défense des intérêts de l'enfant sont par conséquent confiées, en vertu des dispositions légales, à ses parents, à sa famille, ou, en cas de défaillance de ces derniers, aux services sociaux et au système judiciaire. L'enfant est une personne qui a des besoins spécifiques pour pouvoir se développer normalement sur les plans physique et mental. Le droit consacre au niveau international et national un certain nombre de garanties destinées à protéger ce développement normal de l'enfant. L'enfant est affecté par les situations de conflits mais également par les situations de grande pauvreté qui mettent en échec les programmes sociaux de nombreux gouvernements. Dans ces situations, l'UNICEF et des acteurs humanitaires non gouvernementaux jouent un rôle important pour développer des actions concrètes de secours mais aussi pour renforcer ou restaurer, dans chaque cas concret, des protections juridiques destinées à éviter les multiples abus sur la personne des enfants.

◆

• Les enfants constituent 40 % des victimes civiles des conflits et plus de 50 % des réfugiés et des personnes déplacées. La vulnérabilité spécifique des enfants les expose davantage au risque de voir leurs besoins essentiels en nourriture, en eau et en soins médicaux non satisfaits.
• La protection des enfants ne peut pas être obtenue par le renforcement de leur autonomie. Elle s'appuie sur la recherche de mécanismes extérieurs de protection de l'intégrité de l'enfant contre les atteintes dont il est victime de la part de son environnement social ou familial.
• La protection de l'enfant engage donc la responsabilité directe de tous les acteurs de la vie sociale, y compris celle des acteurs humanitaires dans les situations d'urgence ou d'exclusion.
• L'enfance n'est pas une catégorie juridique homogène. Le droit tient compte du fait que les besoins et l'autonomie de l'enfant varient avec l'âge. Il fixe des seuils différents pour la majorité légale et la majorité pénale. La plupart des conventions internationales utilisent le terme d'enfant plutôt que celui de mineur. La Convention internationale des droits de l'enfant définit l'enfant comme une personne de moins de 18 ans. Cependant certaines dispositions telles que l'enrôlement dans l'armée, la possibilité d'être jugé pour des crimes ou l'emprisonnement s'appliquent avec des limites d'âge inférieures.
• Les enfants de moins de 15 ans ne doivent pas être enrôlés dans les forces armées.

• En période de conflit, le droit international humanitaire assure à l'enfant une protection générale en tant que personne civile ne participant pas aux hostilités, ainsi qu'une protection spéciale en raison de sa qualité d'être particulièrement vulnérable et désarmé. Il a droit à des secours matériels spécifiques et à une protection renforcée. Le droit humanitaire ne parle pas de mineur, car l'âge de la majorité varie d'un pays à l'autre. Il énonce des droits spécifiques pour les nouveau-nés, pour les enfants de moins de 15 ans et ceux de moins de 18 ans.

▶ **Mineur.**

Ces droits ont aujourd'hui acquis un caractère coutumier. La règle 135 de l'étude sur les règles du droit international humanitaire coutumier publiée par le CICR en 2005 prévoit en effet que « les enfants touchés par les conflits armés [tant internationaux que non internationaux] ont droit à un respect et à une protection particuliers ».
• La Convention relative aux droits de l'enfant, adoptée le 20 novembre 1989 par l'Assemblée générale de l'ONU, définit et tente de protéger quant à elle les droits de l'enfant dans toutes les autres situations (paix, troubles et tensions intérieures), dans lesquelles le droit des conflits n'est pas directement applicable. Elle s'applique à toutes les personnes de moins de 18 ans sauf dans les pays où l'âge de la majorité est inférieur à 18 ans. Cette convention n'est pas directement utilisable par les enfants, mais elle fixe des normes qui peuvent être intégrées dans les lois nationales. Son article 38 renvoie en temps de guerre au respect du droit international humanitaire. Elle est entrée en vigueur en 1990 et compte 193 États parties.
Le 25 mai 2000, l'Assemblée générale des Nations unies a adopté deux protocoles facultatifs à la Convention relative aux droits de l'enfant (A/RES/54263), l'un consacré à la participation des enfants aux conflits armés, l'autre dédié à la vente d'enfants, la prostitution des enfants et la pornographie impliquant des enfants. Tous deux sont entrés en vigueur début 2002. En avril 2013, 151 pays avaient signé le Protocole facultatif sur la participation des enfants aux conflits armés ; 163 celui concernant la vente d'enfants, la prostitution des enfants et la pornographie impliquant des enfants (voir ci-dessous pour plus de détails sur les protocoles facultatifs).

I. La protection de l'enfant en période de conflit : les Conventions de Genève

La protection prévue pour les enfants par les Conventions de Genève de 1949 s'organise autour de plusieurs objectifs.
Les règles prévues pour les conflits armés internationaux sont plus détaillées que pour les conflits internes. Rien n'empêche cependant les organisations de secours de s'y référer comme cadre de travail dans ces situations.

1. Mettre les enfants à l'abri des hostilités

• Dès le début d'un conflit, les belligérants pourront établir des zones et localités sanitaires et de sécurité pour mettre à l'abri des effets de la guerre les blessés, les malades et infimes, les personnes âgées, les enfants de moins de 15 ans et les mères d'enfants de moins de 7 ans (GIV art. 14).

▶ **Zones protégées.**

• En cas d'enfants étrangers présents sur le territoire d'une partie au conflit : les enfants de moins de 15 ans, les femmes enceintes et les mères d'enfants de moins de 7 ans doivent bénéficier d'un traitement préférentiel identique à celui des ressortissants de cet État (GIV art. 38.5).

a) *Dans un territoire occupé*

• Dans un territoire occupé, la puissance occupante devra faciliter le bon fonctionnement des établissements consacrés aux soins et à l'éducation des enfants. Elle ne pourra, en aucun cas, procéder à une modification de leur statut personnel, ni les enrôler dans des formations ou organisations dépendant d'elle. Si les institutions locales sont défaillantes, la puissance occupante devra prendre des dispositions pour assurer l'entretien et l'éducation des enfants orphelins ou séparés de leurs parents, si possible par des personnes de leur nationalité, langue et religion. La puissance occupante ne pourra pas entraver l'application des mesures préférentielles en ce qui concerne la nourriture, les soins médicaux et la protection contre les effets de la guerre pour les enfants de moins de 15 ans, les femmes enceintes et les mères d'enfants de moins de 7 ans (GIV art. 50). La puissance occupante ne pourra pas astreindre au travail les personnes de moins de 18 ans (GIV art. 51).

b) *Évacuation*

• L'évacuation temporaire des enfants est prévue pour des raisons impérieuses de sécurité, notamment d'un lieu assiégé ou encerclé (GIV art. 17). Elle doit se faire selon des modalités précises d'organisation et de sécurité pour ne pas hypothéquer l'avenir de ces enfants (GPII art. 4.3.e ; GPI art. 78).

▶ **Évacuation.**

c) *Soins et protection spécifiques accordés aux enfants dans les conflits armés*

• L'enfant a droit de façon générale à la protection de son environnement culturel, de son éducation et à la pratique de sa religion (GIV art. 24 et 50).

• Des règles protégeant les conditions d'adoption et d'évacuation des enfants sont prévues pour éviter les abus particulièrement probables dans des situations aussi troublées que les guerres (GPI art 78). Si ces règles ne sont applicables juridiquement qu'aux situations de conflits armés internationaux, rien n'empêche les organisations de secours de s'en servir comme cadre de travail dans les conflits armés non internationaux.

• Les enfants doivent faire l'objet d'un respect particulier et doivent être protégés contre toute forme d'attentat à la pudeur. Les parties au conflit leur apporteront les soins et l'aide dont ils ont besoin du fait de leur âge ou pour toute autre raison (GPI art. 77.1).

• Les femmes en couches et les nouveau-nés sont assimilés aux blessés et bénéficient de la protection renforcée qui est accordée aux blessés et malades par le droit humanitaire (GPI art. 8).

• Lors de la distribution des envois de secours, priorité sera donnée aux personnes faisant l'objet d'un traitement de faveur, telles que les enfants, les femmes enceintes ou en couches et les mères qui allaitent (GIV art. 38.5 et 50 ; GPI art 70.1).

• Dans les zones assiégées ou les territoires occupés, les États parties aux Conventions doivent accorder le libre passage de tout envoi de vivres indispensables, de vêtements et de fortifiants réservés aux enfants de moins de 15 ans, aux femmes enceintes ou en couches (GIV art. 23).
• L'enfant interné par la puissance occupante doit pouvoir vivre avec sa famille dans les lieux d'internement (GIV art. 82 ; GPI art. 75.5) ; bénéficier de suppléments de nourriture proportionnés à ses besoins physiologiques (GIV art. 89) ; pouvoir fréquenter l'école, soit à l'intérieur, soit à l'extérieur des lieux d'internement (GIV art. 94) ; être libéré de façon prioritaire, même avant la fin des hostilités (GIV art. 132).

2. *Maintenir l'unité familiale*

Les États doivent faciliter les échanges de nouvelles familiales, et en aucun cas les entraver. Les familles dispersées ont le droit d'échanger des nouvelles familiales. Toute personne se trouvant sur le territoire d'une partie au conflit, ou dans un territoire occupé par elle, pourra donner aux membres de sa famille, où qu'ils se trouvent, des nouvelles de caractère strictement familial et en recevoir. Si, du fait des circonstances, l'échange de correspondance est impossible, les parties au conflit s'adresseront à un intermédiaire neutre, tel que l'Agence centrale de recherches prévue à l'article 140 du GIV, pour déterminer avec lui les moyens de permettre aux familles de communiquer entre elles. Si les parties au conflit estiment nécessaire de restreindre la correspondance familiale, elles pourront au plus imposer l'emploi de formules types contenant vingt-cinq mots librement choisis et en limiter l'envoi à une seule par mois (GIV art. 25).
• Les parties au conflit doivent faciliter le regroupement des familles dispersées et encourager l'action des organisations humanitaires qui se consacrent à cette tâche (GIV art. 26 ; GPI art. 74 ; GP II art. 4.3.b). Elles s'engagent également à établir elles-mêmes des bureaux et agences de renseignements (GIV art. 136).

▶ **Agence centrale de recherches ▷ Famille ▷ Regroupement familial.**

• En cas de détention ou d'internement, l'unité des familles doit être préservée autant que possible pour leur logement (GIV art. 82 ; GPI art. 75.5).

▶ **Détention ▷ Internement.**

3. *Les enfants dans l'armée*

a) *Interdiction générale d'enrôlement des enfants*

• Les enfants de moins de quinze ans ne doivent pas être enrôlés dans les forces armées (GPI art. 77.2 ; Convention relative aux droits de l'enfant, art. 38.3). Lorsque les parties au conflit incorporent des personnes de plus de 15 ans mais de moins de 18 ans, les parties au conflit s'efforceront de donner la priorité aux plus âgés. L'interdiction générale du recrutement d'enfants de moins de 15 ans a acquis le statut de droit international coutumier (voir par exemple le Rapport du secrétaire général des Nations unies sur l'établissement d'un Tribunal spécial pour la Sierra Leone S/2000/915). La règle 136 de l'étude du CICR sur les règles de droit international humanitaire coutumier prévoit que, en situation de conflit armé tant international que non international, « les enfants ne doivent pas être recrutés dans les forces armées ni dans des groupes armés ». L'utilisation du verbe « devoir » impose aux forces armées, aussi bien les forces armées régulières que les groupes armés organisés, de ne pas recruter d'enfants dans leurs forces. Le protocole facultatif quant à lui ne fait qu'imposer aux parties au conflit de prendre « toutes les mesures possibles » pour ne pas recruter d'enfants soldats. En outre, la règle 137 dispose que « les enfants ne doivent pas être autorisés à participer aux hostilités ».

Le statut de la Cour pénale internationale adopté à Rome le 17 juillet 1998 et entré en vigueur le 1er juillet 2002 précise que le fait de procéder à la conscription ou à l'enrôlement d'enfants de moins de 15 ans dans les forces armées nationales ou de les faire participer activement à des hostilités « constitue un crime de guerre, qu'il s'agisse d'un conflit armé international ou interne. La Cour pénale internationale peut sous certaines conditions juger les auteurs de ces crimes » (art. 8.2.b. XXVI ; art. 8.2.e. VII).

Le Protocole facultatif à la Convention relative aux droits de l'enfant concernant l'implication d'enfants dans les conflits armés, adopté par l'Assemblée générale des Nations unies le 25 mai 2000 et entré en vigueur le 12 février 2002, relève l'âge minimum légal de participation aux conflits armés à 18 ans et interdit l'enrôlement obligatoire d'enfants de moins de 18 ans. Il impose aussi à chaque État de déposer lors de sa ratification ou de son adhésion une déclaration contraignante indiquant l'âge minimum à partir duquel il autorise l'engagement volontaire dans ses forces armées nationales et décrivant les garanties qu'il a prévues pour que cet engagement ne soit pas contracté de force ou sous la contrainte.

Cependant, les poursuites pénales relatives à cette interdiction de recrutement restent limitées aux niveaux national et international aux cas d'enfants de moins de 15 ans.

b) Le dilemme de la responsabilité pénale des enfants pour crimes de guerre

La perpétration de crimes de guerre par des enfants soldats pose des problèmes en matière de responsabilité pénale. Si, récemment, les efforts internationaux ont essentiellement consisté à tenir responsables celles et ceux recrutant les enfants soldats, la question de la responsabilité pénale de ces mêmes enfants s'est également posée dans de nombreux pays et, plus particulièrement, en Sierra Leone. La question de l'âge des enfants soldats s'est révélée être des plus délicates s'agissant de leur responsabilité pénale pour crimes internationaux. Un examen des différentes institutions pénales internationales peut cependant nous fournir quelques indications sur la question.

La rédaction du statut du Tribunal spécial pour la Sierra Leone (TSL) a cristallisé les débats sur l'âge minimum de la responsabilité pénale individuelle. La question avait en effet jusqu'alors été évitée ou ignorée durant la rédaction des statuts des tribunaux pénaux internationaux. Selon l'article 26 du statut de Rome, la Cour pénale internationale n'a pas compétence à l'égard de toute personne qui était âgée de moins de 18 ans au moment de la commission prétendue d'un crime. De cette façon, le statut de Rome laisse aux tribunaux nationaux le choix de poursuivre ou non les criminels de guerre de moins de 18 ans. De la même manière, aucun des deux Tribunaux pénaux internationaux pour l'ex-Yougoslavie et le Rwanda n'a inculpé de criminels de moins de 18 ans.

La question ne pouvait être évitée s'agissant du contexte de la Sierra Leone où nombre d'enfants soldats, pour la plupart recrutés de force, avaient pris part aux hostilités et commis de graves crimes. Le gouvernement de la Sierra Leone comme la société civile avaient clairement exprimé leur souhait de voir mis en place un processus visant à établir la responsabilité des enfants combattants. Le traitement des délinquants juvéniles s'est révélé être l'un des enjeux essentiels des négociations entre les Nations unies et la Sierra Leone. Les parties en présence ont fini par convenir que le Tribunal spécial devait avoir compétence à l'égard de toute personne âgée de 15 ans et plus au moment de la commission des crimes, comblant ainsi le vide laissé par le statut de Rome. Il fut cependant décidé que les enfants âgés de 15 à 17 ans seraient poursuivis conformément aux normes internationales en matière de justice juvénile et ne sauraient être punis d'emprisonnement. Concrètement, l'article 7 du statut du Tribunal spécial prévoit qu'à tous les stades de la procédure les délinquants juvéniles (c'est-à-dire les accusés âgés de moins de 18 ans) seront traités « avec dignité et respect, en tenant compte de [leur] jeune âge et de la nécessité de faciliter [leur] réinsertion et [leur] reclassement pour [leur] permettre de jouer un rôle constructif dans la société ». Le texte du statut intègre les normes internationalement reconnues en matière de justice juvénile et introduit des garanties globales pour protéger les délinquants juvéniles, parmi lesquelles la constitution d'une chambre pour mineurs, la mise en place de mesures de protection visant à garantir l'intimité des mineurs, ainsi qu'un régime de peines spécifique. Enfin, le Tribunal spécial ne peut imposer de peine d'emprisonnement aux enfants âgés de moins de 18 ans et doit toujours considérer leur libération comme une priorité (article 19 du statut).

Il convient de souligner que les dispositions relatives au jugement des délinquants juvéniles ont été intégrées au statut dans l'idée que de tels jugements seraient peu probables.

Comme on pouvait s'y attendre, le procureur a déclaré que, par principe, il ne poursuivrait pas d'individu pour des crimes commis alors même qu'il était enfant. Ce type d'affaire a par conséquent été entendu par la Commission vérité et réconciliation afin de prévenir d'éventuelles violations des droits fondamentaux d'une part, tout en évitant une impunité pure et simple.

L'émergence d'un consensus sur l'âge de la responsabilité pénale n'a pas été sans difficulté. Cependant, il est désormais admis que les enfants âgés de moins de 18 ans au moment de la commission supposée des crimes ne devraient pas être poursuivis pour cimes de guerre et crimes contre l'humanité par les tribunaux pénaux internationaux.

▶ **Garanties judiciaires.**

c) Dispositions en faveur des enfants soldats prisonniers de guerre

Si des enfants de moins de 15 ans participent quand même aux hostilités et tombent au pouvoir d'une partie adverse, ils continuent de bénéficier de la protection spéciale accordée aux enfants (détaillée dans GPI art. 77), qu'ils soient ou non reconnus par ailleurs comme prisonniers de guerre.

4. Garanties fondamentales dans les conflits armés non internationaux

Dans les situations de conflits armés non internationaux, des droits minimaux sont accordés aux enfants au titre des garanties fondamentales de l'article 3 commun aux Conventions de Genève et de l'article 4.3 du Protocole additionnel II de 1977.

• L'article 3 commun prévoit qu'en tant que personne qui ne participe pas aux hostilités l'enfant « doit en toute circonstance être traité avec humanité sans distinction de caractère défavorable basée sur la race, la couleur, la religion ou la croyance, le sexe, la naissance ou la fortune, ou tout autre critère analogue ». À cet effet, sont et demeurent prohibées :

a) les atteintes portées à la vie et à l'intégrité corporelle notamment le meurtre sous toutes ses formes, les mutilations, les traitements cruels, tortures et supplices ;

b) les prises d'otages ;

c) les atteintes à la dignité des personnes, notamment les traitements humiliants et dégradants ;

d) les condamnations prononcées et les exécutions effectuées sans un jugement préalable, rendu par un tribunal régulièrement constitué, assorti des garanties judiciaires reconnues comme indispensables par les peuples civilisés.

▶ **Garanties fondamentales.**

• GPII art. 4.3 : « Les enfants recevront les soins et l'aide dont ils ont besoin et notamment :

a) ils devront recevoir une éducation, y compris une éducation religieuse et morale, telle que la désirent leurs parents ou, en l'absence de parents, les personnes qui en ont la garde ;

b) toutes les mesures appropriées seront prises pour faciliter le regroupement des familles momentanément séparées ;

c) les enfants de moins de 15 ans ne devront pas être recrutés dans les forces ou groupes armés, ni autorisés à prendre part aux hostilités ;

d) la protection spéciale prévue par le présent article pour les enfants de moins de 15 ans leur restera applicable s'ils prennent directement part aux hostilités en dépit des dispositions de l'alinéa c et sont capturés ;

e) des mesures seront prises si nécessaire et, chaque fois que ce sera possible, avec le consentement des parents ou des personnes qui en ont la garde à titre principal en vertu de la loi ou de la coutume pour évacuer temporairement les enfants du secteur où des hostilités ont lieu vers un secteur plus sûr du pays, et pour les faire accompagner par des personnes responsables de leur sécurité et de leur bien-être ».

En outre, la peine de mort ne sera pas prononcée contre les personnes âgées de moins de 18 ans au moment de l'infraction et elle ne sera pas exécutée contre les femmes enceintes et les mères d'enfants en bas âge (GPII art. 6.4).

▶ **Peine de mort.**

II. Dans les autres situations : la Convention des Nations unies relative aux droits de l'enfant de 1989 et d'autres textes

• Les différents articles de la Convention relative aux droits de l'enfant énoncent des droits généraux reconnus aux enfants par les États signataires. L'application et le respect de ces droits reposent sur l'action du gouvernement dont dépend l'enfant et sur l'adoption dans ce pays de lois conformes à la convention.
Pour stimuler et surveiller l'initiative des gouvernements dans ce domaine, la convention a constitué un Comité des droits de l'enfant (art. 43 à 45) composé de dix experts élus pour quatre ans par les États signataires. Le Comité examinera les rapports fournis tous les cinq ans par les différents pays sur l'application de la convention sur leur territoire. Lors de l'examen des rapports des pays, le Comité peut inviter l'UNICEF mais aussi tous les autres organismes compétents pour donner un avis spécialisé sur l'application de la convention dans un domaine précis (art. 45.a). C'est sur cette base que les ONG peuvent participer au débat sur le respect des droits de l'enfant dans un pays particulier.

▶ **Comité sur les droits de l'enfant.**

1. *La Convention sur les droits de l'enfant*

• La Convention relative aux droits de l'enfant précise, au long de ses cinquante-quatre articles, les principales normes relatives aux droits et à la protection de l'enfance :
– l'intérêt supérieur de l'enfant doit guider toutes les décisions qui sont prises à son sujet (art. 3) ;
– les États ont l'obligation d'adapter leurs lois nationales conformément aux droits prévus par la convention (art. 4) ;
– le droit à la vie et au développement de l'enfant (art. 6) ;
– le droit à une identité et à une nationalité (art. 7 et 8) ;
– le respect du cadre familial (art. 9 à 11) ;
– le droit à la liberté d'expression de l'enfant (notamment devant les institutions judiciaires ou administratives) ainsi que sa liberté de pensée, de conscience et de religion et d'association (art. 12 à 15) ;
– la protection contre les mauvais traitements, y compris toutes les formes de violence physique et mentale, les abus, l'exploitation, le délaissement et la négligence (art. 19) ;
– le respect des droits et des responsabilités spécifiques des parents d'agir en fonction de l'intérêt supérieur de l'enfant (art. 18) ;
– les droits en cas d'adoption (art. 21) ;

▶ **Adoption.**

– les droits des enfants réfugiés (art. 22) ;

▶ **Réfugié.**

– les droits des enfants handicapés (art. 23) ;
– les droits en matière de santé (art. 23 et 24) ;
– les droits à la révision périodique des mesures de placement administratif (art. 25) ;
– les droits à l'éducation (art. 28 à 31) ;
– la protection contre l'exploitation économique et dans le travail (art. 32) ;
– la protection en matière de consommation et trafic de drogue (art. 33) ;
– la protection contre l'exploitation sexuelle (art. 34) ;
– la protection contre la vente, la traite et l'enlèvement et contre toutes les autres formes d'exploitation préjudiciables à tout aspect de son bien-être (art. 35 et 36) ;
– la protection contre la torture (art. 37) ;
– les garanties en cas de détention et les garanties judiciaires (art. 37, 40 et 41) ;

▶ **Détention ▷ Garanties judiciaires.**

– la protection en cas de conflit armé (art. 38).

Deux protocoles facultatifs ont été adoptés le 25 mai 2000 afin de renforcer la protection des enfants contre la participation à des conflits armés et contre l'exploitation sexuelle. Le Protocole facultatif sur la participation des enfants aux conflits armés fixe à 18 ans l'âge minimum de recrutement obligatoire et demande aux États de mettre tout en œuvre pour empêcher que les moins de 18 ans ne prennent directement part aux hostilités. Après les dix premières ratifications requises pour son entrée en vigueur, il est devenu juridiquement contraignant le 12 février 2002. Le Protocole facultatif sur la vente d'enfants, la prostitution des enfants et la pornographie impliquant des enfants demande que ces graves violations des droits des enfants soient reconnues comme des crimes.

2. *Règles relatives au jugement et à la détention des enfants*

• Une résolution des Nations unies a été adoptée pour préciser et développer l'ensemble de règles minimales concernant l'administration de la justice pour mineurs. Ce texte, connu sous le nom de « Règles de Beijing », énonce les principes communs relatifs à la responsabilité pénale des mineurs, aux mesures de sanctions et d'éducation prononcées et aux garanties qui les entourent (Règles de Beijing, résolution 40.33 de l'Assemblée générale des Nations unies du 29 novembre 1985). Ces règles, qui prennent en compte les diverses structures juridiques et dispositifs nationaux, reflètent les objectifs et l'esprit de la justice juvénile et établissent les principes pratiques souhaitables en matière d'administration de la justice juvénile. Elles représentent les conditions *a minima* internationalement reconnues en matière de traitement des mineurs en conflit avec la loi. Ces règles indiquent que la justice juvénile vise à améliorer le bien-être du mineur et à faire en sorte que les réactions vis-à-vis des délinquants juvéniles restent des mesures prises en dernier recours et limitées à la période minimale nécessaire. Après l'adoption des Règles de Beijing, la question de la justice juvénile et de la délinquance a continué à attirer l'attention internationale et, en 1990, l'Assemblée générale des Nations unies a adopté les Principes directeurs des Nations unies pour la prévention de la délinquance juvénile ainsi que les Règles relatives à la protection des mineurs privés de liberté (respectivement résolutions 45/112 et 45/113 du 14 décembre 1990 de l'Assemblée générale), qui sont venus renforcer les Règles de Beijing.

▶ **Détention ▷ Garanties judiciaires.**

3. *Règles de protection régionales et nationales*

• Des efforts ont été faits au niveau régional pour renforcer la protection des droits et du bien-être de l'enfant. La Charte africaine des droits de l'enfant a été adoptée en 1990 par l'Union africaine (CAB/LEG/24.9/49). Cette convention est entrée en vigueur le 29 novembre 1999. Les États parties s'engagent entre autres à respecter et à faire respecter les règles relatives aux enfants contenues dans le droit humanitaire applicable aux conflits armés, y compris pour les situations de conflits internes et de tensions internes. Ils s'engagent également à prendre toutes les mesures possibles pour assurer la protection et le soin des enfants qui sont affectés par les conflits, y compris les enfants réfugiés. En juillet 2001, le Comité africain des experts des droits et du bien-être de l'enfant a été créé pour promouvoir et protéger les droits établis par cette Charte. Le comité est composé de 11 membres et se réunit deux fois par an, généralement en mai et en novembre à Addis-Abeba, en Éthiopie. Le comité rend des comptes lors de l'Assemblée des chefs d'État de l'Union africaine tous les deux ans. Les États parties doivent soumettre un premier rapport au Comité des experts sous deux ans à compter de la ratification de la Charte, et tous les trois ans ensuite.

• Des lois spéciales nationales permettent parfois de poursuivre les auteurs de délits sexuels commis sur des mineurs à l'étranger. Les poursuites peuvent alors être menées devant les tribunaux de l'État de l'auteur des faits et devant ceux du pays où les faits ont été commis. Ces lois s'inscrivent dans le cadre de la lutte contre la pédophilie et le tourisme sexuel.

Jurisprudence sur les enfants soldats

a) La compétence temporelle du Tribunal spécial pour la Sierra Leone pour traduire en justice les personnes ayant procédé à l'enrôlement d'enfants soldats

Dans l'affaire Norman, le procureur du Tribunal spécial pour la Sierra Leone a inculpé Sam Hinga Norman de crimes contre l'humanité et de crimes de guerre, parmi lesquels le recrutement d'enfants soldats. Norman a soutenu que le Tribunal spécial n'était pas en mesure de le juger pour le recrutement d'enfants soldats puisque cela ne constituait pas un crime au regard du droit international pendant les années citées par le procureur et débutant avec la compétence du Tribunal en 1996. Toutefois, la Chambre d'appel du Tribunal spécial a estimé que l'interdiction de recrutement d'enfants avait été érigée en norme de droit coutumier avant même 1996, citant entre autres instruments juridiques la Convention sur les droits de l'enfant, les Conventions de Genève et la Charte africaine sur les droits et le bien-être de l'enfant. Bien qu'aucun de ces instruments n'interdisait expressément le recrutement d'enfants soldats en 1996, la Chambre d'appel a soutenu que « a norm need not be expressly stated in an international convention for it to crystallize as a crime under customary international law » (Le procureur c. Sam Hinga Norman, arrêt sur l'exception préliminaire fondée sur le défaut de compétence (enrôlement d'enfants), 31 mai 2004, § 38). La Chambre a considéré que la protection de l'enfant était une garantie fondamentale et que, par conséquent, violer cette garantie en recrutant des enfants soldats constituait un crime engageant la responsabilité pénale individuelle. Suite à cette décision, les charges contre Norman pour enrôlement d'enfants ont pu être maintenues.

En 2007, le Tribunal spécial pour la Sierra Leone a été la première juridiction pénale internationale à juger des individus pour la conscription et le recrutement d'enfants de moins de 15 ans dans les forces ou groupes armés. En effet, le 19 juillet 2007, Alex Tamba Brima, Brima Bazzy Kamara et Santigie Borbor Kanu, tous anciens responsables du Conseil des Forces armées révolutionnaires, un groupe rebelle soutenu par l'ancien président Charles Taylor, répondaient de onze chefs d'inculpation, dont celui de violations graves du droit international humanitaire pour recrutement et conscription d'enfants de moins de 15 ans dans un conflit armé. Dans son jugement du 20 juin 2007, le Tribunal spécial a considéré que l'utilisation d'enfants comme combattants dans un conflit armé constituait une violation grave du droit international humanitaire (un acte punissable selon l'article 4.c du statut).

Le 18 mai 2012, la Chambre de première instance II du TSSL a rendu son jugement dans l'affaire Charles Taylor. Celui-ci a été reconnu coupable des 11 chefs d'accusation portés à son encontre, dont la planification en tant que responsable hiérarchique de l'enrôlement forcé d'enfants soldats et de l'utilisation de ces derniers dans les hostilités, crime punissable selon l'article 4.c du statut (Procureur c. Charles Ghankay Taylor, jugement du 18 mai 2012).

b) Le recrutement forcé d'enfants soldats comme crime de guerre : la jurisprudence de la CPI

Devant la Cour pénale internationale, l'accusation de recrutement forcé d'enfants soldats a été retenue à l'encontre de sept personnes inculpées dans des affaires en République démocratique du Congo (RDC) et en Ouganda.

S'agissant de la République démocratique du Congo, le procès du chef de milice Thomas Lubanga, entamé le 26 janvier 2011, est le premier procès de la CPI au cours duquel le recrutement forcé d'enfants soldats, définis comme enfants de moins de 15 ans, est poursuivi comme crime de guerre. Afin d'établir la culpabilité de Thomas Lubanga, le Tribunal s'est basé, entre autres choses, sur le principe de responsabilité des supérieurs qui stipule que, dans le cas de la conscription et de l'enrôlement d'enfants de moins de 15 ans dans les forces armées, la responsabilité doit peser sur les supérieurs comme décideurs et individus détenant un contrôle effectif sur les mineurs en question. Le 14 mars 2012, M. Lubanga a été reconnu coupable de tous les chefs d'accusation portés à son encontre, dont l'enrôlement et la circonscription d'enfants soldats. Une avancée de la part de la Cour consiste à avoir affirmé que l'infraction consistant à utiliser des enfants de moins de 15 ans pour les faire participer activement aux hostilités concernait une large variété d'activités, allant du port d'armes sur la ligne de front (participation « directe ») aux fonctions d'appui dans les bases arrière (participation « indirecte »). Ainsi, la Cour a affirmé que dès l'instant où l'enfant est exposé en tant que cible potentielle, et bien qu'il ne soit pas sur le lieu même des hostilités, il est admis que l'enfant a tout de même participé activement à celles-ci (Procureur c. Thomas Lubanga Dyilo, jugement du 14 mars 2012, § 628).

Le cas de Bosco Ntaganda, Germain Katanga et Mathieu Ngudjolo Chui est aussi lié au recrutement d'enfants soldats en RDC. Le 26 septembre 2008, la Chambre préliminaire de la CPI a confirmé sept chefs d'inculpation pour crimes de guerre et trois pour crimes contre l'humanité à l'encontre de Germain Katanga et Mathieu Ngudjolo Chui, parmi lesquels le fait d'utiliser des enfants de moins de 15 ans pour prendre part aux hostilités. Les accusés Germain Katanga, Mathieu Ngudjolo Chui et Bosco Ntaganda sont pour l'heure placés en détention par la CPI. Le procès dans l'affaire Le procureur c. Germain Katanga et Mathieu Ngudjolo Chui a débuté le 24 novembre 2009.

S'agissant de la situation en Ouganda, Joseph Kony, Vincent Otti et Okot Odhiambo sont accusés d'avoir enrôlé de force puis utilisé pour participer activement aux hostilités des enfants de moins de 15 ans. L'affaire (Le procureur c. Joseph Kony, Vincent Otti, Okot Odhiambo et Dominic Ongwen) est entendue par la Chambre préliminaire II et cinq mandats d'arrêt ont été prononcés contre ces hauts commandants de l'Armée de résistance du Seigneur. Suite à la confirmation du décès de M. Lukwiya, les poursuites à son encontre ont été abandonnées. Les quatre suspects restants n'ont toujours pas été appréhendés.

Consulter aussi

▶ **Famille ▷ Regroupement familial ▷ Femme ▷ Évacuation ▷ Détention ▷ Mineur ▷ Comité des droits de l'enfant ▷ Adoption ▷ Internement ▷ Cour pénale internationale ▷ Garanties judiciaires ▷ Viol ▷ UNICEF ▷ Liste des États parties aux conventions internationales relatives aux droits de l'homme et au droit humanitaire (n° 13).**

Pour en savoir plus

ARZOUMANIAN N., PIZZUTELLI F., « Victimes et bourreaux : questions de responsabilité liées à la problématique des enfants soldats en Afrique », *Revue internationale de la Croix-Rouge*, décembre 2003, n° 852, p. 827-856.

DUTLI M. T., « Enfants-combattants prisonniers », *Revue internationale de la Croix-Rouge*, n° 785, septembre-octobre 1990, p. 456-470.

JEANNET S., MERMET J., « L'implication des enfants dans les conflits armés », *Revue internationale de la Croix-Rouge*, n° 829, mars 1998, p. 111-132.

RAYMOND G., *Droit de l'enfance et de l'adolescence. Le droit français est-il conforme à la convention internationale des droits de l'enfant ?*, Litec, Paris, 1995.

« Les enfants et la guerre », *Revue internationale de la Croix-Rouge*, n° 842, juin 2001, p. 494-504.

ICRC, UNHCR, UNICEF, World Vision International, Save the Children UK & International Rescue Committee, *Inter-agency guiding principles on unaccompanied and separated children*, Geneva, 2004, 71 p.

OBSERVATOIRE INTERNATIONAL DES PRISONS, *L'Enfant en prison ; rapport sur les conditions de détention des mineurs dans 51 pays*, 1998, 469 p.

UNICEF, *La Situation des enfants dans le monde 2012 : les enfants dans un monde urbain*, UNICEF, février 2012, 156 p.

UNICEF, *Les Engagements de Paris relatifs à la protection des enfants contre le recrutement ou l'utilisation illicites par les forces armées ou les groupes armés*, 2007.

UNICEF, *Les Principes directeurs relatifs aux enfants associés aux forces armées et aux groupes armés*, 2007. Disponible en ligne :

http://www.unicef.org/french/protection/files/ParisPrinciplesFrench310107.pdf

WILLIAMSON J. A., « An overview of the international criminal jurisdictions operating in Africa », *Revue internationale de la Croix-Rouge*, n° 861, mars 2006, p. 111-131.

Entraide judiciaire

Les États ont l'obligation de collaborer dans la répression d'un certain nombre de crimes définis par le droit pénal international. Leur coopération dans le domaine de l'action pénale générale n'est pas une obligation. Elle s'organise de façon bilatérale sur le mode conventionnel.

◆ **L'entraide judiciaire cherche à éviter que les auteurs de crimes ne se mettent à l'abri des poursuites pénales à l'extérieur des frontières nationales, sur le territoire d'un autre État. Ces principes s'appliquent à la poursuite des crimes de guerre et des crimes contre l'humanité, mais également à divers autres domaines qui mettent en cause la sécurité nationale tels que le terrorisme.**

Les principes d'entraide judiciaire (on parle aussi de coopération ou d'assistance judiciaire) se résument en général à deux obligations souscrites par les États : celles

de juger eux-mêmes le criminel présumé ou de l'extrader vers le pays où le crime a été commis ou celui qui a eu à subir un préjudice du fait du crime commis.
L'extradition est l'acte par lequel un État remet à un autre État, sur la demande de celui-ci, une personne qui se trouve sur son territoire et à l'égard duquel l'État requérant envisage d'exercer sa compétence judiciaire pénale. Cette collaboration se déroule au cas par cas dans le cadre de traités bilatéraux ou multilatéraux d'extradition.

1. *L'entraide judiciaire prévue par les conventions internationales*

• Les Conventions de Genève de 1949 prévoient une procédure renforcée d'entraide judiciaire. Elles ne se limitent pas à l'obligation de juger ou d'extrader. Elles mentionnent l'obligation de rechercher et de juger soi-même, ou d'extrader (GIV art. 146 ; GPI art. 88).
• L'ensemble de ces obligations doit être prévu par des conventions bilatérales ou multilatérales d'entraide judiciaire ou d'extradition. Il n'existe pas dans ce domaine de convention internationale multilatérale qui lierait tous les États en même temps. Ces conventions créent par défaut des paradis judiciaires dans les pays qui n'ont pas signé ces textes. Les situations concrètes d'entraide judiciaire doivent donc toujours être examinées au cas par cas.
L'application de ces principes suppose également l'existence d'accords techniques organisant la collaboration entre les services de police et les services judiciaires des différents pays concernés. Ces principes doivent donc être traduits dans le droit pénal national. Faute de quoi l'engagement international reste un engagement de principe qui ne parviendra jamais à être appliqué dans les procédures judiciaires concrètes.
• La convention sur l'imprescriptibilité des crimes de guerre et des crimes contre l'humanité, adoptée le 26 novembre 1968, tente de lever les obstacles à la coopération judiciaire internationale. Elle demande aux États d'adopter toutes les mesures internes, d'ordre législatif ou autre, qui seraient nécessaires en vue de permettre l'extradition, conformément au droit international, des personnes qui ont commis de tels crimes (art. 3).
• Il existe aussi une résolution de l'Assemblée générale de l'ONU sur « les Principes de la coopération internationale en ce qui concerne le dépistage, l'arrestation, l'extradition et le châtiment des individus coupables de crimes de guerre et crimes contre l'humanité » (rés. 3074 [XXVIII] Assemblée générale de l'ONU du 3 décembre 1973).

▸ **Compétence universelle.**

2. *L'entraide judiciaire prévue par les statuts des tribunaux pénaux internationaux*

• Les statuts des deux tribunaux internationaux *ad hoc* créés par l'ONU prévoient également une obligation de coopération judiciaire (rés. 827 du Conseil de sécurité de l'ONU du 25 mai 1993, annexe S/25704, art. 29). Ils instaurent notamment

un mécanisme différent de l'extradition afin d'alléger les procédures de transfert des personnes arrêtées. On dit que les criminels présumés sont « remis » aux TPI.
• Le statut de la Cour pénale internationale adopté à Rome le 17 juillet 1998 énonce les obligations de coopération judiciaire des États membres avec la Cour, ainsi que les modalités pratiques de cette coopération (art. 72, 86 et suivants).
• La coopération des États avec les tribunaux internationaux *ad hoc* ou avec la Cour pénale internationale requiert le plus souvent l'adoption de lois nationales d'adaptation, qui organisent ce nouveau type de coopération judiciaire.

■ Interpol

Interpol est l'organisation internationale de police criminelle qui intervient lors des procédures d'entraide judiciaire. Pour préserver les espaces de souveraineté nationale, l'article 3 du statut d'Interpol précisait que « toute activité ou intervention dans les questions ou affaires présentant un caractère politique, militaire, religieux ou racial est rigoureusement interdite à l'Organisation », ce qui excluait de la coopération internationale les crimes politiques, militaires ou religieux. Cette restriction a été levée par diverses dispositions analogues pour qu'Interpol puisse agir dans les cas de génocide, de lutte contre le terrorisme en Europe et de coopération avec les deux tribunaux internationaux sur l'ex-Yougoslavie et le Rwanda (voir Interpol AGN/63/RAP n° 13. 190 pays sont membres d'Interpol.) ■

Contact

Interpol, 200, quai Charles-de-Gaulle, 69000 Lyon.
Tél. : 04 72 44 70 00. Fax : 04 72 44 71 63.
www.interpol.int

Consulter aussi

▶ **Crime de guerre-Crime contre l'humanité ▷ Cour pénale internationale ▷ Imprescriptibilité ▷ Impunité ▷ Tribunaux pénaux internationaux ▷ Compétence universelle ▷ Terrorisme.**

Pour en savoir plus

GILBERT G., *Aspects of Extradition Law*, Martinus Nijhoff, La Haye, 1991.

ONU, « Manuel sur le traité type d'extradition et manuel sur le traité type d'entraide judiciaire en matière pénale. Guide pratique », *Revue internationale de politique criminelle*, n° 45/46, 1995.

STURLÈSE B., *Recueil de conventions sur l'entraide judiciaire internationale*, La Documentation française, Paris, 1990.

Espion-Espionnage

Pour parler d'espionnage au sens du droit international, il faut que l'activité de renseignement ait lieu clandestinement ou sous de faux prétextes (GPI art. 46). Le droit humanitaire distingue entre l'activité de renseignement et celle d'espionnage. Le renseignement concerne l'activité consistant, pour les membres des forces armées, qui ont revêtu leurs propres uniformes, à recueillir des renseignements sur l'adversaire, à les utiliser aux fins d'évaluer sa situation et ses possibilités. Le droit humanitaire précise qu'un membre des forces armées d'une partie au conflit qui recueille ou cherche à recueillir, pour le compte de cette partie, des renseignements dans un territoire contrôlé par une partie adverse ne sera pas considéré comme se livrant à des activités d'espionnage si, ce faisant, il est revêtu de l'uniforme de ses forces armées (GPI art. 46.2).

Des dispositions spécifiques couvrent les activités de renseignements dans les territoires occupés.

Un membre des forces armées d'une partie au conflit qui est résident d'un territoire occupé par une partie adverse, et qui recueille ou cherche à recueillir, pour le compte de la partie dont il dépend, des renseignements d'intérêt militaire dans ce territoire, ne sera pas considéré comme se livrant à des activités d'espionnage, à moins que, ce faisant, il n'agisse sous de fallacieux prétextes ou de façon délibérément clandestine. De plus ce résident ne perd son droit au statut de prisonnier de guerre et ne peut être traité en espion qu'au seul cas ou il est capturé alors qu'il se livre à des activités d'espionnage (GPI art. 46.3). Un membre des forces armées d'une partie au conflit qui n'est pas résident d'un territoire occupé par une partie adverse et qui s'est livré à des activités d'espionnage dans ce territoire ne perd son droit au statut de prisonnier de guerre et ne peut être traité comme espion qu'au seul cas où il est capturé avant d'avoir rejoint les forces armées auxquelles il appartient (GPI art. 46.4).

L'espion pris sur le fait est assimilé au saboteur. Il ne peut en principe pas se prévaloir du statut de prisonnier de guerre. Il devra cependant être traité avec humanité et il ne pourra pas être puni sans jugement préalable (GIV art. 5).

Le droit international humanitaire coutumier prescrit que, dans le contexte d'un conflit armé international, les combattants capturés alors qu'ils se livrent à des activités d'espionnage n'ont pas droit au statut de prisonnier de guerre. Ils ne peuvent être condamnés ou jugés sans procès préalable (règle 107 de l'étude sur les règles du droit international humanitaire coutumier publiée par le CICR en 2005).

▶ **Garanties fondamentales ▷ Situations et personnes non couvertes ▷ Territoire occupé ▷ Combattant ▷ Prisonniers de guerre.**

État d'exception, état de siège, état d'urgence

Il s'agit de mesures nationales qui peuvent être votées par le pouvoir législatif ou proclamées par le pouvoir exécutif pour faire face de façon exceptionnelle à des troubles graves de l'ordre public ou en cas de danger menaçant l'existence de la nation.

Dans ces situations de troubles et tensions internes, les droits de l'homme peuvent être suspendus, à l'exception d'une liste de droits auxquels aucune dérogation n'est possible : les droits indérogeables. Le droit humanitaire n'est pas applicable car il ne peut être invoqué que si la violence atteint l'intensité d'un véritable conflit. Les principes contenus dans l'article 3 commun des quatre Conventions de Genève sont applicables.

▶ **Garanties fondamentales ▷ Conflit armé non international.**

1. *État d'exception*

Il peut être proclamé par les autorités en cas de troubles graves dans la vie organisée de la collectivité qui mettent en danger les intérêts vitaux de la population, ou en cas de menace effective ou imminente d'un tel trouble. Il doit avoir pour seul but de préserver les droits et la sécurité de la population ainsi que le fonctionnement des institutions dans le cadre de la loi.

2. *État de siège*

Il peut être proclamé dans une situation de gravité particulière, à l'intérieur d'un État, causée par l'état de guerre ou par d'autres circonstances exceptionnelles (généralement liées aux dangers existant dans une localité assiégée ou encerclée). Il permet l'adoption de mesures exceptionnelles pour assurer ou rétablir l'ordre public. Ces mesures peuvent aller jusqu'à la délégation des pouvoirs civils à l'autorité militaire.

3. *État d'urgence*

Situation juridique semblable à l'état de siège mais qui entraîne des restrictions moins sévères aux libertés publiques que ce dernier. Il est généralement déclaré à cause d'un danger imminent ou présent résultant de désastre naturel, de sérieuses atteintes au droit, à l'ordre public.

Consulter aussi

▶ **Garanties fondamentales ▷ Troubles et tensions internes ▷ Situations et personnes non couvertes ▷ Droit international humanitaire ▷ Ordre public ▷ Droits de l'homme.**

Pour en savoir plus

GASSER H. P., « Les normes humanitaires pour les situations de troubles et tensions internes », *Revue internationale de la Croix-Rouge*, n° 801, mai-juin 1993, p. 238-244.

HERCZEGH G., « État d'exception et droit humanitaire : sur l'article 75 du Protocole additionnel I », *Revue internationale de la Croix-Rouge*, n° 749, septembre-octobre 1984, p. 275-286.

Évacuation

Ce terme désigne des transferts de population ou de personnes. Le droit humanitaire interdit les déplacements forcés de population dans les situations de conflit. Les évacuations militaires et les évacuations sanitaires sont autorisées par le droit à titre exceptionnel et dans des conditions strictes et précises.

I. Évacuations militaires

Certaines évacuations peuvent être imposées aux non-combattants par les forces armées.

1. *Le principe*

Le droit humanitaire affirme le principe selon lequel le déplacement de la population civile ne pourra pas être ordonné pour des raisons ayant trait au conflit (GIV art. 49 ; GPII art. 17). Le transfert (comme la terreur) utilisé pour forcer un déplacement de population ne peut être utilisé comme méthode de guerre. Ce principe s'applique tant aux conflits internationaux qu'aux conflits internes dans lesquels le contrôle du territoire et de la population peut inciter les belligérants à de telles pratiques (voir, par exemple, les pratiques de purification ethnique).
En outre, le droit humanitaire interdit, quel qu'en soit le motif, les transferts forcés, en masse ou individuels, ainsi que les déportations de personnes protégées hors du territoire occupé dans le territoire de la puissance occupante ou dans celui de tout autre État, occupé ou non (GIV art. 49). Il interdit aussi le transfert par la puissance occupante d'une partie de sa propre population civile dans le territoire occupé.

1. *Les exceptions au principe*

◆ **L'évacuation militaire reste possible dans des conditions strictement limitées. Ces conditions doivent être interprétées de façon restrictive, comme toute exception à un principe général. Les commentaires des protocoles expliquent que les évacuations de population ne peuvent pas être une stratégie de combat. Elles ne peuvent pas être adoptées uniquement en raison de leur efficacité pratique pour atteindre un objectif militaire. Le terme « raison militaire impérative » suppose qu'il ne doit exister aucune autre alternative militaire à cette évacuation.**

Les conditions permettant une évacuation militaire sont les suivantes (GIV art. 49) :
– les évacuations restent possibles pour des raisons de sécurité de la population ou d'impérieuses raisons militaires ;
– ces évacuations sont temporaires. La population ainsi évacuée sera ramenée dans ses foyers aussitôt que les hostilités dans ce secteur auront pris fin ;
– ces évacuations ne pourront entraîner le déplacement de personnes protégées qu'à l'intérieur du territoire occupé, sauf en cas d'impossibilité matérielle ;
– ces évacuations doivent se faire en respectant l'intérêt des populations civiles. Elles ne devront pas être installées dans une région exposée aux dangers de la guerre. Elles devront être accueillies dans des installations convenables et transportées dans des conditions satisfaisantes de salubrité, d'hygiène, de sécurité et d'alimentation. Les membres d'une même famille ne seront pas séparés les uns des autres ;
– les évacuations devront être déclarées auprès de la puissance protectrice des populations ou de son substitut, le CICR.
Dans les conflits armés non internationaux, le terme « évacuation » n'est pas employé, mais les dispositions relatives à l'interdiction du déplacement forcé des populations sont toutefois libellées dans des termes voisins (GPII art. 17.1).

▸ **Déplacement de population.**

II. Évacuations sanitaires

Elles concernent les blessés, malades et naufragés auxquels doivent être prodigués les premiers soins. L'évacuation peut également concerner les enfants et les personnes vulnérables qui sont, dans certaines conditions, assimilés par le droit humanitaire à des malades ou blessés.

• Dans les zones assiégées ou encerclées, les parties au conflit doivent conclure des accords pour permettre l'évacuation des blessés, des malades, des infirmes, des vieillards, des enfants et des femmes en couches et pour le libre passage du personnel et du matériel sanitaire à destination de ces zones (GIV art. 17). L'évacuation a lieu le plus souvent vers les hôpitaux ou les structures médicales appropriées.
En l'absence d'accord écrit, le droit prévoit quand même, pour autant que les exigences militaires le permettent, que chaque partie au conflit favorisera les mesures prises pour rechercher les tués, les blessés et les malades, et les évacuer vers un lieu où ils pourront être soignés (GIV art. 16-17).
Toutes ces opérations, qui sont effectuées par le personnel sanitaire, les unités sanitaires et les transports sanitaires, doivent s'accomplir sous la protection de l'emblème de la Croix-Rouge (ou du Croissant-Rouge) et en respectant au moins les mêmes garanties que celles prévues pour les évacuations militaires (GIV art. 49).

▶ **Services sanitaires ▷ Blessés et malades.**

• Pour améliorer la protection des installations sanitaires vers lesquelles s'effectuent les évacuations, les parties au conflit peuvent créer, dès le début d'un conflit, des zones sanitaires et de sécurité (GIV art. 14) ou des zones neutralisées (GIV art. 15) dans lesquelles seraient regroupées les personnes vulnérables.
Les personnes vulnérables concernées par les zones et localités sanitaires sont les blessés et les malades, les infirmes, les personnes âgées, les enfants de moins de quinze ans, les femmes enceintes et les mères d'enfants de moins de sept ans.
Ces dispositions reposent sur l'adoption d'accords spécifiques entre les autorités et les organismes de secours permettant d'organiser le ramassage et le transport des personnes en danger vers les zones sanitaires. Un accord type est annexé à la quatrième Convention de Genève.
Les évacuations médicales ont été reconnues dans l'étude sur les règles du droit international humanitaire coutumier publiée par le CICR en 2005. La règle 109 de cette étude dispose ainsi que « chaque fois que les circonstances le permettent, et notamment après un engagement, chaque partie au conflit doit prendre sans tarder toutes les mesures possibles pour rechercher, recueillir et évacuer les blessés, les malades et les naufragés, sans distinction de caractère défavorables ». Cette règle est applicable dans les conflits armés internationaux et non internationaux. Par ailleurs, ce devoir de recherche, de collecte et d'évacuation vaut également pour les morts (règle 112).

◆ **• Les organisations humanitaires jouent un rôle important dans les évacuations et ont une marge de manœuvre importante dans la proposition et la mise en place des zones sanitaires et de sécurité et des zones neutralisées. En particulier, elles doivent lister de façon nominative toutes les personnes évacuées, et affirmer que leur responsabilité médicale prévaut sur toute décision policière ou militaire, afin de protéger ces personnes pendant l'évacuation.**

• Étant donné le risque qui pèse sur les personnes évacuées et regroupées dans les zones sanitaires, ces zones devront faire l'objet d'un accord écrit entre les parties au conflit (GIV art. 14 et 15) précisant les responsabilités en termes de respect et de protection de ces populations. Les précédents que constituent les massacres perpétrés dans les zones de sécurité créées sous l'égide de l'ONU doivent forcer chaque acteur à apprécier sa propre responsabilité.
• Les évacuations doivent s'effectuer en prenant soin de ne pas rendre le retour impossible et la réunification familiale difficile. Des garanties quant à l'identification des personnes doivent être prises. Elles sont particulièrement strictes quand il s'agit d'enfants.

▶ **Zones protégées.**

III. Évacuations sanitaires particulières

1. *Évacuations d'enfants*

Dans les conflits internes ou internationaux, des mesures doivent être prises, si nécessaire, chaque fois que ce sera possible, avec le consentement des parents ou des personnes qui en ont la garde [...], pour évacuer temporairement les enfants du secteur où ont lieu des hostilités vers un secteur plus sûr du pays et les faire accompagner par des personnes responsables de leur sécurité et de leur bien-être (GPII art. 4.3.e ; GPI art. 78).

En cas de conflit international, l'évacuation des enfants vers un pays étranger est interdite, sauf dans le cas où une partie au conflit évacue des enfants qui sont ses propres ressortissants.

Dans ce cas, de nombreuses limitations sont fixées par le droit humanitaire pour les évacuations d'enfants. Ces limitations visent notamment à protéger l'intérêt de l'enfant, à faciliter le retour dans sa famille et à éviter le développement d'adoptions irrégulières ou d'autres pratiques (GPI art. 78).

L'autorité qui a procédé à l'évacuation des enfants ou celle du pays d'accueil devront établir une fiche pour chaque enfant et la transmettre à l'Agence centrale de recherches de la Croix-Rouge.

Cette fiche doit comporter, chaque fois que cela est possible et ne risque pas de porter préjudice à l'enfant, les renseignements suivants : nom ; prénom ; sexe ; lieu et date de naissance ; nom et prénom du père et de la mère ; proches parents de l'enfant ; nationalité ; langue maternelle de l'enfant ou autre langue qu'il parle ; adresse de sa famille ; tout numéro d'identification qui lui aurait été donné ; son état de santé, son groupe sanguin ; d'éventuels signes particuliers ; la date et le lieu où il a été trouvé ; la date et le lieu où l'enfant a quitté son pays ; éventuellement la religion de l'enfant ; l'adresse de l'enfant dans le pays d'accueil. Si l'enfant meurt avant son retour, la date, le lieu et les circonstances de sa mort et le lieu de sa sépulture (GPI art. 78).

▶ **Enfant ▷ Adoption ▷ Agence centrale de recherches.**

2. *Évacuations de combattants blessés*

Le droit humanitaire ne permet pas de faire de discrimination entre les blessés civils et militaires. Ils bénéficient des mêmes droits à être recueillis, évacués et soignés.

Toutefois, les malades et blessés d'un belligérant, tombés au pouvoir de l'adversaire, seront considérés comme des prisonniers de guerre (GI art. 14). Ils bénéficient donc des droits que prévoit la troisième Convention de Genève. À ce titre, ils doivent être évacués de la zone de conflit vers un camp d'internement pour prisonniers de guerre situé hors des zones de danger (GIII art. 19). Leur évacuation doit se faire avec humanité dans des conditions semblables à celles qui sont faites aux troupes de la puissance détentrice dans leurs déplacements. Ils doivent notamment bénéficier d'eau potable, de nourriture et de vêtements, ainsi que des soins médicaux nécessaires (GIII art. 20). Les prisonniers de guerre souffrant de certaines maladies ou blessures ne devront pas être gardés en détention, ni être soignés sur le territoire de la puissance détentrice. Le droit prévoit qu'ils puissent être transférés dans des hôpitaux d'États neutres ou rapatriés directement dans leur propre pays. Les maladies concernées sont énumérées à l'article 110 de la troisième Convention et détaillées à la rubrique ▷ **Prisonnier de guerre**. Un accord type concernant le rapatriement direct et l'hospitalisation en pays neutre des prisonniers de guerre blessés ou malades constitue l'annexe I de la troisième Convention de Genève.

Consulter aussi

▶ **Déportation ▷ Déplacement de population ▷ Enfant ▷ Zones protégées ▷ Prisonnier de guerre ▷ Blessés et malades ▷ Siège ▷ Blocus ▷ Purification ethnique.**

Pour en savoir plus

BUGNION F., *Le Comité international de la Croix-Rouge et la protection des victimes de la guerre*, CICR, Genève, 1994, p. 555-568 et 867-874.

Extermination

Il s'agit de l'homicide intentionnel et massif de l'intégralité d'un groupe de personnes. En période de conflit, le droit international prévoit qu'il est interdit d'attaquer les civils (GIV art. 32 ; GPI art. 51.2, GPII art. 13), d'achever et d'exterminer les blessés, les malades, les naufragés, les prisonniers et les personnes civiles (GI-GII art. 12 ; GIII art. 13 ; GIV art. 32 ; GPI art. 10 ; GPII art. 7) et d'ordonner qu'il n'y ait pas de survivants (GPI art. 40).

Le statut de la Cour pénale internationale, adopté en juillet 1998, et entré en vigueur le 1er juillet 2002, qualifie l'extermination de crime contre l'humanité pour lequel elle aura compétence et le définit comme « le fait d'imposer intentionnellement des conditions de vie, telles que la privation d'accès à la nourriture et aux médicaments, calculées pour entraîner la destruction d'une partie de la population » (article 7.2.b).

L'extermination peut aussi être qualifiée de génocide si le groupe en question est ciblée sur la base de considérations de nationalité, d'ethnie, de race ou de religion.

◆ **Éléments constitutifs du crime d'extermination**
La signification exacte et les éléments constitutifs du crime d'extermination sont détaillés dans un document adopté par l'Assemblée par les États parties de la CPI et intitulés *Éléments des crimes.*
Les éléments du crime d'extermination sont les suivants :
- L'auteur a tué une ou plusieurs personnes, notamment en les soumettant à des conditions d'existence propres à entraîner la destruction d'une partie d'une population ;
- Les actes constituaient un massacre de membres d'une population civile ou en faisaient partie ;
- Le comportement faisait partie d'une attaque généralisée ou systématique dirigée contre une population civile ;
- L'auteur savait que ce comportement faisait partie d'une attaque généralisée ou systématique dirigée contre une population civile ou entendait qu'il en fasse partie.

Jurisprudence

Dans l'affaire Akayesu du 2 septembre 1998, la Chambre de première instance du TPIR a précisé les principaux éléments du crime d'extermination (§ 591-592).

La chambre précise que l'extermination est « [...], par sa nature, dirigée contre un groupe d'individus et se distingue du meurtre en ce qu'elle doit être perpétrée à grande échelle, chose qui n'est pas requise pour le meurtre ».

Les éléments essentiels de l'extermination sont listés comme suit : 1) « l'accusé ou son subordonné ont participé à la mise à mort de certaines personnes nommément désignées ou précisément décrites ; 2) l'acte ou l'omission était à la fois contraire à la loi et intentionnel, 3) ces actes s'inscrivent dans le cadre d'une attaque généralisée ou systématique, 4) l'attaque doit être dirigée contre la population civile, 5) et doit être mue par des motifs discriminatoires fondés sur l'appartenance nationale, politique, ethnique, raciale ou religieuse des victimes ».

Concernant l'élément de discrimination et la notion de groupe, l'extermination se distingue du génocide puisqu'elle retient des critères plus souples concernant le groupe visé et inclut notamment des groupes aux contours plus mouvants, comme le groupe politique.

Concernant l'élément matériel, l'extermination « consiste en un acte ou un ensemble d'actes contribuant au meurtre d'un grand nombre de personnes », comme le précise la Chambre de première instance du TPIY dans le jugement Rutaganda du 6 décembre 1999 (§ 84) et Niyitegeka du 16 mai 2003 (§ 450), de même que la Chambre de première instance du TPIY dans les décisions Krstic du 2 août 2001 (§ 503) et Vasiljevic du 29 novembre 2002 (§ 229).

Concernant l'élément moral, la Chambre de première instance du TPIR, dans l'affaire Kayishema et Ruzindana du 21 mai 1999 (§ 144), précise que l'extermination exige que l'accusé participe à ces actes ou ces omissions dans l'intention de donner la mort, en étant conscient que ceux-ci s'inscrivent dans le cadre d'une tuerie à grande échelle. La même exigence est requise par la Chambre d'instance du TPIY dans sa décision Vasiljevic du 29 novembre 2002 (§ 229).

▶ **Crime de guerre-Crime contre l'humanité ▷ Génocide ▷ Purification ethnique ▷ Cour pénale internationale ▷ Tribunaux pénaux internationaux ▷ Persécution.**

F

Famille

1. *En période de conflit*

D'une façon générale, les personnes protégées ont droit, en toutes circonstances, au respect de leurs droits familiaux (GIV art. 27). Mais le droit humanitaire accorde aussi une protection spéciale à la famille. Des règles applicables en situations de conflit armé international et non international précises visent en effet à :
– maintenir l'unité du groupe familial en cas d'évacuation (GIV art. 49.3), de détention ou d'internement (GIV art. 82 ; GPI art. 75.5 et 77.4 ; GPII art. 5.2a ; règles 119 et 120 de l'étude sur les règles de droit international humanitaire coutumier publiée par le CICR en 2005) ;
– permettre le regroupement des familles dispersées en raison d'un conflit, et faciliter le travail des organisations humanitaires qui se consacrent à cette tâche (GIV art. 26 ; GPI art. 74 ; GPII art. 4.3b et règle 130 de l'étude sur le DIH coutumier) ;
– permettre l'échange de nouvelles familiales, soit directement, soit au travers d'un intermédiaire neutre tel que l'Agence centrale de renseignements du Comité international de la Croix-Rouge (GIV art. 25 et 26 ; GIV art. 107). « Si les parties au conflit estiment nécessaire de restreindre la correspondance familiale, elles pourront tout au plus imposer l'emploi de formules types contenant vingt-cinq mots librement choisis et en limiter l'envoi à une seule par mois » (GIV art. 25). Pour les internés, cette limite ne peut pas être inférieure à deux lettres et quatre cartes par mois (GIV art. 107) ;
– faire connaître aux familles dispersées le sort de leurs membres (GPI art. 32 et règle 117 de l'étude sur le DIH coutumier).

2. *En temps de paix*

Le droit à la famille est un droit fondamental lié au respect de la vie privée énoncé par les textes internationaux sur les droits de l'homme et par la convention sur les droits de l'enfant :
– droit à la réunification familiale (convention relative aux droits de l'enfant, art. 9, 10, 22 ; principe de l'unité des familles mentionné dans l'Acte fondateur des plénipotentiaires des Nations unies sur le statut des réfugiés et des apatrides, IV. B, 28 juillet 1951) ;
– protection de la vie privée et du droit de vivre en famille (Déclaration universelle des droits de l'homme, art. 16 ; Pacte international relatif aux droits civils et politiques, art. 17, 23 et 24 ; Pacte international relatif aux droits économiques, sociaux et culturels, art. 10 ; convention relative aux droits de l'enfant, art. 9 et 16).

Sur le terrain, plusieurs acteurs participent à la défense et à la mise en œuvre de ces droits. C'est avant tout le travail du CICR et de son Agence centrale de recherches, le plus souvent en coopération avec des agences de l'ONU (UNICEF, HCR...) et des ONG. Ces agences et ONG peuvent également intervenir auprès des enfants non accompagnés et mettre en place des procédures de recherche des familles dans des situations qui ne relèvent pas forcément du droit humanitaire, de la compétence du CICR ou en l'absence de ce dernier sur le terrain.

◆ **Des phénomènes de déstructuration familiale peuvent être constatés dans de nombreux pays. Il peut s'agir des effets de la guerre et de la violence délibérément et spécifiquement faites aux civils. Le terme ENA (enfant non accompagné) est apparu à la suite du génocide commis au Rwanda et illustrait l'ampleur de ce phénomène. La déstructuration familiale peut également être causée par la détresse sociale des familles. Dans tous les cas elle met l'enfant ou les groupes d'enfants dans une situation de grande vulnérabilité. Les secours apportés aux enfants dans de telles situations doivent veiller à ne pas aggraver cette situation en encourageant les familles à « abandonner leurs enfants », mais au contraire à rétablir les liens et secourir également les familles.**

▶ **Enfant ▷ Agence centrale de recherches ▷ Regroupement familial ▷ Croix-Rouge, Croissant Rouge ▷ Internement ▷ Évacuation ▷ Personnes disparues et les morts.**

Pour en savoir plus

BUGNION F., *Le Comité international de la Croix-Rouge et la protection des victimes de la guerre*, CICR, Genève, 1994, p. 895-921.

CASTELLAN Y., *La Famille*, PUF « Que sais-je ? », Paris, 1996.

Internationalisation des droits de l'homme et évolution du droit de la famille, actes du colloque du Laboratoire d'études et de recherches appliquées au droit privé, université de Lille-II, 15-16 décembre 1994, LGDJ, Paris, 1996.

Famine

1. *Définition et critère*

La famine est le plus souvent définie comme un état de pénurie alimentaire grave s'étendant sur une longue durée et qui conduit à la mort des populations concernées. Cependant, il n'existe pas de définition internationalement acceptée de la famine. C'est pourquoi la simple référence au terme de « famine » entraîne souvent des débats afin de déterminer si la situation en question peut être qualifiée comme telle.

Il y a plusieurs définitions possibles de la famine. Par exemple, Médecins Sans Frontières définit le phénomène comme une « situation où l'accès et la disponibilité en nourriture sont extrêmement réduits. Les populations sont alors complètement démunies et dépendantes de l'aide, souvent contraintes à adopter des stratégies de survie comme la migration. La famine correspond à une situation exceptionnelle où la prévalence de malnutrition aiguë globale est très élevée, non seulement chez les enfants, mais également chez les adolescents et les adultes, et s'accompagne d'un taux élevé de mortalité. La distribution de nourriture à grande échelle ainsi que la mise en place de programmes nutritionnels sont alors indispensables ». Une autre définition de la famine centrée sur la consommation alimentaire consiste à dire que la famine est un « effondrement soudain du niveau de la consommation alimentaire d'un grand nombre de personnes » (Scrimshaw, 1987). Une autre définition basée sur la mortalité propose de définir la famine comme une « mortalité anormalement élevée accompagnée d'une menace sur le rationnement en nourriture d'une partie de la population » (M. Ravallion, 1997).

L'Organisation des Nations unies pour l'alimentation et l'agriculture (FAO) évalue le pourcentage mondial de la population en situation de sous-alimentation sur la base d'une enquête menée dans chaque pays du nombre de personnes n'ayant pas assez de nourriture pour mener une vie active et saine (évaluation basée sur l'énergie alimentaire dont a besoin quotidiennement un individu, par ex. 2 100 kcal par jour pour un adulte).

Armatya Sen, qui a reçu le prix Nobel d'économie en 1998, explique qu'une situation de famine peut apparaître quand la nourriture est disponible, et qu'il est donc nécessaire de considérer avant tout la problématique de l'accès à la nourriture et/ou la capacité de la population à obtenir de la nourriture.

La famine étant une affaire politique, sa définition l'est également. Il semble alors logique que plusieurs définitions existent et que les acteurs concernés utilisent des indicateurs et des définitions différents pour qualifier la famine (ration calorique, ration alimentaire, consommation alimentaire, mortalité, etc.)

Cependant, il existe un large consensus pour dire que la sécurité alimentaire et la famine devraient être appréhendées dans leur complexité, c'est-à-dire en prenant en compte leurs aspects multidimensionnels : médical, social, environnemental, sécuritaire, etc.

Par rapport à cela, des efforts ont été faits afin de standardiser et organiser un moyen d'évaluation et de qualification des contextes de pénurie alimentaire (Howe et Devreux). Cela a abouti en février 2004 à la création de la Classification intégrée des phases de la sécurité alimentaire (IPC), un outil de classification des différentes phases de situations de sécurité alimentaire fondé sur les effets, sur les vies et les moyens d'existence. Cet outil a été crée en partenariat par huit agences onusiennes et des ONG internationales (y compris le PAM, la FAO, Care International, et FEWS NET – Famine Early Warning System Network).

■ Indicateurs médicaux et de sécurité alimentaire

Selon la classification de l'IPC, trois conséquences doivent être mises en évidence afin qu'un état de famine soit déclaré : (1) au moins 20 % des ménages sont confrontés à des pénuries alimentaires sévères et une capacité limitée pour y faire face, (2) la prévalence de la malnutrition aiguë globale doit excéder 30 %, et (3) le taux brut de mortalité doit être supérieur à 2 décès pour 10 000 personnes par jour.

Afin de classifier une situation, l'IPC utilise des indicateurs multisectoriels qui prennent en compte les aspects multidimensionnels de la sécurité alimentaire : taux brut de mortalité, malnutrition aiguë globale, accès aux aliments et disponibilités alimentaires, diversité alimentaire, accès à l'eau, sécurité civile, stratégies d'adaptation et avoirs relatifs aux moyens d'existence

Pour une région géographique donnée (région, pays ou zone plus isolée), l'IPC classifie les situations de sécurité alimentaire selon cinq niveaux, également appelés « phases », qui représentent des niveaux différents de sévérité : 1) sécurité alimentaire générale, 2) insécurité alimentaire modérée, 3) crise alimentaire aiguë avec précarité des moyens d'existence, 4) urgence humanitaire, et 5) situation de famine/catastrophe humanitaire. ■

L'approche de l'IPC est en train de gagner du terrain, et son outil a été officiellement utilisé pour qualifier la situation en Somalie en 2011 comme une famine. Cependant, des voix s'élèvent contre cette approche, affirmant que la qualité, la méthodologie et la fiabilité des informations recueillies sont souvent contestables, particulièrement dans des contextes complexes et politiquement sensibles ; les données et les informations recueillies sont en effet souvent le résultat de compromis politiques qui, au final, sapent la qualité de cette approche.

L'IPC définit de manière intéressante la famine comme une « grave perturbation sociale assortie d'un manque total d'accès à l'alimentation et/ou d'autres besoins de base dans laquelle la famine généralisée, la mort et le déplacement sont incontestables », notamment du fait de l'absence d'intervention d'urgence de la part de la communauté internationale.

Des systèmes d'alerte précoce contre la famine ont été mis en place par les principaux acteurs internationaux, comme le Système d'alerte précoce contre la famine (FEWS NET) mis en place par l'Agence des États-Unis pour le développement international (USAID), l'intégration de l'IPC sur une base permanente au sein des pays, ainsi que d'autres initiatives mises en place par les agences onusiennes et menées par la FAO (Food and Agriculture Organisation) et le PAM (Programme alimentaire mondial).

2. *Les causes de la famine*

La famine n'entre pas dans la catégorie des catastrophes naturelles, ses origines sont en effet politiques et sociales. C'est pourquoi on ne peut pas réduire les causes du phénomène à un problème de disponibilité alimentaire. De nombreuses études ont en effet démontré que la famine n'était pas le résultat d'une pénurie alimentaire mais de problèmes politiques et sociaux qui affectaient la distribution et le partage des denrées alimentaires existantes. Le travail d'Amartya Sen a également montré que la nature non démocratique d'un régime politique ainsi que l'existence d'un conflit étaient des facteurs affectant l'évolution d'une situation de famine.

Ainsi, la famine n'est pas une fatalité liée à des catastrophes naturelles ou des conditions climatiques difficiles. Le phénomène attire au contraire l'attention sur la faiblesse ou l'échec d'un système de solidarité nationale.

Dans le contexte d'un conflit, la famine peut également être utilisée à des fins politiques ou militaires, par exemple pour affaiblir une partie de la population. Dans un tel contexte, les actions de secours et la solidarité internationale ne peuvent pas se satisfaire d'une approche quantitative de l'aide, mais doivent développer des mécanismes qui garantissent aux victimes un accès durable à l'aide alimentaire, et doivent analyser les causes profondes de la famine.

3. *Les dispositions de droit humanitaire qui interdisent la famine*
Dans tous les contextes de conflit armé international aussi bien que non international, le droit international humanitaire interdit la famine comme méthode de guerre (GPI art. 54 ; GPII art. 14). Cette interdiction a acquis un caractère coutumier, comme le prescrit la règle 53 de l'étude sur les règles du droit international humanitaire coutumier publiée par le CICR en 2005. Elle s'impose donc à tous les belligérants y compris non étatiques qu'ils soient ou non signataires des conventions humanitaires. Il est également interdit d'attaquer ou de détruire les denrées alimentaires et les zones agricoles qui les produisent, les récoltes, le bétail, les installations et réserves d'eau potable ainsi que les ouvrages d'irrigation (GPI art. 54.2 et 54.4 ; GPII article 14 ; règle 54 de l'étude du CICR). Du fait qu'ils sont indispensables à la survie d'une population civile, ces biens entrent dans la catégorie des biens protégés en droit humanitaire. Par ailleurs, le statut de la Cour pénale internationale établit que le fait d'affamer délibérément des civils comme méthode de guerre, en les privant notamment des biens indispensables à leur survie, constitue un crime de guerre lorsque celui-ci est commis dans le cadre d'un conflit armé international. Dans d'autres situations, cela peut constituer un crime contre l'humanité, sous la définition d'« extermination » (art. 8.2.b.xxv et 7.2.b du statut de la CPI).

La famine reste une méthode de guerre autorisée contre les combattants.
Des règles spéciales sont applicables aux lieux assiégés. Les parties au conflit doivent autoriser « le libre passage de tout envoi de vivres indispensables, de vêtements et de fortifiants réservés aux enfants de moins de quinze ans, aux femmes enceintes ou en couches » (GCIV art. 23).
Dans les conflits armés internationaux ou non internationaux, le droit humanitaire autorise les actions de secours de nature humanitaire et impartiale, dans les cas où les civils souffrent de privations excessives à cause du manque de biens indispensables à leur survie, comme les denrées alimentaires ou le matériel médical (GPII art.18.2 ; GCIV art.17, 23 et 59 ; GPI art. 70).
Ce droit au secours et au ravitaillement est devenu une obligation dans le droit international humanitaire coutumier. La règle 55 de l'étude du CICR précise ainsi que « les parties au conflit doivent autoriser et faciliter le passage rapide et sans encombre de secours humanitaires destinés aux personnes civiles dans le besoin, de caractère impartial et fournis sans aucune distinction de caractère défavorable, sous réserve de leur droit de contrôle ».

▸ **Alimentation ▷ Secours ▷ Biens protégés ▷ FAO ▷ PAM, ▷ Siège ▷ Crime de guerre-Crime contre l'humanité ▷ Ravitaillement.**

Contacts

Famine Early Warning System : http://www.fews.net/
Integrated Food Security Phase Classification : http://www.ipcinfo.org/

Pour en savoir plus

ACTION CONTRE LA FAIM, *Géopolitique de la faim : faim et responsabilité*, PUF, Paris, 2004, 243 p.

CROMBE X. et JEZEQUEL J. H., *A Not So Natural Disaster : Niger 2005*, Colombia University Press, New York, 2009.

FRANÇOIS J., « Corée du Nord : un régime de famine », *Esprit*, février 1999.

HOWE P. et DEVREUX S., « Famine intensity and magnitude scales : a proposal for an instrumental definition of famine », *Disasters*, déacembre 2004, vol.. 28, n° 4, p. 353-72.

KRACHT U., « Human rights and humanitarian action : The right to food in armed conflict », in *Human Rights and Criminal Justice for the Downtrodden : Essays in Honour of Asbjørn Eide*, ed. Bergsmo M., Nijhoff, Leyde, 2003, chap. XI.

MACALISTER-SMITH P., « Protection of the civilian population and the prohibition of starvation as a method of warfare », *Revue internationale de la Croix Rouge*, n° 284, septembre-octobre 1991, p. 440-59.

RAVALLION M., « Famines and economics », *Journal of Economic Literature*, American Economics Association, vol. 35 (3), septembre 1997, p. 1205-1242.

SCRIMSHAW N. S., « The phenomenon of famine », *Annual Review of Nutrition*, 1987, vol. 7, p. 1-22.

SEN A., *Poverty and Famines : An Essay on Entitlement and Deprivation*, Oxford University Press, Oxford, 1984.

FAO : Food and Agriculture Organization (Organisation pour l'alimentation et l'agriculture)

1. *L'Organisation*

Institution spécialisée des Nations unies créée en 1945, la FAO compte 191 États membres plus l'Union européenne en tant que membre observateur. Elle siège à Rome.

2. *Mandat*

La FAO a pour mandat de « libérer l'humanité de la faim », de « permettre à tous d'avoir accès à tout moment à la nourriture dont ils ont besoin pour mener une vie active et saine ». Elle déploie ses activités dans l'agriculture, les pêcheries et forêts, la nutrition. Elle analyse également les aspects économiques de la production et de la distribution. Tout cela en vue d'accroître la quantité et améliorer la qualité des disponibilités alimentaires dans le monde.

Elle a quatre fonctions principales : l'assistance technique, la collecte et l'analyse de données statistiques, le conseil aux gouvernements en matière de politique agricole et enfin, elle est un forum technique où les États et les organisations internationales réfléchissent aux problèmes agricoles.

La FAO n'est pas une agence qui intervient de façon opérationnelle pour gérer le secours alimentaire en cas de pénurie ou de conflit. Cette activité est confiée, dans le système des Nations unies, au Programme alimentaire mondial (PAM).

3. *Structure*
La conférence des États membres se réunit tous les deux ans. Elle élit un conseil où 49 États siègent pour trois ans et un directeur général (M. José Graziano da Silva, élu en juin 2011) pour six ans. Le conseil se réunit une fois par an l'année où il n'y a pas de conférence plénière, trois fois l'année suivante. Des conférences sont tenues dans les six bureaux régionaux (Afrique, Asie et Pacifique, Europe, Amérique latine et Caraïbes, Proche-Orient), sur les problématiques locales.
L'Organisation se compose de sept départements : Agriculture et protection des consommateurs ; Développement économique et social ; Pêches et aquaculture ; Forêts ; Services internes, ressources humaines et finances ; Gestion des ressources naturelles et de l'environnement ; et Coopération technique. Elle emploie environ 3 700 personnes (dont plus de la moitié travaille au siège et le reste est disséminé aux quatre coins du monde).

4. *Moyens*
Le budget biennal de la FAO se monte à environ 1,6 milliard de dollars pour 2012-2013. Les États membres financent le programme régulier (65 %) sur la base de contributions fixées par la conférence. Cela couvre les frais de secrétariat et les opérations décidées en conférence. Les programmes de terrain (35 %) sont financés par des contributions volontaires des États, des contributions du PNUD et par le budget régulier de la FAO. Ce sont des projets d'assistance spécifiques sur une localité ou une région, préparés sous les auspices de la FAO entre le donateur et le pays bénéficiaire.
La FAO s'est dotée de mécanismes de collecte d'information sur la situation agricole mondiale. Elle compile des données sur les récoltes, les cours mondiaux des denrées, les capacités de production, etc. Le Comité de la sécurité alimentaire mondiale (CSA) gère le système mondial d'information et d'alerte rapide (SMIAR). Il collabore aussi avec les organes intéressés des Nations unies, par exemple en assurant une coordination dans le domaine humanitaire. C'est l'une des agences leader du Comité permanent interagences, dirigé par le Bureau aux affaires humanitaires.

5. *Réforme*
Un programme complet de réforme de l'organisation et de sa culture a été initié en 2008. La restructuration du siège et la décentralisation du processus de prise de décision ont facilité l'émergence d'une structure plus réactive et se sont également traduites par une réduction des coûts. La FAO étant une organisation fondée sur les connaissances, investir dans les ressources humaines reste sa plus grande priorité. Un programme d'encadrement, un système de rotation du personnel et un nouveau programme de jeunes cadres ont ainsi été initiés avec pour but de renforcer les capacités de l'organisation.

▶ **OMS ▷ Famine ▷ Secours ▷ Alimentation ▷ Ravitaillement.**

Contact

FAO
Viale delle Terme di Caracalla
00100 Rome / Italie
Tél. : (00 39) 06 57 051
Fax : (00 39) 06 57 05 31 52
FAO : www.fao.org

Femme

Dans les situations de conflit, le droit humanitaire protège la femme de façon générale en tant que personne civile. Il lui apporte aussi un supplément de protection pour tenir compte de sa vulnérabilité particulière face à certains types de violence. Il s'agit notamment de prendre en compte sa situation de mère et son besoin de protection vis-à-vis des violences sexuelles.
Dans les autres situations, y compris pendant les périodes de troubles et de tensions internes, les droits des femmes sont protégés par différentes conventions internationales, à commencer par les conventions sur les droits de l'homme qui lui confèrent des droits égaux en interdisant toute forme de discrimination notamment celles basées sur le sexe. Une convention concerne exclusivement la protection du droit des femmes, il s'agit de la Convention de 1979 sur l'élimination de toutes les formes de discrimination à l'égard des femme, ratifiée par 187 États en avril 2013.

I. La protection des femmes en période de conflit

1. *Protection générale et protection contre les violences sexuelles*

En période de conflit, la femme bénéficie de la protection générale accordée aux personnes civiles, cela concerne le respect de la personne, de l'honneur, des droits à la famille, des convictions et pratiques religieuses ainsi qu'à un traitement humain et à la protection contre les actes de violence. Elle a également droit à une protection spéciale contre toute atteinte à son honneur et notamment contre le viol, la prostitution forcée et tout attentat à la pudeur (GIV art. 27 ; GPI art. 76.1). La règle 134 de l'étude sur les règles de droit international humanitaire coutumier publiée par le CICR en 2005 rappelle que « les besoins spécifiques des femmes touchées par les conflits armés en matière de protection, d'assistance et de santé » doivent être respectés.

▶ **Personnes protégées.**

En tout temps, elle est également protégée contre « les atteintes portées à la vie et l'intégrité corporelle, notamment le meurtre sous toutes ses formes, les mutilations, les traitements cruels, tortures et supplices [...], les atteintes à la dignité des personnes, notamment les traitements humiliants et dégradants... » (GI-GIV art. 3.1).

▶ **Garanties fondamentales.**

Les femmes sont également protégées par la clause de non-discrimination qui existe dans la plupart des conventions sur les droits de l'homme. Elles doivent donc au moins bénéficier des mêmes droits que les hommes. Le statut de la Cour pénale internationale (CPI) adopté en juillet 1998 prévoit que l'application et l'interprétation du droit doit être faite sans discrimination négative fondée sur des critères tels que le sexe (art. 21 du statut de la CPI).

▶ **Discrimination.**

De plus le statut de la CPI définit les persécutions fondées notamment sur le sexe comme un crime contre l'humanité (art. 7.1.h du statut de la CPI).

▶ **Persécution ▷ Mauvais traitements.**

◆ **• Le viol, la prostitution forcée et toutes les formes de violences sexuelles sont interdits par le droit international humanitaire dans les situations de conflits internationaux et internes (GIV art. 27, GPI art. 76.1, GPII art. 4.2.e).**
• Malgré cela le viol n'a été pleinement reconnu en tant que violation grave du droit que très récemment, à l'occasion notamment des pratiques massives de viol lors des conflits en ex-Yougoslavie et au Rwanda entre 1991 et 1995.
• Les deux tribunaux pénaux internationaux ont explicitement qualifié de « crime de guerre et crime contre l'humanité », le viol et les agressions sexuelles en général, commises en ex-Yougoslavie et au Rwanda contre les femmes et contre les hommes. Dans le cas du Tribunal international pour le Rwanda, le viol est qualifié d'infraction grave aux Conventions de Genève de 1949. Le Tribunal a ainsi étendu la définition de ces infractions aux situations de conflit interne.
• La déclaration de Beijing de 1995 a rappelé l'obligation des gouvernements de poursuivre et de punir les auteurs de viols et d'autres formes de violence sexuelle commises contre les femmes et contre les filles en période de conflit, et de définir ces actes de crimes de guerre.
• Le statut de la Cour pénale internationale adopté en juillet 1998 inclut dans la définition des crimes de guerre et crimes contre l'humanité relevant de sa compétence : le viol, l'esclavage sexuel, la prostitution forcée, la grossesse forcée, la stérilisation forcée et les autres formes de violences sexuelles de gravité comparable (statut, article 8.2.e.VI).

▶ **Viol ▷ Tribunaux pénaux internationaux ▷ Cour pénale internationale ▷ Famille ▷ Crime de guerre-Crime contre l'humanité.**

La reconnaissance et l'attention accordées au viol ont conduit le Comité exécutif du HCR à adopter plusieurs conclusions destinées à renforcer la protection des femmes réfugiées. Sur le plan légal, la violence sexuelle est aujourd'hui prise en compte par le HCR pour déterminer l'existence de persécutions individuelles en vue d'octroyer le statut de réfugié. Sur le plan des secours, le HCR est invité à prendre en considération le fait que de plus en plus de réfugiés femmes et enfants ont subi des violences sexuelles pendant leur fuite ou à leur arrivée (conclusion du comité exécutif n° 73 (XLIV), 1993).
Dans la préparation des opérations de rapatriement, les représentants du HCR doivent s'assurer qu'ils ne discutent pas seulement avec les représentants officiels des réfugiés pour s'informer de leur volonté de rapatriement. Ils doivent également consulter directement les réfugiés et en particulier les groupes de femmes, pour vérifier que leur leader représente réellement la volonté et les intérêts des réfugiés dans leur ensemble.

▶ **Réfugiés ▷ Rapatriement.**

2. *Les femmes enceintes ou en couches*

• Les femmes enceintes ou en couches ainsi que les nouveau-nés sont assimilés par le droit humanitaire à des blessés et malades et bénéficient de cette protection supplémentaire (GIV art. 16 ; GPI art. 8).

▶ **Blessés et malades.**

• Elles peuvent faire l'objet d'évacuation sanitaire vers des zones et localités sanitaires et de sécurité, ou d'évacuation en dehors des zones assiégées ou encerclées (GIV art. 14, 16, 17, 21, 22). Elles peuvent bénéficier de secours appropriés grâce à l'obligation faite aux États d'accorder le « libre passage [...] de vivres indispensables, de vêtements et de fortifiants réservés aux enfants de moins de quinze ans, aux femmes enceintes ou en couches » (GIV art. 23).

• Les femmes enceintes et les mères d'enfants de moins de sept ans, ainsi que les enfants de moins de quinze ans qui se retrouvent sur le territoire d'une partie au conflit dont ils ne sont pas les ressortissants devront bénéficier du même traitement préférentiel que ceux que cette partie au conflit accorde à sa propre population de femmes et d'enfants (GIV art. 38.5).

• En cas d'occupation du territoire, la puissance occupante ne pourra pas entraver l'application des mesures préférentielles, adoptées avant l'occupation, au profit des femmes et des enfants (GIV art. 50).

▶ **Évacuation ▷ Territoire occupé.**

3. *Les femmes internées civiles ou prisonnières de guerre*

« Elles doivent être traitées avec tous les égards dus à leur sexe et bénéficier en tout cas d'un traitement aussi favorable que celui qui est accordé aux hommes » (GIII art. 14, 16, 49, 88 ; GI, II, III art. 12).

Une femme prisonnière de guerre ne doit pas être condamnée à des peines plus sévères, ou endurer des punitions dans des conditions pires que celles qui seraient infligées à une femme membre des forces armées de la puissance détentrice, qui se serait rendue coupable des mêmes faits (GIII art. 88).

Elles doivent être gardées dans des locaux séparés des hommes et placées sous la surveillance immédiate de femmes (GIII art. 25, 97, 108 ; GIV art. 76, 85, 124).

« Les femmes enceintes et en couches, et les enfants âgés de moins de quinze ans, recevront des suppléments de nourriture appropriés à leurs besoins physiologiques » (GIV art. 89) et « [...] des soins qui ne devront pas être inférieurs à ceux qui sont donnés à l'ensemble de la population » (GIV art. 91).

Une femme ne pourra être fouillée que par une femme (GIV art. 97).

Les peines disciplinaires devront tenir compte de l'âge, du sexe et de l'état de santé des internées (GIV art. 119).

Les parties en conflit devront s'entendre pour procéder à la libération et au rapatriement, sans attendre la fin des hostilités, des enfants, des femmes enceintes et mères d'enfants en bas âge qui seraient internés sur leur territoire (GIV art. 132).

▶ **Détention ▷ Internement ▷ Prisonnier de guerre.**

4. *Peine de mort et garanties judiciaires*

En période de conflit les femmes doivent bénéficier des mêmes garanties judiciaires que les autres personnes protégées. La peine de mort ne peut pas être appliquée à une femme enceinte ou mère d'un très jeune enfant (GPI art. 76.3 ; GPII art. 6.4).

▶ **Garanties judiciaires.**

5. *En période de conflit armé non international*

En période de conflit armé non international les clauses de protection qui s'appliquent aux femmes en vertu du Protocole additionnel II aux Conventions de Genève de 1977 sont les suivantes :

– La protection contre les atteintes à la vie et à la dignité de la personne, en particulier le meurtre sous toutes ses formes, les mutilations, les traitements cruels et la torture, les atteintes à la dignité et en particulier les traitements humiliants et dégradants (article 3 commun des quatre Conventions de Genève et GPII art. 4), le viol, la prostitution forcée et toutes les autres formes de violences sexuelles (GPII art. 4.2.e).

– Les femmes doivent être détenues dans des locaux séparés des hommes et être sous la surveillance directe de femmes, sauf quand elles sont détenues avec leur famille (GPII art. 5.2.a).

– La peine de mort ne peut pas être prononcée contre des femmes enceintes ou des mères de jeunes enfants (GPII art. 6.4).

II. La protection des femmes en temps de paix ou en période de troubles

Dans les situations autres que les conflits, la Convention sur l'élimination de toutes les formes de discriminations à l'égard des femmes (adoptée le 18 décembre 1979 et entrée en vigueur en septembre 1981) prévoit des dispositions que les États membres doivent adopter pour limiter les effets de la discrimination à l'égard des femmes. 187 États sont actuellement parties à cette convention. Ils se sont engagés à mettre en œuvre une politique d'élimination des discriminations contre les femmes (art. 2).

Ils doivent notamment adopter une législation qui prévient, interdit et punit les comportements, les coutumes ou les réglementations qui sont discriminatoires. Cela inclut l'obligation d'inscrire dans leur Constitution nationale le principe d'égalité entre hommes et femmes et d'adopter les lois et mesures d'application pratique de ce principe. Les articles prévoient que les mesures appropriées doivent être adoptées sur le plan législatif et pratique pour prévenir les abus sur les femmes et les filles et pour assurer aux hommes et aux femmes des droits égaux à la participation politique, à la nationalité, à l'éducation, à l'emploi, à la santé et aux autres services sociaux, à la justice, au mariage.

Des tentatives ont été faites pour identifier un ensemble de droits spécifiques au bénéfice des femmes. En 1993, l'Assemblée générale des Nations unies a adopté une déclaration sur l'élimination de la violence à l'égard des femmes (résolution 48/104 du 20 décembre 1993). Bien qu'adopté à l'unanimité ce texte n'est pas obligatoire pour les États. Les organisations de secours peuvent cependant l'utiliser comme cadre de référence dans leurs opérations.

Au niveau régional, la Convention interaméricaine sur la prévention, la sanction et l'élimination de la violence contre la femme a été adoptée par l'Organisation des États américains en juin 1994 à Belém, au Brésil, et lie aujourd'hui 32 États. Elle oblige les États à adopter des lois nationales permettant de prévenir et réprimer ces violences. Par ailleurs, l'Union africaine a adopté en 2003 le Protocole à la Charte africaine des droits de l'homme et des peuples relatif aux droits des femmes. Ce texte, aussi appelé Protocole de Maputo, est entré en vigueur le 25 novembre 2005 et lie actuellement 36 États. Les États parties s'engagent à adopter des mesures afin d'éliminer la discrimination à l'égard des femmes, notamment en inscrivant dans leur Constitution le principe de l'égalité entre les sexes. Le protocole garantit des droits globaux aux femmes, y compris le droit de participer à la vie politique et aux processus de décision, le droit à la santé et à la contraception. Il interdit les mutilations génitales et autres pratiques qualifiées de néfastes. Il demande aux États d'autoriser l'avortement médicalement assisté pour les cas de viol, d'inceste ou de danger pour la mère en temps de paix comme en période de conflit. Il précise les droits permettant d'assurer une meilleure protection et égalité des femmes dans le mariage, le divorce et l'héritage. Il interdit le mariage forcé et l'exploitation sexuelle et fixe à 18 ans l'âge du mariage pour les filles. Il énonce un certain nombre de principes et d'obligations spécifiques pour la protection des femmes en période de conflits armés ainsi que pour la protection spéciale des femmes âgées ou réfugiées. À ce jour, aucun mécanisme n'a été mis en place pour permettre à un individu de déposer plainte contre un État qui aurait violé l'une des clauses du Protocole de Maputo, dont l'application est surveillée par la Commission de l'Union africaine.

Les conventions relatives aux droits de l'homme contiennent des droits inviolables auxquels les États ne peuvent jamais déroger quelles que soient les situations. Ces garanties fondamentales restent toujours applicables aux femmes.

▶ **Garanties fondamentales.**

III. Les recours en cas de violation des droits des femmes

1. *Les possibilités de recours individuels*

Un Comité pour l'élimination de la discrimination contre les femmes a été créé conformément aux dispositions des articles 17 à 22 de la convention sur ce sujet. Il est composé de 23 experts qui surveillent l'application de la convention et font des recommandations. Les États parties doivent soumettre des rapports périodiques tous les quatre ans sur les mesures législatives, judiciaires et autres qu'ils ont prises pour donner effet dans leur droit national aux dispositions de la convention.

▶ **Comité pour l'élimination de la discrimination contre les femmes.**

Le Protocole facultatif à la Convention sur l'élimination de toutes les formes de discrimination à l'égard des femmes a été adopté en octobre 1999 et est entré en vigueur le 22 décembre 2000. Il lie 104 États parties et permet aux individus de soumettre des communications au Comité pour l'élimination de la discrimination à l'égard des femmes.

La Commission de la condition des femmes, organe fonctionnel du Conseil économique et social des Nations unies établi en 1946, surveille également la situation des droits des femmes et produit des recommandations sur les problèmes urgents liés à ces droits. La commission peut également recevoir des plaintes individuelles mais elle n'a pas de fonction judiciaire. Elle ne peut intervenir que sous forme de recommandation générale aux gouvernements.

Les femmes peuvent également saisir d'autres institutions internationales habilitées à recevoir des communications ou plaintes individuelles.

Les femmes peuvent par exemple saisir le Comité des droits de l'homme des Nations unies, qui surveille l'application du Pacte international de 1966 relatif aux droits civils et politiques. En effet il est compétent pour veiller à l'application de la clause d'égalité entre les sexes incluse dans le pacte. La procédure de recours individuel est possible pour les ressortissants des 114 pays qui ont ratifié le Protocole facultatif se rapportant au Pacte international relatif aux droits civils et politiques.

▶ **Recours individuels.**

2. *Les rapporteurs spéciaux des Nations unies*

Plusieurs rapporteurs spéciaux ont des mandats liés à des questions de droits des femmes, comme le rapporteur spécial sur la violence contre les femmes et le rapporteur spécial sur les formes modernes de racisme et de xénophobie. Il existe aussi un Représentant spécial du secrétaire général chargé de la lutte contre les violences sexuelles dans les conflits armés.

▶ **Rapporteur spécial ▷ Viol.**

3. *L'Entité des Nations unies pour l'égalité des sexes et l'autonomisation des femmes (ONU Femmes)*

ONU Femmes a été créée en juillet 2010 dans le but de « promouvoir la parité et l'autonomisation des femmes partout dans le monde », dans le cadre de la réforme globale de l'ONU initiée en 2005.

Cette nouvelle entité regroupe et fusionne différentes structures onusiennes déjà existantes, à savoir la Division pour l'avancement des femmes (DAW), l'Institut international de recherche et de formation pour l'avancement des femmes (INSTRAW), le Fonds de développement des Nations unies pour la femme (UNIFEM) et le Bureau du conseiller spécial pour les questions de genre et l'avancement des femmes (OSAGI).

Le rôle d'ONU Femmes, dont les activités ont commencé en janvier 2011, est de promouvoir l'égalité des sexes auprès des agences onusiennes et des États membres. Ses activités principales sont la transmission d'informations sur les problématiques liées au genre, ainsi que le conseil et l'assistante technique dans la formulation de normes internationales relatives au genre. ONU Femmes possède également un rôle de veille, assurant un suivi régulier de l'application des engagements pris par les différentes agences des Nations unies en matière de genre.

Consulter aussi

▶ **Enfant ▷ Famille ▷ Réunification familiale ▷ Personnes protégées ▷ Comité pour l'élimination de la discrimination contre les femmes ▷ Détention ▷ Internement ▷ Prisonniers de guerre ▷ Viol ▷ Garanties fondamentales ▷ Garanties judiciaires ▷ Recours individuels ▷ Tribunaux pénaux internationaux ▷ Cour pénale internationale ▷ Liste des États parties aux conventions internationales relatives aux droits de l'homme et au droit humanitaire (n° 26).**

Contact

UNIFEM
304 E. 45th Street, 15th Floor
New York, NY10017 /USA
Tél. : (1 212) 906-6400/Fax : (1 212) 906-6705
http://www.unifem.org

Pour en savoir plus

AMNESTY INTERNATIONAL, *Femmes : une égalité de droit (Les femmes et la guerre. Les militantes. Femmes en péril. Une campagne pour agir)*, Amnesty International, Paris, 1995.

CICR, *Répondre aux besoins des femmes affectées par les conflits armés : un guide pratique du CICR*, ref. 0840, Publication du CICR, 2004, 207 p.

DURHAM H. et O'BYRNE K., « Le dialogue de la différence : la gestion de la distinction entre les sexes dans le droit international humanitaire », *Revue internationale de la Croix-Rouge*, n° 877, mars 2010. Disponible en ligne sur http://www.icrc.org/fre/assets/files/other/irrc-877-durham-obyrne-fre.pdf

« Femmes », *Revue internationale de la Croix-Rouge*, vol. 92, Sélection française 2010, p. 7-150.

KRILL F., *La Protection de la femme dans le droit international humanitaire*, CICR, Paris, 1 985 (tiré à part de la *Revue internationale de la Croix-Rouge*).

LINDSEY C., « Women and war. An overview », *Revue internationale de la Croix-Rouge*, n° 839, septembre 2000, p. 561-579.

Force majeure

Il s'agit d'une circonstance extérieure, imprévue, insurmontable et en dehors du contrôle de celui qui l'invoque, rendant impossible l'exécution d'un engagement écrit (traité, contrat, etc.). Cette notion s'applique aussi aux engagements souscrits par des particuliers. La guerre est invoquée comme un cas de force majeure par rapport à de nombreuses obligations contractuelles ou conventionnelles. Elle entraîne la suspension de très nombreux droits individuels et d'obligations étatiques.

◆ **Les États ne peuvent pas invoquer la force majeure pour se soustraire aux obligations générales qui découlent des conventions internationales sur le droit de la guerre, et qui sont spécialement prévues pour s'appliquer dans de telles circonstances.**

▶ **Droit international humanitaire ▷ Droits de l'homme ▷ Garanties fondamentales.**

Garanties fondamentales

Les garanties fondamentales sont des règles relatives à la défense du statut personnel des individus qui restent applicables quelles que soient les circonstances. Elles sont contenues dans des conventions internationales relatives aux droits de l'homme sous forme de « droits indérogeables » dans les situations de crises et tensions internes et dans le droit international humanitaire pour les situations de conflits armés. Elles se situent à cheval sur ces deux branches du droit international et sont rédigées de façon différente selon les conventions internationales concernées.

Dans de nombreuses situations, cette différence est utilisée de façon abusive par les États pour priver certains individus de toute protection juridique internationale au titre des droits de l'homme et du droit international humanitaire.

Il existe aujourd'hui une tendance à l'unification de l'application de ces garanties fondamentales aux victimes de situations de troubles et tensions internes et de conflits armés, dans le but d'éviter les trous noirs juridiques créés par certaines interprétations juridiques littérales.

Cette unification est due à l'évolution de la nature et de la forme des conflits armés, impliquant des groupes armés non étatiques agissant de manière transnationale, ainsi qu'à la multiplication d'interventions sécuritaires internationales comprenant une double dimension de sécurité et de combat.

Sur le plan juridique, la jurisprudence des tribunaux internationaux reconnaît l'application complémentaire du droit humanitaire et des droits de l'homme et unifie l'interprétation des différentes garanties dans les situations de conflits armés internationaux et non internationaux. Elle reconnaît aussi l'obligation d'application extraterritoriale de ces obligations dans tous les cas où un État exerce un contrôle effectif sur des individus et un territoire étrangers, notamment en cas de détention ou d'occupation.

▶ **Droits de l'homme ▷ Conflit armé non international ▷ Conflit armé international ▷ Territoire occupé ▷ Cour internationale de justice ▷ Cour européenne des droits de l'homme ▷ Détention.**

- ***En temps de paix***

En temps de paix, la protection des droits de l'homme et des libertés fondamentales est réglementée au niveau international par un grand nombre de conventions qui ne sont généralement pas entièrement applicables en période de conflit armé. Ces conventions protègent tous les individus, quels que soient leur nationalité ou leur statut. Elles sont obligatoires pour tous les États ayant formellement adhéré à ces textes. Lorsqu'un État a ratifié ces instruments, il doit en incorporer les dispositions dans son droit interne.

- ***Dans les situations de troubles et de tensions internes***
  – Une partie seulement des conventions sur les droits de l'homme continue de s'appliquer. Les législations nationales prises en matière d'état d'urgence, d'état d'exception et d'état de siège limitent en effet les libertés publiques. Elles renforcent également les prérogatives de l'État en matière de recours à la force au nom du maintien de l'ordre et de la défense de la sécurité nationale. Les conventions internationales relatives aux droits de l'homme prévoient toutefois une liste de droits fondamentaux auxquels aucune dérogation n'est admise, quelle que soit la situation intérieure des États. On parle de droits indérogeables, de normes impératives ou de *jus cogens*. Elles prévoient également des procédures encadrant le recours aux dérogations. Des principes fondamentaux concernant ces situations ont été adoptés à Turku en 1990 (Voir ▷ **Troubles et tensions internes**)
  – Alors que les conventions relatives aux droits de l'homme ne sont plus entièrement applicables dans de telles situations, le droit humanitaire ne peut pas être invoqué si l'intensité des affrontements ne permet pas encore de parler de conflit armé. Il faut donc atteindre un seuil d'intensité particulier (au-delà des « actes isolés et sporadiques de violence ») pour réclamer l'application du droit humanitaire en général. Cependant, les principes énoncés dans l'article 3 commun aux quatre Conventions de Genève peuvent malgré tout être invoqués, notamment par les organisations humanitaires.

- ***Dans les conflits armés***
  – Les garanties fondamentales prévues par les Conventions de Genève de 1949 s'appliquent aux personnes entrant dans les différentes catégories de personnes protégées. Les Protocoles additionnels de 1977 ont précisé le contenu de ces garanties fondamentales en cas de conflit armé international et en cas de conflit armé non international.
  – Les droits indérogeables contenus dans les conventions relatives aux droits de l'homme restent applicables à tous les individus et en tout temps, y compris de façon extraterritoriale pour les individus qui se trouvent sous la juridiction ou le contrôle effectif d'un État.

I. Les droits de l'homme indérogeables

◆ **• Un certain nombre de droits prévus par les conventions sur les droits de l'homme ne peuvent jamais être abrogés ou amendés par les États, même dans les situations de crise, d'état d'urgence ou d'état d'exception. On parle de normes indérogeables. Elles constituent un plancher ultime de droits de l'homme toujours applicables dans les situations de troubles et de tensions internes et dans les situations de conflit.**

▶ **Intangibilité des droits ▷ Inaliénabilité des droits.**

◆ **• Toutefois, les garanties fondamentales du droit international humanitaire étant souvent plus détaillées que celles des droits de l'homme, il est préférable, dans les situations de conflit, de se référer aux Conventions de Genève et à leurs Protocoles additionnels et d'utiliser la complémentarité entre les droits de l'homme et le droit humanitaire pour les situations floues de « ni paix ni guerre ».**

• Ces droits indérogeables et ces garanties fondamentales doivent être respectés et protégés en toute circonstance. Ils sont dans l'ensemble considérés comme des normes coutumières (voir règles 87 à 99 de l'étude sur les règles de droit international humanitaire coutumier publiée par le CICR en 2005). C'est pourquoi ces règles s'appliquent même dans des pays qui n'ont pas ratifié les traités pertinents.

▶ **Droit, droit international ▷ Coutume ▷ Droit naturel ▷ Droits de l'homme.**

Les droits indérogeables sont applicables en tout temps, en tout lieu, à tous les individus.

• Au niveau universel, le Pacte international relatif aux droits civils et politiques énonce, dans son article 4, les droits de l'homme auxquels aucune dérogation n'est permise et dont les États ne peuvent pas suspendre l'application, quelles que soient les circonstances. Il s'agit des droits prévus par ce même pacte dans ses articles 6, 7, 8.1, 8.2, 11, 15, 16, 18 :

– l'article 6 établit le droit de ne pas être privé de la vie. Il existe une exception : dans les pays n'ayant pas aboli la peine de mort, une personne peut être privée de son droit à la vie mais uniquement dans le cadre d'une décision judiciaire rendue par une juridiction compétente. Les exécutions extrajudiciaires sont interdites en toute situation ;

– l'article 7 interdit la torture et les peines ou traitements cruels, inhumains ou dégradants et interdit de soumettre une personne sans son libre consentement à une expérience médicale ou scientifique ;

– l'article 8 interdit l'esclavage, la traite des esclaves et la servitude ;

– l'article 11 interdit d'emprisonner quelqu'un pour la seule raison qu'il n'est pas en mesure d'exécuter une obligation contractuelle ;

– l'article 15 interdit la rétroactivité des lois pénales ;

– l'article 16 prévoit que chacun, en toute circonstance, a droit à la reconnaissance de sa personnalité juridique ;

– l'article 18 prévoit que toute personne a droit à la liberté de pensée, de conscience et de religion, y compris la liberté de manifester sa religion ou sa conviction. Il interdit toute contrainte pouvant porter atteinte à la liberté d'avoir ou d'adopter une religion ou une conviction de son choix.

• Ces mêmes droits sont repris et développés de façon régionale dans la Convention américaine des droits de l'homme (adoptée par l'Organisation des États américains le 22 novembre 1969) et la Convention européenne des droits de l'homme (adoptée par le Conseil de l'Europe le 4 novembre 1950).

– les droits pour lesquels aucune dérogation n'est autorisée d'après l'article 27 de la Convention américaine sont les suivants : le droit à la personnalité juridique (art. 3), le droit à la vie (art. 4), le droit à être traité humainement (art. 5), le droit à ne pas être réduit en esclavage (art. 6), la non-rétroactivité des lois (art. 9), la liberté de conscience et de religion (art. 12), les droits de la famille (art. 17), le droit au nom (art. 18), les droits de l'enfant (art. 19), le droit à la nationalité (art. 20), le droit de participer à un gouvernement (art. 23), et « les garanties judiciaires essentielles pour la protection de ces droits » (art. 27) ;

– les droits pour lesquels aucune dérogation n'est autorisée d'après l'article 15 de la Convention européenne sont les suivants : le droit à la vie (art. 2), le droit à être traité humainement (art. 3), le droit à ne pas être réduit en esclavage (art. 4), la non-rétroactivité des lois (art. 7).

En dehors de ces droits indérogeables, les États peuvent, en cas de menace à l'ordre public et/ou à la sécurité nationale, déroger aux autres droits de l'homme, tels que le droit à la liberté et à la sécurité ou le droit à la circulation, ainsi que ceux prévus dans le Pacte international relatif aux droits économiques, sociaux et culturels. Cependant, les États souhaitant déroger à ces droits sont dans l'obligation de le notifier au secrétaire général de leur organisation respective (ONU, Conseil de l'Europe ou Organisation des États américains). Cette obligation de notification des dérogations est prévue par l'article 4.3 du Pacte international relatif aux droits civils et politiques, l'article 15.3 de la Convention européenne de sauvegarde des droits de l'homme et des libertés fondamentales et l'article 27.3 de la Convention américaine relative aux droits de l'homme.

Ce droit de dérogations doit donc respecter les procédures prévues par les conventions en matière de notification et de justification par l'État concerné. Les tribunaux internes et certains tribunaux internationaux sont chargés de contrôler la proportionnalité entre les arguments de sécurité intérieure invoqués par l'État et les restrictions de droits qu'il impose. Dans ce cadre, la doctrine et la jurisprudence reconnaît que les garanties fondamentales de l'article 3 commun peuvent être invoquées également dans les situations de troubles intérieurs. Il s'agit d'un raisonnement analogique logique. Il est en effet absurde de prétendre que la violation des garanties minimales considérées comme impératives en période de conflit puisse devenir licite en temps de paix.

▶ **Droits de l'homme.**

II. L'article 3 commun aux quatre Conventions de Genève (« article 3 commun »)

L'article 3 commun énonce des garanties fondamentales prévues pour toutes les personnes *hors de combat*, c'est-à-dire qui ne participent pas ou plus aux hostilités. À travers la spécificité de l'article 3 commun aux quatre Conventions, qui est le premier à poser des principes juridiques fondamentaux réglementant les conflits armés non internationaux, les Conventions posent clairement qu'il y a des normes minimales qui doivent être respectées dans toutes les situations. L'application du droit humanitaire dans les conflits internes a évolué depuis 1977 avec l'adoption des deux Protocoles additionnels. Il est aujourd'hui admis que les principes contenus dans cette disposition du droit humanitaire s'appliquent également dans les situations de troubles et de tensions internes.

Cet article prévoit que chacune des parties au conflit est tenue d'appliquer au moins les dispositions suivantes.

• Les personnes qui ne participent pas directement aux hostilités, y compris les membres de forces armées qui ont déposé les armes et les personnes qui ont été mises hors de combat par maladie, blessure, détention ou pour toute autre cause, seront en toutes circonstances traitées avec humanité, sans aucune distinction de caractère défavorable fondée sur la race, la couleur, la religion ou la croyance, le sexe, la naissance ou la fortune ou tout autre critère analogue.
À cet effet, sont et demeurent prohibées, en tout temps et en tout lieu, à l'égard des personnes mentionnées ci-dessus :
– les atteintes portées à la vie et l'intégrité corporelle, notamment le meurtre sous toutes ses formes, les mutilations, les traitements cruels, tortures et supplices ;
– les prises d'otages ;
– les atteintes à la dignité des personnes, notamment les traitements humiliants et dégradants ;
– les condamnations prononcées et les exécutions effectuées sans jugement préalable, rendu par un tribunal régulièrement constitué, assorti des garanties judiciaires reconnues comme indispensables par les peuples civilisés.
• Les blessés et malades seront recueillis et soignés. Un organisme humanitaire impartial tel que le CICR pourra offrir ses services aux parties au conflit (GI-GIV art. 3 commun).
L'article 3 commun est aujourd'hui reconnu comme une règle de droit international coutumier. Plusieurs décisions des tribunaux internationaux ont en effet reconnu qu'il contenait des règles minimales d'humanité qui étaient impératives dans toutes les situations. Les interprétations restrictives de son champ d'application aux conflits armés non internationaux seulement ou aux frontières d'un seul territoire national ont été rejetées. Il est donc clair qu'il s'applique aux conflits impliquant des groupes armés non étatiques agissant de façon transnationale sur plusieurs territoires. L'article 3 commun cristallise donc les garanties fondamentales minimales et impératives applicables pour le traitement des personnes qui ne participent pas ou plus aux combats. Il contient également les garanties judicaires minimales et impératives vis-à-vis de toute personne au pouvoir d'une partie adverse. Ces obligations sont impératives y compris dans le traitement de personnes appartenant à des groupes armés non étatiques ou terroristes. Le caractère coutumier et impératif de cette règle s'impose sans condition de réciprocité et y compris vis-à-vis d'acteurs non étatiques et non signataires des conventions. La Cour suprême américaine a condamné l'interprétation restrictive de l'article 3 par les autorités américaines pour refuser le bénéfice des garanties judiciaire et de détention contenues dans cet article aux détenus de la guerre contre le terrorisme à Guantanamo (*infra* Jurisprudence).

▶ **Droit international humanitaire (section II.2 pour le texte complet de l'article 3) ▷ Conflit armé non international ▷ Coutume ▷ Cour internationale de justice.**

III. Les autres garanties fondamentales du droit humanitaire

La spécificité des quatre Conventions de Genève est de procéder par catégorisation. Elles définissent des normes minimales de traitement applicables à des catégories de personnes protégées, dans différents types de situations de conflit. Ainsi, les garanties fondamentales diffèrent selon qu'il s'agit de protéger les blessés, les malades, les naufragés, les prisonniers de guerre ou les civils. Ces garanties fondamentales s'imposent aux États pour le traitement des ressortissants de la partie adverse et de façon générale des victimes du conflit. Les Protocoles additionnels de 1977 ont utilisé le terme de « victime des conflits », qui permet de prendre en compte les victimes des conflits non internationaux et d'étendre la protection au-delà de la nationalité des victimes ou de l'acteur armé. En période de conflit armé, l'État reste en outre soumis vis-à-vis de ses propres ressortissants au respect de ses obligations et garanties fondamentales prévues par les conventions relatives aux droits de l'homme. Ces obligations s'étendent aux territoires et personnes étrangers sur lesquels l'État exerce un contrôle effectif.

▶ **Droit international humanitaire ▷ Droits de l'homme.**

La force de cette approche est d'énoncer des droits précis, particulièrement adaptés pour protéger des individus contre les menaces spécifiques qui pèsent sur eux du fait de leur qualité ou de la nature de la situation. La faiblesse de cette méthode réside dans le fait qu'une application de mauvaise foi peut conduire à refuser ou retarder la protection en contestant la qualité des personnes protégées ou la qualification des situations.

Il faut donc partir du minimum commun qui s'applique toujours (l'article 3), sous réserve de l'application de mesures plus protectrices.

Pour les garanties spécifiques, on se reportera également aux rubriques pertinentes :

▶ **Détention ▷ Enfant ▷ Femme ▷ Prisonniers de guerre ▷ Blessés et malades ▷ Garanties judiciaires ▷ Secours ▷ Protection ▷ Personnes protégées.**

En plus des garanties prévues par l'article 3 commun, les deux Protocoles additionnels de 1977 ont précisé les garanties prévues pour les victimes de conflits armés non internationaux ou internationaux.

1. *Garanties fondamentales pour les victimes des conflits armés internationaux*

• Le Protocole additionnel I est applicable aux victimes des conflits armés internationaux. Il renforce notamment la protection due par une partie au conflit aux ressortissants de la partie adverse. Il cherche à unifier le socle minimal des droits garantis à toutes les victimes des conflits internationaux. Il ne s'applique donc que si un traitement plus favorable n'est pas déjà prévu au profit de ces personnes, par les autres dispositions du protocole ou des Conventions de Genève. Parmi les comportements qui font l'objet d'une interdiction absolue, il élargit la définition de la torture à ses formes mentales, et rajoute la référence aux infractions sexuelles. Il développe également des garanties judiciaires très complètes.

▶ **Garanties judiciaires.**

• GPI article 75

« 1. Dans la mesure où elles sont affectées (par une situation de conflit armé international), les personnes qui sont au pouvoir d'une partie au conflit et qui

ne bénéficient pas d'un traitement plus favorable en vertu des conventions ou du présent protocole, seront traitées avec humanité en toutes circonstances et bénéficieront au moins des protections prévues par le présent article, sans aucune distinction de caractère défavorable fondée sur la race, la couleur, le sexe, la langue, la religion ou la croyance, les opinions politiques ou autres, l'origine nationale ou sociale, la fortune, la naissance ou une autre situation, ou tout autre critère analogue. Chacune des parties respectera la personne, l'honneur, les convictions et les pratiques religieuses de toutes ces personnes.
« 2. Sont et demeurent prohibés en tout temps et en tout lieu les actes suivants, qu'ils soient commis par des agents civils ou militaires :
a) les atteintes portées à la vie, à la santé, et au bien-être physique ou mental des personnes, notamment :
i) le meurtre ;
ii) la torture sous toutes ses formes, qu'elle soit physique ou mentale ;
iii) les peines corporelles, et
iv) les mutilations ;
b) les atteintes à la dignité de la personne, notamment les traitements humiliants et dégradants, la prostitution forcée et toute forme d'attentat à la pudeur ;
c) la prise d'otages ;
d) les peines collectives, et
e) la menace de commettre l'un quelconque des actes précités.
« 3. Toute personne arrêtée, détenue ou internée pour des actes en relation avec le conflit armé sera informée sans retard, dans une langue qu'elle comprend, des raisons pour lesquelles ces mesures ont été prises. Sauf en cas d'arrestation ou de détention du chef d'une infraction pénale, cette personne sera libérée dans les plus brefs délais possibles et, en tout cas, dès que les circonstances justifiant l'arrestation, la détention ou l'internement auront cessé d'exister [...] » (GPI art. 75).

2. *Garanties fondamentales pour les victimes des conflits armés non internationaux*

• Le Protocole additionnel II de 1977 complète la protection initialement prévue par l'article 3 commun pour les conflits armés internes.
Il concerne la protection des victimes des « conflits armés qui se déroulent sur le territoire d'une haute partie contractante entre ses forces armées et des forces armées dissidentes ou des groupes armés organisés qui, sous la conduite d'un commandement responsable, exercent sur une partie de son territoire un contrôle tel qu'il leur permette de mener des opérations militaires continues et concertées et d'appliquer le présent protocole » (GPII art. 1.1).
Il ne s'applique pas aux situations de tensions internes, de troubles intérieurs, comme les émeutes, les actes isolés et sporadiques de violence et autres actes analogues, qui ne sont pas considérés comme des conflits armés (GPII art. 1.2).
Il énonce des garanties dues par un État en proie à un conflit armé interne à ses propres ressortissants. Il renforce entre autres les droits fondamentaux des enfants et la protection contre les violences sexuelles et l'esclavage.

• Protocole additionnel II, article 4

« 1. Toutes les personnes qui ne participent pas directement ou ne participent plus aux hostilités, qu'elles soient ou non privées de liberté, ont droit au respect de leur personne, de leur honneur, de leurs convictions et de leurs pratiques religieuses. Elles seront en toutes circonstances traitées avec humanité, sans aucune distinction de caractère défavorable. Il est interdit d'ordonner qu'il n'y ait pas de survivants.

« 2. Sans préjudice du caractère général des dispositions qui précèdent, sont et demeurent prohibés en tout temps et en tout lieu à l'égard des personnes visées ci-dessus :

a) les atteintes portées à la vie, à la santé et au bien-être physique ou mental des personnes, en particulier le meurtre, de même que les traitements cruels tels que la torture, les mutilations ou toutes formes de peines corporelles ;

b) les punitions collectives ;

c) la prise d'otages ;

d) les actes de terrorisme ;

e) les atteintes à la dignité de la personne, notamment les traitements humiliants et dégradants, le viol, la contrainte à la prostitution et tout attentat à la pudeur ;

f) l'esclavage et la traite des esclaves sous toutes leurs formes ;

g) le pillage ;

h) la menace de commettre les actes précités.

« 3. Les enfants recevront les soins et l'aide dont ils ont besoin, et notamment :

a) ils devront recevoir une éducation, y compris une éducation religieuse et morale, telle que la désirent leurs parents ou, en l'absence de parents, les personnes qui en ont la garde ;

b) toutes les mesures appropriées seront prises pour faciliter le regroupement de familles momentanément séparées ;

c) les enfants de moins de quinze ans ne devront pas être recrutés dans les forces ou groupes armés, ni autorisés à prendre part aux hostilités ;

d) la protection spéciale prévue par le présent article pour les enfants de moins de quinze ans leur restera applicable s'ils prennent directement part aux hostilités en dépit des dispositions de l'alinéa c et sont capturés ;

e) des mesures seront prises, si nécessaire et chaque fois que ce sera possible, avec le consentement des parents ou des personnes qui en ont la garde [...] pour évacuer temporairement les enfants du secteur où des hostilités ont lieu vers un secteur plus sûr du pays et pour les faire accompagner par des personnes responsables de leur sécurité et de leur bien-être. »

• L'article 5 du Protocole additionnel II prévoit que des garanties supplémentaires à celles de l'article 4 seront au minimum respectées à l'égard des personnes privées de liberté pour des motifs en relation avec le conflit armé, qu'elles soient internées ou détenues.

▶ **Détention.**

• Les garanties fondamentales prévues pour les blessés et les malades ainsi que le personnel sanitaire et religieux sont contenues dans les articles 7 à 12.

▶ **Mission médicale.**

• Celles de la population civile en général aux articles 13 à 18.

▶ **Population civile.**

• Enfin, des garanties judiciaires sont précisées par l'article 6, pour assurer le respect des garanties générales.

3. *Les garanties fondamentales en droit international humanitaire coutumier*

L'étude sur les règles de droit international humanitaire coutumier publiée par le CICR en 2005 reprend les garanties fondamentales établies par les Conventions de Genève de 1949 et leurs Protocoles additionnels de 1977. Ces règles unifient le contenu de la protection accordée aux victimes des conflits armés internationaux et non internationaux. Elles servent donc de base minimale utilisable dans toutes les situations de conflit armé, qu'elle que soient les débats sur leur qualification ou la signature des conventions et protocoles par les parties à ces conflits. Les États signataires des conventions et protocoles restent bien sûr soumis en plus à leurs obligations conventionnelles.

• Parmi les 161 règles de droit international humanitaire coutumier, 19 ont été regroupées dans la catégorie des garanties fondamentales générales (règles 87-105).

Règle 87 : Les personnes civiles et les personnes hors de combat doivent être traitées avec humanité.

Règle 88 : Toute distinction de caractère défavorable dans l'application du droit international humanitaire fondée sur la race, la couleur, le sexe, la langue, la religion ou la croyance, les opinions politiques ou autres, l'origine nationale ou sociale, la fortune, la naissance ou une autre situation, ou tout autre critère analogue est interdite.

Règle 89 : Le meurtre est interdit.

Règle 90 : La torture, les traitements cruels ou inhumains et les atteintes à la dignité de la personne, notamment les traitements humiliants et dégradants, sont interdits.

Règle 91 : Les peines corporelles sont interdites.

Règle 92 : Les mutilations, les expériences médicales ou scientifiques ou tout autre acte médical qui ne serait pas motivé par l'état de santé de la personne concernée et qui ne serait pas conforme aux normes médicales généralement reconnus sont interdits.

Règle 93 : Le viol et les autres formes de violence sexuelle sont interdits.

Règle 94 : L'esclavage et la traite des esclaves sous toutes leurs formes sont interdits.

Règle 95 : Le travail non rémunéré ou abusif est interdit.

Règle 96 : La prise d'otages est interdite.

Règle 97 : L'emploi de boucliers humains est interdit.

Règle 98 : Les disparitions forcées sont interdites.

Règle 99 : La privation arbitraire de liberté est interdite.

Règle 100 : Nul ne peut être condamné ou jugé si ce n'est en vertu d'un procès équitable accordant toutes les garanties judiciaires essentielles.

Règle 101 : Nul ne peut être accusé ou condamné pour des actions ou omissions qui ne constituaient pas un acte délictueux d'après le droit national ou international au moment où elles ont été commises. De même, il ne sera infligé aucune peine plus forte que celle qui était applicable au moment où l'infraction a été commise (CAI/CANI).

Règle 102 : Nul ne peut être puni pour une infraction si ce n'est sur la base d'une responsabilité pénale individuelle.

Règle 103 : Les peines collectives sont interdites.

Règle 104 : Les convictions et les pratiques religieuses des personnes civiles et des personnes hors de combat doivent être respectées.

Règle 105 : La vie de famille doit être respectée dans toute la mesure possible.

• Des garanties fondamentales ont également été définies pour des catégories particulières de population et de victimes :

Blessés et malades (règles 109-111) ;

Personnes privées de liberté (règles 118-128) ;

Personnes déplacées (règles 129-133) ;

Autres personnes vulnérables (règles 134-138)

Population civile (règles 1,2 ; 53-56) ;

Personnel médical, religieux, humanitaire ou de secours (règles 25-32).

▸ **Garanties judiciaires ▷ Personnes protégées.**

Jurisprudence

Cour suprême des États-Unis, n° 05-184, *Salim Ahmed Hamdan, Petitioner, v. Donald H. Rumsfeld, Secretary of Defense, et. Al. on writ of certiorari to the United States of Appeals for the District of Columbia Circuit*, 29 juin 2006, p. 65-69 [arrêt disponible uniquement en anglais]

« The conflict with al Qaeda is not, according to the Government, a conflict to which the full protections afforded detainees under the 1949 Geneva Conventions apply because Article 2 of those Conventions (which appears in all four Conventions) renders the full protections applicable only to "all cases of declared war or of any other armed conflict which may arise between two or more of the High Contracting Parties. [...] Since Hamdan was captured and detained incident to the conflict with al Qaeda and not the conflict with the Taliban, and since al Qaeda, unlike Afghanistan, is not a "High Contracting Party", i.e., a signatory of the Conventions, the protections of those Conventions are not, it is argued, applicable to Hamdan. [...] We need not decide the merits of this argument because there is at least one provision of the Geneva Conventions that applies here even if the relevant conflict is not one between signatories. Article 3, often referred to as Common Article 3 because, like Article 2, it appears in all four Geneva Conventions, provides that in a "conflict not of an international character occurring in the territory of one of the High Contracting Parties, each Party to the conflict shall be bound to apply, as a minimum," certain provisions protecting "[p] ersons taking no active part in the hostilities, including members of armed forces who have laid down their arms and those placed hors de combat by... detention." [...] One such provision prohibits "the passing of sentences and the carrying out of executions without previous judgment pronounced by a regularly constituted court affording all the judicial guarantees which are recognized as indispensable by civilized peoples." [...] The Court of Appeals thought, and the Government asserts, that Common Article 3 does not apply to Hamdan because the conflict with al Qaeda, being "international in scope" does not qualify as a "conflict not of an international character." [...] That reasoning is erroneous. The term "conflict not of an international character" is used here in contradiction to a conflict between nations. So much is demonstrated by the "fundamental logic [of] the Convention's provisions on its application". [...] Common Article 2 provides that "the present Convention shall apply to all cases of declared war or of any other armed conflict which may arise between two or more of the High Contracting Parties." [...] High Contracting Parties (signatories) also must abide by all terms of the Conventions vis-à-vis one another even if one party to the conflict is a non-signatory "Power," and must so abide vis-à-vis the non-signatory if "the latter accepts and applies" those terms. [...] Common Article 3, by contrast, affords some minimal protection, falling short of full protection under the Conventions, to individuals associated with neither a signatory nor even a non-signatory "Power" who are involved in a conflict "in the territory of" a signatory. The latter kind of conflict is distinguishable from the conflict described in Common Article 2 chiefly because it does not involve a clash between nations (whether signatories or not). In context, then, the phrase "not of an international character" bears its literal meaning. [...] Although the official commentaries accompanying Common Article 3 indicate that an important purpose of the provision was to furnish minimal protection to rebels involved in one kind of conflict not of an international character,. i.e., a civil war, [...] the commentaries also make clear that the scope of the Article must be as wide as possible. [...] In fact, limiting language that would have rendered Common Article 3 applicable especially [to] cases of civil war, colonial conflicts, or wars of religion, was omitted from the final version of the Article, which coupled broader scope of application with a narrower range of rights than did earlier proposed iterations. [...] Common Article 3, then, is applicable here and, as indicated above, requires that Hamdan be tried by a.regularly constituted court affording all the judicial guarantees which are recognized as indispensable by civilized peoples. [...] While the term "regularly constituted court" is not specifically defined in either Common Article 3 or its accompanying commentary, other sources disclose its core meaning. The commentary accompanying a provision of the Fourth Geneva Convention, for example, defines "regularly constituted" tribunals to include "ordinary military courts" and "definitely exclud [e] all special tribunals" [...]. »

Consulter aussi

▶ **Garanties judiciaires ▷ Détention ▷ Internement ▷ Territoire occupé ▷ Population civile ▷ Situations et personnes non couvertes ▷ Droit naturel, droit religieux, droit positif ▷ Droit, droit international ▷ Droit international humanitaire ▷ Troubles et tensions internes ▷ Droits de l'homme ▷ Personnes protégées ▷ Siège.**

Pour en savoir plus

Eide A., Rosas A., Merron T., « Current development : combating lawlessness in gray zone conflicts through minimum humanitarian standards », *American Journal of International Law,* 89, 1995, p. 215.

Favoreu L., *Droit des libertés fondamentales,* Précis Dalloz, Paris, 2002, 530 p.

Fritzpatrick J., *Human Rights in Crisis. The International System for Protecting Rights during States of Emergency,* University of Pennsylvania Press, 1994.

Hampson F. J., « The relationship between international humanitarian law and human rights law from the perspective of a human rights treaty body », *Revue internationale de la Croix rouge,* n° 871, septembre 2008, p. 549- 627.

Henckaerts J. M. (ICRC), Doswald Beck L., (International Commission of Jurists) (éds.), Customary International Law (vol. 1, The Rules). Cambridge University Press, 2005 (part V, chap. 32).

ICRC, Commission on Human Rights. *Fundamental Standards of Humanity*. Geneva, avril 2000.

Pelic J., « The protective scope of common article 3 : more than meets for the eye, *Revue internationale de la Croix-Rouge,* n° 881, mars 2011, p. 1-37.

Petrasek D., « Current development : moving forward on the development of minimum humanitarians standards », *American Journal of International Law,* 92, 1998, p. 557.

Plattner D., « International humanitarian law and inalienable or non-derogable human rights », in *Non derogable rights and states of emergency,* Bruylant, Brussels, 1996, p. 349-363.

Premont D. (éd.), *Non derogable rights and states of emergency,* Bruylant, Brussels, 1996.

Garanties judiciaires

Les garanties judiciaires font partie des garanties fondamentales accordées aux individus par les conventions internationales de droit humanitaire et des droits de l'homme. Elles ont pour but :

– de s'assurer qu'un individu ne soit pas condamné sans avoir pu défendre sa cause de façon équitable ;

– de s'assurer qu'un individu ait la capacité de contester ou de s'opposer à une mesure qui lui porte gravement préjudice ou qui met en cause sa sécurité. Il ne sert à rien de donner des droits aux individus, si ceux qui sont victimes de violations de ces droits ne peuvent pas le faire savoir ni en obtenir réparation.

Le contenu de ces garanties varie selon qu'il s'agit d'une situation de paix ou de conflit. Le droit international humanitaire ne s'applique qu'en situation de conflit armé international ou non international et le contenu des garanties judiciaires varie selon la nature du conflit. En situation de conflit, l'État reste soumis au respect des garanties judiciaires prévues par les conventions relatives aux droits de l'homme (sous réserve de dérogations) vis-à-vis des ressortissants mais aussi sur les territoires et les personnes placés sous son contrôle effectif.

◆ **Dans les situations de détention ou d'internement, les sanctions disciplinaires peuvent avoir des conséquences très dangereuses pour la santé et l'intégrité physique des individus. Les garanties judiciaires protègent les individus contre les condamnations injustes à des sanctions pénales.**

I. Les garanties judiciaires des conventions sur les droits de l'homme

Le Pacte international relatif aux droits civils et politiques (PDCP) adopté par l'ONU en 1966 fixe dans ses articles 6, 15 et 16 certaines garanties judiciaires auxquelles aucune dérogation n'est permise aux États. Cela signifie qu'elles restent applicables même dans les situations de troubles, de tension intérieure ou de conflit. Ces dispositions figurent de façon identique dans deux conventions régionales relatives aux droits de l'homme : les conventions américaine et européenne sur les droits de l'homme (CADH et CEDH).

1. *Les garanties judiciaires indérogeables*

Les garanties judiciaires pour lesquelles aucune dérogation n'est permise sont les suivantes :

– la reconnaissance de la personnalité juridique des individus. Cela signifie qu'un État ne peut pas limiter la capacité d'un individu d'agir en justice pour le respect de ses droits (PDCP art. 16 ; CADH art. 3) ;

– la légalité et la non-rétroactivité des infractions pénales (protection contre des lois pénales rétroactives et principe *nullum crimen sine lege*). C'est-à-dire que nul ne peut être condamné pour une action ou une omission qui, au moment où elle a été commise, ne constituait pas une infraction d'après le droit national ou international (PDCP art. 15 ; CEDH art. 7 ; CADH art. 9) ;

– l'interdiction d'infliger une peine plus forte que celle qui était en vigueur au moment des faits. Si, postérieurement à l'infraction, la loi prévoit une peine plus légère, le délinquant doit en bénéficier. (PDCP art. 15 ; CEDH art. 7.1 ; CADH art. 9).

Ces garanties sont prévues à l'identique dans les situations de conflit armé par les Conventions de Genève de 1949.

▶ **Garanties fondamentales ▷ Non-rétroactivité.**

De plus, le Pacte international relatif aux droits civils et politiques réglemente de façon indérogeable l'application de la peine de mort (article 6.2 à 6.6). Il limite cette sanction aux crimes les plus graves et l'interdit pour les personnes ayant moins de dix-huit ans et pour les femmes enceintes. Ces règles sont reprises par la Convention interaméricaine des droits de l'homme, dans ses articles 4.2 à 4.6, qui va plus loin et interdit aux États l'ayant abolie de la rétablir (art. 4.3).

2. *Le procès juste et équitable*

Le fait pour une personne humaine de ne pas être privée de liberté, condamnée, punie ou maltraitée en dehors du cadre prévu par la loi fait partie des garanties judiciaires fondamentales applicables dans tous les pays, dans toutes les circonstances, y compris les conflits. Le droit à un procès équitable implique entre autres les principes suivants :

– être jugé par un tribunal impartial régulièrement constitué ;

– être jugé sur la base d'une loi régulièrement promulguée et en vigueur au moment des faits ;

– avoir connaissance du chef d'inculpation ;

– être jugé pour des faits personnellement imputables ;

– disposer du droit de la défense, c'est-à-dire au minimum de la possibilité de faire entendre sa cause.

Le droit international fixe des règles précises pour protéger le droit de chaque individu à un procès équitable, quelles que soient les circonstances. Des normes spécifiques organisent les garanties judiciaires en temps de paix ou de conflit, au profit des personnes civiles ou des combattants. Ces règles reflètent les principes généraux adoptés par les juridictions nationales et ont été transposées en droit coutumier.

Les règles qui garantissent le déroulement d'un procès juste et équitable sont détaillées dans l'article 14 du Pacte international relatif aux droits civils et politiques. Ces règles constituent la norme internationale reconnue pour l'action judiciaire. Elles ne sont pas incluses dans la liste des droits indérogeables. Sous certaines conditions, elles peuvent donc être limitées par des lois d'exception relatives aux situations de crise ou de tensions intérieures. Les dérogations seraient cependant surprenantes car elles conduiraient à des garanties judiciaires moins fortes en période de troubles et tensions internes qu'en période de conflit armé. En effet, avec les développements apportés en 1977 par les deux Protocoles additionnels aux Conventions de Genève de 1949, les garanties judiciaires applicables en période de conflit armé international et non international sont très proches de celles contenues dans les conventions relatives aux droits de l'homme.

Les règles définies dans le Pacte international relatif aux droits civils et politiques sont les suivantes :
– Tous les individus sont égaux devant la justice. Toute personne a droit que sa cause soit entendue équitablement et publiquement par un tribunal compétent, indépendant et impartial, établi par la loi, qui décidera soit de toute accusation en matière pénale, soit des contestations sur ses droits et obligations de caractère civil.
– Toute personne accusée d'une infraction pénale est présumée innocente jusqu'à ce que sa culpabilité ait été légalement établie.
– Toute personne accusée d'une infraction pénale a droit en pleine égalité au moins aux garanties suivantes :
a) à être informée, dans le plus court délai, dans une langue qu'elle comprend et de façon détaillée, de la nature et des motifs de l'accusation portée contre elle ;
b) à disposer du temps et des facilités nécessaires à la préparation de sa défense et à communiquer avec le conseil de son choix ;
c) à être jugée sans retard excessif ;
d) à être présente au procès et à se défendre elle-même ou à avoir un défenseur de son choix [...] ;
e) à interroger ou à faire interroger les témoins à charge et à obtenir la comparution et l'interrogatoire des témoins à décharge dans les mêmes conditions que les témoins à charge ;
f) à se faire assister gratuitement d'un interprète si elle ne comprend pas ou ne parle pas la langue employée à l'audience ;
g) à ne pas être forcée de témoigner contre elle-même ou de s'avouer coupable.
– La procédure applicable aux jeunes gens qui ne sont pas encore majeurs au regard de la loi pénale tiendra compte de leur âge et de l'intérêt que présente leur rééducation (voir *infra* pour plus de détails).
– Toute personne déclarée coupable d'une infraction a le droit de faire examiner par une juridiction supérieure la déclaration de culpabilité et la condamnation, conformément à la loi.
– Lorsqu'une condamnation pénale définitive est ultérieurement annulée ou lorsque la grâce est accordée parce qu'un fait nouveau ou nouvellement révélé prouve qu'il s'est produit une erreur judiciaire, la personne qui a subi une peine à raison de cette condamnation sera indemnisée [...].
– Nul ne peut être poursuivi ou puni en raison d'une infraction pour laquelle il a déjà été acquitté ou condamné par un jugement définitif conformément à la loi et à la procédure pénale de chaque pays (PDCP art. 14).
Les règles qui garantissent un procès équitable sont prévues également dans les instruments régionaux : l'article 6 de la Convention européenne des droits de l'homme et l'article 8 de la Convention interaméricaine des droits de l'homme.

■ Garanties judiciaires spéciales prévues pour les mineurs

Au-delà de l'article 14 du Pacte international relatif aux droits civils et politiques, les garanties judiciaires spéciales prévues pour les mineurs ont été développées et précisées par divers instruments juridiques de l'Organisation des Nations unies.

– Les règles minimales de l'ONU sur l'administration de la justice des mineurs, dites Règles de Beijing, approuvées le 26 septembre 1985 par le VIIe congrès des Nations unies et annexées à la résolution 40/33 prise par l'Assemblée générale le 29 novembre 1985, concernent tous les jeunes délinquants sans distinction (art 2.1). Ces règles invitent à fixer l'âge minimal de la responsabilité pénale, et si possible pas trop bas (art. 4.1). Elles recommandent que de nouveaux moyens soient mis en œuvre en vue d'une protection et d'une rééducation efficace. Elles soulignent l'importance du rôle des services communautaires et de la médiation comme moyens aptes à éviter le passage des jeunes devant la justice, même pour des délits graves, si les circonstances particulières de l'affaire le justifient (art. 11). En outre, les Nations unies s'attachent à renforcer les règles de protection devant les instances de jugement. La justice des mineurs doit faire partie intégrante du processus de développement de chaque pays dans le cadre de la justice sociale pour tous les jeunes (art. 1.4). Enfin, ces règles recommandent également que soient recherchées des mesures substitutives à la privation de liberté qui puissent être ordonnées isolément ou combinées entre elles, l'autorité les prononçant étant invitée à faire preuve d'un maximum de souplesse.

▶ **Détention ▷ Enfant.**

– Les orientations générales développées par les Règles de Beijing ont été précisées par la Convention internationale sur les droits de l'enfant adoptée le 20 novembre 1989. Celle-ci, dans son article 40, adresse un certain nombre de recommandations aux États quant à la conduite à tenir vis-à-vis des jeunes délinquants : ces derniers ont droit un traitement de nature à favoriser leur sens de la dignité et à renforcer leur respect des droits de l'homme et des libertés fondamentales. Il doit en outre être tenu compte de leur âge et de la nécessité de leur réintégration dans la société. Enfin, seuls peuvent être réprimés les agissements interdits au moment où ils ont été commis. Diverses garanties sont prévues par la convention, parmi lesquelles le respect de la présomption d'innocence ; le fait d'avoir sa cause entendue sans retard par une instance compétente, indépendante et impartiale selon une procédure équitable en présence de son conseil, ou encore de ne pas être contraint de témoigner ou de s'avouer coupable.
Deux protocoles facultatifs à la convention ont été adoptés le 25 mai 2000 afin de renforcer la protection des enfants contre la participation à des conflits armés et contre l'exploitation sexuelle.

▶ **Enfant.**

– Dans la lignée des Règles de Beijing, les Nations unies ont adopté en 1990 deux textes importants : les Principes directeurs de Riyad et les Règles de La Havane.
Les Principes directeurs de Riyad (adoptés par la résolution 45/112 de l'Assemblée générale du 14 décembre 1990) traitent des principes directeurs pour la prévention de la délinquance juvénile. Ils soulignent l'importance de la famille, de la communauté, de l'éducation et prévoient diverses dispositions en matière de politique sociale, législation et administration de la justice juvénile.
Les Règles de La Havane (adoptées par la résolution 45/113 de l'Assemblée générale du 14 décembre 1990) énoncent quant à elles les règles minimales des Nations unies pour la protection des mineurs privés de liberté. Elles disposent le principe fondamental selon lequel la privation de liberté d'un mineur doit être une mesure de dernier recours, pour le minimum de temps nécessaire et limitée à des cas exceptionnels. Après avoir défini le mineur comme une personne âgée de moins de 18 ans, les règles examinent les différents aspects de la vie carcérale, y compris la préparation du retour dans la société. ■

II. Garanties judiciaires du droit humanitaire

En période de conflit armé, le fonctionnement régulier de la justice peut connaître de graves difficultés. La notion d'atteinte à l'ordre public et le droit pénal applicable peuvent être modifiés dans certains territoires occupés ou non, ou pour certaines personnes. Le droit humanitaire fixe donc des règles minimales de procédure judiciaire. Il porte une attention particulière aux personnes privées de liberté et aux populations des territoires occupés. Il fixe également des garanties pour l'adoption des sanctions disciplinaires.

Le droit humanitaire prévoit des garanties judiciaires générales pour les conflits armés internationaux et non internationaux (1). Celles-ci sont renforcées dans certaines situations particulièrement dangereuses et pour certaines personnes plus spécifiquement vulnérables (2) tels que les prisonniers de guerre, les internés, la population des territoires occupés et les mineurs.

◆ **La violation des garanties judiciaires dans le cadre d'un conflit armé international ou non international est considérée comme un crime de guerre par le statut de la Cour pénale internationale (art. 8.2.c.iv).**
Dans les conflits internationaux, le fait de priver une personne qui ne participe pas directement aux hostilités ou un prisonnier de guerre de son droit d'être jugé régulièrement et impartialement, selon les prescriptions des troisième et quatrième Conventions de Genève, constitue une infraction grave (GIII art. 130 ; GIV art. 147) et un crime de guerre reconnu par le statut de la Cour pénale internationale (art. 8.2.a.vi).

▶ **Crime de guerre-Crime contre l'humanité ▷ Compétence universelle.**

1. *Les garanties judiciaires générales applicables aux conflits armés*

La plupart des garanties judiciaires sont communes aux conflits armés internationaux et non internationaux. Certaines différences spécifiques subsistent toutefois dans les deux types de conflits.

- ***Droits indérogeables***

Les trois grands principes contenus dans les conventions relatives aux droits de l'homme sont repris par le droit humanitaire et restent donc applicables dans les situations de conflit armé :

– la reconnaissance de la personnalité juridique des individus. Cela implique notamment pour un individu le droit d'agir en justice pour le respect de ses droits. Les internés et prisonniers de guerre, par exemple, doivent toujours bénéficier de leur pleine capacité civile et doivent toujours pouvoir exercer les droits ainsi conférés (GIII art. 14 ; GIV art. 80). La possibilité de contester les motifs de la détention devant une cour est l'un des droits les plus fondamentaux, connu sous le nom de droit à *l'habeas corpus* (voir ▷ **Détention** et ▷ **Garanties fondamentales** pour plus de détails).

– la légalité et la non-rétroactivité des infractions pénales. Cela signifie que nul ne peut être condamné pour une action ou une omission qui, au moment où elle a été commise, ne constituait pas une infraction d'après le droit national ou international (GIII art. 99 ; GIV art. 65, 67 ; GPI art. 75 ; GPII art. 6).

– l'interdiction d'infliger une peine plus forte que celle qui était en vigueur au moment des faits. Si, postérieurement à l'infraction, la loi prévoit une peine plus légère, le délinquant doit en bénéficier. (GPI art. 75 ; GPII art. 6).

- ***Garanties judiciaires en période de conflit armé (international et non international)***

Certaines garanties judiciaires spécifiques ont été prévues par le droit humanitaire pour s'appliquer de la façon la plus large possible en période de conflit armé, quelle que soit la nature de celui-ci. Elles sont énoncées dans :
– l'article 3 commun aux quatre Conventions de Genève ;
– l'article 75.4 du Protocole additionnel I et l'article 6 du Protocole additionnel II.
Ces articles établissent en détail le contenu de ces « garanties judiciaires reconnues comme indispensables par les peuples civilisés ». Elles s'appliquent à la poursuite et à la répression d'infractions pénales en relation avec le conflit armé et concernent les personnes qui ne participent pas ou plus directement aux hostilités. Un certain nombre de leurs dispositions sont communes.
Les deux Protocoles additionnels de 1977 ont développé les règles contenues dans l'article 3 commun, notamment au regard de l'exigence de procès équitable. Ces garanties judiciaires sont exprimées dans des termes quasi identiques par les deux Protocoles additionnels. Des dispositions particulières permettent de prendre en compte la spécificité des conflits armés non internationaux. Des dispositions supplémentaires permettent d'assurer des garanties plus développées dans les conflits armés internationaux.

■ Garanties judiciaires applicables dans tous les types de conflits armés

• « Sont et demeurent prohibées en tout temps et en tout lieu à l'égard des personnes qui ne participent pas directement aux hostilités [...] les condamnations prononcées et les exécutions effectuées sans un jugement préalable, rendues par un tribunal régulièrement constitué, assorties des garanties judiciaires reconnues comme indispensables par les peuples civilisés » (GI-GIV art. 3.1.d).
Ces garanties judiciaires fondamentales, contenues dans l'article 3 commun, ont aujourd'hui acquis un caractère coutumier impératif. Cela signifie que cette disposition s'applique en tout temps et vis-à-vis de toutes les personnes qui se trouvent sous l'autorité d'une partie adverse, y compris si ces personnes appartiennent à un groupe armé non étatique ou terroriste qui n'est donc pas signataire des conventions internationales, ou si la situation ne remplit pas l'intégralité des critères d'un conflit armé international ou non international. Ce caractère impératif et coutumier a été rappelé par plusieurs décisions de justice internationale et par la Cour suprême américaine. (Voir ▷ **Garanties fondamentales** ▷ **Coutume**.)
• Aucune condamnation ne sera prononcée, ni aucune peine exécutée à l'encontre d'une personne reconnue coupable d'une infraction sans un jugement préalable rendu par un tribunal offrant les garanties essentielles d'indépendance et d'impartialité. En particulier :
a) la procédure disposera que le prévenu doit être informé sans délai des détails de l'infraction qui lui est imputée et assurera au prévenu avant et pendant son procès tous les droits et moyens nécessaires à sa défense ;

b) nul ne peut être condamné pour une infraction si ce n'est sur la base d'une responsabilité pénale individuelle ;
c) nul ne peut être condamné pour des actions ou omissions qui ne constituaient pas un acte délictueux d'après le droit national ou international au moment où elles ont été commises. De même il ne peut être infligé aucune peine plus forte que celle qui était applicable au moment où l'infraction a été commise. Si postérieurement à cette infraction la loi prévoit l'application d'une peine plus légère, le délinquant doit en bénéficier ;
d) toute personne accusée d'une infraction est présumée innocente jusqu'à ce que sa culpabilité ait été légalement établie ;
e) toute personne accusée d'une infraction a le droit d'être jugée en sa présence ;
f) nul ne peut être forcé de témoigner contre lui-même ou de s'avouer coupable (GPI art. 75.4 ; GPII art. 6.2).
Toute personne condamnée sera informée, au moment de sa condamnation, de ses droits de recours judiciaires et autres, ainsi que des délais dans lesquels ils doivent être exercés (GPI art. 75.4.j ; GPII art. 6.3).
• Les garanties judiciaires sont aussi prévues par les règles du droit international coutumier compilées par le CICR dans une étude publiée en 2005. Ces règles s'appliquent dans la plupart des cas de façon identique aux conflits armés internationaux et non internationaux. Elles représentent des garanties minimales impératives qui s'appliquent à toutes les parties au conflit, sans préjudice de leurs autres obligations en vertu des Conventions de Genève et des Protocoles additionnels de 1977 :
– Règle 99 : La privation arbitraire de liberté est interdite. Cette règle rappelle que des garanties procédurales et des motivations strictes relatives à la sécurité doivent encadrer cette pratique par l'État ou les groupes armés non étatiques.
– Règle 100 : Nul ne peut être condamné ou jugé, si ce n'est en vertu d'un procès équitable accordant toutes les garanties judiciaires essentielles.
– Règle 101 : Nul ne peut être accusé ou condamné pour des actions ou omissions qui ne constituaient pas un acte délictueux d'après le droit national ou international au moment où elles ont été commises. De même, il ne sera infligé aucune peine plus forte que celle qui était applicable au moment où l'infraction a été commise.
– Règle 102 : Nul ne peut être puni pour une infraction si ce n'est sur la base d'une responsabilité pénale individuelle.
– Règle 103 : les peines collectives sont interdites. ■

• ***Garanties supplémentaires pour les conflits armés internationaux***
En cas de conflit armé international, des garanties supplémentaires sont énoncées par le Protocole additionnel I. Certaines d'entres elles sont implicitement applicables aux conflits armés internes :
– toute personne accusée d'une infraction a le droit d'interroger ou de faire interroger les témoins à charge et d'obtenir la comparution et l'interrogatoire de témoins à décharge dans les mêmes conditions que les témoins à charge (GPI art. 75.4.g). Le prévenu doit être informé sans délai des détails de l'infraction qui lui est imputée et il doit disposer de tous les moyens nécessaires à sa défense avant et pendant son procès (GPII art. 6.2.a) ;
– aucune personne ne peut être poursuivie ou punie par la même partie au conflit pour une infraction ayant déjà fait l'objet d'un jugement définitif d'acquittement

ou de condamnation rendu conformément au même droit et à la même procédure judiciaire (GPI art. 75.4.h). C'est un principe bien établi de droit pénal, *non bis in idem,* et c'est l'une des principales garanties judiciaires énoncées dans le PIDCP (art. 14.7). Cette garantie est reprise dans les statuts du TPIY (art. 10), du TPIR (art. 9), et de la CPI (art. 20). Elle est donc applicable pour toutes les situations de conflits internes couvertes par ces tribunaux.
– toute personne accusée d'une infraction a le droit à ce que le jugement soit rendu publiquement (GPI art. 75.4.i).
– par ailleurs, la Cour pénale internationale reconnaît que, dans les conflits armés internationaux, le fait de priver une personne qui ne participe pas directement aux hostilités ou un prisonnier de guerre de son droit d'être jugé régulièrement et impartialement, selon les prescriptions des troisième et quatrième Conventions de Genève constitue un crime de (art.82.vi du statut de Rome). Ces crimes peuvent être jugés par la CPI et par les tribunaux nationaux de tous les États en application du principe de compétence universelle.

- ***Garanties particulières pour les conflits armés non internationaux***

Le Protocole additionnel II prévoit des mesures en faveur des personnes privées de liberté et qui font l'objet de poursuites judiciaire pour des raisons en relation avec le conflit (art. 5 et 6). Ces mesures ont pour but de limiter le déséquilibre juridique spécifique existant dans les conflits armés non internationaux. Ces dispositions sont particulièrement importantes pour les membres des groupes armés non étatiques qui sont considérés comme criminels par le droit national du simple fait de leur participation aux hostilités contre l'État. En effet, le droit humanitaire ne reconnaît pas le statut et le privilège de combattants aux membres des groupes non étatiques impliqués dans ces conflits.
L'article 6 élargit et précise les garanties judiciaires prévues dans l'article 3 commun et les règles de procès équitable évoquées par la règle 100 de l'étude sur les règles du droit international humanitaire coutumier. Les dispositions de l'article 6 priment sur les règles contraires du droit national.
Contrairement à ce qui était prévu dans l'article 3 commun, le Protocole additionnel II a modifié la formulation des garanties judiciaires et de détention pour permettre que la détention/internement et le jugement par un groupe armé non étatique ne soient pas considérés comme arbitraires au regard du droit humanitaire, même s'ils le sont au regard du droit national. Il précise à ce titre que les jugements et condamnations ne pourront pas être prononcés et exécutés sans un jugement préalable rendu par un tribunal offrant les garanties essentielles d'indépendance et d'impartialité. Cet article ne fait plus référence au fait que ce tribunal devrait être « régulièrement constitué » (GPII. art. 5.1, 6.2). Cette modification montre très clairement l'intention d'imposer aux groupes armés non étatiques le respect de ces garanties pour leurs propres activités de détention ou de jugement.
Le Protocole additionnel II recommande également aux autorités d'accorder à la fin des hostilités la plus large amnistie possible aux personnes qui ont pris part aux hostilités (GPII art. 6.5). Cette recommandation d'amnistie concerne les faits

de participation aux hostilités et ne couvre pas les crimes de guerre éventuellement commis par les acteurs armés non étatiques ou étatiques.

▶ **Amnistie.**

2. *Les garanties judiciaires spéciales prévues par le droit humanitaire pour certaines catégories de personnes*

Le droit humanitaire prévoit également des garanties judiciaires spéciales pour certaines catégories de personnes. Ces garanties sont prévues pour les conflits armés internationaux, mais elles peuvent utilement servir de cadre de travail dans les autres types de situations.

Ces garanties judiciaires concernent les personnes suivantes :

- ***Les prisonniers de guerre (GIII chapitre III)***

Les articles 82 à 108 énumèrent les sanctions pénales et disciplinaires.

– Les prisonniers de guerre seront soumis aux lois de la puissance détentrice et à ses tribunaux militaires. Mais aucune poursuite ou sanction non conformes aux articles pertinents de la troisième Convention ne seront autorisées. Les prisonniers de guerre ne pourront faire l'objet de poursuite pénale que si les actes qu'ils ont commis sont également passibles de poursuite quand ils sont commis par un membre des forces armées de la puissance détentrice. Sinon ils ne pourront entraîner que des peines disciplinaires (GIII art. 82).

– La puissance détentrice devra recourir à des mesures disciplinaires plutôt qu'à des poursuites judiciaires, chaque fois que cela sera possible (GIII art. 83).

– Le tribunal devra toujours offrir des garanties d'indépendance et d'impartialité et assurer les moyens et les droits de la défense prévus à l'article 105 (GIII art. 84).

– Même s'ils sont condamnés, les prisonniers de guerre bénéficieront de la protection de la troisième convention (le bénéfice des articles 78 à 126, concernant notamment leur droit de plainte et les garanties judiciaires, ne pourra jamais leur être retiré) (GIII art. 85 et 98).

– Un prisonnier de guerre ne pourra être puni qu'une seule fois en raison du même fait (GIII art. 86).

– Un prisonnier de guerre ne pourra pas se voir infliger d'autres peines par les tribunaux et les autorités militaires de la puissance détentrice que celles qui sont prévues pour les mêmes faits à l'égard des membres des forces armées de cette puissance. Les autorités et tribunaux gardent la possibilité d'atténuer la peine encourue, même au-dessous du minimum prévu, étant donné que l'accusé n'est pas un national de la puissance détentrice et n'est lié à elle par aucun devoir d'allégeance.

– Toute peine collective pour des actes individuels, toute peine corporelle, toute incarcération dans des locaux non éclairés par la lumière du jour et toute forme quelconque de torture ou de cruauté est interdite (GIII art. 87).

– L'exécution des peines ne sera pas non plus soumise à un régime plus sévère que celui prévu pour les membres des forces armées de la puissance détentrice. Les prisonnières de guerre ne seront pas condamnées à des peines plus sévères, ni exécuteront leurs peines dans des conditions plus sévères que celles prévues pour les

femmes appartenant aux forces armées de la puissance détentrice. Les prisonniers de guerre qui auront accompli leur peine disciplinaire ou judiciaire ne pourront pas être traités différemment des autres détenus (GIII art. 88).
– L'échelle des peines disciplinaires est précisément fixée par la convention. Les corvées ne peuvent pas excéder deux heures par jour et ne peuvent pas être infligées aux officiers. En aucun cas, les peines disciplinaires ne pourront être inhumaines, brutales, ou dangereuses pour la santé des prisonniers (GIII art. 89).
– La durée d'une même punition ne peut pas excéder trente jours, même si la peine est prononcée pour plusieurs faits. Au cas où un prisonnier est frappé d'une nouvelle peine disciplinaire, une durée de trois jours au moins séparera l'exécution de chacune des peines (GIII art. 90).
– L'évasion manquée, la complicité d'évasion ne peuvent être punies que d'une sanction disciplinaire même en cas de récidive [...] (GIII art. 92, 93).
– Les évasions et les captures après évasion devront être notifiées par l'autorité détentrice à la puissance protectrice conformément à l'article 122 (GIII art. 94).
– La détention préventive ne sera en principe pas appliquée aux prisonniers prévenus de faute disciplinaire. Elle ne pourra de toute façon pas excéder quatorze jours (GIII art. 95).
– Les faits qui constituent une faute disciplinaire feront l'objet d'une enquête immédiate. Le prisonnier sera informé des faits qui lui sont reprochés et devra pouvoir expliquer sa conduite et se défendre. Il pourra faire citer des témoins et bénéficier de l'assistance d'un interprète qualifié. Le commandant du camp tiendra un registre des peines disciplinaires prononcées. Il pourra être consulté par les représentants de la puissance protectrice. En aucun cas, les pouvoirs disciplinaires ne pourront être délégués à ou exercés par un prisonnier de guerre (GIII art. 96).
– Les prisonniers de guerre ne pourront jamais être transférés dans des établissements pénitentiaires pour purger des peines disciplinaires. Les locaux dans lesquels seront subies les peines disciplinaires seront conformes aux exigences d'hygiène prévues pour le logement des prisonniers de guerre (GIII art. 25). Des locaux disciplinaires séparés seront prévus pour les officiers et assimilés et pour les hommes de troupes, ainsi que pour les femmes qui doivent être sous la surveillance immédiate de femmes (GIII art. 97).
– Les prisonniers de guerre punis pour des fautes disciplinaires bénéficieront toujours des droits de la troisième Convention. Ils seront autorisés à se présenter à la visite médicale quotidienne, à recevoir les soins nécessaires. Ils seront autorisés à prendre chaque jour deux heures d'exercice en plein air. Ils seront autorisés à lire, à écrire, à envoyer et recevoir des lettres (GIII art. 98).
– Aucun prisonnier de guerre ne pourra être poursuivi ou condamné pour un acte qui n'est pas expressément réprimé par la législation pénale de la puissance détentrice ou par le droit international en vigueur au moment où l'acte est commis. Aucune pression morale ou physique ne sera exercée sur un prisonnier de guerre pour l'amener à se reconnaître coupable des faits dont il est accusé. Aucun prisonnier ne pourra être condamné sans avoir eu la possibilité de se défendre (GIII art. 99).

– Les prisonniers et les puissances protectrices devront être informés le plus vite possible des infractions passibles de la peine de mort. Avant de prononcer la peine de mort, le tribunal devra considérer le fait que le prisonnier n'est pas un ressortissant de la puissance détentrice et ne lui est lié par aucun devoir de fidélité [...] (GIII art. 100).
– Si la peine de mort est prononcée contre un prisonnier, la peine ne pourra pas être exécutée avant l'expiration d'un délai d'au moins six mois à partir du moment où la notification de cette décision aura été faite à la puissance protectrice (GIII art. 101).
– Le jugement contre un prisonnier de guerre ne peut être valable que s'il est prononcé par les mêmes tribunaux et suivant la même procédure qu'à l'égard des personnes appartenant aux forces armées de la puissance détentrice (GIII art. 102).
– Durant la durée de la détention préventive, les prisonniers de guerre bénéficieront des mêmes garanties et droits que pour l'exécution des peines disciplinaires (GIII art. 103).
– La puissance protectrice devra être informée de façon précise toutes les fois que des poursuites seront engagées contre un prisonnier de guerre sous peine de voir la procédure ajournée (GIII art. 104).
– Le prisonnier de guerre pourra bénéficier de l'aide d'un défenseur qui aura au moins deux semaines pour préparer la défense. Le prisonnier prévenu et son défenseur recevront avant l'ouverture des débats, dans une langue qu'ils comprennent, l'acte d'accusation. Les représentants de la puissance protectrice auront le droit d'assister aux débats (GIV art. 105).
– Le prisonnier de guerre aura le droit de recourir en appel, en cassation ou en révision de la décision rendue (GIII art. 106).
– Le jugement rendu sera notifié à la puissance protectrice (GIII art. 107).
– L'exécution des peines se fera dans les mêmes établissements et les mêmes conditions que ceux prévus pour les membres des forces armées de la puissance détentrice (GIII art. 108).

▶ **Prisonnier de guerre.**

• ***Les internés (GIV art. 42, 43, 78, 117 à 126)***
– Les civils peuvent faire l'objet de mesures d'internement ou de résidence forcée décidées par la puissance au pouvoir de laquelle ces personnes se trouvent. Ces mesures ne peuvent être justifiées que par d'impérieuses raisons de sécurité et les personnes internées doivent pouvoir faire appel de cette décision d'internement. Il est prévu qu'un collège administratif compétent, créé à cet effet par la puissance détentrice, puisse reconsidérer dans un bref délai la décision d'internement ou de résidence forcée prise à leur encontre (GIV art. 42, 78). Ce tribunal ou ce collège administratif devra procéder périodiquement et au moins deux fois par an à l'examen de leur cas. (GIV art. 43).
– Des garanties particulières concernent la sanction pénale ou disciplinaire des actes commis par les internés pendant leur internement (GIV art. 117 à 126).

– Les internés sont soumis à la loi du territoire sur lequel ils se trouvent. Si des lois ou règlements déclarent punissables des actes commis par les internés, alors que les mêmes actes ne le sont pas quand ils sont commis par des personnes qui ne sont pas internées, ces actes ne pourront entraîner qu'une sanction disciplinaire (GIV art. 117).
– Les tribunaux devront, pour fixer les peines, tenir compte du fait que le prévenu n'est pas un ressortissant de la puissance détentrice. Ils pourront donc prononcer des peines inférieures au minimum prévu par l'échelle officielle des peines. Les internés punis ne pourront être traités différemment des autres internés après avoir subi leur peine. La durée de la détention préventive subie par un interné sera déduite de sa peine judiciaire ou disciplinaire qui lui serait infligée. Les comités d'internés seront informés de toutes les procédures judiciaires engagées contre les internés (GIV art. 118).
– Les peines disciplinaires sont énoncées de façon limitative par l'article 119 qui prévoit qu'en aucun cas ces peines ne pourront être inhumaines, brutales ou dangereuses pour la santé des internés. Elles devront tenir compte de leur âge, de leur sexe et de leur état de santé. La durée d'une même punition ne peut jamais excéder trente jours consécutifs (GIV art. 119).
– Les évasions ne pourront faire l'objet que de peines disciplinaires, même en cas de récidive. Elles ne pourront pas constituer une circonstance aggravante en cas de poursuite pour une autre infraction (GIV art. 120, 121).
– Pour tous les internés, la détention préventive en cas d'enquête pour faute disciplinaire n'excédera pas quatorze jours. Sa durée sera déduite de la peine finalement infligée (GIV art. 122).
– Les peines disciplinaires pourront être prononcées seulement par les tribunaux ou le commandant du lieu d'internement ou par un officier ou un fonctionnaire responsable à qui il aura délégué son pouvoir disciplinaire [...]. Le commandant du lieu d'internement devra tenir un registre des peines disciplinaires prononcées qui sera mis à la disposition des représentants de la puissance protectrice (GIV art. 123).
– Les peines disciplinaires ne peuvent pas être effectuées dans des établissements pénitentiaires (prisons, bagnes, etc.). Les locaux dans lesquels elles seront effectuées doivent être conformes aux exigences de l'hygiène et comporter du matériel de couchage. Les internés doivent pouvoir se laver. Les femmes internées pour des raisons disciplinaires devront être détenues dans des locaux séparés des hommes et sous la surveillance immédiate de femmes (GIV art. 124).
– Les internés punis disciplinairement auront la faculté de prendre chaque jour de l'exercice en plein air pendant au moins deux heures. Ils seront autorisés à leur demande à se présenter à la visite médicale quotidienne et à recevoir les soins nécessaires. Ils seront autorisés à lire et à écrire, à envoyer et recevoir des lettres (GIV art. 125).

◆ **Des garanties similaires sont fixées par le droit humanitaire pour réglementer les sanctions disciplinaires et pénales qui s'appliquent aux personnes privées de liberté en relation avec un conflit.**

▶ **Détention ▷ Internement.**

- ***Les personnes civiles des territoires occupés (GIV art. 47, 54, 64, 66 à 75)***

  – L'occupant peut soumettre les habitants d'un territoire occupé à des dispositions qui lui paraissent nécessaires pour assurer sa propre sécurité et pour administrer le territoire. Il peut donc abroger la législation pénale qui y était en vigueur. Toutefois, les nouvelles dispositions ne pourront pas avoir d'effet rétroactif. Elles devront en outre avoir été publiées et portées à la connaissance des habitants du territoire occupé dans la langue qu'ils parlent (GIV art. 64, 65).

  – En outre, la puissance occupante ne pourra en aucune manière, ni par des lois et règlements ni d'autre façon, priver les personnes qui se trouvent dans un territoire occupé des droits et garanties qui leur sont accordés par la quatrième Convention (GIV art. 47).

  – Il est également interdit à la puissance occupante de modifier le statut des fonctionnaires ou des magistrats du territoire occupé ou de prendre à leur égard des sanctions ou d'autres mesures de pression parce qu'ils s'abstiennent d'exercer leurs fonctions pour des raisons de conscience (GIV art. 54). Ils pourront toutefois être réquisitionnés conformément à l'article 51.

  – Pour sanctionner les manquements faits par la population civile des territoires occupés aux règlements édictés par la puissance occupante, celle-ci peut déférer les contrevenants à ses propres tribunaux militaires « pour parer, s'il y a lieu, aux insuffisances des tribunaux locaux ». Cependant, dans ces cas, l'article 66 exige que ces tribunaux militaires soient « non politiques et régulièrement constitués ». Ils doivent en outre siéger dans les territoires occupés, comme les tribunaux d'appel. Ces tribunaux devront tenir compte du fait que le prévenu n'est pas un ressortissant de la puissance occupante. Ils ne pourront appliquer que des dispositions légales antérieures à l'infraction et devront respecter le principe de proportionnalité prévu entre la gravité de la peine et celle de l'infraction (GIV art. 67).

  – L'application de la peine de mort est strictement limitée aux actes d'espionnage ou aux actes de sabotage grave des installations militaires de la puissance occupante ou aux infractions intentionnelles qui ont causé la mort d'une ou plusieurs personnes et à condition que la législation du territoire prévoie la peine de mort dans de tels cas. En aucun cas, la peine de mort ne sera prononcée contre une personne protégée âgée de moins de dix-huit ans au moment de l'infraction (GIV art. 68).

  – Dans tous les cas, la durée de la détention préventive sera déduite de la peine d'emprisonnement finalement prononcée (GIV art. 69).

  – Les personnes protégées ne pourront pas être arrêtées, poursuivies ou condamnées par la puissance occupante pour des actes commis ou pour des opinions exprimées avant l'occupation. Une exception pourra être faite en cas d'infractions au droit et aux coutumes de la guerre. Les ressortissants de la puissance occupante qui, avant le début du conflit, avaient cherché refuge sur le territoire occupé, ne pourront être arrêtés, poursuivis, condamnés ou déportés hors du territoire occupé que pour des infractions commises depuis le début des hostilités ou pour des infractions de droit commun commises avant le début du conflit et qui auraient justifié l'extradition en temps de paix (GIV art. 70).

  – Les tribunaux compétents de la puissance occupante ne pourront prononcer aucune condamnation qui n'ait été précédée d'un procès régulier. En outre, la puissance protectrice pourra à sa demande obtenir notification des éléments essentiels du procès et assister à l'audience (GIV art. 71, 74).

– Tout prévenu aura le droit de faire valoir les moyens de preuve nécessaires à sa défense et d'être assisté par un avocat ou conseil qualifié (GIV art. 72) et il disposera d'un droit de recours (GIV art. 73).

– Les personnes condamnées à mort auront toujours le droit de recourir en grâce. Aucune condamnation à mort ne sera exécutée avant l'expiration d'un délai d'au moins six mois à partir du moment où la puissance protectrice aura reçu la communication du jugement définitif (GIV art. 75).

▶ **Territoire occupé ▷ Puissance protectrice ▷ Peine de mort.**

- ***Femmes et mineurs***

Le droit humanitaire accorde des garanties spécifiques pour les femmes et les mineurs en tant que civils, prisonniers de guerre, détenus ou internés dans les situations de conflits armés.

▶ **Femme ▷ Enfant.**

En particulier, les conventions et les protocoles incluent dans les garanties judiciaires certaines limitations de l'usage de la peine de mort : « La peine de mort ne sera pas prononcée contre les personnes âgées de moins de dix-huit ans au moment de l'infraction et elle ne sera pas exécutée contre les femmes enceintes et les mères d'enfants en bas âge » (GPII art. 6.4 ; GIV art. 68).

▶ **Peine de mort.**

Consulter aussi

▶ **Amnistie ▷ Crime de guerre-Crime contre l'humanité ▷ Détention ▷ Internement ▷ Prisonnier de guerre ▷ Territoire occupé ▷ Garanties fondamentales ▷ Peines collectives ▷ Enfant ▷ Femme ▷ Sanctions pénales du droit humanitaire ▷ Peine de mort ▷ Torture ▷ Tribunaux pénaux internationaux ▷ Mineur.**

Pour en savoir plus

GASSER H. P., « Respect des garanties judiciaires fondamentales en temps de conflit armé », *Revue internationale de la Croix-Rouge*, n° 794, mars-avril 1992, p. 129-152.

HAMPSON F. J., « The relationship between international humanitarian law and human rights law from the perspective of a human rights treaty body » *Revue internationale de la Croix rouge*, n° 871, septembre 2008, p. 549- 627.

LAWYERS COMMITTEE FOR HUMAN RIGHTS, *What is a Fair Trial ? A Basic Guide to Legal Standards and Practice*, 2001.

OLIVIER C., SCHABAS W. A., « La procédure pénale appliquée aux infractions terroristes : droit commun ou régime particulier ? », *in* G. DOUCET (éd.), *Terrorisme, victimes et responsabilité pénale internationale*, Calmann Lévy, Paris, 2003, p. 113-133.

OLIVIER C., « Revisiting general comment n° 29 of the Human Rights Committee about fair trial rights and derogations in times of public emergency », *The Leiden Journal of International Law*, 17 février 2004.

PELIC J., « The protective scope of Common Article 3 : more than meets for the eye », *Revue internationale de la Croix rouge*, n° 881, mars 2011, p. 1-37.

Génocide

Le génocide est interdit en temps de paix comme en temps de guerre par la Convention pour la prévention et la répression du crime de génocide du 9 décembre 1948.

■ Définition

L'article 2 de la convention de 1948 le définit comme suit : « Le génocide s'entend de l'un quelconque des actes ci-après, commis dans l'intention de détruire, en tout ou en partie, un groupe national, ethnique, racial ou religieux, tels :
- meurtres de membres du groupe ;
- atteinte grave à l'intégrité physique ou mentale de membres du groupe ;
- soumission intentionnelle du groupe à des conditions d'existence devant entraîner sa destruction physique totale ou partielle ;
- mesures visant à entraver les naissances au sein du groupe ;
- transfert forcé d'enfants du groupe à un autre groupe. »

En outre, l'article 3 prévoit que seront punis les actes suivants :
(a) l'entente en vue de commettre le génocide
(b) l'incitation directe et publique à commettre le génocide
(c) la tentative de génocide
(d) la complicité dans le génocide. ■

Ce texte adopté par l'Assemblée générale de l'ONU le 9 décembre 1948 est entré en vigueur en 1951. En avril 2013, 142 États y étaient parties mais ce texte s'applique et s'impose même aux États qui ne l'ont pas ratifié. En effet la Cour internationale de justice a reconnu dans un avis qui s'impose à tous les États que la convention avait un caractère coutumier (avis du 28 mai 1951). Le secrétaire général de l'ONU a également rappelé, dans son rapport sur la création du tribunal pénal international sur l'ex-Yougoslavie, que ce texte faisait partie du droit international coutumier (rapport S/25704 du 3 mai 1993). Le Conseil de sécurité a ensuite approuvé ce rapport dans sa résolution 827 (25 mai 1993).

Ce crime est également défini dans les mêmes termes et réprimé par le statut de la Cour pénale internationale adopté à Rome en 1998 qui est compétente pour juger les crimes contre l'humanité et les crimes de guerre et le génocide. Le génocide doit être distingué des massacres, persécutions, exterminations et attaques délibérées contre les civils qui entrent dans la catégorie des crimes contre l'humanité.

L'application de la convention sur le génocide a soulevé plusieurs problèmes concernant d'une part l'interprétation de la définition du génocide et d'autre part la faiblesse du mécanisme de sanction initialement prévu.

1. *L'interprétation de la convention*

La définition du génocide comporte plusieurs éléments dont le contenu est controversé. Les travaux préparatoires de cette convention ainsi que les décisions rendues par les tribunaux pénaux internationaux pour l'ex-Yougoslavie et le Rwanda permettent d'éclairer certains de ces points.

La spécificité du génocide par rapport aux autres crimes contre l'humanité ou crimes de guerre réside dans des caractéristiques particulières concernant : les actes, la nature du groupe visé et l'intention constitutive de ce crime (*mens rea*). (Voir *infra* Jurisprudence.)

a) Destruction biologique immédiate ou différée

Les actes ne se limitent pas à l'assassinat. Ils englobent également des mesures n'impliquant pas forcément la mort immédiate mais provoquant à terme la disparition du groupe en tant que tel. Il s'agit d'actes délibérés qui visent à la destruction différée totale ou partielle d'un groupe en tant que tel. C'est dans ce cadre que s'inscrivent les mesures visant à soumettre le groupe à des conditions d'existence devant entraîner sa disparition, mais également les mesures visant à entraver les naissances au sein d'un groupe, les transferts d'enfants et les atteintes graves à l'intégrité physique et mentale de membres du groupe, y compris le viol.

b) Destruction d'un groupe en tant que tel

Les actes doivent viser les individus non pas en tant qu'individus mais en tant que membres d'un groupe national, racial, ethnique ou religieux. Les rédacteurs de la convention ont clairement exclu les critères politiques et culturels. Les critères d'appartenance à un groupe national, racial, ethnique ou religieux proposés par la convention n'ont pas de définition juridique ou scientifique précise. Ces critères ont donc fait l'objet d'interprétations de la part des tribunaux internationaux. L'existence du groupe en tant que tel peut être attestée par les critères objectifs fixés par la convention : nationalité, race, ethnie et religion. Mais les tribunaux pénaux internationaux ont également estimé que la définition du groupe pouvait être établie en utilisant les critères subjectifs d'identification et de stigmatisation dudit groupe utilisés notamment par les auteurs du crime. Ces critères recouvrent alors la perception que les auteurs des crimes ont développée concernant les caractères nationaux, ethniques, raciaux et religieux du groupe concerné. (Voir TPIR : affaire Kayishema et Ruzindana, 21 mai 1999 ; et TPIY : affaires Jelisic, 5 juillet 2001 et Susica Camp Case [Procureur c. Nicolic], 4 février 2005).Ces critères subjectifs doivent cependant s'appliquer à un groupe stable et durable dont l'appartenance se fait par la naissance (affaire Akayesu, 2 septembre 1998).

c) Destruction totale ou partielle du groupe

Les actes doivent avoir été commis dans l'intention de détruire ce groupe en tout ou en partie. L'évaluation du seuil quantitatif est imposée par la référence à l'intention de détruire « en tout ou en partie » un groupe. La question d'interprétation consiste à savoir si cette référence au caractère partiel s'applique seulement à la destruction ou si elle englobe aussi l'intention. Certains pensent que toute destruction, même partielle, doit avoir été faite avec l'intention de détruire le groupe entier. Ce débat renvoie partiellement à celui concernant la nature du groupe. Les décisions des tribunaux pénaux internationaux ont affirmé que l'intention de détruire doit concerner une partie substantielle du groupe visé. Cette partie substantielle peut s'apprécier sur des critères quantitatifs (nombre de victimes par rapport au groupe) ou qualitatifs (statut des victimes au sein du groupe) (affaire Jelisic, *supra*) et doit être évaluée dans le contexte de ce qui advient au reste du groupe (affaire Krstic, TPIY, 19 avril 2004). En effet un certain nombre d'actes constitutifs de génocide n'entraînent pas la mort immédiate des individus mais condamnent la survie du groupe à plus ou moins brève échéance.

d) La preuve de l'intention spécifique de détruire

La nécessité de prouver l'existence d'une intention spécifique de détruire, au-delà des individus, un groupe en tant que tel, est une difficulté de la qualification de génocide. Il faut que le criminel ait voulu l'acte criminel mais aussi les conséquences ultimes de l'acte concernant la destruction, en tout ou en partie, d'un groupe défini (TPIR : affaire Kambanda, 19 octobre 2000 et affaire Kayishema et Ruzindana, *supra*). Les décisions des tribunaux pénaux internationaux ont montré que cette intention pouvait transparaître au niveau des exécutants ou à travers l'existence d'une politique génocidaire. L'existence d'une politique génocidaire peut être prouvée par l'existence d'un plan concerté. L'intention spécifique d'exterminer un groupe peut aussi être déduite dans chaque cas d'espèce des prises de position des autorités, de l'échelle et de la nature des atrocités commises et du mode d'organisation qui entoure la commission des crimes. Le document de la Cour pénale internationale concernant les éléments des crimes reprend cette analyse et précise à ce sujet que l'existence de l'intention et de la connaissance peut être déduite de faits et de circonstances pertinents.

Malgré cette abondante jurisprudence et la fin des travaux des tribunaux pénaux internationaux, il est encore tôt pour délimiter dans ces décisions et jugements les éléments portant valeur générale à l'égard de la définition du crime de génocide et ceux ayant un poids procédural plus limité et qui se concentrent principalement sur le niveau et le mode de preuve admis par les juges internationaux au cas par cas.

2. Le mécanisme de prévention et de sanction prévu par la Convention sur le génocide de 1948

– Ce mécanisme s'applique au génocide commis en temps de paix comme en temps de guerre.

– La convention punit non seulement le génocide, mais aussi l'entente en vue de le commettre, l'incitation directe et publique à le commettre, la tentative et la complicité dans sa perpétration (art. 3).

– Toutes les personnes qui ont commis ces actes doivent être punies, qu'elles soient gouvernants, fonctionnaires ou particuliers (art. 4). Aucune forme d'immunité du fait des fonctions officielles ne peut être invoquée pour échapper aux poursuites judiciaires en cas de génocide.

– Les États parties reconnaissent que le génocide est un crime de droit international. Ils s'engagent à prévenir et à punir ce crime (art 1), à adopter des lois permettant de punir les auteurs de ces crimes et à procéder à leur extradition sans condition, vers les États qui les réclament. (art. 5 et 7).

– Les États parties peuvent saisir la Cour internationale de justice pour les différends relatifs à l'interprétation, l'application et l'exécution de la convention (art. 9).

– Tous les États parties peuvent saisir les organes compétents de l'ONU afin que ceux-ci prennent les mesures qu'ils jugent appropriées pour la prévention et la répression de ces actes (art. 8).
– Les tribunaux compétents pour punir ce crime sont selon les termes de l'article 6 de la convention : ceux de l'État sur le territoire duquel le crime a été commis et la Cour pénale internationale, déjà en projet en 1948. L'histoire a montré que les tribunaux des pays dans lesquels se commet un génocide ne sont souvent pas efficaces pour prévenir ni sanctionner, dans des délais raisonnables, un crime qui par nature implique la complicité des autorités nationales. Le caractère inadapté de ce mécanisme de sanction et la difficulté pour des gouvernements de juger d'autres gouvernements expliquent pourquoi la convention n'a jamais pu être efficace depuis sa rédaction, ni au Cambodge en 1975 ni au Rwanda en 1994. Il est intéressant de noter que le Rwanda n'avait pas respecté son obligation en vertu de l'article 1 de la Convention sur le génocide de 1948 qui dispose que chaque État partie doit intégrer le génocide comme crime punissable en droit national. Ce n'est qu'après le génocide de 1994 que le Rwanda a adapté sa législation (Loi organique n° 08/96 du 30 août 1996 sur l'organisation des poursuites des infractions constitutives du crime de génocide ou de crimes contre l'humanité commises à partir du 1er octobre 1990).
Concernant la Cour pénale internationale, il aura fallu attendre cinquante ans après l'adoption de la Convention de 1948 pour que les États parviennent à un accord sur sa création.

3. *Les autres mécanismes de sanctions possibles*
– Le droit humanitaire inclut l'extermination des personnes protégées dans la catégorie des infractions graves. Le génocide peut donc, sous cette forme, être sanctionné par le mécanisme de compétence universelle s'il est commis en période de conflit. Le principe de compétence universelle a été établi par les Conventions de Genève de 1949. Il permet aux tribunaux de n'importe quel pays de poursuivre les auteurs des violations graves des conventions de Genève. Ce principe a pu être invoqué par certains pays en cas de crime de génocide. Le fonctionnement du principe de compétence universelle suppose que les États concernés ont adapté leur droit pénal national pour rendre possibles ces poursuites au-delà des liens traditionnels de rattachement qui organisent la compétence des tribunaux nationaux en matière pénale.
– Les deux tribunaux pénaux internationaux créés pour juger de façon *ad hoc* les crimes en ex-Yougoslavie et au Rwanda ont pour mission de réprimer, entre autres crimes, les actes de génocide qui ont été commis.
– Le statut de la Cour pénale internationale adopté à Rome le 17 juillet 1998 confie à cet organe judiciaire international une compétence pour juger les crimes de génocide (art. 6), les crimes contre l'humanité, les crimes de guerre et le crime d'agression. La Cour est compétente pour juger le crime de génocide qui aurait été commis sur le territoire ou par un ressortissant d'un État qui a ratifié le statut de la Cour. Si le pays dans lequel le crime de génocide a été commis n'a pas ratifié le statut de Rome, ou si l'État de nationalité de l'accusé n'a pas ratifié le statut,

le Conseil de sécurité est le seul organe compétent pour saisir la Cour pour des actes de génocide.

La Cour peut ainsi être saisie de trois manières : 1) directement par un État partie au statut de Rome, 2) par le procureur de la Cour *via* l'ouverture d'une enquête de sa propre initiative (*propio motu*) sur la base des informations relatives à des actes de génocide qu'il aurait reçues de sources diverses et 3) par le Conseil de sécurité, dans le cadre de ses attributions en vertu du chapitre VII de la Charte de l'ONU.

▶ **Cour pénale internationale.**

Étant l'un des pires crimes qui puissent exister, les auteurs de génocide peuvent également être poursuivis devant n'importe quelle cour nationale en vertu du principe de compétence universelle, pourvu que le système pénal de ces pays ait inclut une disposition concernant la compétence pour juger les crimes commis par des non-nationaux et/ou commis en dehors du territoire national.

▶ **Compétence universelle.**

Le 17 juillet 2012, le secrétaire général de l'ONU a nommé Adama Dieng du Sénégal Conseiller spécial chargé de la prévention des génocides. Il a pour mission d'alerter le secrétaire général et le Conseil de sécurité sur des situations à risque pouvant conduire à des génocides.

◆ **Pour éviter que les délais et les difficultés de jugement ne consacrent en fait l'impunité, le crime de génocide, commis en temps de paix comme en temps de guerre, est déclaré imprescriptible par la convention sur l'imprescriptibilité des crimes de guerre et des crimes contre l'humanité de 1948 et par le statut de la Cour pénale internationale (art. 29). Il sera donc toujours possible d'entamer des poursuites quels que soient les délais écoulés depuis la commission du crime.**

▶ **Tribunaux pénaux internationaux ▷ Crime de guerre-Crime contre l'humanité ▷ Cour pénale internationale ▷ Compétence universelle ▷ Imprescriptibilité ▷ Immunité ▷ Liste des États parties aux conventions internationales relatives aux droits de l'homme et au droit humanitaire (n° 22).**

Jurisprudence

1. Définition du génocide

a. Éléments généraux

Dans le jugement Krstic (2 août 2001, § 550), la Chambre de première instance a défini le génocide comme « toute entreprise criminelle visant à détruire, en tout ou en partie, un type particulier de groupe humain, comme tel, par certains moyens. L'intention spéciale exigée par le crime de génocide comporte un double élément : l'acte ou les actes doivent viser un groupe national, ethnique, racial ou religieux, l'acte ou les actes doivent chercher à détruire tout ou partie de ce groupe ». Dans le même jugement, la Chambre reconnaît que le droit international coutumier limite la définition du génocide aux actes visant la destruction physique ou biologique de tout ou partie d'un groupe. Cela a été confirmé par la Chambre de première instance du TPIR dans le jugement Semanza (15 mai 2003, § 315). La Chambre a rappelé que le « crime de génocide est considéré comme faisant partie intégrante du droit international coutumier qui, de surcroît, est une norme impérative du droit », jugement Rutaganda (6 décembre 1999, § 46) et jugement Musema (27 janvier 2000, § 15).

b. L'interprétation de l'article 2.2.b du statut du TPIR

« Le génocide s'entend de l'un quelconque des actes commis ci-après : b) atteinte grave à l'intégrité physique ou mentale de membres du groupe ».

Dans le jugement Semanza (15 mai 2003, § 320), la Chambre conclut que « le Statut vise à réprimer les atteintes graves à l'intégrité physique y compris les actes de violence sexuelle, qui ne répondent pas à la qualification de meurtre ». Dans l'affaire Kayishema et Ruzindana (21 mai 1999, § 109), la Chambre a estimé que, par atteinte grave à l'intégrité physique, il faut entendre tout « acte qui porte gravement atteinte à la santé de la victime ou qui a pour effet de la défigurer ou de provoquer des altérations graves de ses organes externes, internes ou sensoriels ». Voir également les affaires Seromba (12 mars 2008, § 46) et Renzaho (14 juillet 2009, § 762).

c. L'absence de seuil quantitatif

Dans le jugement Seromba (13 décembre 2006, § 319), la Chambre de première instance du TPIR a estimé qu'il n'y avait aucun seuil quantitatif de victimes pour conclure au génocide. Voir également Bagosora *et al.* (18 décembre 2008, § 2115), Simba (13 décembre 2005, § 412), Muvunyi (12 septembre 2006, § 479) et Muhimana (28 avril 2005, § 514).

2. La preuve de l'intention de génocide (*mens rea*)

La Chambre de première instance du TPIR considère que, « pour qu'un crime de génocide soit établi, il faut, premièrement, que l'un des actes énumérés à l'article 2.2 du statut ait été perpétré, deuxièmement, que cet acte ait été commis contre un groupe national, ethnique, racial ou religieux, spécifiquement ciblé, en tant que tel, et, troisièmement, que l'acte ait été commis dans l'intention de détruire en tout ou en partie, le groupe ciblé ». C'est cette intention spécifique qui distingue le crime de génocide d'un autre crime de droit commun comme le meurtre de civils à grande échelle. Voir Kayishema, Ruzindana (21 mai 1999). Par conséquent, le génocide invite à une analyse s'articulant autour de deux axes : les actes prohibés sous-jacents et l'intention spécifique de génocide ou *dolus specialis* (affaire Bagilishema, 7 juin 2000, § 55). Voir aussi l'affaire Akayesu (2 septembre 1998, § 498, 517, 522).

Dans le jugement Seromba (12 mars 2008, § 175, 176), la Chambre d'appel du TPIR a estimé que l'intention de génocide peut être déduite de preuves indirectes. La Chambre a rappelé que « l'élément intentionnel du génocide peut se déduire de certains faits ou indices, notamment, a) du contexte général de perpétration d'autres actes répréhensibles systématiquement dirigés contre le même groupe, que ces autres actes aient été commis par l'accusé ou par d'autres, b) de l'échelle des atrocités commises, c) de leur caractère général, d) de leur exécution dans un région ou un pays, e) du fait que les victimes ont été délibérément et systématiquement choisies en raison de leur appartenance à un groupe particulier, f) de l'exclusion, à cet égard, des membres d'autres groupes, g) de la doctrine politique qui a inspiré les actes visés, h) de la répétition d'actes de destruction discriminatoires et i) de la perpétration d'actes portant atteinte au fondement du groupe ou considérés comme tel par leurs auteurs ». Voir également les affaires Kambanda (19 octobre 2000), Zigiranyirazo (18 décembre 2008, § 398), Bikindi (2 décembre 2008, § 420), Muvunyi (12 septembre 2006, § 480) et Blagojevic & Jokic (9 mai 2007, § 122-123).

Dans l'arrêt Gacumbitsi (7 juillet 2006, § 40), la Chambre de première instance a ajouté que l'intention pouvait également être déduite du fait de « s'attaquer physiquement au groupe ou à ses biens, de l'usage de termes insultants à l'égard des membres du groupe visé, des armes utilisées et de la gravité des blessures subies par les victimes, du caractère méthodique de la planification et du caractère systématique du crime ». Voir également Kamuhanda (22 janvier 2004, § 625) et Kayishema & Ruzindana (21 mai 1999, § 527).

Dans l'affaire Kayishema & Ruzindana (21 mai 1999, § 91), la Chambre de première instance a estimé que, « pour que le crime de génocide soit constitué, il faut que la *mens rea* requise existe avant la commission des actes ». Plus récemment, dans l'affaire Simba (27 novembre 2007, § 266), le TPIR a renversé ce jugement, soutenant que l'intention de génocide ne nécessite pas d'être formée avant la commission des actes génocidaires, mais bien plutôt d'être présente au moment de la commission. En outre, dans l'affaire Nchamihigo (18 mars 2010, § 363), la Chambre d'appel du TPIR a estimé que la preuve de l'existence d'un plan génocidaire de haut niveau n'était pas requise pour déclarer coupable une personne accusée de génocide ou pour l'incitation comme mode de responsabilité à la commission du génocide. Voir également Nahimana *et al.* (28 novembre 2007, § 480).

3. La destruction, totale ou partielle, du groupe en tant que tel

En ce qui concerne la notion de groupe, la Chambre de première instance du TPIR semble être souple. Dans l'affaire Rutaganda (6 décembre 1999), la Chambre de première instance du TPIR observe que, « dans le cadre de l'application de la Convention sur le génocide, l'appartenance à un groupe est donc par essence une notion plus subjective qu'objective » (Rutaganda, 6 décembre 1999, § 56). La victime est perçue par l'auteur du génocide comme appartenant au groupe dont la destruction est visée. Dans certains cas, la victime peut se percevoir comme appartenant audit groupe (§ 56-58). Néanmoins, la Chambre est d'avis qu'une définition uniquement subjective ne saurait suffire à déterminer un groupe de victimes, tel que prévu par la Convention sur le génocide. Il apparaît à la lecture des travaux préparatoires que certains groupes, tels que les groupes économiques et politiques, ont été exclus des groupes protégés car considérés comme des « groupes mobiles » auxquels on se joint par engagement individuel et politique. Cela semble suggérer *a contrario* que la convention était vraisemblablement destinée à couvrir des groupes relativement stables et permanents (§ 58). Pour déterminer si un groupe donné peut être considéré comme protégé contre le crime de génocide, la Chambre procède au cas par cas, en prenant en considération à la fois les éléments de preuve présentés et le contexte, politique, social et culturel (§ 373). Voir également la Chambre de première instance du TPIR dans l'affaire Musema (27 janvier 2000, § 160-163) et la Chambre d'appel du TPIR dans l'affaire Seromba (13 décembre 2006, § 318).

Les victimes de génocide doivent être visées en raison de leur appartenance à un groupe. L'intention de détruire un groupe en tant que tel, en tout ou en partie, présuppose que les victimes soient choisies en raison de leur appartenance au groupe visé par la destruction, qu'il s'agisse d'un groupe national, racial, ethnique ou religieux (affaire du Camp Susica, Le procureur c. Nicolic, 4 février 2005). La simple connaissance de l'appartenance des victimes à un groupe distinct de la part des auteurs du crime n'est pas suffisante pour établir une intention de détruire le groupe en tant que tel (Chambre d'appel du TPIY, Krstic, 2 août 2001, § 561). Voir également l'affaire Jelisic (14 décembre 1999, § 67).

L'intention de détruire doit concerner une partie substantielle du groupe visé. Cette partie substantielle peut s'apprécier sur des critères quantitatifs (nombre de victimes par rapport au groupe) ou qualitatifs (statut des victimes au sein du groupe) (affaire Jelisic, TPIY, 5 juillet 2001). Elle peut également être appréciée au regard de ce qui est arrivé au reste du groupe ; dans le jugement Krstic (19 avril 2004), le TPIY a soutenu que la destruction des hommes musulmans bosniaques à Srebrenica a mis en péril la reconstitution biologique du groupe, menaçant ainsi l'existence même du groupe.

Dans le jugement Jelisic (14 décembre 1999, § 82), la Chambre de première instance du TPIY précise que l'intention de génocide peut apparaître sous deux formes. Elle peut consister à désirer l'extermination d'un nombre important des membres du groupe, dans quel cas elle constituerait une intention de détruire un groupe en masse. Elle peut également consister à la destruction désirée d'un nombre plus limité d'individus choisis pour l'impact qu'aurait leur disparition sur la survie du groupe en tant que tel. En outre, la Chambre de première instance rappelle, dans le jugement Jelisic (5 juillet 2001, § 82), qu'il est largement reconnu que l'intention de détruire doit concerner une partie substantielle du groupe visé. Cela a été confirmé par le TPIR dans le jugement Bagosora *et al.* (18 décembre 2008, § 2115). Voir également les affaires Karera (7 décembre 2007, § 534), Muvunyi (12 septembre 2006, § 479), Mpambara (11 septembre 2006, § 8), Simba (13 décembre 2005, § 412) et Muhimana (28 avril 2005, § 514).

Dans l'affaire Sikirica *et al* (3 septembre 2001, § 76-77), la Chambre de première instance explique que l'intention de détruire en partie peut être établie s'il y a une preuve que la destruction est liée à une section significative du groupe, telle que son leadership. L'élément important ici est le ciblage d'un nombre restreint de personnes qui, en raison de leurs qualité spéciale de dirigeant au sein du groupe dans son ensemble, sont d'une importance telle que leur victimisation selon les termes de l'article 4.2.a, b et c auraient un impact à terme sur la survie du groupe.

4. L'entente alléguée en vue de commettre le génocide

Dans l'affaire Nahimana *et al.* (28 novembre 2007, § 344, 894, 896), la Chambre d'appel du TPIR rappelle que l'entente alléguée se définit comme « une résolution d'agir sur laquelle au moins deux personnes se sont accordées en vue de commettre un génocide ». La Chambre estime que « le crime d'entente prévu à l'article 2.3.b du statut se caractérise par deux éléments qui doivent nécessairement être plaidés dans l'acte d'accusation :

1) un accord entre plusieurs individus ayant pour but la commission du génocide ; et le fait que les individus parties à l'accord étaient animés de l'intention de détruire, en tout ou en partie, un groupe national, ethnique, racial ou religieux, comme tel ».

5. L'incitation directe et publique à commettre le génocide

Dans l'affaire Seromba (12 mars 2008, § 161), la Chambre d'appel du TPIR a estimé que le fait de « commettre le génocide » n'est pas limité à la perpétration directe et physique ; d'autres actes peuvent être constitutifs d'une participation directe à l'*actus reus* du crime, notamment en aidant et en encourageant, ainsi que l'incitation directe et publique à commettre le génocide.

Dans l'affaire Nahimana *et al.* (28 novembre 2007), la Chambre d'appel du TPIR estime que toute personne pourra être déclarée coupable du crime d'incitation directe et publique à commettre le génocide si il ou elle a incité directement et publiquement à commettre le génocide (l'élément matériel ou *actus reus*) et si elle a eu l'intention d'inciter directement et publiquement autrui à commettre le génocide (l'élément intentionnel ou *mens rea*) (§ 677). Voir aussi l'affaire Kalimanzira (29 juin 2009, § 509 et 516) et l'affaire Bikindi (18 mars 2010, § 135).

a. La différence entre l'incitation de génocide et l'incitation directe et publique à commettre le génocide

Il convient de distinguer l'incitation en vertu de l'article 6.1 de l'incitation directe et publique à commettre le génocide en vertu de l'article 2.3.c du statut. L'incitation en vertu de l'article 6.1 du statut est un mode de responsabilité qui implique que la responsabilité d'un accusé ne peut être engagée « que si l'incitation a dans les faits substantiellement contribué à la commission de l'un des crimes visés aux articles 2 à 4 du statut », à savoir le génocide, les crimes contre l'humanité et les violations du droit international. *A contrario*, l'incitation directe et publique à commettre le génocide en vertu de l'article 2.3.c est un crime en soi et, par conséquent, il n'est pas nécessaire de démontrer qu'elle a dans les faits substantiellement contribué à la survenance d'actes de génocide. Ainsi, « l'incitation directe et publique à commettre le génocide est une infraction formelle, punissable même si aucun acte de génocide n'en a résulté ». Cela est confirmé par les travaux préparatoires de la Convention sur le génocide « qui permettent d'affirmer que les rédacteurs de cette convention voulaient punir l'incitation directe et publique à commettre le génocide, même si aucun génocide n'est commis, dans le but d'en prévenir la survenance » (Nahimana *et al.*, 28 novembre 2007, § 678, 679, 720).

b. La différence entre discours haineux et incitation directe et publique à commettre le génocide

Il convient également de distinguer le discours haineux en général (ou « incitant à la discrimination ou à la violence ») de l'incitation directe et publique à commettre le génocide. L'incitation directe à commettre le génocide suppose que le discours « constitue un appel direct à commettre un ou des actes de génocide énumérés à l'article 2.2 du statut ; une suggestion vague et indirecte ne suffira pas ». Dans la plupart des cas, une incitation directe et publique à commettre le génocide pourra être précédée ou accompagnée de discours haineux, mais seule l'incitation directe et publique à commettre le génocide est prohibée en vertu de l'article 2.3.c du statut (Nahimana *et al.*, 28 novembre 2007, § 692). En accord avec le jugement Akayesu (2 septembre 1998, § 557, 558, 700), la Chambre d'appel du TPIR considère dans l'arrêt Nahimana *et al.* (28 novembre 2007, § 698) qu'il y a lieu de tenir compte du contexte de la culture et de la langue rwandaises pour déterminer si un discours constituait une incitation directe à commettre le génocide.

Contact

Bureau du conseiller spécial chargé de la prévention des génocides

http://www.un.org/fr/preventgenocide/adviser/

Pour en savoir plus

BRAUMAN R., *Devant le mal. Rwanda. Un génocide en direct*, Arléa, Paris, 1994.

CASSESE A., « Genocide », *in* Antonio CASSESE (ed.), *The Oxford Companion to International Criminal Justice*, Oxford University Press, 2009, p. 332-336.

HUMAN RIGHTS WATCH, *Genocide, War Crimes and Crimes Against Humanity, A Digest of the Case Law of the International Criminal Tribunal for Rwanda*, 2010, available at http://www.hrw.org/sites/default/files/reports/ictr0110webwcover.pdf

POWER S., *A Problem from Hell : America and the Age of Genocide*, Basic books, New York, 2002, 610 p.

SCHABAS W. A., « Le génocide », *in Droit international pénal*, sous la dir. de ASCENSIO H, DEZCAUX E., PELLET A., CEDIN- Paris-X, Pedone, 2000, p. 319-332.

TERNON Y., *L'État criminel. Les génocides au XX*[e] *siècle*, Seuil, Paris, 1995, 443 p.

WIEVORKA A., *Déportation et génocide : entre la mémoire et l'oubli*, Hachette, Paris, 2003, 506 p.

Groupes armés non étatiques

1. *Définition*

Il n'existe pas de définition internationalement admise du terme « groupes armés non étatiques » dans les traités internationaux.
Ce terme sert à désigner une partie non étatique dans un conflit armé international ou non international.
Par opposition, le droit international humanitaire utilise le terme de forces armées pour définir et désigner l'ensemble des combattants d'une partie étatique à un conflit.
Les groupes armés non étatiques jouent un rôle majeur dans les conflits armés internationaux et non internationaux contemporains. Dans les cas où ces groupes non étatiques agissent en réalité sous le contrôle effectif et pour le compte d'États étrangers, les tribunaux internationaux considèrent que les actes de ces groupes non étatiques engagent la responsabilité de ces États et internationalisent la nature du conflit armé.

▶ **Conflit armé international ▷ Conflit armé non international ▷ Combattant.**

a) En droit international humanitaire

– Dans les conflits armés non internationaux
Le Protocole additionnel II aux Conventions de Genève d'août 1949 (Protocole additionnel II) fait référence à ces groupes armés non étatiques dans son article 1.1 pour désigner les « forces armées dissidentes ou des groupes armés organisés » qui se battent contre des forces armées régulières ou entre eux sur le territoire d'un ou plusieurs États. Il précise que ces groupes armés doivent remplir certaines conditions d'organisation, notamment i) être sous la conduite d'un commandement responsable ; ii) exercer sur une partie du territoire de l'État un contrôle tel qu'il leur permette de iii) mener des opérations militaires continues et concertées et d'appliquer le présent Protocole.
Ces critères visent d'abord à distinguer les situations de conflit des simples troubles internes ou de l'insécurité dans lesquels les affrontements ne sont pas structurés, organisés et planifiés par un ou plusieurs commandements identifiables.
Ces critères visent également à rappeler qu'un groupe non étatique qui mène des opérations militaires a des obligations d'organisation qui doivent intégrer la

discipline et le respect des règles du droit international humanitaire (DIH) dans ses propres actions de combat. En effet, dans ce type de conflit, le Protocole additionnel II impose le respect du DIH à l'État ainsi qu'au groupe armé non étatique opposé à l'État. Il reconnaît cependant que l'État et le groupe armé non étatique disposent de capacités et donc de responsabilités différentes en termes de respect du DIH. Ainsi, les obligations relatives à la détention sont très dépendantes de la capacité de contrôle d'une partie du territoire par le groupe non étatique. Les critères fixés par le Protocole II établissent ce seuil d'organisation qui permet d'exiger le respect du DIH par le groupe armé non étatique et de déterminer le niveau de responsabilité pénale du groupe non étatique en fonction de son niveau d'organisation et de son contrôle sur une partie du territoire. Ils ne modifient pas la qualification de conflit armé non international et les obligations qui en découlent pour l'État concerné. Si l'organisation du groupe armé non étatique est défaillante, l'État ne sera pas pour autant délié de ses propres obligations de respect du Protocole additionnel II.

Dans son Manuel de négociations humanitaires avec les groupes armés (2006), le Bureau de coordination des affaires humanitaires (OCHA) a précisé les éléments d'évaluation suivants : il vérifie si ces groupes armés i) ont le potentiel d'utiliser la force pour atteindre des objectifs politiques, idéologiques ou économiques, ii) ne sont pas dans les structures formelles militaires des États ou des organisations intergouvernementales, iii) ne sont pas sous le contrôle de(s) État(s) dans le(s) quel(s) ils opèrent, iv) ont une identité de groupe et v) sont soumis à une chaîne de commandement.

– Dans les conflits armés internationaux

Le droit humanitaire reconnaît depuis 1977 un statut particulier aux mouvements de libération nationale qui combattent dans le cadre du droit des peuples à disposer d'eux-mêmes ou qui luttent contre la domination coloniale ou des régimes racistes. Le Protocole I additionnel aux Conventions de Genève assimile ces situations à des conflits armés internationaux et permet à ces groupes non étatiques d'obtenir le statut de combattants officiels s'ils s'engagent à respecter le droit international humanitaire. Il est donc important de distinguer ces mouvements des autres groupes armés, qui combattent leur propre gouvernement ou d'autres groupes dans un contexte de conflit armé non international.

Il est également important de faire la différence entre les groupes armés non étatiques et les sociétés militaires privées, qui n'interviennent pas de façon autonome mais à la demande des parties au conflit.

▶ **Mouvements de résistance ▷ Partie au conflit ▷ Sociétés militaires privées.**

b) *En droit pénal international*

La jurisprudence des tribunaux pénaux internationaux pour l'ex-Yougoslavie (TPIY) et le Rwanda (TPIR) a précisé les divers éléments d'organisation des groupes armés non étatiques.

Les tribunaux pénaux internationaux ont affirmé que si un « certain degré d'organisation » était requis (affaire Limaj *et al.*, TPIY, IT-03-66-T, 30 novembre 2005, § 89),

il n'était pas nécessaire qu'il existe un système d'organisation militaire hiérarchique similaire à celui de forces armées régulières pour qu'un groupe armé organisé soit considéré comme tel (affaire Musema, TPIR-96-13-T, 27 janvier 2000, § 257).
Ils ont énoncé les caractéristiques d'un « groupe armé organisé » comme suit :
(i) l'existence d'une structure de commandement, de règles de discipline et d'instances disciplinaires au sein du groupe ;
(ii) d'un quartier général ;
(iii) le fait que le groupe contrôle un territoire délimité ;
(iv) la capacité qu'a le groupe de se procurer des armes et autres équipements militaires, de recruter et de donner une instruction militaire ;
(v) la capacité de planifier, coordonner et mener des opérations militaires, notamment d'effectuer des mouvements de troupes et d'assurer un soutien logistique ;
(vi) la capacité de définir une stratégie militaire unique et d'user de tactiques militaires ; et
(vii) la capacité de s'exprimer d'une seule voix et de conclure des accords comme des accords de cessez-le-feu ou de paix.
Ces critères, posés par la Chambre de première instance du TPIY dans l'affaire Haradinaj *et al.* (IT-04-84-T, 3 avril 2008, § 60), ont été confirmés et développés dans l'affaire Boskovski et Tarculovski (TPIY, IT-04-82-T, 10 juillet 2008, § 194-205).
Les critères définis dans ces jugements sont principalement liés à la détermination de la responsabilité pénale individuelle vis-à-vis des crimes de guerre. Ils concernent donc le droit pénal international plus que le droit international humanitaire. Ils ne doivent pas être utilisés comme conditions supplémentaires d'organisation des groupes armés pour l'application du Protocole additionnel II. Cette jurisprudence fournit les critères utiles pour vérifier que ces groupes armés non étatiques n'agissent pas en fait pour le compte et sous le contrôle de l'État en conflit ou d'États étrangers. Ce lien de subordination modifierait la nature du conflit armé et la nature de la responsabilité pénale des commandants et des États.
Malgré ces éléments de définition, il existe de nombreuses différences entre les groupes armés en fonction du contexte dans lequel ils agissent. Ces différences affectent notamment le niveau de centralisation et d'organisation, les capacités d'encadrement et de formation des membres ou la capacité à exercer un contrôle territorial et à entretenir des liens avec la population civile.

2. *Statut juridique des groupes armés non étatiques parties aux conflits armés*

◆ **En tant que parties à un conflit, les groupes armés assument un certain nombre d'obligations au regard du droit international humanitaire.**
Les membres de ces groupes armés bénéficient des garanties prévues par le DIH dans le cadre de leur participation directe aux hostilités mais aussi s'ils se trouvent hors de combat du fait de blessure, maladie ou détention.
La principale difficulté concernant ces groupes armés non étatiques tient au fait que les États n'ont pas souhaité leur conférer un véritable statut de combattant dans le droit humanitaire et particulièrement dans les conflits armés non internationaux. Leur statut est donc hybride et reste largement couvert par le droit national de l'État contre lequel ils se battent.
Les développements du droit pénal international et du droit international humanitaire coutumier ont élargi le champ de leurs droits et obligations internationales.

a) Non-reconnaissance du statut de combattant par le droit international humanitaire

Le statut de ces groupes en droit international humanitaire est marqué par l'asymétrie politique et juridique existant entre l'État et le groupe non étatique qui conteste son autorité par la force armée.

Le droit des conflits amés non internationaux ne reconnaît pas le statut et le privilège de combattant aux membres des groupes armés non étatiques. Le refus exprimé par les États à ce sujet signifie que ces personnes et ces groupes restent soumis au droit national, qui les considère comme des criminels parce qu'ils ont pris les armes contre l'État. Il en résulte une situation de fort déséquilibre juridique peu propice à l'imposition et au respect d'obligations réciproques fondées sur la reconnaissance du conflit et le respect des obligations du droit international humanitaire. L'État est tenté d'utiliser tous les moyens matériels, militaires, judiciaires à sa disposition pour le maintien ou le rétablissement de l'ordre public national.

Au regard du droit international humanitaire, ces groupes armés appartiennent donc de façon paradoxale à la catégorie des civils. Mais ils perdent l'essentiel de la protection attachée à ce statut du fait de leur participation directe dans les hostilités. La non-reconnaissance du statut de combattant ne libère pas les groupes armés non étatiques de leur obligation de respect du DIH en tant que partie au conflit. Elle ne les prive pas non plus de certaines protections prévues par le DIH pour les personnes hors de combat (*infra*).

Le CICR a publié en 2010 un guide interprétatif sur la notion de participation directe aux hostilités en droit international humanitaire. Ce guide fait le constat qu'il n'existe pas de consensus ni de règle coutumière dans ce domaine et émet dix recommandations pour clarifier les points les plus problématiques. Sa deuxième recommandation consiste à établir une différence entre les personnes civiles qui prennent part ou non aux hostilités et les membres des groupes armés organisés d'une partie au conflit. Elle précise que « toutes les personnes qui ne sont pas des membres des forces armées d'un État ou d'un groupe armé organisé d'une partie au conflit sont des personnes civiles, et elles ont droit à la protection contre les attaques directes, sauf si elles participent directement aux hostilités ». Pour éviter un affaiblissement trop important de la protection des civils, le CICR recommande une distinction entre la participation directe des civils aux hostilités qui serait par nature ponctuelle et la participation continue qui caractérise celle des membres des groupes armés non étatiques. Le point 7 de ce guide prévoit que « les civils cessent d'être protégés contre les attaques pendant la durée de chaque acte spécifique constituant une participation directe aux hostilités. Par contre, les membres des groupes armés organisés appartenant à une partie non étatique à un conflit cessent d'être des civils aussi longtemps qu'ils assument leur fonction de combat continue ». La notion de participation continue aux hostilités a été développée notamment par la Cour suprême israélienne pour justifier la pratique militaire des assassinats ciblés.

▶ **Population civile.**

b) Reconnaissance du statut de partie au conflit

Le fait que seuls les États puissent être signataires des conventions n'empêche pas que le droit international humanitaire s'impose aux deux parties dans les cas où l'État se trouve en guerre contre une entité non étatique. En effet, le droit des conflits armés fait la différence entre la notion de partie au conflit et celle de haute partie contractante qui désigne l'État signataire des Conventions de Genève. Le statut de partie au conflit s'applique indifféremment aux États et aux entités non étatiques en conflit avec l'État (GIV. art. 3 ; GPII, art. 1).

Dans ces situations, il n'y a pas d'enjeu de réciprocité, et l'État reste lié vis-à-vis d'une partie au conflit non étatique qui ne peut par nature pas être signataire des conventions.

L'article 3 commun des quatre Conventions de Genève (article 3 commun) qui s'applique aux conflits armés non internationaux énonce des obligations et garanties minimales qui s'imposent de façon impérative aux parties au conflit quelle que soit la nature de l'autorité qui représente ces parties. L'article 3 commun ne fixe aucune condition relative à la représentativité, à la structuration et à l'organisation de la partie non étatique en conflit. Il encourage également les parties étatiques et non étatiques impliquées dans ce type de conflit à mettre en œuvre tout ou partie des dispositions du droit international humanitaire par voie d'accord spécial. Il précise à ce sujet que l'application du droit international humanitaire n'aura aucune conséquence juridique sur le statut juridique des parties au conflit et n'impliquera donc pas de reconnaissance mutuelle entre l'acteur gouvernemental et les groupes armés non étatiques. Le Protocole additionnel II complète les obligations des parties aux conflits non internationaux.

En outre, le développement du droit international humanitaire coutumier crée des obligations juridiques universelles affranchies du formalisme de la ratification étatique. L'étude sur les règles de droit international humanitaire coutumier publiée par le CICR en 2005 a étendu aux conflits armés non internationaux une grande partie des règles applicables aux conflits armés internationaux. Ainsi, en plus des 28 articles du Protocole additionnel II, 141 des 161 règles de DIH coutumier sont applicables aux parties aux conflits armés non internationaux. Celles-ci sont donc naturellement opposables aux acteurs non étatiques parties à ces conflits.

Enfin, le droit pénal international apporte aujourd'hui une réponse à la question de la force juridique contraignante du droit international humanitaire sur les groupes armés non étatiques. Les violations les plus graves de ce droit constituent des crimes qui engagent la responsabilité individuelle de leurs auteurs ainsi que celle de leur commandement hiérarchique, qu'il soit gouvernemental ou non étatique. Ces crimes de guerre et autres crimes contre l'humanité couvrent les actes commis dans tous les types de conflits armés, internationaux et non internationaux. Ils incluent donc également les actes commis par les membres des groupes armés non étatiques.

◆ **L'idée selon laquelle les groupes armés seraient réticents à respecter le droit international humanitaire parce qu'ils n'ont pas contribué à sa codification, que ce droit émane de l'État contre lequel ils sont en conflit, ou d'autres revendications de souve-**

raineté et d'autonomie juridique de leur part, ne rend pas compte de la grande hétérogénéité de ces groupes armés et de leurs préoccupations souvent très prosaïques. Ces groupes sont particulièrement vulnérables à l'application du droit national qui les criminalise et ont un besoin réel d'obtenir des garanties internationales. Ils ne sont pas opposés à respecter les règles de secours si celles-ci ne constituent pas un handicap ou un risque pour l'efficacité des combats. Leur propension à respecter ou violer les règles du droit international humanitaire est surtout liée à leur tentation d'affaiblir l'adversaire par les moyens les plus efficaces et les moins risqués. Ils n'ont malheureusement pas le privilège de cette tentation. Le droit international humanitaire et le droit pénal international permettent de trouver un équilibre entre la nécessaire responsabilisation internationale de ces groupes armés et le refus des États de reconnaître à ces groupes un statut au niveau international.

▸ **Conflit armé international ▷ Conflit armé non international ▷ Accord spécial ▷ Statut juridique des parties au conflit ▷ Droit international humanitaire.**

3. *Droits et obligations des groupes armés non étatiques en droit international humanitaire*

À la différence des conflits armés internationaux, le droit international humanitaire ne confère pas aux membres des groupes armés non étatiques un statut particulier dans les situations de conflit interne. De fait, en cas de capture, il n'existe pour eux aucun droit au statut de « prisonniers de guerre », comme ceux prévus dans les conflits internationaux pour les membres des mouvements de résistance organisés ou de libération nationale (GIII. art. 4).

Les membres des groupes armés non étatiques sont cependant protégés par plusieurs dispositions prévues par le Protocole additionnel II concernant les civils (a) et les personnes hors de combat (b).

Les membres des groupes armés non étatiques ont donc droit à la protection de ces dispositions dans les différentes situations couvertes. Mais ils ont aussi l'obligation de respecter ces mêmes règles de protection vis-à-vis des personnes civiles ou combattantes qui sont sous leur contrôle ou tombent en leur pouvoir.

Le contenu des obligations qui pèsent sur les membres d'un groupe armé varie en fonction de la qualification du conflit et du niveau d'organisation de ce groupe, ainsi que de sa capacité à contrôler une partie du territoire. Les groupes armés doivent respecter au minimum les garanties fondamentales imposées par l'article 3 commun. Si le niveau d'organisation du groupe et son contrôle d'une partie du territoire sont suffisants pour lui permettre de faire respecter le droit international humanitaire, il doit respecter également les règles contenues dans le Protocole additionnel II. Cette obligation pèse sur les membres individuels du groupe mais aussi sur les commandants et responsables hiérarchiques comme cela est prévu et reconnu tant par le droit international humanitaire que par le droit pénal international.

La jurisprudence internationale a aussi reconnu que le droit international humanitaire coutumier impose à chaque individu de se soumettre à certaines règles, que ces individus agissent pour le compte d'un État ou d'un acteur non étatique et qu'ils aient ou non consenti à être liés à ces règles (Tribunal spécial pour la Sierra Leone, Procureur c. Sam Hinga Norman, 31 mai 2004, § 22).

a) Protection et obligations en tant que civils participant aux hostilités

Comme le Protocole additionnel II ne reconnaît pas le statut de combattants aux membres des groupes armés non étatiques, il n'existe aucune incitation juridique pour qu'ils se distinguent de la population et portent les armes ouvertement lors des affrontements. Ils entrent dans la catégorie prévue par l'article 13.3 du Protocole additionnel II concernant les personnes civiles qui participent directement aux hostilités. À ce titre, ils perdent leur protection de civils pendant la durée de leur participation directe aux hostilités. Cela signifie concrètement qu'ils peuvent être attaqués ou capturés uniquement pendant la durée de cette participation directe. Ils peuvent également être détenus, interrogés, jugés et condamnés par les tribunaux nationaux pour cette participation aux hostilités.

Cette disposition peut se comprendre quand il s'agit de prendre en compte une participation exceptionnelle et limitée de civils à certains affrontements de type révolutionnaire. Elle est plus délicate à mettre en œuvre quand elle est appliquée aux membres de groupes armés organisés non étatiques qui ont une fonction de combat continue. Le risque est de créer une fiction juridique mettant en péril toute la catégorie des civils. C'est à ce titre que le Guide interprétatif sur la notion de participation directe aux hostilités en droit international humanitaire publié par le CICR en 2010 refuse l'assimilation et propose de distinguer la catégorie des civils qui prennent part aux hostilités et celle des membres des groupes armés organisés. Toutefois, cette notion a le mérite de renvoyer à l'asymétrie réelle qui existe entre les moyens militaires et juridiques nationaux et la capacité de contestation du pouvoir des groupes d'opposition. Elle renforce la responsabilité des forces gouvernementales dans l'ampleur et la forme de son recours à la force contre les civils. Elle crée également un continuum et une complémentarité entre les obligations qui incombent à l'État vis-à-vis de sa propre population au titre des conventions sur les droits de l'homme relatives au droit à la vie, aux garanties judiciaires et à la détention. Ces obligations continuent en théorie à peser sur l'État dans les situations de troubles intérieurs, et quand les troubles atteignent le seuil d'un conflit armé interne.

La complémentarité entre les règles relatives aux droits de l'homme et au droit humanitaire se manifeste notamment dans la défense du droit à la vie, et du principe de proportionnalité dans l'usage de la force par les autorités nationales contre leur propre population. En effet, les règles relatives aux droits de l'homme en matière de proportionnalité sont plus restrictives, imposant le fait de n'utiliser la force que s'il est impossible d'arrêter un individu par d'autres moyens. Elles limitent ainsi la notion de cible militaire légitime concernant un civil qui prendrait directement part aux hostilités. De même, les précautions nécessaires à prendre pour établir la participation directe et justifier l'attaque, ainsi que pour limiter les dommages incidents sur d'autres civils sont théoriquement et juridiquement plus fortes dans ce cas de figure.

▶ **Population civile ▷ Droits de l'homme ▷ Proportionnalité ▷ Troubles et tensions internes.**

b) ***Protection et obligations vis-à-vis des personnes hors de combat et de la population civile***

Le Protocole additionnel II et les règles de droit international humanitaire coutumier ont élargi les garanties fondamentales prévues par l'article 3 commun en faveur :

– des blessés et malades (GIV art. 3 ; GPII art. 7 ; règle 109 de l'étude sur les règles de DIH coutumier) ;

– des personnes qui ne participent pas ou plus aux hostilités du fait de maladie, détention ou autre (GIV art. 3 ; GPII art. 4). L'article 4 du Protocole II complète les garanties fondamentales prévues par l'article 3 commun. Il exige que les personnes qui ne participent pas ou plus aux hostilités soient traitées avec humanité. Il interdit formellement le fait d'ordonner qu'il n'y ait pas de survivant dans le cadre de l'emploi de la force, ainsi que le meurtre, les traitements cruels inhumains et dégradants, la torture, les punitions collectives, les prises d'otages, les actes de terrorisme, l'esclavage et le pillage. Des garanties particulières sont imposées concernant le traitement des enfants, notamment ceux qui participent directement aux hostilités. Les règles 87-105 de l'étude sur les règles de DIH coutumier confirment la validité de l'élargissement des garanties fondamentales prévu par le Protocole additionnel II. Elles interdisent également le viol, le recours aux boucliers humains et les représailles contre des personnes qui ne participent pas aux hostilités (règles 93, 97 et 148) ;

– des personnes privées de liberté pour des motifs en relation avec le conflit, qu'elles soient internées ou détenues (GPII art. 5). Les membres des groupes armés organisés rentrent dans cette catégorie lorsqu'ils sont détenus après leur capture par un autre groupe ou des forces armées gouvernementales. Ces garanties sont les suivantes : les personnes privées de liberté devront i) être traitées avec dignité et humanité ; ii) autorisées à recevoir des secours individuels ou collectifs ainsi que des soins médicaux si nécessaire ; iii) autorisées à pratiquer leur religion ; iv) bénéficier, si elles doivent travailler, de conditions de travail et de garanties semblables à celles dont jouit la population civile locale. Leur santé et leur intégrité mentale ne seront compromises par aucun acte ni par aucune omission injustifiée de la part des autorités détentrices. La règle 99 du droit international humanitaire coutumier interdit la privation arbitraire de liberté et précise que des garanties procédurales et des motivations strictes relatives à la sécurité doivent encadrer cette pratique par l'État ou les groupes armés non étatiques ;

– des personnes accusées et soumises à des poursuites pénales (GPII art. 6). Ces dispositions sont particulièrement importantes pour les membres des groupes armés non étatiques qui sont considérés comme criminels par le droit national du simple fait de leur participation aux hostilités contre l'État. L'article 6 et la règle 100 de l'étude sur les règles de droit international humanitaire coutumier fixent les garanties judiciaires qui doivent être respectées et qui priment sur les dispositions contraires du droit national. Cet article recommande également aux autorités d'accorder à la fin des hostilités la plus large amnistie aux personnes qui ont pris part aux hostilités (GPII art. 6.5). Cette recommandation d'amnistie concerne les faits de participation aux hostilités et ne couvre pas les crimes de guerre éventuellement commis par les acteurs armés non étatiques ou étatiques.

Contrairement à ce qui était prévu dans l'article 3 commun, le Protocole additionnel II a modifié la formulation des garanties judiciaires et de détention pour permette que la détention/internement et le jugement par un groupe armé non étatique ne soient pas considérés comme arbitraires au regard du droit international humanitaire, même si ils le sont au regard du droit national (GPII art. 5.1, 6.2). Cette modification montre très clairement l'intention d'imposer aux groupes armés non étatiques le respect de ces garanties pour leurs propres activités de détention ou de jugement ;

▶ **Garanties fondamentales.**

– de la population civile en général. Dans le cadre de leur participation aux hostilités, les groupes armés non étatiques portent la responsabilité de limiter les dommages sur la population civile et les biens essentiels à sa survie et de respecter les limitations concernant les méthodes de guerre. Ils doivent également autoriser le droit aux secours humanitaires garantis par le Protocole II et le droit international humanitaire coutumier.

▶ **Secours.**

4. *Responsabilité pénale internationale des membres des groupes armés non étatiques*

Le fait que les membres des groupes armés non étatiques n'aient pas le statut de combattant en droit international humanitaire les expose aux poursuites judiciaires devant les tribunaux nationaux de leur propre pays au seul motif du recours à la violence armée contre l'autorité légitime de l'État. Cette incrimination par le droit national ne doit pas être confondue avec une éventuelle accusation de crime de guerre ou crime contre l'humanité. Les crimes de guerre commis dans les conflits non internationaux font aujourd'hui partie intégrante du droit pénal international et engagent la responsabilité individuelle et hiérarchique. Les membres des groupes armés non étatiques sont donc pénalement responsables des crimes de guerre qu'ils commettent (règle 151 de l'étude sur les règles de DIH coutumier), et les commandants sont pénalement responsables des crimes de guerres commis par leurs subordonnés s'ils n'ont pas pris les mesures pour les éviter ou les punir (règle 152). Les tribunaux pénaux internationaux ainsi que la Cour pénale internationale se sont déjà déclarés compétents pour juger les membres des groupes armés non étatiques pour des crimes de guerre, crimes contre l'humanité et actes de génocide. Cela est attesté notamment par la condamnation par la Cour pénale internationale d'un chef de groupe armé congolais, Thomas Lubanga Dyilo, le 14 mars 2012 (ICC-01/04-01/06, condamnation prononcée le 10 juillet 2012), ainsi que par le mandat d'arrêt international lancé par la CPI à l'encontre de Bosco Ntaganga, un des anciens leaders d'un groupe armé présent dans l'est de la RDC.

Les juridictions pénales internationales ont également engagé la responsabilité pénale individuelle des supérieurs hiérarchiques de groupes armés non étatiques dans des situations de conflits internes. Dans l'affaire Hadzihasanovic, Alagic et Kubura (IT-01-47-AR72, 16 juillet 2003, § 14-18), la Chambre d'appel du TPIY a ainsi affirmé que l'existence d'un « commandement responsable » dans une situation de conflit interne mettait presque systématiquement en jeu la responsabilité du supérieur hiérarchique.

▶ **Crime de guerre-Crime contre l'humanité ▷ Cour pénale internationale.**

5. *Obligations des groupes armés non étatiques en droit international des droits de l'homme*

Il est largement admis que les groupes armés non étatiques sont également soumis au respect des dispositions relatives aux droits de l'homme applicables dans les situations de conflits armés ou de troubles auxquels ils sont associés. Ces obligations découlent du fait que les groupes armés non étatiques restent soumis au droit adopté par l'État sur le territoire duquel ils agissent. Ce droit national reste applicable aux parties du territoire et aux populations placées sous le contrôle direct de ces groupes armés qui assument de fait des obligations d'administration légale vis-à-vis de ces populations. Ainsi, l'article 4.1 du Protocole facultatif de la Convention relative aux droits de l'enfant, concernant l'implication d'enfants dans les conflits armés, dispose que « les groupes armés qui sont distincts des forces armées d'un État ne devraient en aucune circonstance enrôler ni utiliser dans les hostilités des personnes âgées de moins de 18 ans ». L'utilisation de la formule « ne devraient en aucune circonstance » signifie que cette disposition relève de la recommandation et non de l'interdiction. Cette recommandation est d'ailleurs reprise par l'Union africaine dans sa Charte sur les droits et le bien-être de l'enfant, adoptée en juillet 1990 et ratifiée par 46 États sur les 54 que compte l'UA. L'article 22 de cette Charte dispose que les États parties doivent prendre toutes les mesures nécessaires pour veiller à ce qu'aucun enfant ne prenne directement part aux hostilités, mais aussi afin de protéger la population civile et assurer le bien-être des enfants en cas de conflit armé. Cet article rappelle que ces dispositions s'appliquent également aux situations de conflits armés internes, de tensions ou de troubles civils.

La Convention de l'Union africaine pour la protection et l'assistance aux personnes déplacées en Afrique, adoptée en 2009 et ratifiée par 13 pays, propose également de réguler les activités des groupes armés. Son article 7.5 se lit comme suit :

« Il est interdit aux membres des groupes armés de :

a) procéder à des déplacements arbitraires ;

b) entraver, en quelque circonstance que ce soit, la fourniture de la protection et de l'assistance aux personnes déplacées ;

c) nier aux personnes déplacées, le droit de vivre dans des conditions satisfaisantes de dignité, de sécurité, d'assainissement, d'alimentation, d'eau, de santé et d'abri, et de séparer les membres d'une même famille ;

d) restreindre la liberté de mouvement des personnes déplacées à l'intérieur et à l'extérieur de leurs zones de résidence ;

e) recruter, en quelque circonstance que ce soit, des enfants, de leur demander ou de leur permettre de participer aux hostilités ;

f) recruter par la force des individus, se livrer à des actes d'enlèvement, de rapt ou de prise d'otages, d'esclavage sexuel et de trafic d'êtres humains, notamment des femmes et des enfants ;

g) empêcher l'assistance humanitaire et l'acheminement des secours, des équipements et du personnel au profit des personnes déplacées ; attaquer ou nuire au personnel et au matériel déployés pour l'assistance au profit des personnes déplacées, et détruire, confisquer ou détourner ces matériels ;
h) violer le caractère civil et humanitaire des lieux où les personnes déplacées sont accueillies et de s'infiltrer dans ces lieux. »

Consulter aussi

► **Partie au conflit ▷ Statut juridique des parties au confit ▷ Garanties fondamentales ▷ Combattant ▷ Population civile ▷ Conflit armé international ▷ Conflit armé non international ▷ Troubles et tensions internes ▷ Sociétés militaires privées ▷ Droit international humanitaire ▷ Coutume ▷ Crime de guerre-Crime contre l'humanité.**

Pour en savoir plus

BAUGERTER O. « Reasons why armed groups choose to respect international humanitarian law or not », *Revue internationale de la Croix-Rouge*, vol. 93, n° 882, juin 2011, p. 353-384.

BLIN A., « Armed groups and intra-state conflict : the dawn of a new era ? », *Revue internationale de la Croix-Rouge*, n° 882, juin 2011, p. 287-310.

CASALIN D. « Taking prisoners : reviewing the international humanitarian law grounds for deprivation of liberty by armed opposition groups », *Revue internationale de la Croix-Rouge*, n° 883, septembre 2011, p. 743-757.

CLAPHAM A., « The rights and responsibilities of armed non-state actors : The legal landscape & issues surrounding engagement », Geneva Academy of International Humanitarian Law and Human Rights, Ownership of Norms Project – Toward a Better Protection of Civilians in Armed Conflicts, Draft for comment, February 2010.

DABONÉ Z., « International law : armed groups in a state-centric system », *Revue internationale de la Croix Rouge*, vol. 93, n° 882, juin 2011, p. 395-424.

HAUCK P. et PETERKE S., « Organized crime and gang violence in national and international law », *Revue internationale de la Croix-Rouge*, vol. 92, n° 878, juin 2010, p. 407-436.

KLEFFNER J. K., « The applicability of international humanitarian law to organized armed groups », *Revue internationale de la Croix Rouge*, vol. 93, n° 882, juin 2011, p. 443-461.

MODIRZADEH N. K, LEWIS D.A et BRUDERLEIN C., « Humanitarian engagement under counter-terrorism : a conflict of norms and emerging policy landscape », *Revue internationale de la Croix-Rouge*, n° 883, septembre 2011, p. 623-647.

OFFICE FOR THE COORDINATION OF HUMANITARIAN AFFAIRS, *Humanitarian Negotiations with Armed Groups, a Manual for Practitioners*, 2006, 89 p.

RONDEAU S., « Participation of armed groups in the development of the law applicable to armed conflicts », *Revue internationale de la Croix-Rouge*, vol. 93, n° 883, septembre 2011, p. 649-672.

SASSÒLI M., « Transnational armed groups and international humanitarian law », Program on Humanitarian Policy and Conflict Research, Harvard University, Occasional Paper Series, n° 6, hiver 2006.

SASSÒLI M. et SHANY Y., « Should the obligations of states and armed groups under international humanitarian law really be equal ? », *Revue internationale de la Croix-Rouge*, n° 882, juin 2011, p. 425-436.

SIVAKUMARAN S. « Lessons for the law of armed conflict from commitments of armed groupes : identification of legitimate targets and prisoners of war », *Revue internationale de la Croix-Rouge*, n° 882, juin 2011, p. 463-482.

TUCK D. « Detention by armed groups : overcoming challenges to humanitarian action », *Revue internationale de la Croix-Rouge*, n° 883, septembre 2011, p. 759-782.

ZEGVELD L., *The Accountability of Armed Opposition Groups in International Law*, Cambridge University Press, 2002, 24 p.

Guerre

La guerre est un phénomène de violence collective organisée qui affecte les relations entre les sociétés humaines ou les relations de pouvoir à l'intérieur des sociétés. Elle est régie par le droit des conflits armés, aussi appelé « droit international humanitaire ».

L'histoire du droit international humanitaire est indissociable de l'histoire la plus ancienne et plonge ses racines dans toutes les cultures, toutes les religions et toutes les traditions. À toutes les époques, les dirigeants ont entouré l'activité militaire de règles, d'interdits et de tabous. L'objectif de ces règles est de maintenir le contrôle, la discipline et l'efficacité des forces armées. Leur objectif est également de limiter les effets de la violence et de la destructivité sur l'intégrité physique et mentale des combattants pour permettre leur réinsertion dans la société après les conflits. Les premières réglementations de la guerre n'étaient pas universelles mais régionales. Ainsi peut-on parler du premier traité chinois sur l'art de la guerre de Sun Tzu au IV-Ve siècle avant Jésus Christ. Ces règles étaient le plus souvent d'inspiration religieuse et avaient un souci d'humanisation des relations sociales, politiques et militaires. Mais ces règles n'étaient respectées qu'entre les peuples appartenant au même ensemble culturel. Elles étaient par contre bafouées quand il s'agissait de faire la guerre contre des ennemis qui ne parlaient pas la même langue ou vénéraient d'autres dieux. La théorie de la guerre juste ou guerre sainte a illustré l'ambiguïté de ce phénomène. Cette théorie de la guerre juste a progressivement évolué passant d'une exigence de « juste cause » à une exigence de « justes moyens ». Des juristes européens tels que Grotius, Vittoria ou Vattel, mais également musulmans tels que Chaybani ont ensuite traduit ces exigences morales en règles juridiques préfigurant la codification universelle contemporaine. Il faut noter que d'importants ouvrages islamiques en matière de droit des gens sont antérieurs à la codification européenne et ont sans doute influencé celle-ci.

C'est l'ensemble de ces traditions qui a été universalisé et intégré dans le droit international humanitaire contemporain. Celui-ci limite les possibilités du recours à la guerre dans les relations entre les États. Il affirme également que quels que soient les objectifs poursuivis les moyens utilisés sont limités par le droit humanitaire.

▶ **Droit international humanitaire ▷ ONU ▷ Sécurité collective.**

Ces règles ont été établies et acceptées par les États. Elles limitent les possibilités d'emploi de la force pour protéger les sociétés des effets durables de la guerre, en essayant d'éviter que les conflits atteignent un point de non-retour caractérisé par le massacre gratuit et l'extermination des populations civiles, qui rendent le retour à la paix et la réconciliation difficiles. Elles insistent aussi sur la nécessité de distinguer entre les civils et les combattants pour protéger les premiers et s'assurer que l'usage de la force est réservé à une organisation collective et hiérarchisée ayant un commandement.

Le droit des conflits armés a fait l'objet d'une codification progressive qui s'est étalée sur des centaines d'années. L'ancienneté de ces règles et leur pérennité font qu'un certain nombre d'entre elles sont aujourd'hui considérées comme coutumières. Cela signifie qu'elles s'imposent même aux États ou aux belligérants qui ne les ont pas officiellement signées.

Le droit humanitaire a suivi l'évolution des diverses formes de guerre. Il a d'abord été centré sur les conflits interétatiques impliquant des affrontements directs entre adversaires de force équivalente. Cependant, les conflits de ces cinquante dernières années ne correspondent pas vraiment à ce cas de figure. Le développement des guerres de décolonisation a mis face à face des États et des mouvements non étatiques revendiquant leur autonomie politique. Il ne s'agissant donc pas d'un affrontement direct entre forces armées étatiques conventionnelles, mais d'activités de guérrilla, entreprises par des groupes non étatiques plus ou moins organisés, agissant dans l'espace civil. La période de la guerre froide fut marquée par l'« équilibre de la terreur » qui signifiait l'impossibilité d'un affrontement militaire direct entre les États possédant l'arme nucléaire. Cette situation a favorisé le déplacement des conflits sur le terrain civil et la multiplication des acteurs armés non étatiques. Le recours à la terreur contre les populations civiles fait partie depuis toujours, des méthodes de guerres caractéristiques de ce type de conflit asymétrique.

D'abord soucieux de la protection des combattants, le droit humanitaire a progressivement cherché à améliorer la protection des civils, puis à renforcer les règles applicables aux conflits armés internes. Ceci s'exprime dans la quatrième Convention de Genève de 1949 ainsi que dans les deux Protocoles additionnels de 1977. Le droit humanitaire continue à évoluer pour répondre à ces défis changeants en accordant une importance croissante à la coutume, c'est-à-dire aux pratiques des États et des belligérants, mais aussi des organisations humanitaires.

▶ **Droit international humanitaire ▷ Groupes armés non étatiques.**

1. *Les différents types de conflits*

Le mot « guerre » n'est plus utilisé dans le droit international actuel qui préfère les termes de « conflit armé international » pour parler d'une guerre entre deux ou plusieurs États et de « conflit armé non international » pour parler d'une guerre civile. Il faut un certain seuil de violence pour qualifier une situation de « conflit armé ». En deçà de ce seuil, on parle seulement de « troubles » et « tensions internes ». Les émeutes, les actes isolés et sporadiques de violence et autres actes analogues ne sont pas des conflits armés (GP II art. 1.2). Le droit humanitaire s'applique dans les situations de conflit seulement. Dans les situations de troubles, certaines garanties fondamentales prévues à la fois par le droit humanitaire et les droits de l'homme restent toutefois applicables.

▶ **Garanties fondamentales ▷ Conflit armé international ▷ Conflit armé non international ▷ Troubles et tensions internes ▷ État d'exception, état de siège, état d'urgence.**

2. *Les belligérants*

Dans les situations de guerre, la violence est utilisée massivement par les forces armées, de façon organisée et concertée. L'existence de certaines règles permet de faire la différence entre un conflit armé et le chaos. Les combattants doivent être organisés en unités de combat et obéir à une autorité hiérarchique qui donne les ordres et fait régner la discipline, incluant le respect de règles du droit humanitaire. Les affrontements peuvent opposer des combattants appartenant à des autorités politiques officielles et reconnues telles que des gouvernements. Mais ils peuvent également obéir à une autorité politique qui n'a pas été reconnue par l'autre partie au conflit ni par d'autres États de la communauté internationale. C'est le cas notamment dans les guerres de libération nationale, lors des guerres civiles et dans les troubles qui entourent les coups d'État. Le droit des conflits armés s'applique à toutes les parties au conflit, quelle que soit la nature de l'autorité qui les dirige.

▶ **Combattant ▷ Belligérant ▷ Partie au conflit ▷ Haute partie contractante ▷ Mouvement de résistance ▷ Accord spécial ▷ Situations et personnes non couvertes ▷ Statut juridique des parties au conflit.**

3. *Prévention de la guerre*

Le recours à la guerre dans les relations internationales avait été banni en 1928 par le pacte Briand-Kellog. Ce bannissement fut peu efficace. La Charte des Nations unies limite le droit de recourir à la force dans les relations entre les États. Les États n'ont le droit d'utiliser la force armée qu'en état de légitime défense en cas d'agression. Les différends internationaux doivent être réglés pacifiquement, avec l'aide de la communauté internationale et des mécanismes mis en place à cet effet par le système des Nations unies. En fait, une obligation expresse impose aux États de rechercher une solution pacifique. En cas d'échec des moyens de règlement pacifique des différends et de menace à la paix et la sécurité internationale, la Charte de l'ONU prévoit la possibilité de l'emploi de forces armées internationales pour rétablir la paix. Ces différents mécanismes ont fonctionné de façon partielle et *ad hoc* au travers des opérations de maintien de la paix.

Malgré toutes ces dispositions, la guerre fait partie des relations internationales depuis les temps les plus reculés.

▶ **Maintien de la paix ▷ Sécurité collective ▷ ONU ▷ Conseil de sécurité ▷ Sanctions diplomatiques, économiques ou militaires ▷ Légitime défense.**

4. *Réglementation de la guerre*

◆ **• Le droit des conflits armés a fait l'objet d'une codification progressive qui s'est étalée sur des centaines d'années. La philosophie de cette réglementation est identique sur tous les continents.**

• La guerre n'est qu'une période transitoire. La façon dont elle est conduite ne doit pas rendre la paix impossible. En outre, les soldats doivent pouvoir se réadapter à la vie civile.

• L'esprit de cette réglementation reste identique : éviter les souffrances et destructions inutiles ou celles qui sont sans proportion avec un avantage militaire précis. Il s'agit également de distinguer entre les objectifs civils et militaires.

À côté de cette réglementation générale de l'usage de la force dans le cadre de l'ONU, les États ont réglementé et limité les moyens et méthodes de guerre entre eux de façon antérieure à l'existence de l'ONU.

Le principe de base est que l'opération militaire n'est légitime que si elle constitue un moyen d'atteindre un objectif militaire précis. L'arme doit donc être adaptée à cet objectif et éviter les destructions et les souffrances inutiles. La technique de combat doit également permettre de distinguer entre les cibles civiles et militaires. Elle doit permettre également de secourir les victimes civiles pendant la durée des combats.

Les quatre Conventions de Genève de 1949 et leurs Protocoles additionnels de 1977 sont l'expression la plus récente de cette tendance.

- ***Droit de la violence***

  Les Conventions de La Haye, de Genève et des conventions spécifiques réglementent l'usage des méthodes de guerre.

  ▶ **Méthodes de guerre ▷ Arme ▷ Attaque ▷ Droit international humanitaire ▷ Conventions de La Haye ▷ Conventions de Genève et Protocoles additionnels de 1977.**

- ***Droit de l'assistance***

  Les Conventions de Genève de 1949 et leurs Protocoles additionnels de 1977 détaillent en outre la protection des civils et les secours aux victimes des conflits.

  ▶ **Droit international humanitaire ▷ Conventions de Genève de 1949 et Protocoles additionnels de 1977 ▷ Secours ▷ Protection ▷ Biens protégés ▷ Personnes protégées ▷ Mission médicale ▷ Droit d'accès ▷ Droit d'initiative humanitaire.**

■ **Garanties fondamentales**

Les Conventions de Genève permettent d'appliquer certaines dispositions minimales dans n'importe quelle situation de conflit. Il s'agit notamment des règles essentielles du secours et de la protection des populations civiles. ■

▶ **Garanties fondamentales ▷ Accord spécial.**

5. *Responsabilité*

Les Conventions de Genève de 1949 fixent également les responsabilités précises des États mais aussi des commandants des forces armées et des individus en ce qui concerne l'application et le respect des règles du droit des conflits armés. Elles prévoient également les différentes sanctions pénales en cas de crimes de guerre et autres crimes contre l'humanité.

▶ **Responsabilité ▷ Devoirs des commandants ▷ Attaque ▷ Proportionnalité ▷ Respect du droit humanitaire ▷ Responsabilité ▷ Sanctions pénales du droit humanitaire ▷ Crime de guerre-Crime contre l'humanité.**

Consulter aussi

▶ **Méthodes de guerre ▷ Droit international humanitaire.**

Pour en savoir plus

FROMM E., *La Passion de détruire : anatomie de la destructivité humaine*, Laffont, Paris, 1992, 523 p.

GRMEK M. D., *La Guerre comme maladie sociale*, Seuil, Paris, 2001, 257 p.

HASSNER P., *La Violence et la Paix. De la bombe atomique au nettoyage ethnique*, Esprit, Paris, 1995.

HUYGHE F. B., « L'impureté de la guerre », *Revue internationale de la Croix-Rouge*, n° 873, mars 2009. Disponible en ligne sur http://www.icrc.org/fre/assets/files/other/irrc-873-huyghe-fre.pdf

JEAN F., RUFIN J.-C. (sous la dir.), *Économie des guerres civiles*, Hachette-Pluriel, Paris 1996.

JOXE A., *Voyage aux sources de la guerre*, PUF, Paris, 1991.

MASSON P., *L'Homme en guerre. 1901-2001*, Éditions du Rocher, Paris, 1997.

PAULUS A. et VASHAKMADZE M., « Assymetrical war and the notion of armed conflict - A tentative conceptualization », *Revue internationale de la Croix-Rouge*, vol. 91, n° 873, mars 2009, p. 95-125.

PFANNER T., « Les guerres asymétriques vues sous l'angle du droit humanitaire et de l'action humanitaire », *Revue internationale de la Croix-Rouge*, n° 857, mars 2005.

REYDAMS L., « À la guerre comme à la guerre : patterns of armed conflict, humanitarian law response and new challenges », *Revue internationale de la Croix-Rouge*, vol. 88, n° 864, décembre 2006, p. 729-756.

Haut-Commissariat des Nations unies aux droits de l'homme (UNHCHR)-Conseil des droits de l'homme de l'ONU (et Comité consultatif)

Le système de promotion et de protection des droits de l'homme mis en place par l'ONU s'appuie sur des institutions permanentes qui complètent les garanties et procédures contenues dans les différentes conventions internationales relatives aux droits de l'homme. Il s'agit du Haut-Commissariat aux droits de l'homme, dont fait partie le Conseil des droits de l'homme qui a remplacé en 2006 la Commission du même nom. Ces évolutions ont pour but d'assurer une meilleure continuité et permanence du fonctionnement de ces organes et de limiter leur politisation.

I. Mandat du Haut-Commissariat aux droits de l'homme

Le poste de haut-commissaire des Nations unies aux droits de l'homme (UNHCHR, United Nations High Commissionner for Human Rights) a été créé par la résolution 48/181 du 20 décembre 1993 de l'Assemblée générale, suite aux recommandations de la Déclaration de Vienne et du programme d'actions du 25 juin 1993. En 1997, le Centre des Nations unies pour les droits de l'homme et le Bureau du haut-commissaire aux droits de l'homme ont fusionné en un Haut-Commissariat aux droits de l'homme. Il est situé à Genève.
La mission de l'UNHCHR est de « promouvoir le respect universel de tous les droits de l'homme en traduisant en actes concrets la volonté et la détermination de la communauté internationale telle qu'elle s'exprime par l'intermédiaire de l'ONU ». Son mandat est basé sur plusieurs articles de la Charte des Nations unies, dont l'article 55, qui réaffirme l'objectif de l'Organisation de créer « les conditions de stabilité et de bien-être nécessaires pour assurer entre les nations des relations pacifiques et amicales fondées sur le respect du principe de l'égalité des droits des peuples et de leur droit à disposer d'eux-mêmes », et ses engagements à promouvoir le respect universel des droits de l'homme et des libertés fondamentales pour tous, sans distinction.

II. Structure du Haut-Commissariat

Le Bureau est divisé entre plusieurs services, dirigés par le haut-commissaire ayant rang de sous-secrétaire général des Nations unies. Depuis le 1er septembre 2008, Navanethem Pillay occupe le poste de haut-commissaire des Nations unies aux droits de l'homme. Elle est assistée d'un haut-commissaire adjoint, d'une équipe et d'un service administratif. Un petit bureau est installé à New York pour assurer une représentation du haut-commissaire auprès du siège des Nations unies.

Outre le Bureau exécutif du haut-commissaire et plusieurs unités qui dépendent de l'adjoint au haut-commissaire, l'UNHCHR compte quatre divisions, à savoir : la Division des opérations sur le terrain et de la coopération technique, la Division de la recherche et du droit au développement, la Division du Conseil des droits de l'homme et des instruments nationaux et la Division des procédures spéciales. Le budget du Haut-Commissariat aux droits de l'homme était de 180 millions de dollars pour l'année 2010 ; 70 millions de dollars provenant du budget régulier des Nations unies et le reste de contributions volontaires des États. La part des contributions volontaires a considérablement augmenté entre 2005 et 2009.

III. Missions du Haut-Commissariat

L'UNHCHR promeut la coopération internationale sur les droits de l'homme, en particulier en coordonnant les actions et en stimulant les politiques dans le système des Nations unies. Pour cela, il :

– promeut la ratification universelle et la mise en œuvre des conventions internationales et des autres textes, et pousse à la création de nouvelles normes ;

▶ **Droit, droit international ▷ Droits de l'homme.**

– gère les services d'information des programmes des Nations unies sur les droits de l'homme, dont le centre de documentation et la bibliothèque, fournit une analyse des politiques, des études, et des conseils sur des questions concernant les procédures et la pratique des organes des Nations unies ;

– promeut la création de structures nationales de droits de l'homme notamment au travers d'activités et d'opérations de terrain : il entreprend des activités et opérations de terrain, forme, fournit des conseils et une assistance technique sur les questions relatives aux droits de l'homme, à la demande des gouvernements, et gère les contributions volontaires pour les missions de terrain ;

– fournit un support aux mécanismes d'établissement des faits et d'enquête des droits de l'homme comme les rapporteurs spéciaux et les groupes de travail du Conseil des droits de l'homme (anciennement Commission des droits de l'homme) ou les divers comités des Nations unies créés par les traités ;

▶ **Rapporteur spécial.**

– encourage les organes internationaux de droits de l'homme et les organes créés par les traités. Il planifie, prépare et dirige les réunions régulières et spéciales du

Conseil des droits de l'homme, de son Comité consultatif, ainsi que de l'Examen périodique universel (voir *infra*).

▶ **Droits de l'homme ▷ Comité des droits de l'homme ▷ Comité contre la torture ▷ Comité des droits de l'enfant ▷ Comité pour l'élimination de la discrimination à l'égard des femmes ▷ Femme ▷ Enfant ▷ Discrimination ▷ Recours individuels.**

Lors de situations d'urgence, l'UNHCHR collabore avec les organes concernés du système des Nations unies. Il participe au Comité permanent interagences (IASC), dirigé par le Bureau de la coordination des affaires humanitaires (OCHA). Il travaille surtout avec l'OCHA pour développer des approches des Nations unies (notamment l'action humanitaire) qui tiennent compte des droits de l'homme.

IV. Commission/Conseil des droits de l'homme

La Commission a été établie en 1946 par le Conseil économique et social en vertu de l'article 68 de la Charte des Nations unies. La Commission était compétente à l'égard de l'ensemble des États membres de l'ONU, qu'ils aient ou non signé les conventions internationales relatives aux droits de l'homme. Deux résolutions du Conseil économique et social de l'ONU en 1946 (résolution 5.1 du 16 février et résolution 9.2 du 21 juin) ont défini le statut de cette commission et ajouté à son mandat de promotion celui de protection des droits de l'homme.

Le 15 mars 2006, dans le cadre de la réforme du système des Nations unies, l'Assemblée générale a adopté la résolution 60/251 établissant le Conseil des droits de l'homme en remplacement de l'ancienne Commission des droits de l'homme. Cette réforme visait à renforcer l'autorité et la fiabilité de l'action des Nations unies en matière de droits de l'homme, tout en évitant que ce nouvel organe ne devienne trop politique.

1. *Composition et structure*

Alors que la Commission dépendait du Conseil économique et social, le Conseil des droits de l'homme est un organe subsidiaire de l'Assemblé générale des Nations unies. Les membres de la Commission et ceux de l'actuel Conseil des droits de l'homme ne sont pas des experts indépendants mais des diplomates liés à leur gouvernement malgré la modification du mode de désignation.

Le Conseil économique et social choisissait les 54 États membres de l'ancienne Commission. Chacun de ces États nommait ensuite son représentant, après consultation du secrétaire général des Nations unies. Le Conseil actuel est constitué de représentants de 47 États membres, qui sont élus directement et individuellement au scrutin secret, à la majorité des membres de l'Assemblée générale selon une répartition géographique équitable : 13 sièges pour les États d'Afrique, 13 pour les États d'Asie, 6 sièges pour les États d'Europe orientale, 8 sièges pour les États d'Amérique latine et des Caraïbes, 7 sièges pour les États d'Europe occidentale et autres. Les membres sont élus pour trois ans et ne peuvent faire que deux mandats consécutifs. Enfin, l'Assemblée générale peut, à la majorité des deux tiers des membres présents votant, suspendre un membre du Conseil des droits de l'homme qui aurait commis des violations flagrantes et systématiques des droits de l'homme. Le Conseil a utilisé cette nouvelle prérogative pour la première fois en février 2011. Suite aux violations des droits de l'homme perpétrées par le régime de Kadhafi contre les manifestants sur le territoire national, le Conseil a décidé de suspendre les droits de la Libye au sein de cette instance.

Contrairement à la Commission qui tenait une session une fois par an, le Conseil se réunit régulièrement et tient au minimum trois sessions par an. Traditionnellement, le Conseil se réunit pour deux sessions de trois semaines, une en mai et l'autre en septembre, puis pour une session de quatre semaines en mars. En outre, le Conseil se réunit au besoin en sessions extraordinaires. Cela s'est produit quatorze fois depuis 2006 ; par exemple en février 2011 pour examiner la situation des droits de l'homme en République libyenne, ou encore en juin 2012 au sujet du conflit en Syrie (République arabe syrienne).

L'ancienne Commission avait le pouvoir de créer des organes subsidiaires. En 1947, elle avait ainsi créé un mécanisme consultatif spécialisé, la Sous-commission de la lutte contre les mesures discriminatoires et de la protection des minorités. En 1999, le Conseil économique et social a renommé cet organe Sous-commission de la promotion et la protection des droits de l'homme. Cette sous-commission, qui comprenait 26 experts indépendants, a été remplacée par le Comité consultatif du Conseil des droits de l'homme (le Comité consultatif), composé de 18 experts indépendants élus au scrutin secret par le Conseil sur la base d'une répartition géographique équitable (cinq sièges pour les États africains, cinq pour les États asiatiques, deux sièges pour les États d'Europe orientale, trois pour les États d'Amérique latine et Caraïbes, et trois pour les États d'Europe occidentale et autres). Ce Comité consultatif travaille comme groupe de réflexion et de proposition pour le Conseil. Il participe également à l'examen des communications individuelles relatives aux violations des droits de l'homme dans le cadre des procédures spéciales. Il peut convoquer jusqu'à deux sessions pour un maximum de 10 jours de travail par an, au lieu d'une réunion annuelle dans le cas de l'ancienne sous-commission. La première session du Comité a eu lieu Genève du 4 au 15 août 2008. La dernière session en date s'est déroulée en août 2013.

Les États membres et les observateurs, y compris les États qui ne sont pas membres du Conseil, les agences spécialisées des Nations Unies, les organisations intergouvernementales, les institutions nationales des droits de l'homme ainsi que les ONG peuvent participer au travail du Comité consultatif sur la base d'arrangements, parmi lesquels la résolution 1996/31 du Conseil économique et social et les pratiques antérieures.

- **Toutes les ONG peuvent saisir le Conseil, mais seules celles qui bénéficient du statut consultatif reconnu auprès du Conseil économique et social peuvent assister en tant qu'observateurs aux sessions du Comité consultatif et du Conseil. Elles peuvent également présenter des interventions écrites ou orales.**

2. *Mandat*

Le mandat du Conseil reste similaire à celui de l'ancienne Commission ; le système de procédures spéciales est maintenu et de nouvelles procédures ont été créées.

a) Promotion des droits de l'homme

L'élaboration de textes juridiques est la vocation première du Conseil. En 1946, la Commission a été conçue pour préparer un projet de texte international et des conventions sur les droits de l'homme. Elle est à l'origine de la rédaction de la Déclaration universelle de 1948 et des deux pactes de 1966 relatifs aux droits civils, politiques, économiques, sociaux et culturels.

Le Conseil est ainsi compétent pour mener des études, faire des recommandations et préparer les projets de convention sur les droits de l'homme. Il peut également développer des programmes d'assistance technique en nommant des « experts indépendants ». Ces experts réalisent des études par pays sur des questions judiciaires ou juridiques et formulent des propositions d'assistance.

Depuis 2006, le Conseil examine, *inter alia,* la possibilité d'élaborer un cadre réglementaire international encadrant les activités des sociétés militaires et de sécurité privées. Par ailleurs, le Conseil a élaboré un protocole facultatif à la Convention sur les droits de l'enfant qui prévoit une procédure de communication pour les ONG et les individus complémentaire à la procédure étatique de rapport prévue par la convention. Ce protocole additionnel a été adopté le 19 décembre 2011 et a été ouvert à la signature par les États parties le 28 février 2012. En avril 2013, 36 États l'avaient signé mais seulement 4 l'avaient ratifié.

b) Protection des droits de l'homme et procédures spéciales

De 1946 à 1967, le mandat initial de la Commission n'avait pas prévu de mécanisme de contrôle ni de sanction de la situation des droits de l'homme dans les différents pays. Ces mécanismes ont été rajoutés sous la forme de procédures spéciales, créées par les résolutions du Conseil économique et social en 1967 (rés. 1235) et 1970 (rés. 1503). Ces procédures ne constituent pas des recours en cas de violations individuelles même graves, mais elles créent une pression internationale sur les États en permettant l'étude et le débat sur des situations de violations flagrantes et massives des droits de l'homme dans certains pays.

Ces procédures spéciales ont été conservées, renommées et complétées dans le nouveau système adopté par le Conseil des droits de l'homme le 18 juin 2007, qui inclut une procédure de communication et un mécanisme d'examen périodique universel géré par le Conseil et le Comité consultatif en lieu et place de l'ancienne sous-commission. Elles ne constituent pas des recours individuels cependant.

- **La procédure de communication**

La procédure de communication créée par la résolution 1503 du 27 mai 1970 a servi de base à la nouvelle procédure de communication établie en 2007 par le Conseil sous le nom de procédure 1503 révisée. Son mandat, similaire au précédent, consiste à examiner les communications émanant d'individus ou de groupes et révélant des violations flagrantes des droits de l'homme et des libertés fondamentales.

Deux groupes de travail ont été établis afin d'examiner ces allégations de violations des droits de l'homme, le Groupe de travail sur les communications et celui sur les situations, dont le but est de porter à l'attention du Conseil des éléments dignes de fois attestant de violations flagrantes des droits de l'homme et des libertés fondamentales.

– Le Groupe de travail sur les communications est désigné par le Comité consultatif pour une période de trois ans. Il est constitué de cinq experts indépendants géographiquement représentatifs des cinq ensembles régionaux. Le Groupe de travail se réunit deux fois par an durant cinq jours pour examiner la recevabilité des communications. Certains critères doivent en effet être remplis pour qu'une communication soit reçue : elle doit concerner des faits constitutifs d'un ensemble de violations flagrantes et systématiques des droits de l'homme et des libertés fondamentales ; elle ne doit être ni anonyme, ni injurieuse, ni motivée par des considérations politiques ; elle doit émaner des victimes ou de personnes ayant une connaissance directe et sûre des violations ; elle doit contenir une description des faits et indiquer les droits violés ; par ailleurs, les recours doivent avoir été épuisés au niveau national, à moins de prouver leur inexistence ; et enfin la situation ne doit pas être l'objet d'autres procédures internationales. Dans le cadre de l'examen de la recevabilité, des informations anonymes sont communiquées au gouvernement concerné pour qu'il puisse y répondre. Cette confidentialité a pour but de préserver la sécurité de l'auteur de la communication et des victimes. Cependant elle n'est pas une garantie absolue que ceux-ci ne puissent pas être identifiables par des éléments de circonstances particulières à l'affaire.

Toutes les communications et recommandations recevables, qui proviennent majoritairement des ONG, sont dès lors transmises au Groupe de travail des situations.

– Le Groupe de travail des situations est constitué de cinq membres nommés par les groupes régionaux des membres du Conseil pour un an. Il se réunit deux fois par an pendant cinq jours afin d'examiner les communications qui lui ont été transmises par le Groupe de travail sur les communications, y compris les réponses des États ainsi que les situations pour lesquelles le Conseil est déjà saisi au titre de la procédure de communication. Ce groupe présente au Conseil un rapport sur les violations flagrantes des droits de l'homme et des libertés fondamentales dans un pays ou une situation donnés, attestées par des éléments dignes de foi. Il fait également un certain nombre de recommandations au Conseil sur les actions à entreprendre.

Le Conseil prend des décisions sur chaque situation amenée à son attention. Il dispose de quatre options en fonction de la gravité de la situation et de la bonne volonté manifestée par l'État concerné. Il peut par ordre de gravité croissante : décider de suspendre l'examen de la situation ; garder la situation à l'examen et demander à l'État concerné de fournir des informations ; nommer un expert indépendant pour suivre la situation et en faire rapport au Conseil ; ou rendre publique la situation.

Les communications relevant de cette procédure peuvent être envoyées par les particuliers ou les groupes à l'adresse suivante : **1503@ohchr.org**

- **L'Examen périodique universel (EPU)**

La création d'un Examen périodique universel compte parmi les changements majeurs de la réforme du système onusien de promotion et de protection des droits de l'homme. Celui-ci consiste à passer en revue tous les quatre ans les réalisations de l'ensemble des 193 États membres de l'ONU dans le domaine des droits de l'homme. Ce processus s'ajoute aux obligations contenues dans certaines conventions internationales, et a pour objectif de vérifier les mesures législatives et pratiques adoptées dans chaque État pour améliorer l'effectivité et le respect des droits de l'homme. Il oblige les États à présenter les mesures qu'ils ont prises pour améliorer la situation des droits de l'homme sur leur territoire et remplir leurs obligations en la matière. Tous les quatre ans, tous les États membres des Nations unies et les États ayant le statut d'observateur sont examinés ; l'ordre des pays est décidé sur la base d'une distribution géographique équitable.

L'examen de chaque État repose sur plusieurs documents :

– les informations préparées par l'État concerné, habituellement sous la forme d'un rapport national ;

– une compilation, préparée par le Bureau du haut-commissaire aux droits de l'homme, des informations contenues dans les rapports des organes conventionnels (les comités d'expert), les procédures spéciales (rapporteurs spéciaux et groupes de travail), y compris les informations et commentaires de l'État concerné, et les autres documents officiels pertinents des Nations unies, notamment de l'UNICEF ;

– les informations crédibles et fiables supplémentaires fournis par d'autres parties prenantes pertinentes : organisations internationales, ONG, institutions nationales des droits de l'homme etc.

L'examen est effectué par le groupe de travail de l'EPU, qui est présidé par le président du Conseil et se compose des 47 membres du Conseil. Chaque État membre décide de la composition de sa délégation, et est assisté par un groupe de trois États, appelé « troïka », qui servent en tant que rapporteurs. La sélection des troïkas pour chaque État se fait par un tirage au sort après les élections des membres du Conseil à l'Assemblée générale. Tout État membre peut participer à l'examen, y compris au dialogue interactif ayant lieu après que l'État examiné a présenté son rapport. D'autres observateurs, tels que les organisations internationales et non gouvernementales, peuvent également assister à l'examen. L'examen est habituellement de trois heures pour chaque pays. À la fin, le Conseil adopte les résultats de son examen, qui est un rapport comprenant un résumé des débats du processus d'examen, un certain nombre de conclusions et/ou recommandations, ainsi que les engagements volontaires de l'État concerné.

Consulter aussi

▶ **Droits de l'homme ▷ Comité des droits de l'homme ▷ Comité contre la torture ▷ Comité des droits de l'enfant ▷ Comité pour l'élimination de la discrimination à l'égard des femmes ▷ Comité pour l'élimination de la discrimination raciale ▷ Rapporteur spécial ▷ Femme ▷ Enfant ▷ Discrimination ▷ Recours individuels ▷ ONU ▷ Conseil économique et social des Nations unies ▷ Bien-être.**

Contact

Haut-Commissariat des Nations unies aux droits de l'homme
52, rue Pâquis, 1202 Genève /Suisse
Tél. : (00 41) 22 917 91 59.
www.unhchr.ch

Haut-Commissariat aux réfugiés (HCR)

I. Organisation

Le HCR est un organe subsidiaire de l'Assemblée générale de l'ONU, créé en 1949 et entré en fonction en 1951. Le HCR emploie plus de 7 190 salariés nationaux et internationaux dans 123 pays.
Le haut-commissaire est élu par l'Assemblée générale sur proposition du secrétaire général, approuvé par l'Assemblée générale (art. 13 du statut du HCR). Son mandat est de cinq ans. Depuis juin 2005, M. Antonio Guterres est le haut-commissaire ; il a été réélu en avril 2010. Chaque année, le haut-commissaire adresse un rapport d'activités à l'Assemblée générale de l'ONU qui le plus souvent adopte une résolution de soutien aux activités du HCR.
Un Comité exécutif (Excom) composé d'États se réunit tous les ans en octobre, et émet des « conclusions » qui fixent les orientations de travail du HCR. L'Excom est composé des représentants des 54 États du Conseil économique et social de l'ONU. L'Excom représente donc, dans l'exercice de ses fonctions, la communauté des États dans son ensemble. Il n'y a par conséquent pas lieu de penser que les États qui ne sont pas « parties » à la Convention de 1951 sur le statut de réfugié sont exclus du HCR. Par exemple, l'Inde est membre de l'Excom sans être partie à la Convention de 1951. On considère en fait que tous les États membres de l'ONU reconnaissent et acceptent le statut de cette organisation.
Le HCR se divise en plusieurs départements (protection internationale, soutien opérationnel, finances, inspection et évaluation, ressources humaines) et en directions régionales.

II. Mandat

Le but de cette organisation est de garantir des règles minimales acceptées par tous les États concernant le droit pour les individus de chercher asile dans un autre pays que le leur, et d'aider les États à faire face aux problèmes administratifs, juridiques, diplomatiques, financiers et humains que pose le phénomène des réfugiés.
Le HCR assume plusieurs fonctions.
a) La promotion du droit des réfugiés et la surveillance de l'application par les différents États de la Convention de 1951, qui protège les droits des réfugiés.
b) La protection des réfugiés, en participant aux côtés des États à l'examen des problèmes administratifs et juridiques liés à l'octroi du statut de réfugié et à la défense du droit d'asile. Le HCR participe également aux côtés des gouvernements à la recherche de « solutions permanentes » pour les réfugiés. L'état de réfugié est un état transitoire pour les individus. La protection des individus ou des groupes passe par l'obtention pour eux d'un statut juridique stable et durable. Le HCR

favorise les opérations de rapatriements volontaires, l'intégration dans le pays d'asile, et la réinstallation dans un second pays d'accueil.
c) L'assistance matérielle : la solidarité internationale des États devant la charge que représentent les réfugiés pour le pays d'accueil se concrétise par un partage du fardeau dans le cadre des programmes d'assistance aux réfugiés gérés par le HCR qui impliquent l'action et le soutien d'autres organisations intergouvernementales et non gouvernementales. Les États participent financièrement sur une base volontaire à ces besoins d'assistance.
d) Les bons offices du HCR sont proposés aux gouvernements pour les aider à résoudre les problèmes créés par des mouvements de populations qui ne relèvent pas *stricto sensu* de son mandat sur les réfugiés. Cela concerne notamment les situations ou il s'agit pour le HCR d'offrir – à la demande du secrétaire général ou de l'Assemblée générale de l'ONU – une assistance pour des groupes de populations tels que les déplacés internes qui ne sont pas couverts par son mandat.

■ **Les fondements juridiques du mandat du HCR**

• Le statut de Haut-Commissariat des Nations unies pour les réfugiés, voté par l'Assemblée générale le 14 décembre 1950 (résolution 428/V), qui donne naissance à l'organisation.
• La Convention relative au statut des réfugiés de 1951, entrée en vigueur en 1954 (145 États parties en avril 2013), qui dans son article 35 demande au HCR de surveiller son application.
• Les demandes spécifiques de l'Assemblée générale (art. 9 du statut) ou du secrétaire général de l'ONU (rés. 48/116 du 20 décembre 1993 de l'AG), qui peuvent étendre le mandat du haut-commissaire de façon *ad hoc* pour aider les États à faire face à un problème particulier de réfugiés. ■

III. Moyens d'action

Les moyens juridiques dont dispose le HCR varient selon que sa mission s'inscrit dans le cadre de son statut, de la Convention de 1951 ou d'une extension *ad hoc* de son mandat.
Pendant ses premières années d'existence, le HCR n'a pas été une organisation opérationnelle. Il ne menait pas directement des actions de secours matériel auprès des réfugiés. Sa contribution visait à soutenir financièrement les organisations privées qui assuraient cette fonction. Sa contribution à la protection des réfugiés était centrée sur la négociation et l'obtention de garanties juridiques à leur profit et la facilitation des formalités administratives les concernant. Avec la multiplication des situations de réfugiés, le HCR s'est transformé aujourd'hui en une agence opérationnelle présente dans plus de 110 pays.

1. *Moyens juridiques prévus par le statut du HCR*

Le HCR remplit une double mission : l'une relative aux individus réfugiés, l'autre relative aux États.

a) *La mission du HCR à l'égard des États*

• Il doit organiser la coopération des gouvernements autour de la défense du droit d'asile et leur solidarité financière face au problème des réfugiés.
La résolution 428 (V) de l'Assemblée générale de l'ONU (14 décembre 1950) qui a adopté le statut du HCR précise les engagements que prennent les gouvernements pour coopérer avec le HCR dans le domaine des réfugiés.
Les gouvernements sont invités à :
– devenir signataires des conventions internationales relatives à la protection des réfugiés, et prendre les mesures d'application nécessaires ;
– conclure avec le HCR des accords particuliers visant à mettre en œuvre les mesures destinées à améliorer le sort des réfugiés et à diminuer le nombre de ceux qui ont besoin de protection ;
– admettre sur leur territoire des réfugiés, sans exclure ceux qui appartiennent aux catégories les plus déshéritées ;
– seconder les efforts du HCR en ce qui concerne le rapatriement librement consenti des réfugiés ;
– favoriser l'assimilation des réfugiés, notamment en facilitant leur naturalisation ;
– délivrer aux réfugiés des titres de voyage et tels autres documents qui seraient normalement fournis par leurs autorités nationales ;
– autoriser les réfugiés à transporter leurs avoirs, notamment ceux dont ils ont besoin pour leur réinstallation ;
– fournir au HCR des renseignements sur le nombre et l'état des réfugiés et sur les lois et règlements qui les concernent.

b) *La mission du HCR au regard de la protection des réfugiés*

• Il doit assurer la protection des réfugiés.
« Le haut-commissaire assurera la protection des réfugiés qui relèvent du Haut-Commissariat (art. 8 de son statut). À l'origine, la compétence du HCR se limitait à la définition du réfugié contenue dans le statut et reprise par la Convention de 1951 (▷ **Réfugiés**). Elle a été progressivement étendue à d'autres personnes (en particulier aux réfugiés de guerre) par décisions successives de l'Assemblée générale de l'ONU. La compétence du HCR pour assister les déplacés internes reste *ad hoc*, c'est-à-dire qu'elle est soumise au cas par cas au vote de l'Assemblée générale de l'ONU et à l'accord de l'État concerné.
• Pour assurer la protection des réfugiés, le HCR peut :
– participer à la conclusion et à la ratification de conventions internationales pour la protection des réfugiés, et surveiller leur application en y proposant des modifications ;
– participer, par voie d'accords particuliers avec les gouvernements, à la mise en œuvre de toute mesure destinée à améliorer le sort des réfugiés et à diminuer le nombre de ceux qui ont besoin de protection ;
– seconder les initiatives des pouvoirs publics et les initiatives privées en ce qui concerne le rapatriement librement consenti des réfugiés ou leur assimilation dans de nouvelles communautés nationales ;

– encourager l'admission des réfugiés sur le territoire des États, sans exclure les réfugiés qui appartiennent aux catégories les plus déshéritées ;
– s'efforcer d'obtenir que les réfugiés soient autorisés à transférer leurs avoirs, notamment ceux dont ils ont besoin pour leur réinstallation ;
– obtenir des gouvernements des renseignements sur le nombre et l'état des réfugiés dans leurs territoires et sur les lois et règlements qui les concernent ;
– rester en contact suivi avec les gouvernements et les organisations intergouvernementales intéressés ;
– entrer en rapport, de la manière qu'il juge la meilleure, avec les organisations privées qui s'occupent de questions concernant les réfugiés ;
– faciliter la coordination des efforts des organisations privées qui s'occupent de l'assistance aux réfugiés. »

2. *Moyens juridiques prévus par la Convention de 1951*

La compétence du HCR se limite aux personnes qui entrent dans la définition du réfugié donnée par cette convention. « Les hautes parties contractantes [...] [prennent] acte de ce que le haut-commissaire des Nations unies pour les réfugiés a pour tâche de veiller à l'application des conventions internationales qui assurent la protection des réfugiés, et [reconnaissent] que la coordination effective des mesures prises pour résoudre ce problème dépendra de la coopération des États avec le haut-commissaire » (Préambule, al. 6).

Le HCR a une mission de surveillance de l'application de cette convention. Les États s'engagent à coopérer avec lui et à lui fournir toutes les informations et données juridiques et statistiques nécessaires, notamment sur la situation des réfugiés, la mise en œuvre de la convention, et toute autre loi applicable aux réfugiés (art. 35). La convention ne donne pas au HCR de moyens d'action supplémentaires à ceux de son statut. Elle mentionne cependant l'obligation, pour les autorités nationales ou pour une autorité internationale (HCR), de délivrer aux réfugiés des documents administratifs qu'ils ne peuvent plus obtenir de leurs autorités nationales mais qui sont indispensables pour l'exercice de leurs droits individuels. Il s'agit d'une mission essentielle pour débloquer les impasses administratives dans lesquelles les réfugiés peuvent fréquemment se trouver. Il peut s'agir de la délivrance de pièces d'identité ou de titres provisoires de transport (Convention de 1951, art. 25).

3. *Moyens juridiques prévus par l'Assemblée générale de l'ONU*

L'Assemblée générale peut demander de façon *ad hoc* au HCR de prendre en charge la gestion d'un problème précis de réfugiés n'entrant pas dans la définition stricte prévue par la Convention de 1951 et le statut du HCR (les déplacés internes par exemple). Dans ces situations, le HCR ne dispose pas d'autres moyens d'action et de protection que ceux qui seront négociés et inclus dans des accords bi- ou tripartites signés avec les gouvernements des pays concernés. L'Assemblée générale a déjà élargi le mandat du HCR dans trois directions différentes en vue :
– de fournir une assistance matérielle aux réfugiés, donc de lancer des appels de fonds (rés. 538B de 1952) ;

– d'user de ses « bons offices » en cas d'afflux massifs de personnes en quête d'asile (rés. 1388 de 1959) ;
– d'étendre ses activités au cas particulier des déplacés internes (rés. 2958 de 1972).
Concernant les personnes déplacées, le mandat du HCR a été étendu plusieurs fois à de telles situations dans le passé. Cependant qu'il s'agisse de l'ex-Yougoslavie ou de la région des Grands Lacs, l'action du HCR vis-à-vis de ces populations a connu de graves échecs. Le HCR disposait d'un mandat pour l'assistance mais pas d'un cadre juridique concernant la protection des déplacés. En 2002, le HCR a ainsi décidé de recentrer son activité sur sa mission principale vis-à-vis des réfugiés en laissant plus d'initiative au Bureau de coordination des affaires humanitaires pour la gestion des déplacés internes. En 2005, une réforme de l'action humanitaire a été mise en place au sein des Nations unies.
Depuis septembre 2005, le HCR est intégré à l'approche globale mise en place par le Comité interagences des Nations unies (IASC) sous l'autorité du secrétaire général de l'ONU et de son coordinateur des secours d'urgence. Cette approche vise à organiser une réponse coordonnée, sur le plan financier et opérationnel, des différentes agences des Nations unies, et à répartir la responsabilité concernant la mise en œuvre des différentes composantes des actions de secours. Dans cette répartition des tâches, le HCR est chargé de la coordination de la gestion des camps et de la protection des personnes déplacées en lien avec une situation de conflit. Il ne s'agit pas d'un véritable mandat juridique de protection sur ces populations, mais plutôt d'une mission d'évaluation des besoins et de mise en place de stratégies et de partenariat avec d'autres acteurs permettant de prendre en considération les besoins de protection. Ce système expérimental, connu en anglais sous le nom de *Cluster*, a débuté en janvier 2006 sur trois pays pilotes : l'Ouganda, le Liberia et la République démocratique du Congo.
Le haut-commissaire aux réfugié a précisé que cette implication du HCR auprès des déplacés devait se faire à la demande du coordinateur humanitaire et avec l'accord du pays concerné. Il a aussi affirmé que cette implication du HCR vis-à-vis des déplacés internes ne devait pas porter atteinte au droit des populations de chercher asile dans un autre pays, ni affaiblir les moyens financiers alloués à l'aide aux réfugiés.

▶ **Bureau de coordination des affaires humanitaires.**

4. *Moyens financiers*

Le HCR gère les fonds qu'il reçoit de sources publiques ou privées au profit de l'assistance aux réfugiés. Il les répartit de façon prioritaire entre les organismes privés qu'il juge les plus qualifiés pour assurer cette assistance. Il peut aussi, le cas échéant, distribuer une partie de ces fonds à des organismes publics, mais cela doit rester exceptionnel. Le HCR peut refuser toute offre financière qui ne lui paraît pas appropriée, ou qui serait liée à des conditions auxquelles il ne pourrait souscrire (statut, art. 10).
Une petite partie des frais de fonctionnement administratif (environ 3 %) est couverte par le budget ordinaire des Nations unies. Les programmes sont financés par des contributions volontaires des États. Le HCR a besoin de l'approbation préalable de l'Assemblée générale de l'ONU pour lancer ses appels de fonds auprès des gouvernements (statut art. 10).

Le budget des programmes se divise en programme général et programmes spéciaux. Le programme général (33 %) comprend toutes les activités prévues du HCR qui sont budgétées annuellement par l'Excom :
– le programme annuel (dont une réserve de 10 %) ;
– le fonds de rapatriement volontaire ;
– le fonds d'urgence, dans lequel le haut-commissaire peut utiliser 25 millions de dollars par an, chaque urgence étant plafonnée à 8 millions de dollars.
Les programmes spéciaux (66 %) couvrent tout ce qui n'est pas du mandat *stricto sensu* du HCR, sans approbation préalable de l'Excom : missions de bons offices, requêtes spéciales du secrétaire général sur une situation, formation, divers. Cela couvre également toutes les opérations d'urgence qui n'ont pas été prévues et budgétées (au-delà du plafond prévu par le fonds d'urgence).
Le haut-commissaire rend des comptes *a posteriori* sur l'utilisation des ressources. Il a donc une grande marge de manœuvre. Depuis 1992, les programmes spéciaux représentent en moyenne les deux tiers du budget global. Le budget révisé pour 2012 s'élevait à 4,3 milliards de dollars, dont 81 millions provenaient du budget régulier des Nations unies.

◆ **• Le HCR, malgré son mandat humanitaire, reste une organisation du système des Nations unies. Cela signifie notamment que :**
– son action peut dépendre du contenu des accords qu'il négocie avec les gouvernements concernés dans chaque type de situation ;
– elle dépend également de contributions financières étatiques à caractère volontaire. Il subit de façon directe les conséquences de l'évolution restrictive des politiques nationales d'asile et des restrictions budgétaires ;
– il subit également les contraintes pratiques liées à l'augmentation du nombre de personnes qui ont besoin d'une protection internationale. On estimait début 2012 le nombre de réfugiés dans le monde à plus de 10,4 millions et celui des personnes déplacées à 26,4 millions.
• Son activité peut s'exercer sur des bases juridiques très diverses. Certaines de ces opérations entreprises par exemple au titre des bons offices ne contiennent quasiment pas de règles protectrices pour les individus. Les capacités juridiques de protection des individus par le HCR doivent être examinées de façon attentive dans chacune de ses interventions.
• Ce n'est pas le HCR mais les gouvernements concernés qui octroient ou non le statut de réfugié à un individu ou à un groupe. Le HCR surveille et participe à ces procédures. Les individus peuvent lui soumettre leur cas.
• Quand un État refuse de donner le statut de réfugié à des personnes qui ont fui en masse, le HCR veille à ce que ces personnes ne soient pas refoulées vers un pays où elles courent un danger et qu'elles bénéficient au moins d'un asile temporaire. On parle alors de réfugiés de fait.

5. *Relations avec les ONG*

La vocation première du HCR n'est pas opérationnelle. En plus de sa fonction de conseil juridique, le HCR entreprend cependant de plus en plus d'opérations concrètes d'assistance et de protection des réfugiés en partenariat avec les ONG. Le HCR dispose officiellement de la possibilité de signer des contrats de partenariat opérationnel avec les ONG (statut HCR art. 8, 10) pour coordonner et financer les actions d'assistance et de protection auprès des réfugiés. Les ONG se trouvent ainsi associées, par leurs actions d'assistance, à la défense du droit des réfugiés. Elles portent ainsi une part de responsabilité dans la protection de ces populations.

Par leur présence physique auprès des réfugiés, les ONG sont les mieux à même d'évaluer par exemple la sécurité physique des réfugiés, la qualité de l'assistance qu'ils reçoivent, les pressions qu'ils subissent, notamment en cas de rapatriement, et les mieux à même d'informer le HCR sur leur situation.

Consulter aussi

▶ **Réfugié ▷ Personnes déplacées ▷ Rapatriement ▷ Refoulement (expulsion) ▷ Protection ▷ Secours ▷ Apatride ▷ ONG ▷ Asile ▷ Réfugiés en mer (*Boat people*) ▷ Camp.**

Contact

HCR, 94, rue de Montbrillant CH – 1202 Genève / Suisse.
Tél. : (00 41) 22 739 81 11. Fax : (00 41) 22 739 73 77.
www.unhcr.ch

Haute partie contractante

Ce terme est utilisé par les Conventions de Genève pour désigner les États signataires. Ce mot est préféré à ceux d'« État » ou de « gouvernement » qui pourraient créer des problèmes de reconnaissance juridique à l'occasion d'un conflit armé.
Le droit humanitaire reste applicable dans les situations où l'une ou plusieurs des parties en conflit ne sont pas forcément représentées par des États signataires. C'est notamment le cas quand l'un des belligérants est représenté par une autorité non étatique ou par une autorité non reconnue par l'autre belligérant.
Le droit humanitaire prévoit que l'application des conventions n'aura aucun effet sur le statut juridique des parties au conflit. Il encourage la conclusion d'accords spéciaux entre les parties adverses ou avec les organismes de secours pour ne pas limiter son application aux seuls pays signataires.

◆ **Le devoir d'appliquer le droit international humanitaire n'est pas lié à une obligation de réciprocité. Une haute partie contractante reste tenue de remplir ses obligations à l'égard du droit humanitaire, même si l'autre belligérant n'est pas lié par les Conventions de Genève ou ne les respecte pas (GI-GIV art. 1 et 2 communs ; GPI art. 1.1 ; GI art. 63 ; GII art. 62 ; GIII art. 142 ; GIV art. 158 ; GPI art. 99).**

▶ **Accord spécial ▷ Statut juridique des parties au conflit ▷ Convention internationale ▷ Droit international humanitaire ▷ Respect du droit humanitaire ▷ Guerre.**

Hiérarchie des normes

Le droit est un ensemble de règles de valeur inégale qui obéit au principe de la hiérarchie ou de la conciliation des normes. Il est donc toujours essentiel de vérifier qu'une règle n'est pas en contradiction avec un principe de droit qui lui est supérieur.

1. *En droit national*

La hiérarchie des normes dépend de l'autorité de l'organe qui a édicté la norme. Le type de normes juridiques et leur hiérarchie varient selon les pays en fonction de la nature du système juridique national. On distingue au moins deux grandes catégories que sont les systèmes de droit romano-germanique (*civil law*) et ceux de droit anglo-saxon (*common law*). Les systèmes qui font référence au droit islamique intègrent en général une référence au Coran dans leur constitution. Cette référence doit ensuite se traduire dans des lois et textes fixant le contenu et l'interprétation précise des différentes règles applicables aux individus. Il est donc difficile d'établir une hiérarchie générale dans l'ordre juridique interne. Toutefois, il est important de toujours vérifier que la règle qui est imposée n'est pas en contradiction avec une autre d'autorité supérieure, et qu'elle ne viole pas l'exercice d'un droit ou d'une liberté protégé par une norme de valeur plus élevée.

À titre indicatif, on trouve dans un ordre d'autorité décroissante :

- Les conventions et traités internationaux,
- la Constitution,
- les ordonnances,
- les lois,
- les décrets,
- les règlements.

2. *En droit international*

Une partie de la doctrine estime qu'il n'existe pas de hiérarchie entre les normes. Cette doctrine repose sur le postulat que les États sont les seules sources du droit international. Toutes les normes de droit international manifesteraient donc la volonté des États et seraient ainsi de valeur égale. Cet argument méconnaît le fait que :

- la société internationale connaît une variété d'acteurs autres que les États qui contribuent avec eux à la production de droits et d'obligations internationaux. On parle souvent de « droit dérivé » pour qualifier les règles, résolutions, décisions, etc., produites notamment par les organisations internationales ;
- le droit international reconnaît l'existence de règles de droit dont l'autorité est telle qu'elles s'imposent à la volonté des États. On parle de *jus cogens* ou de « normes impératives » pour qualifier ces règles que les États sont obligés de respecter, même si elles ne sont pas contenues dans un document écrit et signé par eux ;
- de plus, tous les États qui ont adhéré à la Charte de l'ONU acceptent que leurs obligations en vertu de la Charte l'emportent sur tout autre accord international (article 103 de la Charte). Cela signifie que les accords qu'ils signent entre eux ou avec des entités non étatiques ne peuvent pas être en contradiction avec l'esprit ou la lettre de la Charte des Nations unies.

En pratique, le droit international se traduit par une variété de règles qui lient certains États et pas d'autres et qui s'appliquent donc de façon hétérogène dans l'espace. L'inflation et la diversité des textes internationaux obligent donc de toute façon à rechercher des mécanismes de conciliation entre des normes qui peuvent être contraires les unes aux autres.

Les normes juridiques internationales peuvent être écrites ou non écrites et prendre des formes diverses, notamment, dans un ordre d'autorité décroissant :
– le *jus cogens* ;
– la Charte des Nations unies ;
– les résolutions du Conseil de sécurité fondées sur le chapitre VII ;
– les conventions internationales et la coutume ;
– les contrats internationaux et les mandats opérationnels de forces ou d'institutions internationales ;
– le droit dérivé et autres résolutions, recommandations, décisions des organisations internationales.

La Cour internationale de justice (CIJ) a défini sa propre hiérarchie des normes quand elle doit prononcer un jugement. Cette hiérarchie est la suivante :
– les conventions internationales ;
– la coutume internationale comme preuve d'une pratique générale acceptée comme étant le droit ;
– les principes généraux du droit reconnus par les nations civilisées ;
– les décisions de justice et la doctrine, comme moyens auxiliaires de détermination des règles de droit (article 38.1 du statut de la CIJ).

La Cour pénale internationale doit appliquer d'abord les règles prévues par son statut, puis les principes établis du droit international des conflits armés ainsi que les principes et règles de droit interprétés dans le cadre de ses jugements antérieurs (article 21 du statut de la CPI).

Il est important de savoir interpréter la valeur et le sens des règles de droit. Les dispositions d'une convention prévalent sur celles d'une autre portant sur le même sujet et qui lui est antérieure. Les dispositions les plus précises prévalent aussi généralement sur celles plus vagues ou plus générales (article 30 de la Convention de Vienne sur le droit des traités).

▶ **Convention internationale ▷ Cour internationale de justice.**

3. *Contrôle du respect de la hiérarchie des normes*

Les mécanismes permettant en pratique de concilier des normes contradictoires ou de veiller au respect de cette hiérarchie et à la conformité des normes par rapport à celles qui leur sont supérieures sont très insuffisants.

• Au niveau national, il existe dans certains pays un système de contrôle de la constitutionnalité des lois. Celui-ci permet de contrôler *a priori* qu'une loi n'est pas en contradiction avec la Constitution. Il existe également la possibilité pour le législateur d'un pays de ratifier les conventions internationales signées par le pouvoir exécutif. Cela lui permet de ne pas prendre d'engagements internationaux incompatibles avec les lois nationales.

En dehors de ces mécanismes, la seule possibilité de contrôle repose sur les jugements des tribunaux saisis d'un litige précis. Ce contrôle intervient *a posteriori* et n'agit que dans le cas d'espèce soumis.

• Au niveau international, l'absence de système judiciaire efficace limite les possibilités de contrôle du respect de la hiérarchie des normes. La Cour internationale

de justice peut être saisie, par les États et les organisations internationales, au sujet de l'interprétation du droit. En plus de ce système général à l'efficacité limitée, il existe parfois des possibilités de faire « dire le droit » par des organismes régionaux (Cours européenne et interaméricaine des droits de l'homme, par exemple). Le recours à ces organismes est le plus souvent limité aux acteurs directs impliqués dans le cas d'espèce. Il est également soumis à de nombreuses conditions.
Dans le cadre des Nations unies, divers comités ont été créés pour surveiller l'application des conventions relatives aux droits de l'homme. Ces comités examinent de façon périodique les lois et autres mesures nationales d'application de ces conventions et s'assurent qu'elles sont correctement interprétées et appliquées. Les individus et les ONG peuvent avoir recours à ces comités.
Certains organes judiciaires régionaux peuvent aussi rendre des jugements sur la compatibilité des lois nationales avec des conventions internationales précises. Les Cours européenne et interaméricaine des droits de l'homme peuvent par exemple rendre des jugements sur ces questions-là. Le recours à ces Cours est limité aux parties directement concernées par une plainte. Il existe également de nombreuses limites à la recevabilité de ces plaintes.

▶ **Recours individuels ▷ Droits de l'homme.**

◆ **• Dans le domaine de l'action humanitaire, les acteurs doivent veiller à ce que les différentes décisions prises par les États et les organisations internationales restent compatibles avec les principes et les exigences du droit international humanitaire.**
• Les ONG doivent veiller à ce que ces principes et droits soient mentionnés à l'occasion des différentes actions de secours ou accords opérationnels.

Consulter aussi

▶ **Droit, droit international ▷ Droit naturel, droit religieux, droit positif ▷ Droit dérivé (ou *soft law*) ▷ Coutume ▷ Convention internationale ▷ Cour internationale de justice ▷ Cour européenne des droits de l'homme ▷ Cour et Commission interaméricaines des droits de l'homme ▷ Recours individuels ▷ Droits de l'homme.**

Immunité

L'immunité désigne une prérogative juridique reconnue par le droit national et international à certaines personnes afin de leur permettre d'exercer leurs fonctions en toute liberté et à l'abri de toute pression, y compris judiciaire. Au niveau international l'immunité de juridiction est un outil destiné à protéger la souveraineté et l'indépendance des États en évitant la mise en cause d'un État et de ses agents devant les tribunaux étrangers. L'immunité de juridiction permet ainsi à ceux qui en bénéficient d'éviter les poursuites judiciaires devant des tribunaux nationaux ou étrangers. Elle concerne notamment les diplomates, le personnel des Nations unies, les parlementaires mais aussi les ministres et les chefs d'État et de gouvernement. Cette immunité n'est jamais absolue, elle est le plus souvent limitée aux actes commis dans l'exercice de fonctions officielles et pour la durée de cet exercice. Cette immunité de juridiction est consacrée par le droit international coutumier ainsi que par plusieurs conventions internationales. L'immunité de juridiction n'est jamais absolue et fonctionne de façon différente dans le cadre de la responsabilité individuelle couverte par le droit pénal national ou international et dans le cadre du régime particulier de la responsabilité de l'État couvert par le droit international public.

Au niveau individuel, cette immunité est le plus souvent limitée aux actes commis dans l'exercice de fonctions officielles et pour la durée de cet exercice. Il est généralement admis qu'il existe deux types d'immunités (en vertu du droit national et international) :

1) l'immunité fonctionnelle, qui s'attache à la fonction. Celle-ci couvre certaines activités des représentants de l'État et survit à la fin de leur mandat ;

2) l'immunité personnelle, qui s'attache à la personne en raison de son statut. Celle-ci couvre tous les actes accomplis par ceux qui bénéficient de l'immunité mais ne dure que le temps durant lequel les personnes concernées sont en fonction.

L'immunité peut également être levée par les autorités pour permettre la poursuite pénale d'individus sous leur contrôle en cas de crimes graves. Elle ne peut pas être invoquée en cas de poursuites devant la Cour pénale internationale, en vertu des dispositions spécifiques de son statut acceptées par les États signataires. L'immunité de juridiction concernant l'État et ses agents reste par contre un principe absolu du droit international coutumier concernant les poursuites devant des tribunaux étrangers. Ceci a été reconnu et réaffirmé par plusieurs décisions récentes de la Cour internationale de justice. La CIJ a précisé que cette immunité ne peut pas être assimilée à l'impunité car l'immunité est une garantie procédurale limitée dans le temps. Elle peut retarder la mise en œuvre de la responsabilité pénale mais elle ne fait pas disparaitre celle-ci (*infra* Jurisprudence).

La responsabilité de l'État pour ses agissement illicites au regard du droit international est différente de la responsabilité pénale et peut être mise en cause devant la Cour internationale de justice et certaines cours régionales.

Contrairement à certaines idées reçues, le personnel humanitaire et de secours ne bénéficie pas d'immunité de juridiction au sens strict. Le terme d'immunité humanitaire désigne l'interdiction de toute attaque délibérée sur ce personnel en période de conflit prévue par le droit international humanitaire en faveur des civils et du personnel sanitaire et de secours. L'attaque délibérée de ce personnel peut constituer un crime de guerre passible de sanctions pénales nationales ou internationales. La jurisprudence des tribunaux pénaux internationaux a cependant reconnu une immunité de juridiction spécifique pour ce personnel en limitant ses obligations de témoignage et de transmission d'information sur les crimes et violences dont ils peuvent être témoins dans le cadre de leurs activités en situation de conflit armé (voir *infra* Jurisprudence). Cette immunité a été officiellement reconnue au Comité international de la Croix-Rouge et aux professions couvertes par le secret professionnel par la règle 73 du Règlement de procédure et de preuve de la Cour pénale internationale.

▶ **Crime de guerre-Crime contre l'humanité ▷ Cour pénale internationale.**

1. *L'excuse de fonctions officielles*

Il n'existe aucun texte de droit international qui reconnaisse les immunités des chefs d'État et de gouvernement. Au niveau international, les immunités des chefs d'État et de gouvernement résultent de la coutume et s'apparentent aux immunités diplomatiques. Cette coutume est toujours par définition susceptible d'évolution comme l'ont prouvé en 1999 les différentes décisions rendues par les justices britannique et espagnole sur le cas de l'ancien président du Chili, Augusto Pinochet, ainsi que la mise en accusation du chef d'État yougoslave Slobodan Milosevic par le TPIY ou la condamnation de l'ancien président libérien Charles Taylor par le Tribunal spécial pour la Sierra Leone en mai 2004. Le régime d'immunité et de responsabilité pénale des chefs d'État et de gouvernement est en revanche très souvent prévu par des dispositions nationales dans chaque pays (en France, dans la Constitution). Ces dispositions nationales ne suffisent donc pas à empêcher que des poursuites soient intentées au niveau international contre ces personnes dans les cas limités des crimes de droit international les plus graves, tels que les crimes contre l'humanité, le génocide, les crimes de guerre et la torture.

En effet, concernant ces crimes, le droit international prévoit expressément qu'aucune immunité ne pourra être invoquée.

En vertu de l'article 27 du statut de la Cour pénale internationale, chargée de juger les auteurs des crimes de guerre, crime contre l'humanité et le génocide, la Cour est compétente pour toute personne, sans distinction fondée sur l'exercice de fonctions officielles. En particulier, les dirigeants tels que les chefs d'État et de gouvernement, les membres de gouvernement ou les parlementaires, les représentants élus ou les

fonctionnaires ne pourront jamais tirer argument de leurs fonctions ou de leur statut pour échapper à leur responsabilité pénale ou pour demander à bénéficier de circonstances atténuantes durant leur procès.
Cet article confirme les principes énoncés par la jurisprudence du tribunal de Nuremberg et par les tribunaux pénaux internationaux sur le Rwanda et l'ex-Yougoslavie et leur donne une valeur juridique permanente et obligatoire. Il confirme également les dispositions déjà prévues à ce sujet dans plusieurs conventions spécifiques :
– les Conventions de Genève de 1949 à l'encontre des auteurs de violations graves du droit humanitaire ;
– la Convention de 1948 contre le génocide pour les auteurs d'un tel crime ;
– la Convention de 1984 contre la torture pour la répression de ce crime spécifique.
Concernant les conflits armés, le droit humanitaire prend acte du fait qu'il serait incohérent d'engager la responsabilité pénale des individus si on exonère celle de leurs supérieurs hiérarchiques et des personnes exerçant des fonctions officielles. Le droit humanitaire renforce la responsabilité pénale des supérieurs hiérarchiques en cas de crime de guerre. Il organise ainsi le devoir de désobéissance aux ordres injustes.

◆ **Le droit international prévoit l'impossibilité de se prévaloir d'immunités ou d'un statut officiel pour échapper à la justice dans le cas de crimes de guerre et de crimes contre l'humanité, de génocide et de torture. Ceci est prévu par les textes suivants :**
– la Convention pour la prévention et la répression du crime de génocide de 1948 (art. 4) ;
– la Convention contre la torture et autres peines ou traitements cruels, inhumains ou dégradants de 1984 (art. 1) ;
– le droit humanitaire (GI art. 49 ; GII art. 50 ; GIII art. 129 ; GIV art. 146) ;
– le statut du tribunal de Nuremberg (art. 7) ;
– le statut des tribunaux pénaux internationaux (TPIY art.7.2 ; TPIR art. 6.2) ;
– le statut de la Cour pénale internationale (art. 27).

Dans un arrêt très controversé adopté le 14 février 2002, dans le cadre d'une affaire opposant la République démocratique du Congo à la Belgique, la Cour internationale de justice (CIJ) a toutefois conclu qu'un ministre des Affaires étrangères en exercice bénéficie d'une immunité de juridiction pénale et d'une inviolabilité totale à l'étranger, en vertu du droit international coutumier. Sa poursuite, son arrestation ou sa détention par des tribunaux nationaux étrangers sont donc impossibles, pendant toute la durée de sa charge, que le ministre soit présent à l'étranger à titre officiel ou privé, qu'il s'agisse d'actes accomplis avant sa nomination comme ministre, d'actes accomplis dans l'exercice de ses fonctions ou d'actes officiels ou privés. La portée de cette décision est pour l'instant limitée à la fonction de ministre des Affaires étrangères. Elle ne couvre en l'espèce que les procédures devant les juridictions nationales étrangères dans la cadre de la compétence universelle et ne s'applique pas aux actions menées par la Cour pénale internationale.
Dans une décision de février 2012, la Cour internationale de justice a précisé la portée de cette décision en clarifiant la distinction et l'articulation entre les règles du droit pénal et celles relatives à la responsabilité de l'État (Allemagne c. Italie ; Grèce (intervenant), CIJ, jugement du 3 février 2012, voir *infra* Jurisprudence).

2. *Les immunités diplomatiques*

Elles sont fixées par la Convention de Vienne sur les relations diplomatiques du 18 avril 1961, entrée en vigueur en 1964 et à laquelle sont parties 187 États. Parmi les nombreuses immunités qui protègent les diplomates, on peut citer :

– l'immunité d'arrestation et de détention (art. 29) : c'est-à-dire que la personne du diplomate est inviolable. Il ne peut ni être arrêté ni être détenu ;

– l'immunité de juridiction (art. 31) : un diplomate ne peut être poursuivi par aucun tribunal du pays dans lequel il est en mission. Cette garantie s'applique quelle que soit la gravité des faits (crime ou délit), que les actes reprochés aient été commis ou non dans l'exercice des fonctions. L'article 31 précise en outre que le diplomate n'est pas obligé de donner son témoignage. L'immunité de juridiction peut toutefois être levée par l'État du diplomate (art. 32).

Une partie de la doctrine prône que l'immunité de juridiction ne s'étend pas aux crimes les plus graves, c'est-à-dire aux crimes contre la paix, crimes de guerre et crimes contre l'humanité. La Convention de Vienne de 1961 et la Convention des Nations unies de 1946 posent pourtant que l'immunité est générale ;

– l'inviolabilité de la demeure et des biens (art. 30) : cette protection, similaire à celle accordée aux locaux de la mission diplomatique, interdit de procéder à des fouilles, saisies ou perquisitions dans la demeure du diplomate. L'inviolabilité s'applique aussi à la correspondance, aux documents et aux biens. Le terme de « biens » désigne une multitude d'éléments, comme les bagages, le véhicule, le salaire, etc.

Ces prérogatives sont reconnues au diplomate lorsqu'il a été accrédité auprès de l'État hôte, c'est-à-dire que le nom du diplomate figure sur la liste des personnes effectivement considérées comme telles par cet État.

3. *Les immunités du personnel des Nations unies*

Elles sont prévues par la Convention sur les privilèges et immunités des Nations unies du 13 février 1946, ratifiée par 159 États en avril 2013. Il s'agit de mettre le personnel de l'ONU à l'abri des pressions nationales pour garantir l'aspect exclusivement international de sa mission, conformément à l'article 100 de la Charte des Nations unies.

Ces immunités se limitent aux fonctionnaires et experts de l'ONU au sens strict. Le personnel de terrain des diverses agences humanitaires de l'ONU est constitué en majorité d'agents contractuels ; ils ne sont donc pas couverts par la Convention de 1946. Le personnel des institutions spécialisées des Nations unies bénéficie quant à lui du régime fixé par la convention sur les privilèges et immunités des institutions spécialisées du 21 novembre 1947, ratifiée par 122 États.

La Convention de 1946 offre les immunités suivantes :

– les fonctionnaires de l'ONU bénéficient entre autres de l'immunité de juridiction, mais uniquement pour les actes accomplis dans l'exercice de leurs fonctions (art. 5, section 18). Ils bénéficient aussi de l'immunité d'arrestation et de détention. Cette garantie n'est pas prévue par la Convention de 1946. C'est la Convention sur la prévention et la répression des infractions contre les personnes jouissant d'une

protection internationale du 14 décembre 1973 qui a comblé cette lacune. Cette convention est entrée en vigueur le 20 février 1977. 176 États y étaient parties en avril 2013 ;
– les experts de l'ONU jouissent de l'immunité d'arrestation et de détention pendant la durée de leur mission. Ils bénéficient également de l'immunité de juridiction pour les actes accomplis dans l'exercice de leurs fonctions. Cette immunité continue de s'appliquer même après que ces personnes ont cessé leur mission (art. 6, section 22) ;
– le secrétaire général et tous les sous-secrétaires généraux de l'ONU jouissent des immunités accordés aux diplomates, en plus des immunités prévues pour les fonctionnaires des Nations unies par la Convention de 1946 (art. 5, section 19).

4. *Les immunités des membres des opérations de maintien de la paix*

Le régime d'immunités prévu pour les membres des forces de maintien de la paix est régi par leur statut. Ce statut est détaillé dans l'accord passé entre l'ONU et le pays dans lequel se déroule l'opération. Le modèle d'accord sur le statut des forces de maintien de la paix prévoit plusieurs régimes :
– le représentant spécial, le commandant de l'élément militaire de l'opération de maintien de la paix, le chef de la police civile et les collaborateurs de haut rang du représentant spécial et du commandant jouissent des immunités diplomatiques ;
– les observateurs militaires, les membres de la police civile de l'ONU et les agents civils non fonctionnaires bénéficient des immunités prévues pour les experts ;
– le personnel militaire des contingents nationaux affecté à l'élément militaire de l'opération de maintien de la paix jouit de l'immunité de juridiction pour les actes commis dans l'exercice de leurs fonctions. Cette immunité continue de s'appliquer même lorsqu'il ne sera plus membre de l'opération.
Le secrétaire général de l'ONU détient le pouvoir de lever l'immunité accordée à un fonctionnaire ou un expert. Il peut et doit le faire dans tous les cas où, à son avis, cette immunité empêcherait que justice soit faite et où elle pourra être levée sans porter préjudice aux intérêts de l'ONU. Le Conseil de sécurité des Nations unies a le droit de lever l'immunité du secrétaire général (Convention de 1946, art. 5, section 20 et art. 6, section 23).

◆ **Cet élément est important compte tenu du fait que dans les opérations de maintien de la paix, de nombreux militaires travaillent sous la double responsabilité de l'ONU et de leur hiérarchie militaire nationale. Cette situation complique les mécanismes de clarification de leur responsabilité en cas de crimes commis contre des personnes qu'ils ont mission de protéger.**

5. *L'immunité juridictionnelle des États*

L'immunité juridictionnelle des États est encadrée par la Convention européenne sur l'immunité des États, adoptée par le Conseil de l'Europe à Bâle le 16 mai 1972, ainsi que par la Convention des Nations unies sur l'immunité juridictionnelle des États et de leurs biens, adoptée le 2 décembre 2004. Ces conventions prévoient notamment qu'un État ne peut invoquer l'immunité de juridiction devant un tribunal d'un autre État lorsque la procédure concerne la réparation d'un préjudice corporel ou matériel résultant d'un fait survenu sur le territoire de l'État du for et que l'auteur du dommage y était présent au moment où ce fait est survenu (Convention européenne art. 11 ; Convention des Nations unies art. 12). La Convention européenne prévoit par ailleurs que les immunités ou privilèges dont un État contractant jouit en ce qui concerne tout acte ou omission de ses forces armées ou en relation avec celles-ci, lorsqu'elles se trouvent sur le territoire d'un autre État contractant, restent en vigueur en tout temps (art. 31).

L'application de ces conventions reste cependant limitée de par le faible nombre des États les ayant ratifiées. La Convention européenne n'a en effet été ratifiée que par huit États en avril 2013. Il s'agit de l'Allemagne, l'Autriche, la Belgique, Chypre, le Luxembourg, les Pays-Bas, le Royaume-Uni et la Suède. Par ailleurs, la Convention des Nations unies n'est pas encore entrée en vigueur, ayant besoin pour cela d'avoir été ratifiée par au moins 30 États. Or, en avril 2013, elle n'avait été ratifiée que par 14 États ; l'Arabie Saoudite, l'Autriche, l'Espagne, la France, la République islamique d'Iran, l'Italie, le Japon, le Kazakhstan, le Liban, la Norvège, le Portugal, la Roumanie, la Suède et la Suisse.

Il existe également un projet de convention interaméricaine sur les immunités juridictionnelles des États, qui avait été approuvé par le Comité juridique interaméricain le 21 janvier 1983, mais qui n'est jamais entré en vigueur.

Consulter aussi

▶ **Maintien de la paix ▷ Responsabilité ▷ Impunité ▷ Personnel humanitaire et de secours ▷ Crime de guerre-Crime contre l'humanité ▷ Cour internationale de justice ▷ Devoirs des commandants.**

Jurisprudence

• **Existence d'un droit international coutumier de l'immunité des États**

Le principe de l'immunité de juridiction des États a été rappelé par la CIJ dans deux affaires récentes : Affaire relative au mandat d'arrêt du 11 avril 2000 (République démocratique du Congo c. Belgique), arrêt, *C.I.J Recueil 2002*, p. 3, (ci-dessous « République démocratique du Congo c. Belgique »), § 58, 60 ; Immunités juridictionnelles de l'État (Allemagne c. Italie, Grèce (intervenant), CIJ, jugement, 3 février 2012 (ci-dessous « Allemagne c. Italie »).

En 2000, La CIJ confirme, dans l'affaire République démocratique du Congo c. Belgique, l'existence de l'immunité de juridiction dont bénéficie les chefs d'État et de gouvernement et les ministres des Affaires étrangères en exercice. Elle précise que cette immunité ne signifie pas que ces personnes bénéficient d'une impunité au titre des crimes qu'ils auraient pu commettre. En effet, la CIJ considère que l'immunité de juridiction pénale et la responsabilité pénale individuelle sont des concepts distincts. L'immunité de juridiction n'est pas permanente et n'empêche les poursuites pénales que pendant une durée limitée. En outre, elle persiste devant les tribunaux nationaux mais elle ne peut pas être invoquée devant la Cour pénale internationale.

La CIJ revient sur cette notion dans son arrêt de 2012 dans l'affaire Allemagne c. Italie sur la question de l'indemnisation des victimes du nazisme. Dans cette affaire, la CIJ confirme que le droit international coutumier impose toujours de reconnaître l'immunité à l'État dont les forces armées ou d'autres organes sont accusés d'avoir commis sur le territoire d'un autre État des actes dommageables au cours d'un conflit armé. Elle affirme également que cette immunité n'est pas dépendante de la gravité des actes reprochés (§ 78-93, 100-101). La CIJ rappelle que la Commission du droit international a constaté en 1980 que la règle de l'immunité des États avait été adoptée en tant que règle générale du droit international coutumier solidement enracinée dans la pratique contemporaine des États. La Cour estime que « cette conclusion [...] a depuis lors été confirmée [...] et qu'il existe en droit international un droit à l'immunité de l'État étranger dont découle pour les autres États l'obligation de le respecter et de lui donner effet », § 56. Elle précise que « le droit de l'immunité revêt un caractère essentiellement procédural [...], il régit l'exercice du pouvoir de juridiction à l'égard d'un comportement donné et est ainsi totalement distinct du droit matériel qui détermine si ce comportement est licite ou non », § 58. « La Cour conclut que, en l'état actuel du droit international coutumier, un État n'est pas privé de l'immunité pour la seule raison qu'il est accusé de violations graves du droit international des droits de l'homme ou du droit international des conflits armés », § 91. « La Cour souligne que la question de savoir si un État peut jouir de l'immunité devant les juridictions d'un autre État est entièrement distincte de celle de savoir si la responsabilité internationale de cet État est engagée et si une obligation de réparation lui incombe », § 100. La Cour rappelle que « ces deux catégories de règles se rapportent en effet à des catégories différentes. Celles qui régissent l'immunité de l'État sont de nature procédurale et se bornent à déterminer si les tribunaux d'un État sont fondés à exercer leur juridiction à l'égard d'un autre. Elles sont sans incidences sur la question de savoir si le comportement à l'égard duquel les actions ont été engagées était licite ou illicite », § 93.

La CIJ rétablit ainsi une distinction entre la responsabilité pénale individuelle, pour laquelle l'immunité de fonction officielle a été abolie par le statut de la Cour pénale internationale, et la responsabilité de l'État notamment en matière d'indemnisation telle qu'elle ressort du droit international public.

• Immunité de témoignage du personnel humanitaire et des journalistes

Les tribunaux internationaux ne reconnaissent en principe aucune des immunités traditionnellement reconnues devant les tribunaux nationaux. L'obligation de coopération avec les tribunaux est absolue. Toutefois ces tribunaux ont reconnu la nécessité de protéger la mission d'intérêt public que remplissent des organisations humanitaires et celle des correspondants de guerre dans les situations de conflits armés.

Dans l'affaire Simic et consorts (décision du 27 juillet 1999), la Chambre de première instance du TPIY a jugé que le CICR jouit du privilège absolu de ne pas divulguer d'information confidentielle et que ce privilège fait partie du droit international coutumier (§ 72-74). Selon la décision de la Chambre de première instance : (i) le CICR est une entité et une institution uniques possédant une personnalité juridique internationale ; (ii) le mandat du CICR de protection des victimes des conflits armés en vertu des Conventions de Genève, des Protocoles additionnels et des statuts du Mouvement représente un « immense intérêt général » ; (iii) la capacité du CICR à remplir ce mandat repose sur la volonté des parties belligérantes à lui garantir l'accès aux victimes de ce conflit ; et cette volonté, à son tour, dépend de l'adhésion du CICR à ses principes d'impartialité et de neutralité comme à la règle de confidentialité ; et (iv) la ratification des Conventions de Genève par 194 États, la reconnaissance par l'Assemblée générale des Nations unis du rôle spécial du CICR dans les relations internationales, et la pratique historique et les opinions officielles exprimées par les États à propos de la confidentialité ont donné naissance à une règle de droit international coutumier qui confère au CICR le droit absolu à la non-divulgation des informations relatives à ses activités. Cette immunité n'a été expressément reconnue par le TPIY qu'au CICR. Elle a été confirmée par la Cour pénale internationale, qui reconnaît expressément dans son Règlement de procédure et de preuve que les informations en la possession du CICR n'ont pas à être communiquées, et cela y compris dans le cadre du témoignage (règle 73). La partie de cette règle qui traite du CICR est le résultat d'un compromis. Le CICR avait préconisé une règle conférant une protection absolue alors que plusieurs États avaient insisté pour que la Cour ait un rôle à jouer dans la détermination au cas par cas de l'information du CICR, s'il y en a, qui devait être transmise. Ainsi, aux termes de la règle 73, le CICR doit mener des consultations avec la Cour si celle-ci juge l'information comme « d'une grande importance dans un cas d'espèce ». Le CICR a toutefois le dernier mot sur la divulgation de son information. Cette règle interdit également le recours aux informations détenues dans le cadre d'activités couvertes par le secret professionnel.

Depuis 1999, il y a eu d'intenses débats afin de déterminer si cette exemption pouvait être étendue par raisonnement analogique à d'autres organisations impartiales humanitaires opérant dans des contextes de conflits armés et en possession d'informations concernant des individus ou situations couverts par une enquête internationale.

Par ailleurs, la décision Simic a été étendue en 2002 et plus tard pour couvrir les correspondants de guerre ainsi que d'autres travailleurs humanitaires pourvu qu'ils demandent ce privilège au cas par cas et de manière cohérente, en arguant du fait que la divulgation de leurs sources aux organes judiciaires ne doit pas compromettre leur mission professionnelle et leur présence dans la zone de conflit, ainsi que la possibilité de discuter et de négocier avec les dirigeants et les groupes impliqués dans la violence.

Dans l'affaire Brdjanin & Talic (décision relative à l'appel interlocutoire, 11 décembre 2002, § 36, 38, 50), plus connue sous le nom d'affaire Randal, la Chambre d'appel du TPIY a ainsi considéré que les journalistes travaillant en zones de guerre servent « l'intérêt public ». Le tribunal a jugé que « [...] le degré de protection qui devrait être accordé aux correspondants de guerre est directement proportionnel aux conséquences que leur témoignage devant le tribunal international pourrait avoir sur leur travail d'investigation [...] » (§ 41). Le tribunal reconnaît que pour pouvoir remplir leur mission, ils doivent être perçus sur les terrains de conflit comme indépendants et pas comme des témoins potentiels de l'accusation (§ 42). La Chambre d'appel estime que contraindre les correspondants de guerre à témoigner régulièrement devant le tribunal international pourrait entraîner de graves conséquences sur leur capacité d'obtenir des informations et donc sur leur capacité d'informer le public des questions d'intérêt général. La Chambre d'appel ne veut pas entraver inutilement le travail de professions qui servent l'intérêt général (§ 44). La mission du juge consiste donc à arbitrer entre deux missions d'intérêt public, en protégeant à la fois l'intérêt de la justice et la mission d'information publique (§ 46). Le tribunal leur a accordé le privilège de refuser de témoigner. Les juges ont maintenu deux critères exceptionnels leur permettant d'apprécier eux même une situation et de revenir sur ce privilège au cas où leur témoignage présente « un rapport direct et crucial avec les questions essentielles d'une affaire » (§ 48) et si les informations ne peuvent pas « raisonnablement être obtenues d'une autre source » (§ 49). Cette décision a par la suite été étendue aux représentants des ONG qui servent également l'intérêt général par leur travail de secours humanitaire.

Les tribunaux pénaux internationaux et la CPI ont donc reconnu l'incompatibilité entre action humanitaire et témoignage judiciaire. Il ressort clairement du raisonnement des juges qu'un tel privilège doit être demandé au cas par cas et peut être refusé si le comportement de l'organisation ou de la personne concernée a déjà renoncé à l'élément de confidentialité et largement communiqué l'information.

Pour en savoir plus

COSNARD M., « Les immunités de témoignage devant les tribunaux internationaux », *in* TAVERNIER P., Actualité de la jurisprudence internationale à l'heure de la mise en place de la Cour pénale internationale, Bruylant, Bruxelles, 2004, p. 137-167.

LA ROSA A. M., « Organisations humanitaires et juridictions pénales internationales : la quadrature du cercle ? », *Revue internationale de la Croix-Rouge*, vol. 88, n° 861, mars 2006. Disponible en ligne :
http://www.icrc.org/fre/assets/files/other/irrc_861_larosa_fre.pdf

TOMUSCHAT C., « L'immunité des États en cas de violations graves des droits de l'homme », *R.G.D.I.P.*, tome 109/2005/1, avril 2005, p. 51-74.

Imprescriptibilité

Certains crimes sont imprescriptibles, c'est-à-dire qu'il sera toujours possible d'engager des poursuites judiciaires contre leurs auteurs, même après un laps de temps très long. L'imprescriptibilité des crimes de guerre a été érigée au rang de norme coutumière (voir règle 160 de l'étude sur les règles de droit international humanitaire coutumier publiée par le CICR en 2005 qui rappelle que « les crimes de guerre ne se prescrivent pas »).

Le droit pénal fixe en général des délais, qui varient suivant les différentes catégories de crimes, à l'issue desquels toute action publique est éteinte et toute poursuite pénale impossible. Des différences existent cependant en fonction des systèmes juridiques internes. Ceux qui sont inspirés du droit romain accordent la prescription à certaines ou à toutes les infractions. Les délais de prescription peuvent varier de un à trente ans suivant la gravité des infractions. Les systèmes juridiques de droit anglo-saxon n'accordent pas une telle prescription pour les crimes les plus graves comme le meurtre alors que les systèmes de droit romain leur appliquent un long délai de prescription (autour de vingt ans).

En France, par exemple, il s'agit de vingt ans pour les crimes, trois ans pour les délits, un an pour les contraventions.

◆ **L'imprescriptibilité s'applique à des crimes dont le jugement immédiat est très difficile. Il s'agit notamment des crimes de guerre et crimes contre l'humanité pour lesquels il faut attendre qu'une situation de guerre ait cessé ou que les autorités politiques d'un pays aient changé pour qu'une action en justice soit pratiquement possible. L'imprescriptibilité permet d'éviter que les crimes les plus graves et les plus difficiles à juger restent impunis.**

Une Convention sur l'imprescriptibilité des crimes de guerre et des crimes contre l'humanité a été adoptée et ouverte à signature par l'Assemblée générale de l'ONU dans sa résolution 2391 [XXIII] du 26 novembre 1968. Elle est entrée en vigueur le 11 novembre 1970 et 54 États y sont parties.

Elle définit de façon précise les crimes qui sont couverts par l'imprescriptibilité. Il s'agit des crimes de guerre et crimes contre l'humanité tels qu'ils ont été précisés dans le statut du tribunal de Nuremberg, ainsi que les infractions graves définies par les quatre Conventions de Genève de 1949.

▶ **Crime de guerre-Crime contre l'humanité.**

Il existe également une Convention européenne sur l'imprescriptibilité des crimes contre l'humanité et des crimes de guerre, adoptée le 25 janvier 1974, sous l'égide du Conseil de l'Europe et entrée en vigueur le 27 juin 2003. En avril 2013, seuls 7 États l'avaient ratifiée : la Belgique, la Bosnie-Herzégovine, le Monténégro, les Pays-Bas, la Roumanie, la Serbie et l'Ukraine.

1. *Définition*

« Les crimes suivants sont imprescriptibles, quelle que soit la date à laquelle ils ont été commis :

a) Les crimes de guerre, tels qu'ils sont définis dans le statut du Tribunal militaire international de Nuremberg du 8 août 1945 et confirmés par les résolutions 3 (I) et 95 (I) de l'Assemblée générale de l'ONU, en date des 13 février 1946 et 11 décembre 1946, notamment les « infractions graves énumérées dans les Conventions de Genève du 12 août 1949 pour la protection des victimes de la guerre.

b) Les crimes contre l'humanité, qu'ils soient commis en temps de guerre ou en temps de paix, tels qu'ils sont définis dans le statut du Tribunal militaire international de Nuremberg du 8 août 1945 et confirmés par les résolutions 3 (I) et 95 (I) de l'Assemblée générale de l'ONU, en date du 1er février 1946 et du 11 décembre 1946, l'éviction par une attaque armée ou l'occupation et les actes inhumains découlant de la politique d'apartheid, ainsi que le crime de génocide, tel qu'il est défini dans la Convention de 1948 pour la prévention et la répression du crime de génocide, même si ces actes ne constituent pas une violation du droit interne du pays ou ils ont été commis » (Convention sur l'imprescriptibilité des crimes de guerre et des crimes contre l'humanité, art. 1).

2. *Mise en œuvre*

Pour assurer l'efficacité de la convention, les États parties s'engagent à prendre, conformément à leurs procédures constitutionnelles, toutes mesures législatives ou autres qui seraient nécessaires pour assurer l'extradition des personnes présumées coupables de ces crimes et pour assurer l'imprescriptibilité des crimes visés, tant en ce qui concerne les poursuites qu'en ce qui concerne la peine. Là où une prescription existerait en la matière, en vertu de la loi ou autrement, elle sera abolie (art. 3 et 4).

• En matière de droit pénal, malgré l'existence de conventions internationales, c'est devant des tribunaux nationaux et au moyen de codes pénaux nationaux que les jugements ont lieu le plus souvent. Il importe donc que les États mettent leur droit interne en conformité avec les conventions internationales pertinentes et qu'ils n'entravent pas l'action des tribunaux nationaux éventuellement saisis de ces crimes.

• Si la loi nationale n'est pas en conformité avec l'obligation découlant de la convention internationale, il est possible :

– de saisir, sous des formes différentes selon les pays, les instances ou tribunaux chargés du contrôle de la légalité ;

– d'alerter les autorités dépositaires de la convention internationale concernée (ONU, CICR, OUA, etc.).

Le statut de la Cour pénale internationale adopté le 17 juillet 1998 à Rome et entré en vigueur le 1er juillet 2002 déclare imprescriptibles les crimes relevant de sa juridiction : le génocide, les crimes contre l'humanité et les crimes de guerre (art. 29).

▶ **Cour pénale internationale.**

Consulter aussi

▶ **Crime de guerre-Crime contre l'humanité ▷ Amnistie ▷ Impunité ▷ Entraide judiciaire ▷ Génocide.**

Pour en savoir plus

David E., *Principes de droit des conflits armés*, Université libre de Bruxelles, Bruxelles, 2012 (5e éd), 1152 p.

Mertens P., *L'Imprescriptibilité des crimes de guerre et contre l'humanité*, Université de Bruxelles, Bruxelles, 1974.

Poncela P., « L'imprescriptibilité », *in Droit international pénal*, sous la dir. de Ascensio H., Decaux E. et Pellet A., CEDIN- Paris-X, Pedone, 2000, 1053 p., p. 887-895.

Impunité

Ce terme se réfère à l'absence de punition effective pour sanctionner un manquement à ou la violation d'une règle ou norme établie. L'impunité peut découler d'un dysfonctionnement ou d'une disparition de l'appareil judiciaire.
En droit international, l'impunité découle essentiellement de l'absence d'appareil judiciaire apte à juger les manquements aux règles établies. Ce sont les tribunaux nationaux qui assument le plus souvent la sanction pénale des crimes. Les crimes de guerre ou crimes contre l'humanité qui sont commis par les représentants de l'État ou sous leur commandement pendant les périodes de conflit armé sont donc particulièrement difficiles à réprimer.

■ La lutte contre l'impunité

• Pour lutter contre l'impunité, le droit pénal international et national prévoit que certains crimes sont imprescriptibles. Cela signifie que les poursuites ne pourront pas être limitées dans le temps et pourront être entreprises même si les faits sont restés impunis pendant de nombreuses années.
• Le droit international a limité l'immunité dont jouissent les chefs d'État et les membres de gouvernement. Ils peuvent donc sous certaines conditions faire l'objet de poursuites pénales devant la Cour pénale internationale ou des tribunaux nationaux.
• De son côté, le droit humanitaire impose à l'ensemble des États l'obligation de rechercher les auteurs des violations graves des Conventions de Genève (les crimes de guerre) et de les juger, quelle que soit leur nationalité. C'est le principe de compétence universelle.
• Le droit humanitaire interdit également l'amnistie de ces crimes graves à l'occasion des accords de paix ou en toute autre circonstance.
• Deux tribunaux internationaux *ad hoc* ont été créés en 1993 et 1994 par le Conseil de sécurité de l'ONU. Ils sont compétents pour juger les crimes commis en ex-Yougoslavie et au Rwanda.
• Le statut de la Cour pénale internationale a été adopté à Rome, en juillet 1998, à l'issue d'une conférence diplomatique organisée sous l'égide de l'ONU. Elle est entrée en vigueur le 1er juillet 2002 lors du dépôt de la 60e ratification requis par le statut. Elle est chargée, sous certaines conditions, de juger les crimes de guerre, les crimes contre l'humanité, le génocide et le crime d'agression quand les États n'ont pas voulu ou pas pu procéder eux-mêmes au jugement des coupables. Ce faisant elle s'inscrit clairement dans le cadre de la lutte contre l'impunité de ces crimes. ■

▶ **Crime de guerre-Crime contre l'humanité ▷ Immunité ▷ Imprescriptibilité ▷ Amnistie ▷ Cour pénale internationale ▷ Tribunaux pénaux internationaux ▷ Compétence universelle ▷ Sanctions pénales du droit humanitaire ▷ Responsabilité ▷ Génocide ▷ Torture.**

Pour en savoir plus

JOINET L., *Lutter contre l'impunité : dix questions pour comprendre et pour agir*, La Découverte, Paris, 2003.

Inaliénabilité des droits

Certains droits, notamment les droits de l'homme, sont inaliénables, c'est-à-dire qu'un individu ne peut pas y renoncer de lui-même. Ce principe s'applique également au droit humanitaire. Les personnes protégées par les Conventions de Genève ne peuvent en aucun cas renoncer partiellement ou totalement aux droits qu'elles leur assurent (GI, GII, GIII art. 7 commun ; GIV art. 8).
Les conventions relatives aux droits de l'homme énoncent une liste de droits indérogeables qui ne peuvent jamais être suspendus.

◆ **Un document qui contient une telle renonciation aux droits essentiels d'un individu, quelle que soit sa forme, est nul.**

▶ **Garanties fondamentales.**

Consulter aussi

▶ **Droits de l'homme ▷ Garanties fondamentales ▷ Intangibilité des droits ▷ Droit naturel, droit religieux, droit positif ▷ Personnes protégées.**

Ingérence

L'ingérence est le fait pour un État de s'immiscer dans les affaires intérieures d'un autre État, en violation de sa souveraineté. Elle est interdite par la Charte des Nations unies (art. 2.7), qui pose le principe de non-ingérence dans les affaires intérieures d'un autre État comme base des relations internationales). Ce principe cherche à préserver l'indépendance des États les plus faibles contre les interventions et les pressions des plus puissants. Cette notion de non-ingérence renvoie donc aux relations entre les États et non pas à l'activité de secours des organisations humanitaires.
Le droit humanitaire affirme en effet clairement que les actions de secours entreprises par les organisations humanitaires impartiales ne devront pas être considérées comme une ingérence dans le conflit ou comme un acte inamical (GPI art. 64 et 70).
Dans le passé certains États ont utilisé des arguments humanitaires pour justifier des interventions directes et armées violant la souveraineté d'autres États. La Cour internationale de justice (CIJ) a précisé en 1986 dans l'affaire du Nicaragua, les circonstances dans lesquelles l'aide humanitaire constitue ou non une ingérence et donc une intervention condamnable dans les affaires intérieures d'un État (*infra* Jurisprudence). Aujourd'hui le Conseil de sécurité détient le monopole de l'emploi de la force armée au niveau international.

◆ **• Le droit international ne reconnaît qu'un seul droit d'ingérence dans les affaires intérieures des États. Il est prévu et limité par la Charte des Nations unies à son chapitre VII. Ce droit est confié au Conseil de sécurité quand le comportement d'un État constitue une menace à la paix et à la sécurité internationales. Le Conseil de sécurité peut alors prendre toute une**

série de mesures y compris des sanctions diplomatiques, économiques. Il peut aussi employer la force et décider d'une intervention armée internationale pour faire cesser le comportement du pays en question.
• Le Conseil a décidé à plusieurs reprises des opérations militaires ou des opérations de maintien de la paix en invoquant des considérations humanitaires. Mais les opérations de maintien de la paix obéissent à des impératifs plus larges de maintien ou de rétablissement de la paix et de la sécurité internationale dans lesquels les considérations humanitaires restent secondaires.
• Il est donc important de ne pas confondre les « interventions humanitaires » entreprises par les États ou par l'ONU avec les activités de secours entreprises par les organisations humanitaires et impartiales en période de conflit.

1. *Définition et origine*

Le droit d'ingérence humanitaire est une notion qui doit son succès médiatique à son ambiguïté. Le concept de droit d'ingérence humanitaire a tenté d'encourager et de justifier le recours à la force internationale prévu dans le cadre des Nations unies pour protéger les populations menacées à l'intérieur de leurs propres frontières. Il a ainsi rouvert la voie aux opérations armées entreprises par les États dans le cadre de l'ONU ou avec son accord mais il n'est pas parvenu à clarifier le rôle que jouent les considérations humanitaires dans les décisions d'emploi de la force de l'ONU, ni à clarifier la responsabilité des soldats de l'ONU vis-à-vis de la protection des populations en danger.

Les États ont depuis des siècles tenté de justifier leurs interventions armées dans les affaires intérieures des autres États par des motifs nobles tels que la défense des droits de l'homme, la défense des minorités, celle de leurs ressortissants expatriés ou d'autres motifs d'humanité. Il y eut le temps de la guerre juste, puis celui des interventions d'humanité entreprises par un État pour protéger la personne et les biens de ses propres ressortissants dans un pays étranger ou défendre par la force les intérêts d'une minorité étrangère mais amie dans un autre pays ou un autre empire. C'est l'exemple des interventions des puissances européennes dans l'Empire ottoman pour défendre les minorités chrétiennes (1827, 1860, envoi de 6 000 soldats français en Syrie pour arrêter les massacres de chrétiens, intervention des Russes en 1877 pour protéger les chrétiens de Bosnie-Herzégovine maltraités) ou, de façon plus récente, l'intervention de l'Inde au Pakistan oriental pour protéger les Bengalis des exactions de l'armée pakistanaise en 1971. Le point commun de toutes ces interventions résidait dans l'usage de la force pour imposer le respect de principes d'humanité.

Le droit international contemporain ne reconnaît pas la légitimité de ces actions quand elles sont entreprises de façon unilatérale par un État.

Les guerres justes, guerres saintes et autres interventions d'humanité ont été remplacées depuis 1945 par un mécanisme de sécurité collective mis en place par la Charte des Nations unies. À part le cas de légitime défense, il n'est donc plus possible à un seul État de décider une intervention militaire, quelle qu'en soit la justification.

▶ **Sécurité collective.**

Dans le cadre multilatéral, la seule justification à l'usage collectif de la force contre un État prévue par le chapitre VII de la Charte de l'ONU réside dans les menaces que fait peser cet État sur la paix et la sécurité internationales. Les violations du droit humanitaire ne sont pas explicitement mentionnées dans ces dispositions.

La protection de l'action humanitaire ou les violations massives des droits de l'homme ont été invoquées par diverses résolutions du Conseil de sécurité qui autorisaient le recours à la force armée internationale dans le cadre de diverses opérations de maintien de la paix. Toutefois, dans la pratique, les objectifs de ces interventions armées restent militaires, politiques et diplomatiques. La protection des populations à travers la mise en place de corridors humanitaires ou de zones protégées a connu des échecs tragiques. D'autre part la militarisation de l'aide humanitaire par les forces armées internationales affecte la neutralité de l'action humanitaire et tend à radicaliser les méthodes de guerre. Les ONG n'ont aucune maîtrise sur le contenu de ce concept. Ces interventions menées sous l'autorité du Conseil de sécurité, ou habilitées par lui, restent tributaires des contraintes liées aux capacités militaires que les États confient à l'ONU et des choix et consensus politiques fluctuant au gré des circonstances.

Dans le cadre récent des opérations de maintien de la paix, la plupart des accords prévoyant la présence de la force internationale ont été négociés sous les auspices des Nations unies avec l'État « hôte ». L'accès des secours, la protection des populations sont rarement imposés, mais le plus souvent négociés avec les autorités responsables.

En conséquence, les forces de l'ONU ne sont le plus souvent pas autorisées à utiliser la force pour imposer le respect de leur mission, qu'il s'agisse de l'accès des secours ou de la protection de populations menacées. En général, les règles spécifiques d'engagement ne leur permettent d'utiliser la force qu'en cas de légitime défense personnelle. Dans les autres situations, la faiblesse de l'équipement ou l'infériorité en nombre a toujours servi à justifier le non-engagement militaire de ces forces lors d'attaques sur les populations.

De son côté, la Sous-commission des droits de l'homme de l'ONU (aujourd'hui le Comité consultatif du Conseil des droits de l'homme) a réaffirmé dans la résolution 1999/2 du 20 août 1999 que le devoir ou le droit d'ingérence humanitaire, notamment quand il signifie l'emploi de la menace ou de la force armée, n'a aucun fondement juridique en droit international.

▸ **Sécurité collective ▷ Maintien de la paix ▷ Zones protégées ▷ Légitime défense ▷ Principes humanitaires ▷ Conseil de sécurité ▷ Agression.**

◆ **• Les actions entreprises au nom du « droit d'ingérence » sont le fruit de compromis militaires et politiques élaborés au sein du Conseil de sécurité.**

• Le chapitre VI de la Charte de l'ONU, interprété au sens large, prévoit la possibilité d'opérations internationales non coercitives entreprises avec l'accord de l'État concerné.

• Le chapitre VII prévoit la possibilité d'opérations militaires collectives sans le consentement d'un État, en cas de menace à la paix et à la sécurité internationales. C'est tantôt le cadre du chapitre VI, tantôt celui du chapitre VII qui a été choisi par l'ONU pour la plupart de ses interventions militaro-humanitaires. Cependant, le Conseil de sécurité n'a reconnu que dans des cas isolés, et jamais de façon générale, que les violations massives du droit humanitaire et la persécution des populations civiles représentaient un danger pour la paix et la sécurité internationales. En outre, l'ONU ne dispose pas dans ces opérations des moyens matériels ni de doctrine militaire permettant d'imposer par la force la protection des populations en danger.

• Le droit international humanitaire impose des règles pour distinguer l'action humanitaire des interventions militaro-humanitaires étatiques. Il confie aux organisations humanitaires et impartiales la responsabilité d'organiser les actions de secours. Il pose clairement que les activités d'aide ne peuvent, en aucun cas, être considérées comme une ingérence dans le conflit ou comme des actes inamicaux. En pratique, les parties au conflit ont l'obligation de faciliter cette assistance. Les activités humanitaires doivent donc être séparées et indépendantes des initiatives politique et militaire.

2. *Droit humanitaire et ingérence*

D'un point de vue juridique, la Charte des Nations unies et le droit international font primer la notion de souveraineté étatique et interdisent donc l'intervention d'un État dans les frontières d'un autre État sans son accord. Cependant, des exceptions existent, principalement liées au concept de sécurité collective. L'idée que le conflit armé interne et en particulier les violations massives des droits de l'homme et du droit humanitaire peuvent menacer la paix et la sécurité internationales est apparue récemment comme justification des interventions armées dans le cadre de l'ONU. Mais l'ONU n'a pas su donner à ses forces d'intervention le mandat juridique, la doctrine militaire ou les moyens matériels de protéger les populations contre les massacres comme à Srebrenica en ex-Yougoslavie en 1995, ou contre l'extermination et le génocide comme au Rwanda en 1994. La mise en œuvre de la doctrine relative à la responsabilité de protéger bute sur ces mêmes défaillances (voir ▷ **Maintien de la paix**).

▶ **Conseil de sécurité ▷ Souveraineté ▷ Sécurité collective.**

La principale innovation apportée par le droit humanitaire en 1977 consiste à faire admettre aux États que les offres de secours de caractère humanitaire et impartial conduites sans aucune distinction de caractère défavorable ne peuvent pas être considérées comme une ingérence dans le conflit armé, ni comme un acte hostile. Ces actions doivent être entreprises quand la population civile d'un territoire en conflit est insuffisamment approvisionnée en vivres et en médicaments, ou vêtements, matériels de couchage, logement d'urgence, et autres approvisionnements essentiels à la survie de la population (GPI art. 69 et 70).

Dans les conflits armés internes, le Protocole additionnel II aux Conventions de Genève précise que le droit humanitaire ne peut pas être invoqué pour justifier une intervention directe ou indirecte, pour quelque raison que ce soit, dans le conflit armé, ou dans les affaires intérieures ou extérieures de l'État sur le territoire duquel le conflit se déroule (GPII art. 3.2). Le droit d'accès aux victimes donné aux organisations humanitaires impartiales ne doit pas être confondu avec la doctrine de l'intervention humanitaire étatique.

Ces textes distinguent deux missions. Ils confient aux États et à l'ONU la mission de dissuader et de sanctionner les crimes de guerre, et aux organisations humanitaires impartiales la responsabilité des actions de secours. Les États ont donc l'obligation de poursuivre et de juger les auteurs de violations graves des conventions, en application du principe de compétence universelle prévu par le droit humanitaire. La convention de 1948 pour la prévention et la répression du crime de génocide pose également et expressément l'obligation des États d'intervenir pour faire cesser de tels actes : ils peuvent pour cela « saisir les organes compétents de l'Organisation des Nations unies afin que ceux-ci prennent, conformément à la Charte des Nations unies, les mesures qu'ils jugent appropriées pour la prévention et la répression des actes de génocide... » (art. 8 de la convention sur le génocide).

Il reste donc aujourd'hui au Conseil de sécurité de l'ONU et aux organisations de sécurité régionale à définir si les violations graves du droit humanitaire mettent en danger la paix et la sécurité internationales et peuvent justifier le recours au chapitre VII pour lancer une intervention militaire.

Jurisprudence

La Cour internationale de justice (CIJ) a précisé en 1986 les critères permettant de distinguer l'action humanitaire de l'ingérence (Activités militaires et paramilitaires au Nicaragua et contre celui-ci (Nicaragua c. États-Unis d'Amérique, fond, arrêt, *C.I.J. Recueil 1986*, p. 14).

Dans cette affaire, la Cour rappelle que « le principe de non-intervention met en jeu le droit de tout État souverain de conduire ses affaires sans ingérence extérieur ; bien que les exemples d'atteinte au principe ne soient pas rares, la Cour estime qu'il fait partie intégrante du droit international coutumier », § 202. « La Cour conclut en conséquence que l'appui fourni par les États-Unis, jusqu'à fin septembre 1984, aux activités militaires et paramilitaires des *contras* au Nicaragua, sous forme de soutien financier, d'entraînement, de fournitures d'armes, de renseignements et de soutien logistique, constitue une violation indubitable du principe de non-intervention. [...] Il n'est pas douteux que la fourniture d'une aide strictement humanitaire à des personnes ou à des forces se trouvant dans un autre pays, quels que soient leurs affiliations politiques ou leurs objectifs, ne saurait être considérée comme une intervention illicite ou à tout autre point de vue contraire au droit international. Les caractéristiques d'une telle aide sont indiquées dans le premier et le second des principes fondamentaux proclamés par la vingtième conférence internationale de la Croix-Rouge aux termes desquels "Née du souci de porter secours sans discrimination aux blessés des champs de bataille, la Croix-Rouge, sous son aspect international et national, s'efforce de prévenir et d'alléger en toutes circonstances les souffrances des hommes. Elle tend à protéger la vie et la santé ainsi qu'à faire respecter la personne humaine. Elle favorise la compréhension mutuelle, l'amitié, la coopération et une paix durable entre tous les peuples. Elle ne fait aucune distinction de nationalité, de race, de religion. Elle s'applique seulement à secourir les individus à la mesure de leur souffrance et à subvenir par priorité aux détresses les plus urgentes" », § 242. Selon la Cour, pour qu'une intervention dans les affaires intérieures d'un autre État ne soit pas condamnable, il faut non seulement que l'« assistance humanitaire » se limite aux fins consacrées par la pratique de la Croix-Rouge, à savoir « prévenir et alléger les souffrances des hommes » et « protéger la vie et la santé [et] faire respecter la personne humaine », mais elle doit aussi, et surtout, « être prodiguée sans discrimination à toute personne dans le besoin au Nicaragua, et pas seulement aux *contras* et à leurs proches », § 243.

« La Cour conclut que le motif tiré de la préservation des droits de l'homme au Nicaragua ne peut justifier juridiquement la conduite des États-Unis et ne s'harmonise pas, en tout état de cause, avec la stratégie judiciaire de l'État défendeur fondée sur le droit de légitime défense collective [...] l'emploi de la force ne saurait être la méthode appropriée pour vérifier et assurer le respect de ces droits », § 268.

Consulter aussi

▶ **Sécurité collective ▷ Maintien de la paix ▷ Droit d'accès ▷ Droit d'initiative humanitaire ▷ Droit international humanitaire ▷ Crime de guerre-Crime contre l'humanité ▷ Génocide ▷ Compétence universelle ▷ Souveraineté ▷ Secours ▷ Protection ▷ Principes humanitaires.**

Pour en savoir plus

BETTATI M., *Le Droit d'ingérence. Mutation de l'ordre international*, Odile Jacob, Paris, 1996.

CORTEN O., KLEIN P., *Droit d'ingérence ou obligation de réaction ?*, Bruylant Université de Bruxelles, Bruxelles, 1992.

KIOKO B., « The right of intervention under the African Union's Constitutive Act : From non-interference to non-intervention », *International Review of the Red Cross*, vol. 85, n° 852, décembre 2003, p. 807-825.

« Le droit d'ingérence », *Géopolitique*, 2000-01, n° 68, p. 2-95, numéro spécial.

MOORE J., (dir.), *Des choix difficiles : les dilemmes moraux de l'humanitaire*, Gallimard, Paris, 1999, 433 p.

MOREAU DEFARGES P., *Droits d'ingérence dans le monde post-2001*, Presses de Sciences Po., Paris, 2006, 124 p.

PELLET A. (éd.), « Droit d'ingérence ou devoir d'assistance humanitaire ? », *Problèmes politiques et sociaux*, n° 758-759, déc.1995, La Documentation française, 136 p.

PETERS A., « Le droit d'ingérence et le devoir d'ingérence : vers une responsabilité de protéger », *Revue de droit international et de droit comparé*, n° 79, 2002, p. 290-308.

RUBIO F., *Le droit d'ingérence est-il légitime ?*, Éd. de l'Hèbe, coll. « La question », Paris, 2007, 90 p.

SALAME G., *Appels d'empire : ingérences et résistances à l'âge de la mondialisation*, Paris, Fayard, 1996.

SANDOZ Y., « Droit ou devoir d'ingérence, droit à l'assistance : de quoi parle-t-on ? », *Revue internationale de la Croix-Rouge*, vol. 74, n° 795, juin 1992, p. 225-237.

TORELLI M., « De l'assistance à l'ingérence humanitaire ? », *Revue internationale de la Croix-Rouge*, n° 795, mai-juin 1992, p. 238-258.

Insurgés

Groupe de personnes refusant l'autorité de leur État. Leur activité peut entraîner la proclamation de mesures d'exception par le gouvernement pour préserver l'ordre public. Dans ces circonstances, les troubles n'ont potentiellement pas encore atteint le seuil de violence requis pour définir un conflit armé, ce qui ne permet pas l'application du droit humanitaire. Cependant, certaines garanties fondamentales relatives aux droits de l'homme subsistent. Les règles de droit humanitaire applicables aux conflits armés non internationaux peuvent s'appliquer si l'activité des insurgés se traduit par des actes de guerre d'une certaine ampleur et d'une certaine durée et qu'elle déclenche des ripostes militaires de la part des autorités officielles (au-delà des « actes de violence sporadiques et isolés »).

Les insurgés appartenant à des groupes armés non étatiques ne peuvent pas bénéficier du statut de combattant et des privilèges qui y sont attachés tels que le statut de prisonnier de guerre. Cependant, ce statut peut leur être accordé de manière *ad hoc* par voie d'accord spécial entre les parties au conflit, pourvu que les insurgés remplissent les critères prévus par le droit international humanitaire pour définir les forces armés organisées sous un commandement responsable. Les mouvements de libération nationale peuvent également revendiquer le droit au statut de combattant et aux privilèges qui s'y rattachent en vertu du droit international humanitaire applicable aux conflits armés internationaux s'ils s'engagent à appliquer les lois de la guerre par voie de déclaration unilatérale (GPI art. 96.3).

▶ **Accord spécial ▷ Combattant ▷ Garanties fondamentales ▷ Droit international humanitaire ▷ Prisonnier de guerre ▷ Partie au conflit ▷ Troubles et tensions internes ▷ Groupes armés non étatiques.**

Intangibilité des droits

Certains droits, notamment parmi les droits de l'homme, sont intangibles. C'est-à-dire que ce sont des droits auxquels on ne peut pas porter atteinte. Ils doivent être pleinement respectés et défendus.

◆ **Quelles que soient les circonstances, les États ne pourront pas adopter de décisions qui dérogent à ces droits (appelés droits indérogeables) ou qui les limitent. Toutes les lois nationales, ou autres documents juridiques, qui limiteraient ou suspendraient ces droits seraient nulles.**

Les conventions relatives aux droits de l'homme énoncent la liste des droits indérogeables, aussi appelés normes impératives ou *jus cogens*.

▶ **Garanties fondamentales ▷ Droit, droit international.**

Le droit humanitaire complète ce dispositif en période de conflit. Il prévoit que les droits prévus au profit des personnes civiles dans les territoires occupés sont des droits intangibles (GIV art. 47).

▶ **Territoire occupé.**

Il est également prévu que ces droits sont inaliénables, c'est-à-dire que les personnes ne peuvent pas y renoncer même de façon volontaire.

Consulter aussi

▶ **Droits de l'homme ▷ Garanties fondamentales ▷ Territoire occupé ▷ Droit, droit international ▷ Inaliénabilité des droits.**

Internement

En période de conflit armé international, les mesures d'internement peuvent frapper des personnes civiles ou des prisonniers de guerre. On distingue l'internement de la détention par le fait que les décisions d'internement sont prises par des autorités administratives ou militaires, alors que les décisions de détention relèvent en principe d'autorités judiciaires. Dans les conflits armés internationaux, l'internement des combattants obéit aux règles précises et détaillées par le statut de prisonniers de guerre (GIII art. 21, 22, 30, 31, 72). Dans ces conflits, des garanties spécifiques sont également prévues pour les personnes arrêtées, détenues ou internées pour des motifs en relation avec le conflit (GPI art. 75.6). L'internement des civils est réglementé par des règles spécifiques (*infra*).

▶ **Détention ▷ Garanties judiciaires ▷ Prisonnier de guerre.**

• Dans les conflits armés non internationaux, le droit humanitaire ne prévoit pas explicitement de mesures d'internement. Il ne prévoit pas non plus de statut de combattant pour les membres de groupes armés non étatiques opposés aux forces armées officielles. Le Protocole additionnel II de 1977 utilise le terme de « personnes détenues pour des motifs en relation avec le conflit » pour désigner et protéger les personnes ayant pris part aux hostilités de façon isolée ou au sein de groupes armés non étatiques. Ce terme recouvre des situations assimilables aux deux catégories traditionnelles de détention ou d'internement (GPII art. 4 et 5). Le Protocole additionnel II prévoit également des garanties judiciaires au profit de ces personnes (GPII art. 6).

▶ **Détention ▷ Garanties judiciaires ▷ Groupes armés non étatiques ▷ Population civile.**

Les règles relatives à l'internement présentées ci-dessous sont destinées aux situations d'internement de personnes civiles dans les conflits armés internationaux. Elles peuvent toujours être utilisées comme référence dans des situations analogues pour cadrer les actions de secours car elles sont particulièrement détaillées. Ces règles prennent effet chaque fois que des civils sont privés de leur liberté de mouvement par des autorités militaires ou administratives et dépendant pour leur survie des secours extérieurs qui sont délivrés ou autorisés par ces autorités.

1. *Procédure d'internement des civils*

L'internement fait partie des mesures de sécurité qu'un État peut appliquer concurremment à la résidence forcée en temps de conflit armé. Il vise les personnes civiles résidant sur le territoire national et qui sont ressortissantes de la partie ennemie ou d'autres pays étrangers. Il est également possible que les ressortissants étrangers résidant sur le territoire de l'État demandent l'internement volontaire.

• L'internement ou la résidence forcée peuvent être imposés par la puissance occupante à certains membres de la population des territoires occupés qui constituent une menace. L'internement ou la mise en résidence forcée des personnes civiles ne pourra être ordonné que si la sécurité de la puissance au pouvoir de laquelle ces personnes se trouvent les rend absolument nécessaires, ou si elles-mêmes le demandent (GIV art. 41, 42, 68, 78).

• Toute personne internée a le droit d'obtenir qu'un tribunal ou un collège administratif, désigné par la puissance occupante à cet effet, reconsidère dans les plus brefs délais la décision prise à son encontre (GIV art. 43). Un réexamen périodique de la décision d'internement devra avoir lieu, au moins deux fois par an (GIV art. 43). En outre, si une personne civile ne peut plus subvenir à ses besoins du fait d'une décision d'internement ou de résidence forcée, la puissance au conflit qui a imposé cette mesure devra subvenir aux besoins de cette personne et de ceux qui sont à sa charge (GIV art. 39).

• La quatrième Convention de Genève détaille dans soixante-deux articles les règles relatives aux conditions d'internement et au traitement des internés (GIV art. 79 à 141) dont les principaux éléments ont acquis un caractère coutumier.
• La règle 126 de l'étude sur les règles de droit international humanitaire coutumier publiée par le CICR en 2005 dispose que « les internés civils et les personnes privées de liberté en relation avec un conflit armé non international doivent être autorisés, dans la mesure du possible, à recevoir des visites, et en premier lieu celles de leurs proche ».
• La règle 128 prévoit quant à elle que :
a) dans le cadre d'un conflit armé international, les prisonniers de guerre doivent être libérés et rapatriés sans délai après la fin des hostilités actives ;
b) dans le cadre d'un conflit armé non international, les internés civils doivent être libérés dès que les causes qui ont motivé leur internement cessent d'exister, mais en tout cas dans les plus brefs délais possible après la fin des hostilités actives ;
c) dans le cadre d'un conflit armé non international, les personnes privées de leur liberté en relation avec un conflit armé non international doivent être libérées dès que les causes qui ont motivé leur privation de liberté cessent d'exister.
La privation de liberté de ces personnes peut se poursuivre si des procédures pénales sont en cours à leur encontre ou si elles purgent une peine qui a été prononcée dans le respect de la loi.

2. *Lieux d'internement*
Ils devront être situés à l'écart des dangers de la guerre et disposer de systèmes d'identification et d'abri en cas d'attaque (GIV art. 83, 84, 88), être conformes à des normes précises de logement et d'hygiène. Les locaux devront être à l'abri de l'humidité, suffisamment chauffés et éclairés. Les internés disposeront de matériel de couchage convenable et adapté compte tenu du climat, de l'âge, du sexe et de l'état de santé des internés. Ils disposeront, jour et nuit, d'installations sanitaires conformes aux exigences d'hygiène. Il leur sera fourni l'eau et le savon et le temps nécessaire leur sera accordé pour leurs soins d'hygiène et les travaux de nettoyage (GIV art. 85).

3. *Alimentation et habillement*
La ration alimentaire quotidienne des internés sera suffisante en quantité, qualité et variée, pour leur assurer un équilibre normal de santé et pour empêcher les troubles de carence. Il sera tenu compte du régime auquel les internés sont habitués (GIV art. 89). Les internés doivent bénéficier de vêtements adaptés au climat et de linge de rechange. Les travailleurs doivent recevoir une tenue de travail, y compris les vêtements de protection appropriés. La puissance détentrice ne peut pas apposer aux vêtements de marque extérieure qui ait un caractère infamant ou prête au ridicule (GIV art. 90).

4. *Hygiène et soins médicaux*
Chaque lieu d'internement doit posséder une infirmerie placée sous l'autorité d'un médecin qualifié qui doit proposer des consultations quotidiennes. Les internés seront traités de préférence par un personnel médical de leur nationalité. Ils ne pourront pas être empêchés de se présenter aux autorités médicales pour être examinés.

Le traitement et la fourniture de tout appareil nécessaire au maintien en bonne santé des internés leur seront accordés gratuitement (lunettes, prothèses dentaires...). Les autorités médicales doivent, à la demande, fournir un rapport médical officiel ou un certificat présentant la nature de la maladie ou de la blessure ainsi que la durée et le type de traitement donné, pour chaque interné se trouvant sous traitement.
En plus de l'examen médical volontaire, quand la nécessité s'en fait sentir, des inspections médicales auront lieu au moins une fois par mois pour contrôler l'état général de santé, de nutrition, de propreté et pour dépister les maladies contagieuses. Elles comporteront notamment le contrôle du poids de chaque interné (GIV art. 91 et 92).

5. *Religion, activités intellectuelles et physiques*
Les internés doivent pouvoir pratiquer leur religion. Les ministres du culte pourront leur rendre visite (GIV art. 93). Les internés doivent pouvoir se livrer à des exercices physiques comme à des activités éducatives ou intellectuelles. Des espaces libres suffisants seront réservés. Des espaces spéciaux seront réservés aux enfants et adolescents (GIV art. 94). La puissance détentrice pourra utiliser les internés comme travailleurs, s'ils le désirent, en dehors des travaux directement liés à la vie des internés. Ces travaux ne devront être ni dangereux ni humiliants ou dégradants. Ils seront rémunérés et couverts par les règles élémentaires de droit du travail (GIV art. 95 et 96).

6. *Propriété personnelle et ressources financières*
Les internés seront autorisés à conserver leurs objets et effets d'usage personnel, ainsi que les pièces d'identité. Un reçu devra leur être donné pour tout objet remis à l'administration du camp (GIV art. 97).
Les internés recevront régulièrement des allocations pour pouvoir acheter des denrées et objets tels que le tabac et les articles de toilette. Ils peuvent également recevoir des subsides de la puissance dont ils sont ressortissants, des puissances protectrices, de tout organisme qui pourrait leur venir en aide, ou de leurs familles. Ils doivent pouvoir aussi envoyer des subsides à leurs familles et aux personnes qui dépendent économiquement d'eux (GIV art. 98).

7. *Administration et discipline*
Tout lieu d'internement sera placé sous l'autorité d'un officier ou d'un fonctionnaire responsable. Il disposera du texte de la quatrième Convention de Genève dans sa langue. Les règlements, ordres et avis relatifs à la vie des internés devront leur être communiqués et affichés à l'intérieur des lieux d'internement dans une langue qu'ils comprennent. Dans chaque lieu d'internement, les internés éliront les membres d'un comité chargé de les représenter auprès de l'administration et auprès des organismes qui leur viendraient en aide, tels que le CICR ou autre (GIV art. 99 à 104).

8. *Relations avec l'extérieur*
Chaque interné pourra, dans la semaine qui suit son internement, prévenir sa famille ainsi que l'Agence centrale de recherches de la Croix-Rouge et pourra envoyer et rece-

voir des lettres et des cartes ainsi que des paquets individuels ou collectifs contenant des denrées alimentaires, des vêtements, des médicaments, des livres et des objets religieux, d'étude ou de loisir. Ces envois de secours seront exempts de douane et d'affranchissement. Ils pourront être transportés par le CICR ou tout autre organisme agréé par les parties au conflit. La censure de la correspondance devra être faite dans les plus brefs délais. La distribution des lettres et des colis ne pourra pas être retardée sous prétexte de difficultés de censure. Les internés pourront également recevoir à intervalles réguliers la visite de leurs proches (GIV art. 105 à 116).

9. *Sanctions pénales et disciplinaires*

La législation en vigueur sur le territoire où ils se trouvent continue de s'appliquer aux internés qui commettent des infractions pendant leur internement. Les tribunaux prendront en considération le fait que le prévenu n'est pas un ressortissant de la puissance détentrice. Ils pourront atténuer la peine. Les peines disciplinaires ne seront ni inhumaines ni brutales ou dangereuses pour la santé des internés. Les évasions ne sont passibles que de peines disciplinaires [...]. Les peines disciplinaires ne peuvent pas être effectuées dans un établissement pénitentiaire. Les locaux où elles seront subies sont conformes aux exigences de l'hygiène, et doivent disposer de lieux de couchage. Les internés punis disciplinairement auront la faculté de prendre chaque jour de l'exercice et d'être en plein air pendant deux heures. Ils pourront se présenter à la visite médicale quotidienne. Ils pourront lire et écrire (GIV art. 117 à 126).

▶ **Garanties judiciaires.**

10. *Transfert des internés*

Le transfert se fera toujours avec humanité. Il se fera en règle générale par chemin de fer ou autres moyens de transport dans des conditions au moins égales à celles dont bénéficient les troupes de la puissance détentrice dans leurs déplacements (GIV art. 127 et 128).

11. *Décès*

Les internés pourront remettre leur testament aux autorités responsables. Le décès sera constaté par un médecin. Un certificat exposant les causes du décès et les conditions dans lesquelles il s'est produit sera établi. Ils seront enterrés (ou incinérés selon les rites de leur religion ou leur demande expresse) honorablement si possible selon leur rite. Tout décès suspect sera suivi immédiatement d'une enquête par la puissance détentrice (GIV art. 129 à 131).

12. *Libération, rapatriement, hospitalisation en pays neutre*

Toute personne internée sera libérée par la puissance détentrice dès que les causes qui ont motivé son internement n'existeront plus (GIV art. 132 à 135).

13. *Bureaux et Agence centrale de renseignement*

La puissance détentrice fournira toutes les informations sur les personnes internées à l'Agence centrale de recherches (GIV art. 136 à 141).

Jurisprudence

Les tribunaux pénaux internationaux ont dû se prononcer sur la légalité de la détention de civils pendant les conflits. Confronté à la question des camps de détention de civils dans le conflit yougoslave, le TPIY a reconnu qu'il est incontestable que la détention de civils peut faire partie des mesures de contrôle de sécurité que les parties à un conflit ont le droit de prendre en application des article 27 de la quatrième Convention de Genève : affaire Celebici, décision de la première Chambre du TPIY du 16 novembre 1998, § 569. Dans cette affaire, les juges distinguent entre les restrictions à la liberté des civils qui sont permises au titre des articles 5 et 27 de la quatrième Convention de Genève. L'article 5 couvre les personnes qui sont soupçonnées de se livrer à une activité préjudiciable à la sécurité de l'État. L'article 27 concerne de façon plus large la possibilité pour une partie en conflit de prendre des mesures de contrôle ou de sécurité qui sont nécessaires du fait de la guerre. Les juges rappellent cependant que l'internement n'est autorisé que s'il est absolument nécessaire et énoncent des critères stricts d'interprétation des notions de sécurité et de nécessité (§ 576-578). Les juges affirment également que même si l'internement de civils est justifié sur la base des critères prévu par les articles 5, 27 ou 42 de la quatrième Convention de Genève, les personnes détenues doivent se voir accorder certains droits fondamentaux en matière de procédure, prévus par l'article 43 de la quatrième Convention de Genève. Ces garanties ont trait au droit de faire appel de la décision d'internement et de bénéficier de la protection et des visites du Comité international de la Croix-Rouge (§ 579). La Chambre d'appel a confirmé cette analyse dans sa décision sur la même affaire, du 20 février 2001. Elle a estimé que la détention de civils contre leur gré, lorsque la sécurité de la puissance détentrice ne l'exige pas est illégale. Elle précise également qu'un internement licite à l'origine devient clairement illégal si la partie détentrice ne respecte pas les garanties procédurales fondamentales reconnues aux personnes détenues et ne crée pas de tribunal ou de collège administratif compétent pour examiner les motifs de la détention, ainsi que l'exige l'article 43 de la quatrième Convention de Genève (§ 320).

Concernant les conditions de détention des civils dans les camps, les juges du tribunal ont établi la responsabilité pénale des personnes qui assurent en fait ou en droit la direction des camps de détention. Dans l'affaire Celebici du 16 novembre 1998, la Chambre de première instance du TPIY a constaté que les détenus du camp « étaient confrontés à des conditions de vie telles qu'ils étaient constamment en proie à l'angoisse et à l'appréhension de violences physiques. Les actes de cruauté et de violence qui y étaient fréquemment commis, aggravés par leur caractère imprévisible et par les menaces proférées par les gardiens, faisaient subir aux détenus des pressions psychologiques intenses engendrant un climat que l'on peut effectivement qualifier de "terreur" ». Les juges ont établi que Mucic « [avait] contribué à maintenir les conditions inhumaines qui prévalaient dans le camp ». La Chambre d'appel du TPIY a décidé le 20 février 2001 que Music était responsable de ces crimes car il était commandant de fait du camp de Celebici (§ 214). Les juges estiment que pour trancher la question de la responsabilité il faut s'attacher à l'exercice effectif du pouvoir et non aux titres officiels (§ 197).

Consulter aussi

▶ **Détention ▷ Prisonnier de guerre ▷ Agence centrale de recherches ▷ Garanties judiciaires ▷ Sécurité ▷ Mission médicale.**

Pour en savoir plus

Bugnion F., « La protection des prisonniers de guerre et des détenus civils », *Le Comité international de la Croix-Rouge et la protection des victimes de la guerre*, CICR, Genève, 1994, p. 623-822.

Pelic J., « Procedural principles and safeguards for internment/administrative detention in armed conflict and other situations of violence », *Revue internationale de la Croix-Rouge*, n° 858, juin 2005, p. 375-391.

Journaliste

Les journalistes ne sont pas seulement victimes de leur travail dans les conflits armés. Ils sont également exposés à des menaces et pressions, à des violences directes et indirectes dans le cadre de leur travail d'investigation sur des affaires de corruption ou des contextes de corruption, de crime organisé, de radicalisation politique, sociale et religieuse et de dictature. La liste de la Fédération internationale des journalistes (FIJ), établie en coordination avec l'International News Safety Institute (INSI), fait état de 106 journalistes et personnel des médias tués en 2011, contre 94 en 2010. 20 autres journalistes et leurs collaborateurs sont morts dans des accidents et incidents causés par des désastres naturels. Le Moyen-Orient a été la région la plus meurtrière en 2011 avec 32 journalistes et personnels des médias tués. Les pays les plus dangereux pour les journalistes, sur la base du nombre de victimes, sont : l'Irak, le Pakistan et le Mexique (avec chacun 11 morts) ; les Philippines ; la Libye et le Yémen (6 morts chacun) ; et le Honduras et l'Inde (avec 5 morts par pays).

La protection internationale des journalistes continue de poser de nombreux problèmes y compris dans les situations de conflit. Le droit humanitaire prévoit un statut spécial pour les journalistes dans les situations de conflits armés internationaux et inscrit la mission des correspondants de guerre dans le cadre d'une accréditation auprès des forces armées des États parties aux conflits. La multiplication des conflits de caractère non international et des situations de violence interne a pour corollaire un besoin d'indépendance accru des journalistes vis-à-vis des forces armées gouvernementales. Ce besoin se révèle peu compatible avec le système existant et est susceptible de les exposer à la violence que dirigent des régimes autoritaires et des groupes criminels contre la liberté d'information.

I. La protection des journalistes dans le cadre du droit humanitaire

Le droit international humanitaire reconnaît deux types de statut possible pour les journalistes en situation de conflit armé international : les correspondants de guerre accrédités auprès des forces armées et les autres journalistes.

Historiquement, seul le statut de correspondant de guerre était défini par la troisième Convention de Genève de 1949. Ces journalistes autorisés directement par une partie à un conflit à suivre les troupes devaient en cas de capture par l'ennemi être considérés comme prisonniers de guerre et protégés par la troisième Convention de Genève (GIII art. 4). En 1977, le Protocole additionnel I a prévu des dispositions supplémentaires couvrant les journalistes engagés dans des missions professionnelles dangereuses dans les zones de conflit armé sans pour autant être formellement accrédités auprès des forces armées. Le protocole affirme que ces journalistes doivent être considérés comme des civils et protégés en tant que tel (GPI art. 79). Les arguments liés à leurs seules nationalité et activité professionnelle en zone de conflit ne suffisent pas pour contester leur statut de civil. Le protocole précise que les journalistes conservent ce statut à condition qu'ils n'entreprennent pas d'actions de nature à leur faire perdre le statut de civil. Selon le droit humanitaire, ces actions concernent notamment la participation directe aux hostilités, strictement définie par ce même protocole, et l'espionnage. Bien que le Protocole additionnel I s'applique au conflit armé international, il est toujours possible de demander le bénéfice de cette disposition en cas de conflit interne. En effet, la règle 34 de l'étude sur les règles de droit humanitaire coutumier publiée par le CICR en 2005 prescrit que « les journalistes civils qui accomplissent des missions professionnelles dans des zones de conflit armé [international ou non international] doivent être respectés et protégés, aussi longtemps qu'ils ne participent pas directement aux hostilités ».

◆ **Les journalistes qui accomplissent des missions professionnelles dans des zones de conflit armé sont considérés comme des personnes civiles. Ils ne peuvent pas être pris pour cible. Ils sont protégés en tant que personnes civiles à condition qu'ils ne commettent pas d'action qui porte atteinte à leur statut et à leur nature de personne civile.**
Le respect des règles d'éthique professionnelle et d'indépendance de la presse renforce la protection du statut civil des journalistes contre de potentielles accusations de participation aux hostilités ou de fourniture d'avantage militaire à une partie au conflit.

Pour garantir l'application de ces principes aux journalistes quelle que soit leur nationalité et indépendamment de la décision des États et groupes armés parties au conflit, le Protocole additionnel I donne dans son annexe II un modèle de carte d'identité pour les journalistes, qui pourra être établie soit par le pays dont ils sont ressortissants, soit dans celui où l'agence ou l'organe de presse qui les emploie a son siège, soit par le pays sur le territoire duquel ils se trouvent. Cette carte attestera de leur qualité de journaliste auprès notamment des parties aux conflits ; elle sert à des fins d'identification uniquement et ne leur accorde aucune protection supplémentaire.

▶ **Population civile ▷ Droit international humanitaire ▷ Prisonnier de guerre.**

II. La reconnaissance du statut spécial de journaliste dans le cadre de la justice pénale internationale

La justice pénale internationale a reconnu la spécificité du métier de correspondant de guerre, en posant des limites très strictes à leur obligation de témoignage. Dans une décision adoptée par sa chambre d'appel, le 11 décembre 2002 (affaire Randal), et appelée à faire jurisprudence, le Tribunal pénal international pour l'ex-Yougoslavie (TPIY) a en effet reconnu que les correspondants de guerre devaient être considérés comme des observateurs indépendants plutôt que comme des témoins à charge. Les juges ont décidé que les journalistes travaillant en zone de guerre ne pouvaient être contraints de témoigner devant la justice internationale qu'à deux conditions : si leur témoignage présente « un rapport direct et crucial avec les questions essentielles d'une affaire » et si les informations ne peuvent pas « raisonnablement être obtenues d'une autre source » (Procureur c. Radoslav Brdjanin et Momir Talic, décision relative à l'appel interlocutoire, 11 décembre 2002). Les juges ont considéré que les journalistes en mission dans les zones de guerre servent un « intérêt général » parce qu'ils « jouent un rôle capital dans la mesure où ils attirent l'attention de la communauté internationale sur les horreurs et les réalités des conflits » (Procureur c. Radoslav Brdjanin et Momir Talic, décision relative à l'appel interlocutoire, 11 décembre, § 36, 38 et 50). Ils ont également reconnu que l'obligation de témoignage devant des tribunaux reviendrait à mettre en péril la capacité des journalistes à remplir leur mission d'information notamment dans les zones de conflit. Aussi, dans le but de sauvegarder la capacité des journalistes de faire leur travail, la Chambre leur a accordé le privilège de pouvoir refuser de témoigner devant une instance judiciaire pour des faits liés à leur profession, tel que demandé par l'appelant Jonathan Randal. Ainsi les juges ont-ils décidé que les journalistes travaillant en zone de guerre ne pouvaient être contraints de témoigner devant la justice internationale qu'à deux conditions : si leur témoignage présente « un rapport direct et crucial avec les questions essentielles d'une affaire » et si les informations ne peuvent pas « raisonnablement être obtenues d'une autre source ». Cette immunité de témoignage a également été reconnue par le Règlement de procédure et de preuve de la Cour pénale internationale (art. 73) qui interdit le recours aux informations obtenues dans le cadre d'activités couvertes par le secret professionnel.

III. La protection des journalistes dans le cadre des Nations unies

Il n'existe pas à ce jour de convention internationale précisant le contenu des notions de liberté d'information ou de droit des journalistes et servant de modèle pour les lois nationales dans ce domaine. Ainsi la question de la liberté d'information se heurte-t-elle en pratique aux limites fixées par les droits nationaux au nom de la défense de l'ordre public. Les journalistes et les médias sont susceptibles d'être accusés d'atteinte à la sécurité de l'État, de propagande ennemie, d'incitation à la violence, aux troubles intérieurs, à la haine, ou au séparatisme. Plusieurs initiatives ont vu le jour au sein de l'Organisation des Nations unies pour prévenir les actes de violence à l'encontre les journalistes.

a. *La résolution 29 de l'UNESCO, 1997*

Le 12 novembre 1997, la Conférence générale de l'Organisation des Nations unies pour l'éducation, la science et la culture (UNESCO) a adopté une résolution intitulée « Condamnation de la violence contre les journalistes ». Condamnant toute forme de violence dirigée contre des journalistes, cette résolution exhorte les États membres à s'acquitter du « devoir qui leur incombe de prévenir ces crimes [ceux commis contre les journalistes], d'enquêter à leur sujet, de les sanctionner et d'en réparer les conséquences ».

b. La résolution 1738 du Conseil de sécurité, 2006

En 2006, le Conseil de sécurité des Nations unies a adopté la résolution 1738 pour condamner les agressions contre les journalistes en situation de conflit. La résolution rappelle que « les journalistes, les professionnels des médias et le personnel associé qui accomplissent des missions professionnelles périlleuses doivent être considérés comme des personnes civiles et doivent être respectés et protégés en tant que telles ». La résolution encourage également les parties au conflit à protéger les personnes civiles, comme les y oblige le droit international humanitaire. En tant que personnes civiles, les journalistes doivent aussi bénéficier de la protection énoncée dans la résolution 1894 du Conseil de sécurité (2009).

c. La Déclaration de Medellin, 4 mai 2007

La Déclaration de Medellin sur la sécurité des journalistes et la lutte contre l'impunité a vu le jour à l'issue d'une conférence de deux jours organisée dans la ville colombienne les 3 et 4 mai 2007 par l'UNESCO à l'occasion de la Journée mondiale de la liberté de la presse. La déclaration, qui s'inquiète des attaques contre la liberté de la presse, souligne que la plupart de ces attaques contre les professionnels des médias ont lieu en dehors de toute situation de conflit armé. La déclaration encourage les États membres à enquêter sur tous les actes de violence dont les journalistes sont victimes ; libérer les journalistes détenus ; signer et à ratifier les Protocoles additionnels I et II aux Conventions de Genève ainsi que le statut de Rome de la Cour pénale internationale ; et, enfin, tenir les engagements pris dans la résolution 29 de la Conférence générale de l'UNESCO de 1997 en vue de combattre l'impunité concernant les crimes contre les journalistes.

d. La Déclaration sur la sécurité des journalistes, 2009

La Déclaration sur la sécurité des journalistes a été adoptée lors du 4e Forum des médias électroniques les 12 et 13 novembre 2009 à Mexico, et appuyée par l'UNESCO. Elle réclame « des mesures internationales permanentes et concrètes pour faire face aux meurtres de journalistes et de personnels de soutien aux médias dans le monde en temps de paix et de guerre ». Soulignant que « la plupart des journalistes ne sont pas tués dans des zones de guerre mais dans leurs propres pays alors qu'ils essaient de faire jaillir la lumière de la vérité des recoins les plus sombres de leurs sociétés », la déclaration rappelle la responsabilité des gouvernements à assurer la sécurité de tous leurs citoyens, dont les membres des médias.

IV. Initiatives professionnelles

Face à une tendance générale à la dégradation des conditions d'exercice du métier de journaliste, particulièrement depuis les conflits en Afghanistan et en Irak, plusieurs organisations professionnelles ont lancé des initiatives d'entraide et de défense des journalistes.

a. Reporters sans frontières

Préoccupé par ce constat global, Reporters sans frontières a élaboré une « Déclaration sur la sécurité des journalistes et des médias en situation de conflit armé », basée sur les résultats d'un atelier de travail organisé le 20 janvier 2003 et rassemblant des représentants du CICR, de diverses ONG (Médecins sans frontières, Amnesty International, Avocats sans frontières etc.), du Groupe de recherche et d'information sur la paix et la sécurité, d'experts en droit international humanitaire, des organisations professionnelles de presse, ainsi que le porte-parole de l'OTAN et celui du département d'État américain à la Défense. La déclaration, ouverte à signature le jour même, a été révisée le 8 janvier 2004, dans le contexte des événements en Irak. Rappelant les principes et les règles du droit international humanitaire protégeant les journalistes et les médias en situation de conflit armé, la déclaration propose également des perfectionnements du droit existant en vue de l'adapter aux exigences du contexte actuel. Parallèlement, Reporters sans frontières a mis en œuvre diverses initiatives visant à aider les journalistes travaillant dans les zones de conflit. Elles vont de la mise en place d'une hotline pour les journalistes en difficulté (SOS Presse) au prêt de packs de protection (constitués d'un gilet pare-balles, d'un casque et de deux balises de détresse personnelles), en passant par des stages de formation pour reporters en mission périlleuse. L'organisation a également rédigé en collaboration avec l'UNESCO un guide pratique rappelant les normes juridiques internationales protégeant la liberté de la presse et dispensant des conseils pratiques pour éviter les « pièges » du terrain.

b. *Le CICR*

Dans le cadre de ses activités de protection, le CICR a mis en place dès 1985 un service d'urgence (hotline) à destination des journalistes se trouvant en difficulté dans les zones de conflits armés. Le CICR peut apporter aux journalistes différents types de protection tels que : chercher à obtenir une notification d'arrestation/capture et avoir accès aux journalistes dans le cadre des visites aux détenus ; informer immédiatement les proches et les employeurs/associations professionnelles sur les coordonnées du journaliste recherché et maintenir des liens avec la famille ; chercher activement les journalistes disparus, identifier et transférer ou rapatrier la dépouille mortelle, évacuer les journalistes blessés. En outre, le CICR organise également des ateliers/séances de formation au droit international humanitaire à destination des journalistes.

c. *La Fédération internationale des journalistes (FIJ)*

Plus vaste organisation de journalistes au monde, représentant plus de 600 000 journalistes dans 131 pays, la Fédération internationale des journalistes promeut les actions internationales visant à défendre la liberté de la presse et la justice sociale par le biais de syndicats nationaux de journalistes. La FIJ est reconnue par les Nations unies et par le mouvement syndical européen comme étant l'organisation habilitée à s'exprimer au nom des journalistes. Depuis plusieurs années, elle mène une campagne pour la promotion d'une meilleure sécurité des journalistes en mettant l'accent sur les journalistes locaux ainsi que sur les indépendants qui sont les plus vulnérables et jouissent d'une faible protection. Chaque année, la Fédération publie un rapport recensant les cas de journalistes et de professionnels des médias tués au cours de l'année. La FIJ dénonce une culture de l'impunité qui, selon elle, est fermement ancrée dans plusieurs parties du monde du fait de gouvernements ayant systématiquement failli à leur obligation de protéger les journalistes et de punir les responsables de violences à leur encontre. Face à cette situation, et de concert avec d'autres acteurs, la Fédération a organisé pour la première fois le 23 novembre 2011 la Journée mondiale contre l'impunité pour les crimes ciblant les journalistes.

d. L'Institut international pour la sécurité de la presse (International News Safety Institute)

L'Institut international pour la sécurité de la presse (INSI) est une coalition d'organismes d'information, de groupes de soutien aux journalistes et de personnalités, qui se consacre exclusivement à la sécurité des professionnels des médias d'information travaillant dans des environnements dangereux. L'INSI se propose de créer un réseau de sécurité international apportant conseils et assistance aux journalistes et autres professionnels de l'information, exposés à des dangers lorsqu'ils couvrent l'actualité à l'étranger ou dans leur propre pays.

e. La Coalition internationale pour la protection des journalistes : vers un nouveau traité ?

Établie le 10 septembre 2007, la Coalition internationale pour la protection des journalistes (International Coalition for a Covenant on the Protection of Journalists) rassemble onze syndicats de journalistes du monde arabe et musulman et une association internationale de journalistes. La Coalition travaille en étroite collaboration avec l'ONG Presse Emblème Campagne, basée à Genève et bénéficiant d'un statut consultatif spécial auprès des Nations unies. Arguant que les Conventions de Genève offrent aux journalistes une protection dont la portée reste trop générale, la Coalition s'est prononcée en faveur de la création d'une convention spécifique. En décembre 2007, l'ONG a proposé un projet de convention internationale sur la protection des journalistes dans les zones de conflit armé et de violences internes.

V. Les nouveaux médias, nouveaux défis juridiques

Alors que l'opposition entre nouveaux médias et médias traditionnels a perdu de sa pertinence, de nombreuses questions restent en suspens. Les règles nationales sur la protection de la profession de journaliste ne permettent pas d'éviter les pressions et poursuites judiciaires à l'encontre des nouvelles activités de partage d'information réalisées par des particuliers ou des groupes qui ne sont pas des entreprises de presse. Le *New York Times*, Reuters ou encore l'AFP ont ainsi publié des chartes internes sur l'utilisation des réseaux sociaux. Celles-ci encouragent les journalistes à les utiliser tout en les mettant en garde contre les risques induits. Cette collaboration entre nouveaux médias et médias traditionnels se retrouve dans l'évolution de la stratégie de WikiLeaks. Le site lanceur d'alertes, d'abord partisan d'une publication brute et massive de données, a peu à peu modifié sa stratégie pour se tourner vers des partenariats avec des grands médias traditionnels tels que

Le Monde, The Guardian ou encore Al Jazeera. C'est ainsi qu'ont été révélés, entre autres affaires, des télégrammes de la diplomatie américaine (plus de 250 000 documents ont été publiés lors de l'opération *Cablegate* en novembre 2010) ou encore quelques 400 000 documents confidentiels de l'armée américaine sur la guerre en Irak (l'opération *Iraq War Logs* en octobre 2010), mettant notamment en exergue l'ampleur des exactions commises contre les civils par les forces de la coalition et ses alliés irakiens depuis 2003. Si le principe même de WikiLeaks a fait école – en France, Mediapart a ouvert le 10 mars 2011 son site *FrenchLeaks* ; Al Jazeera a lancé en janvier 2011 *Al Jazeera Transparency Unit* ; le *Wall Street Journal* sa *Safe House* le 6 mai 2011, etc. Cependant, WikiLeaks et ses collaborateurs font toujours face à des pressions politiques et judiciaires.

▶ **Population civile ▷ Prisonnier de guerre ▷ Conventions de Genève de 1949 et Protocoles additionnels de 1977.**

Contacts

- CICR hotline : +41 79 217 32 85.
- Comité de protection des journalistes : www.cpj.org
- Fédération internationale des journalistes : www.ifg.org
- Institut national pour la sécurité de la presse : http://www.newssafety.org/
- Presse Emblème Campagne : http://www.pressemblem.ch/
- Reporters sans frontières : www.rsf.org ; hotline : +33 1 47 77 74 14.

Pour en savoir plus

Balguy Gallois A., « Protection des journalistes et des médias en période de conflit armé », *Revue internationale de la Croix-Rouge,* mars 2004, n° 853, p. 37-68.

http://www.icrc.org/fre/assets/files/other/irrc_853_gallois.pdf

Balguy-Gallois A., « Le rôle des médias et l'accès des journalistes sur le terrain des hostilités : une garantie supplémentaire du respect du droit international humanitaire ? », *in Les Tiers aux conflits armés et la protection des populations civiles,* Sorel J. M. et Fouchard I. (dir.), Pedone, 2010, p. 85-106.

Boiton-Malherbe S., *La Protection des journalistes en mission périlleuse dans les zones de conflit armé,* Université de Bruxelles- Bruylant, Bruxelles, 1989.

« Déclaration sur la sécurité des journalistes et des médias en situation de conflit armé », *in* Reporters sans frontières, *Guide pratique,* 2003

http://www.rsf.org/IMG/pdf/guide2003.pdf

« Déclaration de Medellin », 2007

http://portal.unesco.org/ci//fr/files/24544/11815500963declaration_fr.pdf/declaration%2Bfr.pdf

Gasser H. P., *La Protection des journalistes dans les missions professionnelles périlleuses : le droit applicable en période de conflit armé,* CICR, 1983 (tiré à part de la *Revue internationale de la Croix-Rouge*).

« Projet de Convention internationale sur la protection des journalistes dans les zones de conflit armé et de violence interne »,

http://www.pressemblem.ch/4983.html

Reporters sans frontières, *Guide pratique,* mis à jour janvier 2010

http://fr.rsf.org/IMG/pdf/RSF_GUIDE_PRATIQUE_FR_V6vdef.pdf

Reporters sans frontières, « Les nouveaux médias : entre révolution et répression, la solidarité sur le Net face à la censure », mars 2011

http://fr.rsf.org/les-nouveaux-medias-entre-11-03-2011,39742.html

Légitime défense

L'un des fondements de la vie en société est le principe de l'interdiction faite aux individus d'utiliser la force pour se faire justice eux-mêmes. Le droit interne de la plupart des États prévoit une seule exception à cette règle en cas de légitime défense individuelle. Cette règle permet à l'individu d'utiliser la force pour répondre à une agression qui menace sa vie ou sa personne. Mais cette exception doit être interprétée de façon stricte et elle ne justifie pas le recours à la violence pour répondre à une menace envers des biens matériels. En outre, la menace doit être réelle et actuelle et la réponse doit rester proportionnée à cette menace.

La Charte de l'ONU interdit l'usage de la force armée dans les relations entre les États. L'article 51 de la Charte des Nations unies reconnaît cependant « le droit naturel de légitime défense, individuelle ou collective, dans le cas où un membre des Nations unies est l'objet d'une agression armée, jusqu'à ce que le Conseil de sécurité ait pris les mesures nécessaires ». Ce droit de légitime défense individuelle complète le système de sécurité collective mis en place par la Charte de l'ONU en 1945, qui permet au Conseil de sécurité de décider de l'emploi de la force armée internationale en cas d'échec des mécanismes de règlement pacifique des différends entre les États et de menace à la paix et à la sécurité internationales.

La légitime défense reste donc aujourd'hui le seul motif légitime de recours à la force armée par un État. Ceci a conduit à des interprétations extensives des notions de légitime défense et d'agression. Les concepts de légitime défense préventive et de légitime défense préemptive ont ainsi été utilisés par les États-Unis dans le cadre de leur « guerre globale contre le terrorisme ». Le rapport du groupe de personnalités nommées par le secrétaire général de l'ONU pour réfléchir à la réforme de l'organisation et à la révision de la Charte a conclu, le 2 décembre 2004, qu'il n'était pas nécessaire de réécrire ou de réinterpréter l'article 51 de la Charte. Ils admettent les actions préemptives dirigées contre un danger réel et imminent mais refusent de reconnaître la légalité d'un usage préventif de la force contre une menace imprécise et lointaine. Dans ce dernier cas, l'accord du Conseil de sécurité de l'ONU reste nécessaire avant tout recours à la force.

La Cour internationale de justice (CIJ) s'est prononcée à plusieurs reprises sur la définition de l'agression et sur les conditions légales du recours à la force armée par les États au nom de la légitime défense. Ses jugements de 1986 et 2005, respectivement dans l'affaire Nicaragua c. États-Unis d'Amérique et dans l'affaire République démocratique du Congo c. Ouganda, détaillent le lien entre la légitime défense et l'agression. La Cour distingue l'agression des autres menaces à la sécurité intérieure d'un État qui ne permettent par d'invoquer la légitime défense et de légitimer le recours à la force. Elle rappelle l'existence d'une règle bien établie en droit international coutumier, selon laquelle la légitime défense ne justifierait que des mesures proportionnées à l'agression armée subie, et nécessaires pour y riposter. Elle fixe les conditions permettant d'invoquer la légitime défense et l'agression pour des actes commis par des groupes armés non étatiques agissant sous le contrôle d'un État étranger (*infra* Jurisprudence).

En 2010, une définition internationale de l'agression a été adoptée dans la cadre de la conférence de Kampala de révision du statut de Rome de la Cour pénale internationale. Cela devrait éviter les interprétations extensives de cette notion utilisées par les États pour justifier le recours à la force.

▶ **Agression.**

La légitime défense est aussi une notion très importante dans le cadre des opérations de maintien de la paix de l'ONU. En effet, sauf disposition contraire expressément prévue par leur mandat, les Casques bleus ne peuvent recourir à la force qu'en cas de légitime défense personnelle, selon l'interprétation et les modalités restrictives entourant cette notion juridique. Cela permet de distinguer les opérations de maintien de la paix des autres opérations militaires internationales autorisées dans le cadre du chapitre VII de la Charte visant à employer la force pour imposer une décision à un État donné. Toutefois, dans les dernières opérations de l'ONU, plus musclées, il semble que cette notion ait été parfois étendue à l'autorisation d'utiliser la force quand des menaces pesaient sur l'exécution du mandat de la mission et pas seulement sur la personne des Casques bleus. On a parlé dans ce cas de « légitime défense élargie » ou « fonctionnelle », que certains militaires préconisaient d'ailleurs pour les missions humanitaires. Ainsi, pour garantir par la force la protection des convois humanitaires en Bosnie (rés. 776, 14 septembre 1992), l'ONU a précisé que « la légitime défense s'applique également aux situations dans lesquelles des personnes armées tentent par la force d'empêcher les soldats de l'ONU de s'acquitter de leurs fonctions » (rapport du SG, document S/24540, 10 septembre 1992). De même, selon la résolution 836 (S/rés. 836 du 4 juin 1993) autorisant le recours à la force pour protéger la population civile dans les zones de sécurité, la possibilité d'ouvrir le feu avait été élargie à « la riposte à des bombardements par toute partie contre les zones de sécurité, à des incursions armées ou si des obstacles délibérés étaient mis à l'intérieur de ces zones ou dans leurs environs à la liberté de circulation de la FORPRONU ou de convois humanitaires protégés ».

Ce n'est que le 17 mai 1994 que le Conseil de sécurité de l'ONU a reconnu que le mandat des forces armées de la Mission des Nations unies au Rwanda (MINUAR) prévoyait la possibilité d'« utiliser la légitime défense contre des personnes ou des groupes qui menaceraient les lieux et personnes protégés, le personnel des Nations unies ou d'autres personnels humanitaires, ou les moyens de transport et de distribution des secours humanitaires » (S/rés. 918 du 17 mai 1994).

La plupart des opérations de maintien de la paix déployées à partir des années 2000, appelées « opérations complexes de maintien de la paix », ont des mandats incluant une légitime défense « étendue ». Cette notion de légitime défense étendue a été progressivement remplacée par l'inclusion dans les mandats des opérations de maintien de la paix de l'ONU de clauses types autorisant l'utilisation de la force pour la protection des populations. Ces clauses types fonctionnent autour de trois critères restrictifs qui autorisent le recours à la force sans créer d'obligation pour les Casques bleus ni de droits ou de garanties de protection pour les populations concernées. Elles autorisent le recours à la force en cas (1) de menace imminente d'attaque ou de massacre contre des populations (2) situées à proximité des lieux de déploiement des Casques bleus et (3) dans la limite des moyens disponibles. On peut citer à titre d'exemple la résolution 1925 du Conseil de sécurité de l'ONU qui fixe le mandat des forces armées de la Mission de l'ONU pour la stabilisation en République démocratique du Congo (MONUSCO), qui souligne à son article 11 que « la protection des civils doit être la priorité lorsqu'il s'agit de décider de l'usage des capacités et ressources disponibles et autorise la Mission à utiliser tous les moyens nécessaires, dans la limite de ses capacités et dans les zones où ses unités sont déployées, pour s'acquitter de son mandat de protection », qui est « la protection effective des civils [...] se trouvant sous la menace imminente de violences physiques, en particulier de violences qui seraient le fait de l'une quelconque des parties au conflit » (S/rés. 1925 du 28 mai 2010).

En pratique, cependant, les modalités de recours à la force sont souvent interprétées restrictivement par les commandants sur le terrain, notamment en raison du manque de moyens militaires dont ils disposent. En cas d'inadéquation entre le mandat et les moyens, c'est le critère de la sécurité des Casques bleus qui prime sur le respect du mandat. Cela fut illustré notamment lors du procès en Belgique devant la Cour martiale du colonel Marshall, responsable du contingent belge des Casques bleus au moment du génocide au Rwanda. Il fut jugé pour « défaut de prévoyance », parce qu'il avait mis en danger la vie de dix Casques bleus de la force des Nations unies au Rwanda (MINUAR), le 6 avril 1994, au début du génocide à Kigali.

▶ **Agression ▷ Maintien de la paix ▷ Sécurité collective ▷ Ordre public ▷ Ingérence ▷ Conseil de sécurité ▷ Cour internationale de justice.**

Jurisprudence

La Cour internationale de justice (CIJ) a précisé les conditions légales du recours à la force armée par les États au nom de la légitime défense dans deux jugements de référence : Activités militaires et paramilitaires au Nicaragua et contre celui-ci (Nicaragua c. États-Unis d'Amérique), fond, arrêt, *C.I.J. Recueil 1986*, p. 14 ; Activités armées sur le territoire du Congo (République démocratique du Congo c. Ouganda), arrêt, *C.I.J. Recueil 2005*, p. 168.

• **La CIJ établit un lien étroit entre la légitime défense et l'agression** puisque, « aux termes de la Charte des Nations unies et du droit coutumier, seule l'agression autorise le recours à la force armée individuelle ou collective au titre de l'exercice du droit de légitime défense » (Nicaragua c. États-Unis d'Amérique, § 35). « La Cour observe que l'invocation de la légitime défense tend normalement à justifier un comportement qui serait sans cela illicite. [...] l'invocation du droit de légitime défense ne permet donc pas l'identification certaine et complète des faits reconnus » (Nicaragua c. États-Unis d'Amérique, § 74). « La légitimité de l'utilisation de la force par un État en réponse à un fait illicite dont il n'a pas été victime n'est pas admise quand le fait illicite en question n'est pas une agression armée. De l'avis de la Cour, dans le droit international en vigueur aujourd'hui – qu'il s'agisse du droit international coutumier ou du système des Nations unies –, les États n'ont aucun droit de riposte armée "collective" à des actes ne constituant pas une "agression armée" (Nicaragua c. États-Unis d'Amérique, § 211).

• **la CIJ fournit une définition de l'agression armée qui inclut sous certaines conditions les actes commis par un État par l'intermédiaire de groupes armés non étatiques.** « La Cour ne voit pas de raison de refuser d'admettre qu'en droit international coutumier la prohibition de l'agression armée puisse s'appliquer à l'envoi par un État de bandes armées sur le territoire d'un autre État si cette opération est telle, par ses dimensions et ses effets, qu'elle aurait été qualifiée d'agression armée et non de simple incident de frontière si elle avait été le fait de forces armées régulières. Mais la Cour ne pense pas que la notion d'"agression armée" puisse recouvrir [...] aussi une assistance à des rebelles prenant la forme de fourniture d'armements ou d'assistance logistique ou autre. On peut voir dans une telle assistance une menace ou un emploi de la force, ou l'équivalent d'une intervention dans les affaires intérieures ou extérieures d'autres États » (Nicaragua c. États-Unis d'Amérique, § 195). la Cour affirme que « si la notion d'agression armée englobe l'envoi de bandes armées par un État sur le territoire d'un autre État, la fourniture d'armes et le soutien apporté à ces bandes ne sauraient être assimilés à l'agression armée » (Nicaragua c. États-Unis d'Amérique, § 247). Dans l'affaire République démocratique du Congo c. Ouganda, la CIJ a précisé cette notion en affirmant « qu'il n'existait pas de preuve satisfaisante d'une implication directe ou indirecte du gouvernement de la RDC dans ces attaques. Celles-ci n'étaient pas le fait de bandes armées ou de forces irrégulières envoyées par la RDC ou en son nom, au sens de l'article 3 g) de la résolution 3314 (XXIX) de l'Assemblée générale sur la définition de l'agression, adoptée le 14 décembre 1974. La Cour est d'avis, au vu des éléments de preuve dont elle dispose, que ces attaques répétées et déplorables, même si elles pouvaient être considérées comme présentant un caractère cumulatif, ne sont pas attribuables à la RDC » (République démocratique du Congo c. Ouganda, § 146).

• **La CIJ distingue l'agression des autres menaces à la sécurité intérieure d'un État qui ne permettent pas d'invoquer la légitime défense et de légitimer le recours à la force.** « [...] des mesures de légitime défense, individuelle ou collective, peuvent être considérées comme entrant dans la catégorie plus vaste des mesures qualifiées à l'article XXI de "nécessaires à la protection des intérêts vitaux" d'une partie "en ce qui concerne sa sécurité". [...] Toutefois, la notion d'intérêts vitaux en matière de sécurité déborde certainement la notion d'agression armée et a reçu dans l'histoire des interprétations extensives. La Cour doit donc se prononcer sur le caractère raisonnable du péril encouru par ces "intérêts vitaux en ce qui concerne la sécurité" et ensuite sur le caractère non seulement utile mais "nécessaire" des mesures présentées comme destinées à en assurer la protection » (Nicaragua c. États-Unis d'Amérique, § 224). « L'article 51 de la Charte ne peut justifier l'emploi de la force en légitime défense que dans les limites qui y sont strictement définies. Il n'autorise pas, au-delà du cadre ainsi établi, l'emploi de la force par un État pour protéger des intérêts perçus comme relevant de la sécurité. D'autres moyens sont à la disposition de l'État concerné, dont, en particulier, le recours au Conseil de sécurité » (République démocratique du Congo c. Ouganda, § 148).

• Concernant le rôle du Conseil de sécurité dans la reconnaissance de l'argument de la légitime défense, la CIJ précise que ce n'est pas une condition obligatoire mais un élément permettant d'apprécier la réalité d'une agression : « dans l'examen effectué au titre du droit coutumier, l'absence de rapport au Conseil de sécurité peut être un des éléments indiquant si l'État intéressé était convaincu d'agir dans le cadre de la légitime défense » (Nicaragua c. États-Unis d'Amérique, § 200). Dans l'affaire République démocratique du Congo c. Ouganda, la CIJ précise que « [...] l'Ouganda n'a pas porté à la connaissance du Conseil de sécurité les événements qui, à ses yeux, lui avaient imposé d'exercer son droit de légitime défense » (République démocratique du Congo c. Ouganda, § 145). Elle souligne que, « alors que l'Ouganda prétend avoir agi en état de légitime défense, il n'a jamais soutenu avoir été l'objet d'une agression de la part des forces armées de la RDC » (République démocratique du Congo c. Ouganda, § 146).

• Concernant la question de la légitime défense préventive, la CIJ précise que « la question de la licéité d'une réaction à la menace d'une agression armée qui ne s'est pas encore concrétisée n'a pas été soulevée par les parties. Son raisonnement et sa décision ne peuvent donc pas servir de justification aux théories juridique relatives à la notion de légitime défense préventive » (Nicaragua c. États-Unis d'Amérique, § 35). « Pour ce qui est des caractéristiques de la réglementation du droit de légitime défense, les parties, [...] ne font état que du droit de légitime défense dans le cas d'une agression armée déjà survenue et ne se posent pas la question de la licéité d'une réaction à la menace imminente d'une agression armée. La Cour ne se prononcera donc pas sur ce sujet » (Nicaragua c. États-Unis d'Amérique, § 194).

• La CIJ rappelle l'existence d'une « règle bien établie en droit international coutumier – selon laquelle la légitime défense ne justifierait que des mesures proportionnées à l'agression armée subie, et nécessaires pour y riposter » (Nicaragua c. États-Unis d'Amérique, § 176).

• Le Tribunal pénal international pour l'ex-Yougoslavie a jugé dans l'affaire Martic que la légitime défense ne saurait être utilisée pour justifier une attaque délibérée contre des populations civiles (affaire Martic, Chambre d'appel du TPIY, IT-95-11-A, 8 octobre 2008, § 268).

Pour en savoir plus

ALLAND D., « Légitime défense et les contre-mesures dans la codification du droit international de la responsabilité », *Journal de droit international*, 1983, p. 728-762.

CHRISTAKIS T. « Existe-t-il un droit de légitime défense en cas de simple "menace" ? Une réponse au "groupe de personnalités de haut niveau" de l'ONU », *in* SFDI, *Les Métamorphoses de la sécurité collective : droit, pratique et enjeux stratégiques*, Pedone, Paris, 2005, 28 p.

CORTEN O., DUBUISSON F., « Opération Liberté immuable : une extension abusive du concept de légitime défense », *R.G.D.I.P.*, tome 106, janvier 2002.

DELCOURT B., « La légitime défense préventive », *in La Guerre en Irak-Prélude d'un nouvel ordre international ?*, Pedone, Paris, 2004.

DETAIS J., *Les Nations unies et le droit de légitime défense*, thèse de doctorat en droit public, Faculté de droit d'Angers, Angers, 2007, 552 p.

MENISSIER T., « La légitime défense, hier et aujourd'hui : le "résidu réaliste" du droit international ? », *Revue de métaphysique et de morale*, n° 4, 2009, p. 443-458.

PAYE O., *Sauve qui veut ? Le droit international face aux crises humanitaires*, Bruylant-Université de Bruxelles, 1996, p. 226-244.

SICILIANOS L. A., « Le contrôle par le Conseil de sécurité des actes de légitime défense », *in Le Chapitre VII de la Charte des Nations unies*, colloque de Rennes de la SFDI, 2-4 juin 1994, Pedone, Paris, 1995, p. 59-95.

VAN STEENBERGHE R., *La Légitime Défense en droit international public : Statut, contenu et preuve à la lumière de la pratique contemporaine des États*, Larcier, Paris, 2012, 608 p.

Maintien de la paix

I. Origines

La Charte des Nations unies fait du maintien de la paix et de la sécurité internationales le premier but de l'ONU (art. 1.1). Elle en confie la responsabilité principale au Conseil de sécurité (art. 24). En cas d'échec du règlement pacifique des différends (chap. VI), la Charte de l'ONU prévoit dans son chapitre VII (action en cas de menace contre la paix, rupture de la paix et acte d'agression) un mécanisme de sécurité collective juridiquement habilité à mener des opérations de coercition. Le Conseil de sécurité peut entreprendre une action militaire (art. 42). En théorie, il dispose pour ce faire d'une force armée permanente (art. 43) dont il confie le commandement stratégique à un Comité d'état-major (art. 46 et 47). Pendant toute la durée de la guerre froide, ce système est resté paralysé par la logique d'affrontement des blocs idéologiques liés aux grandes puissances membres du Conseil de sécurité. Dans les situations de conflits ouverts, le système de règlement pacifique des différends prévu par le chapitre VI de la Charte de l'ONU s'est avéré insuffisant. Aujourd'hui, le recours à la force internationale prévu en application du chapitre VII dans les situations qui menacent la paix et la sécurité internationales reste soumis aux blocages occasionnés par l'emploi du droit de veto des membres permanents du Conseil de sécurité en fonction des pays affectés par les crises. Pour contourner ces blocages, l'ONU a donc inventé en 1956, à l'occasion de la crise de Suez, les opérations de maintien de la paix (OMP), plus connues sous le nom de « Casques bleus ». Il s'agit d'une réponse *ad hoc* à une situation non prévue par la Charte et d'un palliatif à l'usage de la force. L'absence d'assise juridique explicite a conduit à parler d'un mythique « chapitre VI et demi » comme fondement de ces opérations. Récemment, le Conseil de sécurité s'est associé à certaines organisations régionales afin de mieux répondre aux crises, notamment la CEDEAO (au Liberia et en Sierra Leone en 2003) et l'Union africaine (mission hybride Nations unies et UA au Darfour depuis 2007), conformément aux dispositions des articles 52 et 53 de la Charte de l'ONU. Le Conseil de sécurité a également autorisé lui-même l'emploi de la force dans certaines situations tout en déléguant cet emploi à des coalitions d'États (opération INTERFET menée par l'Australie au Timor- Oriental en 1999), ou à des organisations de défense telles que l'OTAN (en Afghanistan avec la FIAS depuis 2001 ou au Kosovo avec la FKOR depuis 1999) ou l'Union africaine (AMISOM en Somalie depuis 2007).

Certaines de ces missions ont connu de graves échecs tels que les massacres de populations protégées par l'ONU en ex-Yougoslavie et au Rwanda, qui ont conduit à la remise en question du fonctionnement de ces missions et au développement de nouvelles doctrines sur le contenu et les conditions de l'emploi de la force pour la protection des populations. Elles ont également conduit à clarifier l'applicabilité du droit humanitaire aux opérations armées de l'ONU, à la fois en tant que forces combattantes engagées dans un conflit, mais aussi en tant que forces de sécurité et de stabilisation impliquées dans des actions de gestion de l'ordre public et d'application de la loi.

Même si la Charte des Nations unies confie les questions de maintien de la paix au Conseil de sécurité, l'Assemblée générale peut également prendre des mesures dans ce domaine si le Conseil de sécurité ne parvient pas à une décision en raison du vote négatif d'un membre permanent, dans tout les cas où paraît exister une menace contre la paix, une rupture de la paix ou un acte d'agression (résolution 377 (V) adoptée en novembre 1950 et intitulée « L'union pour le maintien de la paix »). L'Assemblée générale ne peut pas décider du recours à la force mais peut examiner immédiatement la question afin de faire des recommandations appropriées sur les mesures collectives à prendre pour maintenir ou rétablir la paix et la sécurité internationales. Elle peut aussi référer le cas à la Cour internationale de justice. Ceci a été fait dans plusieurs situations, notamment en 2004 concernant la licéité de l'édification d'un mur par Israël dans le Territoire palestinien occupé

▶ **Cour internationale de justice ▷ Conseil de sécurité.**

II. Organisation et fonctionnement

C'est une résolution du Conseil de sécurité qui décide en principe de la création d'une opération de maintien de la paix et en fixe le mandat. Les OMP sont donc placées sous l'autorité du Conseil de sécurité. Le secrétaire général est responsable devant ce dernier de l'organisation et de la conduite de l'intervention. Il reçoit à cet égard l'appui des diverses composantes de son secrétariat, en particulier du Département des opérations de maintien de la paix (DOMP). C'est le secrétaire général qui se charge de la mise en place de la force : il sollicite les États membres pour mobiliser des troupes et sélectionne, en consultation avec le Conseil de sécurité, la nationalité des contingents. Un accord est ensuite passé entre chaque pays fournisseur de troupes et l'ONU.

Le secrétaire général a conclu des arrangements avec les États membres pour mettre en place un système de forces en attente (UNSAS – United Nations Standby Arrangement System), afin de faciliter le lancement d'opérations de maintien de la paix. Dès décembre 1999, 87 États membres avaient accepté de mettre 147 500 hommes à disposition de l'ONU. Parmi ces États, 63 ont officialisé leur participation à ces arrangements en signant un mémorandum d'accord avec les Nations unies, le dernier État en date étant le Sri Lanka (mai 2011). Cependant, si ce dispositif permet de mettre à disposition des ressources militaires dans des délais fixés (entre 30 et

90 jours selon le type d'opérations), il ne donne aucune garantie de contribution automatique de troupes aux OMP.

Dans la plupart des cas, une opération de maintien de la paix ne peut se faire qu'avec l'accord du pays sur le territoire duquel elle est déployée et avec l'accord de toute autre partie concernée.

Ce consentement s'exprime dans un accord écrit conclu avec l'ONU qui couvre toutes les questions (administratives, juridiques, logistiques, etc.) liées au déroulement de l'opération.

1. *Le fonctionnement des forces de maintien de la paix*

Le secrétaire général nomme, avec l'accord du Conseil de sécurité, le commandant en chef auquel s'ajoute, pour les opérations de grande ampleur ayant des composantes civiles, un représentant spécial. C'est à eux qu'il délègue le commandement opérationnel (militaire et politique) sur le terrain. Leur statut international leur assure en principe une totale indépendance à l'égard des États contributeurs. Le commandant en chef désigne lui-même les membres de son état-major parmi les officiers des contingents nationaux mis à sa disposition.

Les forces déployées sont internationales et placées sous l'autorité directe de l'ONU. Les commandants des contingents nationaux doivent donc exercer leur autorité en conformité avec les ordres donnés par le commandant en chef de la force. Ils demeurent soumis en outre à leurs règlements nationaux.

Le commandant en chef a la responsabilité générale de l'ordre et de la discipline. Un bureau de la police militaire est mis en place par ses soins. C'est lui qui le dirige et qui en nomme les effectifs. Cette police militaire a le droit de mettre en état d'arrestation les membres militaires de la force et le commandant peut décider de certaines affectations ou mutations qui tiennent lieu de sanctions. Il peut également demander aux États le rappel de tout militaire. Toutefois, le pouvoir disciplinaire relève strictement de la compétence de l'État fournisseur de troupes. Ce dernier nomme à cet effet parmi le contingent un officier qui joue donc le rôle du chef national de la police militaire. Les mesures disciplinaires sont communiquées au commandant en chef qui peut consulter le commandant du contingent national et même les autorités de l'État contributeur s'il estime que les mesures sont insuffisantes.

2. *Étendue et coût des opérations*

Depuis la fin de la guerre froide, l'ONU a été extrêmement sollicitée pour lancer ce type d'interventions : elle a déployé en cinq ans trois fois plus d'opérations que pendant les quarante années précédentes. En avril 2013, on compte 15 opérations de maintien de la paix, qui déploient un total de 94 000 soldats provenant de 120 nations.

Cette multiplication des opérations a des implications financières, en effet le budget spécial des OMP s'est envolé en quelques décennies. Il était de 153 millions de dollars en 1975, est passé à 3,6 milliards en 1995, pour retomber à 1 milliard en 1998 et finalement atteindre 7,6 milliards pour la période 2011-2012. Au total, le coût des opérations de maintien de la paix entre 1948 et 2010 est estimé à

69 milliards de dollars. Ce budget est alimenté sur la base d'un barème spécial dégressif qui établit quatre catégories de contributeurs : membres permanents, pays industrialisés, pays en développement et pays les moins avancés. En réalité, il est financé presque uniquement par les pays industrialisés. Or ces derniers versent leurs contributions avec de plus en plus de retard : en juin 2012, le solde non acquitté des opérations de maintien de la paix s'élevait à 1,26 milliard de dollars. De ce fait, l'ONU a différé de trois à quatre ans ces remboursements aux gouvernements qui fournissent des contingents. La création d'un fonds de réserve pour le maintien de la paix de 150 millions de dollars par l'Assemblée générale en 1992 n'a pas permis de mettre un terme à cette pénurie budgétaire qui finit par peser sur l'accomplissement des mandats sur le terrain. En juin 2012, les liquidités disponibles dans ce fonds de réserve s'élevaient à 139 millions de dollars.

III. Les différents types d'opérations

Cette évolution quantitative s'est doublée d'une évolution qualitative. Dans l'Agenda pour la paix (A/47/277-S/24111, du 17 juin 1992), l'ancien secrétaire général de l'ONU, Boutros Boutros-Ghali, avait tenté de rationaliser les interventions en faveur de la paix : les diverses missions y étaient distinguées avec pour chacune une définition précise. En 1995, dans le Supplément de l'Agenda pour la paix (A/50/60-S/1995/1 du 3 janvier 1995), il notait que la gamme des instruments des Nations unies pour contrôler et résoudre les conflits entre et dans les États se composait de diplomatie préventive, de maintien de la paix, de rétablissement de la paix, de restauration de la paix, de désarmement, de sanctions, d'imposition de la paix, ce qui reprend les différents types d'OMP. Aujourd'hui, le maintien de la paix est toujours une appellation générique qui désigne en fait divers types d'opérations.

1. *Les opérations de maintien de la paix classiques ou de première génération*

Trente OMP ont eu lieu de 1949 à 1988. Elles s'inscrivent dans des limites étroites tant dans leurs principes que dans leurs actions. Trois grands principes gouvernent ces interventions :

– le consentement des parties : c'est-à-dire que le déploiement d'une force ne peut se faire qu'avec l'accord de l'État sur le territoire duquel elle va s'installer ;
– l'impartialité : cela signifie que l'opération de maintien de la paix ne préjuge en rien des droits, des prétentions ou de la position des parties en conflit. Elle n'a donc pas pour but de désigner l'agresseur et la victime ;
– le non-usage de la force : les Casques bleus ne sont pas autorisés à utiliser la force, sauf en cas de légitime défense.

Quant aux actions de ces opérations, elles sont de deux ordres : l'interposition entre les parties au conflit et l'observation du respect du cessez-le-feu. Ces missions très simples, menées dans le cas de conflits interétatiques, correspondent en fait à la faible marge de manœuvre de l'ONU pendant la guerre froide.

2. *Les opérations de seconde génération*

Vers la fin des années 1980, le maintien de la paix se veut plus ambitieux : il ne s'agit plus seulement de stabiliser une situation, mais également de participer à la mise en œuvre de règlements politiques globaux, incluant des tâches très variées : l'organisation et le contrôle du déroulement d'élections, des activités de réconciliation nationale avec la démobilisation et la réinsertion des anciens combattants, le contrôle et la formation aux droits de l'homme, le déminage, etc. Le groupe d'assistance des Nations unies pour la période de transition en Namibie (UNTAG, 1989 à 1990), les missions préparatoires et de transition gouvernementale des Nations unies au Cambodge (UNAMIC et UNTAC de 1991 à 1993) et la mission d'observation de l'ONU au Salvador (ONUSAL de 1991 à 1995) illustrent ce type d'interventions. Les opérations deviennent donc multifonctionnelles et se déroulent désormais à l'intérieur même des États. Les trois principes de base continuent toutefois à être strictement respectés. C'est la deuxième génération du maintien de la paix.

3. *Les opérations de troisième génération*

Avec l'offensive sur le « droit d'ingérence », c'est l'ensemble du paysage du maintien de la paix qui a été bouleversé. Trois nouveautés se sont produites :

– d'une part, l'élargissement du mandat humanitaire de l'ONU, moyennant l'extension de la qualification de la menace à la paix et à la sécurité internationales aux « crises humanitaires » et par l'invocation du chapitre VII pour recourir à la force à des fins humanitaires ;

– d'autre part, l'apparition d'une dimension coercitive des opérations entreprises dans le cadre du chapitre VII qui n'utilisaient auparavant la force que dans le cadre de la légitime défense ;

– enfin, la délégation par l'ONU de l'usage de la force à des contingents nationaux au sein d'une coalition *ad hoc* ou dans le cadre d'une organisation régionale. Ces opérations ne sont pas sous le commandement direct de l'ONU. Le Conseil de sécurité est cependant théoriquement responsable de leurs actions car la Charte de l'ONU lui attribue la responsabilité principale de maintien de la paix et de la sécurité internationales (art. 24).

De là le développement d'opérations militaro-humanitaires, d'une nature nouvelle, qui ont également été déployées pendant les conflits internes ou les situations de crise. Certains ont parlé aussi d'une troisième génération de maintien de la paix, d'autres distinguent, à côté des opérations de maintien de la paix, celles de rétablissement ou de restauration de la paix.

Dans les deux cas, elles ne sont pas expressément prévues par la Charte, même si le chapitre VII est invoqué comme fondement du recours à la force.

• Les opérations sous commandement ONU : elles se veulent au départ non coercitives, mais l'usage de la force est ensuite autorisé par des mandats supplémentaires (protection des convois humanitaires et/ou des populations civiles). Les troupes déployées sont soit des Casques bleus uniquement (FORPRONU au début du conflit en Bosnie, ONUSOM II en Somalie), soit des Casques bleus ayant le soutien au sol ou dans les airs de contingents sous uniforme national (Force de réaction rapide en Bosnie) ou provenant d'une organisation militaire régionale (OTAN en Bosnie). C'est dans ce cadre précis que l'Agenda pour la paix proposait de remplacer les Casques bleus par des forces d'imposition de la paix. L'évolution du mandat de la MONUC (aujourd'hui MONUSCO) en RDC illustre parfaitement cette nouvelle orientation. Depuis 2007, la force armée onusienne participe officiellement aux opérations militaires de l'armée congolaise (FARDC), notamment afin de rétablir l'autorité de l'État congolais dans les zones libérées des groupes armés. Au nom du rétablissement de la paix et de l'amélioration de la sécurité sur le territoire congolais, la MONUSCO renonce donc à l'impartialité de sa fonction vis-à-vis des différentes parties au conflit armé.

• Les opérations habilitées ou mandatées par l'ONU : elles ne sont pas sous le commandement direct de l'ONU, mais elles bénéficient d'une délégation d'usage de la force de la part du Conseil de sécurité. Elles sont donc toujours coercitives. Les troupes déployées ne contiennent pas de Casques bleus mais uniquement des contingents nationaux, au sein d'une coalition internationale *ad hoc* (« Rendre l'espoir » en Somalie en 1993 sous commandement américain, « Turquoise » au Rwanda en 1994 sous commandement français et INTERFET au Timor-Oriental en 1999 sous commandement australien) ou d'une coalition internationale dans le cadre d'une organisation régionale (IFOR en 1995 et SFOR en 1996 en Bosnie, KFOR au Kosovo en 1999 sous contrôle de l'OTAN et FMPA en Albanie en 1997 sous contrôle de l'OSCE, mais aussi FIAS en Afghanistan depuis 2001 sous contrôle de l'OTAN ou AMISOM en Somalie en 2007 sous contrôle de l'Union africaine).

▶ **Légitime défense ▷ Zones protégées.**

4. *Le recours à la force armée au nom de la protection des populations*

Le désengagement des forces de l'ONU lors du génocide au Rwanda en 1994 et leur inaction pendant l'attaque et le massacre des populations de la zone protégée par l'ONU à Srebrenica en ex-Yougoslavie en 1995 ont provoqué une forte remise en question du fonctionnement et des doctrines des opérations de maintien de la paix de l'ONU. En 2000, le rapport du groupe d'étude sur les opérations de paix de l'ONU demandé par le secrétaire général et dirigé par Lakdhar Brahimi (aussi appelé « rapport Brahimi ») a permis une analyse des causes structurelles de ces échecs. Ses recommandations ont servi de base pour les adaptations ultérieures, tant sur le plan de la qualité juridique des mandats que sur celui de l'adéquation des moyens matériels militaires aux ambitions affichées.

Sur le plan juridique, il fallait étendre la possibilité d'utiliser la force armée au-delà des seules situations de légitime défense concernant les soldats de l'ONU, mais sans transformer les forces de l'ONU en forces combattantes parties au conflit.

Sur le plan matériel, il fallait sortir de la doctrine de la dissuasion symbolique, caractérisée par des contingents de Casques bleus en situation de vulnérabilité et d'infériorité numérique et matérielle et donc incapables de recourir à la force de façon efficace en cas de menace sans mettre en danger leur propre sécurité.

Sur le plan de la doctrine enfin, il fallait arbitrer entre les composantes parfois incompatibles de certains mandats. Le danger consistant à juxtaposer de façon démagogique ou naïve des missions potentiellement incompatibles a été implicitement reconnu par le Haut Représentant des Nations unies en ex-Yougoslavie, qui a justifié le non-recours à la force par l'ONU au moment de l'attaque de la zone protégée de Srebrenica par le fait que l'usage de la force par l'ONU aurait mis en danger le bataillon néerlandais des Nations unies mais aussi les négociations de paix en cours à l'époque avec les différentes parties au conflit en Bosnie.
Les recommandations de ce rapport ont été prises en compte par le secrétaire général des Nations unies dans les années suivantes en ce qui concerne l'amélioration de la rédaction des mandats et la relance d'une réflexion globale sur la doctrine de la protection des populations.
• Ainsi, depuis le début des années 2000 la plupart des mandats des forces de l'ONU ont été modifiés pour éviter leur impuissance juridique face à des massacres de populations. La rédaction de ces mandats ne limite plus strictement l'autorisation de recours à la force aux situations de légitime défense, mais étend cette autorisation aux cas où les populations sont confrontées à la « menace imminente de violences physiques » dans les zones de déploiement des forces de l'ONU et si les moyens disponibles le permettent sans faire courir de risque au personnel onusien. Cette autorisation de recours à la force pour assurer la protection des populations ne constitue pas pour autant une obligation, car elle reste soumise à l'appréciation des circonstances par les commandants des contingents, qui doivent agir en fonction des moyens militaires disponibles sans faire courir de risques à leurs propres troupes et à leur mission.
• La publication en décembre 2001 du rapport de la Commission internationale de l'intervention et de la souveraineté des États (CIISE), intitulé « Responsabilité de protéger », a posé les bases d'une nouvelle doctrine justifiant le droit au recours à la force armée au nom de la protection des populations en danger. L'enjeu du travail de cette commission était de déterminer, à la lumière notamment du génocide au Rwanda, les circonstances permettant de réconcilier le principe de souveraineté étatique et de non-ingérence avec celui d'intervention militaire internationale au nom de la protection des populations. Le concept de « responsabilité de protéger » (« R2P » en anglais) réalise ce compromis en affirmant que la souveraineté n'est pas un droit absolu mais une responsabilité de l'État vis-à-vis de sa propre population. Tout en rappelant que c'est à l'État qu'il appartient en premier lieu de garantir la protection de sa population, cette doctrine invoque un devoir de solidarité entre États mais elle ouvre également la porte au droit d'intervention de la communauté internationale ou des États de façon individuelle en cas de violations graves des droits de l'homme, telles que le nettoyage ethnique, les crimes de guerre, les crimes contre l'humanité ou encore le génocide, dès lors qu'un État se montre incapable ou non désireux de protéger sa population

▶ **Protection.**

Ce concept remet en question sur un plan théorique la base même du droit international, à savoir le principe de non-ingérence dans les affaires intérieures d'un

État, dans la mesure où il suggère l'existence de situations dans lesquelles la souveraineté d'un État peut être ignorée. Concrètement, la responsabilité de protéger est un concept large qui peut servir à habiller les prérogatives déjà existantes du Conseil de sécurité de l'ONU, lui permettant de recourir à la force contre un État et de lui imposer des décisions contre sa volonté telles que des sanctions ou la compétence de la Cour pénale internationale. Utilisé dans le cadre du Conseil de sécurité de l'ONU, ce principe perd cependant toute réalité de droit ou d'obligation juridique pour se soumettre à l'arbitraire politique du droit de veto des cinq membres permanents. Rien n'empêche non plus certains États d'invoquer cette doctrine pour intervenir militairement dans certaines situations en dehors d'une autorisation de l'ONU. L'intervention armée en Irak lancée en mars 2003 par les États-Unis et une coalition d'alliés sans autorisation du Conseil de sécurité a illustré cette possibilité.

L'Assemblée générale de l'ONU a malgré tout adopté et intégré les principes de la responsabilité de protéger dans les paragraphes 138 et 139 du Document final du Sommet mondial de l'ONU 2005. En 2006, la résolution 1674 du Conseil de sécurité a entériné ces dispositions dans les mêmes termes. En janvier 2009, le secrétaire général des Nations unies, Ban Ki-moon, a publié un rapport intitulé « La mise en œuvre de la responsabilité de protéger », présentant les trois piliers de la responsabilité de protéger que sont la prévention, la réaction et la reconstruction. Ce rapport visait à clarifier la notion, soutenant que la « R2P » relevait d'abord de la responsabilité de l'État souverain puis incombait à la communauté internationale dans le cas où l'État se montrait incapable ou non désireux de protéger sa population face aux crimes les plus graves : « La responsabilité de protéger est l'alliée et non l'adversaire, de la souveraineté. Elle découle du concept positif et affirmatif de la souveraineté en tant que responsabilité, et non de l'idée plus étroite d'intervention humanitaire. »

Le recours à la force internationale contre la Libye, autorisé par la résolution 1973 du Conseil de sécurité de l'ONU le 17 mars 2011 a mis en évidence la difficulté de limiter une intervention militaire à la seule protection des populations. Quel que soit l'objectif humanitaire d'une intervention militaire, celle-ci ne peut pas prétendre garantir une réelle neutralité politique ou militaire. Les actions militaires entreprises au nom de la protection des populations se traduisent forcément par un affaiblissement militaire de l'une des parties au conflit au profit direct de la partie adverse.

Malgré une apparente formalisation, cette doctrine ne dispose pas d'un cadre juridique en droit international capable de donner un contenu et des limites aux droits et obligations qu'elle invoque, ni d'arbitrer entre les intentions éthiques et les actions politiques et militaires qui en découlent. Cette doctrine apparaît comme un nouvel habillage de la notion de droit d'ingérence développé au début des années 1990 par la diplomatie française. Elle souffre des mêmes faiblesses consistant à juxtaposer des intentions éthiques et des actions politiques et militaires sans les réguler.

Dans la mesure où elle autorise le recours à l'intervention armée, elle doit donc être considérée sous l'angle non pas de ses intentions mais de ses actions. Quelle que soit la noblesse de ses intentions, cette doctrine relève fondamentalement du *jus ad bellum,* c'est-à-dire des motifs donnant le droit de faire la guerre et de la justifier. Le *jus ad bellum,* c'est-à-dire le droit de déclarer la guerre, a fait depuis des siècles l'objet de développements philosophico-juridiques. La théorie de la guerre juste a selon les époques fourni les différentes justifications qui peuvent rendre légal et acceptable le recours à la guerre en dehors du cas normalement admis où celle-ci est menée en réponse à une agression extérieure.

Depuis 1945, la Charte des Nations unies ne reconnaît qu'un seul motif légitime permettant de recourir à la guerre entre États et elle le définit comme la légitime défense face à une agression (article 51 de la Charte de l'ONU), en attendant que l'ONU entreprenne elle-même une action militaire collective pour protéger l'État agressé. Tout recours à la guerre par un État en dehors des motifs légitimes reconnus par l'ONU constitue donc un crime au sens du droit pénal international : crime contre la paix dans la définition du Tribunal militaire international de Nuremberg et crime d'agression au regard du statut de la Cour pénale internationale.

Il ne faut donc pas sous-estimer le danger que constitue la réintroduction de cette notion de guerre juste dans les relations internationales et son potentiel de libéralisation du recours à la force au profit des États à titre individuel, et non pas seulement au profit de l'ONU. En effet, si le principe de guerre juste au nom de la protection des populations est reconnu en tant que tel, il ne saurait être entièrement soumis à l'aléa du vote et des veto au sein du Conseil de sécurité. Rien ne s'oppose à ce que ce principe soit mis en œuvre en dehors de l'autorisation du Conseil de sécurité de l'ONU au cas où le fonctionnement de cet organe serait entravé par l'utilisation du droit de veto. En effet, l'existence d'un droit ne peut être réduite en théorie à des règles de procédure.

Malgré les fluctuations du concept de guerre juste au fil du temps, il est acquis depuis saint Thomas d'Aquin qu'une guerre ne saurait être juste uniquement au regard de ses intentions. Concernant la responsabilité de protéger, il est donc essentiel de dépasser le cadre de l'intention de protection pour formaliser les conditions et obligations relatives aux moyens mis en œuvre et aux résultats des interventions militaires entreprises dans ce cadre.

La réponse au dilemme tuer ou laisser mourir ne se trouve donc pas dans l'autorisation de recourir à la force armée au nom de la protection (*jus ad bellum*). Elle exige de clarifier les obligations que les forces armées internationales s'imposent quand elles utilisent la force et celles qu'elles imposent pour le traitement des populations quand elles agissent dans des situations de stabilisation ou d'occupation de territoires étrangers (*jus in bello*).

La grande diversité d'interventions militaires internationales menées depuis vingt ans a couvert tout le spectre qui va du maintien de la paix classique à la participation aux combats et au rétablissement de l'État de droit.

À l'occasion de ces diverses formes d'intervention, la question du droit applicable aux forces des Nations unies s'est posée et commence à recevoir une réponse différenciée selon que les forces internationales sont engagées dans des opérations de combat, d'occupation, de stabilisation ou de défense de l'ordre public aux cotés ou non des autorités nationales.

Opérations de maintien de la paix

• Elles ne sont pas expressément prévues par la Charte. Elles sont apparues comme un mécanisme *ad hoc* créé par le Conseil de sécurité pour répondre aux situations pour lesquelles les méthodes pacifiques de règlement des différends ont échoué sans qu'il soit possible de faire intervenir le chapitre VII avec l'usage de la force. Théoriquement, ces opérations doivent respecter trois principes :
– elles doivent obtenir le consentement des parties au conflit ;
– elles doivent être impartiales ;
– elles ne doivent pas faire usage de la force sauf en cas de légitime défense.
• Beaucoup d'opérations de maintien de la paix menées ces dix dernières années (trois fois plus que pendant la guerre froide) ont modifié la notion de « maintien de la paix ». Elles ressemblent davantage à des opérations de rétablissement ou de restauration de la paix. Leur mandat semble s'éloigner des trois principes de base énoncés ci-dessus.
Certaines opérations sont imposées au gouvernement et la force des Nations unies se retrouve en situation de partie au conflit.
L'autorisation d'utiliser la force au-delà des seuls cas de légitime défense, notamment pour protéger les populations civiles et les convois humanitaires, va à l'encontre du principe de limitation de l'emploi de la force et peut constituer un avantage militaire direct pour l'une des parties au conflit et compromettre la neutralité officielle de la force onusienne.
• La diversité de ces activités conduit à une clarification progressives des dispositions du droit international humanitaire et des droits de l'homme qui s'imposent aux contingents de l'ONU dans leurs activités de combat, mais aussi de rétablissement de l'ordre ou de force d'occupation de certains territoires.
Cependant, les mandats des opérations de maintien de la paix contiennent de plus en plus des éléments liés à la protection des civils. Ceci est notamment lié à l'émergence du concept de la responsabilité de protéger (R2P) en 2001 au sein des Nations unies, qui considère que la communauté internationale a le devoir d'intervenir en cas de violations flagrantes des droits de l'homme, à savoir en cas de crimes de guerre, crimes contre l'humanité et génocide, lorsque l'État concerné ne peut ou ne veut pas protéger sa population vulnérable.
Le statut de la CPI et le droit international humanitaire coutumier prévoient qu'il est interdit de diriger une attaque contre le personnel engagé dans une opération de maintien de la paix conformément à la Charte des Nations unies, pour autant que ce personnel ait droit à la protection accordée aux civils et aux biens de caractère civil en vertu droit international humanitaire (règle 33 de l'étude sur les règles de droit international humanitaire coutumier publiée par le CICR en 2005). ■

▶ **Sécurité collective ▷ Ingérence ▷ Zones protégées ▷ ONU ▷ Conseil de sécurité ▷ Légitime défense ▷ Protection.**

IV. Applicabilité du droit international humanitaire et recours en cas de violations du droit humanitaire

1. *Les enjeux autour de la responsabilité des troupes déployées par l'ONU*

Le recours élargi à la force armée dans les nouvelles opérations de maintien de la paix a soulevé la question de l'application du droit international humanitaire aux forces des Nations unies et celle de la responsabilité des membres de ces forces en cas de mauvais comportement sur le terrain. Dès 1956, le Comité international de la Croix-Rouge avait estimé que l'application du droit international humanitaire s'imposait aux forces d'urgence des Nations unies. Cette affirmation a rencontré de nombreuses résistances de la part de l'Organisation et des États membres et reste controversée pour des raisons autant politiques que juridiques. En effet, ce n'est pas l'ONU en tant que telle mais ses États membres qui sont signataires des Conventions de Genève et des Protocoles additionnels. De même, ces conventions n'ont pas prévu de façon spécifique le cas des opérations de maintien de la paix. Pendant des années, le compromis a consisté à inclure dans les mandats de ces opérations une clause relative au respect des principes et de l'esprit du droit international humanitaire. Cette référence englobe les Conventions de Genève de 1949, les Protocoles additionnels de 1977 et la Convention de 1954 sur la protection des biens culturels en cas de conflit armé. En 1992, cette clause a également été incluse dans la plupart des accords signés entres les forces des Nations unies et le gouvernement du pays ou sur le territoire duquel elles sont déployées. Certains des accords conclus récemment disposent que l'ONU s'assure que la mission soit conduite de manière à respecter non seulement « les principes et l'esprit », mais aussi « les principes et les règles » des conventions internationales relatives à la conduite du personnel militaire. Suite aux attaques et violences subies par les Casques bleus sur le terrain, la Convention sur la sécurité du personnel des Nations unies et du personnel associé, adoptée par l'Assemblée générale des Nations unies le 9 décembre 1994 (A/rés. 49/59) et entrée en vigueur le 15 janvier 1999, a finalement indirectement confirmé que le droit international humanitaire s'applique bien à ces opérations. En effet, même si l'article 2.2 de ce texte précise que la convention ne s'applique pas aux forces des Nations unies déployées dans les opérations de maintien de la paix mandatées par le Conseil de sécurité au titre du chapitre VII de la Charte, l'article 20 rappelle cependant que cette convention n'affecte pas l'applicabilité du droit international humanitaire aux actes du personnel de l'ONU. Cette question a finalement été tranchée par une circulaire du secrétaire général de l'ONU en date du 6 août 1999 intitulée « Respect du droit international humanitaire par les forces des Nations unies ». Ce texte affirme que les règles et les principes fondamentaux du droit international humanitaire s'appliquent aux forces onusiennes lorsque celles-ci participent activement aux combats lors d'un conflit armé international ou interne. La circulaire précise que les Casques bleus restent également toujours tenus au respect des instruments de droit international humanitaire auxquels sont liés leurs pays d'origine.

La question de la responsabilité en cas de violation du droit international humanitaire par ces forces internationales se pose sous l'angle de la sanction disciplinaire ou pénale mais aussi sous l'angle éventuel de l'indemnisation des victimes.
La circulaire du secrétaire général précise que les violations du droit international humanitaire commises par le personnel onusien seront sanctionnées par les tribunaux du pays d'origine de ces personnes. L'ONU dispose cependant sur le terrain d'une unité d'enquête qui procède à l'enregistrement des plaintes et à certaines investigations.
Concernant les éventuelles demandes d'indemnisation, les forces de maintien de la paix qui mènent des opérations sous mandat de l'ONU sont des organes subsidiaires de l'ONU et engagent donc la responsabilité de l'Organisation en termes de réparation, en cas de violations commises ou de dommages causés par le personnel placé sous son contrôle.
La responsabilité des troupes appartenant à des contingents nationaux ou régionaux, auxquels l'ONU a sous-traité des opérations de maintien ou de rétablissement de la paix, est donc relativement claire. Il s'agit de forces coercitives. Le Conseil de sécurité ne fait que les autoriser par résolution et elles demeurent donc sous l'autorité nationale des États participants. Ces derniers deviennent par conséquent parties au conflit et sont tenus de respecter le droit international humanitaire. Les actions menées par leurs forces armées engagent donc la responsabilité de ces États, à laquelle peut s'ajouter, dans le cas de violations graves du droit humanitaire, la responsabilité pénale et individuelle de leurs auteurs.
L'applicabilité du droit international humanitaire aux troupes de l'ONU agissant en dehors de la stricte légitime défense a donc été établie et concerne aujourd'hui toutes les actions impliquant le recours à la force dans des contextes de conflit armé. Cependant, la reconnaissance d'une situation de conflit armé est selon les situations l'objet de controverses juridiques et politiques. Si la situation de conflit n'est pas reconnue, les forces de l'ONU restent tenues par le respect des lois nationales régissant la défense de l'ordre public et des conventions internationales relatives aux droits de l'homme. Ceci a bien sûr une incidence sur le droit et les conditions d'utilisation de la force, sur les conditions d'arrestation et de détention ainsi que sur le devoir d'assurer les obligations d'ordre public en tant que force d'occupation, conformément au droit international humanitaire, ou en coopération avec un gouvernement, conformément au droit national et au droit international des droits de l'homme.

▶ **Respect du droit international humanitaire ▷ Devoirs des commandants.**

◆ **• Malgré certaines ambiguïtés, le droit humanitaire s'applique aux opérations de maintien de la paix dès lors qu'elles sont déployées en vertu du chapitre VII de la Charte des Nations unies.**
• Quand l'ONU délègue la conduite de l'opération à un ou plusieurs États membres, les forces restent sous commandement national. Elles sont alors une partie au conflit et doivent respecter le droit international humanitaire.
• Quand les contingents sont sous commandement de l'ONU, l'application du droit humanitaire est plus complexe. Les membres des Nations unies ont l'obligation de respecter les devoirs découlant du droit humanitaire. Les différents accords signés quand les OMP sont mises en place (entre l'ONU, les États fournissant des troupes et le pays d'accueil) le réaffirment en énonçant que ces forces doivent observer et respecter l'esprit et les règles du droit humanitaire.

• Cependant, en cas de violations du droit humanitaire, il est difficile de mettre en cause la responsabilité de l'ONU elle-même du fait des nombreuses immunités dont elle bénéficie. Par extension, les Casques bleus en tant qu'individus bénéficient également de ces immunités. Cependant, suivant les termes de l'accord signé au moment de la création de ces forces et suivant la gravité du crime commis, il peut être possible de mettre en cause leur responsabilité. Certains crimes graves ne peuvent être protégés par aucune forme d'immunité. Il est toujours possible de demander au secrétaire général d'utiliser son pouvoir afin de lever l'immunité du personnel des Nations unies (sections 20 et 23 de la Convention de 1946 sur les immunités du personnel des Nations unies).

▸ **Immunité ▷ Sanctions pénales du droit humanitaire ▷ Sanctions ▷ Compétence universelle.**

2. *Les recours*

Il faut bien garder à l'esprit que les recours contre l'ONU elle-même ou contre le personnel de ses forces sont rarissimes et aléatoires. Rarissimes car les Nations unies ne souhaitent pas favoriser des procédures qui pourraient la contraindre à révéler certaines informations concernant des aspects du déroulement de ses opérations. Les polémiques autour de tragédies comme le génocide rwandais ou la chute de Srebrenica (quand la majorité de la population civile a été massacrée par l'armée serbe de Bosnie lors de la prise de la ville en juillet 1995) montrent que les États fournisseurs de troupes s'accommodent mal de la mise en cause de leurs responsabilités qui bute sur les immunités dont jouissent l'ONU et les membres des forces de maintien de la paix.

a) Les recours contre l'ONU

La responsabilité des Nations unies est directement engagée par tous les actes du commandement de la force, c'est-à-dire du commandant en chef et des membres de son état-major. Les actes des autres membres de la force engagent la responsabilité de l'ONU s'ils ont été accomplis dans le cadre des fonctions officielles de leur auteur. Cette responsabilité est engagée que ces actes correspondent ou non à un ordre donné, car ils ont été commis alors que leur auteur était sous l'autorité de l'ONU. Si les actes ont été accomplis en dehors des fonctions de leur auteur, la responsabilité de l'ONU est en principe écartée car ils ont été commis en dehors de son autorité. En revanche, ils engagent la responsabilité de l'État national de leur auteur. L'accord passé entre l'ONU et les États fournisseurs prévoit d'ailleurs que ces derniers veillent à ce que les membres de leur contingent national affecté à l'opération connaissent parfaitement les principes et l'esprit du droit humanitaire. Dans la pratique toutefois, il est arrivé que la responsabilité de l'ONU joue pour des violations du droit humanitaire commises par des membres de la force en dehors de leurs fonctions officielles.

Dans tous les cas, la responsabilité de l'ONU n'exclut pas celle de l'État car, sous l'autorité de l'ONU ou non, les membres des contingents nationaux restent assujettis à leur règlement national. Dans le cas du droit humanitaire, ils sont donc tenus par ces obligations à double titre : en vertu du règlement de la force et en vertu de leur droit national, surtout si leurs États sont parties aux Conventions de Genève et aux Protocoles additionnels.

La responsabilité de l'ONU est toutefois très difficile à mettre en œuvre.
Au niveau international, les recours ne sont prévus que dans le cas où les victimes du préjudice sont des États ou des organisations internationales. Il n'existe donc aucun recours pour un individu ou une personne morale (une ONG par exemple) en cas de dommages causés par une organisation internationale, sauf si le système institutionnel de l'organisation en prévoit la possibilité.
– Au niveau national : habituellement, il est toujours possible à la victime d'un préjudice de recourir aux juridictions nationales, soit celles du lieu du dommage, soit celles de l'État dont elle est ressortissante. Cette voie de recours est impossible à l'égard de l'ONU car elle bénéficie de l'immunité de juridiction (art. 104 de la Charte ; art. 2 de la Convention sur les privilèges et immunités de l'ONU de 1946). Les tribunaux nationaux sont donc privés du pouvoir de juger.
Les différents mécanismes de recours contre l'ONU sont les suivants :
• *Tribunal administratif des Nations unies* : pour les individus et les ONG sous contrat avec l'ONU.
Le tribunal administratif des Nations unies (TANU) est réservé aux fonctionnaires de l'organisation mais aussi à « toute [autre] personne qui peut justifier de droits résultant d'un contrat d'engagement ou de conditions d'emploi » (art. 2.2 du statut du tribunal). C'est sur cette base que les ONG sous contrat avec l'ONU pourraient théoriquement saisir le TANU. D'autant qu'elles peuvent se prévaloir aussi de la définition d'« agent international » donnée par la Cour internationale de justice (avis de 1949) : « Quiconque, fonctionnaire ou non, employé à titre permanent ou non, a été chargé par un organe de l'Organisation d'exercer ou d'aider à exercer l'une des fonctions de celle-ci. Bref, toute personne par qui l'Organisation agit. »
• *Commission des réclamations* : quant aux individus, ils ne disposent donc d'aucun recours judiciaire devant l'ONU. Cette dernière est toutefois tenue de prévoir des modes de règlement appropriés pour les différends de droit privé dans lesquels elle serait partie et pour « les différends dans lesquels serait impliqué un fonctionnaire de l'organisation qui, du fait de sa situation officielle, jouit de l'immunité, si cette immunité n'a pas été levée par le secrétaire général » (Convention sur les privilèges et immunités des Nations unies de 1946, article 8).
C'est pourquoi, pour chaque opération de maintien de la paix, elle a mis en place un système non judiciaire *ad hoc* : les commissions des réclamations. C'est le seul recours dont dispose un individu contre les Nations unies. Il est ouvert également aux personnes morales, donc aux ONG. L'accord passé entre l'ONU et l'État hôte prévoit ainsi que tout différend ou toute réclamation relevant du droit privé auquel l'opération des Nations unies est partie est soumis à cette commission. Elle est composée de trois membres : deux sont désignés respectivement par le secrétaire général de l'ONU et le gouvernement de l'État hôte ; le troisième est nommé d'un commun accord entre eux, ou à défaut par le président de la Cour internationale de justice. La commission des réclamations définit ses règles de procédure. Ses décisions ne sont pas susceptibles d'appel et ont force obligatoire. Ses procédures ne sont pas publiques et le requérant n'a pas accès au dossier de l'ONU, puisque ses archives bénéficient de l'immunité. À l'issue de la procédure, la victime se voit verser une indemnité.

• *Protection diplomatique* : les individus et les ONG peuvent enfin disposer d'un autre recours, si leur État accepte de mettre en œuvre la procédure de la protection diplomatique. C'est-à-dire que l'État va endosser la cause de la victime. L'affaire se règle alors entre l'ONU et l'État par la négociation ou l'arbitrage. Le litige ONU/individu ou ONU/ONG est en effet irrecevable devant la Cour internationale de justice, même *via* la protection diplomatique, car la compétence contentieuse de la Cour n'est ouverte qu'aux États. Les organisations internationales ne peuvent donc être ni demandeur ni défendeur devant la CIJ.
La procédure de protection diplomatique reste toutefois un dispositif exceptionnel, mis en œuvre par l'État de la victime de façon discrétionnaire. Le montant des indemnités est négocié entre l'État et l'ONU et elles sont versées à l'État qui les répartit de façon discrétionnaire.

b) Les recours contre des membres des forces de maintien de la paix

• *Les recours exercés par les pays fournisseurs de contingents*
En cas d'infraction pénale (délits ou crimes), les membres de la force relèvent de la juridiction exclusive de l'État dont ils sont ressortissants. C'est ce que prévoit l'accord passé entre l'ONU et le pays hôte et ceux passés entre l'ONU et les États fournisseurs. En cas de violations graves du droit humanitaire, cette disposition pose problème car elle entre en contradiction avec le principe de la compétence universelle qui régit la répression de ces infractions. Le droit humanitaire prévoit en effet une obligation de recherche et de poursuite des auteurs de ces violations qui s'impose à tous les États. En vertu de la hiérarchie des normes, cette obligation prévaut en principe sur celle contenue dans les différents accords signés lors du déploiement de la force. En pratique, on imagine mal un État accepter que l'un des membres de ses forces armées soit jugé par une juridiction étrangère.
L'accord passé entre l'ONU et le pays hôte prévoit en outre que le gouvernement de ce pays peut informer le commandant en chef de la force et lui présenter tout élément de preuve en sa possession, s'il estime qu'un membre de l'opération a commis une infraction pénale. Le secrétaire général doit obtenir l'assurance des pays participants qu'ils sont disposés à exercer leur juridiction à l'égard des crimes et délits que pourraient commettre les membres de leur contingent.
La mise en œuvre de la responsabilité pénale des membres des forces de maintien de la paix se heurte donc à l'immunité de juridiction. En tant qu'organe subsidiaire de l'ONU, la force jouit en effet des privilèges et immunités prévus par la convention de 1946. Cette garantie est mentionnée dans les différents accords passés lors de la création de la force. Les membres de l'opération bénéficient de l'immunité de juridiction pour les actes accomplis dans l'exercice de leurs fonctions et même lorsqu'ils ne sont plus membres de l'opération. Cette immunité n'est certes pas absolue : la convention de 1946 (sections 20 et 23) prévoit en effet que le secrétaire général peut et doit lever l'immunité dans tous les cas où, à son avis, cette immunité empêcherait que justice soit faite et où elle peut être levée sans porter préjudice aux intérêts de l'Organisation. La levée de l'immunité relève du pouvoir discrétionnaire du secrétaire général.

Les parlements belge et français ont ouvert des enquêtes sur la responsabilité de leurs pays lors de l'opération de maintien de la paix au Rwanda en 1994. À la suite de ces enquêtes nationales et sur la base de leurs recommandations, le secrétaire général de l'ONU a accepté à son tour d'ouvrir une enquête sur la réponse de l'ONU face au génocide au Rwanda.

• *Les enquêtes et sanctions disciplinaires mises en place par les Nations unies*

Face à un certain nombre de scandales médiatiques concernant le comportement individuel des Casques bleus, les Nations unies ont développé une politique interne qui leur permette d'intervenir de façon indirecte dans la gestion disciplinaire des comportements individuels des différents contingents, notamment les cas d'abus et d'exploitations sexuels y compris sur des mineurs. L'Organisation a adopté en 1998 un code de conduite personnel applicables aux Casques bleus de l'ONU. Parallèlement, l'ONU a mis en place des formations et des campagnes de sensibilisation dans les pays hôtes, afin de sensibiliser les futurs Casques bleus à ces standards de comportements.

Les équipes de l'Unité de conduite et de discipline du Département d'appui aux missions de l'ONU signalent au personnel des Nations unies et aux gouvernements des pays hôtes les allégations de mauvaise conduite. La conservation des informations et le traçage des allégations de mauvaise conduite ont été initiés en 2006. En juillet 2008, le Département d'appui aux missions de l'ONU a mis en place une base de données globale et un système confidentiel de suivi des allégations de mauvaise conduite formulées à l'encontre des Casques bleus.

En cas d'allégations de mauvaise conduite graves impliquant des personnels militaires et de police, les Nations unies peuvent décider de rapatrier les individus concernés et les exclure des futures opérations de maintien de la paix. Néanmoins, les sanctions disciplinaires et actions judiciaires restent la responsabilité des juridictions nationales de l'individu concerné. En effet, les membres des contingents militaires déployés dans les missions de maintien de la paix relèvent de la compétence exclusive de leur gouvernement national. La responsabilité d'ouvrir des enquêtes et de prendre les actions disciplinaires subséquentes incombent aux pays fournisseurs de contingents, et ceci conformément au modèle de mémorandum d'accord approuvé par l'Assemblée générale des Nations unies en 2007. Les pays fournisseurs de contingent doivent ensuite rendre compte aux Nations unies des résultats des enquêtes et des actions entreprises.

La Cour européenne des droits de l'homme a été saisie de plusieurs affaires concernant les activités des forces britanniques en Irak dans le cadre de la force multinationale autorisée par la résolution 1511 du Conseil de sécurité des Nations unies le 16 octobre 2003. À l'occasion de deux arrêts rendus en 2011, elle a condamné le gouvernement britannique pour violation de la Convention européenne des droits de l'homme dans le cadre de ses activités en tant que puissance occupante et puissance détentrice en Irak. Elle a estimé que les obligations relatives aux droits de l'homme continuaient à s'appliquer en période de conflit, simultanément aux dispositions du droit international humanitaire et au mandat donné par les Nations unies. Elle a estimé qu'un État restait tenu par ses obligations en matière de droits de l'homme concernant les personnes et les territoires sur lesquels il exerçait un contrôle effectif.

▶ **Cour européenne des droits de l'homme.**

◆ **Le droit international prévoit l'impossibilité de se prévaloir d'immunités ou d'un statut officiel pour échapper à la justice pour les auteurs de crimes de guerre et de crimes contre l'humanité. Cette disposition est prévue par :**
– la Convention pour la prévention et la répression du crime de génocide de 1948 (art. 4) ;
– la Convention contre la torture et autres peines ou traitements cruels, inhumains ou dégradants de 1984 (art. 1) ;
– le droit humanitaire (GI art. 49 ; GII art. 50 ; GIII art. 129 ; GIV art. 146) ;
– le statut du tribunal de Nuremberg (art. 7) ;
– le statut des TPI (TPIY art. 7.2 ; TPIR art. 6.2) ;
– le statut de la CPI (art. 27).

Consulter aussi

▶ **Sécurité collective ▷ Ingérence ▷ Légitime défense ▷ Devoirs des commandants ▷ ONU ▷ Conseil de sécurité des Nations unies ▷ Secrétariat des Nations unies ▷ Sanctions pénales du droit humanitaire ▷ Sanctions diplomatiques, économiques et militaires ▷ Ordre public ▷ Compétence universelle ▷ Protection ▷ Immunité ▷ Respect du droit international humanitaire ▷ Tribunaux pénaux internationaux ▷ Cour pénale internationale ▷ Responsabilité ▷ Combattant ▷ Sociétés militaires privées ▷ Population civile ▷ Groupes armés non étatiques ▷ Assemblée générale de l'ONU ▷ Cour internationale de justice ▷ Agression.**

Contact

Groupe déontologie et discipline de l'ONU (en anglais uniquement) : http://cdu.unlb.org/

Pour en savoir plus

ANNAN K. A., « Maintien de la paix, intervention militaire et souveraineté nationale dans les conflits armés internes », in MOORE J. (éd.), *Des choix difficiles : les dilemmes moraux de l'action humanitaire*, Gallimard, 1998, 459 p., p. 105-124.

COT J. (dir.), *Opérations des Nations unies. Leçons de terrains, Symposium* « Enseignements des expériences de l'ONU », FED, Paris, 1995.

DALLAIRE R. A., *J'ai serré la main du diable : la faillite de l'humanité au Rwanda*, Libre Expression, 2004, 684 p.

DALLAIRE R. A., « La fin de l'innocence : Rwanda 1994 », *in* MOORE J. éd, *Des choix difficiles : les dilemmes moraux de l'action humanitaire*, Gallimard, Paris, 1998, 459 p., p. 125-144.

EMANUELLI C., *Les Actions militaires de l'ONU et le droit international humanitaire*, Wilson et Lafleur Ltd, Ottawa, 1995.

FAITE E. et GRENIER J. L. (eds), « Expert Meeting on Multinational Peace Operations », ICRC, Genève, 11-12 décembre 2003

International Conflict and Security Law : Essays in the Memory of Hilaire McCoubery, Cambridge University Press, 2005.

INTERNATIONAL INSTITUTE OF HUMANITARIAN LAW, *International Humanitarian Law, Human Rights and Peace Operations : 31st round table on current issues of international humanitarian law*, San Remo, septembre 2008, 405 p.

JEANGENE VILMER J. B., « La guerre au nom de l'humanité : Tuer ou laisser mourir », PUF, Paris, 2012, 624 p.

LAGRANGE E., BASTID BURDEAU G., EISMANN P.M., COMBACAU J., *Les Opérations de maintien de la paix et le chapitre VII de la Charte des Nations unies*, Montchrétien, Paris, 1999, 181 p.

NASU H., *International Law on Peacekeeping : A Study of Article 40 of the UN Charter*, Martinus Nijhoff Publishers, Leyde- Boston, 2009, 322 p.

NATIONS UNIES, « Les dix règles du Code de conduite personnelle applicable aux casques bleus de l'ONU », disponible en ligne sur http://www.un.org/en/pseataskforce/docs/ten_rules-code_of_personal_conduct_for_blue_helmets-french.pdf

PALWANKAR U., « Applicabilité du droit international humanitaire aux forces des Nations unies pour le maintien de la paix », *Revue internationale de la Croix-Rouge*, n° 801, mai-juin 1993, p. 245-259.

Rapport du Groupe d'étude sur les opérations de paix de l'ONU, 21 août 2000, A/55/305 ; S/2000/809. Disponible sur le site des Nations unies [www.un.org/french/peace/peace/reports.htm]

Rapport de la Commission indépendante d'enquête sur les actions de l'ONU lors du génocide de 1994 au Rwanda, S/1999/1257, 16 décembre 1999. Disponible sur le site des Nations unies [www.un.org/french/peace/peace/reports.htm]

Rapport présenté par le secrétaire général en application de la résolution 53/35 de l'Assemblée générale : La chute de Sebrenica A/54/549, 15 novembre 1999. Disponible sur le site des Nations unies [www.un.org/french/peace/peace/reports.htm]

Rapport de la Mission d'information de la Commission de la défense nationale et des forces armées et de la Commission des affaires étrangères, sur les opérations militaires menées par la France, d'autres pays et l'ONU au Rwanda entre 1990 et 1994, rendu le 15 décembre 1998. Disponible sur le site de l'Assemblée nationale française : http://www.assemblee-nationale.fr/dossiers/rwanda/r1271.asp

Rapport d'information de la Mission d'information commune sur les événements de Srebrenica, rendu le 22 novembre 2001. Disponible sur le site de l'Assemblée nationale française http://www.assemblee-nationale.fr/rap-info/i3413-01.asp

Rapport de la Commission internationale de l'intervention et de la souveraineté des États, « La responsabilité de protéger », décembre 2001, 116 p. Disponible sur le site du Centre de recherches pour le développement international, Ottawa, Canada, à http://www.idrc.ca/FR/Resources/Publications/Pages/IDRCBookDetails.aspx?PublicationID=237

RUFIN J.-C., « Les humanitaires et la guerre du Kosovo : échec ou espoir ? », *in* MOORE J. éd, *Des choix difficiles : les dilemmes moraux de l'action humanitaire*, Gallimard, Paris, 1998, 459 p., p. 389-424.

RYNIKER A., « Respect du droit international humanitaire par les forces des Nations unies », *Revue internationale de la Croix-Rouge*, vol. 81, n° 836, décembre 1999, p. 795-805.

SAHNOUN M., « Les interventions de type mixte en Somalie et dans la région des Grands Lacs », in MOORE J. (éd.), *Des choix difficiles : les dilemmes moraux de l'action humanitaire*, Gallimard, Paris, 1998, 459 p., p. 147-158.

STEPHENS D., « Military involvement in law enforcement », *Revue internationale de la Croix-Rouge*, vol. 92, n° 878, juin 2010, p. 453-458.

WEISSMAN F. (dir), *À l'ombre des guerres justes*, Flammarion, Paris, 2003, 375 p.

Mandat

Il s'agit du pouvoir confié à un individu ou à un organisme pour accomplir par procuration un certain nombre d'actes. Le mandat lie donc le mandataire à celui qui est chargé d'agir. Le mandataire exerce toujours une capacité de contrôle sur l'accomplissement du mandat.

◆ **Le terme de « mandat » est très utilisé au niveau international par les organisations internationales et les ONG. Il se réfère aux objectifs de chaque organisation. Il devrait également pouvoir permettre de connaître au nom de qui et de quelle autorité chaque organisation agit, et devant quel organe elle rend compte de ses actions.**

• Dans le domaine international, les États ont confié à des organisations internationales l'accomplissement d'un certain nombre de missions de solidarité. Le mandat qui figure dans la constitution ou le statut d'une organisation intergouvernementale désigne les buts que ses États fondateurs lui assignent.
Ces organisations doivent régulièrement rendre des comptes sur l'accomplissement de leur mandat devant un organe plénier où les États sont représentés. En ce qui concerne l'action humanitaire, les États ont officiellement mandaté plusieurs organisations ou organes, notamment le HCR, le CICR, le PAM, l'OCHA, l'UNICEF, etc.
• Dans le domaine privé, les ONG ou associations humanitaires agissent au nom d'individus. Les ONG sont des associations de personnes privées qui fixent elles-mêmes des buts et s'organisent pour les atteindre dans des actions concrètes. Elles doivent également rendre des comptes devant l'assemblée générale de leurs membres ou tout autre organe remplissant cet office.

▶ **ONG ▷ HCR ▷ PAM ▷ FAO ▷ UNICEF ▷ ONU ▷ OMS ▷ Bureau de la coordination des affaires humanitaires.**

Mauvais traitements

Il s'agit d'une catégorie juridique plus large que la torture et les actes cruels inhumains et dégradants. Les mauvais traitements sont interdits par l'article 3 commun et d'autres articles spécifiques des quatre Conventions de Genève et des Protocoles additionnels concernant les civils, les blessés et les prisonniers en période de conflit armé. Ils sont également interdits par les conventions sur les droits de l'homme applicables en temps de paix. Ces textes énoncent les garanties fondamentales reconnues aux individus.

▶ **Torture ▷ Garanties fondamentales.**

• En période de conflit armé, les Conventions de Genève posent l'obligation de traiter les personnes avec humanité et précisent le contenu de cette obligation. Elles ne donnent pas de définition précise du traitement humain ou des mauvais traitements, mais elles citent et interdisent un certain nombre de pratiques et de traitements vis-à-vis des personnes protégées : blessés, malades, naufragés, prisonniers, personnes civiles.
• L'interdiction des mauvais traitements se double de l'obligation des parties au conflit de prendre des mesures concrètes de protection pour les personnes qui sont en leur pouvoir. Ces obligations sont renforcées dans le cas des prisonniers et des personnes détenues ainsi que des populations de territoires occupés.
• Selon la nature et l'intensité des mauvais traitements, les auteurs de ces actes ainsi que leurs supérieurs hiérarchiques peuvent faire l'objet de sanctions disciplinaires ou pénales nationales pour non-respect des dispositions des Conventions de Genève.

• Si les mauvais traitements correspondent aux critères et conditions spécifiques posés par la définition de la torture ou des traitements cruels inhumains et dégradants, ils constituent une infraction grave aux Conventions de Genève. Ils peuvent faire l'objet de poursuites pénales internationales.

▶ **Torture ▷ Crime de guerre-Crime contre l'humanité.**

I. Obligations

• Dans les situations de conflit, les États parties aux Conventions de Genève s'engagent à traiter toute personne protégée avec humanité, sans aucune distinction de caractère défavorable basée sur la race, la couleur, la religion, ou la croyance, le sexe, la naissance ou la fortune, ou tout autre critère analogue (GIV art. 3).

– Cette obligation s'applique au traitement des blessés et malades (GI art. 15), des naufragés (GII art. 18), des prisonniers de guerre (GIII art. 13,17), des personnes civiles (GIV art. 27,28) dans le cadre des conflits internationaux et internes (GPII art 4).

– La partie au conflit au pouvoir de laquelle se trouvent des personnes protégées est responsable du traitement qui leur est appliqué par ses agents, sans préjudice des responsabilités individuelles qui peuvent être encourues (GIV art. 29).

– Les parties au conflit peuvent prendre à l'encontre des personnes, des mesures de contrôle et de sécurité qui sont nécessaire du fait de la guerre mais elles doivent respecter les obligations suivantes :

– les personnes protégées ont droit en toutes circonstances au respect de leur personne, de leur honneur, de leurs droits familiaux, de leurs convictions et pratiques religieuses, de leurs habitudes et de leurs coutumes. Elles doivent être traitées avec humanité et protégées notamment contre les insultes et la curiosité publique (GIV art. 27 ; GPII art 4).

– Les blessés doivent être protégés contre le pillage et les mauvais traitements et doivent recevoir les soins nécessaires (GI art. 15 ; GII art. 18). Les femmes doivent être protégées contre toute atteinte à leur honneur, le viol, la prostitution et tout attentat à la pudeur (GIV art. 27). Cette protection contre les abus sexuels a été étendue aux individus des deux sexes par les deux Protocoles additionnels (GPII art. 4 ; GPI art. 75.2, 76). Elle a été renforcée en ce qui concerne les personnes détenues et les prisonniers des deux sexes (GIII art. 14).

– Les enfants doivent être traités conformément à leurs besoins et à leur droits spécifiques (GPII art. 4).

• Dans les situations de détention, les Conventions de Genève précisent davantage la notion de mauvais traitements et établissent de nouvelles obligations de protection tant au regard des interrogatoires de détenus (GIII art. 17 ; GIV art. 31) que des conditions de détention (GIV art. 100 et 118).

– Les prisonniers de guerre doivent être traités avec humanité. Ils doivent être protégés en tout temps, notamment contre les actes de violence, d'intimidation, contre les insultes et la curiosité publique (GIII art. 13). Les actes ou omissions illicites par la puissance détentrice entrainant la mort ou mettant gravement en

danger la santé d'un prisonnier de guerre en son pouvoir sont interdits et constituent une violation grave des Conventions de Genève (crime de guerre).
– Les prisonniers qui refuseront de répondre aux interrogatoires ne pourront être ni menacés, ni insultés, ni exposés à des désagréments ou désavantages de quelque nature que ce soit (GIII art. 17). Les lieux de détention doivent présenter des garanties de sécurité et de salubrité et ne pas être utilisés pour servir de boucliers humains dans des opérations militaires (GIII art. 22,23). La discipline dans les lieux de détention doit être compatible avec les principes d'humanité et ne comportera en aucun cas des règlements imposant aux internés des fatigues physiques dangereuses pour leur santé ou des brimades d'ordre physique ou moral (GIV art. 100). Les actes suivants sont donc expressément interdits : le tatouage ou l'apposition de marques ou de signes corporels d'identification ; les stations ou les appels prolongés, les exercices physiques punitifs, les exercices de manœuvres militaires et les restrictions de nourriture (GIV art. 100) ; toute incarcération dans des locaux non éclairés par la lumière du jour et, d'une manière générale, toute forme quelconque de cruauté (GIV art. 118).

II. Interdictions absolues

• Les actes suivants sont strictement interdits en tout temps et en tout lieu à l'encontre des personnes qui ne participent pas directement aux hostilités, y compris les membres des forces armées qui ont déposé les armes ou qui se trouvent hors de combat, blessés ou détenus (GI-IV art. 3 commun), et des personnes civiles (GIV art. 27, 31 et 32 ; GPII art. 4) :
– les atteintes portées à la vie et à l'intégrité corporelle notamment le meurtre sous toutes ses formes, les mutilations, les traitements cruels, tortures et supplices ;
– les prises d'otages ;
– les atteintes à la dignité des personnes, notamment les traitements humiliants et dégradants ;
– les condamnations prononcées et les exécutions effectuées sans un jugement préalable, rendu par un tribunal régulièrement constitué, assorti des garanties judiciaires reconnues comme indispensables par les peuples civilisés (GI-IV art. 3. commun).
• Concernant les différentes catégories de personnes protégées, les conventions interdisent :
– toute mesure de nature à causer soit des souffrances physiques, soit l'extermination des personnes protégées en leur pouvoir. Cette interdiction vise non seulement le meurtre, la torture, les punitions corporelles, les mutilations et les expériences médicales ou scientifiques non nécessitées par le traitement médical d'une personne protégée, mais également toutes autres brutalités, qu'elles soient le fait d'agents civils ou d'agents militaires (GIV art. 32).
– Aucune personne protégée ne peut être punie pour une infraction qu'elle n'a pas commise personnellement. Les peines collectives, de même que toute mesure

d'intimidation ou de terrorisme sont interdites. Le pillage ainsi que les mesures de représailles à l'égard des personnes protégées ou de leurs biens sont interdits (GIV art. 33).

– Aucune torture physique ou morale ni aucune contrainte ne peuvent être exercées à l'égard des personnes protégées : personnes civiles ou prisonniers de guerre notamment pour obtenir d'elles, ou de tiers, des renseignements de quelque sorte que ce soit (GIII art. 17 ; GIV art. 31).

• Dans les conflits armés internationaux, les peines corporelles, les peines collectives, les prises d'otages, les actes de terrorisme, les atteintes à la dignité de la personne, en particulier les traitements inhumains et dégradants, les viols, la prostitution forcée et tout autre attentat à la pudeur, l'esclavage et la traite des esclaves sous toutes leurs formes, le pillage et la menace de commettre tous ces actes font également partie des mauvais traitements strictement interdits (GPII art. 4).

• Concernant les blessés, les malades et les prisonniers de guerre et les personnes détenues les conventions interdisent toute atteinte à leur personne et à leur vie, entre autres le fait de les achever ou de les exterminer, de les laisser de façon préméditée sans secours médical ou sans soins, de les exposer à des risques de contagion ou d'infection créés à cet effet, de les soumettre à des expériences médicales ou scientifiques non nécessitées par le traitement médical d'une personne protégée (GI art. 12 ; GII art. 12 ; GIII art. 13).

III. Techniques d'interrogatoire et mauvais traitements

Le rapport confidentiel du CICR concernant le traitement des détenus par les forces de la coalition dans la prison d'Abou Ghraib en Irak en 2003 (publié par le *Wall Street Journal* sur son site Internet en mai 2004) a précisé la contenu de cette notion de mauvais traitements constitutive de violations du droit humanitaire. Il s'agissait dans ce cas précis d'actes de :

– brutalité au cours de la capture et au début de la détention ayant causé parfois la mort ou de sérieuses blessures ;

– contrainte physique ou psychologique pendant les interrogatoires ;

– détention au secret prolongé dans des cellules sans lumière ;

– maintien de détenus dans des endroits dangereux où ils ne sont pas protégés des bombardements.

Les mauvais traitements lors des interrogatoires peuvent aller des insultes, menaces et humiliations à la contrainte physique et psychologique, qui parfois peuvent être assimilables à la torture afin de forcer la coopération avec les interrogateurs. L'internement au secret se poursuivant plusieurs mois après l'arrestation, dans des cellules dépourvues d'électricité pendant presque 23 heures par jour, constitue également une violation des troisième et quatrième Conventions de Genève. Le CICR a également condamné l'usage disproportionné de la force employée par certaines autorités, notamment l'usage d'armes à feu contre des personnes privées de leur liberté dans des circonstances ou des méthodes différentes auraient pu donner le même résultat.

Ces événements ont permis d'établir l'illégalité du durcissement des techniques d'interrogatoire appliquées dans le cadre de la lutte contre le terrorisme par les forces armées américaines. Ces techniques étaient destinées à augmenter le stress et l'angoisse des détenus pour faciliter l'interrogatoire. Elle consistaient notamment dans le port de cagoule durant de longue période, parfois associé à des coups et des menaces impossibles à voir ni à prévoir pour le détenu, des menaces contre les membres de la famille du détenu, la complète nudité imposée aux détenus pendant des jours entiers dans l'isolement et l'obscurité totale, des humiliations sexuelles, la privation de sommeil et des interrogatoires de plus de 24 heures.

Dans un arrêt du 6 septembre 1999, la Cour suprême d'Israël avait également décidé que l'utilisation par le service général israélien de sécurité de méthodes d'interrogatoire faisant appel à l'exercice de « pressions physiques modérées » pour obtenir des informations permettant de prévenir des attentats, était illégale au titre de l'atteinte à la dignité des individus détenus. L'argument de nécessité avancé par les services de sécurité n'a pas été retenu par les juges comme permettant *a priori* l'usage de méthodes d'interrogatoire contraires au droit.

▶ **Torture.**

En situation de conflit armé, l'interdiction des mauvais traitements constitue une obligation plus large que l'interdiction de la torture et des traitements cruels inhumains et dégradants. Un certain nombre de pratiques qui n'atteignent pas le seuil requis pour parler de torture constituent malgré tout des actes prohibés constitutifs d'infractions graves aux Conventions de Genève.

La convention internationale contre la torture interdit également les traitements cruels, inhumains et dégradants en tout temps.

▶ **Torture.**

Consulter aussi

▶ **Torture ▷ Viol ▷ Peines corporelles ▷ Garanties fondamentales ▷ Garanties judiciaires ▷ Crime de guerre-Crime contre l'humanité ▷ Discrimination ▷ Persécution ▷ Prisonnier de guerre ▷ Détention ▷ Occupation ▷ Enfant ▷ Croix-Rouge, Croissant-Rouge ▷ Recours individuels.**

Mercenaire

Bien que les conventions internationales utilisent la même définition des mercenaires, le statut juridique de ces derniers diffère entre droit international public et droit international humanitaire.

1. *En droit international humanitaire (DIH)*

Selon l'article 47 du Protocole additionnel I aux Conventions de Genève, le terme « mercenaire » s'entend de toute personne :

a) qui est spécialement recrutée dans le pays ou à l'étranger pour combattre dans un conflit armé ;

b) qui en fait prend une part directe aux hostilités ;

c) qui prend part aux hostilités essentiellement en vue d'obtenir un avantage personnel et à laquelle est effectivement promise, par une partie au conflit ou en son nom, une rémunération matérielle nettement supérieure à celle promise ou payée à des combattants ayant un rang et une fonction analogues dans les forces armées de cette partie ;

d) qui n'est ni ressortissant d'une partie au conflit, ni résident du territoire contrôlé par une partie au conflit ;

e) qui n'est pas membre des forces armées d'une partie au conflit ; et

f) qui n'a pas été envoyée par un État autre qu'une partie au conflit en mission officielle en tant que membre des forces armées dudit État.

Il convient de souligner que cette définition reste des plus restrictive dans la mesure où elle s'applique seulement aux conflits armés internationaux et requiert que six critères cumulatifs soient remplis. Selon l'article 47 du même protocole, la détermination du statut de mercenaire est l'objet d'un « tribunal compétent » de la puissance détentrice.

En droit international humanitaire, le fait d'être un mercenaire ne constitue pas une infraction. Il en va de même dans les statuts des tribunaux pénaux internationaux. Arrêtés, les mercenaires n'ont pas droit au statut de prisonnier de guerre, la puissance détentrice peut toutefois décider de les traiter conformément à ce statut. Les mercenaires doivent toujours être traités avec humanité, conformément aux garanties fondamentales telles que définies par l'article 75 du Protocole additionnel I aux Conventions de Genève. Enfin, ils peuvent être poursuivis pour leur activité de mercenaire seulement dans le cadre du droit national de la puissance détentrice si celui-ci contient des provisions désignant le mercenariat comme une infraction distincte.

Il est entendu que la catégorie de mercenaire ne saurait être étendue pour couvrir les zones grises impliquant les combattants volontaires de nationalité autre que celle des belligérants et qui décident de prendre part au conflit, ni le personnel des compagnies militaires privées présentes en situation de conflit.

Cette catégorie est principalement motivée par l'imposition d'un stigmate d'avidité financière par opposition aux valeurs de patriotisme et d'honneur qui caractériseraient les combattants réguliers. En dehors de cela, la catégorie de mercenaire n'est guère utile à la réglementation nécessaire des comportements des sociétés militaires privées en situation de conflit.

S'appuyer sur une détermination individuelle du statut après arrestation et exiger que les six critères susmentionnés soient remplis ne fera que rendre la situation encore plus incohérente parmi les employés de ces sociétés sans pour autant toucher au statut des compagnies privées elles-mêmes. Une régulation efficace du personnel militaire privé devrait plutôt les ramener aux catégories de base du DIH que sont celles de civils ou combattants. Il en est de même pour ceux qu'on appelle combattants irréguliers et les combattants étrangers appartenant à un État qui n'est partie ni à un conflit international ni à un conflit non international.

▸ **Combattant ▷ Sociétés militaires privées.**

2. *En droit international public*

La définition et la réglementation du mercenariat se trouvent également dans deux conventions internationales sur le mercenariat. La Convention internationale contre le recrutement, l'utilisation, le financement et l'instruction de mercenaires, a été adoptée par la résolution A/44/34 des Nations unies le 4 décembre 1989 et est entrée en vigueur le 20 octobre 2011. En avril 2013, 32 États l'avaient ratifiée. La Convention de l'OUA sur l'élimination du mercenariat en Afrique, convention régionale, a quant à elle été adoptée à Libreville le 3 juillet 1977 et est entrée en vigueur en avril 1985. En avril 2013, 30 États y étaient parties. Ces conventions ne visent pas à réglementer le comportement et le statut des mercenaires, mais bien plutôt à éliminer le mercenariat par sa criminalisation.

Ces deux conventions se réfèrent à la définition du mercenaire prévue par le DIH tout en élargissant son champ d'application. Elles sont en effet applicables en situation de conflit armé aussi bien international que non international là où la définition prévue par le DIH se limite aux conflits armés internationaux.

Dans le cadre des deux conventions susmentionnées le mercenariat est considéré comme une infraction, alors même qu'en droit international humanitaire être mercenaire ne constitue pas une violation des Conventions de Genève ou de ses Protocoles.

3. *En droit international humanitaire coutumier*

La règle 108 de l'étude sur les règles du droit international humanitaire publiée par le CICR en 2005 prescrit que, dans le contexte d'un conflit armé international, les mercenaires, tels que définis dans le Protocole additionnel I, n'ont pas droit au statut de combattant ou de prisonnier de guerre ; et qu'ils ne peuvent être condamnés ou jugés sans procès préalable.

◆ **Les mercenaires n'ont pas droit au statut de combattant ou de prisonnier de guerre (GPI art. 47), ni à aucune des catégories de personnes protégées prévues par le Conventions de Genève, à moins qu'ils ne soient blessés ou malades. Ils doivent toutefois toujours être traités avec humanité. Conformément aux Conventions de Genève, ils sont tenus pour pénalement responsables des crimes de guerre ou graves infractions du droit humanitaires qu'ils commettraient. Ils ont droit aux garanties fondamentales dont bénéficient tous les individus.**

▸ **Combattant ▷ Prisonnier de guerre ▷ Blessés et malades ▷ Garanties fondamentales ▷ Situations et personnes non couvertes ▷ Groupes armés non étatiques ▷ Sociétés militaires privées.**

Pour en savoir plus

DAVID E., *Mercenaires et volontaires internationaux en droit des gens*, Université de Bruxelles, 1978, 459 p.

FALLAH K., « Corporate actors : the legal status of mercenaries in armed conflict », *Revue internationale de la Croix-Rouge,* vol. 88, n° 863, septembre 2006, p. 599-611.

GHERARI H., « Le mercenariat », *in Droit international pénal,* sous la dir. de ASCENSIO H., DECAUX E., et PELLET A., CEDIN- Paris-X, Pedone, 2000, 1053 p., p. 467-475.

GREEN L.C., « The status of mercenaries in international law », *Israel Yearbook of Human Rights,* vol. 8, 1978, p. 9-62.

YUSUF A.A., « Mercenaries in the law of armed conflicts », in *The New Humanitarian Law of Armed Conflicts,* A. Cassese, Editoriale Scientifica, vol. I, p. 113-127.

Méthodes de guerre

Les « méthodes de guerre » sont les armes et moyens armés, les tactiques ou stratégies utilisés en période de conflit contre l'ennemi. Le seul but légitime de la guerre prévu par le droit des conflits est d'affaiblir et de dominer les forces armées adverses. L'histoire des conflits montre qu'il est nécessaire de soumettre l'usage de la force à des restrictions pour éviter la tentation de la destruction totale et de l'extermination de l'adversaire. L'usage de la force doit toujours être soumis à un objectif politique légitime et limité à des objectifs militaires déterminés. Dans le cadre des guerres interétatiques conventionnelles, la symétrie des forces en présence et le souci de réciprocité dans le traitement tant des combattants que des populations peuvent conduire à un certain équilibre dans le respect du droit des conflits. Le respect des méthodes de guerre fixées par le droit des conflits armés se pose de façon particulière dans les situations d'asymétrie des forces armées et des moyens militaires en présence. Cette asymétrie est une réalité dans de nombreux conflits armés internationaux comme dans les conflits armés internes. Elle s'exprime notamment dans le déséquilibre des moyens technologiques utilisés par les deux parties. Dans les conflits armés internes, ce déséquilibre est renforcé par le fait qu'ils opposent des forces armées nationales à des groupes armés ne disposant pas de la même structure ni des mêmes moyens. Le déséquilibre entre les forces et l'asymétrie entre les moyens conduisent souvent les belligérants à recourir à des méthodes de combat qui évitent l'affrontement armé direct. Ce choix a des conséquences directes sur l'affaiblissement de la distinction entre les civils et les combattants, le choix des objectifs militaires et des méthodes de combat.

Cet affaiblissement du principe fondamental de distinction entre civil et combattant a encore été accentué par les concepts et méthodes de la guerre contre le terrorisme. Ainsi voit-on apparaître des notions de droit des conflits juridiquement ambiguës dont l'application pratique est soumise à une grande marge d'appréciation et d'arbitraire, et d'autres qui mélangent des éléments du droit des conflits armés et du maintien de l'ordre public. La notion d'objectif double désigne une cible ayant une double caractéristique militaire et civile. La légitimité de son attaque suppose donc l'évaluation préalable de la proportionnalité entre l'avantage militaire et le dommage civil. La distinction entre le statut des civils et celui des combattants se trouve contestée dans la plupart des conflits non internationaux, créant des débats et des incertitudes sur le traitement des combattants dits illégaux et sur celui des civils qui participent aux hostilités. La pratique des attentats suicides et celle des assassinats ciblés s'inscrivent dans une forme d'affrontement qui conduit en fait à répandre la terreur dans la population du camp adverse. La terreur, méthode de guerre interdite, continue donc d'être utilisée par certains pour contester l'ordre établi et par d'autres pour maintenir cet ordre. Les deux Protocoles additionnels de 1977 ont tenté de prendre en compte les caractéristiques de ces types de conflits. Le Protocole additionnel I réglemente ces enjeux dans les conflits armés internationaux, le Protocole additionnel II dans les conflits armés non internationaux. La question spécifique de la résistance en situation d'occupation est également renforcée.

▶ **Terreur ▷ Terrorisme ▷ Combattant ▷ Mauvais traitements ▷ Objectif militaire ▷ Droit international humanitaire ▷ Prisonnier de guerre.**

◆ **• La guerre fait partie de l'histoire et des relations internationales. Elle ne constitue qu'un moment transitoire de ces relations et elle ne doit pas être conduite de telle façon qu'elle rende la paix impossible. Les méthodes de guerre sont donc limitées dans leur principe et dans leur emploi par divers textes de droit international humanitaire.**

• Les Conventions de La Haye mais également les Conventions de Genève de 1949 et leurs Protocoles additionnels de 1977 fixent les principales règles, limites et interdictions relatives à l'usage de la violence et aux différentes méthodes de guerre dans les conflits armés internationaux et non internationaux.

• Ces conventions définissent les comportements qui constituent des crimes de guerre et prévoient des mécanismes de sanction contre les auteurs de ces crimes. Certains de ces crimes sont qualifiés d'infractions graves aux Conventions de Genève ou de crimes de guerre et tombent sous le coup de la compétence universelle et de la compétence de la Cour pénale internationale.

• Malgré les multiples violations dont ces règles sont l'objet, un grand nombre d'entre elles ont acquis un caractère coutumier du fait de la reconnaissance unanime de leur utilité et légitimité. Ces règles de droit international humanitaire coutumier ont été publiées en 2005 par le CICR dans une étude détaillée et elles ont donc un caractère obligatoire vis-à-vis de toutes les parties au conflit, y compris les parties non signataires des conventions, notamment les groupes armés non étatiques. Elles s'appliquent presque toutes de façon identique dans les conflits armés internationaux et non internationaux. Les règles 1 à 10 concernent le principe de distinction entre objets civils et objectifs militaires, les règles 7 à 24 concernent les attaques, les précautions dans l'attaque et le principe de proportionnalité. Les règles 46 à 65 traitent des méthodes de guerre particulières, tandis que les règles 70 à 81 concernent les règles d'emploi des différents types d'arme.

▶ **Droit international humanitaire ▷ Crime de guerre-Crime contre l'humanité ▷ Coutume ▷ Compétence universelle ▷ Cour pénale internationale.**

1. *La réglementation des armes de guerre*

Le choix des armes de guerre n'est pas total. Le droit international limite la fabrication et l'usage de certaines armes au motif qu'elles frappent de façon indiscriminée les civils et les combattants ou qu'elles causent des dégâts dont l'ampleur et le caractère plus ou moins irréversibles sont sans rapport avec un avantage militaire précis (règles 7 à 14 de l'étude sur les règles de DIH coutumier).

▶ **Arme ▷ Mine ▷ Objectif militaire.**

2. La réglementation des techniques de guerre

a) Le droit humanitaire interdit les violences et destructions gratuites. Il exige que la violence employée soit justifiée par une réelle nécessité militaire, et qu'elle soit proportionnelle à la menace ou à l'avantage militaire attendu. L'application de ce principe est également étendue à l'évaluation des dommages collatéraux causés aux personnes et aux biens civils par l'attaque d'un objectif militaire.

▶ **Attaque ▷ Proportionnalité ▷ Nécessité militaire.**

b) Le droit international humanitaire interdit notamment :

• L'emploi de méthodes de guerre de nature à causer des maux superflus ou des souffrances inutiles (art. 22 du règlement de La Haye de 1907 ; GPI art. 35 ; Déclaration de Saint-Pétersbourg de 1868).

• Les attaques qui violent l'interdiction de ne pas faire de quartier (GPI art. 40, 41 ; art. 35 de la Convention de La Haye de 1907 sur les lois et coutumes de guerre ; règle 46).

• Les méthodes de guerre qui ont recours :

– à la perfidie (GPI art. 37 à 39 ; règles 57-65) ;

– à la terreur (GPI art. 51 ; GPII art. 13 ; Règle 2) ;

– à la famine utilisée contre les civils (GPI art. 54 ; GPII art. 14 ; règle 53) ;

– aux représailles contre des objectifs non militaires (art. 46 de la convention de l'Unesco de 1954 ; GI art. 46 ; GII art. 47 ; GIII art. 13 ; GIV art. 33 ; GPI art. 20, 51 à 56) ;

– aux attaques contre des biens civils et des personnes protégés (règles 1 et 6) ;

– aux attaques sans discrimination (GPI art. 48 et 51 ; règles 7, 8, 10, 11, 12, 13) ;

– aux attaques destinées à causer des dommages à l'environnement naturel (GPI art. 35, 52, 55 ; règles 43-45) ;

– aux attaques contre des ouvrages et installations contenant des forces dangereuses (GPI art. 52, 56 ; GPII art. 15 ; règle 42) ;

– au pillage de biens privés ou de biens culturels (GIV art. 33 ; art. 4 de la Convention de l'UNESCO de 1954 ; GPII art. 4 ; règles 38-41, 52) ;

– à la prise d'otages (GI-GIV art. 3 commun ; GIV art. 34 ; GPI art. 75 ; principes du droit international consacrés par le statut et les jugements du tribunal de Nuremberg et par la Convention internationale contre la prise d'otages de 1979, art. 12 ; règle 96) ;

– à l'utilisation de boucliers humains ou de mouvements de population pour favoriser la conduite des hostilités (GIV art. 49 ; GPI art. 51 ; GPII art. 17 ; règles 97 et 129).

▶ **Attaque ▷ Perfidie ▷ Terreur ▷ Famine ▷ Représailles ▷ Pillage ▷ Otage ▷ Déplacement de population ▷ Bouclier humain ▷ Objectif militaire ▷ Biens protégés ▷ Personnes protégées.**

c) Le droit humanitaire interdit l'utilisation à des fins militaires des prisonniers de guerre, de la population et des ressources des territoires occupés et limitent le droit de réquisition.

▶ **Territoire occupé ▷ Prisonnier de guerre ▷ Réquisition.**

d) Les commandants militaires ont le devoir de respecter et de faire respecter ces interdictions. Ils doivent pour cela :
– prendre des précautions dans l'attaque (règles 15-21) ;
– s'assurer que leurs subordonnés connaissent et comprennent le droit humanitaire ;
– prendre des sanctions contre leurs subordonnés qui auraient agi en violation de ces règles de droit.

▶ **Devoirs des commandants ▷ Attaque.**

e) Le non-respect de toutes ces règles peut constituer un crime de guerre en vertu du droit humanitaire et au titre du statut de la Cour pénale internationale.

▶ **Crime de guerre-Crime contre l'humanité ▷ Cour pénale internationale.**

◆ Règles de droit international humanitaire coutumier

• **La distinction entre les biens de caractère civil et les objectifs militaires**

Règle 7. Les parties au conflit doivent en tout temps faire la distinction entre les biens de caractère civil et les objectifs militaires. Les attaques ne peuvent être dirigées que contre des objectifs militaires. Les attaques ne doivent pas être dirigées contre des biens de caractère civil (CAI/CANI).

• **Les attaques sans discrimination**

Règle 11. Les attaques sans discrimination sont interdites (CAI/CANI).

Règle 12. L'expression « attaques sans discrimination » s'entend :
a) des attaques qui ne sont pas dirigées contre un objectif militaire déterminé ;
b) des attaques dans lesquelles on utilise des méthodes ou moyens de combat qui ne peuvent pas être dirigés contre un objectif militaire déterminé ; ou
c) des attaques dans lesquelles on utilise des méthodes ou moyens de combat dont les effets ne peuvent pas être limités comme le prescrit le droit international humanitaire ; et qui sont, en conséquence, dans chacun de ces cas, propres à frapper indistinctement des objectifs militaires et des personnes civiles ou des biens de caractère civil (CAI/CANI).

• **La proportionnalité dans l'attaque**

Règle 14. Il est interdit de lancer des attaques dont on peut attendre qu'elles causent incidemment des pertes en vies humaines dans la population civile, des blessures aux personnes civiles, des dommages aux biens de caractère civil, ou une combinaison de ces pertes et dommages, qui seraient excessifs par rapport à l'avantage militaire concret et direct attendu (CAI/CANI).

• **Précautions dans l'attaque**

Règle 15. Les opérations militaires doivent être conduites en veillant constamment à épargner la population civile, les personnes civiles et les biens de caractère civil. Toutes les précautions pratiquement possibles doivent être prises en vue d'éviter et, en tout cas, de réduire au minimum les pertes en vies humaines dans la population civile, les blessures aux personnes civiles et les dommages aux biens de caractère civil qui pourraient être causés incidemment (CAI/CANI).

Règle 16. Chaque partie au conflit doit faire tout ce qui est pratiquement possible pour vérifier que les objectifs à attaquer sont des objectifs militaires (CAI/CANI).

Règle 17. Chaque partie au conflit doit prendre toutes les précautions pratiquement possibles quant au choix des moyens et méthodes de guerre en vue d'éviter et, en tout cas, de réduire au minimum les pertes en vies humaines dans la population civile, les blessures aux personnes civiles et les dommages aux biens de caractère civil qui pourraient être causés incidemment (CAI/CANI).

Règle 18. Chaque partie au conflit doit faire tout ce qui est pratiquement possible pour évaluer si une attaque est susceptible de causer incidemment des pertes en vies humaines dans la population civile, des blessures aux personnes civiles, des dommages aux biens de caractère civil, ou une combinaison de ces pertes et dommages, qui seraient excessifs par rapport à l'avantage militaire concret et direct attendu (CAI/CANI).

Règle 19. Chaque partie au conflit doit faire tout ce qui est pratiquement possible pour annuler ou suspendre une attaque lorsqu'il apparaît que son objectif n'est pas militaire ou que l'on peut attendre qu'elle cause incidemment des pertes en vies humaines dans la population civile, des blessures aux personnes civiles, des dommages aux biens de caractère civil, ou une combinaison de ces pertes et dommages, qui seraient excessifs par rapport à l'avantage militaire concret et direct attendu (CAI/CANI).

• **Refus de quartier**

Règle 46. Il est interdit d'ordonner qu'il ne sera pas fait de quartier, d'en menacer l'adversaire ou de conduire les hostilités en fonction de cette décision (CAI/CANI).

Règle 47. Il est interdit d'attaquer des personnes reconnues comme étant hors de combat. Est hors de combat toute personne :

a) qui est au pouvoir d'une partie adverse ;

b) qui est sans défense parce qu'elle a perdu connaissance, ou du fait de naufrage, de blessures ou de maladie ; ou

c) qui exprime clairement son intention de se rendre ; à condition qu'elle s'abstienne de tout acte d'hostilité et ne tente pas de s'évader (CAI/CANI).

Règle 48. Il est interdit d'attaquer des personnes sautant en parachute d'un aéronef en perdition pendant leur descente (CAI/CANI).

• **Destruction et saisie de biens**

Règle 49. Les parties au conflit peuvent saisir le matériel militaire appartenant à un adversaire à titre de butin de guerre (CAI).

Règle 50. La destruction ou la saisie des propriétés d'un adversaire est interdite, sauf si elle est exigée par d'impérieuses nécessités militaires (CAI/CANI).

Règle 51. En territoire occupé :

a) la propriété publique mobilière de nature à servir aux opérations militaires peut être confisquée ;

b) la propriété publique immobilière doit être administrée conformément à la règle de l'usufruit ; et

c) la propriété privée doit être respectée et ne peut être confisquée ; sauf si la destruction ou la saisie de ces propriétés est exigée par d'impérieuses nécessités militaires (CAI).

Règle 52. Le pillage est interdit (CAI/CANI).

• **Famine et accès aux secours humanitaires**

Règle 53. Il est interdit d'utiliser la famine comme méthode de guerre contre la population civile (CAI/CANI).

Règle 54. Il est interdit d'attaquer, de détruire, d'enlever ou de mettre hors d'usage des biens indispensables à la survie de la population civile (CAI/CANI).

Règle 55. Les parties au conflit doivent autoriser et faciliter le passage rapide et sans encombre de secours humanitaires destinés aux personnes civiles dans le besoin, de caractère impartial et fournis sans aucune distinction de caractère défavorable, sous réserve de leur droit de contrôle (CAI/CANI).

Règle 56. Les parties au conflit doivent assurer au personnel de secours autorisé la liberté de déplacement essentielle à l'exercice de ses fonctions. Ses déplacements ne peuvent être temporairement restreints qu'en cas de nécessité militaire impérieuse (CAI/CANI).

• **Tromperie**

Règle 57. Les ruses de guerre ne sont pas interdites, à condition qu'elles n'enfreignent aucune règle de droit international humanitaire (CAI/CANI).

Règle 58. Il est interdit d'utiliser indûment le drapeau blanc (pavillon parlementaire) (CAI/CANI).

Règle 59. Il est interdit d'utiliser indûment les signes distinctifs des Conventions de Genève (CAI/CANI).

Règle 60. Il est interdit d'utiliser l'emblème et l'uniforme des Nations unies, en dehors des cas où l'usage en est autorisé par l'Organisation (CAI/CANI).

Règle 61. Il est interdit d'utiliser indûment d'autres emblèmes reconnus sur le plan international (CAI/CANI).

Règle 62. Il est interdit d'utiliser indûment les drapeaux ou pavillons, symboles, insignes ou uniformes militaires de l'adversaire (CAI/voire CANI).

Règle 63. Il est interdit d'utiliser les drapeaux ou pavillons, symboles, insignes ou uniformes militaires d'États neutres ou d'autres États non parties au conflit (CAI/voire CANI).
Règle 64. Il est interdit de conclure un accord sur la suspension des combats avec l'intention d'attaquer par surprise l'ennemi qui se fie à cet accord (CAI/CANI).
Règle 65. Il est interdit de tuer, blesser ou capturer un adversaire en recourant à la perfidie (CAI/CANI).

Consulter aussi

▶ **Guerre ▷ Conventions de La Haye ▷ Conventions de Genève de 1949 et Protocoles additionnels de 1977 ▷ Devoirs des commandants ▷ Arme ▷ Mine ▷ Objectif militaire ▷ Proportionnalité ▷ Nécessité militaire ▷ Agression ▷ Annexion ▷ Attaque ▷ Bombardement ▷ Cessez-le-feu ▷ Blocus ▷ Siège ▷ Otage ▷ Bouclier humain ▷ Représailles ▷ Évacuation ▷ Réquisition ▷ Déplacement de population ▷ Extermination ▷ Famine ▷ Crime de guerre-Crime contre l'humanité ▷ Cour pénale internationale ▷ Personnes protégées.**

Pour en savoir plus

BOUCHIE DE BELLE S., « Chained to cannons or wearing targets on their T-shirts : human shields in international humanitarian law », *Revue internationale de la Croix Rouge,* vol. 90, n° 872, décembre 2008, p. 883-906.

HENCKAERTS J. M. et DOSWALD-BECK L., *Droit international humanitaire coutumier,* CICR, 2005, vol.1 : *Règles.*

HOPKINS J. M., « Regulating the conduct of urban warfare : lessons from contemporary asymmetric armed conflicts », *Revue internationale de la Croix-Rouge,* vol. 92, n° 878, juin 2010, p. 469-493.

KRETZMER D., « Targetted killing of suspected terrorists : extra judicial execution or legitimate means of defence ? », *European Journal of International Law,* vol. 16, n° 2, 2005, p. 171-212.

« Méthodes de guerre », *Revue internationale de la Croix-Rouge,* vol. 88, n° 864, décembre 2006, p. 717-963.

MULINEN F. DE, *Manuel sur le droit de la guerre pour les forces armées,* CICR, Genève, 1989.

MUNIR M., « Suicide attacks and Islamic law », *Revue internationale de la Croix-Rouge,* vol. 90, n° 869, mars 2008, p. 71-89.

PFANNER T., « Les guerres asymétriques vues sous l'angle du droit humanitaire et de l'action humanitaire », *RICR,* n° 857, mars 2005.

QUEGUINER J. F., « Precautions under the law governing the conduct of hostilities », *Revue internationale de la Croix-Rouge,* vol. 88, n° 864, décembre 2006, p. 793-821.

VAUTRAVERS A., « Opérations militaires en zones urbaines », *Revue internationale de la Croix-Rouge,* vol. 92, n° 878, juin 2010. Disponible en ligne sur http://www.icrc.org/fre/assets/files/other/irrc-878-vautravers-fre.pdf

Mines

Il s'agit d'engins disposés sur ou sous le sol et conçus pour exploser du fait de la présence, de la proximité ou du contact d'une personne (mines antipersonnel) ou d'un véhicule (mines antimatériel). Les mines peuvent également être maritimes. Sur le plan stratégique, elles permettent d'interdire l'accès à une portion de territoire et d'empêcher l'avancée de l'ennemi.
Les mines ne sont pas encore une arme interdite de façon générale par le droit international : l'usage des mines est, par contre, strictement limité par des prin-

cipes généraux du droit de la guerre codifiés et repris dans une convention de 1980. En 1997, une Convention sur l'interdiction de l'emploi, du stockage, de la production et du transfert des mines antipersonnel et sur leur destruction a été adoptée à Ottawa, mais elle ne lie que les États signataires.

I. Réglementation de l'usage des mines

1. *Règles générales du droit international humanitaire*

Certaines normes du droit de la guerre interdisent ou limitent l'emploi des mines terrestres, des pièges ou autres dispositifs. Ces interdictions sont fondées sur deux principes :

– l'utilisation des mines doit toujours se faire d'une façon qui permette de contrôler qu'elles n'ont pas un effet indiscriminé à l'encontre de la population civile autant que des objectifs militaires ;

– l'utilisation des mines doit pouvoir être limitée à la période des hostilités. Le principe même du droit de la guerre est d'effectuer une distinction entre les temps de paix et les temps de guerre. L'utilisation des armes doit donc avoir un caractère contrôlé et limité.

▶ **Méthodes de guerre.**

Ces principes généraux découlent des lois et coutumes de guerre et des Conventions de Genève et de La Haye et s'imposent donc à tous les États. Les principes et règles posés dans ces conventions réaffirment le principe que l'attaque doit être proportionnée aux buts poursuivis et doit faire la distinction entre civils et combattants. L'objectif de ces principes est de protéger la société des effets matériels et psychologiques de la guerre ayant des conséquences à long terme pour favoriser le retour de la paix et la réconciliation. Ces principes ont été repris et codifiés en 1980.

▶ **Attaque ▷ Proportionnalité ▷ Guerre.**

2. *Le Protocole II de 1980 sur l'interdiction et la limitation de l'usage des mines, des pièges et autres dispositifs*

Le 10 octobre 1980, la Convention sur l'interdiction ou la limitation de l'emploi de certaines armes classiques qui peuvent être considérées comme produisant des effets traumatisants excessifs ou comme frappant sans discrimination a été adoptée sous les auspices de l'ONU. En avril 2013, 115 États l'avaient ratifiée. Elle codifie les règles gouvernant l'usage des armes classiques de manière plus précise que les textes précédents. Son Protocole II (Protocole II de New York de 1980 sur l'interdiction ou la limitation de l'emploi des mines, pièges et autres dispositifs) réglemente précisément l'usage des mines et des autres dispositifs en période de conflit. Ce protocole, amendé le 3 mai 1996, est entré en vigueur le 3 décembre 1998. 98 États y sont actuellement parties.

Le protocole reste une convention réglementant le droit des conflits armés : il pose les règles d'usage des mines mais n'en interdit pas l'usage. Il s'applique aux conflits armés internes et internationaux.

a) Interdictions et obligations générales

Certaines des dispositions du Protocole II, amendé en 1996, interdisent certains usages précis alors que d'autres posent des obligations, dans le but de réduire l'usage des mines à des objectifs purement militaires et de protéger les civils à la fois pendant et après le conflit :

– il est interdit en toute circonstance d'utiliser des mines, pièges ou autres dispositifs qui sont reconnus ou dont la nature est susceptible de causer des effets traumatisants excessifs (art. 3.3) ;

– il est interdit en toute circonstance de diriger ces armes contre la population civile ou contre des personnes civiles ou des biens appartenant à des civils (art. 3.7) ;

– l'usage indiscriminé de ces armes est interdit (art. 3.8) ;

– toutes les précautions possibles doivent être prises pour protéger les civils des effets de ces armes (art. 3.10) ;

– il est interdit d'utiliser des mines antipersonnel qui ne sont pas détectables (art. 4) ;

– il est interdit d'utiliser des mines, pièges ou d'autres types d'objets qui ne sont pas en accord avec les dispositions du protocole sur l'autodestruction et l'autodésactivation (art. 5 et 6) ;

– les États parties et les parties à un conflit s'engagent à enregistrer toutes les informations concernant les champs de mines, les zones minées, les mines, les pièges et autres dispositifs conformément à l'annexe technique du protocole (art. 9) ;

– chaque partie au conflit s'engage à informer, nettoyer, détruire ou maintenir tous les champs de mines, les zones minées, les mines, pièges et autres dispositifs dans les zones sous leur contrôle, sans délai après la cessation des activités (art. 10) ;

– le sigle international pour les champs de mines et les zones minées (art. 4 de l'annexe technique) est :

• taille et forme : un triangle pas plus petit que 28 centimètres sur 20 ;

• couleur : rouge et orange avec un bord jaune fluorescent ;

• contenu : le symbole du danger est la tête de mort qui doit être sur tous les signes prévenant de la présence de mines. L'annexe technique suggère aussi d'autres signes reconnaissables.

b) Protection spéciale pour les missions humanitaires et internationales

L'article 12 du Protocole II pose que certaines opérations des Nations unies ou humanitaires effectuées avec l'accord des États concernés doivent jouir d'une protection spéciale contre les effets des champs de mines, des zones minées, des pièges et autres dispositifs. Ces missions sont :

– toute force des Nations unies ou mission de maintien de la paix, d'observation, ou de fonctions similaires dans toutes zones conformément à la Charte des Nations unies ;

– toute mission humanitaire du système des Nations unies ou d'établissement des faits ;
– toute mission du CICR ou des sociétés de Croix-Rouge intervenant avec l'accord des États intéressés comme prévu par les Conventions de Genève ;
– toute mission humanitaire menée par une organisation humanitaire impartiale (notamment toute mission humanitaire impartiale de déminage) ;
– toute mission d'enquête prévue par les Conventions de Genève.

Ces missions doivent être protégées tant qu'elles exercent leurs fonctions avec le consentement de la haute partie contractante sur le territoire de laquelle elles agissent. Cette condition ne s'applique pas cependant à la première catégorie que sont les missions de maintien de la paix des Nations unies.

Pour toutes ces missions, les États parties doivent :
– prendre toutes les mesures nécessaires pour protéger les forces ou les missions des effets des mines, pièges et autres dispositifs dans la zone sous leur contrôle ;
– fournir au personnel de cette mission un passage sûr vers ou dans une zone sous son contrôle quand cela est nécessaire pour remplir leur fonction.

Dans le cas de missions ou de forces de maintien de la paix des Nations unies, la partie au conflit doit aussi « si cela est demandé par le chef de la mission » enlever ou rendre inopérantes toutes les mines, les pièges et autres dispositifs de la zone où elle exerce son pouvoir, ou au moins, elle doit informer le chef de la mission de l'emplacement de tous les champs de mines, les zones minées, les mines, pièges et autres dispositifs connus.

3) *Usage continu des mines*

Le respect de ces obligations par les belligérants a longtemps été fondé sur la réciprocité plutôt que sur la sanction, avec l'idée que les deux parties avaient un égal intérêt à respecter ces règles en prévision du retour à la paix.

La réalité pratique et l'évolution technologique ont bouleversé cet équilibre de la réciprocité comme méthode de contrôle de l'utilisation des mines : le largage aérien de mines ainsi que la mise au point de mines indétectables ont réduit à néant les procédures de surveillance prévues par le droit humanitaire.

En l'absence d'une interdiction absolue d'utilisation des mines par le droit humanitaire, le débat sur les conditions d'utilisation des mines reste exclusivement contrôlé par les experts militaires et ne porte que sur des questions techniques complexes.

Le faible coût de fabrication des mines en fait une arme toujours très employée dans de nombreux conflits. Utilisées de façon massive pour interdire l'accès à des territoires entiers ou pour semer la terreur dans la population, les mines restent un fléau pour les populations civiles, qui continuent d'en subir les atteintes longtemps après le rétablissement de la paix. Selon l'UNICEF, elles ont fait un million de victimes depuis 1975, dont un tiers d'enfants de moins de quinze ans. Le CICR estime lui que 2 000 personnes dont les trois quarts sont des civils sont tuées ou blessées tous les mois.

II. L'interdiction de l'usage des mines : le traité d'interdiction des mines de 1997

Devant l'impasse concernant la réglementation de l'utilisation des mines antipersonnel, le Comité international de la Croix-Rouge ainsi que de nombreuses ONG se sont prononcés pour l'interdiction absolue de fabrication et d'utilisation des mines antipersonnel terrestres lors de la conférence de révision de la convention de 1980. Malgré un lobby important lors de cette conférence, aucun engagement concret n'avait été obtenu sur le terrain du droit. Un nouveau traité portant interdiction totale a finalement été adopté, à l'initiative du Canada, le 18 septembre 1997 à Oslo. Il a été ouvert à la signature à Ottawa au Canada le 3 décembre 1997 et est entré en vigueur le 1er mars 1999.

Ce traité d'interdiction lie 161 États en avril 2013. Cependant, les principaux producteurs de mines ont fait savoir qu'ils n'y seraient pas parties. Il s'agit notamment des États-Unis, de la Russie, de la Chine, de l'Inde et du Pakistan.

■ **La Convention sur l'interdiction de l'emploi, du stockage, de la production et du transfert des mines antipersonnel et sur leur destruction**

• Ce texte, adopté à Oslo le 18 septembre 1997 et entré en vigueur en mars 1999, six mois après que 40 États l'ont ratifié, interdit les mines antipersonnel. En avril 2013, il liait 161 États.

• Il concerne les mines antipersonnel, c'est-à-dire celles « conçues pour exploser du fait de la présence, de la proximité ou du contact d'une personne et destinées à mettre hors de combat, blesser ou tuer une ou plusieurs personnes » (art. 2.1).

• Il prévoit notamment :

– l'engagement des parties à ne jamais utiliser des mines antipersonnel et à veiller à ce que nul ne le fasse sur leur territoire (art. 1.1.a) ;

– l'interdiction de fabrication, de stockage, de transfert des mines dans ou par les pays signataires (art. 1.1.b) ;

– la destruction par chaque État de toutes ses mines dans les quatre ans qui suivent la ratification du traité (art. 4) ;

– la destruction dans les dix ans de tous les champs de mines (art. 5.1) ;

– la remise aux Nations unies d'un rapport annuel sur les mesures prises par chaque pays pour se conformer au traité. En pratique, les États parties ont l'obligation de prendre « toutes les mesures législatives, réglementaires et autres, y compris l'imposition de sanctions pénales, pour prévenir et réprimer toute activité interdite par la convention qui serait commise par des personnes ou sur des territoires relevant de sa juridiction ou de son contrôle » (art. 9) ;

– la possibilité pour les États parties d'envoyer une commission d'établissement des faits pour vérifier qu'un autre État partie respecte les obligations fixées par la convention. ■

III. Déminage

Le déminage est une activité coûteuse et dangereuse. Pendant le conflit, le droit humanitaire interdit que les prisonniers de guerre soient employés à ce travail (GIII art. 52). Après la cessation des hostilités, chaque partie peut demander l'octroi d'une assistance technique et matérielle aux autres États et aux organisations internationales (art. 9 à 11 du Protocole II suite à l'amendement du 3 mai 1996). Le traité d'interdiction des mines pose que chaque État partie « en position de le faire » est tenu par l'obligation de « fournir une assistance pour le déminage et les activités liées » (art. 6.4).

Les programmes de déminage impliquent des budgets faramineux que les pays ravagés par la guerre ne peuvent pas assumer. L'ONU dispose d'un fonds d'affectation spéciale pour l'assistance au déminage qui dépendait jusqu'en 1997 du Département des affaires humanitaires (DAH, actuel OCHA). Il a servi à financer par exemple des opérations de déminage en Afghanistan, au Cambodge, au Mozambique et en ex-Yougoslavie. Dans le cadre de la réforme de l'ONU initiée par le secrétaire général Kofi Annan, cette activité a été transférée au Département des opérations de maintien de la paix (DOMP). Au rythme actuel du déminage, il faudrait onze siècles pour se débarrasser totalement des mines.

L'expression « déminage humanitaire » ne peut s'appliquer qu'aux opérations entreprises après la fin des hostilités. Toutefois, il est souvent difficile dans les conflits contemporains de déterminer précisément la fin des hostilités. La signature de cessez-le-feu ou d'accords de paix temporaires est souvent l'occasion de lancer des opérations de déminage. Il s'agira, par exemple, de favoriser le retour sur leur territoire de populations déplacées et l'organisation d'élections. En outre, le déminage peut être associé aux opérations de secours humanitaires durant le conflit. Il s'agira par exemple de déminer un axe routier pour laisser passer un convoi de secours. Ces activités doivent être entreprises avec beaucoup de vigilance car elles peuvent être perçues comme une menace militaire et entraîner des représailles sur les acteurs humanitaires.

◆

- **Les trois quarts des victimes de mines sont des civils et un tiers sont des enfants ayant moins de quinze ans.**
- **110 millions de mines sont disséminées dans 70 pays. Selon l'organisation humanitaire Handicap international, elles font une victime toutes les vingt minutes (soit 26 000 victimes par an).**
- **Une mine coûte seulement entre 3 et 30 dollars ; le déminage d'un seul engin coûte lui de 300 à 1 000 dollars.**
- **Selon la campagne internationale pour l'interdiction des mines, au rythme actuel de déminage, il faudra plus d'un millénaire et 33 millions de dollars pour faire disparaître toutes les mines existantes dans le monde.**

Le déminage incombe en principe à la partie qui a procédé au minage. Lors des accords de paix, les plans de minage doivent être échangés entre les parties et transmis au secrétaire général de l'ONU et la responsabilité du déminage doit être définie. Ces dispositions sont prévues par le Protocole II à la Convention sur l'interdiction ou la limitation de l'emploi de certaines armes classiques qui peuvent être considérées comme produisant des effets traumatisants excessifs ou comme frappant sans discrimination (art. 9 et 10 du Protocole II de New York de 1980 sur l'interdiction ou la limitation de l'emploi des mines, pièges et autres dispositifs).

Il n'existe à ce jour aucun fonds international ou national d'indemnisation des victimes des mines. L'absence de réglementation pertinente sur l'utilisation des mines repose la délicate question de la solidarité internationale face à ce fléau.

Le traité sur l'interdiction des mines prévoit que « chaque État partie qui est en position de le faire doit fournir une assistance pour les soins et la réhabilitation, pour la réintégration sociale et économique des victimes des mines et pour les programmes de prévention des mines » (art. 6.3). Une telle assistance peut être fournie en coopération avec les Nations unies ou ses agences, le CICR, les sociétés de Croix-Rouge et du Croissant-Rouge, les ONG, d'autres États, etc. Des certificats médicaux doivent être donnés aux victimes des mines pour leur permettre de réclamer ultérieurement une indemnité ou une pension d'invalidité.

Consulter aussi

► **Arme ▷ Attaque ▷ Méthodes de guerre ▷ Proportionnalité ▷ Liste des États parties aux conventions internationales relatives aux droits de l'homme et au droit humanitaire (n° 28).**

Contact

International Campaign to Ban Landmines :
www.icbl.org

Pour en savoir plus

CAUDERAY G.C., *Les Mines antipersonnel*, CICR, Genève, 1993 (tiré à part de la *Revue internationale de la Croix-Rouge*).

CICR, « Interdiction des mines antipersonnel : le traité d'Ottawa expliqué aux non-spécialistes », Publications du CICR, 1998, (ref 0702) disponible sur le site du CICR, à l'adresse : [www.cicr.org]

HANDICAP INTERNATIONAL, *Mines antipersonnel, la guerre en temps de paix : aspects politiques, stratégiques, socioéconomiques, juridiques et humanitaires*, GRIP, Bruxelles, 1996.

HERBY P., MASLEN S., « Interdiction internationale des mines antipersonnel : Genèse et négociation du traité d'Ottawa », *Revue internationale de la Croix-Rouge*, décembre 1998, n° 832, p. 751-774.

ROGERS A.P.V., « Mines, pièges et autres dispositifs similaires », *Revue internationale de la Croix-Rouge*, n° 786, novembre-décembre 1990, p. 568-583.

RUBBASCH R., « Mines antipersonnel : une honte pour l'humanité », *Bulletin du CICR*, n° 203, novembre 1992.

Mineur

Dans la plupart des pays, l'âge de la majorité oscille entre dix-huit et vingt et un ans. À sa majorité, la personne jouit de l'ensemble de ses droits. En dessous de ce seuil, la personne est considérée comme un mineur et bénéficie d'une protection spéciale due à son jeune âge. Traditionnellement, les mineurs sont considérés comme irresponsables au regard de la loi : ils n'ont pas de personnalité juridique (de reconnaissance individuelle devant la loi) et ils n'ont pas d'obligations à l'égard de la société.

Cependant, il existe des sous-catégories juridiques de mineurs qui varient beaucoup selon les droits nationaux. C'est pour cette raison que le Comité des droits de l'enfant (qui surveille la mise en œuvre de la Convention internationale des droits de l'enfant) demande aux États de lui fournir la définition de l'enfant selon leur droit national. C'est cette définition qui détermine l'âge auquel un enfant peut volontairement et indépendamment participer à la vie politique et sociale de la société, en choisissant de voter, de s'enrôler dans les forces armées, de témoigner devant les tribunaux, d'avoir des relations sexuelles, de se marier, aussi bien que l'âge auquel il peut être pénalement responsable ou peut être privé de liberté.

Beaucoup de systèmes judiciaires prévoient un âge de responsabilité pénale qui se situe en dessous de l'âge de la majorité légale (souvent autour de treize ans). À partir de cet âge jusqu'à ce qu'ils atteignent leur majorité, les jeunes peuvent être reconnus responsables de leurs actes s'ils commettent des crimes graves, mais ils sont généralement jugés et condamnés à des peines inférieures à celles des adultes.

◆

• Le droit international n'utilise pas le terme « mineur » : l'âge à partir duquel l'enfant atteint la majorité varie d'un pays à l'autre et la procédure pénale peut exister pour les jeunes. Aussi, il parle d'« enfant ».

• Un régime de protection spéciale est primordial puisque, pour la grande majorité, les enfants dépendent d'autres personnes pour pouvoir exercer leurs droits comme pour l'obtention du statut de réfugié, ou pour faire entendre leur voix. Le droit humanitaire accorde des droits et des garanties spécifiques pour leur protection. Par exemple, l'enfant a priorité pour recevoir les secours dans les cas de conflits armés internationaux et internes. De plus, les enfants ne peuvent pas être recrutés par les forces armées en dessous de l'âge de 15 ans.

• En temps de paix, il existe des normes supplémentaires concernant les droits des enfants qui doivent être respectées en conformité avec les conventions internationales des droits de l'homme. Ce sont par exemple le droit à la santé et à l'éducation, la protection contre toute forme de maltraitance, d'abus sexuels ou toute autre forme d'abus, l'exploitation, la négligence, le trafic d'enfants ; les règles concernant les conditions d'adoption et de détention.

▶ **Enfant ▷ Détention ▷ Garanties judiciaires ▷ Comité des droits de l'enfant ▷ UNICEF.**

Pour en savoir plus

ANAFÉ, *La Zone des enfants perdus. Mineurs isolés en zone d'attente de Roissy. Analyse de l'Anafé du 1er janvier 2004 au 30 septembre 2004,* Anafé, 2004, 54 p.

CAMPBELL T. D, « The rights of the minor : as persons, as child, as juvenile, as future adult », in *Children's Rights and the Law*, éd. P. ALSTON, S. PARKES et J. SEYMOUR, Clarendon, Oxford, 1992.

UNICEF, *La Situation des enfants dans le monde 2012 : Les enfants dans un monde urbain,* UNICEF, février 2012, 156 p.

Mission médicale

Il s'agit de l'ensemble du dispositif et des activités sanitaires et médicaaux destinés à la population civile, ainsi qu'aux malades et blessés en période de conflit. Elle bénéficie d'un régime de protection particulier dans le cadre du droit humanitaire. La protection et les soins qui doivent être apportés aux malades et aux blessés constituent la première étape du traitement humain des individus en temps de guerre.

Historiquement, il s'agit également d'une des activités les plus anciennes prévues par le droit humanitaire. C'est pour réglementer le sort et les soins des blessés et morts laissés sur les champs de bataille qu'Henri Dunant a créé le premier Comité de la Croix-Rouge et rédigé la première Convention de Genève en 1864.
Les deux premières Conventions de Genève sont relatives à la protection des blessés, malades et naufragés des forces armées en campagne ou sur mer. Cette protection spéciale prévue pour les personnes qui ne participent plus aux combats du fait de leur maladie ou de leur blessure s'est ensuite étendue aux blessés et malades civils dans la quatrième Convention de Genève de 1949.
Les deux Protocoles additionnels de 1977 ont unifié la protection prévue par les Conventions de Genève pour les blessés et malades, le personnel sanitaire, les unités sanitaires, les moyens de transport sanitaire, le matériel sanitaire civil ou appartenant aux forces armées. Ils ont regroupé ces dispositions sous le titre de « mission médicale » (GIV art. 56 et 57 ; GPI art. 8 à 31 ; GPII art. 7 à 12). Ces dispositions concernent à la fois les conflits armés internationaux et non internationaux. Elles sont aujourd'hui largement reconnues comme des règles coutumières obligatoires qui s'imposent à toutes les parties aux conflits internationaux et non internationaux, y compris aux groupes armés non étatiques et aux parties qui n'ont pas signé les conventions ou protocoles pertinents.
Le fait de diriger intentionnellement des attaques contre les bâtiments, le matériel, les unités et moyens de transport sanitaires, et le personnel utilisant, conformément au droit international, les signes distinctifs des Conventions de Genève est considéré comme un crime de guerre par le statut de la Cour pénale internationale dans les conflits internationaux et non internationaux (art. 8.2.b.xxiv du statut de Rome). Il s'agit également d'une infraction grave aux Conventions de Genève réprimé au titre de la compétence universelle si elle est commise dans un conflit armé international.

▶ **Blessés et malades ▷ Services sanitaires ▷ Personnel sanitaire ▷ Matériel sanitaire ▷ Déontologie médicale ▷ Mauvais traitements.**

■ Les fondements de la protection des blessés et les malades

• Blessé ou malade, le militaire ne peut plus participer aux combats et il est exposé aux vengeances et aux mauvais traitements. Il a perdu son caractère de menace. Il ne peut plus être considéré comme un adversaire. Il est protégé comme toutes les personnes qui ne participent pas aux hostilités et doit être traité avec humanité (GI-IV art. 3).
• Blessés ou malades dans une période de conflit, les civils sont incapables de fuir, d'assurer leur propre protection ou de pourvoir à leurs besoins. Ils sont vulnérables et menacés par leur maladie. Ils doivent bénéficier d'une protection renforcée contre les effets des combats et du droit à être soigné. ■

Les principes généraux de protection de la mission médicale sont les suivants :

1. *Assurer la protection des blessés et malades en toutes circonstances*

La protection des malades et des blessés doit être assurée dans toutes les situations. Dans le droit humanitaire, les blessés et malades constituent une catégorie à part de personnes protégées dans laquelle la distinction entre combattant et civil est abolie (GI-GIV art. 3 commun ; GPI arts. 10 et 11 ; GPII art. 7).

Cette protection est énoncée dans l'article 3 commun des quatre conventions qui constitue le minimum de droit applicable en tout temps, qu'il s'agisse de conflit armé international, non international ou même de tensions internes dans un pays. Cet article est considéré comme contenant les garanties minimales coutumières applicables en tout temps à toute personne sans possibilité de discrimination en fonction du statut de la personne concernée.

• Les personnes qui ne participent pas directement aux hostilités, y compris celles qui ont dû déposer les armes du fait de blessure ou de maladie, seront en toutes circonstances traitées avec humanité, sans aucune distinction de caractère défavorable fondée sur la race, la couleur, la religion ou la croyance, le sexe, la naissance ou la fortune, ou tout autre critère analogue.

• Les blessés et les malades seront recueillis et soignés. Un organisme impartial, tel que le Comité international de la Croix-Rouge, pourra offrir ses services aux parties en conflit (GI-IV art. 3).

• Ces dispositions minimales sont complétées par les deux protocoles additionnels qui précisent que « tous les blessés, les malades et les naufragés, qu'ils aient ou non pris part au conflit armé, seront respectés et protégés. Ils seront en toutes circonstances, traités avec humanité et recevront, dans toute la mesure du possible et dans les délais les plus brefs, les soins médicaux qu'exige leur état. Aucune distinction fondée sur des critères autres que médicaux ne sera faite entre eux » (GPI art. 10 ; GPII art. 7).

▶ **Blessés et malades.**

2. *Assurer le fonctionnement des services sanitaires*

La protection des blessés et malades se réalise concrètement dans les garanties qui sont apportées par le droit pour assurer le fonctionnement des services sanitaires en période de conflit. Le droit humanitaire accorde une protection spéciale aux unités sanitaires, au personnel sanitaire et aux moyens de transport sanitaire et garantit l'approvisionnement en médicaments et le libre passage des secours médicaux :

– le personnel et les installations sanitaires ne peuvent pas faire l'objet d'attaques ;
– les installations sanitaires peuvent porter le signe protecteur de la Croix-Rouge ;
– le personnel et le matériel sanitaires sont protégés contre les réquisitions ;
– l'approvisionnement en médicaments doit toujours être assuré.

▶ **Services sanitaires ▷ Personnel sanitaire ▷ Réquisition ▷ Signes distinctifs-Signes protecteurs.**

3. *Rechercher et soigner les blessés et malades*

Pour permettre que les blessés et malades soient recherchés, recueillis et soignés, le droit humanitaire offre un statut particulier de protection au personnel et aux

moyens de transport sanitaires. Il leur permet de porter un signe distinctif et garantit leur liberté de déplacement :
– le personnel sanitaire sera toujours respecté et protégé ;
– il ne pourra être réquisitionné ;
– il pourra entreprendre des activités de recherche des malades et blessés et les parties au conflit faciliteront ses déplacements. Elles ne pourront les limiter que de façon temporaire pour d'impérieuses nécessités militaires ;
– le personnel sanitaire pourra toujours se rendre dans les endroits où ses services sont nécessaires ;
– il ne pourra être contraint d'accomplir son travail au profit de personnes en particulier ;
– aucune discrimination autre que fondée sur des critères médicaux ne peut être apportée dans les soins aux malades et blessés ;
– il ne pourra être contraint d'accomplir des actes contraires à la déontologie ;
– il ne pourra jamais être puni pour avoir accompli des actes médicaux conformes à la déontologie, quelles qu'en aient été les circonstances.

▶ **Personnel sanitaire ▷ Droit d'accès ▷ Services sanitaires ▷ Réquisition ▷ Déontologie médicale.**

4. *Détention et internement dans les territoires occupés*

Dans certaines situations telles que les territoires occupés, les prisons ou les lieux d'internement, les garanties qui sont accordées à la mission médicale doivent être renforcées pour résister aux risques spécifiques qui pèsent tant sur la personne du malade que sur celle du soignant. Le droit humanitaire édicte dans ces cas des règles spécifiques.

• Pour les prisonniers de guerre malades et blessés (GIII art. 29 à 33) : il est prévu que, dans certains cas, les actes médicaux et l'hospitalisation doivent être pratiqués en pays neutre (GIII art. 132).

• Pour les personnes détenues ou internées (GIV art. 91 et 92) : la possibilité de pratiquer certains actes médicaux en pays neutre ou en dehors des structures détentrices est également prévue (GIV art. 132).

• Pour les territoires occupés : la puissance occupante ne doit pas entraver le fonctionnement des services sanitaires et veiller à ce qu'ils aient un niveau suffisant. Les puissances protectrices ou d'autres organisations humanitaires pourront en tout temps vérifier l'état de l'approvisionnement en vivres et médicaments (GIV art. 55 à 57 ; 59 à 63).

• Pour les personnels et installations sanitaires des forces armées et les malades et blessés qu'ils prennent en charge (GI art. 12 à 37).

• Pour les personnes détenues pour des motifs en relation avec le conflit dans les conflits non internationaux ou internationaux (GPII art 5.1.a ; art. 7).

▶ **Blessés et malades ▷ Détention ▷ Internement ▷ Prisonnier de guerre ▷ Territoire occupé.**

5. *Déontologie médicale en temps de guerre*

Le droit humanitaire cherche à renforcer la capacité de résistance de l'éthique médicale dans les situations de conflit.

• Il érige la déontologie médicale au rang de règle de droit international qui s'impose aux États. Sans définir et codifier le contenu complet de l'éthique médicale, les Conventions de Genève encadrent le travail médical dans des règles minimales constantes. Le but est de clarifier les obligations et les interdictions qui pèsent sur le praticien du fait du droit international pour lui permettre de résister à un contexte national de contrainte, de pression et de violence.

• Il énumère les comportements médicaux interdits : ceux-ci incluent les actes et omissions médicaux qui ne sont pas justifiés par l'état de santé du malade et conformes aux protocoles et à la déontologie.

• Il précise également les comportements médicaux que les autorités ne pourront pas interdire.

• Il prévoit que nul ne pourra être puni pour avoir accompli des actes médicaux conformes à la déontologie, quelles qu'aient été les circonstances.

• Il protège le secret médical dans les situations de conflit.

▶ **Déontologie médicale ▷ Mauvais traitements.**

6. *L'interdiction des actes médicaux non justifiés par l'état de santé du malade*

Le droit humanitaire sanctionne l'obligation qu'il fait de soigner les blessés et les malades et de respecter la déontologie de ces actes médicaux.

Le fait d'infliger des actes qui nuisent à la santé physique ou mentale des personnes ainsi que l'omission délibérée de donner des soins constituent des infractions graves aux conventions, c'est-à-dire des crimes de guerre (GI art. 50 ; GPI art. 11). Le fait de soumettre des personnes au pouvoir de la partie adverse à des mutilations ou à des expériences médicales ou scientifiques quelles qu'elles soient qui ne sont ni motivées par un traitement médical, dentaire ou hospitalier, ni effectuées dans l'intérêt de ces personnes, et qui entraîneraient la mort de celles-ci ou mettraient sérieusement en danger leur santé est considéré comme un crime de guerre selon le statut de la Cour pénale internationale (art. 8.2.e.xi). Cette disposition pose la question du cadre éthique de l'activité médicale auprès de patients détenus ou au sein des lieux de détention en situation de conflit. Elle pose aussi la question de la responsabilité personnelle pénale du personnel médical agissant auprès de patients détenus en période de conflit (voir ▷ **Déontologie médicale**).

7. *Les règles du droit international humanitaire coutumier*

L'étude sur les règles du droit international humanitaire coutumier publiée par le CICR en 2005 reprend les garanties de traitement des civils, blessés et malades en période de conflit prévues dans les différentes Conventions de Genève. Ces règles sont applicables en situation de conflit armé international et non international.

Règle 6 : les personnes civiles sont protégées contre les attaques, sauf si elles participent directement aux hostilités et pendant la durée de cette participation.

Règle 25 : le personnel sanitaire exclusivement affecté à des fonctions sanitaires doit être respecté et protégé en toutes circonstances. Il perd sa protection s'il commet, en dehors de ses fonctions humanitaires, des actes nuisibles à l'ennemi.
Règle 27 : le personnel religieux exclusivement affecté à des fonctions religieuses doit être respecté et protégé en toutes circonstances. Il perd sa protection s'il commet, en dehors de ses fonctions humanitaires, des actes nuisibles à l'ennemi.
Règle 28 : les unités sanitaires exclusivement affectées à des fins sanitaires doivent être respectées et protégées en toutes circonstances. Elles perdent leur protection si elles sont employées, en dehors de leurs fonctions humanitaires, pour commettre des actes nuisibles à l'ennemi.
Règle 29 : les moyens de transport sanitaire exclusivement réservés au transport sanitaire doivent être respectés et protégés en toutes circonstances. Ils perdent leur protection s'ils sont employés, en dehors de leurs fonctions humanitaires, pour commettre des actes nuisibles à l'ennemi.
Règle 30 : les attaques contre le personnel et les biens sanitaires et religieux arborant, conformément au droit international, les signes distinctifs prévus par les Conventions de Genève sont interdites.
Règle 109 : chaque fois que les circonstances le permettent, et notamment après un engagement, chaque partie au conflit doit prendre sans tarder toutes les mesures possibles pour rechercher, recueillir et évacuer les blessés, les malades et les naufragés, sans distinction de caractère défavorable.
Règle 110 : les blessés, malades et naufragés doivent recevoir, dans toute la mesure possible et dans les délais les plus brefs, les soins médicaux qu'exige leur état. Aucune distinction fondée sur des critères autres que médicaux ne doit être faite entre eux.
Règle 111 : chaque partie au conflit doit prendre toutes les mesures possibles pour protéger les blessés, malades et naufragés contre les mauvais traitements et le pillage de leurs biens personnels.

■ Le certificat médical individuel

• Dans les situations où la maladie, la blessure ou la mort découlent d'un acte délictueux ou criminel (viol, torture, coups et blessures, mauvais traitement, mutilation), le médecin a l'obligation d'établir un certificat médical individuel au profit de la victime ou de ses ayants droit. Le médecin cherchera également à savoir s'il s'agit d'un acte isolé ou s'il s'inscrit dans un schéma plus généralisé de violations des droits de la personne humaine.
• Certaines législations nationales imposent le recours à un médecin légiste désigné par les autorités. Elles imposent parfois une obligation légale de lever le secret médical et de notification aux autorités judiciaires nationales. Toutefois, dans les situations de crise ou de conflit, une telle transmission automatique risque de mettre la victime encore plus en danger. Le médecin pourra invoquer les dispositions spécifiques de la déontologie médicale pour maintenir le secret médical dans ces situations (voir ▷ **Déontologie médicale**). Le certificat médical ne peut être remis qu'à la victime. Des données sur les violences et mauvais traitements respectant l'anonymat de la victime pourront être transmises au CICR dans le cadre de ses activités de protection

des victimes de violations du droit humanitaire ou à d'autres agences pertinentes des Nations unies tels que le Haut-Commissariat aux réfugiés.
Le certificat médical établi par du personnel médical humanitaire national ou expatrié garde toute sa validité pour constater et authentifier les lésions et traumatismes de la victime dans les meilleurs délais. Il joue un rôle important car il est souvent la seule trace que possède la victime sur les violences dont elle a souffert. Ce certificat peut l'aider à obtenir le statut de réfugié, celui d'handicapé ou de victime de guerre. Il peut aussi permettre à la victime d'établir des faits de torture, viol, mutilation, ainsi que des éléments constitutifs de crimes de guerre ou crime contre l'humanité si elle porte plainte devant des tribunaux nationaux ou internationaux même des années plus tard. Les délais relatifs au dépôt de plainte s'étale sur plusieurs années selon la nature des crimes. La victime peut raisonnablement attendre que sa sécurité soit de nouveau garantie avant de décider de porter plainte. ■

Consulter aussi

▸ **Services sanitaires ▷ Déontologie médicale ▷ Personnel sanitaire ▷ Blessés et malades ▷ Signes distinctifs-Signes protecteurs ▷ Mauvais traitements.**

Pour en savoir plus

AMNESTY INTERNATIONAL, *Codes d'éthique et déclarations concernant les professions médicales : Recueil de textes déontologiques*, Paris, 1994, 124 p. (http://web.amnesty.org/pages/health-ethicsindex-eng).

BACCINO ASTRADA A., *Manuel des droits et devoirs du personnel sanitaire lors des conflits armés*, CICR, Genève, 1982.

BRITISH MEDICAL ASSOCIATION, *The Medical Profession and Human Rights : Handbook for a Changing Agenda*, BMA, London, 2001

GREEN L.C., « War law and the medical profession », *Annuaire canadien de droit international*, 1979, p. 159-205.

HENCKAERTS J. M. et DOSWALD-BECK L., *Droit international humanitaire coutumier*, CICR, 2005, vol.1 : *Règles*, p. 79-104.

REYES H., RUSSBACH R., « Le rôle du médecin dans les visites du Comité international de la Croix-Rouge aux prisonniers », *Revue internationale de la Croix-Rouge*, n° 791, septembre-octobre 1991, p. 497-510.

SCHOENHOLZER J.P., *Le Médecin dans les Conventions de Genève de 1949*, CICR, Genève, 1988.

Mouvement de résistance

Le statut de prisonnier de guerre était déjà reconnu en 1949 aux membres des mouvements de résistance organisés (GIII art. 4.A.2). De cette manière, on peut leur étendre le bénéfice de ces dispositions. Les termes utilisés par le Protocole additionnel I de 1977 étendent ce bénéfice aux membres d'autres types de mouvements armés.
Le Protocole additionnel I de 1977 a en effet admis, parmi les catégories de combattants légitimes d'une partie au conflit, les membres « de toutes les forces, de tous les groupes et toutes les unités armés et organisés qui sont placés sous un commandement responsable de la conduite de ses subordonnés » devant cette partie au

conflit. Cela même si cette partie au conflit est représentée par un gouvernement ou une autorité non reconnu par la partie adverse (GPI art. 43.1). Cette disposition ouvre la possibilité d'appliquer le Protocole additionnel I dans un conflit opposant un État à un mouvement de résistance ou de libération nationale.

Les conditions qui sont fixées concernent le fait que ces forces armées doivent être soumises à un régime de discipline interne qui assure notamment le respect des règles du droit international applicables dans les conflits armés (GPI art. 43.1). Ces conditions sont supposées tracer la limite entre l'usage privé et anarchique de la violence et l'usage hiérarchiquement structuré et contrôlé de la violence par un groupe armé.

Le droit prend en compte la spécificité de certaines méthodes de combat. Étant donné qu'il y a des situations où, en raison de la nature des hostilités, un combattant armé ne peut se distinguer de la population civile, il conserve son statut de combattant à condition qu'il porte ses armes ouvertement pendant chaque engagement militaire (GPI art. 44).

Le Protocole additionnel II relatif aux conflits armés internes prévoit des garanties pour les personnes détenues en relation avec le conflit, sans transposer la définition et le statut de prisonnier de guerre (GPII arts. 4 et 5).

▶ **Combattant ▷ Prisonnier de guerre ▷ Devoirs des commandants.**

Pour en savoir plus

ABI-SAAB G., « War of national liberation in the Geneva conventions and Protocols », *Recueil des cours de l'Académie de droit international,* 1979, IV, t. I65, p. 353-445.

CASSESE A., « Resistance Movements », *in* BERNHARDT R. (éd.), *Encyclopedia of Public International Law,* North-Holland Publishing Company, 1982, vol. 4, p. 188-190.

VEUTHEY M., *Guérilla et droit humanitaire,* Institut Henri-Dunant, Genève, 1983.

Nationalité

Il s'agit du lien juridique qui rattache une personne à un État. Il confère à cette personne un statut juridique qui est déterminé par le droit national, notamment les lois relatives à la condition des personnes et des biens.
Chaque État définit son code de la nationalité qui prévoit les conditions d'acquisition et de perte de la nationalité, et adopte les lois relatives au statut personnel des individus. Il existe différentes façons d'acquérir une nationalité, qui varient selon les États, et peuvent dépendre de facteurs tels que le lieu de naissance, le lieu de résidence, la nationalité de l'un ou des deux parents.
Ce statut prévoit les droits individuels et collectifs des individus tels que le droit à une identité, de se marier, de travailler, le droit d'association, celui à la sécurité physique de sa personne, etc. C'est aussi sur la base de ce statut qu'un individu peut agir en justice et revendiquer le respect de ses droits devant les tribunaux nationaux. Cette possibilité est quasi inexistante au niveau international.

▶ **Recours individuels.**

◆ • **La protection des individus dépend de leur statut juridique national. Un problème majeur de protection des personnes se trouve posé quand un État retire la nationalité à un groupe de personnes ou que les individus ne peuvent ou ne veulent plus, pour diverses raisons, se prévaloir de la protection de leur État d'origine : réfugiés, apatrides, population dans des territoires occupés ou victimes d'un conflit, personnes déplacées à l'intérieur de leur propre pays, victimes de persécutions de la part des autorités dont elles ont la nationalité.**
• **Le droit international tente dans ce cas de combler les défaillances du droit national en jetant les bases d'un statut juridique international des individus. C'est le rôle des conventions internationales relatives aux droits de l'homme ou au droit humanitaire. Elles fixent des normes internationales de traitement des individus qui s'imposent aux États, et prévoient dans certains cas des mécanismes de protection.**

▶ **Personnes protégées ▷ Apatride ▷ Droits de l'homme.**

En effet, il n'existe pas de statut juridique complet des individus en droit international. En revanche, le droit international cherche à compléter et à renforcer la protection liée à la nationalité.
• Il cherche à garantir à tout individu la jouissance d'une nationalité et à limiter les cas d'apatridie. Le droit à la nationalité est d'ailleurs un des droits fondamentaux de l'individu proclamé par la Déclaration universelle des droits de l'homme (art. 15).
• Les conventions internationales sur les droits de l'homme énoncent des standards de traitement de la personne humaine. Ces normes constituent des références qui doivent inspirer le contenu des lois nationales relatives au statut des individus. En cas de violation de ces standards internationaux dans un pays, la victime peut

parfois invoquer ces droits devant les tribunaux nationaux. Elle peut aussi utiliser certains mécanismes internationaux de recours ou de plainte.

▶ **Droits de l'homme ▷ Recours individuels.**

• Dans certaines situations de crise, le droit humanitaire tente également de combler certains besoins de protection des individus qui ne bénéficient plus de la protection d'aucun État (apatrides) ou qui ne peuvent plus se prévaloir de la protection de leur État d'origine (réfugiés, population vivant sous état d'urgence, population de territoires occupés, population dans les situations de conflit).
Le droit international humanitaire définit diverses catégories de « personnes protégées » et énonce les droits et garanties fondamentaux qui leur sont applicables. Il concrétise cette protection en autorisant de façon explicite des actions de secours menées par des organisations humanitaires : CICR, HCR, ONG...

Consulter aussi

▶ **Protection ▷ Personnes protégées ▷ Garanties fondamentales ▷ Apatride ▷ Réfugié ▷ Droits de l'homme ▷ Droit international humanitaire ▷ Liste des États signataires des conventions internationales relatives au droit humanitaire et aux droits de l'homme (n° 17 à 21).**

Nécessité militaire

Les violences et les destructions qui ne sont pas justifiées par une nécessité militaire sont interdites par le droit des conflits armés. L'usage de la force armée n'est légitime que pour atteindre des objectifs militaires précis. La nécessité militaire constitue la justification de tout recours à la violence dans les limites du principe de proportionnalité.
Ce principe permet de contester l'usage de la force armée si on fait apparaître que ces violences et destructions étaient :
– inutiles, c'est-à-dire sans rapport avec un avantage militaire précis ;
– non proportionnées, c'est-à-dire que l'avantage militaire n'était pas proportionné avec les dommages causés aux civils ;
– indiscriminées, c'est-à-dire si l'attaque ne permettait pas de distinguer entre les objectifs civils et militaires ;
– destinées à semer la terreur parmi la population civile.

▶ **Attaque ▷ Méthodes de guerre ▷ Guerre ▷ Objectif militaire ▷ Proportionnalité ▷ Biens protégés.**

Pour en savoir plus

DRAPER G.I.A.D, « Military necessity and humanitarian imperatives », *Revue de droit pénal militaire et de droit de la guerre,* 1973, p. 129-151.

MACCOUBREY H., « The nature of the modern doctrine in military necessity », *Revue de droit pénal militaire et de droit de la guerre,* 1991, p. 215-252.

MULINEN F. DE, *Manuel sur le droit de la guerre pour les forces armées,* CICR, Genève, p. 87-88.

Non-combattant

Toutes les personnes qui ne participent pas ou plus directement aux hostilités sont protégées par le droit humanitaire. Dans les conflits armés internationaux, on parle de « personnes protégées », mais elles bénéficient aussi de la protection du droit humanitaire dans les conflits armés internes. Les Conventions de Genève distinguent plusieurs catégories de personnes protégées : les blessés et malades (militaires ou civils), les prisonniers de guerre, les civils internés, les civils en territoire ennemi et dans les territoires occupés ainsi que les personnes détenues. Elles doivent être traitées avec humanité. Chaque catégorie bénéficie d'une protection générale et d'une protection spéciale adaptée à leur situation. Des garanties fondamentales sont également prévues ad minima pour tous.

▶ **Garanties fondamentales ▷ Personnes protégées ▷ Population civile ▷ Combattant.**

Non-rétroactivité

Principe traditionnel du droit selon lequel une loi ne peut pas s'appliquer à des faits antérieurs à sa promulgation. Il découle de l'adage selon lequel nul n'est censé ignorer la loi. Ce principe constitue une garantie judiciaire fondamentale dans le domaine pénal. La non-rétroactivité de la loi pénale s'applique à la fois à la définition des crimes et des délits, et à l'échelle des peines et sanctions encourues. Le principe de non-rétroactivité (aussi appelé principe *nullum crimen sine lege*) pose qu'une loi ne peut pas être appliquée à des actes criminels commis avant son entrée en vigueur. De même, une peine plus importante que celle prévue au moment de la commission de l'acte ne peut pas être prononcée. Le criminel peut cependant bénéficier d'une nouvelle loi, votée après la commission de l'acte, qui prévoit une peine plus légère.

La non-rétroactivité du droit pénal et de la sanction des actes criminels est le reflet d'une garantie judiciaire fondamentale reconnue par le droit international (art. 15 du Pacte international relatif aux droits civils et politiques). Les Conventions de Genève reprennent aussi ce principe : une personne ne pourra pas être poursuivie pour un acte ou une omission qui ne constituait pas une infraction d'après le droit national ou international auquel elle était soumise au moment de la commission de l'acte (GIII art. 99 ; GIV art. 65 et 67 ; GPI art. 75 ; GPII art. 6).

▶ **Garanties judiciaires.**

◆ **• En période de conflit, les personnes risquent de se trouver confrontées, du fait de l'occupation du territoire ou de la captivité, au problème de l'application d'une loi qui leur est étrangère. Le principe retenu par le droit s'inspire de ce principe général en prévoyant que la loi étrangère (loi nouvelle) ne peut pas prévoir des peines plus lourdes, ni des infractions non prévues par la loi nationale de ces individus.**

• Dans toutes les situations, il faut se souvenir qu'une loi non promulguée et indisponible pour le public n'est pas valable, et que la non-rétroactivité d'une loi s'apprécie par rapport à la date de sa promulgation officielle.

Ce principe est aussi repris par le statut de la Cour pénale internationale. Elle n'est compétente que pour des crimes commis après l'entrée en vigueur du statut, c'est-à-dire au 1er juillet 2002, pour les États concernés (art. 11 du statut de la CPI). Jusqu'à présent, le seul cas où un tribunal international a eu compétence pour juger des crimes commis avant sa création est celui des tribunaux de guerre, ceux créés à Nuremberg et à Tokyo après la Seconde Guerre mondiale et les tribunaux pénaux internationaux *ad hoc* créés par le Conseil de sécurité en 1993 et 1994 pour l'ex-Yougoslavie et le Rwanda. Mais, même dans ces situations, les tribunaux ne peuvent juger que des actes reconnus comme crime avant leur commission. Au moment de la création du Tribunal pénal international pour l'ex-Yougoslavie, le secrétaire général des Nations unies a réaffirmé que le TPIY « appliquerait les normes de droit international humanitaire qui font sans aucun doute partie du droit coutumier » (rapport du secrétaire général sur la résolution 808 du Conseil de sécurité, Doc. S/2504, 3 mai 1993).

Consulter aussi

▶ **Garanties judiciaires ▷ Territoire occupé ▷ Cour pénale internationale ▷ Tribunaux pénaux internationaux.**

Objectif militaire

Il s'agit d'un bien qui, par sa nature, son emplacement, sa destination ou son utilisation, apporte une contribution effective à l'action militaire et dont la destruction totale ou partielle, la capture ou la neutralisation, offrent un avantage militaire précis (GPI art. 52 et règle 8 de l'étude sur les règles de DIH coutumier publiée par le CICR en 2005).
La définition des objectifs militaires est un élément essentiel du mécanisme de protection des civils en temps de conflit. La définition comporte deux exigences complémentaires :
– la nature, l'emplacement, la destination ou l'utilisation du bien doit apporter une contribution effective à l'action militaire. Ainsi le caractère civil ou militaire d'un bien dépend de l'effet que ce bien a sur le déroulement des hostilités ;
– la destruction totale ou partielle, sa capture ou sa neutralisation doit offrir en l'occurrence un avantage militaire précis. Ainsi les attaques qui n'apportent que des avantages indéterminés ou éventuels sont illicites.

◆ **• En cas de doute, un bien qui est normalement affecté à un usage civil (lieu de culte, maison d'habitation, école) est présumé ne pas apporter une contribution effective à l'action militaire (GPI art. 52.3). Il faudra donc apporter la preuve de sa contribution effective pour légitimer son attaque.**
• Dans tous les cas, le droit humanitaire oblige les commandants militaires à respecter un certain nombre de précautions dans l'attaque pour assurer une protection aux civils (GPI art. 57).
• Ces précautions consistent notamment à vérifier la nature militaire ou non des objectifs à attaquer, et à limiter les dégâts incidents sur la population civile par un usage proportionné de la force.

• Les attaques qui ne sont pas dirigées contre un objectif militaire déterminé sont interdites, comme celles dans lesquelles on utilise des moyens et méthodes de combat qui ne peuvent pas être dirigés contre un objectif militaire déterminé, ou qui frappent indistinctement des objectifs militaires et des personnes civiles ou des biens de caractère civil (GPI art. 51.4).
• De façon corollaire, la présence ou les mouvements de population civile ne doivent pas être utilisés pour mettre certains points ou certaines zones à l'abri d'opérations militaires, notamment pour mettre des objectifs militaires à l'abri d'attaques (GPI art. 51.7).
• Les ouvrages d'art et les installations contenant des forces dangereuses (barrage, digue, centrale nucléaire) ne peuvent pas être attaqués, même s'ils constituent des objectifs militaires (GPI art. 56 ; GPII art. 15).

Il existe une difficulté concernant les biens civils (routes, écoles, usines, installations électriques, installations de radio et télévision, etc.) qui sont temporairement affectés à un usage militaire ou qui sont employés à la fois à des fins civiles et militaires. On parle dans ce cas de biens à usage double et ils peuvent, s'ils répondent aux deux critères de la définition et sous certaines conditions supplémentaires, être considérés comme des cibles légitimes. Ces conditions supplémentaires consistent dans l'obligation de prendre des précautions avant l'attaque de tels biens pour permettre l'évacuation des civils et s'assurer de la proportionnalité entre l'attaque et les dommages causés aux non-combattants.

▶ **Attaque ▷ Proportionnalité.**

Le problème essentiel consiste cependant à s'assurer que la destruction du bien est liée à son utilisation militaire et n'a pas pour objectif caché d'affaiblir le moral de la population ou de provoquer la terreur parmi elle.

Jurisprudence

• À l'occasion de l'examen de la légalité de la campagne de frappes aériennes de l'OTAN contre la Serbie, le TPIY a pu préciser la définition des objectifs militaires et de certaines notions connexes TPIY : Rapport final au procureur du Comité établi pour examiner la campagne de bombardements de l'OTAN contre la République fédérale de Yougoslavie, 8 juin 2000 (§ 36-37, 42). (http://www.un.org/icty/pressreal/nato061300.htm). Le TPIY affirme que la définition la plus largement acceptée de l'objectif militaire est celle contenue dans l'article 52 du Protocole additionnel I des Conventions de Genève. Cette définition comporte deux éléments : (a) la nature, l'emplacement, la destination et l'utilisation de ces biens doivent contribuer de façon effective à l'action militaire, et (b) leur destruction totale ou partielle, leur capture ou leur neutralisation doivent fournir un avantage militaire précis et concret dans les circonstances du moment. Cette définition est censée fournir des moyens permettant à des observateurs informés et objectifs (et à ceux qui prennent les décisions dans un conflit) de déterminer si un objet précis constitue ou non un objectif militaire. Cette mission est remplie facilement dans les situations simples. Mais quand la définition est appliquée à des biens qui ont un usage double comprenant des utilisations civiles et des utilisations ou potentialités militaires (systèmes de communication, systèmes de transport, complexes pétrochimiques, certains types d'usines) les opinions peuvent varier. L'application de la définition peut également varier en fonction de l'ampleur et des objectifs d'un conflit. Ces objectifs et cette ampleur peuvent également varier au cours du conflit.

Le Tribunal pénal international *ad hoc* pour l'ex-Yougoslavie a pu préciser la notion de bien à usage double et la légalité de leur attaque dans le cas du bombardement de la radiotélévision serbe par l'OTAN. Le tribunal a réaffirmé que le moral des civils n'est pas un objectif militaire. Il précise que si les médias sont utilisés pour inciter aux crimes, comme au Rwanda, alors ils sont une cible légitime. S'ils sont simplement utilisés comme outil de propagande pour encourager le soutien à l'effort de guerre, ils ne sont pas une cible légitime (§ 47, 55, 74, 76).

Le TPIY conclut que même si la définition donnée par le Protocole additionnel I aux Conventions de Genève n'est pas exempte de critiques, elle fournit les critères de référence actuels qui doivent être utilisés pour déterminer la légalité d'une attaque particulière. Le TPIY affirme que cette définition est généralement acceptée comme partie intégrante du droit coutumier. Par conséquent elle s'impose même pour les pays qui n'auraient pas ratifié le Protocole I.

• Dans l'affaire Blaskic, le TPIY a estimé que la présence parmi la population civile de personnes armées, opposant une résistance aux attaques, ne suffisait pas à faire perdre à la population civile son statut de protection générale, ni à assimiler un village dans lequel opèrent ces éléments armés à un objectif militaire (TPIY, affaire Blaskic, jugement du 3 mars 2000, § 401, 509-510).

Se prononçant sur l'attaque du village d'Ahmici, le tribunal précise que, « même si on peut établir que la population musulmane d'Ahmici n'était pas uniquement civile mais comprenait des éléments armés, il ne peut cependant exister aucune justification à l'attaque massive et indiscriminée contre les civils (TPIY, affaire Kupreskic, 14 janvier 2000, § 513).

Consulter aussi

▶ **Méthodes de guerre ▷ Attaque ▷ Proportionnalité ▷ Terreur ▷ Biens protégés ▷ Personnes protégées ▷ Devoirs des commandants ▷ Nécessité militaire ▷ Bouclier humain.**

Consulter aussi

MULINEN F. DE, *Manuel sur le droit de la guerre pour les forces armées*, CICR, Genève, 1989, p. 13-14.

Ordre public

L'ordre public correspond aux conditions de déroulement normal de la vie civile, aux conditions générales qui doivent exister pour que les individus puissent jouir de leurs droits et libertés.

Les États sont responsables de la défense de l'ordre public. Cependant, en toutes circonstances, même lorsque les États agissent pour défendre l'ordre public, ils doivent toujours respecter certains droits fondamentaux.

▶ **Garanties fondamentales.**

Le contenu exact de cette notion est impossible à développer. On reconnaît généralement qu'il s'agit des garanties légales et matérielles de liberté, de sécurité et de tranquillité qui permettent la vie des individus en société. Au-delà des règles de base partagées par toutes les sociétés humaines et contenues dans les textes internationaux, chaque société doit fixer elle-même le contour précis de l'ordre public en fonction des aspirations de la population, des choix politiques et des contraintes matérielles.

1. *Au niveau national*

C'est à l'État qu'il incombe de lutter contre les troubles de l'ordre public qui menacent la sécurité de la collectivité et la vie des individus. C'est au nom de la défense de l'ordre public que l'État peut limiter les droits individuels chaque fois que l'exercice de ces derniers implique, effectivement, des risques de troubler l'ordre public.

Le droit international reconnaît l'importance primordiale de la sauvegarde de l'ordre public puisqu'il admet qu'un État peut prendre, dans la stricte mesure où la situation de danger l'exige, des mesures dérogeant à ses obligations en matière de sauvegarde des droits de l'homme. La nécessité et la proportionnalité d'une telle dérogation peut faire l'objet d'un contrôle judiciaire.

◆ **L'État a la responsabilité de maintenir ou de rétablir l'ordre public par tous les moyens légitimes. La notion de moyens légitimes signifie que même dans ses efforts pour maintenir ou**

rétablir l'ordre public dans les situations de troubles ou de conflit, l'État doit respecter les garanties fondamentales accordées aux individus par les instruments internationaux relatifs aux droits de l'homme ainsi que, le cas échéant, par les Conventions de Genève et leurs Protocoles additionnels (GPI art. 75 ; GPII art. 3.1 ; Déclaration universelle des droits de l'homme de 1948, art. 29 ; Convention européenne des droits de l'homme, art. 15 ; Pacte international relatif aux droits civils et politiques, art. 4 ; Convention américaine des droits de l'homme, art. 27 ; Convention de l'UNESCO de 1954, art. 8).

2. *À l'échelle internationale*

• Le Conseil de sécurité des Nations unies a pour devoir de défendre l'ordre public international contre les actes des États qui mettent en péril la paix et la sécurité internationales. Les atteintes à l'ordre public international justifient, selon le chapitre VII de la Charte de l'ONU (action en cas de menace à la paix, de rupture de la paix, et d'acte d'agression), des dérogations au principe de souveraineté des États et le recours à l'utilisation de la force par les Nations unies.

■ La défense de l'ordre public international

Les décisions du Conseil de sécurité ne permettent pas encore de déterminer le contenu exact des actes considérés comme troublant l'ordre public international. Cette définition est en pleine évolution. Pendant longtemps, les seuls actes « criminels » étaient ceux qui portaient atteinte à la paix et à la sécurité internationales. Le Conseil de sécurité est le seul dans le système onusien à posséder le pouvoir de qualifier une situation de menace ou une atteinte à la paix. Le Conseil de sécurité n'est pas chargé par la Charte de l'ONU de faire respecter le droit, mais les conflits récents l'ont amené à considérer que certaines violations graves et massives du droit humanitaire pouvaient mettre en danger la paix et la sécurité internationales.
La résolution 808 du Conseil de sécurité du 22 février 1993 a réaffirmé que « l'état de violation généralisée du droit humanitaire international sur le territoire de l'ex-Yougoslavie, notamment les tueries massives et la poursuite de la pratique du nettoyage ethnique [...], constitue une menace à la paix et à la sécurité internationales ». Les résolutions 827 (25 mai 1993) et 955 (8 novembre 1994) concernant les situations dans l'ex-Yougoslavie et au Rwanda qualifient également les violations graves du droit humanitaire de menace à la paix et à la sécurité internationales.
Mais ces décisions ne permettent pas de tirer de conclusions juridiques générales sur le contenu de l'ordre public international. Le Conseil de sécurité reste toujours libre de modifier la motivation de ses décisions et de revenir à une définition plus restrictive.
• Le statut de la Cour pénale internationale permanente a été adopté en juillet 1998, à Rome, à l'issue d'une conférence diplomatique organisée sous l'égide de l'ONU, et est entré en vigueur le 1er juillet 2002. Elle a pour mission de juger, sous certaines conditions, les auteurs des crimes qui portent gravement atteinte à l'ordre public international, qui « menacent la paix, la sécurité et le bien-être du monde » (Préambule du statut de la CPI). Il s'agit du crime de génocide, des crimes contre l'humanité et des crimes de guerre. La CPI est également compétente pour juger le crime d'agression depuis l'adoption d'une définition internationale de ce crime par l'Assemblée des États parties lors de la Conférence de révision du statut de Rome de Kampala en juin 2010. Le Conseil de sécurité a le pouvoir de soumettre à la Cour le jugement de tels actes criminels. Les États parties au statut peuvent aussi saisir cette Cour sous

certaines conditions, et le procureur peut également, sous certaines conditions, ouvrir une enquête de son propre chef. ■

Consulter aussi

▶ **Garanties fondamentales ▷ État d'exception, état de siège, état d'urgence ▷ Troubles et tensions internes ▷ Conflit armé international ▷ Conflit armé non international ▷ Maintien de la paix ▷ Conseil de sécurité des Nations unies ▷ ONU ▷ Sécurité collective ▷ Ingérence ▷ Cour pénale internationale ▷ Sanctions diplomatiques, économiques et militaires ▷ Sécurité ▷ Terrorisme.**

Pour en savoir plus

KERBRAT Y., *La Référence au chapitre VII de la Charte des Nations unies dans les résolutions à caractère humanitaire du Conseil de sécurité*, LGDJ, Paris, 1995.

Le Chapitre VII de la Charte des Nations unies, colloque de Rennes de la SFDI, Pedone, Paris, 1995.

Organisation mondiale de la santé (OMS)

1. *L'Organisation*

L'OMS (en anglais WHO), créée en 1946, est composée de 193 États membres et de deux membres associés (observateurs). C'est une institution spécialisée des Nations unies qui siège à Genève.

2. *Mandat*

Son but est « d'amener tous les peuples au niveau de santé le plus élevé possible ». Pour ce faire, elle agit « en tant qu'autorité directrice et coordinatrice, dans le domaine de la santé, des travaux ayant un caractère international ». Elle s'est fixé en 1978 l'objectif de « la santé pour tous en l'an 2000 ».

Sa constitution définit la santé comme « un état de complet bien-être physique, mental et social, et ne consiste pas seulement en une absence de maladie ou d'infirmité ». Elle pose comme « principe à la base du bonheur des peuples » le fait que « la possession du meilleur état de santé qu'il est capable d'atteindre constitue l'un des droits fondamentaux de tout être humain », et que « les gouvernements ont la responsabilité de la santé de leurs peuples, ils ne peuvent y faire face qu'en prenant les mesures sanitaires et sociales appropriées ».

3. *Structure*

Une Assemblée mondiale de la santé est l'organe plénier composé de personnalités qualifiées dans le domaine de la santé, de préférence représentant l'administration nationale concernée : le ministère de la Santé. L'Assemblée siège une fois par an, et élit un conseil exécutif, dont les 32 membres siègent (tous les six mois) à titre individuel en tant qu'experts et non comme représentants de leur gouvernement. L'Assemblée nomme le directeur général pour une durée de cinq ans. Il s'agit du docteur Margaret Chan (2006-2010), qui été reconduite pour un second mandat lors de la 65e Assemblée mondiale de la Santé en mai 2012. L'Organisation est décentralisée par région, chaque organisation régionale comportant un comité régional (États membres et associés) et un bureau régional (organe administratif). Six organisations régionales ont été créées : Afrique, Amérique, Asie du Sud-Est, Europe, Méditerranée orientale, Pacifique occidental. Plus de 8 000 personnes de plus de 150 nationalités travaillent pour l'Organisation dans 147 bureaux de pays, 6 bureaux régionaux, ainsi qu'au siège à Genève.

4. *Moyens*

- ***Les relations avec les États***

  Les États membres doivent soumettre des rapports annuels à l'Organisation sur les mesures prises et les progrès réalisés pour améliorer la santé de leur population. Sur le plan opérationnel, le secrétariat et les bureaux travaillent avec les ministères concernés des pays membres.

- ***Les relations avec les ONG***

  L'Organisation peut nouer des « relations officielles » avec des ONG, selon une procédure de statut consultatif. Tout contact avec une ONG nationale est toutefois soumis à l'approbation de l'État membre concerné.

- ***Législation sanitaire internationale***

  L'Assemblée élabore et adopte des conventions internationales ouvertes à la ratification des États membres. Chacun s'engage à répondre dans les six mois, s'il l'accepte ou la refuse ; dans ce dernier cas il doit justifier pourquoi.

  L'Assemblée peut par ailleurs faire des recommandations aux États membres.

  Enfin, elle a un pouvoir réglementaire applicable directement dans les États membres, à moins qu'ils ne s'y opposent formellement au cas par cas. Cela concerne les mesures de quarantaine, la nomenclature des maladies, les méthodes d'hygiène publique, de diagnostic, les normes pharmaceutiques.

- ***Action sanitaire internationale***

  Le rôle de l'OMS ne se limite pas à l'élaboration d'une législation sanitaire internationale. L'Organisation conduit également des actions en faveur de l'amélioration de l'état sanitaire (campagnes de vaccination). Elles sont financées par des contributions spéciales, extrabudgétaires.

  Lors de situations d'urgence, elle collabore aussi avec les organes concernés du système des Nations unies, en participant au Comité permanent interagences, par exemple, à travers le Bureau de la coordination des affaires humanitaires (OCHA). L'OMS fait des études épidémiologiques et des formations de médecine d'urgence, sous la direction d'OCHA.

Consulter aussi

▶ **Mission médicale ▷ Services sanitaires ▷ Blessés et malades ▷ Organisation des Nations unies.**

Contact

OMS
20, avenue Appia
CH — 1211 Genève 27 / Suisse
Tél. : (00 41) 22 791 21 11
Fax : (00 41) 22 791 07 46
www. who. org

Organisation des Nations unies (ONU)

Avec 193 membres et 68 900 employés, l'ONU est la première organisation internationale dans le monde. À vocation universelle, elle est ouverte à tous les États qui acceptent les obligations posées par la Charte. Le dernier État à être devenu membre des Nations unies est la République du Soudan du Sud, le 14 juillet 2011, après la proclamation de son indépendance le 9 juillet.

1. *La Charte des Nations unies*

La Charte est le traité signé en 1945 à San Francisco qui a fondé l'ONU. Les États ont conféré à ce traité un rang supérieur à tous les autres (art. 103) : aucune convention ne peut donc déroger à ses principes. Aussi, en cas de contradiction ou de conflit de normes, les obligations des États découlant de la Charte doivent prévaloir sur celles d'autres conventions.

▶ **Hiérarchie des normes ▷ Convention internationale.**

La Charte définit les objectifs généraux de l'organisation mondiale. Afin de « préserver les générations futures du fléau de la guerre » (Préambule), la Charte assigne à l'ONU deux grandes vocations :
– le maintien de la paix et de la sécurité internationales, moyennant un système de sécurité collective. Les États s'engagent à ne plus recourir à la force pour régler leurs différends ; l'ONU s'engage à défendre l'ordre public international ;
– le progrès économique et social de tous les peuples, par le respect des droits de l'homme et le développement de la coopération technique entre États.
Ces deux piliers de l'organisation mondiale sont confiés à différents organes. Les organes principaux et les organes subsidiaires constituent l'ONU *stricto sensu*. Les organes principaux, les organes subsidiaires et les institutions spécialisées forment ensemble « la famille ou le système des Nations unies ».

▶ **Sécurité collective ▷ Maintien de la paix ▷ Ordre public ▷ Droits de l'homme.**

2. *Les organes de l'ONU*

• La Charte prévoit six organes principaux pour remplir sa mission (art. 7.1) :

– l'Assemblée générale (chapitre IV de la Charte) ;
– le Conseil de sécurité (chapitre V) ;
– le Conseil économique et social (chapitre X) ;
– la Cour internationale de justice (chapitre XIV) ;
– le secrétariat général (chapitre XV).

Le chapitre XIII de la Charte prévoyait un Conseil de tutelle, chargé d'administrer et de conduire vers l'indépendance les territoires non autonomes. Il est tombé en désuétude.

▶ **Assemblée générale des Nations unies ▷ Conseil de sécurité des Nations unies ▷ Conseil économique et social des Nations unies ▷ Cour internationale de justice ▷ Secrétariat général des Nations unies.**

• Ces organes principaux peuvent créer des organes subsidiaires. C'est une délégation de pouvoirs sous le contrôle permanent et la responsabilité de l'organe principal. Ces organes subsidiaires ne sont pas des organisations internationales et ne disposent donc pas de la personnalité juridique internationale. Ils continuent de dépendre juridiquement de l'organe principal qui les a créés. On peut citer à titre d'exemple le Programme alimentaire mondial (PAM), le Haut-Commissariat aux réfugiés (HCR), le Fonds des Nations unies pour l'enfance (UNICEF), les tribunaux pénaux internationaux *ad hoc* créés pour juger les crimes de guerre en ex-Yougoslavie et au Rwanda (TPI), le Programme des Nations unies pour le développement (PNUD), les opérations de maintien de la paix, etc.

▶ **PAM ▷ HCR ▷ Tribunaux pénaux internationaux ▷ UNICEF ▷ PNUD ▷ Maintien de la paix.**

3. *Les agences spécialisées des Nations unies*

Les États peuvent avoir besoin de plus d'indépendance par rapport à l'ONU dans des domaines précis de coopération technique. Ils créent alors une nouvelle organisation internationale, qui a ses propres personnels, règles et mandat : c'est une institution spécialisée qui collabore avec l'ONU, mais est juridiquement indépendante. C'est le cas de l'Organisation mondiale de la santé (OMS) ou de l'Organisation pour l'alimentation et l'agriculture (FAO), par exemple.

▶ **OMS ▷ FAO.**

4. *Les Nations unies et les affaires humanitaires*

Le Bureau de la coordination des affaires humanitaires (OCHA) est dirigé par un sous-secrétaire général. Il coordonne le Comité permanent interagences (IASC) qui est le principal forum de prise de décisions en situation d'urgence. Ses membres sont les directeurs des principaux organes et agences spécialisés des Nations unies participant directement à l'assistance humanitaire : le PNUD, l'UNICEF, le HCR, le PAM, la FAO et l'OMS. Le Comité international de la Croix-Rouge (CICR) y participe directement, et les ONG peuvent aussi y être invitées.

▶ **Bureau de la coordination des affaires humanitaires.**

Consulter aussi

▶ **Assemblée générale des Nations unies ▷ Conseil de sécurité des Nations unies ▷ Conseil économique et social des Nations unies ▷ Cour internationale de justice ▷ Secrétariat général des Nations unies ▷ PAM ▷ HCR ▷ Tribunaux pénaux internationaux ▷ UNICEF ▷ OMS ▷ FAO ▷ Bureau de la coordination des affaires humanitaires ▷ Maintien de la paix ▷ Ordre public ▷ Sécurité collective.**

Contacts

ONU (siège)
New York
NY 10017 / USA.
Tél. : (00 1) 212 963 12 34/Fax : (00 1) 212 963 48 79.
Office des Nations unies à Genève
Palais des Nations
CH 1211 Genève 10 / Suisse.
Tél. : (00 41) 22 917 12 34/Fax : (00 41) 22 917 00 23.
www.un.org
et pour l'ensemble du système onusien :
www.unsystem.org

Pour en savoir plus

ONU, *ABC des Nations unies*, éd. Nations unies, janvier 2002,408 p.

Rapport du secrétaire général des Nations unies, *Dans une liberté plus grande : développement, sécurité et respect des droits de l'homme pour tous,* [A/59/2005], 24 mars 2005. Disponible sur le site des Nations unies [www.un.org].

Rapport du groupe de personnalités de haut niveau sur les menaces, les défis et le changement, *Un monde plus sûr, notre affaire à tous,* [A/59/565], 2 décembre 2004. Disponible sur le site des Nations unies [www.un.org].

Organisation non gouvernementale

Le terme organisation non gouvernementale ne recouvre pas une catégorie juridique précise, ni en droit international ni en droit interne. Il s'agit plutôt d'une commodité de langage destinée à désigner des personnes morales de droit privé dont l'activité n'est pas strictement nationale. Le seul point commun des ONG est d'être des structures non gouvernementales et non lucratives. Il s'agit le plus souvent d'organismes de droit privé national : associations, fondations ou autres formes similaires reconnues par le droit national des différents pays concernés. Chaque ONG regroupe des individus autour des objectifs qu'ils se sont fixés dans les statuts de l'association. Les ONG définissent donc librement leur propre mandat. Elles sont l'expression d'une vie associative internationale qui reflète la solidarité entre les individus et sert de complément aux institutions politiques internationales et aux lois économiques et commerciales du marché mondial.
Leur présence dans la vie internationale n'est pas due à leur statut juridique.

• Elles participent à la vie internationale par le biais d'actions à but non lucratif qu'elles entreprennent dans différents pays étrangers. Ces actions peuvent être de natures très diverses selon chaque organisation : humanitaire, culturelle, éducative, sociale, religieuse, économique, etc.

◆ **• Pour ne pas entraver la liberté d'association, les lois pertinentes des différents pays n'ont pas prévu de mécanismes contraignants de contrôle de l'activité des associations et autres ONG. Une seule obligation légale pèse sur elles, ne pas mener des activités lucratives. Ces entités rendent des comptes à leurs organes internes : assemblée générale de leurs membres, conseil d'administration. Cette souplesse peut également être synonyme de fragilité. Elles peuvent être soumises à diverses pressions financières, politiques, etc.**
• Certaines ONG dépendent totalement de l'argent des gouvernements pour leur fonctionnement. Leur indépendance et leur caractère non gouvernemental peuvent alors en souffrir.
• Le nombre d'adhérents et la réalité de la vie associative sont les garants d'un fonctionnement indépendant et responsable des ONG.

• Les ONG peuvent obtenir un statut consultatif auprès du Conseil économique et social de l'ONU et de certaines organisations internationales qui ont un champ de compétence proche de leur domaine d'activité. Ce statut consultatif leur permet d'être informées des travaux de l'organisation internationale et de soumettre des documents ou de débattre des questions de leur compétence avec les représentants des États.
• Elles peuvent signer des contrats de partenariat opérationnel avec des organisations internationales et des contrats financiers avec des bailleurs de fonds nationaux ou internationaux pour mettre en œuvre des programmes internationaux de solidarité. Elles signent également des accords de programmes avec les ministères concernés des pays étrangers.
• Dans des situations de conflit armé, les Conventions de Genève confient une mission de secours et de protection aux organisations humanitaires et impartiales. Ainsi dans ces situations les organisations humanitaires ne doivent pas seulement agir de façon désintéressée financièrement. Elles ne peuvent pas exprimer une solidarité sélective avec certaines victimes. Le droit humanitaire fixe des principes opérationnels qui obligent les organisations qui se disent humanitaires, à agir au profit de toutes les victimes, sans discrimination fondée sur la race, la religion, la croyance, le sexe, les opinions politiques ou d'autres critères de distinction défavorables. Il s'agit du principe d'impartialité.
Il est important que les ONG soient conscientes de leur responsabilité face à la mission et aux responsabilités de protection et d'assistance des populations que le droit humanitaire confie aux organisations privées dans les situations de conflit. À défaut leurs actions risquent d'affaiblir la protection due aux victimes.

▶ **Droit d'initiative humanitaire ▷ Principes humanitaires ▷ Secours ▷ Protection ▷ Responsabilité ▷ Discrimination ▷ Personnel humanitaire et de secours ▷ Immunité.**

Pour en savoir plus

Barberis J.A., « Nouvelles questions sur la personnalité juridique internationale », *Recueil des cours de l'Académie de droit international*, t. 179, 1983, vol. I, p. 145-304.

Beigdeber Y., *Le Rôle international des organisations non gouvernementales*, Bruylant-LGDJ, Bruxelles-Paris, 1992.

Bringuier P., « À propos du droit d'initiative humanitaire du Comité international de la Croix-Rouge et de tout autre organisme humanitaire impartial », *International Geneva Yearbook*, 1990, p. 89-102.

Ferris E., « Faith based and secular humanitarian organisations », *Revue internationale de la Croix-Rouge*, n° 858, juin 2005, p. 311-325.

Holenstein A. M., « Governmental donor agencies and faith based organisations », *Revue internationale de la Croix-Rouge*, n° 858, juin 2005, p. 367-374.

Ryfman P., *Les ONG*, La Découverte, « Repères », 2004, 122 p.

Otage

La prise d'otages et leur exécution sont expressément interdites par plusieurs conventions internationales.

La prise d'otages peut avoir lieu pour des mobiles politiques. Elle tente alors de faire pression sur les autorités politiques d'un pays pour différentes raisons, comme, par exemple, obtenir la reconnaissance d'un mouvement d'opposition armé, la libération de détenus appartenant à ce mouvement, etc.

Elle peut également intervenir dans un cadre plus économique et avoir pour objectif le versement d'une rançon. À grande échelle, elle devient alors une véritable industrie destinée à financer les activités des preneurs d'otages.

La prise d'otages peut avoir lieu en période de conflit ou en période de paix ou de troubles et tensions internes.

1. *En période de conflit*

La prise et l'exécution d'otages sont interdites par le droit humanitaire et sont considérées comme des crimes de guerre (GI-GIV art. 3 commun ; GIV art. 34 et 147 ; GPI art. 75). Si les États ont introduit cette obligation des Conventions de Genève dans leur droit interne, ces crimes peuvent être poursuivis devant toute juridiction nationale en application du principe de juridiction universelle.

Cela a été également affirmé dans les principes du droit international consacrés par le statut du tribunal de Nuremberg et dans le jugement de ce tribunal (Commission du droit international des Nations unies, juin-juillet 1950) et dans le statut de la Cour pénale internationale.

La prise d'otages dans un conflit armé international ou interne est assimilée à un crime de guerre par le statut de la Cour pénale internationale adopté le 17 juillet 1998 à Rome (art. 8.2.a.viii et 8.2.c.iii du statut de la CPI) et entré en vigueur le 1er juillet 2002. Les preneurs d'otages peuvent donc, sous certaines conditions, être jugés par la CPI, ou par les tribunaux internationaux.

Cette règle a aujourd'hui acquis un caractère coutumier. En effet, la règle 96 de l'étude sur les règles de droit international humanitaire coutumier publiée par le CICR en 2005 prescrit que la prise d'otages est interdite en période de conflits armés tant internationaux que non internationaux.

▶ **Compétence universelle ▷ Cour pénale internationale.**

2. *En période de paix et de troubles et tensions internes*

Il existe une Convention internationale contre la prise d'otage, adoptée le 17 décembre 1979 par l'Assemblée générale de l'ONU (rés. 34/146). Ce texte est entré en vigueur en 1983 et liait 170 États en avril 2013. L'article 12 de cette convention précise expressément que son application est suspendue en période de conflit et que, dans cette situation, c'est le droit humanitaire qui s'applique.

• Cette convention définit la prise d'otages : il s'agit de l'action de s'emparer d'une personne ou de la détenir et de menacer de la tuer, de la blesser ou de continuer à la détenir afin de contraindre une tierce partie, à savoir un État, une organisation internationale intergouvernementale, une personne physique ou morale ou un groupe de personnes, à accomplir un acte quelconque ou à s'en abstenir en tant que condition explicite ou implicite de la libération de l'otage (art. 1).

• Elle prévoit que sont punis les preneurs d'otages, mais aussi toute personne qui tente de commettre une prise d'otages, qui se rend complice d'une prise d'otages ou d'une tentative de prise d'otages (art. 1).

• Chaque État partie s'engage à punir les auteurs de ces faits (art. 2). Il doit aussi adapter sa législation interne pour permettre leur jugement quand les faits ont été commis :

– sur son territoire ou à bord d'un navire ou d'un aéronef immatriculé chez lui ;

– par un de ses ressortissants, ou, si cet État le juge approprié, par les apatrides qui ont leur résidence habituelle sur son territoire ;

– pour le contraindre à accomplir un acte quelconque ou à s'en abstenir ;

– à l'encontre d'un otage qui est ressortissant de cet État lorsque ce dernier le juge approprié (art. 5).

• Dans le cas où l'auteur présumé des faits est présent sur son territoire et s'il ne l'extrade pas, l'État est obligé, sans aucune exception, de juger cette personne, que les faits aient été commis ou non sur son territoire (art. 8).

Consulter aussi

▶ **Bouclier humain ▷ Crime de guerre-Crime contre l'humanité ▷ Entraide judiciaire ▷ Compétence universelle.**

Pour en savoir plus

DELAPLACE E., « La prise d'otages », *in Droit international pénal,* sous la dir. de Hervé ASCENSIO, Emmanuel DECAUX et Alain PELLET, CEDIN-Paris-X, Pedone, Paris, 2000, 1053 p., p. 387-394.

HERRMANN I., PALMERI D., « Une figure obsédante : l'otage à travers les siècles », *Revue internationale de la Croix-Rouge,* n° 857, 2005, p. 135-148.

SALINAS BURGOS H., « La prise d'otages en droit international humanitaire », *Revue internationale de la Croix-Rouge,* n° 777, mai-juin 1989, p. 208-229.

WAYNE E. H., « Hostages or prisoners of war : war crimes at dinner », *Military Law Review,* vol. 149, 1995, p. 241-274.

Paix

État de la société internationale où les différends ne sont pas réglés par la menace ou l'emploi de la force armée et où l'ordre public est respecté. On définit parfois la paix comme l'absence de guerre. Cela n'empêche pas l'existence de tensions et de conflits, mais ceux-ci peuvent être gérés par des moyens pacifiques dans le cadre de l'ONU ou d'organisations régionales ou par le recours à l'arbitrage ou aux bons offices de médiateurs. La Charte de l'ONU a développé un mécanisme de sécurité collective dont le but est le règlement pacifique des différends.

◆ **Le droit national et le droit international s'appliquent normalement dans ces situations, notamment les conventions internationales relatives aux droits de l'homme. Le droit humanitaire ne s'applique pas dans ces cas-là.**

▶ **ONU ▷ Conseil de sécurité des Nations unies ▷ Ordre public ▷ Maintien de la paix ▷ Sécurité collective ▷ Guerre ▷ Droits de l'homme ▷ Cessez-le-feu ▷ Troubles et tensions internes.**

Pour en savoir plus

CHAUNU P., *Les Enjeux de la paix. Nous et les autres*, PUF, Paris, 1995.

DUTLI M. T., « Mise en œuvre du droit international humanitaire. Activités du personnel qualifié en temps de paix », *Revue internationale de la Croix-Rouge,* n° 799, janvier-février 1993, p. 5-12.

HARROFF-TAVEL M., « La guerre a-t-elle jamais une fin ? L'action du Comité international de la Croix-Rouge lorsque les armes se taisent », *Revue internationale de la Croix-Rouge,* n° 851, septembre 2003, p. 465-496.

Partie au conflit

Pour préserver les possibilités d'application du droit international humanitaire, les Conventions de Genève ont recours au terme neutre de « parties au conflit » pour désigner les entités étatiques ou non étatiques qui prennent part aux hostilités. Ce terme remplace dans le vocabulaire juridique moderne celui de « belligérant », qui reste cependant utilisé communément pour désigner les individus, groupes et États engagés dans un conflit armé.
Cependant, les conflits armés ne se résument pas à l'affrontement des forces armées officielles d'États qui ont reconnu leur existence mutuelle. En outre, dans les conflits armés non internationaux, l'une des parties est nécessairement représentée par une

entité non étatique n'ayant pas forcément d'existence officielle : insurgés, rebelles, groupes armés divers. Le statut non étatique de ces groupes les empêche de signer les conventions internationales relatives au droit humanitaire. Il est pourtant essentiel que le respect du droit humanitaire ne puisse pas être différé par des querelles relatives au statut juridique des belligérants.

C'est pour cela que le droit humanitaire fait une distinction entre le statut de « hautes parties contractantes » et celui de « parties au conflit ». Les hautes parties contractantes désignent les États signataires des conventions qui ont des obligations de respecter et d'assurer le respect du droit humanitaire même s'ils ne sont pas directement impliqués dans un conflit armé. En outre, ils restent tenus au respect des conventions humanitaires qu'ils ont signées même vis-à-vis d'un adversaire qui n'aurait pas signé les conventions. Le principe traditionnel de réciprocité des engagements n'est pas reconnu par le droit humanitaire. Ceci s'illustre particulièrement par le fait que la violation d'un engagement par une partie ne peut pas être invoquée par l'autre partie pour justifier ses propres violations des règles du droit humanitaire.

La notion de parties au conflit désigne quant à elle à la fois les États impliqués dans le conflit mais aussi les entités non étatiques qui prennent part aux hostilités. Pour pallier les défauts d'application directe des conventions, le droit humanitaire prévoit un mécanisme contractuel complémentaire. Les parties au conflit s'engagent à mettre en vigueur dès le début des hostilités tout ou partie des conventions humanitaires par voie d'accord spécial (GIV art. 3). Ce mécanisme est également ouvert entre États parties au conflit qui ne seraient pas eux mêmes signataires des conventions (GIV art. 2). Il est également précisé que l'application du droit humanitaire n'a pas d'effet sur le statut juridique des parties au conflit (GI-GIV art. 3 commun ; GPI art. 4).

Ces limites conventionnelles sont aujourd'hui partiellement compensées par le fait que de très nombreuses dispositions du droit humanitaire ont acquis un caractère coutumier. En 2005, le CICR a ainsi publié une étude énonçant 161 règles de droit international humanitaire coutumier applicables aux conflits internationaux et non internationaux. Ce droit humanitaire coutumier est obligatoire pour toutes les parties au conflit, y compris pour les États qui n'auraient pas signer les conventions et les acteurs armés non étatiques qui, par définition, ne peuvent pas ratifier les conventions internationales.

Sous réserve qu'ils soient organisés et placés sous un commandement responsable (conditions cumulatives), les groupes armés non étatiques peuvent avoir le statut de partie aux conflits non internationaux. Ils sont à ce titre tenus au respect du droit humanitaire qui s'y rapporte, c'est-à-dire l'article 3 commun des Conventions de Genève et le Protocole additionnel II de 1977. S'il est prouvé que des groupes armés non étatiques agissent en réalité pour le compte et sous le contrôle d'un État étranger, le conflit armé peut également être internationalisé.

▶ **Groupes armés non étatiques.**

Les interventions militaires internationales sous le mandat du Conseil de Sécurité peuvent sous certaines conditions être considérées comme parties au conflit. C'est

le cas quand elles sont autorisées à employer la force de manière offensive au-delà de la simple légitime défense et quand elles soutiennent l'action des forces armées d'une partie au conflit.
Le droit humanitaire applicable dépendra du caractère international ou non international du conflit. La qualification n'est pas laissée à l'appréciation partisane des parties en conflit. Le droit humanitaire énonce des critères de qualification factuels et objectifs pour éviter les polémiques. Ces critères sont interprétés et précisés par la jurisprudence récente des tribunaux internationaux.
En cas de conflit armé non international, le fait qu'un groupe armé non étatique soit reconnu comme partie au conflit lui donne des obligations au regard du respect du droit humanitaire. Cependant, le droit humanitaire ne confère pas aux membres de ces groupes armés le statut de combattant et les privilèges s'y attachant comme le statut de prisonnier de guerre et l'exemption d'être poursuivi pour leur participation aux hostilités. Dans le silence du droit humanitaire, les membres des groupes armés restent donc soumis aux règles du droit national, qui les considère comme des criminels et limite le privilège de recours à la force à l'armée nationale. Il s'agit là d'une forte asymétrie juridique qui rompt le principe d'égalité juridique des parties en conflit, imposé en principe par le droit humanitaire.
Il reste possible de remédier à ce déséquilibre dans le cadre d'un accord spécial signé entre les parties en conflit comme le suggère l'article 3 commun. Cette possibilité d'accord *ad hoc* accepté par l'État partie au conflit peut permettre de rétablir un certain équilibre entre l'application des dispositions du droit humanitaire et celle du droit national dans les conflits armés non internationaux. Elle peut permettre d'aller au-delà des dispositions du Protocole additionnel II sans entraîner la reconnaissance juridique de l'autre partie au conflit. Ceci est particulièrement important pour permettre à l'État de signer un accord avec un groupe illégitime ou criminel au regard du droit national.

◆ **• Les règles classiques de réciprocité ne s'appliquent pas dans le domaine du droit international humanitaire.**
• Le fait que l'une des parties au conflit ne soit pas signataire des Conventions de Genève ou ne les respecte pas ne délie pas l'autre partie de son obligation de respecter le droit humanitaire (GI-IV art. 1 et 2 communs). Cela est particulièrement important dans les conflits armés non internationaux, dans lesquels il existe une forte asymétrie juridique et pratique entre les parties au conflit : d'un côté l'État et de l'autre des individus et groupes armés non étatiques plus ou moins organisés qui restent considérés comme des criminels par le droit national.

▶ **Statut juridique des parties au conflit ▷ Accord spécial ▷ Haute partie contractante ▷ Convention internationale ▷ Belligérant ▷ Coutume ▷ Combattant ▷ Respect du droit humanitaire ▷ Ingérence ▷ Maintien de la paix ▷ Conflit armé international ▷ Conflit armé non international ▷ Groupes armés non étatiques ▷ Population civile ▷ Sociétés militaires privées.**

Pour en savoir plus

MEYROWITZ H., *Le Principe de l'égalité des belligérants devant le droit de la guerre*, Pedone, Paris, 1970.
MEYROWITZ H., SASSOLI M. et SHANY Y., « Should the obligations of states and armed groups under international humanitarian law really be equal ? » *Revue internationale de la Croix-Rouge*, n° 882, juin 2011, p. 425-436.

PFANNER T., « Les guerres asymétriques vues sous l'angle du droit humanitaire et de l'action humanitaire », *Revue internationale de la Croix-Rouge.*, n° 857, mars 2005, p. 149-174.
SOMER J., « Jungle justice : passing sentence on the equality of belligerent in non international armed conflict », *Revue internationale de la Croix-Rouge*, n° 867, septembre 2007, p. 655-690.
VITE S., « Typology of armed conflicts in international humanitarian law : legal concepts and actual situations », *International Review of the Red Cross*, n° 873 (mars 2009), p. 69-94.

Peines collectives

Le droit international stipule qu'aucune personne ne peut être punie pour une infraction qu'elle n'a pas commise personnellement. Il s'ensuit que la peine collective infligée à un groupe de personnes pour un crime commis par un individu est aussi interdite, qu'il s'agisse de prisonniers de guerre ou de tout autre individu. Ce droit est prévu par les Conventions de Genève et leurs protocoles au titre des garanties fondamentales. Il ne s'applique donc pas seulement aux personnes protégées mais à tout individu, quelle que soit la catégorie à laquelle il appartient (GIV art. 33 ; GPI art. 75.2d ; GPII art. 4.2b). Il est également interdit d'infliger une peine collective à des prisonniers de guerre pour des actes commis individuellement (GIII art. 87).

◆ **• L'interdiction des peines collectives découle du fait que la responsabilité pénale ne peut être qu'individuelle. Le respect de ce principe ne peut s'obtenir qu'au travers des garanties qui protègent le déroulement des procédures judiciaires.**
• Ce principe doit également être défendu dans le cadre des procédures de sanctions disciplinaires.

▶ **Garanties judiciaires ▷ Prisonnier de guerre ▷ Personnes protégées ▷ Responsabilité ▷ Représailles.**

Pour en savoir plus

JESCHEK H. H., « Collective punishment », *in* BERNHARDT R. (éd.), *Encyclopedia of Public International Law*, North-Holland Publishing Company, 1982, vol. III, p. 103-104.

Peines corporelles

En situation de conflit, le droit international humanitaire interdit d'infliger des peines corporelles aux prisonniers de guerre et aux autres personnes protégées (GIII art. 87 ; GIV art. 32 ; GPI art. 75.2.a ; GPII art. 4.2.a).
La règle 91 du droit international humanitaire coutumier publiée par le CICR en 2005 reconnaît le caractère impératif et coutumier de cette règle dans les situations de conflits armés internationaux et non internationaux, y compris en tant que sanction pénale appliquée par les autorités étatiques ou des groupes armés non étatiques en cas d'occupation ou de contrôle militaires sur un territoire et des personnes. L'interdiction porte également sur les mutilations et expérimentations scientifiques ou toute autre

pratique médicale non justifiée par l'état de santé de la personne concernée et non conforme avec les protocoles médicaux généralement acceptés (règle 92). Cette double interdiction oblige les médecins à refuser toute participation à l'administration de châtiments corporels en période de conflit armé.
Dans les autres situations le droit international interdit la torture, les traitements cruels inhumains et dégradants et les mutilations. Les peines corporelles infligées dans le cadre de sanctions pénales ou disciplinaires ont été abolies dans la plupart des systèmes juridiques du monde. Cependant ces peines qui vont jusqu'à l'amputation de parties du corps sont admises dans certains pays en tant que sanctions pénales. Elles ne peuvent dans ces cas être valablement prononcées et exécutées qu'à la suite d'un procès équitable respectant les garanties judiciaires prévues par le droit national et celles contenues dans les conventions internationales pertinentes.

▶ **Torture ▷ Mauvais traitements ▷ Garanties judiciaires ▷ Sanction ▷ Déontologie médicale.**

Pour en savoir plus

SUDRE F., « La notion de peines et de traitements inhumains et dégradants dans la jurisprudence de la Commission et de la Cour européennes des droits de l'homme », *Revue générale de droit international public,* 1984, p. 825-889.

Peine de mort

La peine de mort est admise par le droit international si elle est prévue par le droit pénal d'un État pour sanctionner les crimes les plus graves. La peine de mort doit résulter d'une décision de justice rendue par un tribunal régulièrement constitué et conformément aux règles du procès équitable (art. 6 du Pacte international relatif aux droits civils et politiques).

▶ **Garanties judiciaires.**

◆ **• Il ne faut pas confondre peine de mort et exécution sommaire ou extrajudiciaire. L'exécution sommaire ou extrajudiciaire consiste à priver arbitrairement une personne de sa vie, en l'absence de tout jugement d'un tribunal compétent et indépendant ou de tout recours. Elle est strictement interdite par le droit international, en période de paix comme en situation de conflit.**
• Un rapporteur spécial du Conseil des droits de l'homme de l'ONU (anciennement la Commission) est chargé de suivre la question des exécutions sommaires et extrajudiciaires. Depuis 2010 il s'agit de M. Christof Heyns (Afrique du Sud).

■ La peine de mort en période de conflit

Le droit humanitaire limite l'usage qui peut être fait de la peine de mort contre certaines catégories de personnes.
• *Les personnes âgées de moins de dix-huit ans, les femmes enceintes et les mères d'enfants en bas âge.*
Dans les conflits armés non internationaux, l'article 6.4 du Protocole additionnel II de 1977 inclut, parmi les garanties judiciaires, certaines limitations à l'usage de la peine de mort à leur encontre : « La peine de mort ne sera pas prononcée contre les

personnes âgées de moins de dix-huit ans au moment de l'infraction et elle ne sera pas exécutée contre les femmes enceintes et les mères d'enfants en bas âge. »

• *La population civile des territoires occupés*

Les garanties judiciaires prévues au profit de la population civile concernent également l'usage de la peine de mort :

– l'application de la peine de mort est strictement limitée aux actes d'espionnage ou aux actes de sabotage graves des installations militaires de la puissance occupante ou aux infractions intentionnelles qui ont causé la mort d'une ou plusieurs personnes et à condition que la législation du territoire ait déjà prévu la peine de mort dans de tels actes, avant le début de l'occupation ;

– dans tous les cas, la peine de mort ne devra pas être prononcée sans que la cour ait pris en compte le fait que la personne accusée n'est pas un ressortissant de la puissance occupante et qu'elle n'est donc liée par aucun devoir de fidélité ;

– en aucun cas la peine de mort ne sera prononcée contre une personne protégée âgée de moins de dix-huit ans au moment de l'infraction (GIV art. 68) ;

– les personnes condamnées à mort auront toujours le droit de recourir en grâce ;

– aucune condamnation à mort ne sera exécutée avant l'expiration d'un délai d'au moins six mois à partir du moment où la puissance protectrice (le CICR) aura reçu la communication du jugement définitif (GIV art. 75).

• *Les prisonniers de guerre*

– Les prisonniers de guerre et les puissances protectrices devront être informés le plus vite possible des infractions passibles de la peine de mort selon le droit pénal en vigueur sur le territoire de la puissance détentrice ;

– avant de prononcer la peine de mort, le tribunal devra considérer le fait que le prisonnier n'est pas un ressortissant de la puissance détentrice et ne lui est lié par aucun devoir de fidélité [...] (GIII art. 100) ;

– si la peine de mort est prononcée contre un prisonnier de guerre, la peine ne pourra pas être exécutée avant l'expiration d'un délai d'au moins six mois à partir du moment où la notification de cette décision aura été faite à la puissance protectrice (le CICR) (GIII art. 101). ■

Plusieurs conventions internationales relatives aux droits de l'homme proposent de façon facultative aux États qui le désirent de renoncer à la peine de mort en tant que sanction pénale :

– le deuxième Protocole facultatif au Pacte international relatif aux droits civils et politiques, adopté sous l'égide de l'ONU en 1989 et entré en vigueur en 1991 (76 États parties en avril 2013) ;

– le Protocole 6 à la Convention européenne des droits de l'homme concernant l'abolition de la peine de mort, adopté par le Conseil de l'Europe en 1983 et entré en vigueur en 1985 (46 États parties). Ce traité permet toutefois de maintenir la peine de mort pour des actes commis en situation de guerre ou de danger imminent de guerre ;

– le Protocole 13 à la Convention européenne des droits de l'homme relatif à l'abolition de la peine de mort en toutes circonstances, adopté par le Conseil de l'Europe en 2002 et entré en vigueur en 2003 (43 États parties) ;

– le Protocole à la Convention américaine des droits de l'homme traitant de l'abolition de la peine de mort, adopté sous l'égide de l'OEA en 1990 et entré en vigueur en 1991 (13 États parties).

Ces protocoles et les restrictions posées au recours à la peine de mort dans de nombreux traités et déclarations sur les droits de l'homme reflètent la tendance générale du droit international à encourager les États à abolir la peine de mort.
L'adhésion à l'Union européenne est soumise à la condition de supprimer la peine de mort en droit et en pratique. La Convention américaine sur les droits de l'homme demande également que la peine de mort ne soit pas rétablie dans les États qui l'ont abolie (art. 4.3).
Aucun des deux tribunaux pénaux internationaux constitués, en 1993 et 1994, pour juger les auteurs des crimes commis en ex-Yougoslavie et au Rwanda, ni le statut de la Cour pénale internationale, adopté le 17 juillet 1998, ne prévoient la possibilité de prononcer la peine de mort.
La Sous-commission des droits de l'homme de l'ONU (aujourd'hui le Comité consultatif du Conseil des droits de l'homme) a demandé l'abolition de la peine de mort pour les délinquants âgés de moins de 18 ans au moment de leur crime, dans une résolution du 24 août 1999. Elle a également demandé aux États qui maintiennent la peine capitale dans leur législation d'appliquer un moratoire sur les exécutions durant l'année 2000.
En 2007 et 2010, l'Assemblée générale de l'ONU a appelé à un moratoire mondial sur la peine de mort (résolution 62/149 et 65/206). Depuis lors, la peine de mort a été abolie par un certain nombre de pays, dont l'Albanie, l'Argentine, le Burundi, le Gabon, le Kirghizistan, la Lettonie, l'Ouzbékistan, le Rwanda, le Togo et le Turkménistan (*source :* Amnesty International).
Liste des pays où la peine de mort n'est pas abolie en droit mais qui peuvent être considérés comme abolitionnistes en pratique car ils n'ont procédé à aucune exécution judiciaire depuis au moins dix ans et ont mis en place des moratoires sur la peine de mort (*source* : Amnesty International) : Cameroun, Corée du Sud, Érythrée, Ghana, Laos, Liberia, Malawi, Mongolie, Sierra Leone, Swaziland, Tadjikistan, Tanzanie, Zambie.
Liste des principaux États dans lesquels la peine de mort est maintenue en droit et en pratique : Afghanistan, Antigua-et-Barbuda, Arabie Saoudite, Autorité palestinienne, Bahamas, Bahreïn, Bangladesh, Barbade, Belize, Biélorussie (Bélarus), Botswana, Chine, Comores, Corée du Nord, Cuba, Dominique, Égypte, Émirats arabes unis, États-Unis, Éthiopie, Guatemala, Guinée, Guinée équatoriale, Guyana, Inde, Indonésie, Irak, Iran, Jamaïque, Japon, Jordanie, Kazakhstan (la peine de mort pour les crimes de droit commun a été abolie dans ce pays), Koweït, Lesotho, Liban, Libye, Malaisie, Nigeria, Oman, Ouganda, Pakistan, Qatar, République démocratique du Congo, St. Kitts et Nevis, Sainte-Lucie, Saint-Vincent et les Grenadines, Singapour, Somalie, Soudan, Soudan du Sud, Syrie, Taiwan, Tchad, Thaïlande, Trinité-et-Tobago, Viêt-nam, Yémen, Zimbabwe.
Au total, l'ONU considère que, sur ses 193 pays membres, 140 ont aboli la peine de mort ou ont introduit un moratoire, en droit ou en pratique.

Consulter aussi

▶ **Garanties judiciaires ▷ Femme ▷ Enfant ▷ Droits de l'homme ▷ Cour pénale internationale ▷ Puissance protectrice ▷ Territoire occupé.**

Pour en savoir plus

AMNESTY INTERNATIONAL, *La Peine de mort*, Paris, 1989.

BADINTER R., *L'Abolition*, Fayard poche, 2002, 286 p.

CORNU E., PARAYRE S., « Le protocole n° 13 à la Convention européenne des droits de l'homme : l'abolition totale et définitive de la peine de mort en Europe ? », *Actualité et droit international*, avril 2003. Disponible sur [www.ridi.org/adi]

MANCHESI A., « The death penalty in wartime », *Revue internationale de droit pénal*, 1996, n° 1-2, p. 319-331.

Perfidie

Les actes de perfidie se définissent par le détournement, dans le but de tromper, tuer, blesser ou capturer un adversaire, de la protection prévue par les Conventions de Genève de 1949. Il s'agit notamment de l'usurpation de l'emblème de la Croix-Rouge ou d'autres signes protecteurs, de drapeaux ou d'uniformes (utilisés, par exemple, pour inciter et tromper la bonne foi de l'adversaire), de la feinte d'être un malade ou un non-combattant (GPI art. 37 à 39, 44).

Le droit international humanitaire conventionnel et coutumier interdit et encadre l'usage de la perfidie. La règle 57 de l'étude sur les règles de droit international humanitaire coutumier publiée par le CICR en 2005 dispose ainsi que les ruses de guerre ne sont pas interdites, à condition qu'elles n'enfreignent aucune règle de droit international humanitaire. En outre, la règle 65 prescrit qu'il est interdit de tuer, blesser ou capturer un adversaire en recourant à la perfidie.

◆ **Le droit international distingue entre les ruses de guerre et les actes de perfidie. Il interdit le recours aux actes de perfidie. L'usage perfide du signe distinctif de la Croix-Rouge ou d'autres signes protecteurs reconnus par les conventions de Genève est un crime de guerre (GPI art. 85.3 et art. 2.b.vii du statut de la CPI).**

▶ **Coutume ▷ Signes distinctifs-Signes protecteurs ▷ Crime de guerre-Crime contre l'humanité.**

Pour en savoir plus

MULINEN F. DE, *Manuel sur le droit de la guerre pour les forces armées*, CICR, Genève, 1989, p. 99-101.

SLIM H., *La Protection de l'emblème de la Croix-Rouge et du Croissant-Rouge et la répression des abus*, CICR, Genève, 1989, (tiré à part de la *Revue internationale de la Croix-Rouge*).

Persécution

1. *Définition*

Alors que la notion même est souvent mentionnée dans les conventions internationales, la persécution n'a que très récemment été juridiquement définie. Le statut de la Cour pénale internationale (CPI) adopté en juillet 1998 et entré en vigueur le 1er juillet

2002 donne une définition de la persécution : « le déni intentionnel et grave de droits fondamentaux en violation du droit international, pour des motifs liés à l'identité du groupe ou de la collectivité qui en fait l'objet » (art. 7.2.g du statut de la CPI).
Le statut de la CPI affirme que l'appartenance à un sexe peut être un motif de crainte de persécution. Il intègre « la persécution de tout groupe ou de toute collectivité identifiable pour des motifs d'ordre politique, racial, national, ethnique, culturel, religieux ou sexiste ou en fonction d'autres critères universellement reconnus comme inadmissibles en droit international » dans la définition du crime contre l'humanité (art. 7.1.h).
La protection contre la persécution est primordiale pour le bien-être des individus dans la société et pour la jouissance des droits qui leur sont reconnus. Selon le droit international, notamment le statut des tribunaux militaires de Nuremberg et de Tokyo et le statut de la CPI, la persécution est un crime contre l'humanité.

▶ **Crime de guerre-Crime contre l'humanité ▷ Cour pénale internationale.**

La persécution est l'un des motifs principaux poussant les individus à fuir leur pays d'origine. Elle est reconnue par la Convention de 1951 relative au statut des réfugiés comme la principale justification à la qualification d'un individu de réfugié. Cette convention, comme la Convention de l'Organisation de l'unité africaine (aujourd'hui l'Union africaine) régissant les aspects propres aux problèmes des réfugiés en Afrique du 10 septembre 1969, définit le réfugié comme : « toute personne craignant avec raison d'être persécutée du fait de sa race, de sa religion, de sa nationalité, de son appartenance à un groupe social ou de ses opinions politiques, se trouvant hors du pays dont elle a la nationalité et qui, du fait de cette crainte, ne veut se réclamer de la protection de ce pays » (art. 1 des deux conventions).

▶ **Réfugié.**

La peur de la persécution n'est pas seulement une raison valable pour fuir un pays et demander asile dans un autre pays, c'est aussi le fondement du principe de non-refoulement, qui signifie que les États ne peuvent pas, et ce quelles que soient les circonstances, expulser ou renvoyer de force une personne dans un État où elle craint d'être persécutée (ce principe est inscrit dans les conventions relatives à la question des réfugiés et CGIV art. 45).

▶ **Refoulement (expulsion) ▷ Asile.**

Puisque les individus sont persécutés en raison de leur appartenance à un groupe spécifique, un comportement discriminatoire est souvent considéré comme l'indication d'un risque d'une telle persécution. Les menaces, atteintes à la vie, notamment la violence contre la personne, l'extermination, la torture et autres formes de mauvais traitements sont des éléments flagrants de la persécution. Le HCR a récemment expressément ajouté le viol à cette liste de crimes pouvant constituer un élément de persécution permettant la reconnaissance du statut de réfugié prévu par la convention. Le statut de la Cour pénale internationale réaffirme que l'identité sexuelle peut être source de persécution.

▶ **Discrimination ▷ Mauvais traitements ▷ Torture ▷ Viol.**

La CPI est compétente sous certaines conditions pour juger les persécutions commises par les individus accusés de génocide, de crimes de guerre et crimes contre l'humanité.
Le document *Éléments des Crimes*, adopté par l'Assemblée des États parties à la CPI clarifie les éléments constitutifs des crimes relevant de la compétence de la Cour. Au titre de l'article 7.1.h du statut de la CPI, les éléments constitutifs du crime de persécution sont les suivants :
« 1. L'auteur a gravement porté atteinte, en violation du droit international, aux droits fondamentaux d'une ou plusieurs personnes ;
2. L'auteur a pris pour cible la ou les personnes en raison de leur appartenance à un groupe ou à une collectivité identifiable ou a ciblé le groupe ou la collectivité en tant que tel ;
3. Un tel ciblage était fondé sur des motifs d'ordre politique, racial, national, ethnique, culturel, religieux ou sexiste au sens du paragraphe 3 de l'article 7 du statut, ou à d'autres critères universellement reconnus comme inadmissibles en droit international ;
4. Le comportement était commis en corrélation avec tout acte visé à l'article 7, paragraphe 1, du statut ou avec tout crime relevant de la compétence de la Cour ;
5. Le comportement faisait partie d'une campagne généralisée ou systématique dirigée contre une population civile ;
6. L'auteur savait que ce comportement faisait partie d'une campagne généralisée ou systématique dirigée contre une population civile ou entendait qu'il en fasse partie. »
Les deux tribunaux pénaux internationaux *ad hoc,* pour l'ex-Yougoslavie et le Rwanda, peuvent aussi poursuivre les individus auteurs d'actes de persécution énumérés dans la liste des crimes contre l'humanité (art. 5.h du statut du TPIY, art. 3.h du statut du TPIR).

2. *Sanctions*

Les individus auteurs d'actes de persécution peuvent faire l'objet de sanctions pénales prévues à la fois par le droit humanitaire et par les droits de l'homme.

▶ **Crime de guerre-Crime contre l'humanité ▷ Sanctions pénales du droit humanitaire ▷ Recours individuels.**

Consulter aussi

▶ **Réfugié ▷ Refoulement (expulsion) ▷ Asile ▷ Crime de guerre-Crime contre l'humanité ▷ Mauvais traitements ▷ Torture ▷ Viol ▷ Discrimination ▷ Bien-être ▷ Droits de l'homme ▷ Cour pénale internationale ▷ Tribunaux pénaux internationaux.**

Jurisprudence

1. Définition

La Chambre de première instance du TPIY dans le jugement Vasiljevic du 29 novembre 2002 (§ 246) précise que l'acte ou l'omission constituant le crime de persécution peut prendre diverses formes, et il n'y a pas de liste exhaustive des actes pouvant constituer une persécution. La décision Kvocka *et al.*, rendue par la Chambre de première instance du TPIY, le 2 novembre 2001 (§ 186) donne cependant une liste non exhaustive d'actes pouvant constituer une persécution quand ils sont commis avec une intention discriminatoire : l'emprisonnement, la détention illégale de civils ou l'atteinte à la liberté individuelle, l'assassinat, la déportation, le transfert forcé, la saisie, la collecte, la ségrégation et le transfert forcé de civils dans des camps, la destruction collective de maisons et de propriété, la destruction de villes, villages et autres propriétés publiques ou privées, et le pillage de biens, les attaques contre les villes et les villages, le creusement de tranchées et l'utilisation d'otages et de boucliers humains, la destruction et l'endommagement d'institutions religieuses et d'éducation, et la violence sexuelle.

La Chambre de première instance du TPIY dans l'affaire Kordic et Cerkez rendue le 26 février 2001 (§ 212) souligne que l'auteur doit avoir commis son acte avec une intention discriminatoire qui se réfère à des bases raciales, religieuses ou politiques. Cette intention discriminatoire est un élément constitutif du crime de persécution.

Le jugement Tuta et Stela rendu par la Chambre de première instance du TPIY le 31 mars 2003 (§ 634) précise les conditions nécessaires pour que des actes de persécution puissent être qualifiés de crimes contre l'humanité. Il faut prouver que :

i) l'auteur commet un acte ou une omission discriminatoire ;

ii) l'acte ou l'omission nie ou viole un droit fondamental consacré par la coutume internationale ou le droit des traités ;

iii) l'auteur commet son acte ou omission avec l'intention de discriminer sur des bases raciales, religieuses ou politiques ;

iv) l'auteur agit dans le cadre d'une attaque systématique et généralisée sur des personnes protégées.

Dans l'arrêt Simić (28 novembre 2006), la Chambre d'appel du TPIY souligne que des actes sous-jacents reviennent à des persécutions seulement s'il est déterminé que ces actes remplissent les critères (voir *supra*) et atteignent un niveau de gravité équivalent aux crimes listés à l'article 5 du statut (crimes contre l'humanité).

2. La persécution a une portée plus large que l'incitation

Dans le jugement Nahimana *et al.* (3 décembre 2003, § 1078), la Chambre de première instance du TPIR fait observer que « la persécution a une portée plus large que l'incitation directe et publique englobant l'apologie de la haine ethnique sous d'autres formes ».

3. Il n'est pas nécessaire que chaque acte sous-jacent de persécution soit de gravité équivalente aux autres crimes contre l'humanité. L'effet cumulatif de tous les actes sous-jacents doit être d'une gravité équivalente aux autres crimes contre l'humanité

Dans l'arrêt Nahimana *et al.* (28 novembre 2007, § 987), la Chambre d'appel fait observer qu'« il n'est pas nécessaire que chaque acte sous-jacent de persécution soit de gravité équivalente aux autres crimes contre l'humanité : les actes sous-jacents de persécution peuvent être considérés ensemble. L'effet cumulatif de tous les actes sous-jacents doit être d'une gravité équivalente aux autres crimes contre l'humanité ». En outre, la Chambre considère qu'un discours de haine peut constituer un acte de persécution (§ 86). Elle réitère que l'intention discriminatoire est requise pour les actes de persécution (§ 985). Ce *mens rea* peut se déduire de preuves indirectes telles que la nature de l'acte et les circonstances qui l'ont entouré (voir Bagosora *et al.*, 18 décembre 2008, § 2208 et Bikindi, 2 décembre 2008, § 435).

Personnel humanitaire et de secours

L'action humanitaire de secours et de protection des populations en danger à l'occasion des conflits armés est mise en œuvre par un personnel humanitaire très varié quant à son statut juridique. Les volontaires des ONG internationales et locales côtoient sur le terrain du personnel de la Croix-Rouge internationale mais aussi des différentes agences de l'ONU. Ils travaillent avec des employés locaux qui sont des ressortissants des parties au conflit.

Ce personnel est protégé par le droit international humanitaire en tant que personnes civiles. Il dispose de droits particuliers pour lui permettre d'accomplir des missions de secours ou de soins en zone de conflit. Le droit humanitaire applicable aux conflits armés internationaux distingue entre le personnel sanitaire, le personnel de secours, le personnel employé à des missions de protection (CICR), et le personnel de protection civile.

Dans les conflits armés non internationaux, les catégories ne sont pas détaillées par le droit humanitaire conventionnel. Le droit humanitaire coutumier et le droit pénal international protègent de façon équivalente ce personnel quelle que soit la nature du conflit.

Le personnel de secours appartenant aux Nations unies dispose de droits particuliers au titre de son statut diplomatique assimilé.

L'ensemble de ces personnels ne doit pas être pris pour cible d'attaque directe et délibérée. Cependant, leurs activités les exposent aux autres risques liés aux situations de conflit armés.

◆ **Le développement de l'action humanitaire en zone de conflit a conduit à une augmentation du nombre de victimes parmi le personnel de secours travaillant pour les ONG, le CICR et l'ONU. Les attaques contre le personnel travaillant dans les programmes de l'ONU doivent parfois être liées à la mission plus large de gestion des conflits assurée par L'ONU. Entre 2003 et 2010, 254 agents des seules agences de l'ONU ont succombé à de telles attaques ; de nombreux autres ont été pris en otage. En 2003, pour la première fois dans l'histoire des Nations unies, le nombre de personnels civils morts en service excédait celui du personnel militaire de l'ONU. Dans sa condamnation de telles attaques, le Conseil de sécurité a rappelé que la sécurité des missions des Nations unies incombe aux pays hôtes et aux parties au conflit. Le 9 décembre 1994, l'Assemblée générale des Nations unies a adopté une convention sur la sécurité du personnel de l'ONU et du personnel associé. Le 8 décembre 2005, un protocole optionnel a été adopté afin de compléter cette convention. Il est entré en vigueur le 19 octobre 2010 et lie actuellement 28 États. La question de la protection des acteurs humanitaires fait aujourd'hui l'objet de rapports périodiques examinés par le Conseil de sécurité des Nations unies.**

I. Le personnel sanitaire

Les Conventions de Genève prévoient un régime particulier pour le personnel sanitaire. Il est expressément protégé dans les conflits armés internes ou internationaux. Pour aider à les identifier et ainsi faciliter leur protection, ils ont droit au port d'un signe protecteur particulier : la croix rouge (GPI art. 8, 15 ; GPII art. 9).

▶ **Personnel sanitaire ▷ Signes distinctifs-Signes protecteurs.**

◆ **• Il n'existe pas d'immunité humanitaire spécifique et unifiée pour le personnel de secours. L'immunité est prévue pour la protection des activités diplomatiques et non humanitaires.**

• Les Conventions de Genève de 1949 et leurs Protocoles additionnels de 1977 reconnaissent plusieurs catégories de personnel impliqué dans les secours et leur accordent une protection générale en qualité de personnes civiles ainsi que des droits spécifiques en fonction de leur mission. Pour protéger les services médicaux, le personnel sanitaire a le droit d'utiliser l'emblème protecteur de la Croix-Rouge. Le non-respect de l'emblème par des combattants constitue un crime de guerre.

• Les conventions sur les privilèges et immunités accordés au personnel des Nations unies ne couvrent que de façon imparfaite un nombre limité d'employés de l'ONU. Elles ne sont

en outre pas appropriées aux caractéristiques récentes des opérations des Nations unies qui mêlent une composante militaire et une composante humanitaire.
• Le droit humanitaire n'offre pas une immunité aux personnels sanitaires et de secours mais il les protège, de façon générale, en tant que civils et en leur accordant des droits spécifiques dans le cadre de leur mission. Le non-respect de l'emblème protecteur du personnel médical par un combattant constitue un crime de guerre.
• Le statut de la Cour pénale internationale adopté à Rome le 17 juillet 1998 et entré en vigueur le 1er juillet 2002 élargit la définition des crimes de guerre au profit des différentes catégories de personnel engagé dans des opérations humanitaires ou de maintien de la paix. Ainsi l'attaque délibérée, à l'occasion d'un conflit armé international ou interne, dirigée contre :
– le personnel sanitaire et celui utilisant l'emblème de la Croix-Rouge ;
– le personnel participant aux actions d'aide humanitaire ou aux missions de maintien de la paix, sous réserve que ce personnel ait droit au statut de personne civile défini par le droit humanitaire ;
• L'attaque délibérée de ces différentes catégories de personnel constitue un crime de guerre s'il est commis dans un conflit international mais également dans un conflit non international (statut de Rome, art. 8.2.b.III ; art. 8.2.b.XXIV ; art. 8.2.e.II-III).

▶ **Immunité ▷ Protection ▷ Crime de guerre-Crime contre l'humanité.**

II. Le personnel qualifié en charge de la mission des puissances protectrices

La mise en œuvre du droit humanitaire repose sur un mécanisme spécifique de contrôle des obligations de chaque partie au conflit, confié à des puissances protectrices. Les représentants des puissances protectrices sont des personnes physiques qui bénéficient d'un droit d'accès et de visite auprès des personnes protégées et des populations en danger du fait d'un conflit armé. Si les parties au conflit ne parviennent pas à se mettre d'accord sur la désignation des puissances protectrices, c'est le CICR qui fera office de substitut et qui assumera cette responsabilité.
Les États ont l'obligation de former du personnel qualifié en vue de faciliter l'application des conventions et de participer aux activités de puissances protectrices (GPI art. 6). Il est précisé que ce personnel est soumis à l'agrément de la partie sur le territoire duquel il exerce sa fonction. Les parties au conflit doivent lui faciliter l'accomplissement de sa mission. Ce personnel ne devra jamais dépasser les limites de sa mission et il devra notamment tenir compte des nécessités impérieuses de sécurité de l'État auprès duquel il exerce ses fonctions (GIV art. 9).
Ce personnel est constitué de représentants d'autres États non parties au conflit, bénéficiant du statut diplomatique. Dans la pratique, cette mission est assumée par les délégués du CICR.

▶ **Puissance protectrice.**

III. Le personnel de protection civile (GPI art. 61 et 62)

Le terme « personnel » des organismes de protection civile s'entend des personnes qu'une partie au conflit affecte exclusivement à l'accomplissement de tâches humanitaires destinées à protéger la population civile contre les dangers des hostilités ou des catastrophes et à l'aider à surmonter leurs effets immédiats ainsi qu'à assurer les conditions nécessaires à sa survie. Il s'agit également du personnel affecté exclusivement à l'administration de ces organismes par la partie au conflit concernée. Cette mission et son personnel dépendent donc en principe directement de l'une ou l'autre des parties au conflit. Il est toutefois possible que du personnel de protection civile appartenant à des États neutres, des États non parties au conflit ou des organismes internationaux de coordination accomplisse une mission de protection civile avec le consentement et sous le contrôle d'une partie au conflit (GPI art. 64). Ce personnel doit être respecté et protégé (GPI art. 62). Dans les territoires occupés, ce personnel peut être désarmé, mais sa mission ne peut pas être entravée ni conduire à un traitement discriminatoire entre les individus (GPI art. 63 et 64).

▶ **Protection civile.**

IV. Le personnel de secours

◆ **La protection du personnel humanitaire et de secours est devenue une norme coutumière obligatoire pour toutes les parties aux conflits armés internationaux et non internationaux. Les règles 31 et 32 de l'étude sur les règles du droit humanitaire coutumier publiée par le CICR en 2005 affirment que « le personnel de secours humanitaire doit être respecté et protégé » (règle 31) et que « les biens utilisés pour des opérations de secours humanitaire doivent être respectés et protégés » (règle 32).**

1. *Dans les conflits armés internationaux*

Des actions de secours sont prévues au profit de la population civile quand celle-ci est insuffisamment approvisionnée en matériel et denrées essentiels à la survie (GIV art. 23, 55 et 59 ; GPI art. 69 à 71). Elles incluent la présence du personnel de secours. Les parties au conflit peuvent subordonner leur autorisation à la condition que la distribution de l'assistance soit effectuée sous le contrôle sur place d'une puissance protectrice ou de substituts à ces puissances (GPI art. 70). L'absence de puissance protectrice dans la plupart des opérations concrètes de secours fait peser une responsabilité supplémentaire sur le personnel de secours. Il doit être en mesure d'assurer certaines missions de protection et de contrôle en tant que substitut de ces puissances protectrices. Cela inclut par exemple la responsabilité de vérifier que les secours sont distribués de façon humanitaire et impartiale, au profit de la seule population civile. Sans cette garantie, la partie au conflit concernée pourrait refuser l'envoi des secours.

◆ **• Les hautes parties contractantes autoriseront et faciliteront le passage de ces secours et du personnel de secours, même si cette aide est destinée à la population civile de la partie adverse (GPI art. 70).**
• En cas de nécessité, l'aide fournie dans une action de secours pourra comprendre, en plus des secours eux-mêmes, des équipements et du personnel de secours.
• Ce personnel sera notamment chargé du transport et de la distribution des envois de secours. Il sera soumis à l'agrément de la partie sur le territoire de laquelle il exercera son activité. Ce personnel sera respecté et protégé.
• Il ne devra pas outrepasser les limites de sa mission. Il doit en particulier tenir compte des exigences de sécurité de la partie sur le territoire de laquelle il exerce ses fonctions. Il peut

être mis fin à la mission de tout membre du personnel de secours qui ne respecterait pas ces conditions (GIV art. 9 ; GPI art. 71).

2. *Dans les conflits armés non internationaux*

L'article 3 commun aux quatre Conventions de Genève rappelle le droit d'initiative qui appartient au Comité international de la Croix-Rouge (CICR) et à toute autre organisation humanitaire impartiale.

Le Protocole additionnel II prévoit seulement que les sociétés de secours pourront offrir leurs services en vue de s'acquitter d'actions de secours à l'égard de la population. Il autorise aussi les actions de secours à caractère humanitaire et impartial en matière de ravitaillement concernant des biens essentiels à la survie de la population ainsi que celles entreprises directement par la population civile pour porter secours aux blessés et malades (GPII art. 18). Cette disposition n'accorde pas de statut particulier à un personnel clairement identifié. En revanche, elle permet d'affirmer que les actes de secours ne pourront pas être interprétés par les autorités comme un acte hostile ou un acte de soutien à la partie adverse au conflit. Cela est particulièrement utile dans les conflits armés internes, où la distinction entre civil et combattant est difficile à effectuer et qui ont donc tendance à devenir des guerres totales, où même les actes de secours sont considérés comme des actes de trahison ou de déloyauté. Le secours médical et le statut du personnel sanitaire sont en revanche expressément défendus dans ces conflits (GPII art. 9).

Le droit international humanitaire coutumier a unifié les principes essentiels de protection du personnel de secours et en a étendu l'application aux conflits armés non internationaux.

De même, le statut de Rome de la Cour pénale internationale considère l'attaque délibérée de ce personnel comme un crime de guerre dans les conflits internationaux mais aussi dans les conflits armés non internationaux.

V. Le personnel de l'ONU dans les actions de secours

Le personnel de terrain des diverses agences humanitaires de l'ONU est constitué en majorité d'agents contractuels. Dans la plupart des cas, ces personnes ne bénéficient pas du statut et des immunités prévus pour les diplomates par la Convention de Vienne du 18 avril 1961 sur les relations diplomatiques. Elles ne bénéficient pas non plus du statut et des immunités prévus pour les fonctionnaires et les experts de l'ONU par la Convention du 13 février 1946 sur les privilèges et immunités du personnel des Nations unies. Ce dernier texte cherche à mettre le personnel de l'ONU à l'abri des pressions nationales, pour garantir l'aspect exclusivement international de sa mission, conformément à l'article 100 de la Charte. Il ne permet pas d'assurer la sécurité de ce personnel face aux dangers encourus dans les actions de secours.

Le 9 décembre 1994, l'Assemblée générale de l'ONU a adopté le texte d'une Convention sur la sécurité du personnel de l'ONU et du personnel associé (A/rés./49/59). Cette convention, à laquelle 90 États sont parties en avril 2013, est entrée en vigueur le 15 janvier 1999. L'enjeu de cette nouvelle réglementation est de préciser le cadre juridique de protection en cas d'attaques visant le personnel civil des Nations unies ou des ONG, travaillant dans les opérations de maintien ou de rétablissement de la paix de L'ONU. La difficulté est de chercher à protéger dans le même texte le personnel militaire de l'ONU, engagé dans des actions de maintien de la paix, et le personnel humanitaire engagé dans des opérations de secours. Cette ambiguïté ne peut pour l'instant être réglée qu'en ayant recours aux catégories et aux statuts des différentes personnes protégées par le droit humanitaire. Le droit humanitaire protège de façon différente les acteurs de secours et les combattants. La Convention sur la sécurité du personnel de l'ONU et du personnel associé ne concerne pas les actions coercitives des Nations unies : le texte indique que le droit humanitaire s'applique aux militaires déployés dans le cadre d'opérations autorisées par le Conseil de sécurité en vertu du chapitre VII de la Charte. Cette convention ne concerne donc que les opérations de maintien de la paix au sens strict. Un protocole optionnel a été adopté le 8 décembre 2005 (A/60/518) afin de compléter cette convention. Il est entré en vigueur le 18 octobre 2010 et lie actuellement 28 États. Ce protocole élargit le champ d'application de la convention. Il inclut le personnel de l'ONU et le personnel associé impliqué dans des opérations d'assistance humanitaire, d'assistance politique et d'aide au développement, en plus du personnel impliqué dans les opérations classiques de maintien ou de rétablissement de la paix. Il couvre également de façon explicite le personnel des organisations non gouvernementales travaillant comme partenaires opérationnels des opérations des Nations unies.

▶ **Conseil de sécurité ▷ Maintien de la paix ▷ Sécurité collective.**

VI. Recours et sanctions des atteintes au personnel de secours

Le Conseil de sécurité des Nations unies a fermement condamné en 2003 la violence contre le personnel humanitaire et il a demandé au secrétaire général des Nations unies de l'informer des situations dans lesquelles l'assistance humanitaire est rendue impossible à cause de la violence dirigée contre le personnel humanitaire, et d'inclure cette question dans tous ses rapports sur des pays spécifiques (SC/1502.2003). Cette résolution fait suite à plusieurs rapports du secrétaire général sur la protection de la population civile et à diverses résolutions du Conseil de sécurité des Nations unies exprimant le fait que les violations graves du droit humanitaire et des droits de l'homme constituaient une menace à la paix et à la sécurité internationale.

Le statut de la Cour pénale internationale adopté à Rome le 17 juillet 1998 a inclus dans la définition des crimes de guerre le fait de lancer des attaques délibérées contre le personnel, les installations, le matériel, les unités ou les véhicules employés dans le cadre d'une mission d'aide humanitaire ou de maintien de la paix conformément à la Charte des Nations unies. Concernant le personnel participant aux opérations de maintien de la paix, cette protection ne s'applique que si ce personnel peut prétendre à la qualité de personne civile prévue par le droit humanitaire (c'est-à-dire qu'il n'est pas considéré comme combattant). Dans ces conditions, l'attaque délibérée de ce personnel constituerait un crime de guerre passible de la compétence des tribunaux nationaux, et à défaut, de la Cour pénale internationale. Cette définition de crime de guerre s'applique aussi bien aux conflits internationaux qu'internes (art. 8.2.b.III. ; art. 8.2.e.III). De tels actes, ainsi que l'homicide intentionnel, la torture ou la prise en otage de personnel de secours, (art. 8. 2.a I, II, XIII) peuvent donc être poursuivis devant les tribunaux nationaux ou à défaut peuvent relever de la compétence de la Cour pénale internationale.

Consulter aussi

▶ **Personnel sanitaire ▷ Signes distinctifs-Signes protecteurs ▷ Sécurité ▷ Protection ▷ Immunité ▷ Maintien de la paix ▷ Crime de guerre-Crime contre l'humanité ▷ Cour pénale internationale ▷ Otage ▷ Immunité.**

Pour en savoir plus

BACCINO ASTRADA A., *Manuel des droits et devoirs du personnel sanitaire lors des conflits armés*, CICR, Genève, 1982.

BOUCHET-SAULNIER F., « La protection de l'aide humanitaire : point de vue d'une juriste appartenant au monde des ONG », *in* DOMESTICI M.J. (dir.), *Aide humanitaire internationale : un consensus conflictuel ?*, Economica, Paris, 1996, p. 196-209.

EMANUELLI C., « La convention sur la sécurité du personnel des Nations unies et du personnel associé : des rayons et des ombres », *Revue générale de droit international public*, 1995/4, p. 849-879.

FISHER D., « Domestic regulation of international humanitarian relief in disasters and armed conflict : a comparative analysis », *International Review of the Red Cross*, vol. 89, n° 866, juin 2007, p. 345-372.

« Humanitarian actors », *International Review of the Red Cross*, n° 865 (mars 2007), p. 5-229.

LOYE D. et COUPLAND R., « Who will assist the victims of use of nuclear, radiological, biological or chemical weapons – and how ? » *International Review of the Red Cross*, vol. 89, n° 866, juin 2007, p. 329-344.

Personnel sanitaire

L'expression s'entend, dans les Conventions de Genève de 1949 et leurs Protocoles additionnels de 1977, des personnes exclusivement affectées, de manière permanente ou temporaire, à des tâches sanitaires telles que :

– recherche, enlèvement, transport, diagnostic ou soins aux blessés, malades ou naufragés ;

– prévention des maladies ;

– administration et fonctionnement des unités sanitaires ou des moyens de transport sanitaire.

• Le personnel sanitaire comprend le personnel sanitaire militaire et civil d'une partie au conflit, ainsi que celui des organismes de secours internationaux, ou celui affecté à des organismes de protection civile. Il s'agit également du personnel affecté aux unités sanitaires. C'est-à-dire les structures telles que les hôpitaux et autres unités similaires affectés à la recherche, l'évacuation, le transport, le diagnostic ou le traitement, y compris les premiers secours des blessés et malades, ainsi que la prévention des maladies (GPI art. 8).

◆ **L'attaque délibérée dirigée contre le personnel sanitaire à l'occasion d'un conflit armé international ou non international constitue un crime de guerre au titre du statut de la Cour pénale internationale (Statut, art. 8.2.b.XXIV ; art. 8.2.e.II). Il constitue également une infraction grave aux Conventions de Genève s'il est commis lors d'un conflit armé international.**

• Le droit humanitaire prévoit une multitude de dispositions relatives au personnel sanitaire pour défendre le fonctionnement des services sanitaires en période de conflit :

1) Il sera respecté et protégé en toutes circonstances (GI art. 24 ; GII art. 36 ; GIV art. 20 ; GPI art. 15 ; GPII art. 9).

2) Il a droit de porter le signe distinctif de la Croix-Rouge et doit faire le nécessaire pour être identifié par les autorités (GI art. 40 et 41 ; GII art. 42 ; GIV art. 20 ; GPI art. 18 ; GPII art. 12).

3) Il jouit de la même protection que la population civile (GIV art. 27 à 141) mais il bénéficie en plus de droits renforcés pour lui permettre d'accomplir sa mission malgré le conflit.

4) Il recevra toute l'aide disponible dans l'exercice de ses fonctions et ne sera pas astreint à des tâches incompatibles avec sa mission humanitaire (GPI art. 15 ; GPII art. 9).

5) Il ne sera pas exigé que sa mission s'accomplisse en priorité au profit de qui que ce soit, sauf pour des raisons médicales (GPI art. 15 ; GPII art. 9). De façon générale, la réquisition des installations, du personnel, du matériel et des moyens de transport sanitaires doit être évitée. Des dispositions spécifiques, dispersées dans les Conventions de Genève et dans leurs protocoles, limitent les situations où elle est permise (GI art. 33 à 35 ; GIV art. 57 ; GPI art. 14). De telles réquisitions peuvent seulement être organisées pour des cas temporaires d'urgence, par la puissance occupante, et seulement si « les besoins médicaux de la population civile, ainsi que ceux des blessés et malades sous traitement, affectés par les réquisitions, continuent d'être satisfaits ».

6) Il jouit d'une liberté de déplacement pour pouvoir recueillir les malades et les blessés. Les parties au conflit s'engagent à faciliter l'exercice de la mission sanitaire et ils ne doivent donc pas entraver l'accomplissement des activités du personnel sanitaire (GIV art. 56).

7) Le personnel sanitaire civil pourra se rendre sur les lieux où ses services sont indispensables, sous réserve des mesures de contrôle et de sécurité que la partie au conflit intéressée jugerait nécessaires (GPI art. 15).

8) Les parties au conflit donneront toute l'assistance possible au personnel sanitaire civil dans une zone où les services sanitaires civils seraient désorganisés en raison des combats (GPI art. 15).

9) Le personnel sanitaire devra pouvoir se déplacer sur les lieux de combats pour rechercher et recueillir les malades et blessés. Cette mesure est prévue pour les conflits armés internationaux mais aussi internes : « Chaque fois que les circons-

tances le permettront, et notamment après un engagement, toutes les mesures possibles seront prises sans retard pour rechercher et recueillir les blessés, les malades et les naufragés, les protéger contre le pillage et les mauvais traitements et leur assurer les soins appropriés, ainsi que pour rechercher les morts, empêcher qu'ils soient dépouillés et leur rendre les derniers devoirs » (GPII art. 8 ; GI art. 15).
10) Le personnel sanitaire ne peut pas être puni pour les activités médicales qu'il aura entreprises dans les périodes de conflit, quelles que soient les circonstances, si elles sont conformes à la déontologie. Nul ne devra jamais être inquiété pour le fait d'avoir recueilli et donné des soins à des blessés ou des malades (GI art. 18 ; GPI art. 16 ; GPII art. 10). Cette protection s'étend à la population civile qui aurait spontanément recueilli et soigné des malades et blessés, quelle que soit leur nationalité, y compris en période de conflit armé interne (GPI art. 17 ; GPII art. 18).
11) Le personnel sanitaire ne peut être contraint à pratiquer des actes contraires à la déontologie médicale, ni à rompre le secret médical (GPI art. 16 ; GPII art. 10).
12) S'il tombe au pouvoir de l'adversaire, le personnel sanitaire militaire n'est pas considéré comme un prisonnier de guerre et doit être libéré, à moins que le nombre et l'état sanitaire des prisonniers de guerre exigent le contraire. Dans ce cas, il doit jouir dans son travail de facilités et de droits garantissant le respect des principes de déontologie médicale (GI art. 28, 29 ; GII art. 37 ; GIII art. 33). En outre, si des prisonniers de guerre ont des compétences médicales, ils pourront être requis d'exercer leurs fonctions médicales dans l'intérêt des prisonniers. Ils auront alors les mêmes droits que le reste du personnel médical (GIII art. 32).
13) En cas d'occupation du territoire, la puissance occupante a le devoir de maintenir les activités médicales et doit autoriser le personnel médical à accomplir sa mission (GIV art. 56).
14) En cas d'internement, le droit international prévoit que les internés seront traités de préférence avec un personnel médical de leur nationalité (GIV art. 91).
• La règle 25 de l'étude sur les règles du droit international coutumier publiée par le CICR en 2005 affirme que « le personnel sanitaire exclusivement affecté à des fonctions sanitaires doit être respecté et protégé en toutes circonstances. Il perd sa protection s'il commet, en dehors de ses fonctions humanitaires, des actes nuisibles à l'ennemi ». La règle 26 précise quant à elle qu'« il est interdit de punir une personne pour avoir accompli des tâches médicales conformes à la déontologie ou de contraindre une personne exerçant une activité de caractère médical à accomplir des actes contraires à la déontologie ». Ces règles s'appliquent en situation de conflits armés tant internationaux que non internationaux.

▶ **Mission médicale ▷ Déontologie médicale ▷ Réquisition ▷ Personnel humanitaire et de secours ▷ Cour pénale internationale ▷ Blessés et malades ▷ Services sanitaires ▷ Droit d'accès ▷ Immunité.**

Pour en savoir plus

AMNESTY INTERNATIONAL, *Codes d'éthique et déclarations concernant les professions médicales* (recueil de textes déontologiques), Amnesty International, Paris, 1994, 124 p. (http ://web.amnesty.org/pages/health-ethicsindex-eng).

Baccino Astrada A., *Manuel des droits et devoirs du personnel sanitaire lors des conflits armés*, CICR, Genève, 1982.
Harouel-Bureloup V., « La protection du personnel sanitaire, droits et devoirs », in *Traité de droit humanitaire*, PUF, Paris, 2005, p. 209-160.
The Medical Profession and Human Rights : Handbook for a Changing Agenda, British Medical Association (BMA)-Zed, Londres, 2001, chap. 5.

Personnes déplacées

Les conflits et les situations de tensions politiques ou économiques occasionnent fréquemment des mouvements de population fuyant les persécutions ou la violence. Mais le droit applicable aux individus varie selon qu'ils ont ou non traversé une frontière internationale. S'ils ont traversé une frontière internationale, ils sont considérés comme des réfugiés et sont couverts par le droit des réfugiés. S'ils ne franchissent pas une frontière internationale, ils sont qualifiés de déplacés internes ou de personnes déplacées à l'intérieur de leur propre pays. Si l'existence d'une situation de conflit est reconnue dans leur pays, ils peuvent bénéficier du statut international de protection prévu par le droit humanitaire pour les civils victimes de conflit. Si l'existence d'un conflit n'a pas été reconnue, ils peuvent bénéficier d'une assistance internationale mais ils ne bénéficient pas d'un véritable statut international de protection.

En 2011, le Centre de surveillance des déplacements internes (IDMC) enregistrait un total de 26,4 millions de personnes déplacées internes, un nombre presque trois fois supérieur à celui des réfugiés pour 2011 (10,4 millions). Leur situation se révèle être un défi immense non seulement en termes d'assistance, mais aussi de protection parce que ces dernières restent sous la responsabilité juridique de leur État, sans statut international de protection (hormis celui de victime de conflit, si une telle situation est reconnue).

◆ **• Si des individus franchissent une frontière internationale pour fuir la guerre ou des persécutions politiques, il s'agit de réfugiés ou de migrants. Ils bénéficient alors d'une protection internationale en vertu du droit international des réfugiés et des lois nationales sur l'immigration.**
• S'ils ne franchissent pas de frontière internationale, ce sont des personnes déplacées. Les déplacés internes ne constituent pas une catégorie juridique particulière et ils ne bénéficient donc pas d'une protection spécifique du droit international. En principe, ils sont toujours protégés par leur droit national, mais c'est souvent cet État qui est à l'origine de leur déplacement.
En période de paix, ils restent sous la protection de leur loi nationale et des conventions sur les droits de l'homme ;
En période de conflit, ils sont protégés par le droit humanitaire au titre de personnes civiles.

▶ **Garanties fondamentales.**

La tendance des États est d'éviter autant que possible les franchissements massifs de frontières par des individus fuyant les conflits ou d'autres situations. Le grand exode des Kurdes irakiens vers la Turquie en 1991 avait été qualifié d'atteinte à la paix et à la sécurité régionales par le Conseil de sécurité des Nations unies. La même chose s'est produite dans l'ex-Yougoslavie en 1993 et au Rwanda en 1994. C'est le plus souvent à l'intérieur de leurs frontières que les individus se déplacent pour fuir les conséquences d'un conflit ou de tensions. La non-reconnaissance officielle d'une situation de conflit est également une tendance diplomatique qui risque de priver les personnes affectées par celui-ci du statut international de protection prévu par le droit humanitaire.

1. *Une responsabilité internationale insuffisante pour les personnes déplacées*

• Aucune institution internationale n'a de mandat général ou ne dispose des moyens voulus pour protéger et assister de façon concrète des individus à l'intérieur de leurs propres frontières, alors que certains d'entre eux peuvent connaître des besoins d'assistance et de protection en tous points identiques à ceux des réfugiés.

• Le mandat du HCR a été élargi au cas par cas à plusieurs reprises par l'Assemblée générale de l'ONU, notamment dans sa résolution 53/125 (1998), pour lui permettre de prendre en charge des situations de personnes déplacées. Le HCR peut, avec l'accord du gouvernement concerné, mettre en place des programmes d'assistance matérielle au profit de ces personnes. Mais il ne dispose d'aucun instrument juridique permanent de protection des individus dans ces situations. Son rôle en matière de protection dépend entièrement de l'existence et du contenu d'un accord *ad hoc* qui doit être signé pour la circonstance avec le gouvernement concerné. L'existence et les termes d'un tel accord devront toujours être attentivement examinés par les différents acteurs humanitaires impliqués dans ces situations. Aussi, les actions du HCR et toutes les formes de protection en faveur de ces personnes sont largement dépendantes de la bonne volonté des États. Depuis 2001, le HCR a opéré un recentrage opérationnel de sa mission auprès des réfugiés et limité ses interventions en faveur des déplacés aux situations ou les conditions suivantes sont réunies : demande explicitement formulée par le secrétaire général de l'ONU par l'intermédiaire d'OCHA, mise à disposition de ressources additionnelles, accord du pays impliqué afin de bénéficier de conditions adéquates de sécurité.

• Un poste de représentant spécial du secrétaire général de l'ONU pour les personnes déplacées a été créé et confié en 1992 à Francis Deng. Il a rédigé une compilation des règles de droit humanitaire, des droits de l'homme et du droit des réfugiés qui sont applicables aux personnes déplacées. Le représentant spécial a procédé en 1996 à une compilation et à une analyse des normes internationales applicables aux situations de déplacement. L'étude a montré que les normes existantes comportaient des lacunes qui ne permettaient pas de répondre aux besoins d'assistance et de protection des personnes déplacées. À la demande de l'Assemblée générale et de la Commission des droits de l'homme de l'ONU (aujourd'hui le Conseil des droits de l'homme), le représentant spécial a rédigé des principes directeurs visant à réaffirmer, clarifier et consolider les droits des personnes déplacées. Ces trente « Principes directeurs relatifs au déplacement de personnes à l'intérieur de leur propre pays » ont été adoptés par la Commission des droits de l'homme de l'ONU en 1998 et entérinés par l'Assemblée générale de l'ONU en 2005 lors du Sommet mondial. Ils reflètent et sont en accord avec le droit international humanitaire et

le droit international des droits de l'homme, réaffirmant les normes existantes et les adaptant aux besoins des personnes déplacées.
Ils n'ont pas de valeur juridique contraignante mais le Comité permanent inter-organisations (IASC) et le Bureau de coordination de l'aide humanitaire des Nations unies (OCHA) recommandent fréquemment l'application de ces principes dans le dialogue avec les gouvernements et dans les activités d'assistance entreprises auprès de déplacés.
Le représentant spécial n'a aucune fonction directe de secours ou de protection en faveur des personnes déplacées. Les ONG peuvent toutefois lui transmettre des informations sur des violations des droits de l'homme et du droit humanitaire commises à l'encontre des déplacés internes. En septembre 2004, le secrétaire général de l'ONU a désigné Walter Kälin pour succéder à Francis Deng. En septembre 2010, le docteur Chaloka Beyani a été nommé par le Conseil des droits de l'homme comme le nouveau rapporteur spécial sur la question des droits de l'homme des personnes déplacées internes.
Dans son rapport final de janvier 2010, M. Walter Kälin soutient que l'autorité des Principes directeurs a été consolidée au niveau international. En effet, les chefs d'État et de gouvernement réunis à New York à l'occasion du Sommet mondial de septembre 2005 ont unanimement estimé que les Principes directeurs constituaient « un cadre international important pour la protection des personnes déplacées ». Plus récemment, en mars 2010, l'Assemblée générale des Nations Unies a adopté la résolution 64/162, reconnaissant que « la protection des personnes déplacées s'est trouvée renforcée du fait que les normes spécifiques et afférentes ont été recensées, réaffirmées et regroupées, en particulier dans les Principes directeurs relatifs aux personnes déplacées à l'intérieur de leur propre pays ». M. Walter Kälin soutient qu'un certain nombre d'éléments indiquent que les Principes directeurs deviennent du droit international coutumier. Bien que ces derniers ne constituent pas un document international contraignant, ils tendent à être traduits dans les législations internes et les conventions régionales.
En novembre 2006, la Conférence internationale sur la région des Grands Lacs a adopté le Protocole sur la protection et l'assistance à apporter aux personnes déplacées à l'intérieur de leur propre pays, contraignant les 11 États de la Conférence (Angola, Burundi, République centrafricaine, Congo, République démocratique du Congo, Kenya, Ouganda, Rwanda, Soudan, Tanzanie et Zambie) à incorporer les Principes directeurs dans leur droit interne.
Le 23 octobre 2009, l'Union africaine a signé la Convention sur la protection et l'assistance des personnes déplacées en Afrique dite Convention de Kampala. En avril 2013, 39 États avaient signé la convention et 17 l'avaient ratifiée. Elle est entrée en vigueur le 6 décembre 2012. Cette nouvelle convention avalise la définition des personnes déplacées contenue dans les Principes directeurs relatifs aux personnes déplacées à l'intérieur de leur propre pays (art. 1k) et énonce les engagements des États parties en matière de protection et d'assistance des personnes déplacées internes découlant du contenu même des Principes directeurs. La Convention de Kampala contient un certain nombre de dispositions sur les obligations générales des États parties (art. 3) qui sont : assurer le respect des principes d'humanité et

de dignité humaine des personnes déplacées ; respecter et assurer la protection des droits de l'homme des personnes déplacées, parmi lesquels la non-discrimination et une protection égale devant la loi ; respecter le droit international humanitaire ; garantir l'assistance aux personnes déplacées et promouvoir l'autosuffisance. La convention prévoit également une obligation d'assistance réciproque entre les États. En effet, dans le cas où les ressources disponibles ne permettent pas aux États d'assurer une protection et une assistance suffisantes aux personnes déplacées, ces derniers doivent coopérer et demander l'assistance des organisations internationales et humanitaires. La convention dispose également les motifs d'intervention (art. 8) dans le cas de crimes de guerre, génocide et crimes contre l'humanité en accord avec les dispositions pertinentes de la Charte de l'Union africaine. Enfin, elle contient des dispositions sur la réinstallation (art. 11).

• En janvier 2002, une unité pour les déplacés internes a été créée au sein d'OCHA. Elle a été transformée en Division inter-institutions des déplacements internes (Inter-Agency Internal Displacement Division) en juillet 2004. Composée d'une vingtaine de personnes principalement détachées par des organismes des Nations unies, elle est dirigée par un haut fonctionnaire de l'ONU. Cette division est basée à Genève, dans les locaux d'OCHA et dispose également d'une représentation à New York. Elle n'est pas directement opérationnelle. Son rôle consiste à mobiliser les agences des Nations unies afin de répondre aux besoins d'assistance et de protection des déplacés. Elle s'appuie sur le réseau des coordonnateurs résidents et des coordonnateurs pour les questions humanitaires des Nations unies sur le terrain et travaille de façon étroite avec le représentant du secrétaire général de l'ONU pour les déplacés. Concrètement, la division publie des rapports sur les missions qu'elle entreprend sur le terrain et adresse des recommandations aux pays. La division offre régulièrement un soutien spécifique au HCR et au PNUD, qui sont les chefs de file de quatre groupes sectoriels d'importance toute particulière, à savoir la protection, l'hébergement d'urgence, la coordination et la gestion des camps et le relèvement précoce. Depuis 2006, l'objectif de la division a été de soutenir le renforcement des arrangements inter-agences et les capacités des agences des Nations unies dans la réforme des groupes sectoriels.

En 1998, le Conseil norvégien pour les réfugiés a désigné le Centre de surveillance des déplacements internes (IDMC) organisme international leader pour le suivi des déplacements internes résultant de situation de conflits. Si le Centre ne délivre pas une assistance directe aux déplacés, son mandat consiste à contribuer à améliorer les capacités nationales et internationales en matière de protection et d'assistance aux millions de déplacés à travers le monde. À la demande des Nations unies, le Centre gère une base de données en ligne, source d'information et d'analyse en matière de déplacement dans plus de 50 pays. À la lumière de ses activités de suivi et de collecte de données, le Centre préconise des solutions durables en conformité avec les standards internationaux pour répondre à la détresse des déplacés. Le Centre conduit également des activités de formation pour renforcer les capacités des acteurs locaux à répondre aux besoins des déplacés.

▶ **Bureau de la coordination des affaires humanitaires.**

◆ **• L'action simultanée de plusieurs agences a jusqu'à présent permis d'opérer une division des tâches dans l'organisation des secours vis-à-vis des personnes déplacées. Mais elle a aussi contribué à diluer la responsabilité de protection vis-à-vis de cette population.**
• La multiplication des agences présentes sur le terrain contribue souvent à normaliser la situation au niveau diplomatique et empêche ainsi la reconnaissance officielle d'un état de guerre qui entraînerait l'application du droit humanitaire, ce qui pourtant permettrait clairement d'invoquer les droits à l'assistance et à la protection pour ces personnes en tant que civils victimes de conflits.
• La protection de ces déplacés internes repose sur la clarification des droits qui leur sont reconnus et une responsabilisation des intervenants humanitaires autour des besoins spécifiques de protection de cette population. En pratique, elle repose également sur la reconnaissance d'un état de conflit qui permet l'application du droit humanitaire à ces populations. Les agences et les organisations de secours travaillant avec les personnes déplacées peuvent utilement participer à cette reconnaissance.

À titre d'exemple, on peut se souvenir que lors du massacre commis par l'armée rwandaise dans le camp de déplacés internes à Kibeho en avril 1995, le mandat de protection de ces personnes était éparpillé entre des intervenants trop nombreux. La force militaire des Nations unies au Rwanda assurait la protection des camps, la compétence du HCR n'était reconnue que pour les réfugiés qui rentraient au Rwanda, pas pour les déplacés qui n'avaient pas quitté le territoire, la mission d'observateurs des droits de l'homme avait une fonction d'observation et pas de protection, enfin le pays n'était pas en situation de conflit, le CICR était absent et le gouvernement ne s'estimait lié par aucune obligation précise vis-à-vis de cette population.
Dans certaines situations, les déplacés internes sont, spontanément ou suite à des pressions nationales ou internationales, regroupés dans des zones spécifiques où ils sont censés être protégés. Suivant le statut donné à ces zones, ils peuvent soit bénéficier de la protection du droit humanitaire, soit se trouver encore plus exposés aux dangers liés à la guerre.

▶ **Zones protégées ▷ Camp.**

2. *En temps de paix*

• En période de paix, de troubles ou tensions internes, ou si la situation de conflit n'est pas reconnue par les autorités concernées, les individus restent en pratique sous la seule protection de leurs lois nationales et des conventions relatives aux droits de l'homme.
Les conventions internationales relatives aux droits de l'homme ne constituent pourtant pas un cadre juridique suffisant pour assurer la protection de ces personnes déplacées à l'intérieur de leur propre pays. En effet :
– à l'exception des garanties fondamentales, l'application de certains droits de l'homme peut être suspendue par les États dans les situations de troubles intérieurs ;
– le droit de fuir la persécution, collective ou individuelle, ou le danger reste un droit fondamental devant être respecté en tout temps. Fermer les frontières et refouler les demandeurs d'asile constitue une violation des garanties fondamentales des droits de l'homme. Développer des programmes d'assistance pour les déplacés ne saurait être considéré comme un substitut légitime au droit fondamental de fuir la persécution.

– les droits de l'homme ne prévoient aucune mesure concrète de secours au profit de ces personnes, ni de droits pour les organisations et le personnel humanitaires ;
– la question de l'assistance et de la protection dans le cadre d'un emploi de la force à grande échelle ou de limitations gouvernementales des droits pour des raisons de sûreté et de sécurité n'est que peu couverte par les dispositions réglementaires des droits de l'homme ;
– tout ce qui relève de l'usage substantiel de la force (les méthodes de guerre) échappe à la réglementation des droits de l'homme ;
– les règles des droits de l'homme ne s'imposent qu'aux États alors que le droit humanitaire s'impose à tous les belligérants, quels que soient leur statut ou nature ;
– les mécanismes de contrôle font souvent défaut dans le domaine des droits de l'homme. Quand ils existent, ils visent plus souvent à constater une violation qu'à la prévenir.

Néanmoins, en toutes situations, dont celles ne pouvant pas être qualifiées de conflit armé, les personnes déplacées sont au minimum protégées par les garanties fondamentales énoncées par le droit humanitaire et par les droits de l'homme indérogeables. Ces droits ont été regroupés, harmonisés et complétés dans la rédaction des Principes directeurs sur les personnes déplacées.

▶ **Personnes protégées ▷ Population civile ▷ Garanties fondamentales ▷ Droits de l'homme ▷ Réfugié ▷ Refoulement (expulsion).**

3. *En période de conflit*

Si les personnes déplacées sont victimes d'une situation de conflit, elles peuvent bénéficier de la protection du droit humanitaire et des droits de l'homme indérogeables en vertu de leur statut de personne civile.

▶ **Personnes protégées ▷ Population civile.**

Dans les situations de conflits internes et internationaux, le droit humanitaire prend acte du fait que les affrontements armés engendrent des mouvements de population importants. Le déplacement de communautés minoritaires peut aussi devenir une politique délibérée et un objectif de guerre. C'est pourquoi le droit humanitaire édicte des règles spécifiques pour prendre en compte le sort des populations déplacées :
– il interdit les déplacements forcés de population ;
– il interdit les méthodes de guerre dont le but est de semer la terreur parmi la population civile ;
– il réglemente la conduite des hostilités pour éviter que le harcèlement militaire à l'encontre des populations civiles en général ou de certains groupes en particulier ne les conduise à l'exode ou à l'errance ;
– il autorise et organise l'approvisionnement des secours au profit de la population civile pour éviter qu'elle ne soit contrainte à l'exode du fait des privations des biens essentiels à sa survie.
– finalement, il énonce que, en tout temps et en tout lieu, les personnes déplacées doivent jouir des garanties fondamentales prévues par le droit humanitaire. Elles peuvent donc bénéficier des droits à l'assistance et à la protection en tant que victimes du conflit ou en tant que personnes privées de liberté si elles ne peuvent pas quitter le camp.

Ces règles qui découlent des Conventions de Genève sont appliquées par le CICR mais devraient être défendues par toutes les autres organisations. Le gouvernement concerné ne peut pas refuser la présence du CICR et ne devrait pas refuser celle des ONG humanitaires.

Consulter aussi

▶ **Déplacement de population ▷ Secours ▷ Personnes protégées ▷ Zones protégées ▷ Camp ▷ Réfugié ▷ Droits de l'homme ▷ Droit international humanitaire ▷ Garanties fondamentales ▷ Assistance ▷ Protection ▷ Rapporteur spécial ▷ Bureau de la coordination des affaires humanitaires.**

Contacts

www.relief web.int/ocha_ol/pub/idp_gp/idp.html
www.internal-displacement.org

Pour en savoir plus

BIRKELAND N., « Internal displacement : global trends in conflict-induced displacement », *Revue internationale de la Croix-Rouge,* vol. 91, n° 875, septembre 2009, p. 491-508.

« Convention sur la protection et l'assistance des personnes déplacées en Afrique (Convention de Kampala) », Ouganda, 23 octobre 2009.

DENG F., Rapport du représentant du secrétaire général, *Compilation et analyse des normes juridiques applicables aux personnes déplacées,* E/CN.4/1996/52/Add. 2.

HCR, *Les Réfugiés dans le monde. Les personnes déplacées : l'urgence humanitaire,* La Découverte, Paris, 1997.

KÄLIN W., « Protection juridique des déplacés internes. Protection selon le droit international des droits de l'homme », *Personnes déplacées à l'intérieur de leur pays,* rapport du symposium de Genève du CICR, 23-25 octobre 1995, CICR, Genève, 1996, p. 15-27.

LAVOYER J.P., « Réfugiés et personnes déplacées. Droit international humanitaire et rôle du CICR », *Revue internationale de la Croix-Rouge,* n° 812, mars-avril 1995, p. 183-202.

LAVOYER J.P., « Protection juridique des déplacés internes. Protection en droit international humanitaire », *Personnes déplacées à l'intérieur de leur pays,* rapport du symposium de Genève du CICR, 23-25 octobre 1995, CICR, Genève, 1996, p. 28-39.

« Rapport soumis par le Représentant du Secrétaire général sur les droits de l'homme des personnes déplacées dans leur propre pays, M. Walter Kälin », A/HRC/13/21, 5 janvier 2010

UNITED NATIONS OFFICE FOR THE COORDINATION OF HUMANITARIAN AFFAIRS, « Principes directeurs relatifs au déplacement de personnes à l'intérieur de leur propre pays ».

Personnes disparues et les morts

Les conflits comme les catastrophes naturelles peuvent causer des pertes massives en vies humaines ; les systèmes sociaux et administratifs locaux sont alors bien souvent débordés. Il est essentiel de faire la lumière sur le sort des disparus (I) et identifier les morts (II) pour conserver et/ou rétablir les droits fondamentaux ainsi que des activités de secours responsables. Ces questions doivent d'emblée être intégrées aux programmes de secours afin que les preuves soient conservées pour l'identification future des corps et que les disparus ne soient pas rendus davantage vulnérables à d'éventuels abus. Les activités de recherche et de rétablissement des liens familiaux constituent des éléments déterminants pour distinguer les disparitions forcées des disparitions naturelles. Dans les situations de conflit, le CICR dispose d'un mandat international en matière de disparition forcée. L'efficacité de ses activités repose sur d'autres organisations humanitaires qui enregistrent puis font remonter les informations sur les personnes disparues. En temps de paix, diverses conventions internationales portent sur l'interdiction et le suivi des disparitions forcées.

Des manuels pratiques de gestion des dépouilles mortelles ont récemment été développés afin d'améliorer les pratiques humanitaires en la matière et ainsi faciliter l'identification des morts. Il est essentiel que de tels protocoles soient connus de tous, et respectés, dès lors que les organisations médicales et de secours participent à la gestion des dépouilles mortelles dans le cadre de situations de pertes massives en vies humaines. L'identification des dépouilles mortelles à des fins d'enquêtes et de poursuites pénales ne correspond ni ne répond aux besoins d'une identification à des fins humanitaires.

I. Personnes disparues

1. *La protection des personnes disparues et l'interdiction des disparitions forcées*

Le Comité international de la Croix-Rouge (CICR) entend par personnes disparues « les personnes dont la famille est sans nouvelles, et/ou qui, selon des informations fiables, ont été rapportées comme disparues en raison d'un conflit armé, international ou non international, ou d'une situation de violence interne, de troubles intérieurs, ou encore de toute autre situation qui puisse requérir l'intervention d'une institution neutre et indépendante ».

Le terme de personnes disparues renvoie à des personnes pouvant être vivantes ou mortes. Cette incertitude est en elle-même source tant de vulnérabilité que de menace. Vivantes, ces personnes peuvent être secrètement détenues, ou séparées de leurs proches du fait d'un déplacement soudain, d'une catastrophe naturelle ou d'un accident. Dans tous les cas, elles doivent bénéficier de la protection prévue par le droit international humanitaire quelle que soit la catégorie à laquelle elles appartiennent : civil, déplacé, détenu, prisonnier de guerre, blessé et malade, mort, etc.

La question des personnes disparues est des plus politique. Les États belligérants ont en effet tendance à manipuler le nombre de personnes disparues ou à dissimuler délibérément des informations pour faire pression sur les parties opposées, pour terroriser et contrôler les populations ou encore pour affaiblir les détenus à des fins d'interrogatoire.

a) *La protection des personnes disparues dans le cadre des Conventions de Genève*

Les Conventions de Genève de 1949 établissent l'obligation des parties aux conflits armés internationaux de prendre toutes les mesures possibles pour élucider le sort des personnes portées disparues, pour rechercher les personnes qui ont été reportées comme disparues par la partie adverse et pour enregistrer les informations concernant ces personnes (GI art 19- 20 ; GII art. 16-17 ; GIII art. 122-125 ; GIV art 136-141 ; GPI art. 32-33).

Si une personne est portée disparue du fait de déplacements de population lors d'un conflit armé, les liens familiaux doivent être rétablis dès que possible (GIV art. 25-26). Si les personnes sont disparues du fait de détention ou d'hospitalisation par l'ennemi, le droit international humanitaire prévoit que leurs familles et les autorités soient rapidement informées à travers trois vecteurs que sont la notification d'hospitalisation, de capture ou d'arrestation ; la transmission des cartes de capture ou d'internement ; et en raison du droit de correspondance avec leur famille. Les autorités détentrices sont aussi dans l'obligation de répondre aux demandes sur les personnes protégées (GI art. 16 ; GII art. 19 ; GIII art. 70-71, 122-123 ; GIV art. 106-107, 136, 137, 140 ; GPI, art. 33.2).

Les parties au conflit, mais aussi les organisations humanitaires internationales doivent prendre toutes les mesures nécessaires pour que les familles aient connaissance du sort de leurs proches. Le CICR a un rôle essentiel à jouer par le biais de son Agence centrale de recherches, qui aide à retrouver les personnes disparues dès lors que les informations les concernant ont été recueillies.

b) L'interdiction des disparitions forcées dans le cadre d'autres conventions internationales

– La Déclaration des Nations unies sur la protection de toutes les personnes contre les disparitions forcées, adoptée par l'Assemblée générale des Nations unies le 18 décembre 1992 (résolution 47/133), définit la pratique systématique de la disparition forcée comme un crime contre l'humanité. Cette pratique constitue une violation du droit au respect de la dignité humaine, du droit à la liberté et à la sécurité de la personne et du droit de ne pas être soumis à la torture. Elle met en outre gravement en danger le droit à la vie (art. 1).

– La Convention internationale pour la protection de toutes les personnes contre les disparitions forcées a été adoptée le 20 décembre 2006 par l'Assemblée générale des Nations unies et est entrée en vigueur en 2010. En mai 2013, 38 États y étaient parties. Cette convention vise à prévenir les disparitions forcées, considérées comme un crime et, dans certains cas définis selon le droit international, comme un crime contre l'humanité. Elle affirme le droit de toute personne de ne pas être soumise à la disparition forcée, ainsi que le droit des victimes à la justice et à réparation.

• L'interdiction en tout temps de disparition forcée et la définition du crime de disparition forcée (art. 1 et 2) :

Article 1. Aucune circonstance exceptionnelle, quelle qu'elle soit, qu'il s'agisse de l'état de guerre ou de menace de guerre, d'instabilité politique intérieure ou de tout autre état d'exception, ne peut être invoquée pour justifier la disparition forcée.

Article 2. Aux fins de la présente convention, on entend par « disparition forcée » l'arrestation, la détention, l'enlèvement ou toute autre forme de privation de liberté par des agents de l'État ou par des personnes ou des groupes de personnes qui agissent avec l'autorisation, l'appui ou l'acquiescement de l'État, suivi du déni de la reconnaissance de la privation de liberté ou de la dissimulation du sort réservé à la personne disparue ou du lieu où elle se trouve, la soustrayant à la protection de la loi.

• Les obligations des États en termes de protection des personnes de toute forme de disparition forcée (art. 3-25) :

Article 3. Tout État partie prend les mesures appropriées pour enquêter sur les agissements définis à l'article 2, qui sont l'œuvre de personnes ou de groupes de personnes agissant sans l'autorisation, l'appui ou l'acquiescement de l'État, et pour traduire les responsables en justice.

Article 4. Tout État partie prend les mesures nécessaires pour que la disparition forcée constitue une infraction au regard de son droit pénal.

Article 5. La pratique généralisée ou systématique de la disparition forcée constitue un crime contre l'humanité, tel qu'il est défini dans le droit international applicable, et entraîne les conséquences prévues par ce droit.

Article 6. Tout État partie prend les mesures nécessaires pour tenir pénalement responsable au moins toute personne qui commet une disparition ou y participe, ainsi que le supérieur qui savait qu'un tel crime était sur le point d'être commis et n'a pas pris les mesures nécessaires pour empêcher la commission d'un tel acte.

Articles 7-15. Procédures pénales.

Article 16. Aucun État partie n'expulse, ne refoule, ne remet, ni n'extrade une personne vers un autre État s'il y a des motifs sérieux de croire qu'elle risque d'être victime d'une disparition forcée.

Article 17. Nul ne sera détenu en secret.

Articles 18-23. Garanties accordées aux personnes privées de liberté.

Article 24 :

1. Aux fins de la présente convention, on entend par « victime » la personne disparue et toute personne physique ayant subi un préjudice direct du fait d'une disparition forcée

2. Toute victime a le droit de savoir la vérité sur les circonstances de la disparition forcée, le déroulement et les résultats de l'enquête et le sort de la personne disparue. Tout État partie prend les mesures appropriées à cet égard.

3. Tout État partie prend toutes les mesures appropriées pour la recherche, la localisation et la libération des personnes disparues et, en cas de décès, pour la localisation, le respect et la restitution de leurs restes.

4. Tout État partie garantit, dans son système juridique, à la victime d'une disparition forcée le droit d'obtenir réparation et d'être indemnisée rapidement, équitablement et de manière adéquate.

5. Le droit d'obtenir réparation visé au paragraphe 4 du présent article couvre les dommages matériels et moraux ainsi que, le cas échéant d'autres formes de réparation telles que :

(a) la restitution ;

(b) la réadaptation ;

(c) la satisfaction, y compris le rétablissement de la dignité et de la réputation ;

(d) des garanties de non-répétition.

Article 25. Dispositions spécifiques pour les enfants victimes de disparition forcée.

• Création d'un Comité des disparitions forcées (art. 26-36) :

Article 26. (1) Pour la mise en œuvre des dispositions de la présente convention, il est institué un Comité des disparitions forcées, composé de dix experts de haute moralité, possédant une compétence reconnue dans le domaine des droits de l'homme, indépendants, siégeant à titre personnel et agissant en toute impartialité. (2) Les membres du Comité seront élus par les États parties selon une répartition géographique équitable. L'élection se fait au scrutin secret. (3) La première élection aura lieu au plus tard six mois après la date d'entrée en vigueur de la présente convention. (4) Les membres du Comité sont élus pour quatre ans. Ils sont rééligibles une fois. (7) Le secrétaire général de l'Organisation des Nations unies met à la disposition du Comité le personnel et les moyens matériels qui lui sont nécessaires pour s'acquitter efficacement de ses fonctions. Le secrétaire général convoque les membres du Comité pour la première réunion.
Article 27. Une conférence des États parties se réunira au plus tôt quatre ans et au plus tard six ans après l'entrée en vigueur de la présente convention pour évaluer le fonctionnement du Comité.
Article 29. (1) Tout État partie présente au Comité, par l'entremise du secrétaire général de l'Organisation des Nations unies, un rapport sur les mesures qu'il a prises pour donner effet à ses obligations au titre de la présente convention, dans un délai de deux ans à compter de l'entrée en vigueur de la convention pour l'État partie concerné. (2) Le secrétaire général de l'Organisation des Nations unies met le rapport à la disposition de tous les États parties.
Article 35. Le Comité n'est compétent qu'à l'égard des disparitions forcées ayant débuté postérieurement à l'entrée en vigueur de la présente convention.
La première conférence des États parties à la Convention internationale pour la protection de toutes les personnes contre les disparitions forcées s'est tenue le 31 mai 2011 au siège des Nations unies à New York. Elle visait principalement à élire les 10 membres du Comité. Ont été élus : M. Mohammed Al-Obaidi, M. Mamadou Badio Camara, M. Emmanuel Decaux, M. Alvaro Garce Garcia y Santos, M. Luciano Hazan, M. Rainer Huhle, Mme. Suela Janina, M. Juan José Lopez Ortega, M. Enoch Mulembe et M. Kimio Yakushiji.

c) *Dans le cadre des conventions régionales*

La Convention interaméricaine sur la disparition forcée des personnes a été adoptée à Bélem do Pará, Brésil, le 9 juin 1994. En avril 2013, 14 États y étaient parties. La convention définit la pratique de la disparition forcée comme une « offense grave et odieuse à la dignité intrinsèque de la personne humaine » et réaffirme que la pratique systématique de la disparition forcée des personnes constitue un crime contre l'humanité.
Article 1. Les États parties à la présente convention s'engagent à : (1) ne pas pratiquer, ne pas permettre et ne pas tolérer la disparition forcée des personnes, même pendant les états d'urgence, d'exception ou de suspension des garanties individuelles ; (2) sanctionner, dans le cadre de leur juridiction, ceux qui ont participé au délit de disparition forcée des personnes, ou ont tenté de le commettre à titre d'auteurs, de complices et de receleurs ; (3) coopérer entre eux pour contribuer par tous les moyens à prévenir, à sanctionner et à éradiquer la disparition forcée

des personnes ; (4) prendre les mesures législatives, administratives, judiciaires ou autres, nécessaires à l'exécution des engagements qu'elles ont contractés dans le cadre de la présente convention.
Article 2. La convention entend par disparition forcée des personnes « la privation de liberté d'une ou de plusieurs personnes sous quelque forme que ce soit, causée par des agents de l'État ou par des personnes ou des groupes de personnes qui agissent avec l'autorisation, l'appui ou l'acquiescement de l'État, suivie du déni de la reconnaissance de cette privation de liberté ou d'information sur le lieu où se trouve cette personne, ce qui, en conséquence, entrave l'exercice des recours juridiques et des garanties pertinentes d'une procédure régulière ».

d) Dans le cadre du droit international humanitaire coutumier

Selon la règle 98 de l'étude sur les règles du droit international humanitaire coutumier publiée par le CICR en 2005, « les disparitions forcées sont interdites » en situation de conflit armé tant international que non international.
La règle 117 stipule quant à elle que « chaque partie au conflit doit prendre toutes les mesures pratiquement possibles pour élucider le sort des personnes disparues par suite d'un conflit armé, et doit transmettre aux membres de leur famille toutes les informations dont elle dispose à leur sujet ». Cette règle s'applique en situation de conflit armé tant international que non international. L'obligation de rendre compte des personnes disparues est en accord avec l'interdiction de disparition forcée (*cf.* règle 98) et l'obligation de respecter la vie de famille (*cf.* règle 105).

▶ **Coutume.**

e) En droit international pénal

Selon le statut de la Cour pénale internationale, la pratique systématique de la disparition forcée constitue un crime contre l'humanité (article 7.1.i). L'article 7.2.i du statut entend par disparition forcée « les cas où des personnes sont arrêtées, détenues ou enlevées par un État ou une organisation politique ou avec l'autorisation, l'appui ou l'assentiment de cet État ou de cette organisation, qui refuse ensuite d'admettre que ces personnes sont privées de liberté ou de révéler le sort qui leur est réservé ou l'endroit où elles se trouvent, dans l'intention de les soustraire à la protection de la loi pendant une période prolongée ». Ainsi la Cour considère la pratique systématique de la disparition forcée comme aussi grave que d'autres crimes contre l'humanité tels que la torture, l'extermination ou le meurtre.

▶ **Cour pénale internationale ▷ Tribunaux pénaux internationaux.**

2. *Les moyens de protection des personnes disparues et de prévention des disparitions forcée*

a) Le Groupe de travail des Nations unies sur les disparitions forcées ou involontaires

Le 29 février 1980, la Commission des droits de l'homme a adopté la résolution 20 établissant un groupe de travail composé de cinq membres agissant en tant qu'experts nommés à titre personnel « pour examiner les questions concernant les disparitions forcées ou involontaires de personnes ». Depuis 1980, le mandat du groupe de travail a été régulièrement renouvelé ; la dernière résolution renouvelant son mandat a été adoptée par le Conseil des droits de l'homme le 12 avril 2011. En mai 2011, les cinq experts du groupe de travail étaient M. Jeremy Sarkin (président), M. Ariel Dulitzky, Mme. Jazminka Dzumhur, M. Olivier de Frouville et M. Osman El-Hajje.

Le groupe se réunit trois fois par an et soumet un rapport annuel à la Commission et à l'Assemblée générale. Le groupe s'occupe uniquement des cas de disparition forcée imputables, directement ou indirectement, aux États ; ce qui signifie qu'il n'intervient pas dans les cas de disparitions perpétrées par des acteurs non étatiques. Le groupe n'enquête pas directement sur des cas individuels. En outre, il ne juge ni ne sanctionne, ne procède pas à l'exhumation des corps, ni n'accorde de satisfaction ou de réparation. Le mandat du groupe consiste à tracer les personnes disparues et à aider les familles à déterminer le sort de leurs proches qui, ayant disparu, ne sont pas sous la protection de la loi. Afin de remplir son mandat, le groupe dispose d'une procédure de communication ; les communications peuvent émaner de la famille de la victime, des ONG, des gouvernements, des organisations intergouvernementales ou de tierces parties. Le groupe soumet le cas au gouvernement intéressé en lui demandant de procéder à des enquêtes et de l'informer ensuite de ses résultats.

Les experts du groupe de travail ont conduit plusieurs visites dans les pays afin d'évaluer le travail effectué par les États pour traiter les cas de disparition forcée. Par exemple, le groupe de travail a visité la Bosnie-Herzégovine sur son invitation du 14 au 21 juin 2010. Depuis sa création, le groupe de travail a transmis un total de 53 337 cas à divers gouvernements. Le nombre de cas activement examinés et qui n'ont pas encore été clarifiés, fermés ou abandonnés est de 42 633 pour un total de 83 États. Le groupe de travail a pu clarifier 1 814 cas durant les cinq dernières années.

b) *Le rôle des organisations humanitaires*

Comme indiqué précédemment, le rôle des organisations humanitaires internationales, et plus particulièrement du CICR, face au problème des personnes disparues est essentiel. Le positionnement du CICR reste toutefois délicat puisque celui-ci doit prendre toutes les mesures possibles pour obtenir des informations sur les personnes disparues sans toutefois perdre la possibilité de négocier avec les autorités nationales ou locales qui, souvent, redoutent des poursuites pénales. Dans une recherche d'équilibre, le CICR a développé divers outils visant à répondre au problème des disparus. Ces outils, qui n'incluent pas la dénonciation publique, sont les suivants :

- la diffusion du droit international humanitaire ;
- la visite des lieux de détention et l'enregistrement des personnes détenues ;
- la visite aux personnes en détention et le traçage de leurs précédents lieux de détention ;
- la protection générale des civils touchés par un conflit ;

– la restauration des liens familiaux à travers le réseau des sociétés de la Croix-Rouge et du Croissant-Rouge ;
– la compilation et le traitement des demandes de traçage à travers son Agence centrale de recherches.

Toutes les organisations humanitaires en contact avec des victimes doivent s'assurer que leur trace ne soit pas perdue. Elles doivent informer le CICR et distribuer aux victimes les formulaires de l'Agence centrale de recherches afin de retrouver les disparus et réunir les familles.

▶ **Croix-Rouge, Croissant-Rouge ▷ Agence centrale de recherches.**

II. Les morts

1. *La protection des morts*

a) *Dans le cadre des Conventions de Genève*

En situation de conflit armé international, les États parties ont le devoir de rechercher les personnes décédées (GI art. 15 ; GII art. 18, GIV art. 16). Ils doivent également s'efforcer de rassembler les informations nécessaires à l'identification des morts (GI art. 16 et GPI art. 33.2). En vertu du droit international humanitaire, les morts doivent être respectés, enterrés honorablement et les sépultures marquées afin de faciliter l'accès et la protection des tombes (GI art. 17 et GPI art. 34.1) En outre, les restes des personnes décédées doivent être respectés et le retour à leur famille facilité autant que possible (GPI art. 34.2).

Les dispositions du droit international humanitaire sur les personnes décédées et leurs sépultures applicables en cas de conflit armé international sont relativement détaillées. Elles s'appliquent pendant et après un conflit armé ou en situation d'occupation.

Dans le contexte de conflits armés non internationaux, l'obligation de rechercher les personnes décédées se retrouve à l'article 8 du Protocole additionnel II de 1977. S'agissant des conflits armés non internationaux, le droit international humanitaire ne prévoit que quelques règles de fond concernant les morts et leur sépulture. Les parties à un conflit armé non international restent toutefois soumises aux obligations générales du droit international humanitaire, telles que l'interdiction des atteintes à la dignité de la personne et des traitements humiliants et dégradants.

▶ **Droit international humanitaire.**

b) *En droit international humanitaire coutumier*

Les règles 112 à 116 de l'étude du CICR (voir *supra*) prévoient des dispositions relatives à la collecte, au traitement, à la disposition et au retour des restes des personnes décédées.

La règle 112 dispose que « chaque fois que les circonstances le permettent, et notamment après un engagement, chaque partie au conflit doit prendre sans tarder toutes les mesures possibles pour rechercher, recueillir et évacuer les morts, sans distinction de caractère défavorable ». Cette règle s'applique aux conflits armés internationaux comme non internationaux. Le CICR rappelle que l'obligation de rechercher et recueillir les personnes décédées est une obligation de moyens. Chaque partie au conflit doit prendre « toutes les mesures possibles » pour rechercher et recueillir les morts. Cette règle s'applique à toutes les personnes décédées sans distinction, c'est-à-dire quelle que soit la partie à laquelle elles appartiennent et sans tenir compte de leur participation ou non aux hostilités.

La règle 113 stipule que « chaque partie au conflit doit prendre toutes les mesures possibles pour empêcher que les morts ne soient dépouillés. La mutilation des cadavres est interdite ». Cette règle s'applique en situation de conflit armé tant international que non international.

La règle 114 dispose que « les parties au conflit doivent s'efforcer de faciliter le retour des restes des personnes décédées, à la demande de la partie à laquelle ils appartiennent ou à la demande de leur famille. Elles doivent leur retourner les effets personnels des personnes décédées ». Cette règle s'applique seulement aux conflits armés internationaux.

La règle 115 dispose que « les morts doivent être inhumés de manière respectueuse et leurs tombes doivent être respectées et dûment entretenues ». Cette règle s'applique aux conflits armés internationaux et non internationaux. Les Conventions de Genève précisent que les morts doivent être enterrées, si possible, selon les rites de la religion à laquelle ils appartenaient.

La règle 116 stipule que « afin de permettre l'identification des morts, chaque partie au conflit doit enregistrer toutes les informations disponibles avant l'inhumation, et marquer l'emplacement des sépultures ».

2. *Les moyens de protection et d'identification des restes des personnes décédées*

Après un conflit ou une catastrophe vient le temps de l'identification et de la gestion des dépouilles mortelles. La prise en charge des pertes massives en vies humaines et, plus précisément, l'identification des restes humains, ont toujours été l'objet de controverses. Que celle-ci soit menée à des fins humanitaires ou judiciaires affectera directement la gestion des restes humains.

a) L'identification des corps à des fins humanitaires

Les organisations humanitaires peuvent faire face à des situations où elles doivent rechercher et recueillir les morts. En pratique, elles ont besoin, pour mener à bien leurs activités, de la permission de la partie ayant le contrôle d'une certaine zone. Elles ne sauraient être arbitrairement privées de cette permission. Au nom de la mission conférée au CICR par les Conventions de Genève, l'organisation a la légitimité d'entreprendre des activités de recherche et de collecte. Lorsque l'identification des dépouilles mortelles s'inscrit dans une perspective purement humanitaire, les fosses communes sont ouvertes et les corps identifiés. Il s'agit de faire connaître aux familles le sort de leurs proches portés disparus, que ces derniers soient vivants ou morts. La pratique consiste habituellement à comparer les listes des personnes disparues à celles des corps identifiés. Les activités de recherches sont principalement le fait de l'Agence centrale de recherches dirigée par le CICR conformément aux Conventions de Genève. L'Agence centrale de recherches déploie mondialement les activités de recherche en coordination avec les sociétés nationales de la Croix-Rouge et du Croissant-Rouge. Grâce à cette coopération, le mouvement de la Croix-Rouge et du Croissant-Rouge délivre des services de recherche par-delà les frontières nationales, permettant ainsi aux familles de rétablir le contact ou connaître le sort de leurs proches disparus.

À ce jour, aucune ONG ni organisation internationale ne dispose d'un mandat spécifiquement dédié à l'identification des dépouilles mortelles. Cependant, dans la mesure où les démarches entreprises immédiatement après un conflit risquent de se répercuter sur l'identification ultérieure des victimes, des manuels pratiques ont été développés en vue de promouvoir de meilleures pratiques. Conçus comme des outils à la disposition des autorités locales et nationales, et des professionnels sur le terrain, ces manuels fournissent des informations techniques qui appuieront une approche correcte de la prise en charge des dépouilles mortelles : les victimes ne devraient pas être enterrés dans les fosses communes ; il faut conserver tous les éléments d'identification des corps et des lieux d'inhumation.

Le CICR peut en outre fournir une expertise médico-légale. Il a à sa disposition une équipe d'experts consacrés aux affaires de personnes disparues, fournissant des conseils techniques et soutenant le renforcement des capacités médico-légales en vue d'aider les familles à obtenir des réponses. L'utilisation de sciences médico-légales pour élucider le sort des personnes disparues est relativement récent. La première banque de données génétiques consacrée à la recherche des personnes disparues a été mise en place en 1987 en Argentine pour répondre aux besoins des familles. Dans ce type d'activités, le rôle du CICR consiste à compléter et fournir un appui aux autorités nationales et/ou sociétés de la Croix-Rouge et du Croissant-Rouge. L'identification médico-légale repose sur des éléments aussi divers que la localisation du corps, les interviews des témoins, les éléments matériels trouvés sur le cadavre (pièce d'identité, téléphone mobile, photographies, vêtements...) et les éléments matériels encore utilisables sur le corps (dents, visage, signe distinctif, empreintes, analyse ADN des cheveux...). Si l'analyse ADN est de plus en plus perçue comme jouant un rôle majeur, celle-ci est couplée à d'autres éléments et vient les compléter. En outre, nombre de défis demeurent s'agissant de l'utilisation des sciences médico-légales en vue de l'identification des personnes disparues, parmi lesquels la limitation des ressources humaines et financières qui ne sont pas nécessairement disponibles au lendemain des conflits.

b) L'identification à des fins judiciaires

L'identification des dépouilles mortelles peut aussi être menée à des fins judiciaires. Dans ce cas, il s'agit souvent de la première étape pour porter une affaire pénale devant une cour. Les tribunaux pénaux internationaux pour le Rwanda et l'ex-Yougoslavie s'inscrivent dans cette perspective. Sous leurs auspices, nombre de charniers ont été exhumés en vue d'identifier les personnes décédées. La première exhumation a eu lieu dans la ville de Kibuye à l'ouest du Rwanda en décembre 1995. Sur les 500 corps exhumés, seules 17 personnes ont pu être identifiées. En ex-Yougoslavie, le Bureau du procureur du TPIY a initié la première exhumation de charniers en 1996 sur cinq sites différents. Sur l'un des sites, dénommé ferme Ovcara, les enquêteurs ont trouvé les restes supposés de quelque 200 patients et personnels de l'hôpital de Vukovar.

De 1996 à 2001, le TPIY a fouillé nombre de fosses communes. Son travail a été poursuivi par la Commission internationale pour les personnes disparues créée par l'ex-président Clinton lors du sommet du G7 de Lyon en France. Son rôle premier consiste à assurer la coopération des gouvernements dans la localisation et l'identification des personnes disparues lors de conflits armé ou suite à des violations des droits de l'homme. L'organisation a été établie pour apporter un soutien aux accords de Dayton, qui ont mis fin à la guerre de Bosnie. Le siège de la commission se trouve à Sarajevo. En 2000, la commission a développé une nouvelle installation pour la morgue et le stockage des restes humains de Srebrenica. Elle a été la première à utiliser l'ADN comme première étape de l'identification d'un grand nombre de personnes disparues lors du conflit en ex-Yougoslavie.

La spécificité de l'ouverture des fosses communes et de l'identification des corps à des fins judiciaires tient à l'ampleur de l'identification et au nombre de corps identifiés. En effet, les enquêtes pénales en matière de crimes de guerre ne nécessitent pas l'identification de la totalité des corps d'un charnier. Pour gagner du temps, comme de l'argent, les enquêteurs peuvent ne se concentrer que sur quelques corps. Il s'agit principalement pour eux de confirmer les faits et les nombres avancés afin de rassembler les preuves pour les tribunaux, et non pas établir l'identité de chaque corps. Par conséquent, dans ce cas, le droit des familles de connaître le sort de leurs proches ne sera pas nécessairement honoré.

◆ **La disparition est considérée comme un crime continu jusqu'à ce que le sort de la personne disparue soit connu. Cela signifie que le délai de prescription commence à courir quand cesse la disparition, en d'autres termes, quand la personne disparue est retrouvée, morte ou vive. Ainsi, ces crimes ne peuvent pas être couverts par des lois d'amnistie votées avant que la personne disparue ne soit découverte.**

Dans l'affaire Quinteros c. Uruguay (21 juillet 1983, § 186), le Comité des droits de l'homme a confirmé qu'il est interdit de cacher délibérément aux familles des informations sur leurs proches disparus. Le Comité a également confirmé que les disparitions constituaient une violation grave des droits des familles des disparus dans l'incertitude quant au sort de leurs proches et dans l'angoisse continuelle qui en résulte.

Dans l'affaire Kurt c. Turquie (25 mai 1998, § 130-133), la Cour européenne des droits de l'homme a estimé que le fait de cacher des informations aux familles des personnes détenues par les forces de sécurité – ou de garder le silence dans la cas de personnes disparues durant un conflit armé – peut atteindre un degré de gravité équivalent à celui d'un traitement inhumain.

Dans l'affaire Kupreskic *et al.* (14 janvier 2000, § 566), la Chambre préliminaire de la CPI a estimé que la disparition forcée pouvait relever de la catégorie d'« autres actes inhumains » comme crime contre l'humanité, dès lors que ces actes sont exécutés de manière systématique et à grande échelle.

Pour en savoir plus :

Crettol M. et La Rosa A. M., « Les personnes portées disparues et la justice transitionnelle : le droit de savoir et la lutte contre l'impunité », *Revue internationale de la Croix-Rouge*, n° 862, juin 2006.

« Management of dead bodies after disaster : A field manual », PAHO, WHO, ICRC, IFRC. Disponible en ligne sur :
http://www.icrc.org/eng/assets/files/other/icrc_002_0880.pdf

« Management of dead bodies in disaster situations », PAHO, WHO, 2004, 176 p. Disponible en ligne sur :
http://www.paho.org/english/dd/ped/manejocadaveres.htm

MARTINS S., « The missing », *Revue internationale de la Croix-Rouge*, vol. 84, n° 848, décembre 2002, p. 723-725.

PETRIG A., « The war dead and their gravesites », *Revue internationale de la Croix-Rouge*, vol. 91, n° 874, juin 2009, p. 341-369.

SASSOLI M. ET TOUGAS M. L., « The ICRC and the missing », *Revue internationale de la Croix-Rouge*, vol. 84, n° 848, décembre 2002, p. 727-749.

STOVER E., SHIGEKANE R., « The missing in the aftermath of war : When do the needs of victims'families and international war crimes tribunals clash ? », *Revue internationale de la Croix-Rouge*, vol. 84, n° 848, décembre 2002, p. 845-865.

« The missing », *Revue internationale de la Croix-Rouge*, vol. 84, n° 848, décembre 2002, p. 721-920.

Personnes protégées

Chaque Convention de Genève de 1949 ainsi que les deux Protocoles additionnels de 1977 s'appliquent à une catégorie précise de personnes et lui accordent des droits et une protection différents. Le contenu de la protection peut varier d'une catégorie à l'autre.

En principe, le droit humanitaire n'utilise l'expression de « personnes protégées » que dans les conflits armés internationaux. Ce terme n'est pas explicitement repris pour les conflits armés internes. Il sera néanmoins utilisé ici par commodité de langage pour qualifier aussi la protection des individus dans ce type de conflits.

Le droit humanitaire ne crée pas, comme les droits de l'homme, des droits universels au profit de tous les individus. Il définit des catégories spécifiques de personnes, et leur accorde des droits et des protections particuliers, soit parce qu'elles sont plus exposées aux risques du conflit, soit parce qu'elles sont naturellement plus vulnérables. Cette catégorisation comporte des risques pour ceux qui se voient refuser l'appartenance à l'une ou l'autre catégorie de personnes protégées. Pour pallier ce danger, le droit humanitaire fixe également des garanties minimales applicables en période de conflit à tous les individus qui ne participent pas ou plus aux hostilités.

◆

• Le statut de personne protégée prévu par le droit humanitaire confère aux individus concernés des droits à la protection et aux secours renforcés.

• Les individus qui ne bénéficient pas de ce statut de personnes protégées restent toutefois protégés par des droits minimaux prévus par les Conventions de Genève.

• Les deux Protocoles additionnels de 1977 ont assoupli la catégorisation stricte des différentes personnes protégées et unifié le contenu d'une protection minimale. Ils énoncent des garanties fondamentales applicables à toutes les personnes victimes d'une situation de conflit interne ou international qui ne bénéficient pas d'un régime de protection préférentiel (GPI art. 75 ; GPII art. 4).

• L'article 3 commun aux quatre Conventions fixe de façon moins complète un minimum de droits applicables en tout temps et en tout lieu.

Certaines catégories de personnes protégées ont droit à la protection supplémentaire due au port d'un signe distinctif prévu par les Conventions de Genève et le Protocole additionnel I.

▶ **Signes distinctifs-Signes protecteurs.**

1. *Dans les conflits internationaux, le droit humanitaire prévoit quatorze catégories différentes de personnes protégées :*
Les quatre premières catégories concernent les combattants, les onze autres s'adressent aux civils :

- ***Les blessés ou malades des forces armées en campagne***
Ils sont protégés par l'ensemble de la première Convention de Genève et par le Protocole additionnel I (GI dont art. 13 ; GPI art. 8 à 20).

- ***Les blessés, malades ou naufragés des forces armées sur mer***
Ils sont protégés par l'ensemble de la deuxième Convention de Genève et par le Protocole additionnel I (GII dont art. 13 ; GPI art. 8 à 20).

- ***Le personnel sanitaire et religieux attaché aux forces armées***
Il est protégé par la première et la deuxième Convention de Genève (GI art. 24 et 25 ; GII art. 36 et 37).

- ***Les prisonniers de guerre***
Ils sont protégés par l'ensemble de la troisième Convention de Genève et le Protocole additionnel I (GIII dont art. 4 ; GPI art. 43 à 47).

▶ **Prisonnier de guerre.**

- ***Les blessés et malades civils***
Ils sont protégés par la quatrième Convention de Genève et par les deux Protocoles additionnels (GIV art. 3, 16 à 23 ; GPI art. 10 à 16).
Les femmes en couches, les nouveau-nés et les autres personnes qui pourraient avoir besoin de soins médicaux immédiats, tels les infirmes et les femmes enceintes, sont assimilées à des blessés et malades (GPI art. 8.a).

▶ **Blessés et malades.**

- ***Le personnel sanitaire et religieux civil***
Il est défini dans la quatrième Convention de Genève et le Protocole additionnel I (GIV art. 20 ; GPI art. 15).

▶ **Personnel sanitaire.**

- ***Les parlementaires***

- ***Le personnel des organismes de protection civile***
Il est protégé par le Protocole additionnel I (GPI art. 62).

- *Le personnel de secours*
Il est défini par le Protocole additionnel I (GPI art. 71).

▶ **Personnel humanitaire et de secours.**

- *La population civile et les personnes civiles*
Cette expression recouvre :
– l'ensemble de la population civile. Elle est protégée contre l'effet des hostilités, c'est-à-dire qu'elle ne peut pas faire l'objet d'attaques (GPI art. 48 à 67) et qu'elle doit pouvoir recevoir des secours (GIV art. 23 ; GPI art. 68 à 71). Elle bénéficie également des garanties fondamentales (GI-GIV art. 3 commun ; GPI art. 75) ;
– les personnes civiles qui se trouvent au pouvoir d'une partie adverse du fait du conflit ou de l'occupation de territoire. Elles sont qualifiées de « personnes protégées » (GIV art. 4). Leur statut est défini dans la quatrième Convention de Genève (GIV art. 27 à 141).
Les ressortissants d'un État qui n'est pas lié par les Conventions de Genève de 1949 ne sont pas protégés. Les ressortissants d'un État neutre se trouvant sur le territoire d'un État belligérant, ainsi que les ressortissants d'un État allié à l'État belligérant, ne seront pas considérés comme personnes protégées tant que leur État aura une représentation diplomatique normale auprès de l'État sur le territoire duquel ils se trouvent (GIV art. 4).
Le premier Protocole additionnel de 1977 a assoupli la catégorisation stricte des différentes personnes protégées et unifié le contenu d'une protection minimale pour tous les individus. Il énonce des garanties fondamentales applicables à toutes les personnes victimes d'une situation de conflit qui ne bénéficient pas d'un régime de protection préférentiel (GPI art. 75).

▶ **Population civile ▷ Garanties fondamentales.**

- ***Les personnes privées de liberté, détenues ou internées (GIV art. 41, 42, 79 à 135 ; GPI art. 75)***

▶ **Détention ▷ Internement.**

- ***La population d'un territoire occupé (GIV art. 47 à 78 ; GPI art. 63, 69)***

▶ **Territoire occupé.**

- ***Les femmes et les enfants (GPI art. 76 à 78)***

▶ **Femme ▷ Enfant.**

- ***Les étrangers, réfugiés et apatrides sur le territoire d'une partie au conflit (GIV art. 35 à 46 ; GPI art. 73)***

▶ **Réfugié ▷ Apatride.**

2. *Dans les conflits armés non-internationaux, le droit humanitaire prévoit cinq catégories de personnes protégées :*

- ***Les individus hors de combat au titre des garanties fondamentales (GI, GII, GIII, GIV art. 3 commun ; GPII art. 4)***

   ▶ **Garanties fondamentales.**

- ***La population civile et les biens indispensables à sa survie. Ils sont protégés contre les attaques (GPII art. 13 et 14)***

   ▶ **Population civile.**

- ***Les personnes privées de liberté en relation avec le conflit (GPII art. 5)***

   ▶ **Détention.**

- ***Les blessés, malades et naufragés (GIV art. 3 ; GPII art. 7, 8)***

   ▶ **Blessés et malades.**

- ***Le personnel sanitaire et religieux (GPII art. 9)***

   ▶ **Personnel sanitaire.**

3. *Les droits des personnes protégées*

a) En droit international humanitaire conventionnel

• Les Conventions de Genève prévoient pour les personnes protégées des droits spécifiques en matière de secours et en matière de protection en période de conflit armé international ou interne.

• Le non-respect du statut des personnes protégées constitue une violation grave du DIH (GIV art. 29). Les autorités qui exercent leur pouvoir sur des personnes protégées doivent les traiter conformément aux normes fixées à leur intention dans les Conventions de Genève et leurs Protocoles additionnels. La partie au conflit au pouvoir de laquelle ces personnes se trouvent est responsable du traitement qui leur est appliqué par ses agents, sans préjudice des responsabilités individuelles.

▶ **Crime de guerre-Crime contre l'humanité.**

• Les représentants des puissances protectrices et du CICR sont autorisés à se rendre dans tous les lieux où se trouvent des personnes protégées (GIV art. 130). Cette possibilité est élargie aux autres organismes de secours.

• Les personnes protégées ont le droit de faire appel ou de s'adresser aux puissances protectrices, au Comité international de la Croix-Rouge, à la société nationale de la Croix-Rouge du pays où elles se trouvent, ainsi qu'à tout organisme qui pourrait leur venir en aide (GIV art. 30). L'accès aux personnes protégées ne peut pas être refusé par les autorités nationales, sauf dans les limites tracées par les nécessités militaires ou de sécurité.

▶ **Puissance protectrice.**

• Le personnel de l'ONU peut bénéficier des dispositions du droit humanitaire. Dans ce cas, il faudra toutefois veiller à distinguer entre le personnel humanitaire engagé dans les opérations de secours qui bénéficie de la qualité de personne civile, et le personnel militaire participant par exemple à des opérations de maintien de la paix.

▶ **Personnel humanitaire et de secours.**

◆ **Le statut de la Cour pénale internationale adopté à Rome le 17 juillet 1998 introduit, dans sa définition des crimes de guerre, les attaques délibérées contre le personnel sanitaire, le personnel portant les signes de la Croix-Rouge, le personnel participant à des actions humanitaires et celui participant à des opérations de maintien de la paix (sous réserve qu'il puisse prétendre à la qualité de personne civile définie par le droit des conflits). De telles attaques contre ces personnes, dans des conflits armés internationaux ou internes, peuvent être jugées par la Cour au titre de sa compétence pour les crimes de guerre (statut, art. 8.2.b.III, XXIV ; art. 8.2.e.II, III).**

b) *En droit international humanitaire coutumier*

L'étude sur les règles de droit international humanitaire publiée par le CICR en 2005 énonce les droits des catégories spécifiques de personnes protégées, applicables en situation de conflit armé tant international que non international.

– *Personnel sanitaire* : la règle 25 de l'étude du CICR prévoit que « le personnel sanitaire exclusivement affecté à des fonctions sanitaires doit être respecté et protégé en toutes circonstances. Il perd sa protection s'il commet, en dehors de ses fonctions humanitaires, des actes nuisibles à l'ennemi ». La règle 26 dispose qu'« il est interdit de punir une personne pour avoir accompli des tâches médicales conformes à la déontologie ou de contraindre une personne exerçant une activité de caractère médical à accomplir des actes contraires à la déontologie ».

– *Personnel religieux* : la règle 27 rappelle que « le personnel religieux exclusivement affecté à des fonctions religieuses doit être respecté et protégé en toutes circonstances. Il perd sa protection s'il commet, en dehors de ses fonctions humanitaires, des actes nuisibles à l'ennemi ».

– *Journalistes* : la règle 34 impose que « les journalistes civils qui accomplissent des missions professionnelles dans des zones de conflit armé doivent être respectés et protégés, aussi longtemps qu'ils ne participent pas directement aux hostilités ».

– *Personnes hors de combat* : la règle 47 impose qu'« il est interdit d'attaquer des personnes reconnues comme étant hors de combat. Est hors de combat, toute personne : (a) qui est au pouvoir d'une partie adverse ; (b) qui est sans défense parce qu'elle a perdu connaissance, ou du fait de naufrage, de blessures ou de maladie ; ou (c) qui exprime clairement son intention de se rendre ; à condition qu'elle s'abstienne de tout acte d'hostilité ou ne tente pas de s'évader ».

– *Femmes* : la règle 134 impose que les besoins spécifiques des femmes touchées par les conflits armés en matière de protection, de santé et d'assistance doivent être respectés.

– *Enfants* : la règle 135 prévoit que les enfants touchés par les conflits armés ont droit à un respect et à une protection particuliers.

– *Les personnes âgées et les invalides* : la règle 138 prévoit que les personnes âgées, les invalides et les infirmes touchés par les conflits armés ont droit à un respect et à une protection particuliers.

Jurisprudence

Les tribunaux internationaux ont été conduits à interpréter la définition relative aux différentes catégories de personnes protégées prévues par les quatre Conventions de Genève et les Protocoles additionnels.

L'enjeu était d'adapter ces définitions à l'évolution et à la diversité des situations concrètes et des formes modernes de conflit, notamment les conflits à caractère ethnique. Dans l'affaire Celebici, la première chambre du TPIY constate, dans son jugement du 16 novembre 1998, que la quatrième Convention de Genève limite apparemment la qualité de personne protégée concernant la population civile aux personnes qui, à un moment quelconque et de quelque manière que ce soit, se trouvent, en cas de conflit ou d'occupation, au pouvoir d'une partie au conflit ou d'une puissance occupante dont elles ne sont pas ressortissantes (*id.* § 236). Cependant les juges affirment qu'afin que préserver la pertinence et l'efficacité des normes des Conventions de Genève, il est nécessaire d'adopter une méthode d'interprétation qui permette aux conventions humanitaires de remplir leur objectif visant à assurer une protection effective (§ 266). Le 20 février 2001, dans la même affaire, la Chambre d'appel du TPIY a confirmé que, « dès 1949, le critère du lien juridique de nationalité n'était pas considéré comme un déterminant et que des exceptions étaient prévues. La Chambre a donc estimé que la condition de nationalité posée par l'article 4 de la quatrième Convention doit être envisagée eu égard à l'objet et au but du droit humanitaire, lequel vise à assurer la protection maximale possible aux civils (*id.* § 73). En conséquence, son applicabilité ne dépend pas de liens formels et de relations purement juridiques établis par le droit national relatif à la nationalité. La Chambre d'appel a ainsi établi que les personnes protégées peuvent inclure les victimes de même nationalité que les auteurs des crimes lorsque, par exemple, ces auteurs agissent au nom d'un État dont la protection diplomatique ne s'étend pas aux victimes ou auquel les victimes ne doivent pas allégeance (*id.* § 419).

Cette décision confirme et complète d'autres décisions rendues antérieurement par le TPIY dans les affaires Tadic et Alekovski. Cette dernière précisait que l'article 4 pouvait être interprété de façon plus large de façon à accorder le statut de personne protégée à un individu, même s'il est de la même nationalité que ceux qui le détiennent (*id.* § 58)

Consulter aussi

▸ **Protection ▷ Secours ▷ Population civile ▷ Territoire occupé ▷ Détention ▷ Enfant ▷ Femme ▷ Internement ▷ Blessés et malades ▷ Mission médicale ▷ Prisonnier de guerre ▷ Journaliste ▷ Garanties fondamentales ▷ Droit international humanitaire ▷ Situations et personnes non couvertes ▷ Personnel humanitaire et de secours ▷ Sécurité ▷ Objectif militaire.**

Pour en savoir plus

Blondel J. L., « L'assistance aux personnes protégées », *Revue internationale de la Croix-Rouge*, n° 767, septembre-octobre 1987, p. 471-489.

Hartouel-Bureloup V., *Traité de droit humanitaire*, PUF, Paris, 2005, p. 393-416 ; p. 261-356.

« War victims », *Revue internationale de la Croix-Rouge*, vol. 91, n° 874, juin 2009, p. 213-457.

Pillage

Appropriation systématique et violente de biens meubles privés ou publics, effectuée par les membres des forces armées au préjudice des personnes protégées par les Conventions de Genève (civils, blessés, malades ou naufragés et prisonniers de guerre) ou de l'État adverse. Les parties au conflit doivent prendre des mesures pour protéger contre le pillage et les mauvais traitements les morts, les blessés et les autres personnes exposées à un grave danger (convention de l'UNESCO de 1954, art. 4 ; GI art. 15 ; GII art. 18 ; GIV art. 16 et 33 ; GPII art. 4).
Le pillage est considéré comme un crime de guerre sur la base des statuts des tribunaux militaires de Nuremberg et de Tokyo, ainsi que dans le statut de la Cour pénale internationale. Le pillage est en outre une violation grave des Conventions de Genève quand il répond à la définition suivante : « Destruction et appropriation de biens non justifiées par les nécessités militaires et exécutées sur une grande échelle de façon illicite et arbitraire » (GI art. 50 ; GII art. 51 ; GIII art. 130 ; GIV art. 147 ; GPII art. 4). Il est interdit par les Conventions de Genève, le droit humanitaire coutumier (règle 52 de l'étude publiée par le CICR en 2005), tant dans les conflits internationaux que non internationaux, ainsi que par le droit pénal international (statut de la CPI, art. 8.2.b.xvi et 8.2.e.v).
D'autres dispositions de droit humanitaire limitent le droit aux réquisitions faites pendant les conflits armés.

▶ **Réquisition ▷ Méthodes de guerre.**

Concernant les biens immobiliers, les appropriations qui seraient effectuées sous la contrainte et par la violence ne changent pas le lieu d'implantation du bien immobilier. Une telle appropriation ne constitue pas un pillage mais un vol. Il peut être poursuivi en tant que tel.
La destruction de ces biens immobiliers est interdite par les Conventions de Genève s'ils appartiennent aux différentes catégories de biens protégés par elles à savoir : biens civils (y compris biens civils ennemis), biens culturels, biens indispensables à la survie de la population (GPI art. 52-54 ; GPII art. 13-14).

Jurisprudence

Dans l'affaire Tuta et Stela, la Chambre de première instance du TPIY définit le crime de pillage comme une dépossession illégale et délibérée de propriété. Il peut porter atteinte à la fois à la propriété privée et à la propriété publique (Le procureur c. Mladen Naletilic, *alias* « Tuta », et Vinko Martinovic, *alias* « Stela », jugement du 31 mars 2003, § 612). La Chambre précise que le terme « pillage » comprend non seulement les saisies de biens de grande ampleur dans le cadre d'une exploitation économique systématique d'un territoire occupé, mais aussi des actes d'appropriation commis individuellement par des soldats pour leur intérêt personnel. Le pillage ne nécessite pas une large appropriation ou une importante valeur économique. Mais il doit impliquer de graves conséquences pour les victimes pour être considéré comme une sérieuse violation du droit humanitaire (§ 612-614).

Le jugement Blaskic rendu par la Chambre de première instance du TPIY, le 3 mars 2000, précise que le pillage inclut toutes formes de dépossession de propriété dans un conflit armé, incluant les actes traditionnellement décrits comme des saccages, des destructions (§ 184).

Dans l'affaire Brcko (Le procureur c. Goran Jelisic, jugement du 14 décembre 1999, § 48), la Chambre de première instance du TPIY précise également que, pour constituer un crime international, le pillage doit être commis pendant un conflit armé et en relation avec ce même conflit.

Consulter aussi

▸ **Réquisition ▷ Crime de guerre-Crime contre l'humanité ▷ Biens protégés.**

Population civile

Elle est constituée par des personnes civiles, c'est-à-dire par les personnes qui n'appartiennent pas aux différentes catégories de combattants.
La population civile bénéficie d'une protection générale contre les effets des hostilités. Certaines catégories de personnes civiles bénéficient de protection renforcée.

I. Définition

Le droit international humanitaire (DIH), applicable en période de conflits armés, est organisé autour du principe de distinction entre civils (et objets civils) et militaires (et objectifs militaires). Le civil se définit par opposition au combattant. Littéralement, il s'agit de toute personne qui n'appartient pas aux forces armées.
• Dans les conflits armés internationaux, la notion de « membre des forces armées » initialement contenue dans la troisième Convention de Genève de 1949 a été élargie en 1977 par le Protocole additionnel I pour accorder une protection équivalente à tous ceux qui sont engagés dans les combats. Le civil est donc une personne qui n'appartient à aucune des catégories suivantes. Il n'est pas :
– membre des forces armées régulières, même si celles-ci se réclament d'un gouvernement ou d'une autorité non reconnue par la puissance adverse ;
– membre des forces armées d'une partie au conflit, membre des milices ni des corps de volontaires faisant partie de ces forces armées ;
– membres de tous les groupes et toutes les unités armés et organisés qui sont placés sous un commandement responsable de la conduite de ses subordonnés, même si celui-ci dépend d'un gouvernement ou d'une autorité non reconnue par la puissance adverse. Cette dernière catégorie inclut les membres de mouvements de guérilla ou d'autres groupuscules armés (GIII art. 4.A.1, 2, 3, 6 ; GPI art. 43, 50).
Le droit international humanitaire coutumier applicable aux conflits internationaux reconnaît aujourd'hui que « les forces armées d'une partie au conflit sont constituées par toutes les forces armées organisées, les groupes et les unités qui sont sous l'autorité d'un commandant responsable de la conduite de ses subordonnés » (règle 4 de l'étude sur les règles de DIH coutumier publiée par le CICR en 2005).
• Dans les conflits armés non internationaux, les forces armées gouvernementales officielles sont opposées à des groupes dissidents des forces armées nationales ou à

d'autres groupes armés non étatiques. Le statut de ces groupes armés non étatiques n'est pas reconnu par les États ni par le droit des conflits armés non internationaux. Cela constituerait en effet une remise en question du monopole d'emploi de la force confié à l'État par le droit national comme par le droit international. Les membres de ces groupes armés ont donc un statut hybride. Ils sont considérés par le droit national comme des civils criminels du fait de leur usage de la force. Le droit international humanitaire quant à lui est silencieux sur leur statut. Il les assimile pour l'instant par défaut à des civils qui participent aux hostilités.

• Le droit humanitaire a pris acte de la difficulté de distinguer en droit comme en fait les combattants de la population civile dans les conflits armés non internationaux mais aussi dans certaines configurations de conflits armés internationaux. Dans les conflits armés internationaux, des personnes civiles peuvent participer à des soulèvements populaires ou à des mouvements de résistance, notamment dans des territoires occupés. Dans les conflits armés internes, les mouvements de guérilla et les groupes armés non étatiques peuvent entretenir des liens étroits avec la population civile notamment dans les parties du territoire national contrôlé par eux.

Les deux Protocoles additionnels de 1977 ont pris en compte cette évolution des méthodes de combat pour apporter une meilleure protection aux combattants et aux civils dans les deux types de conflits armés

Ils ont élargi la définition des combattants en ouvrant cette possibilité aux membres des mouvements de libérations nationales.

Ils ont prévu le cas particulier des civils qui ont une participation directe dans les hostilités dans les deux types de conflits armés (GPI art. 45.1, 51.3 ; GPII art. 13.3). Ils affirment que ces personnes conservent leur statut de civils et ne perdent la protection que le droit international humanitaire prévoit pour les civils que pendant la durée de la participation directe aux hostilités.

Ils ont également renforcé les garanties qui s'appliquent aux personnes qui ne participent pas directement ou plus aux hostilités qui étaient contenues dans l'article 3 commun des quatre Conventions de Genève. (GPI art. 75 ; GPII art. 4).

Cette évolution est en droite ligne avec l'objectif des Protocoles additionnels de renforcer la « protection des victimes de conflit armés » en marge et en complément du principe traditionnel de distinction entre civils et combattants.

Ce faisant, le DIH réaffirme qu'il n'existe dans les conflits armés que deux catégories exclusives l'une de l'autre : les civils et les combattants. Dans ce cadre, le recours par certains État à une troisième catégorie composée des « combattants illégaux » ne vient pas combler un vide juridique supposé du droit des conflits mais contribue au contraire à le créer. Le DIH exclut également toute remise en cause de la protection des civils fondée sur des accusations de soutien aux groupes armés non étatiques ou de participation indirecte aux hostilités.

La doctrine du CICR et la jurisprudence internationale commencent à donner des précisions sur l'interprétation de ces notions (*infra*).

▸ **Conflit armé international ▷ Conflit armé non international ▷ Groupes armés non étatiques.**

◆ **• La population civile comprend toutes les personnes civiles. La présence au sein de la population civile de personnes isolées ne répondant pas à la définition de personne civile ne prive pas cette population de sa qualité et de la protection qui lui est due (GPI art. 50).**
• Il peut arriver que des personnes civiles participent directement aux hostilités en dehors de toute appartenance aux forces armées. Il s'agit notamment des soulèvements spontanés dans les territoires occupés, ainsi que dans les conflits armés internes où la distinction entre civil et combattant est difficile. Les personnes civiles qui prennent part directement aux hostilités gardent leur statut de personnes civiles malgré leur participation directe aux hostilités. Elles ne perdent la protection accordée par les Conventions de Genève et les Protocoles additionnels que pendant la durée de cette participation (GPI art. 51.3 ; GPII art. 13.3).
• Elles bénéficient toujours des garanties spéciales applicables aux personnes détenues ou jugées pour des faits en relation avec le conflit, prévues pour les situations de conflits internationaux ou non internationaux et d'occupation (GPII art. 5, 6 ; GPI art. 75). En cas de doute sur la qualité d'une personne, elle doit être considérée comme civile (GPI art. 50.1).
• La règle 5 de l'étude sur les règles du droit international humanitaire coutumier publiée par le CICR en 2005 définit comme civiles « les personnes qui ne sont pas membres des forces armées. La population civile comprend toutes les personnes civiles ». La règle 6 rappelle que « les personnes civiles sont protégées contre les attaques, sauf si elles participent directement aux hostilités et pendant la durée de cette participation ».

▶ **Combattant.**

II. Protection de la population civile

Le droit humanitaire n'a accordé une protection à la population civile que de façon récente.

• Avant 1949, les principales conventions réglementaient la poursuite des combats et le sort des combattants blessés, malades, naufragés ou prisonniers. La protection accordée à la population civile découlait de façon négative de l'obligation de n'attaquer que des objectifs militaires et de l'obligation pour les combattants de porter l'uniforme et de se battre ouvertement.

• Depuis 1949, la quatrième Convention de Genève protège spécifiquement la population civile. Elle protège en particulier la population civile contre les actes d'une partie adverse. Le droit humanitaire prévoit, d'une part, un régime général de protection au profit de cette population civile. Il renforce, d'autre part, cette protection dans des situations spécifiques (territoires occupés, internement, évacuations…) ou au profit de certaines catégories de personnes plus vulnérables, comme les enfants, les blessés et malades, les détenus (GIV ; GPI art. 48 à 56 ; GPII art. 13 à 18).

• Le Protocole additionnel I de 1977 a renforcé la protection de la population civile sur une base plus générale, dans les conflits armés internationaux.

• Le Protocole additionnel II de 1977 a étendu cette protection de la population civile dans les conflits internes où elle est particulièrement exposée du fait de la difficulté de distinguer les combattants des civils.

• Des garanties minimales de protection ont également été énoncées par les Protocoles additionnels de 1977 au profit de toutes les personnes qui ne bénéficient pas de droits spécifiques plus favorables.

▶ **Garanties fondamentales ▷ Situations et personnes non couvertes ▷ Personnes protégées.**

1. *Protection de la population civile dans les conflits armés internationaux*

a) *Protection générale de la population contre les attaques*

– La protection de la population et des biens de caractère civil repose en tout premier lieu sur l'obligation pour les parties au conflit de faire la distinction entre la population civile et les combattants, d'une part, entre les biens civils et les objectifs militaires, d'autre part (GPI art. 48). Cette obligation est un des fondements du droit humanitaire.

– L'ensemble des populations civiles des pays en conflit, sans aucune distinction défavorable, sont protégées des dangers découlant des opérations militaires (GIV art. 13). Elles ne peuvent pas être la cible des combats et ont le droit de recevoir les secours appropriés.

Cette protection générale est définie dans l'article 51 du Protocole additionnel I de 1977. Les articles 52 à 56 protègent, eux, les biens de caractère civil, y compris ceux essentiels à la survie de la population (GPI art. 54). Elle est renforcée par les précisions qui entourent la notion d'attaque (GPI art. 49 et 51) et par les obligations relatives aux précautions dans les attaques (GPI art. 57) :

• La population civile ne peut pas faire l'objet d'attaque ; les attaques et actes de violence dont le but principal est de répandre la terreur sont interdits (GPI art. 51.2).

• Les attaques qui vont frapper indistinctement des objectifs militaires et des personnes ou des biens civils sont interdites. Il s'agit notamment d'attaques qui ne sont pas dirigées contre un objectif militaire déterminé, celles qui utilisent des méthodes ou moyens de combat qui ne peuvent pas être dirigés contre un objectif militaire déterminé ou dont les effets ne peuvent pas être limités (GPI art. 51.4).

• Les attaques de représailles ne peuvent pas être dirigées contre la population civile (GPI art. 51.6).

• La population civile ne peut pas être utilisée pour dissimuler ou mettre à l'abri d'attaques des objectifs ou des opérations militaires (GPI art. 51. 7).

▶ **Attaque ▷ Bouclier humain.**

– Cette protection s'étend aux biens civils en général (GPI art. 52) qui ne doivent pas être l'objet de violence, d'attaque directe ou indiscriminée ou de représailles. Cette protection concerne aussi de façon spécifique : les biens essentiels à la survie de la population. Ceux-ci ne devront être ni attaqués, ni détruits, ni enlevés, ni faire l'objet de représailles (GPI art. 54) ; les biens culturels ou lieux de cultes (GPI art. 53) ; l'environnement naturel (GPI art. 55) ; les ouvrages et installations contenant des forces dangereuses (GPI art. 56).

▶ **Biens protégés.**

b) *Le droit de recevoir des secours*

Cette protection prévoit également le droit pour la population civile de recevoir des secours humanitaires lorsqu'elle est insuffisamment approvisionnée en vivres, médicaments, vêtements, matériel de couchage, de logements d'urgence et autres biens essentiels à la survie de la population. Ces actions de secours sont prévues dans le cas spécifique de la population civile d'un territoire occupé, mais également dans tous les autres cas où la population civile est affectée par le déroulement d'un conflit armé (GPI art. 69 et 70).

c) Protection renforcée au profit des personnes protégées

La population civile qui se trouve au pouvoir d'une partie au conflit dont elle n'est pas ressortissante jouit d'une protection renforcée, définie par la quatrième Convention et le premier Protocole pour les catégories suivantes :
– la population civile d'un territoire occupé (GIV art. 47 à 77 ; GPI art. 68 à 71) ;
– les personnes civiles détenues dans un territoire occupé (GIV art. 64 à 77) ;
– les personnes au pouvoir d'une partie au conflit (GPI art. 72 à 75) ;
– les internés civils (GIV art. 79 à 135) ;
– les étrangers, les réfugiés, les apatrides sur le territoire d'une partie au conflit (GIV art. 35 à 46) ;
– les femmes et les enfants (GPI art. 76 à 78) ;
– les blessés et les malades doivent toujours être soignés sans discrimination ni retard. Les installations sanitaires et le personnel sanitaire ainsi que les véhicules sanitaires doivent être respectés et leur travail doit pouvoir se poursuivre malgré les combats (GIV art. 13 à 26, titre II ; GPI art. 8 à 31 ; GPII art. 7 à 9) ;
– les femmes en couches, les nourrissons et infirmes sont assimilés à des blessés pour améliorer leur protection (GPI art. 8) ;
– le personnel de secours est protégé comme la population civile (GPI art. 71). Le personnel sanitaire est mieux protégé (GPI art. 15).

▶ **Personnes protégées.**

d) Garanties minimales pour toutes les personnes quel que soit leur statut

Toutes les personnes devront au minimum être traitées conformément aux garanties fondamentales précisées dans le droit humanitaire (GPI art. 75).

▶ **Garanties fondamentales ▷ Détention ▷ Internement ▷ Enfant ▷ Femme ▷ Blessés et malades ▷ Territoire occupé ▷ Secours ▷ Protection ▷ Mission médicale.**

2. Protection de la population dans les conflits non internationaux

La séparation entre les combattants et la population civile est plus délicate en période de conflit armé interne. C'est pourquoi le Protocole additionnel II ne cherche pas à donner une définition précise du combattant, d'un côté, et des personnes civiles, de l'autre. Il ne fait la différence qu'entre ceux qui se battent et ceux qui ne le font pas ou plus.

◆ **Une même personne peut être une personne civile et participer cependant directement aux hostilités à certains moments. Le Protocole prévoit dans ce cas que cette personne bénéficiera de la protection que le droit humanitaire accorde aux personnes civiles. Cette protection ne sera suspendue que pendant la durée de la participation directe aux hostilités.**

Le Protocole additionnel II présume donc de la qualité de civil de l'ensemble de la population et estime donc que les personnes civiles jouissent de la protection du droit humanitaire, sauf quand elles participent directement aux hostilités et pendant la durée de cette participation (GPII art. 13.3).

a) *Protection générale de la population civile*

Les articles 13 à 18 du Protocole additionnel II définissent la protection et les moyens de protection de la population civile.

– La population civile et les personnes civiles jouissent dans les conflits d'une protection générale contre les dangers découlant d'opérations militaires. Elles ne doivent pas faire l'objet d'attaques ou d'actes destinés à répandre la terreur (GPII art. 13).

– L'utilisation de la famine des civils comme méthode de combat est interdite. Les biens indispensables à sa survie ne peuvent pas être attaqués, détruits ou enlevés (GPII art. 14).

– Les ouvrages contenant des forces dangereuses tels que barrages, digues, centrales nucléaires, centrales électriques ne pourront pas être attaqués lorsque ces attaques peuvent entraîner la libération de ces forces et causer des pertes sévères dans la population civile (GPII art. 15).

– Les biens culturels et les lieux de culte qui constituent le patrimoine culturel ou spirituel des peuples ne peuvent pas être attaqués, ni utilisés à l'appui d'une opération militaire (GPII art. 16).

– Le déplacement de la population ou des personnes civiles ne pourra pas être ordonné pour des raisons ayant trait au conflit à moins que la sécurité des civils ou des raisons militaires impératives ne l'exigent (GPII art. 17). Il doit alors respecter des conditions strictes.

▶ **Déplacement de population.**

b) *Droit de recevoir des secours*

La population civile a droit de recevoir des secours exclusivement humanitaires quand elle souffre de privations excessives par manque des approvisionnements essentiels à sa survie, tels que vivres et ravitaillements sanitaires (GPII art. 18).

c) *Protections renforcées pour certaines catégories de personnes protégées*

Des dispositions spéciales renforcent, dans les conflits armés internes, la protection :

– des personnes privées de liberté (détenues) en relation avec le conflit (GPII art. 5)

▶ **Détention.**

– des blessés, malades et naufragés (GIV art. 3 ; GPII art. 7)

▶ **Blessés et malades.**

– du personnel sanitaire et religieux (GPII art. 9)

▶ **Personnel sanitaire.**

d) *Garanties minimales pour toutes les personnes quel que soit leur statut*

Toutes les personnes devront au minimum être traitées conformément aux garanties fondamentales précisées par le droit humanitaire (GPII art. 4).

▶ **Garanties fondamentales ▷ Situations et personnes non couvertes.**

III. La participation directe des civils aux hostilités

Le DIH repose sur le principe de distinction entre les membres des forces armées conduisant les hostilités pour le compte des parties au conflit, et les personnes civiles, supposées ne pas participer directement aux hostilités et devant être protégées contre les dangers résultant des opérations militaires. Toutefois, les méthodes de guerre contemporaines ont conduit au mélange croissant des civils et des forces armées, ainsi qu'à la conduite des combats dans des zones habitées. La difficulté à distinguer de manière claire les objectifs militaires légitimes de l'objectif civil met en péril la capacité du DIH à protéger les victimes de guerre et limiter la violence armée en situation de conflit.

Le statut des civils qui participent directement dans les hostilités est prévu par les deux Protocoles additionnels de 1977 relatifs aux conflits armés internationaux et non internationaux (GPI art. 45.1, 51.3 ; GPII art. 13.3).

Ce statut prévoit que ces civils perdent leur protection de civils pendant la durée de leur participation directe. Le droit international humanitaire cherche à encadrer les conséquences de cette perte de la protection de statut de civil parce qu'elle ne conduit pas pour autant à l'acquisition de la protection du statut de combattant. Il s'agit donc d'une situation hybride et dangereuse que les deux protocoles tentent d'encadrer dans le temps et en fonction de la situation des personnes concernées. L'interprétation de cette notion de durée a fait l'objet d'un encadrement par la doctrine du CICR et la jurisprudence (*infra*).

• La perte de protection du statut de civil s'entend d'abord comme le droit de l'ennemi de prendre pour cible d'attaque des civils participant directement aux hostilités. Ces pertes ne seront pas considérées comme illégales en soi et elles ne seront pas considérées comme des dommages collatéraux impliquant l'appréciation de la proportionnalité d'une telle perte par rapport aux avantages militaires attendus de l'attaque et de la précaution prise dans l'attaque.

• La perte de protection du statut de civil s'entend également au regard de son traitement quand il est mis hors de combat par blessure, maladie ou capture par les forces armées adverses. Ces civils bénéficieront de la protection générale de traitement accordée aux malades et aux blessés mais ils perdront leur statut de civils sans bénéficier du traitement accordé aux combattants en cas d'arrestation ou de détention. Ils font partie de la catégorie des « personnes privées de leur liberté pour des motifs liés au conflit » (voir ▷ **Détention**).

• Toutefois, la perte de protection dans le temps est strictement limitée à la durée de la participation directe aux hostilités.

Dans les conflits armés non internationaux, deux articles du Protocole additionnel II prévoient des garanties de traitement spécifiques pour les personnes qui seraient détenues en relation avec le conflit. Ces garanties de traitement incluent le droit aux soins médicaux impartiaux (art. 5). Il prévoit aussi des garanties judiciaires pour les personnes qui seraient jugées pour des raisons en lien avec leur participation active dans le conflit (art. 6). Ces articles viennent combler l'absence de statut de combattant pour les groupes armés non gouvernementaux opposés à l'État.

Dans les conflits armés internationaux, le Protocole additionnel I prévoit un article relatif à la protection des personnes ayant pris part aux hostilités (GPI art. 45). Cet article étend la possibilité de bénéficier du traitement des prisonniers de guerre à des personnes qui n'appartiennent pas à la catégorie des membres des forces armées. Il affirme qu'une personne qui prend part à des hostilités et tombe sous le pouvoir d'une partie adverse est présumée prisonnier de guerre. Il prévoit que s'il existe un doute quelconque au sujet de son droit au statut de prisonnier de guerre, cette personne continue à bénéficier de ce statut et, par suite, de la protection de la troisième Convention de Genève et du présent protocole, en attendant que son statut soit déterminé par un tribunal compétent. Il prévoit également des garanties judiciaires si cette personne devait être jugée du fait de sa participation aux hostilités (GPI art. 45.2). Enfin, il fixe des garanties minimales de traitement et de détention si le statut de prisonnier de guerre était finalement refusé (GPI art. 45.3).
Ces dispositions du droit international humanitaire relatives à la participation directe des civils aux hostilités suppose une interprétation claire de la durée de participation directe pendant laquelle le civil a perdu sa protection de civil et une partie de son statut, mais aussi de la notion de participation directe par opposition à une participation ou un soutien indirect aux hostilités.
Ce faisant, le droit international humanitaire exclut toute remise en cause de la protection des civils fondée sur un quelconque caractère indirect de leur soutien ou de leur participation aux hostilités, des accusations de soutien ou de participation indirect aux hostilités. La jurisprudence internationale a commencé à donner des précisions sur l'interprétation de ces notions.
Cette tendance a amené le CICR à davantage encadrer la zone grise constituée par les civils « participant directement aux hostilités », qui se trouve entre les catégories claires de civils, combattants et forces armées.
En droit international humanitaire, la notion de « participation directe aux hostilités » décrit une conduite individuelle qui, si elle est le fait de personnes civiles, suspend leur protection contre les dangers résultant des opérations militaires. Surtout, pendant la durée de leur participation directe aux hostilités, les civils peuvent être directement attaqués au même titre que les combattants. Dérivée de l'article 3 commun aux Conventions de Genève, la notion de participation « directe » ou « active » aux hostilités se retrouve dans de nombreuses dispositions du DIH. Malgré les lourdes conséquences juridiques qui en découlent, ni les Conventions de Genève ni leurs Protocoles additionnels ne définissent clairement le type de comportement qui constitue une participation directe aux hostilités.
Pour résoudre ce problème, le CICR a initié en 2003 un processus de recherche et de consultation sur la manière dont le DIH interprète la notion de « participation directe aux hostilités » avec pour but de clarifier trois questions : 1) Qui est considéré comme civil et a donc droit à une protection contre les attaques directes, à moins qu'il ne participe directement aux hostilités ? 2) Quelle conduite constitue une participation directe aux hostilités et, par conséquent, entraîne la perte de protection contre les attaques directes dont jouissent les civils ? Et 3) Quelles modalités régissent la perte de la protection contre les attaques directes ?

Sur la base des discussions et recherches, le CICR a publié en 2010 le *Guide interprétatif sur la notion de participation directe aux hostilités en droit international humanitaire.* Le guide formule dix recommandations en vue de l'interprétation des dispositions du DIH relatives à la notion de participation directe aux hostilités.

1. *Le concept de civil dans les conflits armés internationaux*

« Toutes les personnes qui ne sont ni des membres des forces armées d'une partie au conflit ni des participants à une levée en masse sont des personnes civiles, et elles ont donc droit à la protection contre les attaques directes, sauf si elles participent directement aux hostilités. »

2. *Le concept de civil dans les conflits armés non internationaux*

« Toutes les personnes qui ne sont pas des membres des forces armées d'un État ou de groupes armés organisés d'une partie au conflit sont des personnes civiles, et elles ont donc droit à la protection contre les attaques directes, sauf si elles participent directement aux hostilités. »

3. *Sous-traitants privés et employés civils*

« Les sous traitants privés et les employés d'une partie à un conflit armé qui sont des civils au regard du DIH ont droit à une protection contre des attaques directes, sauf s'ils participent directement aux hostilités. »

4. *La participation directe aux hostilités en tant qu'acte spécifique*

La notion de participation directe aux hostilités se réfère à des actes spécifiques, commis par des individus dans le cadre de la conduite des hostilités entre les parties à un conflit armé.

5. *Éléments constitutifs de la participation directe aux hostilités*

« Pour constituer une participation directe aux hostilités, un acte spécifique doit remplir les critères cumulatifs suivants :

(1) l'acte doit être susceptible de nuire aux opérations militaires ou à la capacité militaire d'une partie à un conflit armé, ou alors l'acte doit être de nature à causer des pertes en vies humaines, des blessures et des destructions à des personnes ou à des biens protégés contre les attaques directes (seuil de nuisance) ;

(2) il doit exister une relation directe de causalité entre l'acte et les effets nuisibles susceptibles de résulter de cet acte ou d'une opération militaire coordonnée dont cet acte fait partie intégrante ; et

(3) l'acte doit être spécifiquement destiné à causer directement des effets nuisibles atteignant le seuil requis, à l'avantage d'une partie au conflit et au détriment d'une autre (lien de belligérance). »

6. *Début et fin de la participation directe aux hostilités*

Les mesures préparatoires à l'exécution d'un acte spécifique de participation directe aux hostilités, de même que le déploiement vers son lieu d'exécution et le retour de ce lieu, font partie intégrante de cet acte.

7. *Portée temporelle de la perte de protection*

Les civils cessent d'être protégés contre les attaques directes pendant la durée de chaque acte spécifique constituant une participation directe aux hostilités. Par contre, les membres de groupes armés organisés appartenant à une partie non étatique à un conflit armé cessent d'être des civils aussi longtemps qu'ils assument leur fonction de combat continue.

8. Précautions et présomptions dans les situations de doute
Toutes les précautions pratiquement possibles doivent être prises au moment de déterminer si une personne est une personne civile et, en ce cas, si cette personne civile participe directement aux hostilités. En cas de doute, la personne doit être présumée protégée contre les attaques directes.
9. Limitations à l'emploi de la force lors d'une attaque directe
Outre les limitations imposées par le DIH à l'emploi de certains moyens et méthodes de guerre spécifiques, et sous réserve de restrictions additionnelles pouvant être imposées par d'autres branches applicables du droit international, le type et le degré de forces admissibles contre des personnes n'ayant pas droit à une protection contre les attaques directes ne doivent pas excéder ce qui est véritablement nécessaire pour atteindre un but militaire légitime dans les circonstances qui prévalent.
10. Conséquences de la restauration de la protection accordée aux civils
Quand les civils cessent de participer aux hostilités, ou quand les membres des groupes armés *hors de combat* appartenant à une partie non étatique à un conflit armé cessent d'assumer leur fonction de combat continue, ils bénéficient à nouveau de la pleine protection accordée aux civils contre les attaques directes, mais ils ne sont pas exemptés de poursuites pour des violations du droit interne ou du droit international qu'ils pourraient avoir commises.

Ces lignes directrices ont permis d'identifier les points d'interprétation les plus problématiques. La pratique des États et la jurisprudence ne sont pas encore consensuelles pour que des règles coutumières se constituent sur ce sujet en pleine gestation juridique. Les décisions de la Cour suprême israélienne sur les assassinats ciblés éclairent les enjeux de cette doctrine et de l'impact de la perte de protection qu'elle représente pour les civils.
Les points d'attention de l'évolution de cette doctrine concernent plusieurs éléments cruciaux.
Les lignes directrices du CICR distinguent le statut des civils qui prennent part aux hostilités pour une durée limitée de celui des membres des forces armées d'un État ou de groupes armés organisés d'une partie au conflit. Concernant les groupes armés non étatiques, les États sont réticents à leur reconnaître une existence et un statut légal dans les situations de conflit armé.
Il est essentiel que cette catégorie fasse l'objet d'un renforcement pour soulager la pression qu'elle fait peser sur la notion de participation des civils aux hostilités. En effet, la perte de protection prévue pour les civils pour la durée limitée de leur participation directe aux hostilités perd son efficacité si elle sert à cautionner une perte de protection couvrant toute la durée d'un conflit dans le cas de personnes dont la participation n'est pas occasionnelle. En outre, elle ne permet pas de prendre en considération et de limiter la notion de participation directe si elle est utilisée pour décrire l'intégralité des fonctions de commandement, de planification et d'organisation d'un groupe armé non étatique. Cette notion ne peut pas servir d'alternative au refus des autorités gouvernementales de reconnaître le statut des groupes armés non étatiques organisés avec lesquels ils sont en conflit.

Consulter aussi

▶ **Personnes protégées ▷ Droit international humanitaire ▷ Méthodes de guerre ▷ Protection ▷ Garanties fondamentales ▷ Situations et personnes non couvertes ▷ Combattant ▷ Biens protégés ▷ Attaque ▷ Représailles ▷ Objectif militaire ▷ Bouclier humain ▷ Sécurité collective ▷ Sociétés militaires privées ▷ Groupes armés non étatiques.**

Jurisprudence

a. Tribunaux pénaux internationaux

• Définition des civils

Dans l'arrêt Martic (IT-95-11-A, 8 octobre 2008), la Chambre d'appel du TPIY considère que les personnes hors de combat ne peuvent se voir accorder le statut de civil (§ 292-296, 302). La Chambre a adopté la définition des civils de l'article 50 du Protocole additionnel I de 1977, à savoir qu'est considérée comme civil toute personne qui n'est pas membre des forces armées, milices ou corps de volontaires faisant partie des forces armées, et qui n'est pas membre de groupes de résistance organisés, à condition que de tels groupes soient placés sous un commandement responsable de la conduite de ses subordonnés, qu'ils portent un signe distinctif fixe et reconnaissable à distance, qu'ils portent les armes ouvertement et qu'ils conduisent leurs opérations en conformité avec les lois et les coutumes de la guerre. Par conséquent, si la victime est un membre d'une organisation armée, le fait qu'elle ne soit pas armée ou au combat au moment de la commission des crimes ne lui accordent pas le statut de civil. La Chambre a toutefois statué que le fait qu'une personne hors de combat ne puisse se voir attribuer le statut de civil ne signifie pas pour autant qu'elle ne puisse être victime de crime contre l'humanité.

• La participation directe aux hostilités

Dans l'arrêt Milošević (Dragomir) (IT-98-29/1-A, 12 novembre 2009, § 57), la Chambre d'appel du TPIY a rappelé que la protection contre les attaques accordée aux personnes civiles est suspendue « quand et pendant toute la durée où elles participent directement aux hostilités ». Le Tribunal a considéré que la participation active d'une victime aux hostilités au moment de l'infraction dépend de la connexion entre les activités de la victime au moment de l'infraction et tout acte de guerre « qui par leur nature ou leur but étaient destinés à frapper concrètement le personnel ou le matériel des forces armées adverses » (arrêt Strugar, IT-01-42-A, 17 juillet 2008, § 178).

• Population civile v. zones civiles

Dans l'arrêt Milošević (Dragomir) (*supra*), la Chambre d'appel du TPIY a rappelé que le principe de distinction exige que les parties distinguent en tout temps la population civile des combattants, les objectifs civils des objectifs militaires et, en conséquence, dirigent les attaques seulement contre les objectifs militaires (§ 53). La Chambre a indiqué que les distinctions entre civils et combattants et entre objectifs civils (ou zones) et objectifs militaires doivent être faites au cas par cas (§ 54).

b. Cour suprême israélienne (*The Supreme Court Sitting as the High Court of Justice, The Public Committee against Torture in Israel, HCJ 759/02*, 11 décembre 2005).

– La Cour suprême israélienne affirme que les civils qui prennent part aux hostilités sont des cibles légitimes (§ 26). Elle précise que les terroristes qui prennent part aux hostilités ne cessent pas d'être des civils mais se privent de leur statut de civils du fait de leurs actes. Ils ne bénéficient pas non plus des droits des combattants et du statut de prisonnier de guerre (§ 31). Elle précise que les terroristes n'ont pas droit au statut de combattant car ils ne remplissent pas les critères fixés par le droit international humanitaire, notamment concernant le port d'un emblème distinctif et le respect des règles du DIH (§ 24).

Mais, surtout, la Cour précise que les concepts de combattants et de civils sont mutuellement exclusifs. Il n'existe pas d'autre catégorie telle que celle des combattants illégaux. Ces personnes qui n'ont pas le droit au statut de combattant sont donc obligatoirement considérées comme des civils, mais des civils qui perdent une partie de leur protection du fait de leur participation directe dans les hostilités (§ 26).

* § 26. « That definition [of combatant] is "negative" in nature. It defines the concept of "civilian" as the opposite of "combatant". It thus views unlawful combatants – who,

as we have seen, are not "combatants" – as civilians. Does that mean that the unlawful combatants are entitled to the same protection to which civilians who are not unlawful combatants are entitled ? The answer is, no. [...] an unlawful combatant is not a combatant, rather a "civilian". However, he is a civilian who is not protected from attack as long as he is taking a direct part in the hostilities. Indeed, a person's status as unlawful combatant is not merely an issue of the internal state penal law. It is an issue for international law dealing with armed conflicts [...]. It is manifest in the fact that civilians who are unlawful combatants are legitimate targets for attack, and thus surely do not enjoy the rights of civilians who are not unlawful combatants, provided that they are taking a direct part in the hostilities at such time. Nor, as we have seen, do they enjoy the rights granted to combatants. Thus, for example, the law of prisoners of war does not apply to them. »

* § 31. « [...] that is the law regarding unlawful combatants. As long as he preserves his status as a civilian – that is, as long as he does not become part of the army – but takes part in combat, he ceases to enjoy the protection granted to the civilian, and is subject to the risks of attack just like a combatant, without enjoying the rights of a combatant as a prisoner of war. Indeed, terrorists who take part in hostilities are not entitled to the protection granted to civilians. True, terrorists participating in hostilities do not cease to be civilians, but by their acts they deny themselves the aspect of their civilian status which grants them protection from military attack. Nor do they enjoy the rights of combatants, e.g. the status of prisoners of war. »

– La Cour a cependant affirmé que le droit d'attaquer un civil qui prend part directement aux hostilités est plus restrictif que celui qui s'applique à l'attaque des combattants. La Cour identifie ainsi cinq différences censées prendre en compte les conséquences de cette différence de statut (§ 40) :

1) « A well based information is needed before categorizing a civilian as falling into one of the discussed categories. Innocent civilians are not to be harmed [...]. Information which has been most thoroughly verified is needed regarding the identity and activity of the civilian who is allegedly taking part in the hostilities [...]. The burden of proof on the attacking army is heavy [...]. In case of doubt, careful verification is needed before an attack is made. »

2) « A civilian taking a direct part in hostilities cannot be attacked at such time as he is doing so, if a less harmfull means can be employed. »

3) « After an attack on a civilian suspected of taking an active part, at such time, in hostilities, a thorough investigation regarding the precision of the identification of the target and the circumstances of the attack upon him is to be performed (retroactively). That investigation must be independent. »

4) « If the harm is not only to a civilian directly participating in the hostilities, rather to innocent civilians nearby, the harm to them is collateral damage. That damage must withstand the proportionality test. »

Ainsi, si les dommages ont été causés à des civils innocents à côté de ceux causés aux civils qui participaient directement aux hostilités, il s'agit dans leur cas de dommages collatéraux. Ces dommages doivent être conformes aux obligations de proportionnalité. Cette proportionnalité doit être évaluée par un organe judiciaire (§ 55-59).

– La Cour a également précisé les contours de la notion de participation directe.

« [...] The "direct" character of the part taken should not be narrowed merely to the person committing the physical act of attack. Those who have sent him, as well, take "a direct part". The same goes for the person who decided upon the act and the person who planned it. It is not to be said about them that they are taking an indirect part in the hostilities. Their contribution is direct (and active) » (§ 37).

« [...] The following cases should also be included in the definition of taking a "direct part" in hostilities : a person who collect intelligence on the army whether on issues regarding the hostilities or beyond those issues ; a person who transport unlawful combatants to or from the place where the hostilities are taking place ; a person who operates weapons which unlawful combatants use, or supervise their operations, or provide service to them from the battlefield as it may. All those persons are performing the function of combatants. The function determines the directness of the part taken in the hostilities » (§ 35).

Concernant le cas de civils qui servent de « boucliers humains » protégeant des terroristes qui participent aux hostilités, la Cour nuance cette interprétation de bouclier humain en précisant que si ces civils agissent de façon libre et selon leur propre volonté en signe de support des organisations terroristes, alors ils devraient être considérés comme personnes prenant part directement aux hostilités (§ 36).

Par opposition, la Cour précise qu'une personne qui vend de la nourriture ou des médicaments à un combattant illégal ne prend pas part directement, mais plutôt indirectement aux hostilités. Il en est de même d'une personne qui aide un combattant illégal avec des analyses stratégiques générales, et qui lui donne des moyens logistiques, un soutien général, y compris une aide financière. Il en est de même d'une personne qui distribue de la propagande soutenant ces combattants illégaux. Si ces personnes sont blessées, l'État ne sera sans doute pas tenu pour responsable à la condition que cela puisse entrer dans la catégorie des dommages collatéraux accidentels (§ 35).

– La Cour affirme qu'il n'existe pas de définition coutumière de la notion de participation directe, ni de consensus juridique sur la notion de durée de cette participation qui limite dans le temps la perte de protection.

« On the one hand, a civilian taking a direct part in hostilities one single time, or sporadically, who later detaches himself from that activity, is a civilian who, starting from the time he detached himself from that activity, is entitled to protection from attack. He is not to be attacked for the hostilities which he committed in the past. On the other hand, a civilian who has joined a terrorist organisation which has become his "home", and in the framework of his role in that organisation he commits a chain of hostilities, with short periods of rest between them, loses his immunity from attack "for such time" as he is committing the chain of acts. Indeed, regarding such civilian, the rest between hostilities is nothing other than the preparation for the next hostility » (§ 39).

– La Cour en conclut qu'en l'absence de définition suffisamment précise il faut procéder à l'examen au cas par cas de chaque situation.

« In the wide area between those two possibilities, one finds the "gray" cases, about which customary international law has not yet crystallised. There is thus no escaping examination of each and every case » (§ 40).

« The basic approach is thus as follows : a civilian – that is, a person who does not fall into the category of combatant – must refrain from directly participating in hostilities [...]. A civilian who violates that law and commits acts of combat does not lose his status as a civilian, but as long as he is taking a direct part in hostilities he does not enjoy – during that time – the protection granted to a civilian. He is subject to the risks of attack like those to which a combatant is subject, without enjoying the rights of a combatant, e.g. those granted to a prisoner of war. True, his status is that of a civilian, and he does not lose that status while he is directly participating in hostilities. However, he is a civilian performing the function of a combatant. As long as he performs that function, he is subject to the risks which that function entails and ceases to enjoy the protection granted to a civilian from attack » (§ 31).

Pour en savoir plus

Bugnion F., « La protection des populations civiles », *Le Comité international de la Croix-Rouge et la protection des victimes de la guerre*, CICR, Genève, 1994, p. 825-983.

Camins E., « The past as prologue : the development of the "direct participation" exception to civilian immunity », *Revue internationale de la Croix-Rouge*, vol. 90, n° 872, décembre 2008, p. 853-881.

Melzer N., « Guide interprétatif sur la notion de participation directe aux hostilités en droit international humanitaire », 2009, 88 p. Disponible sur http://www.icrc.org/fre/assets/files/other/icrc_001_0990.pdf

« Participation directe aux hostilités », *Revue internationale de la Croix-Rouge*, vol. 90, n° 872, décembre 2008.

Plattner D., « L'assistance à la population civile dans le droit international humanitaire : évolution et actualité », CICR, Genève, 1992 (tiré à part de la *Revue internationale de la Croix-Rouge*).

Schmitt M. N., « Direct participation in hostilities and 21st century armed conflict », *in* Fischer H. *et al.* (eds), *Crisis Management and Humanitarian Protection : Festschrift fur Dieter Fleck*, BWV, Berlin, 2004, p. 505-529.

Wenger A. et Masons S., « The civilianization of armed conflict : trends and implications », *Revue internationale de la Croix-Rouge*, vol. 90, n° 872, décembre 2008, p. 835-852.

Principes humanitaires

Les principes humanitaires ont été codifiés de façon précise et unifiée par le mouvement de la Croix-Rouge et du Croissant-Rouge dont ils inspirent l'action. Les sept principes du mouvement de la Croix-Rouge sont l'humanité, l'impartialité, la neutralité, l'indépendance, le volontariat, l'unité et l'universalité.

▶ **Croix-Rouge, Croissant-Rouge.**

L'action humanitaire s'est cependant largement développée en dehors de ce mouvement, et les principes humanitaires ont connu des interprétations différentes destinées à améliorer l'efficacité des actions d'aide humanitaire.
C'est le cas notamment du principe de neutralité. L'interprétation stricte de ce principe ainsi que le respect d'une confidentialité absolue sont apparus à certains acteurs humanitaires comme un obstacle à la protection efficace des victimes des conflits. Le silence que s'était imposé la Croix-Rouge internationale pendant la Seconde Guerre mondiale a été au centre de la polémique sur ce principe. Une organisation telle que Médecins sans frontières, en refusant de soumettre l'action de secours à la confidentialité, a conçu le témoignage sur le sort des victimes comme un moyen supplémentaire de protection.
L'action humanitaire contemporaine se réfère donc à un nombre plus limité de termes tels que l'humanité, l'indépendance, l'impartialité et la neutralité qui sont interprétés en lien avec leur efficacité opérationnelle. La neutralité ne représente plus aujourd'hui un dogme absolu de l'action humanitaire mais un moyen dont la valeur peut être remise en question dans certaines situations.
Ce débat sur la neutralité de l'action humanitaire pose aujourd'hui la question de l'existence d'un principe de responsabilité des organisations humanitaires face à certaines situations de violence extrême contre les populations.
Le droit humanitaire de son côté ne fait référence qu'à deux principes. Les Conventions de Genève exigent que les organisations de secours soient humanitaires et impartiales. Elles établissent également un certain nombre de principes opérationnels concernant les activités concrètes de secours ou de protection de ces organisations. Ces principes généraux et principes opérationnels de l'action humanitaire ont fait l'objet d'une rédaction spécifique dans le cadre notamment du code de conduite du mouvement de la Croix-Rouge et du Croissant-Rouge et dans le cadre de la charte humanitaire du projet Sphère.

1. *Principe d'humanité*

Selon la définition du mouvement de la Croix-Rouge et du Croissant-Rouge, ce principe veut qu'en toutes circonstances l'homme soit humainement traité et constitue la justification de toute action médicale et sociale. Pour garantir le caractère humanitaire d'une organisation de secours ou d'une action de secours, il faut pouvoir apporter la preuve que la préoccupation humaine est seule prise en considération. Ce principe implique donc l'indépendance totale de l'organisation de secours à l'égard de contraintes autre qu'humanitaires.

2. *Principe d'indépendance*

L'action humanitaire doit être indépendante de toute pression politique, financière, militaire et ne doit avoir pour seule limite, pour seule contrainte et pour seul objectif que la défense de l'être humain. Les organisations de secours doivent donc pouvoir offrir la preuve de leur indépendance à l'égard des contraintes financières, économiques, politiques, religieuses… Les actions de secours doivent également être indépendantes de pressions militaires, politiques, idéologiques ou économiques. C'est autour de cette notion que s'organise la différence entre l'action humanitaire conduite par des États et celle conduite par des organisations privées. Le caractère privé de l'organisation ne suffit pas à lui seul à prouver l'indépendance de celle-ci. Des éléments tels que le financement général de l'organisation, ses principes fondateurs et la transparence de son fonctionnement doivent être pris en compte.

3. *Principe d'impartialité*

Dans les Conventions de Genève, c'est le terme « impartial » qui qualifie l'action de secours humanitaire. Ce principe essentiel de l'action humanitaire qualifie le secours sans discrimination. Il rappelle l'égalité des hommes dans la détresse. Personne ne peut être privé des secours dont il a besoin.

◆ **L'impartialité ne doit pas être confondue avec une neutralité arithmétique de l'aide qui consisterait à donner des secours de façon égale à chaque partie en présence sous prétexte de n'en favoriser aucune. L'impartialité exige que les secours soient donnés de façon prioritaire aux plus nécessiteux, quelle que soit leur appartenance.**

Ce principe clé de l'assistance humanitaire, comprend deux éléments complémentaires :

– la distribution des secours et le traitement humain des victimes doivent être réalisés sans aucune distinction défavorable liée à des critères de race, de religion ou d'opinion politique ou d'appartenance à l'une ou l'autre des parties à un conflit armé ;

– une priorité dans les secours doit être donnée aux plus nécessiteux, y compris dans le domaine médical. Ce deuxième principe suppose donc que les secours humanitaires ne sont pas donnés de façon égale mais de façon équitable en fonction de la vulnérabilité et des besoins spécifiques des individus et des populations affectés. L'acteur de secours est donc autorisé à agir de façon discriminée en se fondant sur l'importance et l'urgence des besoins des populations et des individus.

Ce principe d'impartialité et de non-discrimination entre les victimes a été reconnu comme essentiel par la Cour internationale de justice pour distinguer entre l'action humanitaire légitime et l'intervention illégale d'un État dans les affaires intérieures d'un autre état (*infra* Jurisprudence).

4. *Principe de neutralité*

La neutralité consiste à ne pas prendre part à un conflit directement ou en s'alliant à l'un ou l'autre des belligérants. C'est un concept lié à la politique internationale. Il a été élaboré par certains États pour leur permettre de rester extérieurs aux alliances militaires et aux conflits dans lesquels leurs voisins étaient engagés. L'extension de ce principe aux organisations de secours suppose des aménagements et une interprétation différente du concept.

• La neutralité des États obéit à un régime spécifique défini par le droit de la guerre. L'État neutre s'engage à ne pas prendre part aux hostilités, à s'abstenir de tout acte hostile et de tout acte qui pourrait confier un avantage militaire à une partie au conflit.

• La neutralité humanitaire consiste à faire admettre que les actions de secours ne constituent pas en elles-mêmes des actes hostiles, ni une contribution effective à l'effort de guerre de l'un des belligérants.

Ce principe a aidé, dès l'origine, à mettre à l'abri des hostilités les membres des sociétés de secours.

C'est l'un des principes fondamentaux du mouvement de la Croix-Rouge et du Croissant-Rouge qui, afin de conserver la confiance de tous, s'abstient de prendre part aux hostilités, et, en tout temps, aux controverses d'ordre politique, racial, religieux ou idéologique. La doctrine de la Croix-Rouge concernant la neutralité a évolué dans les années 1990, considérant que la dénonciation des violations graves du droit humanitaire commises par les différentes parties à un conflit ne constituait pas une participation aux controverses politiques et n'était donc pas une violation de la neutralité de l'organisation.

Outre les quatre Conventions de Genève de 1949 et le Protocole additionnel I de 1977, plusieurs conventions internationales traitent de cette question :

– la Déclaration de Paris de 1856 arrêtant certaines règles de droit maritime en temps de guerre ;

– la Convention de La Haye de 1907 concernant les lois et coutumes de la guerre sur terre ;

– la Convention de La Haye de 1907 relative à la pose de mines sous-marines automatiques de contact ;

– la Convention de La Haye de 1907 pour l'adaptation à la guerre maritime des principes de la Convention de Genève du 6 juillet 1906 ;

– la Convention de La Haye de 1907 relative à certaines restrictions à l'exercice du droit de capture dans la guerre maritime ;

– la Convention de La Haye de 1907 concernant les droits et les devoirs des puissances neutres en cas de guerre maritime ;

Principes opérationnels

• Les grands principes humanitaires doivent se traduire de façon pratique dans les opérations de secours, car c'est grâce à eux que les organisations humanitaires ont des droits et des obligations.

• Sur les sept principes fondamentaux de la Croix-Rouge, deux seulement figurent dans les quatre Conventions de Genève (et leurs deux Protocoles additionnels) pour qualifier l'action humanitaire. Ce sont les principes d'humanité et d'impartialité, que la Cour internationale de justice a également érigés en critères de qualification de toute action humanitaire (Affaire des activités militaires et paramilitaires au Nicaragua et contre celui-ci, 1986).

• Les Conventions prévoient un droit d'initiative humanitaire général au profit des organisations de secours qui sont humanitaires et impartiales.

Ce droit d'initiative est complété par des droits spécifiques relatifs aux opérations concrètes de secours prévus par les Conventions de Genève et leurs Protocoles additionnels. Ils définissent des standards opérationnels.

• Toute organisation humanitaire impartiale peut se voir accorder :

– le libre accès aux victimes des situations de conflit ;

– le droit de libre évaluation des besoins humanitaires de ces victimes ;

– le droit d'entreprendre des actions de secours quand la population souffre de privation excessive par manque d'approvisionnement en biens essentiels à sa survie ;

– le droit de contrôler que la fourniture de ces secours s'effectue sans aucune discrimination défavorable autre que celle fondée sur les besoins ;

– le droit de soigner les malades en tout temps et en tout lieu conformément aux principes de la déontologie médicale.

• Ces standards opérationnels doivent être respectés et défendus dans l'action quotidienne par les organisations de secours.

Ils peuvent être invoqués dans toutes les situations de conflit. Ils doivent être rappelés dans les accords signés entre l'organisation humanitaire et les autorités nationales ou autres. Les organisations de secours participent ainsi à consolider et à renforcer la coutume internationale des secours humanitaires. À défaut, elles risquent au contraire d'affaiblir les principes du droit international humanitaire. ■

– la Déclaration de Londres de 1909 relative au droit de la guerre maritime ;

– le procès-verbal de Londres de 1936 concernant les règles de la guerre sous-marine prévues par le traité de Londres de 1930.

Ce principe de neutralité a été l'objet de nombreuses controverses autour du silence du CICR pendant la Seconde Guerre mondiale. Les contours de ce principe ont depuis été révisés.

• Aujourd'hui, la neutralité n'est plus présentée comme un principe intangible de l'action humanitaire, mais comme un principe opérationnel. Cela signifie qu'il ne sera respecté qu'au regard de son efficacité dans l'action de secours. Il est admis que la prise de position publique ne contrevient pas forcément à ce principe. La neutralité n'est pas synonyme d'obligation de silence ou de confidentialité absolue. Elle se décline diversement selon les situations et selon le type d'activité de secours pratiqué. Elle ne s'oppose pas à une communication soucieuse de l'intérêt général des victimes et respectueuse du caractère « sensible » de certaines informations.

Le mouvement international de la Croix-Rouge et du Croissant-Rouge a d'ailleurs entériné le fait de procéder lui-même à des dénonciations publiques des violations graves et répétées du droit humanitaire lors du conflit en ex-Yougoslavie notamment. Le droit humanitaire prévoit lui-même que ces dénonciations doivent être adressées aux États et à l'ONU (GPI art. 89). De toute évidence, l'opinion publique et les médias ont également un rôle majeur à jouer dans cette chaîne des recours.

▶ **Crime de guerre-Crime contre l'humanité.**

5. *Principe de responsabilité humanitaire*

L'existence de l'ensemble de ces principes, notamment les principes opérationnels, pose la question de la responsabilité des organisations de secours quand ces principes ne sont pas respectés. L'application du droit humanitaire ne repose pas sur les seuls belligérants mais sur le droit et les initiatives des organisations de secours. Il n'est pas possible d'éluder la responsabilité de ces organisations en tant qu'acteurs directement impliqués dans certaines situations où les secours ne permettent pas de protéger la sécurité et la vie des populations. Par exemple, quand les secours sont détournés par les belligérants ou utilisés pour piéger ou commettre des actes de violence contre les populations concernées. Enfin la responsabilité des organisations humanitaires peut également être mise en cause quand les membres de leur personnel sont témoins directs de crimes et autres violations graves du droit humanitaire. Ces aspects seront développés dans le cadre de la rubrique sur la responsabilité.

▶ **Responsabilité.**

Consulter aussi

▶ **Secours ▷ Protection ▷ Droit d'initiative humanitaire ▷ Droit d'accès ▷ Droit international humanitaire ▷ Croix-Rouge, Croissant-Rouge ▷ ONG.**

Jurisprudence

Dans son jugement concernant les activités militaires et paramilitaires au Nicaragua et contre celui-ci (Nicaragua c. États-Unis d'Amérique), fond, arrêt, *C.I.J. Recueil 1986*, p. 14, la Cour internationale de justice a affirmé qu'« il n'est pas douteux que la fourniture d'une aide strictement humanitaire à des personnes ou à des forces se trouvant dans un autre pays, quels que soient leurs affiliations politiques ou leurs objectifs, ne saurait être considérée comme une intervention illicite ou à tout autre point de vue contraire au droit international. Les caractéristiques d'une telle aide sont indiquées dans le premier et le second des principes fondamentaux proclamés par la vingtième conférence internationale de la Croix-Rouge aux termes desquels : "Née du souci de porter secours sans discrimination aux blessés des champs de bataille, la Croix-Rouge, sous son aspect international et national, s'efforce de prévenir et d'alléger en toutes circonstances les souffrances des hommes. Elle tend à protéger la vie et la santé ainsi qu'à faire respecter la personne humaine. Elle favorise la compréhension mutuelle, l'amitié, la coopération et une paix durable entre tous les peuples. Elle ne fait aucune distinction de nationalité, de race, de religion. Elle s'applique seulement à secourir les individus à la mesure de leur souffrance et à subvenir par priorité aux détresses les plus urgentes" » § 242. « Selon la Cour, pour ne pas avoir le caractère d'une intervention condamnable dans les affaires intérieures d'un autre État, non seulement l'"assistance humanitaire" doit se limiter aux fins consacrées par la pratique de la Croix- Rouge, à savoir "prévenir et alléger les souffrances des hommes" et "protéger la vie et la santé [et] faire respecter la personne humaine" : elle doit aussi, et surtout, être prodiguée sans discrimination à toute personne dans le besoin au Nicaragua, et pas seulement aux *contras* et à leurs proches », § 243. « [...] La Cour conclut que le motif tiré de la préservation des droits de l'homme au Nicaragua ne peut justifier juridiquement la conduite des États-Unis et ne s'harmonise pas, en tout état de cause, avec la stratégie judiciaire de l'État défendeur fondée sur le droit de légitime défense collective. [...] l'emploi de la force ne saurait être la méthode appropriée pour vérifier et assurer le respect de ces droits », § 268.

Contacts

http://www.icrc.org/web/fre/sitefre0.nsf/htmlall/5FZGYV
http://www.sphereproject.org/french/handbook/index.htm

Pour en savoir plus

BLONDEL J. L., « Genèse et évolution des principes fondamentaux de la Croix-Rouge et du Croissant-Rouge », *Revue internationale de la Croix-Rouge,* n° 790, juillet-août 1991, p. 369-377.

KALSHOVEN F., *Impartialité et neutralité dans le droit et la pratique humanitaires,* CICR, Genève, 1989 (tiré à part de la *Revue internationale de la Croix-Rouge*).

LEVINAS E., *Humanisme de l'autre homme,* Le Livre de poche, Paris, 1987.

MATTLI K. et GASSER J. « Neutralité, impartialité et indépendance : la clé de l'acceptation du CICR en Irak », *Revue internationale de la Croix-Rouge,* n° 869, mars 2008. Disponible en ligne sur http://www.icrc.org/fre/assets/files/other/irrc-869_mattli-gasser-fre.pdf

SWINARSKI C. (rédacteur*), Études et essais sur le droit international humanitaire et sur les principes de la Croix-Rouge* (en l'honneur de Jean Pictet), CICR, Martinus Nijhoff Publishers, 1984, 1 143 p.

THURER D., « La pyramide de Dunant : réflexions sur "l'espace humanitaire" », *Revue internationale de la Croix-Rouge,* n° 865, mars 2007. Disponible en ligne sur http://www.icrc.org/fre/assets/files/other/irrc-865-thurer.pdf

Prisonnier de guerre

Les combattants qui au cours d'un conflit armé international tombent aux mains de la puissance ennemie sont des prisonniers de guerre.

Toutes les personnes qui tombent au pouvoir de l'ennemi au cours d'un conflit armé sont protégées par le droit humanitaire. Il s'agit soit de combattants et ils deviennent prisonniers de guerre, ou bien il s'agit de civils et ils sont protégés en tant que tels. Le commentaire des Conventions de Genève de 1949 précise qu'« aucune personne se trouvant aux mains de l'ennemi ne peut être en dehors du droit » humanitaire.

Le statut de prisonnier de guerre est lié à celui de combattant. Il est défini de façon exhaustive par la troisième Convention de Genève pour les conflits armés internationaux (I-III). La participation des civils aux hostilités fait l'objet de garanties de traitement particulières dans les conflits internationaux et non internationaux (IV). Dans les conflits armés non internationaux, le statut de combattant n'est pas officiellement reconnu aux membres des groupes armés non étatiques. Il prévoit cependant un statut de protection spécial pour les personnes privées de liberté pour des motifs en relation avec le conflit (voir ▷ **Détention**). C'est ce statut de détention qui s'applique au minimum aux combattants appartenant à des groupes armés non étatiques dans les conflits armés non internationaux.

▶ **Groupes armés non étatiques ▷ Population civile ▷ Détention ▷ Combattant.**

◆ **Le traitement prévu pour les prisonniers de guerre peut toujours être octroyé par la puissance détentrice à des détenus qui ne remplissent pas tous les critères et conditions prévus par la troisième Convention de Genève. Il peut également être partiellement appliqué par voie d'accord spécial dans des situations qui n'entrent pas dans la définition du conflit armé international.**

Le Protocole additionnel I de 1977 adopte une attitude différente. Il donne la liste des personnes auxquelles le statut de prisonnier de guerre devra être accordé. Ce faisant, il évite que le statut soit refusé à certaines personnes du fait d'une interprétation trop stricte de la définition. Il donne aussi des garanties pour éviter que le statut soit refusé à une personne qui y a droit. Toutes les personnes arrêtées dans le cadre d'un conflit après avoir directivement participé aux hostilités doivent

être présumées prisonniers de guerre et bénéficier, au moins à titre conservatoire, de la protection prévue par la troisième Convention, le temps que le statut de la personne soit tranché par un tribunal compétent avec les garanties d'une procédure équitable devant une juridiction indépendante et impartiale (II).
Le statut de prisonnier de guerre réglemente les conditions de détention : logement, alimentation, hygiène et soins médicaux, religion et activités intellectuelles et physiques, discipline, transfert, travail, courrier, argent. Il fixe les garanties fondamentales en matière de sanctions disciplinaires et pénales (III).
Ce statut spécial prend en compte le droit légitime des combattants à utiliser la violence avant leur capture.
– Il cherche à éviter que la capture et la détention des prisonniers de guerre ne soient une occasion de vengeance, de mauvais traitements et de tortures pour obtenir des informations lors d'interrogatoires. Le prisonnier peut être soumis à des interrogatoires mais aucune torture physique ou morale ni aucune contrainte ne peuvent être exercées sur lui pour obtenir des renseignements de quelque sorte que ce soit.
– Il cherche également à éviter que les prisonniers ne soient jugés et condamnés pour leur seule participation aux hostilités. Un combattant qui a commis des violations du droit humanitaire y compris des actes de terrorisme ne perd pas son statut de prisonnier de guerre mais il peut être jugé pour ces crimes en respectant les garanties d'un procès équitable et les garanties judiciaires prévues par le droit humanitaire. L'usage de la peine de mort est réglementé.

▶ **Mauvais traitement ▷ Garanties fondamentales ▷ Garanties judiciaires ▷ Peine de mort.**

Pour ceux à qui le statut serait refusé, le droit humanitaire prévoit quand même le respect de garanties fondamentales (IV).

◆ **• La définition du prisonnier de guerre a été élargie en 1977 pour tenir compte de l'évolution de la notion de combattant liée aux nouvelles techniques des combats.**
• Le statut de prisonnier de guerre n'est plus réservé qu'aux combattants membres des forces armées. Il peut être accordé aux civils qui prennent part directement aux hostilités, aux membres de mouvements de résistance ou aux personnes participant à des soulèvements populaires.
• La catégorie de combattant illégal, invoquée par certains États pour refuser le statut ou la protection de prisonnier de guerre à certains combattants n'a aucune base légale en droit humanitaire.
• Le fait pour un combattant d'avoir commis des violations graves du droit humanitaire ne le prive pas du statut de prisonnier de guerre.
• Il existe un mécanisme de contrôle concernant la qualification de combattant et les garanties d'octroi du statut de prisonnier de guerre.
• La définition du prisonnier de guerre est rarement applicable à une situation de conflit interne. Cependant, le Protocole additionnel II prévoit des dispositions et des garanties précises concernant le traitement des personnes détenues pour des raisons liées au conflit (GPII art. 5).

I. Définition du prisonnier de guerre

La troisième Convention de Genève définit les catégories de personnes qui pourront bénéficier du statut de prisonnier de guerre (GIII art. 4) :

• « Sont prisonniers de guerre, [...] les personnes qui, appartenant à l'une des catégories suivantes, sont tombées au pouvoir de l'ennemi :
– les membres des forces armées d'une partie au conflit, de même que les membres des milices et des corps de volontaires faisant partie de ces forces armées ;
– les membres des autres milices et les membres des autres corps de volontaires, y compris ceux des mouvements de résistance organisés, appartenant à une partie au conflit et agissant en dehors ou à l'intérieur de leur propre territoire, même si ce territoire est occupé, pourvu que ces milices ou corps de volontaires, y compris ces mouvements de résistance organisés, remplissent les conditions suivantes :
a) d'avoir à leur tête une personne responsable pour ses subordonnés ;
b) d'avoir un signe distinctif fixe et reconnaissable à distance ;
c) de porter ouvertement les armes ;
d) de se conformer, dans leurs opérations, aux lois et coutumes de guerre ;
– les membres des forces armées régulières qui se réclament d'un gouvernement ou d'une autorité non reconnus par la puissance détentrice ;
– les personnes qui suivent les forces armées sans en faire directement partie, telles que les membres civils d'équipages d'avions militaires, correspondants de guerre, fournisseurs, membres d'unités de travail ou de services chargés du bien-être des forces armées, à condition qu'elles aient reçu l'autorisation des forces armées, celles-ci étant tenues de leur délivrer à cet effet une carte d'identité [...] ;
– les membres des équipages, y compris les commandants, pilotes et apprentis, de la marine marchande et les équipages de l'aviation civile des parties au conflit qui ne bénéficient pas d'un traitement plus favorable en vertu d'autres dispositions du droit international ;
– la population d'un territoire non occupé qui, à l'approche de l'ennemi, prend spontanément les armes pour combattre les troupes d'invasion sans avoir eu le temps de se constituer en forces armées régulières, si elle porte ouvertement les armes et si elle respecte les lois et coutumes de guerre (GIV art. 4.A).
• « Bénéficieront également du traitement réservé par la présente convention aux prisonniers de guerre :
– les personnes appartenant ou ayant appartenu aux forces armées du pays occupé si, en raison de cette appartenance, la puissance occupante, même si elle les a initialement libérées pendant que les hostilités se poursuivent en dehors du territoire qu'elle occupe, estime nécessaire de procéder à leur internement, notamment après une tentative de ces personnes non couronnée de succès pour rejoindre les forces armées auxquelles elles appartiennent et qui sont engagées dans le combat, ou lorsqu'elles n'obtempèrent pas à une sommation qui leur est faite aux fins d'internement ;
– les personnes appartenant à l'une des catégories énumérées au présent article que les puissances neutres ou non belligérantes ont reçues sur leur territoire et qu'elles sont tenues d'interner en vertu du droit international, sous réserve de tout traitement plus favorable que ces puissances jugeraient bon de leur accorder [...] » (GIII art. 4.B).
• Le Protocole additionnel I de 1977 a cherché à prendre en compte les nouvelles méthodes de combat, en élargissant la notion de combattants aux membres de

groupes armés organisés n'appartenant pas aux forces armées régulières (GPI art. 43.44) et aux personnes y compris civiles qui prennent part aux hostilités
La définition élargie des forces armées et des combattants inclut :
– « Les forces armées d'une partie à un conflit se composent de toutes les forces, tous les groupes et toutes les unités armés et organisés qui sont placés sous un commandement responsable de la conduite de ses subordonnés devant cette partie, même si celle-ci est représentée par un gouvernement ou une autorité non reconnus par la partie adverse.
– Ces forces armées doivent être soumises à un régime de discipline interne qui assure, notamment, le respect des règles du droit international applicable dans les conflits armés.
– Les membres des forces armées d'une partie à un conflit (autres que le personnel sanitaire et religieux visé à l'article 33 de la troisième Convention) sont des combattants, c'est-à-dire qu'ils ont le droit de participer directement aux hostilités » (GPI art. 43).
• Le Protocole additionnel I de 1977 a choisi de rattacher la protection du statut de prisonnier de guerre au critère objectif de participation directe aux hostilités plutôt qu'au critère juridique d'appartenance aux forces armées. Le traitement de prisonnier de guerre peut donc être revendiqué par les combattants mais également par les civils qui participent directement aux hostilités (GPI art. 45, 51).
– Une personne qui prend part à des hostilités et tombe au pouvoir d'une partie adverse est présumée prisonnier de guerre et par conséquent se trouve protégée par la troisième Convention lorsqu'elle revendique le statut de prisonnier de guerre ou qu'il apparaît qu'elle a droit au statut du prisonnier de guerre ou lorsque la partie dont elle dépend revendique pour elle ce statut par voie de notification à la puissance qui la détient ou à la puissance protectrice (CICR). S'il existe un doute quelconque au sujet de son droit au statut de prisonnier de guerre, cette personne continue à bénéficier de ce statut, et par suite de la protection de la troisième Convention et du Protocole I, en attendant que son statut soit déterminé par un tribunal compétent (GPI art 45.1).
Dans ce contexte, la catégorie de combattant illégal, invoquée pour refuser le statut ou la protection de prisonnier de guerre à certains combattants, n'a aucune base légale en droit humanitaire. Depuis les protocoles additionnels de 1977, le droit humanitaire a prévu un certains nombre de garanties de procédures pour assurer la qualification adéquate des personnes en tant que civil ou combattant et l'octroi de la protection du statut de prisonnier de guerre.

▶ **Combattant.**

II. Les garanties pour l'octroi du statut de prisonnier de guerre

Un certain nombre de garanties sont prévues pour contrôler l'attribution du statut de prisonnier de guerre tant aux combattants qu'aux civils qui participent aux hostilités. L'objectif est d'éviter que la décision d'octroi du statut de prisonnier de guerre soit un acte laissé à la discrétion de l'autorité détentrice du prisonnier.

D'autres garanties permettent d'appliquer la protection prévue pour les prisonniers de guerre aux individus auxquels le statut de prisonniers de guerre n'est pas automatiquement applicable.

1 *La présomption et le contrôle par un tribunal compétent*

• Tout combattant qui tombe au pouvoir d'une partie adverse est prisonnier de guerre.
Pour éviter les contestations liées à l'appartenance d'un combattant aux forces armées, cette règle a été élargie par le Protocole additionnel I de 1977. Ce protocole permet l'application du statut de prisonniers de guerre aux membres des différents groupes formant les forces armées et à toute personne qui prend part aux hostilités. La troisième Convention et le Protocole additionnel I ont également prévu qu'en cas de contestation ce n'est pas l'autorité détentrice mais un tribunal qui doit trancher la question.
• S'il y a un doute sur l'appartenance à l'une des différentes catégories de combattants (GIII art. 4) de personnes ayant commis des actes de belligérance et qui sont tombées aux mains de l'ennemi, lesdites personnes bénéficieront de la protection de la convention sur les prisonniers de guerre en attendant que leur statut ait été tranché par un tribunal compétent (GIII art. 5).
• Toute personne qui prend part à des hostilités et tombe au pouvoir d'une partie adverse est présumée prisonnier de guerre lorsqu'elle revendique le statut de prisonnier de guerre, ou qu'il apparaît qu'elle a droit au statut de prisonnier de guerre ou lorsque la partie dont elle dépend revendique pour elle ce statut par voie de notification à la puissance qui la détient ou à la puissance protectrice (CICR). S'il existe un doute quelconque au sujet de son droit au statut de prisonnier de guerre, cette personne continue à bénéficier de ce statut, et par suite de la protection de la troisième Convention et du Protocole I, en attendant que son statut soit déterminé par un tribunal compétent (GPI art. 45.1).
Dans ce cas, le Protocole additionnel I a renforcé cette protection en créant un droit pour la personne détenue de revendiquer ce statut et de faire trancher les litiges par un tribunal compétent mais aussi en permettant le contrôle de ces procédures par le CICR notamment. Ceci est particulièrement important pour éviter que des civils fassent l'objet de poursuites pénales abusives par la puissance détentrice pour des faits de participation directe aux hostilités.
• Si une personne tombée au pouvoir d'une partie adverse n'est pas détenue comme prisonnier de guerre et doit être jugée par cette partie pour une infraction liée aux hostilités, elle est habilitée à faire valoir son droit au statut de prisonnier de guerre devant un tribunal judiciaire et à obtenir que cette question soit tranchée. Les représentants de la puissance protectrice ou du CICR devront pouvoir assister au débat au cours duquel cette question doit être tranchée (GPI art. 45.2).

▶ **Peine de mort ▷ Territoire occupé ▷ Garanties judiciaires ▷ Puissances protectrices.**

• Les personnes civiles qui participent directement aux hostilités, et pour la durée d'une telle participation, ne bénéficient pas de la protection accordée aux

personnes civiles par le droit des conflits armés (GPI 51 ; GPII art. 13.3). Elles peuvent bénéficier du statut de prisonnier de guerre dans certains cas expliqués précédemment (GPI art. 45.1-3).
Cela signifie concrètement qu'il faudra que la puissance détentrice prouve devant un tribunal compétent pourquoi ces personnes ne peuvent pas bénéficier de ce statut. Une personne qui ne peut pas être considérée comme combattant et bénéficier de la protection de prisonnier de guerre devra être considérée comme civile. Ces personnes restent au minimum couvertes par les garanties fondamentales en cas de détention et bénéficient des garanties judiciaires si elles sont jugées pour des violations du droit humanitaire.

▶ **Population civile ▷ Détention ▷ Garanties fondamentales ▷ Garanties judiciaires.**

• Même s'ils sont combattants, les enfants restent protégés par les droits spéciaux prévus pour les enfants par le droit humanitaire, qu'ils soient ou non prisonniers de guerre (GPI art. 77).

▶ **Enfant.**

2 *Les clauses d'exclusion du statut de prisonnier de guerre*

– La violation du droit humanitaire par certains groupes armés est souvent invoquée, à tort, pour refuser de leur reconnaître le statut de combattant ou de prisonnier de guerre. Les Conventions de Genève mentionnent l'obligation pour les membres des forces armées de disposer d'un commandement responsable capable notamment de faire respecter le droit humanitaire. Cependant, cet élément n'affecte pas le statut de prisonnier de guerre des personnes ayant pris part aux hostilités. Le Protocole additionnel I a clarifié ce point en 1977.
• Le non-respect des règles du droit humanitaire ne prive pas un combattant de son droit d'être considéré comme prisonnier de guerre (GPI art. 44). Un prisonnier peut toujours être jugé pour avoir violé les règles du droit humanitaire, cela ne le prive pas des droit attachés au statut de prisonnier de guerre et notamment des garanties judiciaires.
– La distinction entre civil et combattant est au centre du système de protection des civils établie par le droit humanitaire. C'est pour cela que les conventions insistent sur l'obligation pour les combattants de se distinguer des civils et de porter les armes ouvertement lors des affrontements.
• Le combattant qui tombe au pouvoir d'une partie adverse alors qu'il ne s'est pas distingué de la population civile pendant une opération militaire perd le droit d'être considéré comme prisonnier de guerre (GPI art. 44.4). Le Protocole additionnel I a diminué les exigences posées aux combattants quant à la manière de se distinguer dans les opérations puisqu'il reconnaît que cette distinction n'est pas toujours possible dans certaines opérations militaires. Cette obligation n'inclut donc pas obligatoirement le port d'uniforme et de signes distinctifs et peut se limiter au fait de porter les armes ouvertement lors des opérations militaires. Cependant, ce même article limite la portée de cette privation puisqu'il précise que, même privé de son droit au statut de prisonnier, ce combattant continue toujours de bénéficier de protections équivalentes à tous égards à celles accordées

par la troisième Convention de Genève et par le Protocole additionnel I aux prisonniers de guerre. Là encore, l'appréciation des faits et la détermination finale du statut devront être tranchées par un tribunal compétent et non pas par les autorités militaires impliquées.

◆ **La différence évoquée ici entre le statut de prisonnier de guerre et le traitement de prisonnier de guerre signifie que celui qui a utilisé la force sans agir ouvertement en tant que combattant pourra faire l'objet de poursuites pénales pour ces actes de violence conformément au droit national de la puissance détentrice. Toutefois, il bénéficiera malgré tout de la protection prévue pour les prisonniers de guerre par la troisième Convention et notamment des garanties judiciaires qu'elle énonce.**

• Les mercenaires n'ont pas droit au statut de combattant ni à celui de prisonnier de guerre (GPI art. 47). La définition du mercenaire fournie par le Protocole additionnel I de 1977 est stricte. Elle ne concerne pas les volontaires étrangers qui prennent spontanément les armes pour s'associer aux combats et forment des milices organisées auprès des forces armées d'une des parties au conflit. Ces volontaires étrangers doivent pouvoir bénéficier du statut de combattant et du droit d'accès aux tribunaux pour faire reconnaître leur statut de prisonnier de guerre, quelle que soit leur nationalité.
• Les espions ne peuvent pas bénéficier du statut de prisonniers de guerre, s'ils mènent leurs activités sans uniforme (GPI art. 46).
Mercenaires et espions bénéficient au minimum en cas de capture, des garanties fondamentales qui imposent qu'ils soient traités humainement.

▶ **Mercenaire ▷ Espion-Espionnage ▷ Combattant ▷ Garanties fondamentales.**

III. Le contenu du statut de prisonnier de guerre

1. *Protection et conditions de détention*

Une fois aux mains de l'adversaire, les prisonniers de guerre sont particulièrement vulnérables aux vengeances, pressions et humiliations. Le statut de prisonnier de guerre organise la protection et les conditions de détention des combattants tombés aux mains d'une partie adverse de façon exhaustive au long des 143 articles de la troisième Convention de Genève.

Cette protection repose sur l'affirmation par la troisième Convention d'un certain nombre de droits et d'obligations, mais aussi sur le mécanisme de contrôle confié à la puissance protectrice par la convention. À défaut de nomination de puissance protectrice par les parties au conflit, c'est le CICR qui jouera ce rôle auprès des prisonniers des deux côtés (GIII art. 8 à 10). Sur le terrain, la réciprocité joue un rôle central pour convaincre les parties au conflit de respecter les droits énoncés par la troisième Convention. Toutefois, dans certaines situations, notamment les conflits armés non internationaux, la réciprocité ne représente pas toujours un enjeu suffisant pour dissuader les mauvais traitements. Le rôle du CICR est alors central.

2. *Droits et obligations fixés par la troisième Convention*
Ils peuvent être brièvement résumés comme suit :
– Les prisonniers de guerre doivent être traités en tout temps avec humanité. Tout acte ou omission de la part de la puissance détentrice entraînant la mort ou mettant gravement en danger la santé d'un prisonnier de guerre en son pouvoir est interdit et est considéré comme une infraction grave (GIII art. 13).
– Le prisonnier de guerre a droit en toute circonstance au respect de sa personne. Les femmes doivent être traitées conformément à leurs besoins spécifiques et doivent bénéficier d'un traitement aussi favorable que celui accordé aux hommes (GIII art. 14).

▶ **Femme.**

– La puissance détentrice des prisonniers de guerre sera tenue de pourvoir gratuitement à leur entretien et de leur accorder gratuitement les soins médicaux que nécessite leur état de santé (GIII art. 15).
– Les prisonniers devront être traités sans discrimination entre eux (GIII art. 16).
– Lors de leur capture, les prisonniers ne seront tenus de déclarer que leurs nom, prénoms, grade, date de naissance, numéro de matricule. Ils seront ensuite pourvus d'une carte d'identité de prisonnier de guerre. Les interrogatoires ne sont pas interdits par la convention mais celle-ci précise que les prisonniers ne pourront subir aucune torture physique ou morale ni aucune contrainte pour obtenir d'eux des renseignements de quelque sorte que ce soit. Les prisonniers qui refuseront de répondre à ces interrogatoires ne pourront être ni menacés, ni insultés, ni exposés à des désagréments ou désavantages de quelque nature que ce soit. L'interrogatoire des prisonniers aura lieu dans une langue qu'ils comprennent (GIII art. 17).
– Les prisonniers de guerre ne peuvent pas être dépouillés de leurs biens personnels (GIII art. 18).
– Les prisonniers de guerre devront être évacués aussi vite que possible vers des camps situés hors des zones de combat. Cette évacuation s'effectuera avec humanité dans des conditions semblables à celles qui sont faites aux troupes de la puissance détentrice dans leurs déplacements. Ils recevront de l'eau potable et de la nourriture en suffisance, ainsi que des vêtements et les soins médicaux nécessaires (GIII art. 19 et 20).
– Les lieux d'internement présenteront toutes les garanties d'hygiène et de salubrité, en tenant compte du climat (GIII art. 22).
– Les camps de prisonniers de guerre devront être signalés par les lettres PW ou PG chaque fois que les considérations d'ordre militaire le permettront (GIII art. 23).
– Les conditions de logement des prisonniers de guerre seront aussi favorables que celles qui sont réservées aux troupes de la puissance détentrice cantonnées dans la même région. Les conditions de logement ne devront en aucun cas être préjudiciables à leur santé. Les locaux devront être entièrement à l'abri de l'humidité, suffisamment chauffés et éclairés (GIII art. 25).
– La ration alimentaire quotidienne de base sera suffisante en quantité et en qualité et variété pour maintenir les prisonniers en bonne santé, et empêcher une perte de poids ou des troubles de carence. Il doit également être tenu compte du régime alimentaire habituel des prisonniers (GIII art. 26).

– Les mesures d'hygiène destinées à prévenir les épidémies seront prises par la puissance détentrice. Dans tous les camps où des femmes sont détenues, des installations séparées doivent être prévues (GIII art. 29).
– Chaque camp possédera une infirmerie. Les prisonniers de guerre seront traités de préférence par un personnel médical de la puissance dont ils dépendent et, si possible, de leur nationalité. S'ils sont atteints d'une maladie grave ou qu'ils nécessitent un traitement spécial, ils seront admis dans toute formation militaire ou civile qualifiée pour les traiter. Des inspections médicales de prisonniers de guerre auront lieu au moins une fois par mois. Elles comprendront le contrôle et l'enregistrement du poids de chaque prisonnier, et le contrôle de l'état général de santé, de nutrition et de propreté (GIII art. 30 et 31).
– Les membres du personnel sanitaire et religieux retenus au pouvoir de la puissance détentrice en vue d'assister les prisonniers de guerre ne seront pas considérés comme prisonniers de guerre. Toutefois, ils bénéficieront au moins de tous les avantages et protections prévus par la troisième Convention et de toutes les facilités nécessaires pour accomplir leur travail (GIII art. 33).
– Les prisonniers de guerre auront toute latitude pour l'exercice de leur religion, pour pratiquer des activités intellectuelles et sportives (GIII art. 34 à 38).
– Chaque camp sera placé sous l'autorité directe d'un officier responsable appartenant aux forces armées régulières de la partie adverse. Il devra connaître et faire appliquer les dispositions de la troisième Convention de Genève. Les règlements relatifs à la conduite des prisonniers seront affichés dans le camp dans une langue qu'ils comprennent, ainsi que le texte de la convention (GIII art. 39 à 42).
– Les prisonniers pourront être employés comme travailleurs si leur état de santé le permet et pour des travaux strictement limités et sans aucune destination militaire. Les sous-officiers ne pourront être astreints qu'à des travaux de surveillance. Les prisonniers de guerre ne peuvent pas être astreints à des travaux dangereux ou humiliants. Le travail devra être indemnisé [...] (GIII art. 49 à 57).
– Les ressources pécuniaires des prisonniers ainsi que leur mode de gestion et de transfert sont établis de façon précise par les articles 58 à 68.
– Les relations des prisonniers avec l'extérieur sont déterminées par les articles 69 à 77. Ils prévoient l'obligation pour la puissance détentrice de notifier la capture des prisonniers, de permettre la correspondance des prisonniers à raison de deux lettres et quatre cartes par mois selon des modèles types. Ils autorisent également les prisonniers à recevoir des colis individuels ou collectifs contenant des denrées, des vêtements, des médicaments, des livres [...] sous le contrôle de la puissance protectrice ou du CICR.
– Les prisonniers de guerre auront le droit de présenter aux autorités militaires dont ils dépendent des requêtes concernant les conditions de captivité (GIII art. 78).
– Les articles 82 à 108 énumèrent les sanctions pénales et disciplinaires :
• Les prisonniers de guerre seront soumis aux lois de la puissance détentrice et à ses tribunaux militaires. Ce tribunal devra toujours offrir des garanties d'indépendance et d'impartialité et assurer les moyens et les droits de la défense.
• Même s'ils sont condamnés, les prisonniers de guerre bénéficieront de la protection de la troisième Convention (le bénéfice des articles 78 à 126, concernant leur droit de plaintes et les garanties judiciaires ne pourra jamais leur être retiré).

• Toute peine collective pour des actes individuels, toute peine corporelle, toute incarcération dans des locaux non éclairés par la lumière du jour et toute forme quelconque de torture ou de cruauté sont interdites. L'échelle des peines disciplinaires est précisément fixée par la convention.
• L'évasion ne peut être punie que d'une sanction disciplinaire.

▶ **Garanties judiciaires ▷ Peines collectives ▷ Peines corporelles.**

– Les prisonniers de guerre affectés de certaines maladies précisément listées devront être rapatriés directement dans leur pays ou hospitalisés en pays neutre (GIII art. 109 à 117). L'article 110 pose les conditions précises à ces décisions. Les blessés ou malades pouvant bénéficier d'un rapatriement direct sont :
• les blessés et malades incurables, dont l'aptitude intellectuelle ou physique paraît avoir subi une diminution considérable ;
• les blessés et les malades, qui d'après les prévisions médicales ne sont pas susceptibles de guérison dans l'espace d'une année, dont l'état exige un traitement et dont l'aptitude intellectuelle ou physique paraît avoir subi une diminution considérable ;
• les blessés et malades guéris dont l'aptitude intellectuelle ou physique paraît avoir subi une diminution considérable et permanente.
Pourront être hospitalisés en pays neutre :
• les blessés et malades dont la guérison peut être envisagée dans l'année qui suit la date de la blessure ou le début de la maladie, si un traitement en pays neutre laisse prévoir une guérison plus certaine et plus rapide ;
• les prisonniers de guerre dont la santé intellectuelle ou physique est, selon les prévisions médicales, menacée sérieusement par le maintien en captivité, mais qu'une hospitalisation en pays neutre pourrait soustraire à cette menace.
Certains prisonniers de guerre hospitalisés en pays neutre peuvent être directement rapatriés après leur traitement s'il existe un accord entre les puissances concernées et s'appliquant à ceux dont :
• l'état de santé s'est aggravé de manière à remplir les conditions du rapatriement direct ;
• l'aptitude intellectuelle ou physique demeure, après traitement, considérablement diminuée.
– À cette fin, des commissions médicales mixtes seront désignées en vue d'examiner dès le début du conflit les prisonniers malades et blessés (voir annexe I de l'article 110 de la troisième Convention relative aux rapatriements directs et à l'hospitalisation en pays neutre des prisonniers de guerre blessés ou malades).
– Les prisonniers de guerre seront libérés et rapatriés sans retard à la fin des hostilités actives (GIII art. 118 à 119).
– Le décès des prisonniers de guerre est couvert par les articles 120 à 121. Il prévoit la validité des testaments individuels, la notification des actes de décès, le droit à être enterré de façon individuelle et l'obligation pour la puissance détentrice de procéder à une enquête pour toute mort suspecte.
– Les parties au conflit s'engagent à ouvrir des bureaux de renseignements concernant les prisonniers de guerre pour collecter les informations et organiser les secours relatifs aux prisonniers de guerre (GIII art. 122 à 125).

– Les actes suivants constituent des crimes de guerre s'ils sont commis contre des prisonniers de guerre : l'homicide intentionnel, la torture ou les traitements inhumains, y compris les expériences biologiques, le fait de causer intentionnellement de grandes souffrances ou de porter des atteintes graves à l'intégrité physique ou à la santé, le fait de contraindre un prisonnier de guerre à servir dans les forces armées de la puissance ennemie, ou celui de le priver de son droit d'être jugé régulièrement et impartialement selon les prescriptions de la troisième Convention (GIII art. 130).

▶ **Crime de guerre-Crime contre l'humanité.**

IV. Garanties fondamentales

• Le statut de prisonnier de guerre est étroitement lié à la qualité de combattant et donc au statut de membre des forces armées. Or le statut de combattant ne recouvre pas automatiquement toutes les personnes qui ont pris part aux hostilités (participation de la population civile aux hostilités, mercenaires ou enfants combattants) et même pas du tout dans le cas des conflits armés internes. Un certain nombre de garanties fondamentales restent applicables dans ces cas.
• L'article 3 commun aux quatre Conventions de Genève prévoit des garanties fondamentales pour toutes les personnes qui ne participent pas ou plus aux hostilités. Il garantit ainsi à tous les individus et quelles que soient les circonstances des droits minimums qui ne peuvent pas être refusés par la puissance détentrice. L'État ne peut pas prétexter de la nature spécifique du conflit ou invoquer les difficultés de sa qualification précise, les accusations de participation illégale aux hostilités ou de terrorisme ainsi que la nationalité de la personne concernée pour refuser l'application de l'article 3 commun aux individus qui sont en son pouvoir et sous son contrôle. C'est dans ce cadre que la Cour suprême américaine a rejeté en 2006 l'argumentation des autorités de ce pays et a jugé que l'article 3 commun était applicable aux détenus de la guerre contre le terrorisme à Guantanamo. Cette position a depuis été confirmée par la jurisprudence et la coutume internationale. Les garanties minimales de l'article 3 commun ont été complétées par les deux Protocoles additionnels de 1977. Ils ont prévu des droits supplémentaires concernant la protection des personnes qui ne participent pas ou plus aux hostilités dans les conflits armés internationaux et non internationaux, quelque que soit le statut de ces individus.

1. *Dans les conflits armés internationaux*

L'article 75 du Protocole additionnel I de 1977 précise que toute personne qui, ayant pris part à des hostilités, n'a pas droit au statut de prisonnier de guerre (après décision d'un tribunal compétent, voir *supra*) et ne bénéficie pas d'un traitement plus favorable conformément à la quatrième Convention (relative à la protection des civils) a droit, en tout temps, à la protection des garanties fondamentales concernant le traitement humain, les conditions de détention et les garanties judiciaires. (Voir ▷ **Détention** ▷ **Garanties fondamentales** ▷ **Garanties judiciaires**.)

2. *Dans les conflits armés non internationaux*

• Le Protocole additionnel II, relatif aux conflits non internationaux, ne se réfère pas directement à la définition du prisonnier de guerre. Cependant il fixe un certain nombre de dispositions qui protègent les personnes détenues ou privées de liberté en relation avec le conflit, qui interdisent les mauvais traitements et qui fixent les garanties fondamentales de traitements et les garanties judiciaires applicables à ces personnes qu'elles aient ou non participé à des hostilités.

• Toutes les personnes, privées ou non de la liberté, sont protégées par des garanties fondamentales et ont notamment droit au respect de la personne, de l'honneur, des convictions et pratiques religieuses et à être traitées avec humanité et sans aucune distinction de caractère défavorable (GI-GIV art. 3 commun ; GPII art. 4). (Voir ▷ **Garanties fondamentales.**)

• Toutes les personnes privées de liberté pour des motifs en relation avec le conflit sont protégées contre les mauvais traitements et bénéficient de garanties spécifiques détaillées au titre des garanties fondamentales liées à cette détention (GPII art. 5). (Voir ▷ **Détention.**)

• L'étude sur les règles du droit international humanitaire coutumier publiée par le CICR en 2005 reconnaît que les combattants doivent se distinguer de la population civile lorsqu'ils prennent part à une attaque ou une opération militaire préparatoire d'une attaque. S'ils ne se conforment pas à cette obligation, ils n'ont pas droit au statut de prisonnier de guerre, mais ne peuvent pas être condamnés sans un jugement et respect de garanties judiciaires (règles 106 et 107). Le droit coutumier rappelle que toutes les personnes hors de combat doivent être traitées avec humanité et il énonce le contenu de cette obligation de traitement humain et les garanties fondamentales qui s'appliquent à toutes les personnes hors de combat, y compris les garanties en cas de détention, de jugement et de condamnation (règles 87 à 105). (Voir ▷ **Garanties fondamentales** ▷ **Garanties judiciaires.**)

• Le statut de prisonnier de guerre et les garanties qui lui sont attachées par la troisième Convention peuvent éventuellement être invoqués par les individus qui entrent dans la catégorie générale des combattants ou par les individus qui participent aux hostilités, sous condition de réciprocité. Le bénéfice de ce statut de prisonnier de guerre n'est pas automatique, il découle de l'existence d'un accord spécial entre les parties au conflit interne.

Consulter aussi

▶ **Combattant** ▷ **Espion-Espionnage** ▷ **Mercenaire** ▷ **Mouvements de résistance** ▷ **Garanties judiciaires** ▷ **Mauvais traitements** ▷ **Détention** ▷ **Évacuation** ▷ **Garanties fondamentales** ▷ **Agence centrale de recherches** ▷ **Sécurité** ▷ **Croix-Rouge, Croissant-Rouge** ▷ **Crime de guerre-Crime contre l'humanité** ▷ **Puissance protectrice** ▷ **Accord spécial.**

Pour en savoir plus

HINGORANI R. C., *Prisoners of War,* Oxford & I.B.H. Publishing Co, 1982.

LAPIDOTH R., « Qui a droit au statut de prisonnier de guerre ? », *Revue générale de droit international public,* 1978, p. 170-210.

NAQVI Y., « Doubtful prisoner-of-war-status », *Revue internationale de la Croix-Rouge*, n° 847, septembre 2002, p. 571-595.
RODLEY N., *The Treatment of Prisoners under International Law*, Clarendon Press, Londres, 1987.
SASSOLI M., *La « Guerre contre le terrorisme », le droit international humanitaire et le statut de prisonnier de guerre*, The Canadian Yearbook of international Law, vol. 39, 2002.

Programme alimentaire mondial (PAM)

1. *L'Organisation*

Créée en 1963 par l'Assemblée générale de l'ONU et la FAO, le PAM est un organe subsidiaire des Nations unies. Il siège à Rome.

2. *Mandat*

Le PAM est, dans le système des Nations unies, l'agence chargée de l'aide alimentaire dans le but de lutter contre la faim et d'améliorer la sécurité alimentaire dans les pays les plus pauvres. Le mandat du PAM est de :
a) sauver des vies humaines dans les crises humanitaires ;
b) améliorer la nutrition et les conditions de vie des populations les plus vulnérables pendant les périodes critiques de leur existence au travers de son programme *Food for Growth Program* ;
c) contribuer à la création d'actifs et promouvoir l'autonomie des individus des communautés les plus pauvres.
Il appuie le développement économique et social, et répond aux situations d'urgence. Ces deux axes de travail seront toujours menés dans la perspective de « renforcer l'autonomie » des populations.
Le PAM veille à ce que la conception et l'exécution de ses programmes d'assistance se fonde sur une très large participation des bénéficiaires, et des femmes en particulier. En 2012, le PAM a apporté 3,5 millions de tonnes d'aide alimentaire à 97,2 millions de personnes (dont 89 millions de femmes et d'enfants) dans 80 pays.

3. *Structure*

Il est dirigé par un conseil d'administration de 36 membres (auxquels s'ajoute l'Union européenne en tant qu'observateur), élus pour un mandat de trois ans renouvelable. Le directeur exécutif est élu conjointement par le secrétaire général des Nations unies et par le directeur général de la FAO, en consultation avec le conseil d'administration. Actuellement, la directrice exécutive est Ertharin Cousin, nommée en avril 2012.
Le siège du PAM compte huit départements : bureau du directeur exécutif, opérations, transport et logistique, mobilisation des ressources et relations extérieures, finances et système d'information, stratégie et politique, services administratifs, ressources humaines. En 1996, le PAM s'est engagé dans un processus de décentralisation qui a abouti à la création de bureaux régionaux décentralisés qui disposent

d'une forte autorité décisionnelle. Le PAM emploie en tout 8 829 personnes, dont 92 % sont sur le terrain.

4. *Moyens*

• Le PAM intervient sur requête du gouvernement. Il mène sa propre évaluation, puis conclut un accord, la *Letter of Understanding* (LOU) avec les autorités sur les programmes, ce qui implique une forme de négociation.

• Le budget proposé du PAM pour 2012 est de 5,49 milliards de dollars. 30 % des ressources du PAM concernent les projets de développement. Il participe par le mécanisme du *food for work* à la réalisation d'infrastructures agricoles et d'aménagement du territoire (construction de routes). Le PAM contribue aussi à la promotion du développement humain à travers des programmes nutritionnels, de santé et d'alimentation scolaire.

• En ce qui concerne les opérations de secours (opérations d'urgence et interventions prolongées qui représentent 70 % des ressources), le PAM a la responsabilité d'assurer l'approvisionnement des denrées alimentaires de base et de payer leur acheminement international et interne jusqu'aux stocks de distribution.

Il dispose pour cela de la Réserve alimentaire internationale d'urgence (RAIU), constituée depuis 1976 à la demande de l'Assemblée générale. Le plancher annuel de cette réserve est fixé à 500 000 tonnes de denrées. Le PAM gère aussi le compte d'intervention immédiate (CII), qui assure un démarrage immédiat des opérations d'urgence sans attendre la mise à disposition des fonds par les donateurs, au plancher annuel fixé à 35 millions de dollars. Cependant, la mobilisation des ressources pour les opérations de secours passe surtout par des appels spéciaux effectués en cours d'année en fonction des urgences.

• Le travail du PAM comporte un important volet d'activité logistique. Le PAM est en effet responsable de l'acheminement jusqu'au lieu de distribution. Cela implique un acheminement international, puis un acheminement à l'intérieur du pays de destination jusqu'au point de distribution. Le PAM doit trouver une solution, pour remplacer le « chaînon manquant » dans le circuit de transport et se frayer l'accès aux populations qu'il a mission d'assister. C'est ainsi qu'il aménage des infrastructures portuaires, des aéroports, des routes. Cette tâche logistique est reconnue par le Conseil maritime mondial, qui reconnaît au PAM le droit d'utiliser son propre document de transport (le *Worldfood Waybill Charter*), qui certifie qu'il achemine des denrées à usage humanitaire, et doit lui faciliter les procédures administratives de dédouanement et de transit des marchandises. Une vingtaine de cargos sillonnent le globe en permanence, prêts à être détournés sur n'importe quel site de crise.

• La fragilité de ce système réside dans le fait qu'il repose exclusivement pour son financement sur les contributions volontaires des États (3,7 milliards de dollars en 2011). Celles-ci se répartissent en fonction du type d'opérations :

– ressources ordinaires pour les projets de développement et les situations prolongées de réfugiés et déplacés ;

– interventions d'urgence pour les réfugiés et déplacés ;

– contributions à la Réserve alimentaire internationale d'urgence ;

– contributions au compte d'intervention immédiate (CII) de la RAIU ;
– contributions en apport non alimentaire (prestations de personnel technique et administratif, outillage et matériel).
Les contributions sont fournies pour moitié en nature et pour moitié en cash. Elles sont basées depuis 1996 sur le principe du « recouvrement intégral des coûts », qui assure la couverture des frais administratifs et des besoins en cash. Le PAM développe à cet égard une politique d'achat local des denrées alimentaires qui permet la réduction des coûts de transport, la distribution de produits adaptés aux habitudes alimentaires des bénéficiaires et la stimulation des économies locales.
• Pour améliorer l'efficacité de ses actions, le PAM s'efforce de les coordonner avec les autres organes compétents du système onusien. En matière d'aide alimentaire aux réfugiés, déplacés et rapatriés, cette volonté s'est concrétisée par la signature en 1985 d'un accord cadre de partenariat (*Memorandum of Understanding*, MOU), avec le HCR. Cet accord a été modifié en 1991, 1994 et 1997. Un MOU a également été signé avec l'UNICEF en janvier 1998. Le PAM travaille étroitement avec les instances des Nations unies qui s'occupent de coordination dans le domaine humanitaire. Par exemple, le PAM est l'une des agences leader du Comité permanent interagences, dirigé par le Bureau de la coordination des affaires humanitaires (OCHA) et l'ECHA (Executive Committee for Humanitarian Affairs).
• Depuis plusieurs années, le PAM a aussi beaucoup développé ses relations avec les ONG. Des accords formels ont été signés avec quinze partenaires ONG et un mécanisme de consultation annuel a été mis en place en 1995. Le PAM coopère sur le terrain avec près de 1 000 ONG. La collaboration repose sur la signature d'un accord de partenariat *ad hoc* (*Letter of Understanding*, LOU) qui est en général un accord tripartite entre le PAM, l'ONG et le gouvernement du pays d'accueil. En outre, un bureau de liaison avec les ONG (NGO, *Liaison Unit Headquarters*) basé à Rome, a été créé en 1987 pour favoriser la coopération entre le PAM et les ONG.

▸ **FAO ▷ Famine ▷ Secours ▷ Alimentation.**

Contact

PAM
Via Cesare Giulio Viola. 68 Parco dei Medici
I – 00148 Rome / Italie
Tel : (00 39) 6 6513-1
Fax : (00 39) 6 5127400/6 5133537
www.wfp.org/

Programme des Nations unies pour le développement (PNUD)

Le PNUD a été créé en novembre 1965 par l'Assemblée générale des Nations unies suite à la fusion de deux programmes antérieurs :

– L'*Expanded Program of Technical Assistance,* créé par l'ECOSOC en 1949, dont l'organe de direction était le *Technical Assistance Board* ;
– Le *UN Special Fund* créé en 1958 par l'Assemblée générale.
C'est un organe subsidiaire des Nations unies et son siège se situe à New York.

1. *Mandat*

Le PNUD se fonde sur le principe selon lequel le développement est inséparable de la recherche de la paix et de la sécurité humaine et que les Nations unies doivent diriger tous leurs efforts aussi bien en faveur du développement qu'en faveur de la paix. Le but principal du PNUD est d'aider les pays à développer leur capacité pour atteindre un « développement humain durable » et créer les conditions pour un État actif engagé dans l'éradication de la pauvreté. Souvent, le PNUD coordonne l'action des autres agences et organes des Nations unies : les représentants résidents du PNUD jouent le rôle de résident coordinateur pour les activités opérationnelles de développement et d'assistance humanitaire du système des Nations unies.
Il « s'efforce aussi d'être un partenaire efficace en matière de développement pour les agences de secours des Nations unies [...]. Il agit pour aider les pays à se préparer, à éviter et à répondre aux urgences complexes et aux désastres ». C'est pourquoi, le PNUD est l'un des organes prédominants au Comité permanent interagences dont l'objectif est de permettre la coordination lors d'urgences humanitaires.

2. *Structure*

Le PNUD est dirigé par un comité exécutif comprenant 36 États membres, élus pour trois ans renouvelables. L'administrateur est nommé pour un mandat de quatre ans par le secrétaire général de l'ONU, et confirmé par l'Assemblée générale. En avril 2009, l'ancienne Premier ministre néo-zélandaise Helen Clark a été désignée pour remplir cette fonction. 85 % du personnel du PNUD est sur le terrain.
Le PNUD a des bureaux dans 132 pays avec des programmes couvrant 166 pays. Le projet de budget du PNUD pour l'exercice biennal 2010-2011 s'élève à un montant brut de 828,3 millions de dollars, dont 88 % sont affectés aux activités de développement, 7,5 % aux activités de gestion, 2,6 % aux activités des Nations unies de coordination du développement et 1,9 % aux activités menées à des fins spéciales. En plus de ses programmes réguliers, il administre des fonds spéciaux comme le Fonds des Nations unies pour le développement de la femme (UNIFEM), le Bureau contre la désertification et la sécheresse (UNSO), les volontaires des Nations unies ; il cofinance aussi le programme global pour l'environnement comme celui du sida.

3. *Moyens*

Ses programmes se concentrent sur des thèmes tels que l'éradication de la pauvreté, la régénération environnementale, la création d'emplois et la promotion de la femme. Pour administrer ses programmes, il s'appuie à la fois sur l'expérience des ONG nationales et des individus, et des agences spécialisées des Nations unies. En 1997, le PNUD a publié un *Rapport sur le développement humain* qui propose une nouvelle méthode « multidimensionnelle » pour mesurer la pauvreté. Le rapport propose six axes d'action principaux : donner aux individus, aux ménages et aux communautés les moyens et la capacité de mieux maîtriser leur existence et leurs ressources ; renforcer l'égalité sociologique entre les sexes ; accélérer la croissance en faveur des pauvres ; améliorer la maîtrise de la mondialisation ; créer les conditions pour un État actif ; prendre des mesures particulières dans des situations exceptionnelles. Cette dernière suggestion comprend l'établissement de mesures spéciales en faveur d'un soutien international aux pays faisant face à une extrême pauvreté, en raison par exemple d'une désintégration sociale ou de conflit.

Dans les situations d'urgence, le représentant résident du PNUD peut organiser les secours en coopération directe avec le coordinateur des secours d'urgence du Bureau des Nations unies pour la coordination des affaires humanitaires (OCHA). Il devrait également intégrer des projets de réhabilitation aux opérations de secours afin d'alléger la pauvreté qui souvent alimente les tensions. Enfin, il dirige un programme de formation de réaction aux catastrophes en collaboration avec l'OCHA.

▶ **Organisation des Nations unies ▷ Bureau de la coordination des affaires humanitaires (OCHA) ▷ Secours ▷ Femme ▷ Catastrophe.**

Contact

Programme des Nations unies pour le développement
1, place des Nations-Unies
New York, NY 10017 / États-Unis
Tél. : (00 1) 212 906 5315/Fax : (00 1) 212 906 53 64.
www.undp.org

Proportionnalité

La proportionnalité est un principe fondamental en droit international, qui conditionne la légalité d'une action au respect d'un équilibre entre l'objectif et les moyens utilisés. Elle suppose donc une obligation d'appréciation du contexte avant de pouvoir décider du caractère licite ou illicite d'une action. Cette appréciation est à la charge de celui qui agit avant qu'il puisse entreprendre son action et engage sa responsabilité. En cas de contestation ou de doute, un tribunal appréciera a posteriori les faits et leur légalité.

La proportionnalité est particulièrement importante pour juger la légalité de l'usage de la force armée. Elle s'applique notamment aux actions en cas de légitime défense individuelle ou étatique, au recours à la force publique par un État pour rétablir l'ordre et la sécurité publique en période de troubles ou de tensions internes, et au recours à la force armée en période de conflit international ou non international. En droit pénal international, les peines et sanctions doivent aussi être proportionnées à la gravité du crime.

1. *Proportionnalité dans l'attaque et dans la riposte*

Le droit international n'autorise les États à recourir à la force armée qu'au titre de la légitime défense en cas d'agression (Charte de l'ONU art. 51). Mais la notion de légitime défense ne permet de justifier que des mesures proportionnées à l'agression armée subie, et nécessaires pour y riposter.

Le droit international humanitaire (DIH) applicable aux conflits armés (*jus in bello*) se réfère au principe de proportionnalité pour limiter les dommages causés par les opérations militaires sur les biens et populations civils. Lorsqu'un État a recours à la force armée, le *jus in bello* entre en jeu pour réguler et limiter l'usage de la force en période de conflit armé.

Le DIH impose le respect du principe fondamental de distinction entre les objets civils et les objectifs miliaires, notamment à travers l'utilisation de méthodes de guerre spécifiques. L'attaque d'un objectif militaire légitime peut toutefois causer des dommages collatéraux sur des biens et personnes civils protégés par le DIH. Le principe de proportionnalité complète ainsi d'autres principes du DIH tels que celui de distinction pour juger de la légalité des activités militaires. La proportionnalité exige que l'effet des moyens et méthodes de guerre utilisés ne soit pas disproportionné à l'avantage militaire recherché et que la riposte soit proportionnée à l'attaque.

Le droit humanitaire interdit également les attaques qui font des victimes dans la population civile et les dommages aux biens de caractère civil excessifs par rapport à l'« avantage militaire concret et direct attendu » (GPI art. 51, 57). Le principe de proportionnalité englobe donc différents éléments du *jus ad bellum* et du *jus in bello*. Dans le second cas, il va au-delà de l'exigence de proportionnalité entre l'attaque militaire et la réponse à celle-ci. Il oblige les parties au conflit à trouver un équilibre entre les avantages militaires recherchés et les dommages et pertes civils liés au conflit. L'exigence de proportionnalité s'applique également aux représailles après une attaque.

Le principe de proportionnalité a été consacré comme règle de droit international humanitaire coutumier dans les conflits armés internationaux et non internationaux (règle 14 de l'étude sur les règles coutumières du DIH publiée par le CICR en 2005).

Le statut de la Cour pénale internationale (CPI), adopté le 17 juillet 1998 et entré en vigueur le 1er juillet 2002, considère de tels actes comme des crimes de guerre pour lesquels elle a compétence. Il ajoute à cette définition le fait de « lancer une attaque délibérée en sachant qu'elle causera [...] des dommages étendus, durables et graves à l'environnement naturel qui seraient manifestement excessifs par rapport à l'ensemble de l'avantage militaire concret et direct attendu » (article 8.2.IV du statut de la CPI).

Les décisions de plusieurs tribunaux internationaux ont précisé le contenu de ces obligations (*infra* Jurisprudence).

◆

• La proportionnalité fait partie des principes qui permettent de débattre concrètement de la limitation des actions militaires et de l'espace laissé dans les situations de conflit aux actions humanitaires. C'est cette notion qui permet de qualifier certaines souffrances d'inutiles. Non pas que d'autres soient utiles en tant que telles, mais plutôt que le droit humanitaire interdit les souffrances qui ne seraient pas directement en rapport avec un avantage militaire concret.

• C'est le caractère proportionné d'une riposte par rapport à une attaque qui permet de faire la différence entre une action de représailles, autorisée par le droit des conflits, et une action de vengeance, toujours interdite.

• Le droit humanitaire définit clairement la responsabilité des commandants militaires dans ce domaine.

2. Proportionnalité des restrictions aux droits de l'homme en période de troubles internes

La question de la proportionnalité des atteintes et restrictions aux droits de l'homme imposées par un État au nom de la sécurité nationale et de la défense de l'ordre public se pose dans de nombreuses situations de troubles et de tensions internes ou de lutte contre le terrorisme, dans lesquelles l'intensité de la violence et des affrontements ne permet pas d'appliquer le droit humanitaire. Ce sont donc les conventions internationales relatives aux droits de l'homme et les tribunaux nationaux ou régionaux en charge de l'application de ces conventions qui rappellent le cadre et le contenu de l'obligation de proportionnalité.

Il ressort de la jurisprudence dans ce domaine que les droits de l'homme restent applicables dans ces situations sous réserve des dérogations expresses faites par les États conformément aux procédures prévues à cet effet.

La jurisprudence affirme également que dans ces circonstances les décisions du pouvoir exécutif restent soumises au contrôle du juge national et international. Celui-ci garde le pouvoir et la responsabilité finale d'évaluer l'adéquation et la proportionnalité entre la restriction des droits individuels et l'argument de nécessité utilisé par le gouvernement pour justifier ses actions dans le domaine législatif ou du recours à la force (*infra* Jurisprudence).

▶ **Troubles et tensions internes.**

3. Proportionnalité des peines

La proportionnalité est aussi une garantie judiciaire fondamentale, assurant que la peine soit proportionnée au crime. On retrouve ce principe dans les Conventions de Genève qui imposent que les tribunaux de la puissance occupante appliquent le principe de la proportionnalité des peines (GIV art. 67).

Jurisprudence

• **La Cour internationale de justice (CIJ)**

La CIJ a rappelé l'existence d'une « règle bien établie en droit international coutumier – selon laquelle la légitime défense ne justifierait que des mesures proportionnées à l'agression armée subie, et nécessaires pour y riposter » (Activités militaires et paramilitaires au Nicaragua et contre celui-ci (Nicaragua c. États-Unis d'Amérique), fond, arrêt, *C.I.J. Recueil 1986*, p. 14, § 176).

Dans son avis de 1996 sur la légalité de l'emploi de l'arme nucléaire, le juge Higgins affirme que, si le principe de proportionnalité n'est pas spécifiquement défini, il se retrouve dans plusieurs dispositions du Protocole additionnel I aux Conventions de Genève de 1949. Ainsi, même une cible légitime ne devrait pas être attaquée si les dommages civils collatéraux sont disproportionnés à l'avantage militaire envisagé (Licéité de la menace ou de l'emploi d'armes nucléaires, avis consultatif, *C.I.J. Recueil 1996*, p. 226, opinion dissidente de M. le juge Higgins, p. 587).

• **Le Tribunal pénal international *ad hoc* pour l'ex-Yougoslavie (TPIY)**

Le TPIY définit le principe de proportionnalité comme étant celui en vertu duquel les dommages incidents (et involontaires) causés aux civils lors d'une attaque militaire, ne doivent pas être disproportionnés à l'avantage militaire direct qu'elle procure. Ce principe oblige ainsi à prendre un certain nombre de précautions dans les attaques. En effet même si les attaques sont dirigées contre des cibles militaires légitimes, elles sont illégales si elles emploient des moyens ou des méthodes de guerre aveugles, ou si elles sont menées de manière à causer sans discernement des dommages aux civils (affaire Kupreskic TPIY, 14 janvier 2000, § 524). Dans l'affaire Kupreskic, la Chambre de première instance du TPIY affirme qu'il demeure indiscutable que, même si certaines des victimes étaient des combattants, un grand nombre d'entre elles étaient des civils. Les juges rappellent le caractère sacro-saint du devoir de protéger les civils duquel découle notamment le caractère absolu que revêt l'interdiction de représailles contre ceux-ci. Il en découle que même s'il peut être prouvé que la population n'était pas uniquement composée de civils, mais qu'elle comportait des éléments armés, cela ne suffirait encore pas à justifier des attaques généralisées et sans discrimination contre des civils. En effet, même dans une situation de conflit armé total certaines normes fondamentales, telles les règles de proportionnalité, rendent cette conduite manifestement illégale (*id.* § 513).

Dans cette même affaire, les juges déclarent que « s'agissant d'attaques contre des objectifs militaires qui causent des dommages aux civils, un principe général du droit international prescrit que l'on prenne des précautions raisonnables lors de l'attaque d'objectifs militaires pour éviter que les civils pâtissent inutilement d'une imprudence ». Les juges rappellent que ces principes sont en partie exprimés aux articles 57 et 58 du Protocole additionnel I de 1977 et estiment que ces dispositions font maintenant partie du droit international coutumier, non seulement parce qu'elles précisent et étoffent les normes générales antérieures, mais également parce qu'aucun État, y compris ceux qui n'ont pas ratifié le Protocole, ne semble les contester. Certes, ces deux dispositions elles-mêmes laissent une large discrétion aux belligérants en employant une formulation dont on peut considérer qu'elle laisse le dernier mot à l'attaquant. Toutefois, dans ce domaine, les « considérations élémentaires d'humanité » devraient entrer pleinement en jeu lors de l'interprétation et de l'application de règles internationales imprécises, du fait qu'elles illustrent un principe général de droit international (*id.* § 524).

– Le TPIY reconnaît qu'il est plus facile de formuler le principe de proportionnalité en termes généraux que de l'appliquer à une situation précise parce que la comparaison doit souvent se faire entre des valeurs et des quantités différentes. Dans l'affaire des bombardements de l'OTAN sur la Serbie, le TPIY estime que c'est au cas par cas que le respect de ce principe peut être apprécié par les juges sur la base d'un critère objectif qui serait celui de l'appréciation d'un « commandant militaire responsable ». Ce faisant, le TPIY refuse de s'en remettre à l'appréciation d'une organisation de défense des droits de l'homme. Le tribunal estime que les questions qui restent à résoudre quand on se réfère au principe de proportionnalité sont les suivantes :

a) quelles sont les valeurs relatives que l'on attribue aux avantages militaires obtenus et aux blessures et dommages infligés aux non combattants et aux biens civils ?

b) qu'est-ce que l'on prend en compte et qu'est-ce que l'on exclut quand on fait ce calcul ?

c) quelles sont les unités de mesures dans le temps et dans l'espace ?

d) dans quelles mesures un commandant militaire doit il exposer ses propres forces au danger pour limiter les dégâts causés aux civils ou à leurs biens. ?

(*Final report to the Prosecutor by the Committee established to review the NATO Bombing campaign against the Federal Republic of Yugoslavia*, TPIY, 13 juin 2000, § 48,49, http://www.un.org/icty/pressreal/nato061300.htm)

• **La Cour européenne des droits de l'homme (CEDH)**

Dans son jugement dans l'affaire Aksoy c. Turquie, la CEDH rappelle qu'« il incombe à chaque État contractant responsable de la "vie de [sa] nation", de déterminer si un "danger public" la menace, et, dans l'affirmative, jusqu'où il faut aller pour essayer de le dissiper. [...] Les État ne jouissent pas pour autant d'un pouvoir illimité en ce domaine. La Cour a compétence pour décider, notamment, s'ils ont excédé la "stricte mesure" des exigences de la crise ». Par conséquent, les mesures de dérogations prises doivent être strictement exigées par la situation et proportionnées au danger (affaire Aksoy c. Turquie, requête n° 21987/93, arrêt (Chambre), 18 décembre 1996, § 68).

• **La Cour interaméricaine des droits de l'homme**

Dans un jugement de 1988, la Cour a affirmé que, quelle que soit la gravité de certaines actions et la culpabilité des auteurs de certains crimes, le pouvoir de l'État n'est pas illimité, et celui-ci ne peut pas avoir recours à tous les moyens pour parvenir à ses fins (Velasquez Rodriguez v. Honduras, I/A Court H.R. (Ser. C.), n° 4, 1, 1988, § 154).

• **La Cour suprême d'Israël**

Dans un arrêt de 1999 concernant la légalité du recours à des méthodes d'interrogatoires exceptionnelles dans le cadre de la lutte contre le terrorisme, la Cour suprême israélienne affirme que ni le droit international ni le droit national ne reconnaissent l'argument de nécessité nationale pour recourir à la torture ou à des pressions physiques modérées lors d'interrogations dans le cadre de la lutte contre le terrorisme. Selon les juges, l'argument de nécessité ne crée pas un cadre juridique nouveau autorisant l'emploi de méthodes prohibées. L'utilisation de ces pressions physiques modérées ne fait pas partie des méthodes légales et l'argument de nécessité ne peut pas être utilisé *a priori* (« *ex ante* ») pour justifier ces méthodes *(Public Committee Against Torture in Israel v. The government of Israel,* HCJ 5100/94, 26 mai 1999, § 36-37).

Dans un arrêt de 2004 concernant l'examen de la légalité de l'intervention des forces armées israéliennes à Rafah dans la bande de Gaza la Cour suprême israélienne reconnaît que l'argument de nécessité peut justifier une opération militaire, mais rappelle que ce n'est pas parce qu'une opération militaire est légitime d'un point de vue militaire qu'elle est légale d'un point de vue juridique. La Cour affirme qu'il appartient au juge d'examiner leur légalité *via* la proportionnalité des conséquences de ces opérations. « Judicial review does not examine the wisdom of the decision to carry out military operations. The issue addressed by judicial review is the legality of the military operations. Therefore we presume that the military operations carried out in Rafah are necessary from a military viewpoint. The question before us is whether these military operations satisfy the national and international criteria that determine the legality of these operations. The fact that operations are necessary from a military viewpoint does not mean that they are lawful from a legal viewpoint. Indeed, we do not replace the discretion of the military commander in so far as military considerations are concerned. That is his expertise. We examine their consequences from the viewpoint of humanitarian law. That is our expertise » [arrêt uniquement disponible en anglais, *NdlR*] (*Physician for Human rights v. the Commander of IDF Forces in the West Bank*, HCJ 2117/02, 30 mai 2004, § 9).

Dans un arrêt de 2005 relatif à l'examen de la politique israélienne d'assassinats ciblés dans le cadre de la lutte contre le terrorisme après la seconde Intifada, la Cour suprême israélienne confirme sa jurisprudence de 1999 sur le contrôle judiciaire de la proportionnalité des dérogations, en affirmant qu'il est nécessaire de trouver un équilibre entre les besoins en termes de sécurité et les droits individuels (*Public Committee Against Torture in Israel v. The government of Israel*, HCJ 769/02, 11 décembre 2005, § 63).

Elle reconnaît que le principe de proportionnalité est un principe général du droit international, une part substantielle du droit international des conflits armés et un élément central du droit de l'occupation armée (§ 41, 42). Dans ce jugement, la Cour suprême israélienne détaille le fonctionnement du principe de proportionnalité [arrêt uniquement disponible en anglais, *NdlR*].

« The principle of proportionality arises when the military operation is directed toward combatants and military objectives, or against civilians at such time as they are taking a direct part in hostilities, yet civilians are also harmed. The rule is that the harm to innocent civilians caused by collateral damage during combat operations must be proportional [...]. Civilians might be harmed due to their presence inside of a military target, such as civilians working in an army base ; civilians might be harmed when they live or work in, or pass by, military targets ; at times, due to a mistake, civilians are harmed even if they are far from military targets ; at times civilians are forced to serve as "human shields" from attack upon a military target, and they are harmed as a result. In all those situations, and in other similar ones, the rule is that the harm to the innocent civilians must fulfil, inter alia, the requirements of the principle of proportionality » (§ 42). « The principle of proportionality applies in every case in which civilians are harmed at such time as they are not taking a direct part in hostilities. A manifestation of this customary principle can be found in The First Protocol, pursuant to which indiscriminate attacks are forbidden § 51 (4) » (§ 43). « The proportionality test determines that attack upon innocent civilians is not permitted if the collateral damage caused to them is not proportional to the military advantage (in protecting combatants and civilians). In other words, attack is proportional if the benefit stemming from the attainment of the proper military objective is proportional to the damage caused to innocent civilians harmed by it. That is a values based test. It is based upon a balancing between conflicting values and interests [...]. It is accepted in the national law of various countries. It constitutes a central normative test for examining the activity of the government in general, and of the military specifically, in Israel » (§ 45). « That aspect of proportionality is not required regarding harm to a combatant, or to a civilian taking a direct part in the hostilities at such time as the harm is caused. Indeed, a civilian taking part in hostilities is endangering his life, and he might – like a combatant – be the objective of a fatal attack. That killing is permitted. However, that proportionality is required in any case in which an innocent civilian is harmed. Thus, the requirements of proportionality stricto senso must be fulfilled in a case in which the harm to the terrorist carries with it collateral damage caused to nearby innocent civilians. [...] Performing that balance is difficult. Here as well, one must proceed case by case, while narrowing the area of disagreement. Take the usual case of a combatant, or of a terrorist sniper shooting at soldiers or civilians from his porch. Shooting at him is proportional even if as a result, an innocent civilian neighbour or passer-by is harmed. That is not the case if the building is bombed from the air and scores of its residents and passers-by are harmed [...]. The hard cases are those which are in the space between the extreme examples. There, a meticulous examination of every case is required ; it is required that the military advantage be direct and anticipated (see § 57 (2) (iii) of The First Protocol). Indeed, in international law, as in internal law, the ends do not justify the means. The state's power is not unlimited. Not all of the means are permitted. [...] However, when hostilities occur, losses are caused. The state's duty to protect the lives of its soldiers and civilians must be balanced against its duty to protect the lives of innocent civilians harmed during attacks on terrorists. That balancing is difficult when it regards human life. It raises moral and ethical problems [...] Despite the difficulty of that balancing, there's no choice but to perform it » (§ 46).

« The approach is similar regarding proportionality. The decision of the question whether the benefit stemming from the preventative strike is proportional to the collateral damage caused to innocent civilians harmed by it is a legal question, the expertise about which is in the hands of the judicial branch. [...] Proportionality is not a standard of precision. At times there are a number of ways to fulfil its conditions. A zone of proportionality is created. It is the borders of that zone that the Court guards. The decision within the borders is the executive branch's decision. That is its margin of appreciation [...] » (§ 58).

Consulter aussi

▸ **Nécessité militaire ▷ Représailles ▷ Attaque ▷ Guerre ▷ Méthodes de guerre ▷ Devoirs des commandants ▷ Cour pénale internationale ▷ Objectif militaire ▷ Biens protégés ▷ Légitime défense ▷ Droits de l'homme ▷ Recours individuels ▷ Cour européenne des droits de l'homme.**

Pour en savoir plus

CANNIZZARO E., « Contextualisation de la proportionnalité : *jus ad bellum* et *jus in bello* dans la guerre du Liban », *Revue internationale de la Croix-Rouge,* vol. 88, 2006, n° 864, p. 275-290. Disponible en ligne sur: http://www.icrc.org/fre/assets/files/other/irrc_864_cannizzaro.pdf

DINSTEIN Y., « Collateral Damage and the Principle of Proportionality », in *New Wars, New Laws ?* David WIPPMAN et Matthew EVANGELISTA (éds.). New York : Transnational Publishers, 2005, p. 211-224.

HOPKINS J. M., « Regulating the conduct of urban warfare : lessons from contemporary asymmetric armed conflicts », *Revue internationale de la Croix-Rouge,* vol. 92, n° 878, juin 2010, p. 469-493.

MULINEN F. DE, *Manuel sur le droit de la guerre pour les forces armées,* CICR, Genève, 1989, p. 96-97.

Protection

La protection des personnes est assurée dans le cadre d'une société par l'état de droit et le statut juridique des individus défini par le droit national et international. La protection des individus se situe au point de rencontre entre les droits individuels et les contraintes d'ordre et de sécurité publics. Pour cette raison, le statut juridique national des personnes est renforcé par divers éléments de droit international qui donnent des droits spécifiques aux individus en période de troubles ou de conflit.

Il est dangereux de confondre protection et sécurité physique. Seules des entités disposant de l'usage de la force publique peuvent assurer la sécurité des individus. Le droit n'offre qu'un statut de protection légale. Cela signifie qu'il limite la façon dont la force ou la contrainte peut être utilisée contre les individus et qu'il organise des moyens concrets de défendre ces droits. Les agences humanitaires ne peuvent pas s'interposer physiquement pour assurer la sécurité des personnes en danger mais elles peuvent négocier l'accès aux victimes et participer au respect des règles de protection prévues au profit des populations en danger par le droit international humanitaire.

Les mandats de « protection » des civils, confiés par le Conseil de sécurité de l'ONU aux forces armées internationales et fondés sur la doctrine de la « responsabilité de protéger » concernant la sécurité physique et sont présentés à la rubrique ▷ **Maintien de la paix**.

◆ **• Protéger, c'est reconnaître que les individus ont des droits et que les autorités qui exercent leur pouvoir sur eux ont des obligations. C'est défendre l'existence légale des personnes protégées en même temps que leur existence biologique. C'est rajouter dans la chaîne des secours le maillon de la responsabilité juridique, seul véritable garant de la survie des individus.**

• La protection s'entend donc de toutes les mesures concrètes qui permettent de faire bénéficier les personnes en danger des droits et des secours prévus pour elles par les conventions internationales.

• Dans chaque cas, les actions de secours doivent s'appuyer sur les droits prévus au profit de personnes protégées et les défendre de façon concrète. À défaut, les actions de secours contribuent au contraire à affaiblir le cadre de protection juridique international prévu au profit des personnes en danger.

• Dans les situations de conflit, les organisations humanitaires ne doivent pas séparer assistance et protection dans leurs actions de secours.

• Ces organisations doivent connaître et respecter les droits garantis aux victimes et aux organisations de secours par le droit humanitaire, et rendre compte des violations de ce droit rencontrées dans l'exercice de leur mission.

• Ces éléments font partie de la responsabilité des organisations humanitaire vis-à-vis de l'application et du respect du droit humanitaire.

▶ **Responsabilité ▷ Principes humanitaires ▷ Sécurité ▷ Droits de l'homme ▷ Respect du droit humanitaire ▷ Recours individuels.**

I. En période de paix et de troubles et tensions internes

• Le statut personnel d'un individu découle de sa nationalité. Il est fixé dans les lois nationales autour de la notion de « contrat social ». La société donne des droits et des obligations aux individus qui en sont membres. Elle assure leur sécurité et le respect de l'ordre public. Cela signifie que l'État a la responsabilité de :

– fixer par la loi, les droits et obligations des individus membres de la collectivité nationale ;
– veiller à la sécurité physique des individus en défendant l'ordre public ;
– organiser des recours judiciaires au profit des individus victimes d'une violation de leurs droits et punir par des procédures judiciaires appropriées les atteintes à l'ordre public.
• Les lois nationales qui fixent le statut juridique des individus doivent être conformes aux principes généraux et aux droits contenus dans les conventions internationales sur les droits de l'homme.

▶ **Nationalité ▷ Droits de l'homme.**

Lorsque des situations exceptionnelles interviennent, l'État peut néanmoins suspendre l'application normale de certains droits individuels pour assurer la défense du pays. Il proclame souvent, dans ces cas-là, l'état d'urgence, l'état de siège ou l'état d'exception. Dans ces situations, l'État ne peut pas modifier ou suspendre certains droits individuels, qui constituent les garanties fondamentales de la personne humaine et qui restent toujours applicables. Ils incluent des garanties judiciaires. Ces droits sont énoncés dans les conventions internationales relatives aux droits de l'homme. Ils sont dits indérogeables, intangibles et inaliénables. Les tribunaux nationaux et certaines cours régionales relatives aux droits de l'homme sont compétents pour contrôler la légalité du comportement de l'État dans de telles situations. Ce contrôle judiciaire des actions du pouvoir a pour but d'évaluer la proportionnalité entre les restrictions imposées aux droits de l'homme au nom de la sécurité nationale et de la défense de l'ordre public en période de troubles, de conflits armés ou d'occupation militaire.

▶ **Proportionnalité ▷ Droits de l'homme ▷ Cour européenne des droits de l'homme ▷ État d'exception, état de siège, état d'urgence.**

■ Statut juridique international des individus

Même si le statut juridique des individus est principalement défini par le droit national, il existe aujourd'hui de nombreux éléments de droit international qui confèrent un statut juridique international aux individus. Ces éléments découlent des conventions internationales relatives aux droits de l'homme, applicables en période de paix ou de troubles, mais également des Conventions de Genève sur le droit humanitaire applicables en période de conflit.
Ce statut juridique international des individus se manifeste par l'existence :
– de normes internationales obligatoires relatives aux droits de l'homme en général, mais aussi de normes de droit international relatives au traitement de personnes spécifiquement protégées par le droit international. Ces normes ouvrent des droits objectifs, même limités, aux individus ;
– de voies de recours individuels ou étatiques, judiciaires ou non judiciaires, devant un organisme international, en cas de violations des règles de droit international concernant le traitement des individus. ■

▶ **Droits de l'homme ▷ Garanties fondamentales ▷ Garanties judiciaires ▷ Recours individuels ▷ Personnes protégées ▷ Nationalité ▷ Ordre public ▷ Troubles et tensions internes ▷ Territoire occupé.**

Les conventions internationales prévoient divers mécanismes de recours individuels ou étatiques en cas de violations de ces garanties fondamentales de la personne humaine.

II. En période de conflit

Dans ces situations, la protection de l'État national ne suffit plus aux individus, soit parce qu'ils sont exposés à l'autorité d'une partie adverse, soit parce qu'ils se trouvent affectés par les restrictions adoptées par leurs propres autorités. Ces restrictions concernent notamment les droits individuels et le fonctionnement de la justice.
Le droit humanitaire énonce donc les principales garanties accordées par les États en conflit aux individus (ressortissants ennemis ou autres). Il développe son mécanisme de protection dans deux directions complémentaires :
- l'octroi d'un statut juridique international pour les personnes en danger ;
- la réglementation internationale du droit relatif aux opérations de secours.

1. *Statut juridique international des personnes victimes de conflits armés*

• Le droit international humanitaire définit des catégories de personnes ou de biens protégés. Il établit à leur profit un statut juridique précis fixant les droits et les garanties que les États s'engagent à leur accorder. Ces droits et garanties sont différents pour chaque catégorie de personnes.
Les besoins de protection diffèrent selon les individus et les situations. Ils ne seront pas les mêmes pour la population civile d'un territoire occupé, pour les personnes détenues ou internées par la puissance adverse, pour les prisonniers de guerre, pour les malades et les blessés, les populations de territoires occupés ou celles déplacées à l'intérieur du territoire national, pour un hôpital ou pour un barrage hydraulique. Ces catégories désignent des « personnes protégées » et des « biens protégés » par le droit international humanitaire.
• Il fixe les responsabilités de la puissance au pouvoir de laquelle se trouvent ces personnes protégées. Le non-respect du statut des personnes protégées par cette puissance ou ses agents peut constituer un crime de guerre.
• Il établit également des mécanismes de surveillance du respect de ces droits, par le biais d'un système de puissances protectrices. Il prévoit que les individus peuvent adresser directement des appels aux représentants des puissances protectrices, et que les puissances protectrices doivent toujours pouvoir accéder aux personnes protégées et contrôler leur situation. Dans la réalité, cette mission est remplie par le CICR ou d'autres organisations humanitaires.
• D'autres branches du droit international organisent également les recours des individus en cas de violations des droits qui leur sont reconnus par les conventions sur les droits de l'homme (notamment en cas de torture).

▶ **Personnes protégées ▷ Biens protégés ▷ Puissance protectrice ▷ Personnel humanitaire et de secours ▷ Crime de guerre-Crime contre l'humanité ▷ Recours individuels ▷ Compétence universelle ▷ Déplacement de population ▷ Territoire occupé.**

2. *La protection des réfugiés*

• Le réfugié est un individu qui ne bénéficie plus de la protection juridique de son État d'origine. La Convention de 1951 relative au statut de réfugié lui accorde une protection internationale par l'intermédiaire du HCR. La fonction du HCR est de s'assurer que le réfugié puisse obtenir auprès d'un autre État un statut juridique individuel au titre de sa qualité de réfugié. À cet égard, le HCR veille à ce que les personnes qui ont dû fuir leur pays par crainte de persécutions, et qui ne peuvent plus se prévaloir de la protection de leur État d'origine, puissent déposer une demande d'asile dans un autre pays. Dans l'attente de l'obtention de ce statut, le HCR n'a pas la possibilité d'assurer la sécurité physique des réfugiés, mais il reste chargé de surveiller la procédure d'obtention du statut de réfugié, de s'assurer que des mesures sont prises pour sécuriser les camps de réfugiés et que les réfugiés ne sont pas refoulés ou rapatriés de force vers une source de danger. Il est également chargé de coordonner les secours qui leur assurent des conditions humaines de vie dans l'attente de l'obtention du statut.

▶ **Réfugié.**

3. *La réglementation des actions de secours*

Le droit international humanitaire autorise et réglemente les actions concrètes de secours au profit des personnes protégées entreprises par le CICR ou des organisations humanitaires impartiales. Les parties au conflit restent cependant toujours responsables du sort des populations protégées. Ainsi, elles ne sont pas autorisées à interdire les actions de secours, mais elles ne peuvent pas non plus s'en remettre uniquement à ces initiatives extérieures pour assurer la survie des populations et des personnes dont elles ont le contrôle. Les actions de secours doivent être conformes aux garanties que le droit humanitaire prévoit pour les victimes des conflits.

Les actions de secours s'inscrivent dans un cadre général de responsabilités établi par le droit humanitaire à l'égard du sort des populations. Les organisations de secours devraient donc connaître et défendre ces droits et dénoncer les situations où elles n'ont pas la possibilité de faire respecter ces garanties. Les organisations humanitaires doivent assumer leur part de responsabilités en respectant les principes opérationnels définis par le droit humanitaire. Elles doivent aussi rappeler leur responsabilité aux autorités politiques et militaires impliquées quand leur propre action est entravée. (Voir ▷ **Principes humanitaires** ▷ **Responsabilité**.)

III. La signification ambiguë du concept de protection

Le terme même de protection n'est pas dénué de toute ambiguïté. Traditionnellement, il implique l'existence de droits individuels et de procédures prévues pour faire valoir ces droits. Par exemple, on parle de protection des droits de l'homme pour faire référence aux droits des individus reconnus par les conventions internationales et à ceux contenus dans le droit interne de leur propre pays. On parle aussi de « protection » en référence aux droits et aux procédures spécifiques prévus par le droit international et les droits internes pour suppléer à la vulnérabilité de certaines catégories de personnes telles que les mineurs, les malades, les personnes avec un handicap, les réfugiés, les victimes de violence sexuelle ou encore les victimes de conflit armé. Dans ce cas, la protection est synonyme d'un statut juridique particulier (national ou international) accordé à ces différentes catégories de personnes vulnérables. Dans le contexte de conflit armé, le droit international humanitaire établit plusieurs catégories de « personnes protégées » requérant un traitement et une attention particuliers. On parle alors de mandat de protection pour désigner la responsabilité de l'organisation en charge de veiller à l'application des textes de droit international contenant les dispositions spécifiques à ce type de statuts ; par exemple le Haut-Commissariat aux réfugiés pour la Convention de 1951 relative au statut de réfugié, ou encore le Comité international de la Croix-Rouge pour les Conventions de Genève.

Le terme « protection » ne doit pas être confondu avec la garantie d'une sécurité physique pour des individus qui, même en temps de paix, ne sont qu'imparfaitement protégés par la loi et les structures d'ordre public de leur propre État.

Plus récemment, le terme de protection a été intégré aux opérations de maintien de la paix des Nations unies pour désigner les zones protégées où les populations vulnérables doivent être protégées par les forces internationales. Dans ce contexte, il s'agit d'une utilisation abusive et trompeuse du terme dans la mesure où il ne garanti pas la protection physique des populations en danger. Il s'agit en l'espèce d'une simple clarification du mandat des forces de maintien de la paix, les autorisant à recourir à la force en cas d'attaque imminente contre les civils dans la limite des moyens dont ils disposent. Cette clarification vise à éviter que n'éclatent de nouveaux scandales, comme cela pu être le cas par le passé lorsque les Casques bleus ont failli à leur tâche de protection des civils, notamment en Somalie, en ex-Yougoslavie ou au Rwanda. Ces mandats n'impliquent aucune obligation de moyens ou de résultats permettant aux forces armées internationales d'assurer la sécurité des populations.

Depuis 2001, le terme de protection est associé à la doctrine de la « responsabilité de protéger » adoptée par les Nations unies en 2005 et invoquée par le Conseil de sécurité en mars 2011 pour justifier l'intervention internationale en Libye.

▶ **Maintien de la paix ▷ Zones protégées.**

- ***Protection et assistance, protection et dénonciation***

Le droit humanitaire associe explicitement l'assistance à la protection. Il ne se limite pas à une approche quantitative des secours visant à lutter contre des pénuries par des approvisionnements généraux. Il inclut le droit à l'évaluation des besoins et le droit du contrôle impartial de la distribution des secours en privilégiant les plus vulnérables (GPI art. 70-71, GPII art. 18).

En effet, la distribution de l'aide humanitaire (assistance) est intimement liée à la négociation de l'accès et à la capacité de réduire la vulnérabilité des différentes personnes protégées par le droit humanitaire (protection). Les organisations humanitaires ne doivent pas artificiellement séparer ces deux dimensions de l'action. Elles doivent prendre en compte la vulnérabilité de certaines catégories de personnes ainsi que les garanties spécifiques de protection prévues par le droit humanitaire pour ces personnes. La négociation est un élément central de la dimension protectrice du travail de secours délivré par les organisations humanitaires. La protection ne doit pas être assimilée à la dénonciation des violations du droit humanitaire et des droits de l'homme, cependant elle ne doit pas être séparée de l'assistance. Si l'histoire de l'action humanitaire a montré que le silence et la confidentialité ne conditionnaient en rien le succès des actions de secours, elle a aussi prouvé que dénoncer publiquement la violence ne se traduisait pas nécessairement par la disparition, ni même la diminution, d'un tel phénomène. C'est pourquoi la dénonciation publique ne saurait être un principe constitutif des organisations de secours, comme elle peut l'être au contraire pour les organisations des droits de l'homme. La dénonciation publique s'avère être un outil utile dans le cadre de négociations afin de rappeler les responsabilités de chacun et de fixer des limites dans le cadre de situations de conflits. Elle peut aussi être une solution de dernier recours dans le cas d'attaques délibérées contre les civils et les personnes vulnérables. L'émergence des tribunaux pénaux internationaux et de la Cour pénale internationale a conduit certaines personnes à penser que la justice pénale internationale pouvait protéger les victimes. C'est en réalité loin d'être le cas puisque ces juridictions n'ont pas les moyens d'assurer la sécurité des témoins et des victimes dans leur pays de résidence. En outre, elles ne disposent que de moyens limités pour réinstaller ces personnes dans des pays tiers sous de nouvelles identités. La lutte contre l'impunité représente sur le long terme une composante de la sécurité et de la protection des individus, mais, dans des contextes marqués par l'instabilité politique et/ou par des situations de conflit, l'action judiciaire comporte des risques importants de représailles à l'encontre des victimes. Le temps long de la justice n'est pas le même que celui de la violence et il est important dans ces moments-là d'éviter de mettre en danger les personnes vulnérables. L'obligation de ne pas nuire reste un principe professionnel essentiel pour les travailleurs et organisations humanitaires de secours. Ces principes professionnels ont été rappelés et précisés pour tenir compte de l'évolution récente des contextes d'action humanitaire marqués par l'interventionnisme international tant sur le plan militaire que judiciaire.

▶ **Responsabilité (du personnel humanitaire).**

IV. Les standards professionnels du CICR pour les activités de protection

Face à la diversité des acteurs œuvrant au nom de la protection des personnes, le CICR a adopté en 2009 les Standards professionnels pour les activités de protection. Ces standards visent à éviter les pratiques susceptibles de mettre davantage en danger les populations à risque/porter préjudice aux populations à risque et à améliorer la compréhension des activités de « protection » des acteurs internationaux gouvernementaux comme non gouvernementaux.
En tant qu'organisation disposant d'un mandat de protection des victimes de conflit, le CICR a été encouragé à développer les Standards professionnels pour les activités de protection. En effet, dès le début des années 1990, des ONG des droits de l'homme au Conseil de sécurité, nombre d'acteurs n'ont cessé de faire référence aux activités de protection. Le consensus qui prévaut quant à l'importance de la protection recouvre une grande diversité de significations et de contenus en fonction des acteurs. Le terme est utilisé pour faire référence aux rapports publics des ONG, à leurs activités de plai-

doyer et de publication de rapports dans le cadre de leur lutte contre l'impunité et de leur dénonciation des violences ou des violations des droits dans un contexte donné. Il renvoie également à la négociation des conditions d'assistance par les organisations humanitaires et aux actions de sécurité en faveur des personnes à risque. Enfin, il fait référence aux opérations militaires des Nations unies dans le cadre d'opération de maintien et/ou d'imposition de la paix intégrant une composante protection. Plus récemment, il a émergé dans le cadre du système des Nations unies comme raison légitime d'autoriser le recours à la force ou d'imposer la compétence de la Cour pénale internationale.

Une telle proximité entre acteurs humanitaires et acteurs des droits de l'homme et entre activités militaires et activités judiciaires n'a fait qu'augmenter le risque de confusion quant à la capacité de chacun à définir et exercer sa propre responsabilité en matière d'« activités de protection ». D'où la nécessité d'établir des standards professionnels communs afin de garantir une meilleure capacité de réponse, une prédictibilité renforcée, une coopération et une coordination plus efficaces des acteurs de protection. Tirant les leçons des échecs passés de ces prétendues activités de protection, et les pertes humaines qui en ont résulté, il est apparu indispensable de réaffirmer la composante professionnelle des activités de protection ; les bonnes intentions n'étant pas suffisantes et pouvant même, dans certains cas, résulter en un risque accru pour les populations à protéger.

Depuis lors, plusieurs initiatives ont été lancées pour corriger une vision réductrice consistant à limiter la responsabilité des acteurs humanitaires à de la pure assistance, par opposition à la responsabilité de défenseur des droits conférée aux organisations de plaidoyer et de défense des droits de l'homme. L'une d'entre elles, le Projet Sphère, lancé en 1997 par le Steering Committee for Humanitarian Response (SCHR) et Interaction, en collaboration avec VOICE (Voluntary Organisations in Cooperation in Emergencies) et l'ICVA (International Council of Voluntary Agencies – Conseil international des agences bénévoles), a publié en 2004 la Charte humanitaire et normes minimales pour les interventions lors de catastrophes, document contenant un certain nombre de droits et de principes d'action en plus de l'assistance technique. En outre, la Fédération internationale de la Croix-Rouge a préparé et adopté en 1994 un code de conduite qui lie les activités d'assistance aux principes de base de la protection. L'impact de ces initiatives est cependant resté limité.

Des standards professionnels ont vu le jour lors d'ateliers organisés par le CICR entre 1996 et 2000. En 2001, l'ouvrage du CICR intitulé *Strenghtening Protection in War : A Search forPprofessional Standards* (en anglais seulement) présente, entre autres, une liste des différents « modes d'action » dont disposent les acteurs de protection sur le terrain, à savoir : la substitution, le soutien, la mobilisation, la persuasion et la dénonciation. Il consacre également « l'œuf de protection », une représentation graphique des trois niveaux d'action face à toute forme d'abus : mettre fin aux abus, travailler aux côtés des victimes et induire des changements durables dans l'environnement pour diminuer la probabilité qu'ils se reproduisent. Enfin, il propose une définition commune de la protection qui a permis aux acteurs humanitaires d'adopter une stratégie de plus en plus fondée sur le droit.

En 2009, le CICR a publié les Standards professionnels pour les activités de protection menées par les organisations humanitaires et de défense des droits de l'homme lors de conflits armés et d'autres situations de violence. Ce document a été réédité en avril 2013 avec une attention particulière donnée à la notion de consentement éclairé et à la question des liens entre gestion des données et nouvelles technologies (édition présentée dans cette entrée). Ces standards rassemblent et développent les principes directeurs et des règles fondamentales susceptibles d'établir les fondements d'une protection efficace et sûre. Les standards rappellent les difficultés et les dangers inhérents aux activités de protection ; ils soulignent également la nécessité d'éviter tout effet négatif, l'obligation de ne pas nuire et de disposer des compétences essentielles requises. Les principes suivants y sont formulés comme des impératifs professionnels :
– l'humanité, qui signifie placer l'individu au cœur des efforts de protection ;
– l'impartialité et la non-discrimination, qui supposent une évaluation objective de la situation et des besoins des populations affectées, en prenant en compte les facteurs de vulnérabilité et les besoins les plus urgents plutôt qu'en se fondant sur le mandat de l'organisation ;
– l'indépendance et la neutralité, qui garantissent la crédibilité des acteurs de la protection ;
– l'anticipation, qui signifie que les acteurs de la protection doivent anticiper les risques potentiels et agir en conséquence pour éviter les effets négatifs pouvant résulter de leur travail et s'assurer que leurs activités ne produisent pas d'effet discriminant ;
– la responsabilité, qui signifie que les acteurs de la protection sont en mesure de fixer leurs objectifs, définir leurs moyens et évaluer leur action. Ces derniers doivent mettre en œuvre une approche systématique pour (a) déterminer leurs priorités en fonction de leur domaine de compétence, (b) fixer des objectifs clairs en adéquation avec leurs capacités organisationnelles, (c) élaborer un plan d'action, (d) définir des outils de suivi et d'évaluation, utiliser une approche participative intégrant les personnes à risque dans leur processus de prise de décision ; et le respect des droits de l'homme.
Ces principes sont suivis de standards professionnels auxquels les organisations engagées dans des activités de protection doivent être en mesure de se conformer. Les acteurs de la protection doivent :
– connaître et respecter les cadres juridiques nationaux et internationaux ;
– s'assurer qu'ils ne se substituent pas aux autorités ;
– partager les informations avec les autorités pertinentes quand cela est possible ;
– faire preuve de clarté et de transparence quant à leurs intentions ;
– interagir avec les acteurs non humanitaires engagés dans la protection ;
– promouvoir la coopération et la complémentarité en prenant en considération les rôles et les capacités des autres acteurs de la protection ;
– fournir des informations relatives à la protection et faciliter la diffusion d'information lors de situations d'urgence ;
– réagir aux violations des droits de l'homme et en notifier les acteurs pertinents ;
– organiser les informations sur la protection de manière confidentielle en collectant les informations sur les abus et les violations seulement quand cela s'avère nécessaire à l'élaboration et à la mise en œuvre des activités de protection, et en garantissant l'intimité et le consentement éclairé des personnes concernées ;

– garantir leur capacité professionnelle en organisant régulièrement des formations, en minimisant l'exposition aux risques et en s'assurant de l'éthique de leur personnel.

Standards professionnels pour les activités de protection menées par les organisations humanitaires et de défense des droits de l'homme lors de conflits armés et d'autres situations de violence (2e édition, 2013)

• **Principes généraux pour les activités de protection**

1. Les acteurs de la protection doivent faire en sorte que leurs activités de protection se fondent sur le principe d'humanité.
2. Les activités de protection doivent être régies par les principes de non-discrimination et d'impartialité.
3. Les acteurs de la protection doivent faire en sorte que leurs activités n'aient pas d'effets discriminatoires.
4. Les acteurs de la protection doivent prévenir les effets néfastes que pourraient avoir leurs activités.
5. Les acteurs de la protection doivent contribuer à renforcer la capacité des autres acteurs de prévenir les effets néfastes que pourraient causer leurs activités.
6. Les activités de protection doivent être menées dans le respect de la dignité des individus.
7. Les acteurs de la protection doivent s'efforcer d'engager un dialogue avec les personnes en situation de risque et faire en sorte qu'elles participent aux activités qui les concernent directement.
8. À chaque fois que les circonstances s'y prêtent, les acteurs de la protection devraient faciliter et améliorer l'accès des populations touchées aux informations qui pourraient les aider à éviter ou à atténuer les risques auxquels elles sont exposées.
9. Les acteurs de la protection devraient envisager de renforcer les capacités des individus et des communautés pour accroître leur résilience.
10. Les acteurs de la protection travaillant avec les populations, les communautés et les individus touchés devraient les informer de leurs droits ainsi que du devoir incombant aux autorités de les respecter.

• **Gérer les stratégies de protection**

11. Avant d'entreprendre une activité, les acteurs de la protection doivent analyser les besoins dans leur domaine de compétence, puis utiliser cette analyse pour définir leurs priorités et élaborer des stratégies propres à répondre à ces besoins.
12. Les acteurs de la protection devraient traduire leur stratégie en objectifs spécifiques, mesurables, accessibles, réalistes et délimités dans le temps (SMART), décrivant clairement les résultats et l'impact attendus et accompagnés d'un plan d'action.
13. Les acteurs de la protection doivent assurer le suivi de leurs activités, évaluer leur impact et leurs résultats, et ajuster leur stratégie et leurs activités en conséquence.

• **Comprendre et renforcer l'architecture de la protection**

14. Les acteurs de la protection doivent fonder leur stratégie sur une bonne compréhension de l'architecture de la protection et du rôle des principaux débiteurs d'obligations, et l'ajuster en conséquence
15. Les acteurs de la protection doivent en tout temps éviter toute action susceptible d'affaiblir la capacité et la volonté des principales autorités compétentes de s'acquitter de leurs obligations.
16. Les acteurs de la protection ne doivent pas se substituer aux autorités lorsque celles-ci ont la capacité et la volonté d'assumer leurs responsabilités.

17. Les acteurs de la protection devraient prévoir une forme de communication avec les autorités compétentes dans leur stratégie.
18. Les acteurs de la protection devraient, à chaque fois que possible, veiller à engager un dialogue avec les acteurs armés non étatiques.
19. Tous les acteurs de la protection doivent spécifier leur rôle, leurs objectifs, leurs priorités institutionnelles et leurs moyens d'action.
20. Les acteurs de la protection doivent veiller à bien comprendre le rôle et les responsabilités des opérations de maintien de la paix des Nations unies et autres forces militaires et de police sous mandat international en matière de protection des civils, là où elles sont déployées.
21. Les acteurs de la protection devraient prendre l'initiative d'engager un dialogue avec les opérations de maintien de la paix des Nations unies, dans le but de promouvoir une amélioration de la protection dont bénéficient les populations vulnérables.
22. Lorsqu'ils nouent des relations avec des opérations de maintien de la paix des Nations unies ou d'autres forces militaires ou de police sous mandat international, les acteurs de la protection doivent le faire de manière à ne pas exposer les civils à des risques supplémentaires et à ne pas compromettre leur image d'acteurs impartiaux et indépendants et leur capacité d'agir comme tels.
23. Les acteurs de la protection devraient entretenir un certain degré d'interaction avec les autres forces militaires et de police sous mandat international afin de faciliter un dialogue sur la protection, et ainsi garantir le respect du droit international humanitaire, du droit international des réfugiés (lorsqu'il s'applique) et du droit international des droits de l'homme, et des activités de protection mieux documentées.
24. Les acteurs de la protection doivent prendre en compte les différents rôles des acteurs politiques, judiciaires et économiques dans le domaine de la protection.

• S'appuyer sur les fondements juridiques de la protection

25. Les acteurs de la protection doivent connaître les différents cadres juridiques applicables.
26. Les acteurs de la protection doivent être cohérents et impartiaux à l'égard des différentes parties à un conflit armé lorsqu'ils invoquent et/ou demandent le respect du droit applicable.
27. Lorsque les acteurs de la protection prennent des mesures pour faire en sorte que les autorités (y compris les acteurs armés non étatiques) respectent leurs obligations à l'égard de la population, leurs références au droit applicable doivent être précises. Leurs messages et leurs actions doivent être conformes à l'esprit et à la lettre des cadres juridiques existants et applicables.
28. Lorsque le droit interne et le droit régional applicables renforcent la protection et sont conformes au droit international, les acteurs de la protection devraient les prendre en compte dans leur action.
29. Les acteurs de la protection doivent être conscients que le droit international et les normes internationales ne peuvent pas être nivelés par le bas et doivent être pleinement respectés et défendus. Dans certains cas, il se peut que le pragmatisme exige de prendre une série de mesures progressives pour en assurer, à terme, le respect.

• Promouvoir la complémentarité

30. Les acteurs de la protection doivent tenir compte des rôles, des activités et des capacités des autres acteurs, en évitant les chevauchements inutiles et toute autre conséquence potentiellement négative, et en s'efforçant de créer des synergies.
31. Les acteurs de la protection doivent éviter de compromettre les efforts déployés par ceux d'entre eux qui décident d'adhérer aux principes d'indépendance et de neutralité.

32. Les acteurs de la protection devraient s'efforcer d'échanger leurs analyses pour favoriser une meilleure compréhension des questions relatives à la protection et de leur impact sur les différentes populations à risque.
33. Les acteurs de la protection doivent encourager d'autres acteurs œuvrant dans ce domaine et ayant les compétences et les capacités requises à agir là où ils soupçonnent que les besoins de protection à satisfaire sont importants.
34. Les acteurs de la protection devraient recenser les services essentiels assurés dans leur zone d'intervention, fournir des informations sur ces services aux personnes concernées à chaque fois que les circonstances s'y prêtent, et en faciliter activement l'accès dans les situations d'urgence.
35. Lorsqu'un acteur de la protection est en possession d'informations sur de graves violations du droit international humanitaire ou des droits de l'homme et que ses capacités ou son mandat ne lui permettent pas d'agir, il devrait alerter d'autres organisations susceptibles d'avoir les capacités ou le mandat requis.

• **Gérer les informations sensibles relatives à la protection**

36. Les acteurs de la protection ne doivent collecter des informations sur des abus ou des violations que lorsque cela s'avère nécessaire à l'élaboration ou à la mise en œuvre des activités de protection. Les informations recueillies ne doivent pas être utilisées à d'autres fins sans avoir préalablement obtenu le consentement des personnes concernées.
37. La collecte systématique d'informations, en particulier lorsqu'elle implique des contacts directs avec des victimes d'abus ou de violations, ne doit être réalisée que par des organisations qui en ont les capacités et les compétences, et qui ont mis en place les systèmes de gestion de l'information et les protocoles nécessaires.
38. Les acteurs de la protection doivent collecter et traiter les informations qui contiennent des données personnelles conformément aux règles et aux principes du droit international et aux lois régionales ou nationales relatives à la protection des données personnelles.
39. Les acteurs de la protection qui s'efforcent d'obtenir des informations doivent assumer la responsabilité d'évaluer les risques qu'encourent les personnes qui leur fournissent ces informations et de prendre les mesures qui s'imposent pour éviter toute conséquence négative pour les personnes qu'ils interrogent.
40. Les acteurs de la protection qui mettent en place une collecte systématique d'informations par le biais d'Internet ou d'autres médias doivent analyser les différents risques potentiels liés à la collecte, à l'échange ou à la publication des informations et adapter en conséquence leurs processus de collecte, de gestion et de publication des informations.
41. Les acteurs de la protection doivent déterminer le niveau de précision, l'étendue et la profondeur du processus de collecte de données, en fonction de l'usage qu'ils comptent en faire.
42. Les acteurs de la protection devraient vérifier de façon systématique les informations collectées afin de s'assurer qu'elles sont fiables, précises et actuelles.
43. Les acteurs de la protection devraient être explicites en ce qui concerne le niveau de fiabilité et de précision des informations qu'ils utilisent ou mettent à la disposition de tiers.
44. Les acteurs de la protection doivent recueillir, puis examiner les informations relatives à la protection de façon objective et impartiale, afin d'éviter toute forme de discrimination. Ils doivent recenser et éliminer autant que possible les biais susceptibles de fausser la collecte de données.
45. Des dispositifs de sécurité adaptés au niveau de confidentialité des informations doivent être mis en place avant de collecter des données, pour empêcher la perte ou le vol d'informations et prévenir le risque d'accès, de divulgation, de reproduction, d'utilisation ou de modification non autorisés, quel que soit le support sur lequel les données sont stockées.

46. Avant de réaliser des entretiens, les acteurs de la protection doivent analyser les risques qu'encourent les personnes interrogées et celles qui les interrogent.
47. Lorsqu'ils conduisent des entretiens, individuels ou collectifs, les acteurs de la protection ne doivent recueillir des données personnelles qu'avec le consentement éclairé des personnes concernées, après les avoir informées de l'objectif de la collecte de données. Sans le consentement exprès de ces personnes, ils ne doivent pas non plus divulguer ni transférer les données personnelles recueillies à d'autres fins que celles en vue desquelles elles ont été collectées et pour lesquelles le consentement a été donné.
48. Les acteurs de la protection doivent intégrer la notion de consentement éclairé lorsqu'ils invitent le grand public ou les membres d'une communauté à leur transmettre spontanément des informations par SMS, par le biais d'une plateforme Internet publique ou par tout autre moyen de communication, ou lorsqu'ils utilisent des informations déjà disponibles sur Internet.
49. Les acteurs de la protection devraient, dans la mesure du possible, rendre compte de leur action et des résultats obtenus aux victimes ou aux communautés qui ont fourni des informations sur des abus ou des violations. Ceux qui utilisent les informations collectées devraient être attentifs aux éventuelles conséquences négatives de leur action pour les personnes ou les communautés concernées, et prendre des mesures pour les atténuer le cas échéant.
50. Les acteurs de la protection doivent éviter, dans la mesure du possible, que les activités de collecte de données ne se chevauchent, afin d'épargner aux victimes, aux témoins et aux communautés une charge et des risques inutiles.
51. Chaque fois que des informations sont destinées à être mises en commun, leur interopérabilité devrait être prise en compte dans la planification des activités de collecte de données.
52. Lorsqu'ils gèrent des données confidentielles et sensibles sur des abus et des violations, les acteurs de la protection devraient s'efforcer d'échanger des données agrégées sur les tendances qu'ils ont observées, lorsque les circonstances s'y prêtent.
53. Les acteurs de la protection devraient établir des procédures officielles pour chaque étape du traitement des données, depuis la collecte et l'échange d'informations jusqu'à leur archivage ou leur destruction.

• Assurer des capacités professionnelles

54. Les acteurs de la protection doivent identifier et acquérir les capacités professionnelles qui leur font défaut pour mener à bien des activités de protection.
55. Les acteurs de la protection devraient faire en sorte de disposer de ressources suffisantes pour mener à bien leurs activités de protection conformément à la portée et à la durée des engagements pris.
56. Les acteurs de la protection doivent veiller à ce que leur personnel soit dûment formé pour mener à bien des activités de protection d'un haut niveau de qualité professionnelle.
57. Les acteurs de la protection doivent se tenir informés et, au besoin, intégrer des pratiques et des méthodologies existantes qui présentent un intérêt pour leurs propres activités de protection.
58. Les acteurs de la protection doivent prendre des mesures pour réduire autant que possible les risques auxquels leur personnel est exposé.
59. Les acteurs de la protection doivent adopter un code de conduite interne et en assurer le respect. ■

▶ **Responsabilité ▷ Secours ▷ Déontologie médicale ▷ Principes humanitaires ▷ Droit d'accès ▷ Mission médicale ▷ Ravitaillement ▷ Personnes protégées ▷ Biens protégés ▷ Personnel humanitaire et de secours ▷ Personnel sanitaire.**

Consulter aussi

▶ **Droit international humanitaire ▷ Droits de l'homme ▷ Sécurité collective ▷ Devoirs des commandants ▷ Puissance protectrice ▷ Personnes protégées ▷ Population civile ▷ Prisonnier de guerre ▷ Territoire occupé ▷ Apatride ▷ Femme ▷ Enfant ▷ Détention ▷ Blessés et malades ▷ Personnel humanitaire et de secours ▷ Réfugié ▷ Personnes déplacées ▷ Biens protégés ▷ Objectif militaire ▷ Recours individuels.**

Pour en savoir plus

BLONDEL J. L., « L'assistance aux personnes protégées », CICR, Genève, 1987, (tiré à part de la *Revue internationale de la Croix-Rouge*).

BOUVIER A.et SASSOLI M., *How Does Law Protect in War ?* CICR, Genève, « Cases, documents and teaching materials on contemporary practice in international humanitarian law », Genève, ICRC, 2012 (3e edition).

BUGNION F., « Les régimes de protection spéciale », *Le Comité international de la Croix-Rouge et la protection des victimes de la guerre,* CICR, Genève, 1994, p. 858-894.

CALOGEROPOULOS A. S., *Droit humanitaire et droits de l'homme. La protection de la personne en période de conflit armé,* IUHEI, Sijyhoff, 1 985.

COMITE INTERNATIONAL DE LA CROIX-ROUGE, *Standards professionnels pour les activités de protection menées par les organisations humanitaires et de défense des droits de l'homme lors de conflits armés et d'autres situations de violence,* avril 2013 (2e édition). Disponible sur http://www.icrc.org/fre/assets/files/other/icrc-001-0999.pdf

COMMISSION INTERNATIONALE DE L'INTERVENTION ET DE LA SOUVERAINETÉ DES ÉTATS (CIISE), *La Responsabilité de protéger,* Centre de recherches pour le développement international (pub. par), décembre 2001, 99 p. http://www.iciss.ca/report-en.asp

Document final du Sommet mondial de 2005, disponible sur http://unpan1.un.org/intradoc/groups/public/documents/un/unpan021755.pdf

HAROUEL-BURELOUP V., *Traité de droit humanitaire,* PUF, Paris, 2005 p., p. 393-416 ; p. 261-356.

« La mise en œuvre de la responsabilité de protéger », Rapport du secrétaire général, résolution A/RES/63/77. Disponible sur http://www2.ohchr.org/english/bodies/chr/special/docs/17thsession/SG_reportA_63_677_fr.pdf

Résolution du Conseil de Sécurité 1674, avril 2006, disponible sur http://www.operationspaix.net/IMG/pdf/RCS_1674_FR-2.pdf

SLIM H.et BONWICK A., *Protection : an ANALP Guide for Humanitarian Agencies,* Overseas Development Institute, Londres, 2005, 117 p.

Protection civile

Il s'agit d'un service organisé par les autorités civiles et militaires d'un pays pour assurer les secours en faveur de la population civile et la protection de l'ordre public en cas de calamités naturelles, de désastres accidentels ou de conflits armés. L'objectif est de limiter les dommages subis par la population civile et les biens de caractère civil en période de conflits ou lors de catastrophes. Ce secteur comprend des activités préventives de préparation et de formation de la population et des secouristes, des systèmes d'alarme (sirènes d'alerte incendies…), la préparation et la planification des secours.

• « L'expression *protection civile* s'entend de l'accomplissement de toutes les tâches humanitaires, ou de plusieurs d'entre elles, mentionnées ci-après, destinées à protéger la population civile contre les dangers des hostilités ou des catastrophes et à l'aider à surmonter leurs effets immédiats ainsi qu'à assurer les conditions nécessaires à sa survie.

• Ces tâches sont les suivantes :
- service de l'alerte ;
- évacuation ;
- mise à disposition et organisation d'abris ;
- mise en œuvre des mesures d'obscurcissement ;
- sauvetage ;
- services sanitaires y compris premiers secours et assistance religieuse ;
- lutte contre le feu ;
- repérage et signalisation des zones dangereuses ;
- décontamination et autres mesures de protection analogues ;
- hébergement et approvisionnement d'urgence ;
- aide en cas d'urgence pour le rétablissement et le maintien de l'ordre dans les zones sinistrées ;
- rétablissement d'urgence des services d'utilité publique indispensables ;
- services funéraires d'urgence ;
- aide à la sauvegarde des biens essentiels à la survie ;
- activités complémentaires nécessaires à l'accomplissement de l'une quelconque des tâches mentionnées ci-dessus, comprenant la planification et l'organisation mais ne s'y limitant pas » (GPI art. 61A).

• Le droit international humanitaire assure une protection spécifique pendant le conflit au personnel de protection civile ainsi qu'aux installations et au matériel qu'ils utilisent (GPI art. 61 à 67).
- Ils ne doivent pas être l'objet d'attaques ni de représailles (GPI art. 62, 63, 64, 65). Étant donné les liens étroits de ces services avec les autorités militaires, le personnel et les organismes de protection civile ne seront protégés par le droit international humanitaire que s'ils sont affectés exclusivement à l'accomplissement des tâches énumérées précédemment (GPI art. 61C).
- Un signe distinctif spécial doit être utilisé et respecté par les services de protection civile : un triangle bleu sur fond carré orange (GPI art. 66 ; GPI annexe I art. 15).

▶ **Catastrophe ▷ Ordre public ▷ Personnel humanitaire et de secours ▷ Services sanitaires ▷ Signes distinctifs-Signes protecteurs.**

Pour en savoir plus

BUGNION F., *Le Comité international de la Croix-Rouge et la protection des victimes de la guerre*, CICR, Genève, 1994, p. 865-867.

GASSER H. P., « Protection of the Civilian Population : Civil Defense », in *The Handbook of Humanitarian Law in Armed Conflicts*, Dieter Fleck, Oxford University Press, 1995, p. 209-292.

Puissance protectrice

Pour assurer la protection des populations en période de conflit, le droit humanitaire prévoit un mécanisme de puissance protectrice chargé de sauvegarder les intérêts des personnes protégées par les Conventions de Genève (GI-III art. 8-11 ; GIV art. 9-12 ; GPI art. 5).

I. Fonctions et missions des puissances protectrices

1. *Fonctions*

Ce mécanisme a été prévu pour permettre la poursuite du dialogue entre les parties au conflit au sujet de la protection des populations.

Les Conventions ont donc prévu que, dès le début d'un conflit, les deux parties ont le devoir de désigner sans délai une puissance chargée d'assurer l'application des Conventions de Genève. Les délégués de la puissance protectrice désignée doivent être approuvés par la partie avec laquelle ils vont accomplir leur mission.

2. *Missions*

La mission des puissances protectrices consiste à contrôler et à sauvegarder les intérêts des parties au conflit et de leurs nationaux. Elles disposent pour cela de droits divers (GIV art. 30, 143) :

– le droit de visite auprès des personnes protégées ;
– le droit d'évaluer leurs conditions de vie en détention ou dans les territoires occupés ;
– le droit d'évaluer la situation générale d'approvisionnement ;
– le devoir de garantir le caractère civil et impartial des opérations de secours et le non-détournement de ces secours à des fins militaires ;
– le droit de surveiller l'application concrète des mesures de protection prévues pour les personnes protégées, notamment en cas de détention, d'internement, dans les territoires occupés, en cas de jugement, de respect des garanties judiciaires et en cas de peine de mort ;
– les personnes protégées ont le droit de saisir les puissances protectrices de leur situation.

▶ **Détention ▷ Internement ▷ Prisonniers de guerre ▷ Territoire occupé ▷ Secours ▷ Ravitaillement.**

II. Qui assume la responsabilité de puissance protectrice ?

1. *Les États*

En principe, ces puissances protectrices doivent être des représentants d'États qui sont extérieurs au conflit et qui acceptent de vérifier le respect du droit humanitaire sur le territoire de l'un des États en conflit. Dans la pratique, depuis la création de ce mécanisme en 1949, les États n'ont jamais accepté de jouer ce rôle de puissance protectrice dans les différents conflits qui se sont déroulés. Ils ont montré ce faisant leur faiblesse et leur absence d'engagement concret quand il s'agit de défendre l'application du droit humanitaire. Les Conventions de Genève avaient anticipé cette frilosité diplomatique en prévoyant divers mécanismes de substitution.

Le CICR est formellement chargé d'offrir ses bons offices pour faciliter la désignation de ces puissances protectrices. Cette médiation est précisée de façon concrète dans les conventions. Le CICR doit demander à chaque partie au conflit l'établissement d'une liste d'au moins cinq États qu'elle accepterait comme puissance protectrice de la partie adverse (GI, II, III art. 8 GIV art. 9 ; GPI art. 5).

2. *Les substituts aux puissances protectrices : CICR et organisations humanitaires*

Si, malgré l'intervention du CICR, les puissances protectrices ne sont pas désignées, les Conventions de Genève prévoient que le CICR agira alors en qualité de substitut de ces puissances protectrices et remplira leurs fonctions.

La possibilité d'agir en tant que puissance protectrice est également ouverte aux autres organisations humanitaires impartiales si les parties au conflit acceptent leur offre de service.

Ces substituts aux puissances protectrices ne sont plus des États mais des organismes présentant toutes garanties d'impartialité et d'efficacité. Après acceptation par les États en conflit, ils peuvent assumer les fonctions de contrôle de l'application des droits et obligations des Conventions de Genève vis-à-vis des personnes protégées (GI, II, III art. 11 ; GIV art. 12 ; GPI art. 5).

Il faut noter que le mécanisme de substitut des puissances protectrices suppose encore l'accord réciproque des deux parties au conflit ; il peut donc échouer. Dans ce cas les Conventions de Genève imposent aux parties au conflit la présence et l'action du CICR (GIV art. 30-143).

◆ **• Si les États parties à un conflit ne parviennent pas à faire fonctionner le mécanisme des puissances protectrices ou de leurs substituts, ils ont l'obligation de :**
– demander à un organisme humanitaire tel que le CICR d'assumer les tâches humanitaires dévolues par les Conventions de Genève aux puissances protectrices ;
– d'accepter les offres de services émanant d'un tel organisme.
• Cette fonction centrale dans les Conventions de Genève n'est pratiquement remplie aujourd'hui que par le CICR.
• C'est un outil de protection humanitaire essentiel pour les organisations internationales et les organisations privées présentes dans les situations de conflit (GI, II, III art. 10 ; GIV art. 11 ; GPI art. 5.4).

Consulter aussi

▶ **Croix Rouge, Croissant-Rouge ▷ Protection ▷ Secours ▷ Détention ▷ Peine de mort ▷ Territoire occupé ▷ Prisonnier de guerre ▷ Garanties judiciaires.**

Pour en savoir plus

BUGNION F., « Le Comité international de la Croix-Rouge et les puissances protectrices », *Le Comité international de la Croix-Rouge et la protection des victimes de la guerre,* CICR, Genève, 1994, p. 987-1061.

COULIBALY H., « Le rôle des puissances protectrices au regard du droit diplomatique, du droit de Genève et du droit de La Haye », *in* F. KALSHOVEN, Y. SANDOZ (dir.), *Mise en œuvre du droit international humanitaire,* Martinus Nijhoff, La Haye, 1989, p. 69-78.

Purification ethnique

Pratique utilisée notamment en ex-Yougoslavie et visant à créer artificiellement, le plus souvent par la violence, des zones géographiques dont la population est exclusivement composée de personnes d'une même nationalité ou ethnie. Cette politique constitue une violation des règles de gouvernement légitime, acceptées par la communauté internationale, qui interdisent notamment toute politique gouvernementale de discrimination raciale. C'est sur cette base que furent décidées au sein de l'ONU les sanctions diplomatiques et économiques à l'encontre de la politique d'apartheid menée par l'Afrique du Sud. Les individus qui ont commis des actes de purification ethnique en l'ex-Yougoslavie peuvent être poursuivis par le tribunal pénal pour l'ex-Yougoslavie, qui a été créé en 1993, et qui a compétence pour connaître des violations graves du droit de la guerre, les crimes contre l'humanité et les actes de génocide commis sur le territoire de l'ex-Yougoslavie depuis le 1er janvier 1991. La purification ethnique constitue un crime de guerre ou un crime contre l'humanité dans le statut de la Cour pénale internationale.

◆ **• En période de conflit, les violences qui accompagnent la pratique de purification ethnique constituent des crimes de guerre. En effet, le droit international humanitaire interdit les méthodes de guerre dont le but principal est de répandre la terreur parmi la population. Il interdit également les déplacements forcés de population et la déportation. Leurs auteurs s'exposent alors aux sanctions pénales du droit humanitaire.**

• Le statut de la Cour pénale internationale fournit une définition des crimes contre l'humanité et des crimes de guerre qui inclut les principaux éléments des pratiques de purification ethnique, tels que les meurtres systématiques, les disparitions, les transferts de population, les viols, les persécutions et autres actes inhumains. Ceci permet ainsi à cette Cour, sous certaines conditions, de juger les auteurs de ces crimes commis en temps de paix ou à l'occasion d'un conflit armé international ou interne.

▶ **Méthodes de guerre ▷ Guerre ▷ Déplacement de population ▷ Discrimination ▷ Crime de guerre-Crime contre l'humanité ▷ Tribunaux pénaux internationaux ▷ Cour pénale internationale ▷ Génocide ▷ Apartheid ▷ Terreur.**

Pour en savoir plus

HASSNER P., *Violence and Peace : From the Atomic Bomb to Ethnic Cleansing,* Budapest, Central European University Press, 1997.

Le Livre noir de l'ex-Yougoslavie. Purification ethnique et crimes de guerre, Documents, rassemblés par *Le Nouvel Observateur* et Reporters sans frontières, Arléa, Paris, 1993.

NAIMARK N. M., « Ethnic Cleansing », in *Encyclopedia of Genocide and Crimes Against Humanity,* Shelton, Dinah (éd.), Detroit, Thomson/Gale (2004), p. 301-304.

Rapatriement

Le statut du HCR a été adopté par l'Assemblée générale de l'ONU dans la résolution 428 (V) du 14 décembre 1950. Il confie entre autres missions au HCR celle de seconder les initiatives des pouvoirs publics et les initiatives privées en ce qui concerne le rapatriement librement consenti des réfugiés ou leur assimilation dans de nouvelles communautés nationales (statut du HCR, art. 8.c). L'état de réfugié est en principe temporaire et prend fin avec le retour dans le pays d'origine.

La Convention de 1969 de l'Organisation de l'Unité africaine régissant les aspects propres aux problèmes des réfugiés en Afrique souligne l'importance du rapatriement, et insiste sur le fait qu'il doit être volontaire (art. 5.1 de la Convention de l'OUA sur les réfugiés).

Le rapatriement des réfugiés peut avoir plusieurs causes :

– le réfugié fuit un risque sérieux de persécution personnelle. Le statut qui lui est accordé peut donc toujours être réexaminé si la situation qui prévaut dans le pays qu'il a fui a changé de façon significative ;

– le rapatriement peut être encouragé et initié par le pays d'accueil qui ne parvient plus à supporter le poids que représentent les réfugiés sur son territoire ;

– les réfugiés peuvent être forcés au retour par de multiples pressions.

Le HCR doit garantir le caractère volontaire du rapatriement.

◆ **• Le droit international des réfugiés ne prévoit aucune disposition pour la protection des personnes à l'intérieur de leur propre pays, puisque par définition les réfugiés doivent avoir traversé une frontière internationale. Celles-ci sont normalement sous l'entière responsabilité de leur gouvernement. Les conventions internationales relatives aux droits de l'homme et le droit international humanitaire limitent cependant la souveraineté d'un État sur ses propres ressortissants.**

• La Convention de 1951 sur la protection des réfugiés ne confie au HCR un mandat de protection des réfugiés que quand ils traversent une frontière internationale. Ce mandat ne s'exerce de ce fait que dans le pays d'asile et s'arrête à la frontière du pays d'origine du réfugié. Les réfugiés perdent donc en principe la protection du HCR dès lors qu'ils décident de rentrer chez eux.

• En matière de rapatriement, la seule garantie de protection des individus réside donc dans le caractère volontaire du retour dans le pays d'origine. C'est pourquoi les réfugiés doivent pouvoir évaluer librement l'opportunité de ce retour. La Convention de l'OUA de 1969 régissant les aspects propres aux problèmes des réfugiés en Afrique insiste sur « le caractère essentiellement volontaire du rapatriement devant être respecté dans tous les cas... » (art. 5.1).

I. Rôle et obligations du HCR dans les opérations de rapatriement

1. *Le mandat et le rôle du HCR*

• Le mandat du HCR se résume aux actions suivantes :
– s'assurer du caractère volontaire du rapatriement des réfugiés ;
– promouvoir la création de conditions qui faciliteront le rapatriement volontaire dans la sécurité et la dignité ;
– promouvoir le rapatriement volontaire des réfugiés quand certaines conditions préalables sont réalisées ;
– faciliter le rapatriement volontaire de réfugiés qui se déroule spontanément en l'absence des conditions préalables à l'organisation d'un rapatriement par le HCR ;
– surveiller le statut des rapatriés dans leur pays d'origine, la réalisation des obligations de l'État envers eux et intervenir en leur faveur si nécessaire ;
– entreprendre des activités pour soutenir les capacités légales et judiciaires d'un pays pour lui permettre de résoudre les causes des mouvements de réfugiés ;
– récolter de l'argent pour soutenir les gouvernements en leur offrant une aide pour les programmes de rapatriement et de réintégration des rapatriés ;
– coordonner l'aide des ONG dans ce domaine entre les besoins à court et à long terme.

• Le comité exécutif du HCR a examiné en détail la question des rapatriements en 1980. Il a codifié le rôle du HCR dans ces opérations selon la conclusion 18 (XXXI) de 1980, le HCR doit :
– établir le caractère volontaire du rapatriement ;
– coopérer avec les gouvernements pour assister les réfugiés qui désirent rentrer ;
– obtenir des garanties qui seront accordées aux rapatriés par leur pays d'origine ;
– conseiller les réfugiés sur ces garanties et sur les conditions qui prévalent dans leur pays d'origine ;
– surveiller la situation des rapatriés dans leur pays d'origine ;
– accueillir les rapatriés dans leur pays d'origine et aider à leur réintégration.
La conclusion 40 (XXXVI) de 1985 a renforcé ce cadre en affirmant la compétence du HCR sur les rapatriés après leur retour dans leur pays d'origine. Il s'étend « de l'évaluation de la faisabilité puis par la suite à la planification et à la mise en œuvre des étapes du rapatriement » (conclusion 40, session XXXVI). Le HCR doit être reconnu comme ayant un intérêt légitime dans les conséquences du retour sur les rapatriés. Il doit donc recevoir un accès libre et sans entrave aux rapatriés. La conclusion 40 note avec satisfaction que le système d'accord tripartite entre le HCR, le pays d'origine et le pays d'asile est bien adapté pour faciliter le rapatriement. Malheureusement, rien n'empêche les gouvernements d'organiser des rapatriements sans impliquer le HCR. En l'absence d'accord entre le HCR et le gouvernement concerné ou entre les deux gouvernements impliqués dans le rapatriement, ces conclusions restent de simples déclarations d'intention sans autre portée pratique que d'autoriser le HCR à dialoguer avec les autorités.

• L'élément clé du mandat du HCR est la possibilité pour lui de choisir selon les circonstances entre la promotion et la simple facilitation du rapatriement. Les obligations du HCR vis-à-vis des réfugiés varient d'ailleurs selon qu'il décide de promouvoir ou seulement de faciliter ces rapatriements.

2. *Promotion d'un rapatriement*

a) ***Conditions préalables à la promotion d'un rapatriement***

Certaines conditions doivent être remplies avant que le HCR s'engage à promouvoir activement le rapatriement :

– La situation doit avoir connu une amélioration générale et significative dans le pays d'origine, de nature à permettre un retour dans la dignité et la sécurité pour la grande majorité des réfugiés.

– Toutes les parties concernées doivent s'engager à respecter le caractère volontaire du retour.

– Le pays d'origine doit avoir fourni des assurances suffisantes concernant la sécurité des réfugiés, voire des garanties formelles d'ordre juridique ou législatif.

– Le HCR doit avoir un accès libre et sans entraves aux réfugiés et aux rapatriés.

– Les termes et conditions du retour doivent être écrits dans un accord formel de rapatriement signé entre le HCR et les parties concernées.

b) ***Rôle et obligations pratiques du HCR***

Quand toutes ces conditions sont remplies, le HCR peut promouvoir, c'est-à-dire encourager, et participer à une opération de rapatriement. Sa contribution dans l'opération de rapatriement consistera à :

– obtenir l'accès à toute la population de réfugiés et à garantir le caractère volontaire de leur décision ;

– entreprendre une campagne d'information pour permettre aux réfugiés de prendre leur décision en pleine connaissance de cause ;

– interviewer, conseiller et enregistrer les candidats au rapatriement, organiser un mouvement de retour dans la sécurité ;

– développer et mettre en œuvre (directement ou à travers des partenaires) des programmes de réhabilitation et de réintégration ;

– surveiller la sécurité juridique, physique et matérielle des rapatriés.

3. *Facilitation du rapatriement*

Quand le HCR estime que les conditions d'un rapatriement ne sont pas réunies mais que les réfugiés désirent rentrer et entreprennent des retours spontanés, il peut décider de faciliter le rapatriement pour améliorer la sécurité des réfugiés et pour leur offrir une assistance matérielle.

a) ***Conditions de participation du HCR***

Le seul fondement de la participation du HCR dans une telle opération réside dans le caractère volontaire du retour exprimé par les réfugiés. Le HCR doit donc être capable de déterminer si cette décision des réfugiés est purement volontaire ou si des pressions ont été exercées sur eux pour les forcer ou influencer leur décision.

Cette intervention du HCR se fait en dehors d'un accord fixant les conditions du retour, signé entre le HCR et les autorités gouvernementales, et en dehors de garanties formelles ou d'assurances données par le pays d'origine sur la sécurité des rapatriés. Le rôle du HCR est plus ambigu dans ce type de circonstances. Le soutien du HCR à cette opération est fondé sur le respect de la décision des réfugiés de rentrer chez eux et non pas sur la capacité légale et matérielle du HCR à les protéger. Le seul fondement de la participation du HCR dans une telle opération réside donc dans le caractère volontaire du retour exprimé par les réfugiés.

b) Le rôle du HCR dans les rapatriements spontanés consiste à

– fournir des informations sur les conditions qui prévalent dans le pays d'origine en général et dans les zones de retour en particulier. Cette information doit être complète et fiable ;

– fournir à ceux qui rentrent une assistance matérielle ;

– informer les rapatriés sur les limites de la protection et de l'assistance que le HCR est à même de leur fournir dans cette situation (par exemple, l'absence du HCR des zones de réinstallation, l'absence d'accord écrit entre le HCR et le pays de retour…) ;

– informer les réfugiés de tous les obstacles qu'ils peuvent rencontrer dans leurs retour et réinstallation ;

– quand cela est possible, le HCR doit chercher à améliorer la sécurité des rapatriés dans leur pays d'origine. Quand le retour est effectif, le HCR doit chercher à négocier des amnisties et des garanties, ainsi que la présence du HCR dans les lieux de retour ;

– si le HCR parvient à être présent dans les lieux de retour, il doit tenter d'exercer autant que possible les fonctions de surveillance des rapatriés dont il dispose, quand il a obtenu l'accord des autorités.

■ Rapatriement en période de conflit

• Dans ces circonstances, le HCR ne peut pas promouvoir le rapatriement, mais seulement le faciliter si celui-ci a lieu de façon spontanée. Son rôle consiste uniquement à s'assurer que :

– le rapatriement est vraiment volontaire ;

– le réfugié a disposé de toutes les informations nécessaires pour faire un choix éclairé ;

– le pays d'origine ne s'oppose pas au retour des réfugiés ;

– le retour se fait avec des intentions pacifiques et non militarisées de la part des rapatriés.

• Le HCR peut demander un accès direct et sans entraves aux rapatriés dans le pays de retour afin de surveiller les conditions de ce retour, en arguant que la protection des rapatriés est toujours légitime pour lui (conclusion 40 [XXXVI] de 1985). Toutefois, en l'absence d'accord avec le HCR, le pays d'origine n'a aucune obligation à ce sujet.

• En période de conflit, les outils juridiques du HCR ne permettent pas de protéger efficacement les réfugiés. On peut s'interroger, par exemple, sur le caractère volontaire d'un mouvement de population provoqué par le bombardement ou l'attaque d'un camp de réfugiés. Les règles pertinentes du droit international humanitaire sont alors plus appropriées pour assurer la protection des réfugiés en tant que population civile.

La quatrième Convention de Genève relative à la protection des civils en période de conflit armé international, l'article 3 commun, ainsi que le Protocole additionnel II applicable dans les situations de guerre civile peuvent toujours être invoqués pour protéger les réfugiés, les rapatriés ou les personnes déplacées à l'intérieur de leur propre pays. ■

▶ **Déplacement de population ▷ Population civile ▷ Personnes déplacées.**

II. Les principes opérationnels du rapatriement

1. *Le caractère volontaire*

Le principe du caractère volontaire est la pierre angulaire de la protection internationale des réfugiés. Il n'est pas expressément inscrit dans la convention de 1951, mais il découle directement du principe de non-refoulement, c'est-à-dire l'interdiction de renvoyer des personnes vers des pays où elles craignent pour leur sécurité, qui, lui, figure dans la convention. Il figure en revanche expressément dans la convention de l'OUA sur les réfugiés : « le caractère volontaire du rapatriement doit être respecté dans tous les cas » et les réfugiés ne peuvent pas être rapatriés contre leur volonté (art. 5.1). Sachant que la protection offerte par le HCR s'arrête en principe à la frontière du pays d'origine, un rapatriement involontaire équivaudrait en pratique à un refoulement.

Le principe du caractère volontaire doit être examiné par le HCR en relation avec :
– les conditions dans le pays d'origine (les réfugiés doivent avoir des informations fiables) ;
– la situation dans le pays d'asile (qui doit permettre la liberté de choix).

Il appartient au HCR de vérifier que les facteurs qui attirent les réfugiés dans leur pays d'origine sont plus importants que les facteurs qui contraignent les réfugiés à quitter le pays d'asile.

a) Comment définir le caractère volontaire d'un rapatriement ?

– Le HCR doit avoir un accès libre et sans entraves aux réfugiés.
– Le HCR doit pouvoir évaluer les évolutions de la situation des réfugiés dans les camps ou dans d'autres lieux d'installation qui pourraient influer sur la décision de retour des réfugiés.
– Le HCR doit pouvoir s'assurer que les choix individuels des réfugiés restent indépendants des décisions collectives de retour.
– Le HCR doit éviter de parler seulement aux représentants des réfugiés.
– Le HCR doit consulter des réfugiés et des groupes de femmes pour vérifier dans quelle mesure les leaders représentent réellement les intérêts et la volonté des réfugiés.

b) Le rapatriement des réfugiés n'est pas volontaire quand

– les autorités du pays d'accueil retirent aux réfugiés toute liberté de choix par l'intermédiaire de mesures coercitives ou en diminuant les secours vitaux, en

relogeant les réfugiés dans des zones hostiles ou dangereuses, en encourageant un sentiment xénophobe de la part de la population locale, etc. ;
– des factions parmi la population des réfugiés ou des organisations politiques en exil influencent le choix des réfugiés, soit directement par des pressions physiques, soit indirectement par des activités telles que des campagnes de désinformation ;
– certains groupes d'intérêt dans le pays d'accueil découragent le rapatriement en diffusant de fausses informations.

2. *Le retour dans la sécurité*

Il s'agit d'un retour qui présente les caractéristiques suivantes :
– l'existence de conditions légales de sécurité (telles qu'une amnistie ou des garanties publiques concernant la sécurité individuelle, la non-discrimination, l'absence de représailles ou de persécution du fait du retour...) ;
– la garantie d'une sécurité physique (y compris la protection contre les attaques armées, la menace de mines...) ;
– la garantie d'une sécurité matérielle (accès à la terre, aux moyens de subsistance en général, etc.).
Tous ces éléments peuvent être mentionnés dans l'accord tripartite passé entre le HCR, le pays d'accueil des réfugiés et le pays d'origine.

3. *Le retour dans la dignité*

Ce concept est plus flou que le précédent. Il implique honneur et respect humain. Les réfugiés doivent pouvoir rentrer de façon inconditionnelle, et s'ils repartent de façon spontanée, ils doivent pouvoir le faire à leur propre rythme et pas en convois à marche forcée. Ils ne doivent pas être séparés arbitrairement de leur famille. Ils doivent être traités avec respect et doivent être acceptés par les autorités nationales qui doivent les rétablir intégralement dans leurs droits.
En pratique : pour apprécier le respect du principe de sécurité et de dignité, le rôle du HCR consiste à examiner les éléments suivants :
– la sécurité physique des réfugiés à toutes les étapes de leur retour (en route, pendant et après le retour, aux points de réception et à ceux de destination finale) ;
– le respect de l'unité familiale ;
– l'attention portée aux groupes vulnérables (malades, blessés, personnes âgées, femmes enceintes, enfants...) ;
– l'allégement des formalités à la frontière ;
– l'autorisation faite aux réfugiés d'apporter avec eux leurs biens transportables ;
– le respect du calendrier scolaire et agricole dans le déroulement de ces événements ;
– la liberté de mouvement ;
– le respect des droits de l'homme.

Consulter aussi

▶ **Réfugié ▷ HCR ▷ Asile ▷ Personnes déplacées ▷ Refoulement (expulsion) ▷ Camp ▷ Déplacement de population ▷ Protection ▷ Famille ▷ Discrimination ▷ Persécution.**

Pour en savoir plus

HCR, *Les Réfugiés dans le monde. Les personnes déplacés : l'urgence humanitaire,* La Découverte, Paris, 1997.

LAWYERS COMMITTEE FOR HUMAN RIGHTS, *General Principles Relating to the Promotion of Refugee Repatriation,* Centre de documentation du HCR, Genève, 1992.

Rapporteur spécial

Les rapporteurs spéciaux sont des experts indépendants chargés de contrôler le respect de certains droits de l'homme. Ce système de contrôle créé par la Commission des droits de l'homme a été repris par le Conseil des droits de l'homme lors de sa création en 2006. Cette compétence a été reconnue à l'ancienne commission par la résolution 1235 (XLII) du 6 juin 1967 du Conseil économique et social : « La Commission des droits de l'homme peut, s'il y a lieu [...] entreprendre [...] une étude approfondie des situations qui révèlent de constantes et systématiques violations des droits de l'homme [...] et présenter un rapport et des recommandations à ce sujet au Conseil économique et social. »

• Les rapporteurs spéciaux sont soit désignés pour examiner la situation générale des droits de l'homme dans un pays donné, soit chargés d'étudier un aspect thématique des droits de l'homme à l'échelle internationale.

• Les rapporteurs spéciaux sont nommés par une résolution du Conseil des droits de l'homme qui doit être confirmée par une autre résolution du Conseil économique et social de l'ONU. Leur mandat est formellement d'un an, renouvelable chaque année. Toutefois, les rapporteurs spéciaux thématiques sont nommés sur une base moyenne de trois ans, en vertu d'une pratique mise en place par l'ancienne commission.

1. *Mission*

• Leur mission consiste à faire rapport à l'Assemblée générale et au Conseil des droits de l'homme sur la question dont ils sont saisis. Ils n'ont donc aucune fonction de protection concrète.

• La méthode employée par les rapporteurs spéciaux consiste à recueillir toutes les informations nécessaires auprès de toutes les sources d'information disponibles, y compris les ONG. Ils peuvent également entreprendre des visites sur place. Le Conseil des droits de l'homme ou l'Assemblée générale peuvent leur demander plusieurs rapports successifs sur la même question.

• Au fil de leur pratique, les rapporteurs spéciaux, experts indépendants et autres groupes de travail ont progressivement établi des règles pratiques que les États sont tenus de respecter afin de garantir l'indépendance, l'objectivité et l'intégrité de leur mission sur le terrain.

Ces règles sont les suivantes :

– la liberté et la facilité de mouvement dans tout le pays, en particulier dans les zones restreintes d'accès ;

– la liberté d'enquêter, en particulier en ce qui concerne : l'accès aux prisons, centres de détention et lieux d'interrogatoire ; contacts avec les membres du gouvernement et toutes les autorités décentralisées ; contacts avec les représentants des ONG, d'autres organisations privées et les médias ; contacts confidentiels et en l'absence de tout représentant des autorités avec des témoins et des individus, y compris les personnes privées de liberté et toute personne souhaitée par le rapporteur ; accès complet à toute information écrite relevant du mandat du rapporteur ;
– l'assurance par le gouvernement qu'aucun représentant des autorités ou qu'aucun individu qui a été en contact avec le rapporteur ne pourra, pour cette raison, subir des menaces, des pressions, des sanctions ou des poursuites judiciaires ;
– des garanties de sécurité accordées par le gouvernement en faveur du rapporteur, sans toutefois restreindre la liberté de mouvement et d'enquête ;
– l'octroi des mêmes garanties et facilités au personnel des Nations unies qui assiste le rapporteur, avant, pendant et après sa visite.

◆ **• Les informations transmises par les ONG peuvent être utilisées par le rapporteur de façon confidentielle. Il n'est pas obligé de citer la nature de ses sources. C'est une manière sûre de transmission de leurs informations pour les ONG, une fois qu'un accord a été passé avec le rapporteur spécial.**
• Les rapporteurs spéciaux présentent des rapports détaillés, parfois illustrés de cas précis, en se basant sur les informations fournies par les différentes sources, à l'Assemblée générale de l'ONU, ce qui peut libérer ces rapports d'un certain nombre de contraintes diplomatiques. Ces rapports peuvent constituer des instruments pratiques pour faire pression sur les États afin qu'ils respectent les droits de l'homme et le droit humanitaire.
• La pertinence et l'autorité du rapport dépendent souvent de la personnalité et de la compétence du rapporteur.

2. *Rapporteurs spéciaux, experts, représentants spéciaux par pays et par thèmes*
En avril 2013, il existait 35 mandats thématiques et 12 mandats par pays :
• Pays : Biélorussie, Cambodge, Côte-d'Ivoire, Érythrée, Haïti, Myanmar, République islamique d'Iran, République populaire de Corée, Somalie, Soudan, Syrie, Territoires palestiniens occupés depuis 1967.
• Thèmes :
– la détention arbitraire (groupe de travail),
– la vente d'enfants, la prostitution d'enfants et la pornographie mettant en scène des enfants,
– le droit de toute personne de jouir du meilleur état de santé physique et mentale,
– la protection des personnes contre les disparitions forcées ou involontaires (groupe de travail),
– le droit de réunion et d'associations pacifiques,
– les droits culturels,
– le droit à l'éducation,
– le droit de toute personne de bénéficier d'un environnement sûr, propre, sain et durable,
– les exécutions extrajudiciaires, sommaires ou arbitraires,
– le droit à l'alimentation,

– la situation des défenseurs des droits de l'homme,
– les formes contemporaines d'esclavage,
– le droit à un logement convenable,
– les droits de l'homme et les libertés fondamentales des populations autochtones,
– l'indépendance des juges et des avocats,
– la promotion et la protection du droit à la liberté d'opinion et d'expression,
– la liberté de religion ou de conviction,
– le droit des personnes déplacées dans leur propre pays,
– l'utilisation des mercenaires comme moyen de violer les droits de l'homme et d'empêcher l'exercice du droit des peuples à disposer d'eux-mêmes,
– les droits de l'homme des migrants,
– les questions relatives aux minorités,
– l'extrême pauvreté et les droits de l'homme,
– les formes contemporaines de racisme, de discrimination raciale, de xénophobie, et de l'intolérance qui y est associée,
– les personnes d'ascendance africaine (groupe de travail)
– les droits de l'homme à l'accès à l'eau potable et à l'assainissement,
– Les droits de l'homme et la solidarité internationale,
– les effets de la dette extérieure et des obligations financières internationales connexes des États sur le plein exercice de tous les droits de l'homme, particulièrement des droits économiques, sociaux et culturels,
– la torture et les traitements cruels, inhumains et dégradants,
– la protection des droits de l'homme et des libertés fondamentales dans la lutte antiterroriste,
– les droits fondamentaux des victimes de la traite des êtres humains,
– l'incidence sur les droits de l'homme de la gestion et de l'élimination écologiquement rationnelle des produits et déchets dangereux,
– la question de la violence contre les femmes, y compris ses causes et ses conséquences,
– la question de la discrimination à l'égard des femmes, dans la législation et dans la pratique,
– la promotion de la vérité, de la justice, de la réparation et des garanties de non-répétition
– les droits de l'homme et les sociétés transnationales et autres entreprises (groupe de travail).

Les rapporteurs spéciaux font partie des procédures spéciales dont disposent les Nations unies dans le domaine des droits de l'homme.

À côté des rapporteurs spéciaux nommés par le Conseil des droits de l'homme, le secrétaire général de l'ONU nomme également des représentants et envoyés spéciaux, mandatés par zones géographiques ou dossiers thématiques.

Une liste complète des représentants et conseillers spéciaux du secrétaire général des Nations unies est disponible à l'entrée ▷ **Secrétariat général des Nations unies**.

▶ **Droits de l'homme ▷ Haut-Commissariat aux droits de l'homme-Conseil des droits de l'homme ▷ Recours individuels ▷ Femme.**

Contact

Haut-Commissariat des Nations unies aux droits de l'homme
52, rue Pâquis, 1202 Genève / Suisse.
Tél. : (00 41) 22 917 91 59.

Pour en savoir plus

Rodley Weissbodt D., « United Nations non treaty procedure for dealing with human rights violations », *in Guide to International Human Rights Practice*, Hurst Hannum (éd.), Transnational Publishers, 2004, p. 65-88.

Ravitaillement

Des dispositions différentes traitent du ravitaillement de la population en vivres et en produits médicaux pendant les périodes de conflit. Le principe reste toujours lié à la responsabilité des parties au conflit d'assurer le bien-être et, au minimum, la survie des populations qui sont en leur pouvoir ou placées sous leur contrôle (GIV art. 55 ; GPI art. 69), qu'il s'agisse de la population civile des territoires envahis ou occupés, des prisonniers de guerre et autres personnes détenues ou internées ou de la population des zones assiégées.

• En faisant peser cette responsabilité sur les parties au conflit, le droit humanitaire a voulu éviter que des secours amenés bénévolement de l'extérieur ne permettent aux parties au conflit de disposer de ressources financières supplémentaires pour soutenir leur effort de guerre. Le droit humanitaire prévoit cependant des aménagements à ce principe pour éviter qu'il ne conduise à des situations tragiques pour les populations concernées. Le droit au secours humanitaire est prévu par les Conventions de Genève et les deux Protocoles additionnels de 1977. Ces textes organisent le droit pour les organisations humanitaires de participer au ravitaillement des populations civiles selon des principes qui garantissent le caractère humanitaire et impartial de ces actions et leur utilité pour les populations concernées.

◆ **• Il existe un droit au ravitaillement pour la population civile dans les situations de conflit. Le droit humanitaire prévoit en effet que quand la population souffre de privations excessives par manque des approvisionnements essentiels à sa survie, tels que vivres et ravitaillement sanitaire, des opérations de secours pourront être entreprises par des organisations de secours extérieures, moyennant l'accord des parties concernées (GPI art. 70 ; GPII art. 18.2).**

• C'est un accord de principe qui est prévu et qui ne peut pas être refusé par la partie au conflit concernée pour des considérations politiques ou militaires. L'accord des parties n'est nécessaire que pour les aspects pratiques de l'opération de secours. Les parties au conflit peuvent seulement demander des garanties quant à la destination des secours, en faisant peser sur les organisations humanitaires le contrôle de la distribution pour qu'ils ne soient pas détournés à des fins militaires.

• Le libre passage des secours ne concerne que les biens essentiels à la survie de la population. Il est prévu pour les vivres et les médicaments, dans les zones assiégées comme dans toutes les zones où se trouvent des civils.

• Ces principes ont aujourd'hui acquis un caractère coutumier. Ils ont en effet été reconnus dans l'étude sur les règles du droit international humanitaire coutumier publiée par le CICR

en 2005. Ces règles ont donc un caractère obligatoire dans tous les types de conflits armés ; internationaux ou non internationaux. Elles s'imposent à toutes les parties à ces conflits, même les parties non signataires des conventions, y compris les groupes armés non étatiques (règles 55, 56. Voir ▷ Secours).

• Le droit humanitaire prévoit que l'évaluation de l'approvisionnement des populations pourra toujours être entreprise par les puissances protectrices ou les organisations humanitaires pour vérifier que la population ne souffre pas de pénuries ou de privations excessives (GIV art. 55).
• Le droit de la guerre affirme également que la famine ne pourra pas être utilisée comme arme de guerre contre les populations civiles (GPI art. 54.1 ; GPII art. 14). Elle reste cependant admise contre les forces armées adverses (GPI art. 54.3). Pour justifier le libre passage des secours, le droit humanitaire prévoit que les organisations humanitaires doivent contrôler la distribution des secours au profit de la population civile.

▶ **Famine ▷ Secours ▷ Biens protégés.**

Consulter aussi

▶ **Alimentation ▷ Secours ▷ Biens protégés ▷ Famine ▷ Droit d'accès ▷ Siège ▷ Internement ▷ Détention ▷ Prisonnier de guerre ▷ Assistance ▷ Protection ▷ Responsabilité (des organisations humanitaires).**

Pour en savoir plus

Bugnion F., *Le Comité international de la Croix-Rouge et la protection des victimes de la guerre*, CICR, Genève, 1994, p. 938-951.

Macalister-Smith P., « Protection de la population civile et interdiction d'utiliser la famine comme méthode de guerre », *Revue internationale du CICR*, n° 791, septembre-octobre 1991, p. 464-484.

Recours individuels

L'individu ne jouit pas, en droit international, de la personnalité juridique. Il peut donc faire valoir ses droits devant les tribunaux nationaux, qui statueront sur les sanctions appropriées ainsi que sur le montant des indemnisations afin de réparer le préjudice subi.
L'indemnisation des victimes de violations des droits de l'homme et du droit international humanitaire est récente en droit international. Elle s'inscrit dans l'exercice du droit aux recours judiciaires reconnu par le droit international aux victimes de violations graves du droit international humanitaire et des droits de l'homme. Ce droit au recours et à l'indemnisation incombe principalement aux juridictions nationales, compte tenu du faible nombre de recours judicaires internationaux ouverts aux individus. La protection internationale des droits de l'homme inclut cependant un certain nombre d'organes et de procédures internationaux que les individus peuvent saisir ou activer directement. Ces recours individuels internationaux permettent à une personne physique de transmettre des informations, de

faire examiner ou juger une situation de violation par un organe international, judiciaire ou non.

▶ **Droits de l'homme ▷ Cour pénale internationale ▷ Réparation-Indemnisation.**

■ En cas de violations graves du droit humanitaire et de torture

• Les victimes de crimes de guerre et crimes contre l'humanité peuvent en principe porter plainte devant des tribunaux nationaux de n'importe quel pays sur la base de la compétence universelle prévue par les quatre Conventions de Genève de 1949 et la Convention contre la torture de 1984. Ces plaintes peuvent toutefois être mises en échec si les pays concernés n'ont pas mis leur législation en conformité avec cette obligation internationale, ou si le criminel présumé n'est pas sur leur territoire.
• Les victimes des événements survenus en ex-Yougoslavie et au Rwanda ne peuvent pas porter plainte devant les deux tribunaux pénaux internationaux *ad hoc*, mais elles peuvent soumettre des informations au procureur. Elles ne disposent pas devant ces deux tribunaux du statut de victime mais seulement d'un statut de témoin.
• Les victimes ne peuvent pas saisir directement la Commission internationale d'établissement des faits chargée d'établir l'existence des violations graves du droit humanitaire. Elles doivent s'adresser aux États membres pour qu'ils la saisissent eux-mêmes.
• Les victimes de crimes de guerre, crimes contre l'humanité et génocide ne peuvent pas directement porter plainte devant la Cour pénale internationale. Les victimes, mais aussi les témoins et les ONG, peuvent toutefois soumettre des informations au procureur qui a, sous certaines conditions, le pouvoir d'ouvrir lui-même une enquête. Dans le cadre de la procédure les victimes peuvent bénéficier d'une protection spéciale. Elles peuvent également être représentées lors du procès et obtenir des réparations. Le procureur de la Cour pénale internationale peut décider d'ouvrir une enquête aux conditions suivantes : l'État de la nationalité du criminel ou celui sur le territoire duquel le crime a été commis a ratifié le statut de la Cour, les actes ne sont pas une violation isolée mais s'inscrivent dans le cadre de la commission d'un crime contre l'humanité ou d'un crime de guerre, les juridictions nationales compétentes refusent ou sont dans l'impossibilité de procéder elles-mêmes au jugement. La Cour pénale internationale peut également décider l'indemnisation des victimes.
• Les cours régionales des droits de l'homme et particulièrement la Cour européenne des droits de l'homme, offrent la plus forte possibilité de plainte individuelle. ■

▶ **Crime de guerre-Crime contre l'humanité ▷ Droits de l'homme ▷ Réparation-Indemnisation ▷ Torture.**

Le droit international prévoit peu de dispositions concernant la possibilité d'accorder des réparations aux victimes de violations du droit humanitaire. Habituellement, il réfère les cas aux décisions de tribunaux nationaux ou à des fonds volontaires *ad hoc* crées par les Nations unies. Le système international de protection des droits de l'homme met en place un nombre plus élevé de procédures ouvertes aux individus aux fins de recours devant un organe international, judiciaire ou non. Plusieurs de ces organes, notamment les commissions et comités de surveillance des traités et conventions des droits de l'homme (voir *infra*), acceptent les plaintes ou les pétitions déposées par des particuliers.

1. *Les recours judiciaires*

• Les recours judiciaires individuels sont inexistants au titre de la protection universelle des droits de l'homme. En effet, il n'existe pas à ce jour de tribunal international autorisé à recevoir les plaintes individuelles pour violations des droits de l'homme.

• Au niveau régional, la Cour européenne des droits de l'homme (CEDH), la Cour africaine des droits de l'homme et des peuples ainsi que la Cour de justice de la Communauté des États d'Afrique de l'Ouest (CEDEAO) et la Cour de justice de la Communauté des États de l'Afrique de l'Est peuvent, sous certaines conditions, recevoir les « requêtes » des individus.

S'agissant de la CEDH, cette possibilité est prévue de façon obligatoire par la Convention européenne des droits de l'homme révisée. En effet, depuis l'entrée en vigueur du Protocole 11 en novembre 1998, tous les États parties à la convention (47 à ce jour) doivent reconnaître la compétence de la Cour pour recevoir des requêtes individuelles.

Au niveau africain, cette compétence est facultative et optionnelle seulement devant la Cour africaine des droits de l'homme et des peuples. Cette Cour, créée en 1998 suite à l'adoption d'un protocole à la Charte africaine des droits de l'homme et des peuples, peut statuer sur des plaintes individuelles (art. 5.3 du protocole) si l'État contre lequel la plainte est déposée a accepté cette option facultative (art. 34.6 du protocole). Cette disposition (possibilité de recevoir des requêtes individuelles) est prévue dans les mêmes termes (art. 8.3) sous forme d'option facultative (art. 30.f) dans le statut de la Cour africaine de justice et des droits de l'homme adopté en 2008, qui fusionnera lors de son entrée en vigueur la Cour africaine des droits de l'homme et des peuples et la Cour de justice de l'Union africaine.

Par contre, tous les citoyens ressortissants de pays membres de la CEDEAO peuvent automatiquement déposer plainte contre des violations des droits de l'homme perpétrées par des acteurs étatiques auprès de la Cour régionale de justice. Contrairement à la plupart des autres instances judicaires, cette Cour n'exige pas que les individus aient d'abord épuisé les recours internes. Elle accepte également de se saisir de situations en cours d'examen devant des instances nationales. En 2008, la Cour a prononcé un jugement historique, en condamnant le gouvernement du Niger à payer des réparations à une personne victime d'esclavage. Bien que la plaignante ait été victime en l'espèce d'un acteur non étatique, la Cour a engagé la responsabilité de l'État au motif qu'il n'avait pas respecté ses obligations internationales de protection contre l'esclavage en raison de sa tolérance, sa passivité et son inaction dans ce domaine (jugement, Dame Hadijatou Mani Koraou c/République du Niger, 27 octobre 2008). Une des conséquences directes de cette jurisprudence fut la reconnaissance d'une obligation positive de la part des États dans la prévention de l'esclavage, similaire à celle reconnue par la Cour européenne des droits de l'homme dans l'affaire Siliadin (Siliadin c. France, CEDH, 26 juillet 2005) sur la base de l'article 4 de la Convention européenne des droits de l'homme.

Tous les citoyens ressortissants de pays membres de la Communauté des États d'Afrique de l'Est peuvent également, de façon automatique, déposer plainte devant la Cour de justice de la Communauté.

2. *Les recours non judiciaires*

Il existe un réseau d'institutions (les commissions et comités) créées au titre de la protection universelle et régionale des droits de l'homme qui peuvent être saisies par les victimes individuelles. Les recours devant ces organes sont appelés « communications » ou « pétitions ». Leur examen ne donne pas lieu à une décision obligatoire, ni à une sanction sur le cas concerné. Elle permet cependant de mettre en évidence des schémas collectifs de violations et de faire pression sur l'État concerné.

• Cette procédure est prévue de façon systématique et obligatoire en vertu de plusieurs conventions devant les organes suivants :

– la Commission africaine des droits de l'homme (Charte africaine des droits de l'homme, art. 55, sur décision de la majorité simple des membres de la commission) ;

– la Commission interaméricaine des droits de l'homme (Convention américaine des droits de l'homme, art. 44). La Commission pourra décider de saisir la Cour interaméricaine si l'État concerné ne se conforme pas aux recommandations de la commission concernant l'affaire concernée ;

– le Comité des droits de l'homme (Protocole facultatif au Pacte international relatif aux droits civils et politiques, entré en vigueur en 1976, art. 1) ;

– le Comité des droits économiques, sociaux et culturels (Protocole facultatif au Pacte international relatif aux droits économiques, sociaux et culturels, entré en vigueur en 2008, art. 2. Huit États seulement sont parties à ce protocole) ;

– le Comité pour l'élimination de la discrimination à l'égard des femmes (Protocole facultatif à la Convention pour l'élimination de toutes les formes de discrimination à l'égard des femmes, art. 1 et 2) ;

– le Comité sur les droits des personnes handicapées (Protocole facultatif se rapportant à la Convention relative aux droits des personnes handicapées, art. 1) ;

– le Comité africain des experts sur les droits et le bien-être de l'enfant (Charte africaine des droits et du bien-être de l'enfant, art. 44).

• Cette procédure est prévue de façon optionnelle pour les ressortissants des États qui ont expressément accepté cette possibilité devant les organes suivants :

– le Comité contre la torture (convention de l'ONU contre la torture, art. 22) ;

– le Comité contre la discrimination raciale (convention du même nom, art. 14) ;

– le Comité sur les travailleurs migrants (Convention internationale sur la protection des droits de tous les travailleurs migrants et des membres de leur famille, art. 77) ;

– le Comité des droits de l'enfant (Protocole du 19 décembre 2011).

En période de conflit armé, les individus victimes de violations du droit humanitaire ont le droit de saisir le Comité international de la Croix-Rouge au titre du mécanisme de puissances protectrices. Cependant, le CICR n'est pas un organe judiciaire mais agit en tant que gardien des Conventions de Genève. À ce titre, il peut rapporter les cas de violations du droit humanitaire aux autorités compétentes et faire en sorte qu'elles soient informées des possibilités existantes afin d'y remédier. Ce dialogue est confidentiel et bilatéral.

En pratique, l'efficacité de ces mécanismes reste limitée puisque leur compétence est bien souvent facultative et les recours sont soumis à de multiples conditions de recevabilité. En outre, seules les décisions des organes judiciaires (Cours africaine, interaméricaine et européenne des droits de l'homme) sont obligatoires à l'égard des États mis en cause. D'autres types de recours existent et peuvent être déclenchés par des États ou par des ONG. Ils sont présentés dans la rubrique ▷ **Droits de l'homme** et ▷ **Crime de guerre-Crime contre l'humanité**.

3. *Les autres types de recours individuels non judiciaires ou préventifs*

Le droit international prévoit plusieurs mécanismes de prévention de la torture qui autorisent des visites de lieux de détention par des organes internationaux ou nationaux indépendants. Ils peuvent être informés de cas individuels. Il s'agit du Comité européen contre la torture dont la compétence s'étend à tous les États membres du Conseil de l'Europe et du sous-comité de prévention de la torture de l'ONU dont la compétence est limitée aux États qui ont ratifié le Protocole facultatif à la Convention de l'ONU contre la torture du 18 décembre 2002, entré en vigueur le 22 juin 2006, et qui a été ratifié par 65 États. Le Protocole facultatif oblige également ses États parties à mettre en place un ou plusieurs organes nationaux indépendants, chargés eux aussi de mener des inspections dans tous les lieux où des personnes sont privées de liberté.

En période de conflit armé, le CICR est la seule institution qui a le droit, en vertu des Conventions de Genève, de visiter les structures de détention liées au conflit. Les cas individuels peuvent être référés au CICR afin qu'il les rapporte aux autorités exerçant un contrôle effectif sur la situation concernée.

Il existe également des procédures de « recours » au sein des Nations unies. Le mécanisme des procédures spéciales mis en place par le Haut-Commissariat aux droits de l'homme et assumé par le Conseil des droits de l'homme inclut ainsi l'examen de communications individuelles confidentielles. Un groupe de travail sur les communications a notamment été désigné pour trois ans par le Comité consultatif du Conseil des droits de l'homme. Ce groupe a repris la procédure 1503 (sous le nom de procédure 1503 révisée), permettant l'examen de communications confidentielles fournies par des individus ou des groupes dénonçant des violations des droits de l'homme.

▸ ▷ **Haut-Commissariat des Nations unies aux droits de l'homme-Conseil des droits de l'homme** ▷ **Droits de l'homme.**

Contacts internationaux et régionaux disponibles

http://www.claiminghumanrights.org

Consulter aussi

▸ **Compétence universelle** ▷ **Tribunaux pénaux internationaux** ▷ **Cour pénale internationale** ▷ **Haut-Commissariat aux droits de l'homme-Conseil des droits**

de l'homme ▷ Comité des droits de l'homme ▷ Comité contre la torture ▷ Comité des droits de l'enfant ▷ Cour européenne des droits de l'homme ▷ Comité européen contre la torture ▷ Croix-Rouge, Croissant-Rouge ▷ Commission et Cour interaméricaines des droits de l'homme ▷ Commission et Cours africaines des droits de l'homme ▷ Commission internationale d'établissement des faits ▷ Droits de l'homme ▷ Droit international humanitaire ▷ Torture ▷ Viol ▷ Mauvais traitements ▷ Responsabilité ▷ Réparation-Indemnisation ▷ Puissances protectrices.

Pour en savoir plus

NATIONS UNIES, « Guide des procédures internationales disponibles en cas d'atteinte aux droits fondamentaux », disponible sur http://www.claiminghumanrights.org

PESCE M., « Le statut de la victime devant le tribunal pénal », *L'Observateur des Nations unies* (revue de l'Association française pour les Nations unies) n° 1, 1996, p. 101-106.

SHELTON D., *Remedies in International Human Rights Law*, Oxford University Press, Oxford, 2005, 546 p.

Refoulement (expulsion)

Le refoulement est une mesure qui consiste à interdire, à la frontière, l'entrée sur le territoire national à un étranger qui n'y est pas déjà régulièrement installé. L'expulsion est la mesure par laquelle les autorités d'un État interdisent à un individu présent sur le territoire national la poursuite de son séjour et procèdent à sa reconduite aux frontières ou au renvoi dans son pays d'origine.

Pour assurer la protection des réfugiés et éviter de les mettre en danger par un renvoi dans un pays où leur vie est menacée, la Convention de 1951 relative au statut des réfugiés et d'autres textes internationaux prévoient des garanties concernant l'expulsion et interdisent le refoulement des réfugiés.

1. *Les garanties en cas d'expulsion*

Les États s'interdisent d'expulser ou de refouler un réfugié vers un territoire où sa vie ou sa liberté est menacée. La seule dérogation permise à ce principe concerne les personnes qui constituent un danger pour la sécurité du pays dans lequel elles se trouvent, ou qui, ayant été condamnées pour un crime ou un délit particulièrement grave, constituent une menace pour la communauté dudit pays (art. 33 de la Convention sur les réfugiés).

En cas d'expulsion, celle-ci devra se faire selon une procédure prévue par la loi nationale. Elle doit permettre au réfugié de fournir des preuves tendant à le disculper, de bénéficier d'un droit de recours contre cette décision et de pouvoir se faire représenter devant l'autorité compétente pour juger son cas. Si la décision d'expulsion est maintenue, la procédure doit offrir au réfugié un délai raisonnable pour lui permettre de se faire admettre régulièrement dans un autre pays.

Ces dispositions, prévues par la Convention de 1951 sur le statut de réfugié (art. 32 et 33) sont reprises dans le Pacte international relatif aux droits civils et politiques de 1966 (art. 13). Dans ce dernier, elles ne concernent cependant que les étrangers qui se trouvent légalement sur le territoire d'un pays.

2. *Le principe de non-refoulement*

Ce principe défend dans la pratique le droit pour un individu de ne pas être renvoyé de force vers une source de danger. Il donne une réalité pratique au droit d'asile. Car si tout homme a le droit de quitter son pays pour fuir des persécutions, il n'existe pas d'obligation pour les États de lui donner asile. Il reste donc comme seule garantie l'interdiction de refouler un individu qui ayant fui son pays a forcément pénétré sur le territoire d'un autre État. Un réfugié ne peut pas être refoulé vers un pays où il craint des persécutions.

▶ **Réfugié ▷ Persécution.**

Le principe de non-refoulement permet une double protection.

• Il doit permettre à tout individu qui entre sur le territoire d'un autre pays, même de façon illégale, d'y déposer une demande d'asile et de faire entendre son cas.

• Même si sa demande d'asile est refusée dans un pays, les autorités ne pourront pas le renvoyer vers un territoire où sa vie et sa liberté sont menacées. Pour pouvoir le contraindre à quitter le sol du pays de premier asile, il faut donc trouver un pays de deuxième asile qui accepte de le recevoir, un « pays tiers sûr ».

■ Le non-refoulement

• Le principe de non-refoulement est expressément énoncé dans la plupart des instruments internationaux adoptés au niveau régional et universel, notamment :

– la Déclaration des Nations unies sur l'asile territorial de 1967 (art. 3.1) ;

– l'acte final de la Conférence des Nations unies sur le statut des apatrides de 1954 (art. 4) ;

– la Convention de l'OUA sur les réfugiés de 1969 (art. 2.3) ;

– la Convention américaine relative aux droits de l'homme de 1969 (art. 22.8) ;

– la Convention des Nations unies contre la torture de 1984 (art. 3). Ce texte interdit de renvoyer une personne dans un pays où la torture et les mauvais traitements dont le viol sont pratiqués ;

– la Convention des Nations unies de 1951 relative au statut de réfugiés (art. 33).

• Aucun des États contractants n'expulsera ou ne refoulera, de quelque manière que ce soit, un réfugié sur les frontières des territoires où sa vie ou sa liberté serait menacée en raison de sa race, de sa religion, de sa nationalité, de son appartenance à un certain groupe social ou de ses opinions politiques.

• Le bénéfice de la présente disposition ne pourra toutefois être invoqué par un réfugié qu'il y aura des raisons sérieuses de considérer comme un danger pour la sécurité du pays où il se trouve ou qui, ayant été l'objet d'une condamnation définitive pour un crime ou délit particulièrement grave, constitue une menace pour la communauté dudit pays. ■

Ce principe de non-refoulement est de plus en plus menacé par une pratique administrative des gouvernements qui établissent des listes de pays déclarés « sûrs ». Cette pratique ne permet pas de prendre en compte la diversité des situations personnelles.

Il est également menacé par la tendance générale à accélérer le retour des réfugiés dans leur pays dès la signature de certains accords de paix et avant que la sécurité ne soit rétablie.

▶ **Réfugié ▷ Apatride ▷ Droits de l'homme ▷ Torture ▷ Mauvais traitements.**

La difficulté de trouver des pays de second asile conduit aujourd'hui à une tendance généralisée des autorités publiques à la fermeture des frontières. Pratiquement, le droit d'asile est donc aujourd'hui menacé.

▶ **Asile.**

3. *Le rapatriement*

Le rapatriement des réfugiés est toujours possible dans certaines conditions. Il doit cependant être volontaire, c'est-à-dire qu'il appartient aux réfugiés de choisir ou non le retour dans leur pays d'origine. Ce caractère volontaire du retour est d'ailleurs expressément prévu par l'article 5.1 de la Convention de l'OUA de 1969 sur les réfugiés. Un rapatriement non volontaire peut être considéré comme un refoulement.

▶ **Rapatriement.**

Consulter aussi

▶ **Réfugié ▷ Asile ▷ HCR ▷ Rapatriement ▷ Persécution.**

Pour en savoir plus

DELAS O., *Le Principe de non-refoulement dans la jurisprudence internationale des droits de l'homme. De la consécration à la contestation*, Bruyant, Bruxelles, 2011, 460 p.

FELLER E., (dir.), *La Protection des réfugiés en droit international*, Larcier, Bruxelles, 2008, 835 p.

GILLARD E. C., « There is no place like home : states'obligations in relation to transfers of persons », *Revue internationale de la Croix-Rouge*, vol. 90, n° 871, septembre 2008, p. 703-750.

ZIECK M., *UNHCR and Voluntary Repatriation of Refugees, a Legal Analysis*, Martinus Nihoff, La Haye, 1997, 494 p.

Réfugié

Fin 2011, le Haut-Commissariat aux réfugiés (HCR) comptabilisait 42,5 millions de personnes déplacées de force (réfugiés et personnes déplacées internes) ; un chiffre légèrement en baisse par rapport à 2010 mais en constante augmentation depuis le milieu des années 1990. Parmi ces 42,5 millions, 15,2 étaient réfugiés et 26,4 déplacés internes. Les pays en développement accueillaient quatre réfugiés sur cinq à l'échelle mondiale. Le Pakistan était le pays d'accueil numéro un avec 1,7 million de réfugiés, suivi par la République islamique d'Iran et la République arabe syrienne. Les réfugiés afghans (2,7 millions) et irakiens (1,4 million) représentaient la moitié des réfugiés sous la responsabilité du HCR. Les principaux pays d'origine des réfugiés sont, par ordre décroissant, l'Afghanistan, l'Irak, la Somalie, le Soudan, la République démocratique du Congo, le Myanmar, la Colombie, le Viêt-nam, l'Érythrée et la Chine. Il convient de souligner qu'environ 532 000 réfugiés ont pu être rapatriés sur une base volontaire en 2011 (c'est le nombre le plus élevé depuis 2008, alors que la tendance était en diminution constante depuis 2004) alors que 3,2 millions de déplacés ont regagné leur foyer (c'est le nombre le plus important de la décennie). Les femmes représentent 49 % des réfugiés et des demandeurs d'asile à l'échelle mondiale.

I. Définitions

1. *La Convention sur les réfugiés de 1951*

La Convention relative au statut de réfugiés a été adoptée le 28 juillet 1951 par une conférence des plénipotentiaires des Nations unies sur le statut des réfugiés et apatrides convoquée par la résolution 429 (V) de l'Assemblée générale. Elle est entrée en vigueur le 22 avril 1954 et constitue, avec le Protocole de 1967 relatif au statut des réfugiés, la base du droit international des réfugiés. Elle définit le réfugié comme :
« Toute personne craignant avec raison d'être persécutée du fait de sa race, de sa religion, de sa nationalité, de son appartenance à un certain groupe social ou de ses opinions politiques, se trouvant hors du pays dont elle a la nationalité et qui ne peut ou, du fait de cette crainte, ne veut se réclamer de la protection de ce pays [...].
« Un individu ne peut pas bénéficier du statut de réfugié si on a des raisons sérieuses de penser :
– qu'il a commis un crime contre la paix, un crime de guerre, un crime contre l'humanité tels que définis par les instruments internationaux ;
– qu'il a commis un crime grave de droit commun hors du pays d'accueil ;
– qu'il s'est rendu coupable d'agissements contraires aux buts et principes des Nations unies » (Convention de 1951, art. 1).
Simultanément à l'adoption de cette convention, le HCR a été créé pour surveiller l'application du statut juridique des réfugiés. La convention s'appuie sur les États et le HCR pour sa mise en œuvre. Elle liait, en avril 2013, 145 États. Elle constitue le texte de référence international dans ce domaine.
L'interprétation qui est donnée par les États de cette définition ne permet d'y inclure que des personnes qui fuient un risque sérieux de persécutions perpétrées ou tolérées par les autorités nationales.
Dans son interprétation la plus stricte par certains États, elle exclut donc les personnes qui fuient par petits groupes ou en masse des dangers collectifs tels que l'insécurité ou la guerre. Elle exclut aussi les personnes fuyant des persécutions qui ne sont pas commises par les autorités nationales, mais par des groupes terroristes, rebelles ou autres, sauf si ces persécutions sont tolérées ou suscitées par les autorités nationales.
La Cour européenne des droits de l'homme a élargi en avril 1997 cette interprétation : elle considère les persécutions infligées par des groupes autres que ceux qui dépendent des autorités publiques comme un critère d'obtention du statut de réfugié.
Il faut noter que le HCR a ajouté le viol à la liste des éléments constitutifs d'une persécution permettant par là même l'octroi du statut de réfugié. Le HCR recommande

que, pendant la procédure d'examen de la demande, le demandeur d'asile qui peut avoir été victime de violence sexuelle soit traité avec une sensibilité particulière. Le statut de la Cour pénale internationale confirme également que l'appartenance à un sexe peut être un motif de persécution. Il inclut « la persécution de tout groupe ou de toute collectivité identifiable pour des motifs d'ordre politique, racial, national, ethnique, culturel, religieux ou sexiste [...] ou en fonction d'autres critères universellement reconnus comme inadmissibles en droit international » dans la définition du crime contre l'humanité (art. 7.1.h du statut de la CPI).

▶ **Persécution ▷ Viol ▷ Femme.**

Il existe cependant d'autres textes internationaux ou régionaux qui définissent et protègent les réfugiés de manière plus générale que ne le fait la Convention de 1951. Ces textes tentent d'adopter une approche davantage intégrée des situations des réfugiés, migrants et déplacés internes (voir *infra* parties IV et V).

2. *La définition de la Convention de l'Organisation de l'unité africaine (OUA)*

La Convention régissant les aspects propres aux problèmes des réfugiés en Afrique a été adoptée par l'Organisation de l'Unité africaine (aujourd'hui l'Union africaine) le 10 septembre 1969 et est entrée en vigueur le 20 juin 1974. En avril 2013, 45 États y étaient parties. Sa définition des réfugiés s'étend à « toute personne qui, du fait d'une agression, d'une occupation extérieure, d'une domination étrangère ou d'événements troublant gravement l'ordre public dans une partie ou dans la totalité de son pays d'origine ou du pays dont elle a la nationalité, est obligée de quitter sa résidence habituelle pour chercher refuge dans un autre endroit à l'extérieur de son pays d'origine ou du pays dont elle a la nationalité » (article 1.2 de la Convention de l'OUA). Cette interprétation inclut par conséquent les personnes fuyant les guerres ou les persécutions collectives en masse, que ces actes soient le fait des autorités nationales ou non.

3. *La définition développée par les États latino-américains*

- ***La Déclaration de Carthagène sur les réfugiés, 1984***

  En novembre 1984, le Colloque sur la protection internationale des réfugiés en Amérique centrale, au Mexique et au Panama a adopté la Déclaration de Carthagène sur les réfugiés. Bien qu'il ne s'agisse pas d'un traité, les dispositions de la déclaration sont respectées dans toute l'Amérique centrale et ont été intégrées à certains droits nationaux (Salvador en 2002 et Mexique en 2011). La déclaration élargit le champ d'application de la définition de réfugié contenue dans la Convention de 1951 en y incluant l'agression étrangère, les conflits internes et les personnes fuyant des violations massives des droits de l'homme. La Commission interaméricaine des droits de l'homme est l'organisation compétente pour améliorer la protection internationale des réfugiés dans la région.

- ***Le Plan d'action de Mexico, 2004***

  La Déclaration de Mexico et Plan d'action sur le renforcement de la protection internationale des réfugiés en Amérique latine a été adoptée en 2004 par l'Argentine, le

Belize, la Bolivie, le Brésil, le Chili, la Colombie, le Costa Rica, l'Équateur, le Salvador, le Guatemala, la Guyane, le Honduras, le Mexique, le Nicaragua, le Panama, le Paraguay, le Pérou, le Suriname, l'Uruguay et le Venezuela. La déclaration reconnaît la nature de *jus cogens* du principe de non-refoulement et contient des dispositions sur le non-rejet aux frontières et la non-pénalisation des entrées illégales. Elle réaffirme également l'obligation des États de respecter le principe de non-discrimination et de prendre des mesures pour prévenir, combattre et éliminer toute forme de discrimination et de xénophobie dans le cadre de la protection des réfugiés et des demandeurs d'asile. En outre, le plan d'action reconnaît l'existence de mouvements migratoires mixtes comprenant les personnes pouvant avoir droit au statut de réfugié et ayant besoin d'un traitement spécifique, avec les garanties juridiques qui s'imposent pour assurer leur identification et leur accès aux procédures de détermination du statut de réfugié.

- ***La Déclaration de Brasilia, 2010***

  En novembre 2010, lors de la Réunion internationale sur la protection des réfugiés, l'apatridie et les mouvements migratoires mixtes dans les Amériques, 18 pays d'Amérique latine ont adopté la Déclaration de Brasilia sur la protection des réfugiés et des apatrides dans les Amériques. Ces 18 pays sont l'Argentine, la Bolivie, le Brésil, le Chili, la Colombie, le Costa Rica, Cuba, la République dominicaine, l'Équateur, le Salvador, le Guatemala, le Mexique, le Nicaragua, le Panama, le Paraguay, le Pérou, l'Uruguay et le Venezuela. Les États-Unis et le Canada ont quant à eux participé comme observateurs.

  Cette déclaration reprend les définitions et dispositions en matière de protection des réfugiés et des apatrides du Plan d'action de Mexico de 2004 ; elle inclut le non-rejet aux frontières, la non-pénalisation des entrées illégales et étend les bénéfices d'un tel principe au-delà de la définition stricte de réfugié aux personnes impliquées dans des mouvements migratoires mixtes. Elle soutient également l'intégration continue du genre, de l'âge et des considérations sur la diversité dans les droits nationaux sur les réfugiés et les déplacés. S'agissant des migrations mixtes en particulier, la déclaration recommande que le Plan d'action de Mexico soit adopté au niveau régional pour relever les nouveaux défis liés à l'identification et à la protection des réfugiés dans le contexte de mouvements migratoires mixtes. En outre, la déclaration encourage les États d'Amérique latine à se conformer strictement aux standards internationaux et à adopter les mécanismes adéquats pour traiter les types nouveaux de situations de déplacement qui n'étaient pas envisagés par la Convention de 1951.

4. *La définition du droit humanitaire*

Le réfugié est avant tout une personne civile qui ne jouit plus en fait de la protection de son gouvernement. Le droit international humanitaire interprète ainsi plus largement la notion de réfugié et prend en compte les déplacements de population dus aux conflits. Cette définition n'ouvre pas pour les réfugiés le droit d'obtenir un statut national de réfugiés, mais celui de recevoir une assistance et une protection internationales pendant la durée du conflit. Ce droit prévoit notamment que le réfugié ne pourra pas être considéré comme ennemi du seul fait de sa nationalité étrangère, même s'il s'agit de celle de la partie adverse au conflit (GIV art. 40). S'il se retrouve, du fait de l'occupation d'un territoire, aux mains des autorités du pays qu'il avait fui, il ne pourra pas être arrêté, poursuivi ou expulsé pour des motifs antérieurs au conflit (GIV art. 70). Il devra être considéré et protégé comme un civil (GPI art. 73 ; GPII art. 4).

◆ **• Le droit international des droits de l'homme pose que « devant la persécution, toute personne a le droit de fuir son propre pays, de chercher asile et de bénéficier de l'asile en d'autres pays » (Déclaration universelle des droits de l'homme de 1948, art. 14).**
• Les États ne sont pas obligés d'accorder l'asile à tous les individus qui le demandent, mais tous les individus menacés dans leur propre pays ont le droit de fuir leur pays et de chercher asile ailleurs. Entre le droit des individus et celui des États se crée un espace peuplé par des individus en quête d'asile.
• Un grand nombre de personnes réfugiées n'entrent pas dans la définition de la convention de 1951 et n'obtiennent pas les garanties qui découlent de son statut. Pour ces réfugiés non statutaires, des standards minimaux de traitement doivent être respectés par les États (voir *supra*).
• Une définition vaut par les droits qu'elle ouvre au profit des individus. Or, avant d'avoir formellement obtenu le statut de réfugié selon la définition stricte de la Convention de 1951 et avant de bénéficier des droits qui y sont attachés, un réfugié doit passer par toute une série de situations transitoires pendant lesquelles il bénéficie malgré tout de droits minimaux.

II. Les droits des individus lors des différentes étapes vers l'obtention du statut de réfugié

1. *Les statuts transitoires*

• Avant d'avoir formellement obtenu le statut de réfugiés, les individus entrent souvent dans d'autres catégories juridiques. On parle alors de :
– personnes en quête d'asile : il s'agit de personnes qui ont fui leur pays mais n'ont pas encore réussi à faire une demande de statut de réfugié devant les autorités compétentes ;
– demandeurs d'asile : il s'agit de personnes qui ont déposé une demande de statut de réfugié devant des autorités nationales compétentes et qui attendent le résultat de l'examen de leur dossier ;
– réfugiés de fait : il s'agit de personnes qui sont entrées sur le territoire d'un autre État lors d'un afflux massif de personnes fuyant leur pays d'origine, du fait d'un conflit ou d'une autre catastrophe. Ils ne peuvent pas en principe justifier leur fuite par un risque sérieux de persécution individuelle et ne peuvent donc pas entrer dans la définition stricte du réfugié.
• Toutes ces personnes n'ont pas encore droit au statut du réfugié, mais elles bénéficient malgré tout de garanties minimales prévues au profit des individus par la Convention de 1951. Ces garanties visent à protéger la possibilité pratique pour une personne fuyant son propre pays de déposer une demande d'asile dans un pays étranger sans rencontrer d'entraves administratives insurmontables et de ne pas être refoulée vers une source de danger.
• Les déplacés internes sont des personnes qui fuient leur lieu de résidence habituel mais qui ne franchissent pas de frontières internationales. Ils restent donc sous l'autorité juridique de leurs autorités nationales. On ne peut pas parler de

réfugiés dans leur cas. Ils sont protégés par les conventions générales sur les droits de l'homme et par le droit humanitaire en cas de conflit.

▸ **Personnes déplacées.**

2. *Les droits reconnus aux individus qui fuient leur pays*

Pour qu'une demande d'asile puisse être déposée devant les autorités d'un pays étranger par une personne fuyant son propre pays, la Convention de 1951 établit des droits pour les individus dont la vie ou la liberté sont menacées.

a) ***Le droit de chercher asile dans un autre pays***

Cela signifie le droit de fuir par tous les moyens leur propre pays et de pénétrer sur le territoire d'un autre pays, même de façon irrégulière. Les États n'appliqueront pas de sanctions pénales, du fait de leur entrée ou de leur séjour irréguliers, aux réfugiés qui, arrivant directement du territoire où leur vie ou leur liberté étaient menacées, entrent ou se trouvent sur leur territoire sans autorisation, sous la réserve que ces réfugiés se présentent sans délai aux autorités et leur exposent les raisons de leur fuite (Convention de 1951, art. 31).

Le droit de fuir son pays ne signifie pas que le réfugié a le droit de choisir son pays d'asile. Les réglementations actuelles privilégient la compétence du pays de premier asile, c'est-à-dire celui dans lequel le réfugié est passé en premier et dans lequel il aurait pu déposer sa demande.

b) ***Le droit de déposer une demande d'asile devant les autorités compétentes***

Cela signifie que l'accès à ces autorités compétentes ne doit pas être entravé par les États mais au contraire organisé par eux, et que le HCR doit être autorisé à faciliter ces formalités. En effet, les réfugiés ne peuvent plus bénéficier de l'aide administrative de leur pays d'origine pour faire valoir leurs droits. Les États s'engagent donc à leur fournir les prestations administratives nécessaires directement ou *via* une autorité internationale : le HCR. Par conséquent, le HCR ou l'État sur le territoire duquel se trouve un réfugié s'engage, sous son contrôle, à délivrer ou à faire délivrer au réfugié les documents ou certificats qui normalement seraient délivrés à un étranger par ses autorités nationales ou par leur intermédiaire (Convention de 1951, art. 25).

c) ***Le droit de bénéficier d'un examen de leur demande par les autorités nationales compétentes*** qui soit conforme aux règles fixées par la Convention de 1951 et qui s'effectue sous le contrôle du HCR (statut HCR, art. 8.a).

d) ***Le droit de ne pas être refoulés dans leur pays d'origine*** tant qu'il y existe un danger pour leur sécurité.

Cela signifie que les États n'expulseront ni ne refouleront, de quelque manière que ce soit, un réfugié vers les frontières des territoires où sa vie ou sa liberté seraient menacées en raison de sa race, de sa religion, de sa nationalité, de son appartenance à un certain groupe social ou de ses opinions politiques (Convention de

1951, art. 33). Ainsi, les personnes déboutées du droit d'asile peuvent malgré tout bénéficier d'un asile territorial temporaire justifié par l'impossibilité de les renvoyer dans le pays d'origine en raison des dangers qu'elles y encourent et bénéficier des standards minimaux de protection attachés à cet asile temporaire (voir *infra*).

3. *Les droits reconnus aux réfugiés qui ont obtenu le statut*

Au terme de l'examen de leur cas, les personnes qui entrent dans le champ de la définition ont le droit d'obtenir un statut juridique qui leur donne le plus souvent des droits qui se rapprochent de ceux des ressortissants de ce pays.

Le statut juridique d'un individu qui a obtenu la reconnaissance de sa qualité de réfugié dans un pays d'asile est défini par le droit national de ce pays. Cependant, la Convention de 1951 (art. 12 à 34) énonce les principaux droits qui devront être accordés par le droit national de chaque pays aux réfugiés.

– Article 12 : le statut personnel du réfugié sera reconnu par le pays d'asile.

– Article 13 : il pourra jouir des droits liés à la propriété mobilière et immobilière.

– Article 14 : il bénéficiera du droit à la protection de la propriété intellectuelle et industrielle.

– Article 15 : il jouira du droit d'association.

– Article 16 : il pourra agir devant les tribunaux.

– Articles 17 à 19 : il bénéficiera des droits les plus favorables reconnus aux ressortissants d'un pays étranger pour exercer une profession salariée, une profession non salariée ou une profession libérale.

– Article 20 : en cas de rationnement, le réfugié aura les mêmes droits qu'un national.

– Article 21 : le réfugié bénéficiera du traitement le plus favorable accordé aux étrangers en matière de logement.

– Articles 22 et 23 : le réfugié aura les mêmes droits qu'un national en matière d'éducation publique et d'assistance publique.

– Article 24 : le réfugié aura les mêmes droits qu'un national en matière de législation du travail et de sécurité sociale.

– Article 25 : les réfugiés ont le droit de soumettre une demande d'asile auprès des autorités nationales compétentes qui, sous le contrôle du HCR, s'engagent à délivrer ou à faire délivrer aux réfugiés les documents ou certificats qui normalement seraient délivrés à un étranger par ses autorités nationales ou par leur intermédiaire. Ces documents ou certificats remplaceront les actes officiels délivrés par leurs autorités nationales, et feront foi jusqu'à preuve du contraire.

– Article 26 : un réfugié qui aura obtenu le statut de réfugié dans un pays aura le droit de se déplacer librement à l'intérieur du territoire national et de choisir son lieu de résidence.

– Article 27 : les États s'engagent à fournir des pièces d'identité aux réfugiés dépourvus de pièce d'identité valable qui se trouvent sur leur territoire.

– Article 28 : les États délivreront aux réfugiés qui ont obtenu ce statut sur leur territoire des pièces d'identité leur permettant de voyager à l'étranger. Les États pourront délivrer des pièces d'identité permettant le voyage à l'étranger à tous les

autres réfugiés se trouvant sur leur sol et qui ne seraient pas en mesure d'obtenir de tels papiers du pays où ils ont leur résidence habituelle.
– Article 29 : le réfugié ne sera pas soumis à des impôts plus lourds qu'un national.
– Article 30 : les États permettront aux réfugiés de transférer les avoirs qu'ils ont fait entrer sur son territoire, dans le territoire d'un autre pays où ils ont été admis à se réinstaller.
– Article 31 : les États n'appliqueront pas de sanctions pénales à un réfugié entré de façon irrégulière sur leur territoire si celui-ci arrive directement du territoire où sa vie ou sa liberté sont en danger.
– Articles 32 et 33 : les États n'expulseront ni ne refouleront un réfugié vers un territoire où sa vie ou sa liberté sont menacées. La seule dérogation permise à ce principe concerne les personnes qui constituent un danger pour la sécurité du pays dans lequel elles se trouvent, ou qui, ayant été condamnées pour un crime ou un délit particulièrement grave, constituent une menace pour la communauté dudit pays. En cas d'expulsion, celle-ci devra se faire selon une procédure prévue par la loi nationale. Elle doit permettre au réfugié de fournir des preuves tendant à le disculper, de bénéficier d'un droit de recours contre cette décision et de pouvoir se faire représenter devant l'autorité compétente pour juger son cas. Si la décision d'expulsion est maintenue, la procédure doit offrir au réfugié un délai raisonnable pour lui permettre de se faire admettre régulièrement dans un autre pays.
– Article 34 : les États faciliteront l'assimilation et la naturalisation des réfugiés.

■ Protection des demandeurs d'asile lors d'afflux massif

Conclusion 22 (XXXII) du 24 avril 1981 intitulée « Protection des personnes en quête d'asile en cas d'arrivées massives »
Les individus qui ne peuvent pas bénéficier du statut de réfugié doivent quand même être traités conformément à ces standards minimaux de protection.
• Le droit de fuir les persécutions, de quitter son pays, n'implique pas le droit d'obtenir l'asile. En cas d'exode massif, la priorité des États doit être de donner un refuge temporaire à ces personnes.
• Ces personnes ne pourront pas être refoulées vers un pays où elles craignent des persécutions.
• Dans l'attente d'une solution durable, les États respecteront les droits minimums suivants :
– pas de poursuites pour entrée illégale dans le pays ;
– respect des droits fondamentaux ;
– assistance matérielle (alimentaire, abris, assistance médicale...) ;
– interdiction des traitements cruels, inhumains ou dégradants ;
– pas de discrimination ;
– accès aux tribunaux et droit à un procès équitable ;
– le lieu d'implantation des réfugiés devra être sûr, c'est-à-dire pas trop proche de la frontière du pays d'origine ;
– respect de l'unité familiale ;
– aide à la recherche des membres de la famille ;
– protection des mineurs et des enfants non accompagnés ;
– possibilité de recevoir et envoyer du courrier ;

- enregistrement des naissances, décès, mariages ;
- recherche d'une solution durable ;
- permission de transférer des avoirs ;
- favoriser des conditions favorables au rapatriement volontaire. ■

▶ **Garanties fondamentales ▷ Garanties judiciaires ▷ Refoulement (expulsion) ▷ Discrimination ▷ Camp ▷ Internement ▷ Enfant ▷ Femme ▷ Rapatriement.**

4. *Les standards minimaux de protection du HCR pour les personnes qui n'ont pas obtenu formellement le statut de réfugiés*

L'octroi du statut de réfugié appartient aux États. Le HCR peut cependant offrir ses bons offices pour aider les États à trouver une solution durable au problème des réfugiés. Le Comité exécutif du HCR a fixé dans la conclusion 22 (XXXII) du 24 avril 1981 les droits minimaux qui doivent être accordés par tous les États, dans l'attente d'une solution durable, aux réfugiés qui ne peuvent pas bénéficier du statut prévu par la Convention de 1951.

III. Les moyens de protection des réfugiés

1. *Le HCR*

Le HCR a été créé pour servir d'organe de coordination des réglementations et des actions prises par les différents États en matière de droit d'asile et de protection des réfugiés.

• Il assume donc une fonction d'harmonisation des législations nationales en la matière et veille à ce qu'elles assurent efficacement la défense du droit d'asile. Il organise également la solidarité internationale face à la charge financière que représente l'accueil des réfugiés.

• Il assume également une fonction d'assistance matérielle et de protection des réfugiés en partenariat avec les ONG.

Le HCR dispose officiellement de la possibilité de signer des contrats de partenariat opérationnel avec des ONG pour les actions d'assistance et de protection.

2. *Les ONG*

Les ONG se trouvent ainsi associées dans les actions d'assistance à la défense du droit des réfugiés.

Par leur présence physique auprès des réfugiés, les ONG sont à même d'évaluer la sécurité physique des réfugiés, la qualité de l'assistance qu'ils reçoivent, les pressions qui pèsent sur leurs décisions, notamment en cas de rapatriement, et d'informer le HCR.

3. *Les États*

Les États sont tenus à une solidarité internationale face à la gestion du phénomène des réfugiés, particulièrement en ce qui concerne les afflux massifs : l'État d'accueil doit « recevoir une assistance immédiate des autres États conformément au principe

du partage équitable des charges » (§ 4 du préambule de la Convention de 1951 ; conclusion 15 de 1979 du comité exécutif du HCR).
L'accueil des réfugiés ne peut être assumé par le seul État vers lequel les personnes fuient du fait de sa proximité géographique. Si tel était le cas, les États potentiellement hôtes ne tarderaient pas à fermer leurs frontières aux personnes en quête de refuge, ce qui reviendrait à nier de fait le droit pour toute personne persécutée de quitter son pays. Il y a donc un devoir international des États de participer à l'assistance aux réfugiés. Ils le font notamment en finançant le HCR, qui protège et assiste les réfugiés. Cette solidarité internationale n'est pas fondée que sur l'altruisme. Il s'agit pour les pays signataires de la convention de faire « tout ce qui est en leur pouvoir pour éviter que ce problème ne devienne une cause de tension entre États » (§ 5 du préambule de la Convention de 1951).

IV. Les initiatives régionales pour la protection des réfugiés

L'augmentation des initiatives régionales portant sur le droit des réfugiés résulte des incitations crées par le HCR et l'Assemblée générale des Nations unies dans les années 1990. En effet, lors de sa 44e session en octobre 1993, le Comité exécutif du HCR a souligné l'importance d'une approche régionale globale en matière de prévention et de protection des réfugiés. Cette position a été avalisée par l'Assemblée générale des Nations unies dans sa résolution 48/116 de novembre 1993. Les objectifs principaux de cette approche régionale étaient principalement de promouvoir la stabilité des sociétés et le respect des droits de leur citoyens, y compris ceux des réfugiés et des déplacés.
En Asie du Sud, seuls le Cambodge et les Philippines sont parties à la Convention de 1951 relative au statut de réfugié et à son Protocole de 1967. Jusqu'à la fin des années 1990, l'Asie du Sud est restée une région où les flux de réfugiés étaient appréhendés comme une question relevant d'abord de la sécurité des États et de processus purement politiques. Cependant, récemment, une acceptation de la nécessité d'une coopération régionale en matière de protection des réfugiés a peu à peu émergé. Les Consultations informelles sur les réfugiés et les mouvements migratoires en Asie du Sud, forum initié en 1994, ont donné lieu à l'élaboration puis à l'adoption par consensus en 1997 d'une loi nationale type sur les réfugiés contenant nombre de dispositions visant à protéger les populations lors de situation de déplacements massifs, avec une attention particulière pour les femmes et les enfants réfugiés, le rapatriement volontaire et le non-refoulement.
Dans l'Union européenne, le règlement de Dublin, adopté en 2003, régit le traitement des demandeurs d'asile et des réfugiés. Il détermine l'État membre de l'Union européenne responsable d'examiner les candidatures des demandeurs d'asile demandant la protection internationale en vertu de la Convention de 1951 et de la directive « qualification » de l'UE d'avril 2004. C'est la pierre angulaire du système de Dublin, système comprenant le règlement de Dublin et le règlement EURODAC, qui établit une base de données des empreintes digitales des nouveaux venus interdits dans l'UE. La politique de migration de l'UE a été critiquée pour

son caractère trop restrictif. Le 1er décembre 2005, le Conseil de l'Europe a adopté la directive 2005/85/EC établissant dans les États membres des standards minimums sur les procédures pour l'octroi et le retrait du statut de réfugié.

Le Moyen-Orient est la région où l'on trouve le nombre le plus important de réfugiés (en Iran et en République arabe syrienne), et celle « produisant » le plus grand nombre de réfugiés (originaires d'Irak). Jusqu'à présent le HCR reste le principal acteur de protection au Moyen-Orient et dans la région du Golfe, mais seuls l'Égypte, Israël et le Yémen ont signé la Convention de 1951. Les autres pays n'ont pas signé les instruments juridiques des Nations unies. Ils n'ont pas non plus adopté des législations nationales en matière de droit des réfugiés. Selon le HCR, les questions liées à l'asile dans la région sont majoritairement gouvernées par les droits nationaux sur les étrangers, et guidées par des préoccupations sécuritaires. Il convient cependant de souligner que, dans cette région, les réfugiés ont largement été accueillis sur la base de traditions d'hospitalité et de solidarité religieuse.

V. Le concept de migration mixte

L'Organisation internationale pour les migrations (OIM) définit le phénomène de migration mixte comme une combinaison de flux migratoires composés de, entre autres, migrants économiques, réfugiés, victimes de la traite, migrants clandestins, mineurs non accompagnés, migrants isolés et migrants se déplaçant pour des raisons environnementales. Ce phénomène résulte de la complexification des dynamiques de migration. La migration devient de plus en plus irrégulière et contrôlée par des réseaux criminels du fait des politiques gouvernementales restrictives concernant les demandeurs d'asile et les travailleurs étrangers. Le phénomène de migration mixte est une préoccupation principalement pour le Bassin méditerranéen, le golfe d'Aden (les Érythréens et les Éthiopiens rejoignant le Yémen), l'Amérique centrale et les Caraïbes, l'Asie du Sud-Est et les Balkans.

Les mouvements migratoires mixtes représentent un défi en termes de protection comme d'assistance. En effet, une large majorité des migrants des flux mixtes ne sont pas *prima facie* des réfugiés, ni ne correspondent à des catégories juridiques établies. Ils risquent de ce fait d'être privés de tout statut de protection en droit international, et d'en être réduits à la catégorie de criminel par les gouvernements concernés. Afin d'aider les États à traiter les mouvements migratoires mixtes d'une façon sensible à la protection, le HCR a lancé le Plan d'action en 10 points sur la protection des réfugiés et la migration internationale. Les migrants et les réfugiés utilisent de plus en plus des routes et des moyens de transport identiques pour atteindre une destination étrangère. Il en découle des enjeux conflictuels pour la protection puisque les États perçoivent ces mouvements comme représentant une menace à leur souveraineté et à leur sécurité nationale. La question des migrations mixtes devrait être considérée au sein du contexte plus large de la lutte contre le crime international (*cf.* traite d'êtres humains) et de la préservation du droit d'asile.

Ce Plan d'action identifie 10 points d'attention et d'action dans le cadre de situations où les réfugiés se mélangent à des populations menacées de refoulement, de violations de droits de l'homme.

1. *Coopération entre partenaires clés,* à savoir les États affectés, les gouvernements et les organisations régionales et internationales.
2. *Collection de données et analyse* sur les caractéristiques du flux migratoire mixte à traiter. Les informations concernant les conditions prévalant dans les pays d'origine, les raisons du flux migratoire, les modes de transport, les routes de transit et les points d'entrée devraient être enregistrées.
3. *Système d'accès permettant la protection.* S'assurer que les États maintiennent des garanties pratiques pour identifier et s'occuper des personnes ayant besoin d'être protégées, tout en renforçant le contrôle des frontières contre des menaces sécuritaires ou des activités criminelles telles que la traite d'êtres humains.
4. *Mesures relatives à l'accueil* : s'assurer que les besoins élémentaires des personnes concernées par les flux migratoires soient satisfaits quel que soit leur statut pour laisser le temps nécessaire au processus de détermination.
5. *Définition des profils et orientations* : les nouveaux arrivants doivent être enregistrés et munis de documents temporaires avant d'entamer une détermination initiale de leur statut.
6. *Des procédures et processus différenciés* devraient être établis pour les cas d'asile et pour les autres personnes ayant des besoins spécifiques, y compris les personnes cherchant à émigrer.
7. *Solutions pour les réfugiés* : il conviendra de se mette d'accord sur une réponse basée sur la protection offrant une solution durable.
8. *Gérer les mouvements secondaires* : la situation des réfugiés et des demandeurs d'asile ayant quitté les pays où ils avaient déjà obtenu une protection adéquate devra être traitée.
9. *Mesures relatives au retour pour les non-réfugiés et options alternatives pour les migrants* : le retour rapide dans la sécurité et la dignité décidé par les États bénéficierait de l'expertise du HCR sur la base de bons offices. Le renforcement de possibilités d'immigration régulière devrait également être envisagé. Cela permettrait de limiter le recours aux systèmes illégaux.
10. *Stratégie d'information* : des campagnes d'information sur les dangers des mouvements irréguliers devraient etre menées dans les pays d'origine, de transit et de destination.

Dans le golfe d'Aden, un groupe de travail sur les migrations mixtes a été établi en 2007, coprésidé par le HCR et l'OIM sous les auspices du groupe de travail sectoriel sur la protection. Le Bureau de la coordination des affaires humanitaires, le HCR, le PNUD, l'UNICEF, le Conseil danois pour les réfugiés et le Conseil norvégien pour les réfugiés composent le groupe. Son but est de développer une stratégie basée sur les droits pour garantir une réponse complète et coordonnée aux besoins humanitaires et aux besoins de protection des migrants et demandeurs d'asile transitant par la Somalie. Un groupe de travail similaire a été mis en place au Yémen en 2008.

Dans la Déclaration de Brasilia, les États latino-américains ont reconnu l'augmentation et la complexité des mouvements migratoires mixtes ainsi que l'importance d'une prise en compte des différents profils des personnes composant les mouvements migratoires afin de répondre aux besoins de protection spécifiques et différenciés des réfugiés, victimes de la traite, mineurs non accompagnés et migrants qui ont été l'objet de violence.

En Europe, les migrations mixtes sont appréhendées à travers le prisme de la sécurité nationale, la priorité des États européens restant la sécurité aux frontières. En octobre 2004, l'Union européenne a par ailleurs adopté le règlement (CE) 2007/2004, qui crée l'Agence européenne pour la gestion de la coopération opérationnelle aux frontières extérieures des États membres de l'Union européenne (Frontex). Cette agence a pour but d'améliorer la gestion intégrée des frontières extérieures de l'UE afin de réguler l'immigration.

Consulter aussi

▶ **HCR ▷ Personnes déplacées ▷ Refoulement (expulsion) ▷ Secours ▷ Protection ▷ Apatride ▷ Asile ▷ Camp ▷ Rapatriement ▷ ONG ▷ Liste des États parties aux conventions relatives aux droits de l'homme et au droit humanitaire (n° 17, 18 et 19).**

Consulter aussi

ABRAR C. R., « Legal protection of refuges in South Asia », *Revue Migrations Forcées,* n° 10.

BRAUMAN R., « Les dilemmes de l'action humanitaire dans les camps de réfugié et les transferts de population », in MOORE J. éd, *Des choix difficiles : les dilemmes moraux de l'action humanitaire,* Gallimard, Paris, 1998, p. 233-256.

BYRNE R., NOLL G. et VEDSTED-HANSEN J., « Understanding refugee law in an enlarged European Union », *European Journal of International Law* (EJIL), vol. 15, n° 2, p. 355-379.

CARLIER J. Y., VANHEULE D., HULLMAN K., GALLIANO C. P., *Qu'est-ce qu'un réfugié ?,* Bruylant, Bruxelles, 1998, 859 p.

Colloque sur la protection internationale des réfugiés en Amérique centrale, au Mexique et au Panama, *La Déclaration de Carthagène sur les réfugiés,* 1984. Disponible sur http://www.unhcr.fr/4b14f4a5e.html

« Déclaration de Brasilia sur la protection des réfugiés et des demandeurs d'asile dans les Amériques », adoptée en novembre 2010 à Brasilia, Brésil et disponible en anglais sur http://www.unhcr.org/4cdd3fac6.html

DRUKE L., « Refugees protection in the post Cold War Europe : Asylum in the Schengen and EC harmonization process », *in* Alexis PAULY (éd.), *Les Accords de Schengen : abolition des frontières intérieures ou menace pour les libertés publiques ?,* European Institute of Public Administration, Maastricht, 1993, p. 105-170.

HCR, *Les Réfugiés dans le monde. Les personnes déplacées : l'urgence humanitaire,* La Découverte, Paris, 1997.

HCR, « *La Protection des réfugiés et les mouvements migratoires mixtes : un Plan d'action en dix points* » disponible sur http://www.unhcr.org/refworld/pdfid/44cdf0c74.pdf

HCR, « Tendances mondiales en 2009 : Réfugiés, demandeurs d'asile, rapatriés, personnes déplacées à l'intérieur de leur pays et apatrides », 15 juin 2010, disponible en ligne sur http://www.unhcr.org/4c11f0be9.pdf

HEDMAN E. L., « Refugees, IDPs, and regional security in the Asia-Pacific », originally published *in* JOB B.L et WILLIAMS E.E., CSCAP, *Regional Security Outlook 2009-2010 ; Security Through Cooperation,* Council for Security Cooperation in the Asia-Pacific, Canada, 2009.

JEAN F., « Le fantôme des réfugiés », *Esprit,* décembre 1992, p. 5-15.

LINDE T., « Aide humanitaire aux migrants indépendamment de leur statut – vers une approche non catégorielle », *Revue internationale de la Croix-Rouge,* vol. 91, n° 875, septembre 2009, p. 657-578. Disponible en ligne sur http://www.icrc.org/fre/assets/files/other/irrc-875-linde-fre.pdf

MCADAM J., « Regionalizing international refugee law in the European Union: Democratic revision or revisionist democracy ? », *Victoria University of Wellington Law Review,* vol. 38, 2007, p. 255-280.

Médecins Sans Frontières, *Refugee Health*, Macmillan, Londres, 1997.

Meijers H., « Refugees in Western Europe, Schengen affects the entire refugee law », *International Journal of Refugee Law*, vol. 2, n° 3, Oxford University Press, 1990, p. 428-440.

Oberoi P., « Regional initiatives on refugee protection in South Asia », *International Journal of Refugee Law*, vol. 11, n° 1, Oxford University Press, 1999, p. 193-201.

OIM, *Le Rôle de l'OIM dans le renforcement des dialogues régionaux sur la migration*, disponible sur http://www.iom.int/jahia/webdav/shared/shared/mainsite/about_iom/fr/council/86/MCINF_266.pdf

Storey H., « EU Refugee Qualification Directive : a Brave New World ? » *International Journal of Refugee Law*, vol. 20, n° 1, p. 1-49.

« Numéro spécial : 50e anniversaire de la convention sur les réfugiés de 1951. La protection des réfugiés dans les conflits armés », *Revue internationale de la Croix-Rouge*, n° 843, 2001.

Terry F., *Condemn to repeat ? The Paradox of Humanitarian Action*, Cornell University Press, Londres, 2002, 261 p.

« The South Asia Declaration on Refugees, adopted by the EPG on Refugee and Migratory Movements in South Asia in January 2004 », *Newsletter on Refugee and Migratory Movements*, UDBASTU, n° 27, janvier-mars 2004.

Réfugiés en mer (*boat people*)

Le problème posé par cette catégorie de personnes en quête d'asile est plus complexe dans la mesure où le sauvetage en mer s'effectue conformément aux droits et usages maritimes. Plusieurs États se trouvent donc concernés par le sort des *boat people* : l'État d'origine, l'État du pavillon, l'État où le navire effectue sa première escale à la suite du sauvetage et, le cas échéant, l'État qui offre une possibilité de réinstallation. Cette pluralité favorise les pratiques restrictives, et spécialement le refus d'admission sur le territoire de l'État où le demandeur d'asile tente de pénétrer après avoir été recueilli. Le terme de « boat people » est apparu à la fin des années 1970 avec le départ en masse des réfugiés vietnamiens à la suite de la guerre du Viêt-nam. Depuis, il y a eu de nombreux exemples de *boat people*, notamment les centaines de réfugiés somaliens et éthiopiens qui traversent régulièrement le golfe d'Aden pour rejoindre le Yémen, les réfugiés qui ont fui la Libye pour l'Italie en 2012 au cours de la guerre civile qui dévasta le pays, ou les centaines de réfugiés qui fuient la Birmanie pour l'Indonésie par le golfe du Bengale du fait des violences intercommunautaires.
On peut fixer quelques principes de droits applicables aux réfugiés en mer.

- Tout clandestin ou *boat people* n'est pas forcément selon le droit international un réfugié en mer. Encore faut-il que la personne fuyant son pays par les eaux entre dans la définition de l'article 1.A de la Convention relative au statut de réfugiés de 1951 ou dans celle de la Convention de l'OUA de 1969. C'est-à-dire qu'il craigne avec raison d'être persécuté du fait de sa race, de sa religion, de sa nationalité, de son appartenance à un certain groupe social ou de ses opinions politiques. Selon le HCR, moins de 10 % des passagers clandestins entreraient dans cette définition.
- Les réfugiés en mer sont sous la protection que leur offre l'État du pavillon de leur navire. La situation sera donc différente selon qu'il s'agit de *boat people* ou de passagers clandestins de navire battant l'un ou l'autre pavillon national.

• Les réfugiés qui fuient sur leurs propres embarcations de fortune ne peuvent pas bénéficier de la protection de leur pavillon, puisque c'est précisément la protection de cet État qu'ils cherchent à fuir.

La fragilité de leur bateau pourrait permettre de poser leur problème sous l'angle de l'obligation d'assistance et des réglementations relatives au sauvetage en mer des bateaux en perdition. La Convention de Bruxelles de 1980 réaffirme qu'un capitaine qui, alors qu'il peut le faire sans danger sérieux pour son navire, son équipage ou ses passagers, ne prête pas assistance à toute personne, même ennemie, trouvée en mer en danger de se perdre, peut être puni d'amende ou d'emprisonnement. Ce texte permet de secourir en mer les réfugiés en danger de perdition. Mais il ne permet pas de déterminer sur quelles côtes ils doivent être débarqués.

• Une convention du 10 octobre 1957 signée à Bruxelles règle sur le papier le statut des passagers clandestins. Elle impose l'obligation d'accueillir les clandestins à l'État de première escale et non à celui du pavillon. Depuis 1957, cette convention n'est toujours pas entrée en vigueur car les États n'acceptent pas d'assumer aussi clairement une telle obligation vis-à-vis de passagers clandestins.

◆ **• Aucune règle acceptée par les États ne permet de dire avec certitude quel est l'État qui a l'obligation d'accepter le débarquement sur son territoire des personnes secourues en mer : État du pavillon ou État de première escale.**

• C'est ce même dilemme qui est rencontré par les passagers clandestins qui montent sur un bateau faisant escale dans leur pays en espérant pouvoir débarquer dans un pays étranger au leur. La responsabilité de l'État du pavillon du navire et celle de l'État de première escale ne sont pas tranchées de façon absolue par le droit international en ce qui concerne l'accueil des clandestins. La responsabilité des capitaines n'en est que plus grande et plus inconfortable.

• Sur le plan pratique, seules les obligations de sauvetage en mer sont aujourd'hui clairement prévues par le droit. C'est sur ce plan que peuvent être protégés, dans un premier temps et le mieux possible, les réfugiés en mer, car l'absence de solution de débarquement entraîne de façon mécanique des refus de sauvetage plus ou moins caractérisés. L'échouage des « épaves » sur les côtes semble aujourd'hui la seule possibilité juridique de débarquement des réfugiés.

Le HCR peut jouer un rôle essentiel pour résoudre ce dilemme en proposant des procédures de réinstallation dans des pays de deuxième asile, à l'État de première escale ou à celui qui accepte l'accueil des réfugiés.

Pour en savoir plus

HCR, *Rapport spécial. L'exode indochinois et le PAG*, HCR, juin 1996.

Regroupement familial

La famille constitue un cadre de protection naturel pour les personnes, en particulier en situation précaire. C'est pourquoi le droit international humanitaire protège le droit de la famille dans les conflits et cherche à éviter que les familles soient désunies.

▶ **Famille.**

Cependant, il arrive que, dans les situations de conflit armés ou de fuite, les membres d'une même famille soient séparés, aussi, des mesures particulières sont prévues par le droit humanitaire pour permettre leur regroupement et pour faciliter le travail des organisations humanitaires qui se consacrent à cette tâche (GIV art. 26 ; GPI art. 74 ; GPII art. 4.3.b). L'Agence centrale de recherches et le mouvement de la Croix-Rouge ont un mandat spécifique relatif à la recherche des membres des familles dispersés et à leur réunification. D'autres organisations humanitaires peuvent cependant développer des programmes de même nature sur le terrain (UNICEF, Save the Children...)
La question du droit au regroupement familial se pose en d'autres termes pour les réfugiés. En fuyant leur pays, ils ont souvent laissé derrière eux leur famille, ou bien ils ont fui ensemble, mais le statut de réfugié étant un statut individuel, celui-ci ne sera pas forcément accordé aux membres de la famille d'une personne persécutée. Il est toutefois possible pour le réfugié de faire ultérieurement une demande de regroupement familial (principe de l'unité des familles mentionné dans l'acte fondateur de la conférence des plénipotentiaires des Nations unies sur le statut de réfugiés et des apatrides, IV.B du 28 juillet 1951). Il devra alors s'adresser à l'autorité gouvernementale compétente du pays d'accueil. Le HCR, le CICR ou les sociétés nationales de la Croix-Rouge pourront l'aider dans sa démarche.
En France, cette demande est à adresser à la sous-direction des réfugiés du ministère des Affaires étrangères. Elle doit être accompagnée d'une photocopie du certificat de réfugié, de la carte de résident et de l'adresse de la famille. Le réfugié peut, dans certains cas, obtenir une participation du ministère de l'Emploi et de la Solidarité (service social d'aide aux émigrants) pour financer le billet d'avion des membres de sa famille qui viennent le rejoindre.
Le droit au regroupement familial est aussi prévu par la Convention sur les droits de l'enfant de 1989 (art. 9,10 et 22), le Pacte international relatifs aux droits civils et politiques (art. 23.1) et le Pacte international relatif aux droits économiques, sociaux et culturels (art. 10.1) de 1966.
Le droit au regroupement familial a également été transposé en droit international humanitaire coutumier. En effet, l'étude sur les règles de droit international humanitaire coutumier publiée par le CICR en 2005 dispose que « la vie de famille doit être respectée dans toute la mesure possible » (règle 105) et que, « en cas de déplacement, toutes les mesures possibles doivent être prises [...] afin que les membres d'une même famille ne soient pas séparés les uns des autres » (règle 131). Ces règles s'appliquent en période de conflit armé international et non international.
Par ailleurs, le droit au regroupement familial est lié au droit d'être tenu informé des recherches concernant les personnes disparues en période de conflit. Ainsi, la règle 117 de l'étude sur le DIH coutumier prescrit que, en situation de conflit armé international et non international, « chaque partie au conflit doit prendre toutes les mesures pratiquement possibles pour élucider le sort des personnes portées

disparues par suite d'un conflit armé, et doit transmettre aux membres de leur famille toutes les informations dont elle dispose à leur sujet ».

Consulter aussi

- **Famille ▷ Agence centrale de recherches ▷ Réfugié ▷ HCR ▷ Enfant ▷ Personnes disparues et les morts.**

Pour en savoir plus

BUGNION F., *Le Comité international de la Croix-Rouge et la protection des victimes de la guerre*, CICR, Genève, 1994, p. 895-921.

DRAPER G.I.A.D., « La réunion des familles en période de conflit armé », *Revue internationale de la Croix-Rouge*, n° 698, février-mars 1977, p. 65-74.

Réparation-Indemnisation

L'indemnisation des victimes de violations des droits de l'homme et du droit international humanitaire est récente en droit international. Elle s'inscrit dans l'exercice du droit aux recours judiciaires reconnus par le droit international aux victimes de violations graves du droit humanitaire et des droits de l'homme, et elle en constitue la dernière phase. Ce droit au recours et à l'indemnisation incombe principalement aux juridictions nationales, compte tenu du faible nombre de recours judicaires internationaux ouverts aux individus.

Le droit à l'indemnisation des victimes se distingue du régime de responsabilité internationale existant entre les États, qui les oblige à réparer les préjudices causés à un autre État par la violation de leurs engagements internationaux. Ces questions sont tranchées par la Cour internationale de justice, qui peut se prononcer sur le montant des indemnisations interétatiques. Les États peuvent également mettre en œuvre des mécanismes d'indemnisation internationaux directs quand leur responsabilité est engagée du fait d'un préjudice causé à des entités et/ou des individus étrangers. Cela est fréquent dans les opérations militaires internationales, et les décisions relèvent souvent d'accords amiables ou d'arbitrage directement initiés par les forces armées concernées.

Le droit international a recours à plusieurs termes différents pour parler de la réparation des préjudices subis par les victimes de violations graves des droits de l'homme et du droit humanitaire. Il s'agit des termes d'indemnisation, de compensation, de restitution, de réhabilitation, de réadaptation et de satisfaction.

1. *Fonds spéciaux d'indemnisation internationale*

Pendant longtemps, les tribunaux nationaux étaient seuls compétents dans ce domaine. Compte tenu de l'implication fréquente des États dans ces violations graves, des mécanismes *ad hoc* tels que les commissions de vérité et de réconciliation ou des fonds internationaux d'indemnisation ont été encouragés dans le cadre des Nations unies. Il existe notamment deux fonds de ce type, celui pour les victimes de la torture

et celui pour les victimes des formes contemporaines d'esclavage, créés respectivement en 1981 et 1991 par l'Assemblée générale de l'ONU. Ces fonds sont alimentés essentiellement par des contributions volontaires d'États, mais ils sont ouverts également aux contributions des organisations non gouvernementales, des individus et des autres acteurs du secteur privé. Chaque fonds est géré par le Haut-Commissariat des Nations unies pour les droits de l'homme et un conseil d'administration de cinq personnes, nommées pour trois ans renouvelables par le secrétaire général de l'ONU. C'est ce conseil qui débloque les sommes d'argent, après étude des projets soumis par des ONG qui travaillent au profit des victimes de la torture ou de l'esclavage. Les ONG sont le vecteur obligatoire de l'aide accordée par les fonds, qui ne versent donc jamais d'argent directement aux victimes. Sur la base des rapports d'activité de ces fonds pour l'année 2007, on note une baisse des contributions versées au Fonds pour les victimes de la torture depuis 2004 contre une nette hausse des contributions versées depuis 1998 au Fonds pour la lutte contre les formes contemporaines d'esclavage.
Alors que les statuts des deux tribunaux internationaux *ad hoc* pour l'ex-Yougoslavie et le Rwanda ne prévoyaient aucun système d'indemnisation des victimes, le statut de la Cour pénale internationale (art. 75), adopté en juillet 1998 et entré en vigueur le 1er juillet 2002, prévoit la possibilité d'indemniser les victimes de crimes de guerre, de crimes contre l'humanité et de génocide (art. 75) ainsi que la création d'un Fonds au profit des victimes et de leur famille (FPV, art. 79.1).
L'article 75 du statut de la CPI précise que « la Cour établit des principes applicables aux formes de réparation, telles que la restitution, l'indemnisation ou la réhabilitation, à accorder aux victimes ou à leurs ayants droit. Sur cette base, la Cour peut, sur demande, ou de son propre chef dans des circonstances exceptionnelles, déterminer dans sa décision l'ampleur du dommage, de la perte ou du préjudice causé aux victimes ou à leurs ayants droit, en indiquant les principes sur lesquels elle fonde sa décision ».
L'indemnisation apparaît donc comme une forme possible, parmi d'autres, de réparation du préjudice subi par les victimes.

La création d'un Fonds au profit des victimes (FPV), prévue par l'article 79.1 du statut de Rome, a officiellement été décidée en septembre 2002 par la résolution 6 de l'Assemblée des États parties. Celle-ci fixe les conditions et les règles de réparation du préjudice subi par les victimes et leurs familles par la communauté internationale, en marge des capacités d'indemnisation directe par les individus condamnés. Ce fonds est administré par un conseil de direction composé de cinq membres indépendants, élus par l'Assemblée des États parties pour un mandat de trois ans renouvelable une fois. Ce fonds n'est donc pas sous le contrôle direct de la Cour et des juges. Il est alimenté par des contributions volontaires versées par les États membres, des organisations internationales, des individus ainsi que par d'autres fonds alloués par l'Assemblée des États parties. Il peut également recevoir le produit des amendes et des biens confisqués aux accusés, sur décision de la Cour.
En avril 2013, le FPV dirigeait 31 projets sur les 34 approuvés par la Cour, dont treize en République démocratique du Congo (RDC) et seize dans le nord de l'Ouganda, dont ont bénéficié environ 80 000 victimes de crimes relevant de la compétence de la Cour.

En novembre 2010, le montant total des contributions volontaires s'élevait approximativement à 5,8 millions d'euros, parmi lesquels environ 4,45 millions d'euros ont été alloués aux activités en RDC et au nord de l'Ouganda depuis 2007-2008. 1,35 million d'euros ont par ailleurs été alloués aux activités menées en RCA (600 000 euros) et à tout ordre potentiel de la Cour pour réparations (750 000 euros). Les dix principaux donateurs sont l'Allemagne, le Royaume-Uni, la Suède, la Finlande, La Norvège, les Pays-Bas, l'Irlande, le Danemark et la France. Les activités du fonds ne sont pas assimilables à une indemnisation judiciaire des victimes. En effet, les programmes du fonds sont très largement déconnectés des jugements rendus par la CPI. Ces programmes interviennent pour l'instant dans la phase préliminaire du procès, lors de l'examen par la Cour des situations dans les différents pays concernés.

En théorie, les indemnités peuvent être accordées à titre individuel ou à titre collectif. Elles peuvent être imputées directement à la charge d'une personne jugée coupable ou payées par l'intermédiaire du fonds. Elles peuvent être versées aux victimes directement ou par le biais d'organisations internationales ou nationales agréées par le fonds. Pour faciliter les démarches des victimes, la Cour a mis en place un formulaire type qui pourra être utilisé pour les demandes de réparations. En revanche, la CPI n'a pas compétence pour condamner un État à payer des réparations aux victimes de violations graves commises par ce dernier ou par ses agents. Elle n'agit que dans le cadre de la responsabilité pénale individuelle des auteurs de violations, et ne peut pas mettre en cause la responsabilité de l'État. La mise en cause de la responsabilité de l'État relève par contre de la compétence de la Cour internationale de justice (CIJ) et de certaines cours de justice régionales.

▶ **Cour pénale internationale ▷ Cour internationale de justice ▷ Cour européenne des droits de l'homme.**

En pratique, avant la première condamnation de la Cour pénale internationale, prononcée à l'encontre de Thomas Lubanga Dyilo, les crédits du fonds étaient majoritairement destinés aux programmes des ONG soutenant les victimes de violences dans les domaines de préoccupation de la Cour. Le 7 août 2012, la Chambre de première instance I de la CPI a rendu le premier jugement concernant les réparations pour les victimes de crimes de guerre et crimes contre l'humanité commis par Thomas Lubanga Dyilo et a fixé les principes applicables à la réparation des victimes conformément aux dispositions de l'article 75 de son statut.

La Chambre a décidé que les réparations seraient accordées « par l'intermédiaire » du Fonds au profit des victimes (FPV). Afin d'évaluer le préjudice subi par les victimes, le fonds a mis en place des consultations avec les victimes et leurs communautés dans les localités de l'Ituri (RDC) affectées par les crimes. Suite à ces évaluations, le fonds mettra en place des plans de réparations collectives qui seront soumis à la Cour pour approbation. En septembre 2012, seulement 85 victimes avaient déposé une demande en réparation dans l'affaire Lubanga. Compte tenu de la nature et de l'ampleur des crimes affectant des communautés entières, la Cour a adopté une approche inclusive concernant l'évaluation des préjudices et les formes de réparations. Elle confirme la tendance vers des formes de réparation collectives plutôt qu'individuelles, pour éviter à la fois les risques de stigmatisation

et de discrimination entre les victimes. C'est donc une logique de réparation-réhabilitation qui prime sur celle de l'indemnisation. À cet effet, la Cour affirme les principes suivants (ICC-01/04-01/06, Procureur c. Thomas Lubanga Dyilo, *Decision establishing the principles and procedures to be applied to reparations*, § 185-197) :
1. Le droit à réparation est un droit de l'homme fondamental bien établi (§ 185).
2. Les victimes devraient être traitées de façon juste et équitable, qu'elles aient pris part ou non au procès. Les besoins de toutes les victimes devraient être pris en compte et en particulier ceux des enfants, des personnes âgées, des personnes handicapées et des victimes de violences sexuelles ou sexistes. Les victimes devraient être traitées avec humanité et respect pour leur dignité, leurs droits de l'homme, leur sécurité et leur bien-être. Les mesures de réparations devraient être accordées et mises en œuvre sans aucun caractère discriminatoire tel que l'âge, l'ethnie ou le sexe. Les réparations devraient éviter la stigmatisation des victimes et leur discrimination par leurs familles et communautés (§ 187-193).
3. Les réparations peuvent être accordées aux victimes directes ou indirectes, y compris les membres de la famille de victimes directes, mais aussi les entités légales (§ 194).
4. Les réparations devraient être accessibles à toutes les victimes, en suivant une approche sensible au genre. Les victimes, leurs familles et leurs communautés devraient pouvoir participer au processus de réparation et recevoir un soutien adéquat (§ 195-196, 202).

2. Principes internationaux de réparation

En 2005, la Commission des droits de l'homme du Haut-Commissariat des Nations unies aux droits de l'homme a adopté les « Principes fondamentaux et directives concernant le droit à un recours et à réparation des victimes des violations flagrantes du droit international des droits de l'homme et de violations graves du droit international humanitaire » (E/CN.4/RES/2005/35). Ceux-ci ont été approuvés par l'Assemblée générale des Nations unies en 2006 (A/RES/60/147 du 21 mars 2006). Ces principes insistent en premier lieu sur l'obligation particulière des États de fournir des recours adéquats aux victimes de violations qui sont le plus souvent commises par des organes et agents de l'État. En effet, c'est cette spécificité des violations des droits de l'homme qui rend leur sanction difficile et accroît la vulnérabilité des victimes. Les principes internationaux insistent donc sur la nécessité d'inclure dans le droit national les dispositions utiles à l'interdiction et à la sanction de ces actes, la formation du personnel ayant des fonctions officielles sécuritaires et judiciaires, l'accès à l'information des victimes, la protection des victimes contre les représailles, les garanties contre la répétition de ces actes ou pratiques du fait des organes et agents de l'État, et les règles et procédures permettant la réparation du préjudice subi. Ils affirment que la réparation pleine et effective doit être assurée dans tous les cas et être proportionnée à la gravité de la violation. Ces principes précisent les diverses formes que peut prendre cette réparation : restitution, indemnisation, réadaptation, satisfaction et garanties de non-répétition (principes 19 à 23 de la résolution 2005/35). La restitution devrait, dans la mesure du possible, rétablir la victime dans la situation originale qui existait avant que les violations flagrantes ne se soient produites. Cela implique par exemple : la restauration de la liberté, la jouissance des droits de l'homme, de l'identité, de la vie de famille et de la citoyenneté, le retour sur le lieu de résidence et la restitution de l'emploi et des biens.

Une indemnisation devrait être accordée pour tout dommage résultant de violations flagrantes qui se prête à une évaluation économique, selon qu'il convient et de manière proportionnée à la gravité de la violation et aux circonstances de chaque cas.

Ces principes encouragent également les États à informer le public, et particulièrement les victimes de violations flagrantes de droits de l'homme ou de droit international humanitaire, des droits et services qui leurs sont disponibles au nom du droit au recours (services médicaux, psychologiques, juridiques, etc.).

À la lumière des textes et de la pratique internationaux, les principes de réparation destinés aux victimes restent directement rattachés et soumis à la responsabilité de l'État, qui inclut son obligation de réparation en cas de comportement internationalement illicite. Le droit international reconnaît ces principes mais ne crée pas de droit individuel à l'indemnisation. Celui-ci ne peut être mis en œuvre qu'au niveau des tribunaux nationaux.

Ceci est confirmé par une décision rendue en 2012 par la Cour internationale de justice dans un différend opposant l'Allemagne à l'Italie sur l'indemnisation des victimes du nazisme. La Cour a précisé qu'elle ne se prononcerait pas sur l'existence d'un droit individuel à réparation directement opposable et qui serait conféré par le droit international aux victimes de violations du droit humanitaire. Mais elle a affirmé que, « pendant un siècle, la quasi-totalité des traités de paix ou règlement d'après guerre ont reflété le choix soit de ne pas exiger le versement d'indemnités, soit de recourir à titre de compensation au versement d'une somme forfaitaire. Compte tenu de cette pratique, il est difficile d'apercevoir en droit international une règle imposant une indemnisation complète pour chacune des victimes, dont la communauté internationale des États dans son ensemble s'accorderait à estimer qu'elle ne peut souffrir d'aucune dérogation » (Immunités juridictionnelles de l'État (Allemagne c. Italie ; Grèce (intervenant), CIJ, jugement du 3 février 2012, § 94 et 108).

3. *L'indemnisation par les cours régionales relatives aux droits de l'homme*

Au niveau régional, les conventions relatives aux droits de l'homme posent de façon explicite le principe du droit à l'indemnisation dans le cadre de l'obligation des États de garantir des recours judiciaires effectifs aux victimes de violations des droits de l'homme. Les Cours européenne, interaméricaine et africaine des droits de l'homme (Cour africaine de justice et des droits de l'homme et Cour de justice de la CEDEAO) peuvent décider dans leurs jugements d'octroyer des indemnisations aux victimes des violations en condamnant l'État concerné à payer aux victimes des réparations dont le montant est établi par le juge régional (art. 13 de la Convention européenne, art. 25 et 63 de la Convention interaméricaine, art. 7 de la Charte africaine des droits de l'homme et art. 28.h et 45 du protocole portant statut de la Cour africaine de justice et des droits de l'homme de 2008, et art. 3.2 du protocole supplémentaire au Protocole relatif à la Cour de justice de la CEDAO de 2005). Dans ce cas, c'est l'État national qui est tenu de réparer financièrement les dommages qu'il a lui-même causés aux victimes. Il y est contraint par la décision de justice du juge régional, qui fixe le montant de l'indemnisation. Il ne s'agit pas dans ce cas d'un mécanisme large de solidarité internationale mais d'une mise en cause judiciaire de la responsabilité de l'État dans les préjudices subis par les individus.

▶ **Cour pénale internationale ▷ Cour européenne des droits de l'homme ▷ Cour et Commission interaméricaines des droits de l'homme ▷ Cour et Commission africaines des droits de l'homme ▷ Recours individuels ▷ Droits de l'homme.**

Jurisprudence

- **Cour pénale internationale**

ICC-01/04-01/06, *Prosecutor v. Thomas Lubanga Dyilo, Decision establishing the principles and procedures to be applied to reparations*, § 185 à 196, voir *supra*.

- **Cour internationale de justice**

La CIJ rappelle dans plusieurs décisions qu'« il est bien établi en droit international général que l'État responsable d'un fait internationalement illicite a l'obligation de réparer en totalité le préjudice causé par ce fait ». Voir Usine de Chorzów, compétence, 1927, C.P.J.I. série A n° 9, p. 21 ; Projet Gab íkovo-Nagymaros (Hongrie/Slovaquie), arrêt, *C.I.J. Recueil 1997*, p. 81, § 152 ; Avena et autres ressortissants mexicains (Mexique c. États-Unis d'Amérique), *C.I.J. Recueil 2004*, p. 59, § 119 ; Activités armées sur le territoire du Congo (République démocratique du Congo c. Ouganda), arrêt, *C.I.J. Recueil 2005*, p. 168. Dans cette dernière affaire notamment « la Cour juge par ailleurs appropriée la demande de la RDC tendant à ce que la nature, les formes et le montant de la réparation qui lui est due soient, à défaut d'accord entre les parties, déterminés par la Cour dans une phase ultérieure de la procédure » (§ 260-261).

Dans son jugement dans l'affaire des Immunités juridictionnelles de l'État (Allemagne c. Italie ; Grèce intervenant, jugement, 3 février 2012), la CIJ distingue le régime du droit à réparation individuelle qui reste soumis au principe de l'immunité juridictionnelle des États et celui de l'obligation de réparation existant dans les relations entre les États. « La Cour ne se prononce pas sur l'existence d'un droit individuel à réparation directement opposable qui serait conféré par le droit international aux victimes de violations du droit des conflits armés » (§ 108).

« Une décision tendant à reconnaître l'immunité d'un État n'entre pas davantage en conflit avec l'obligation de réparation qu'avec la règle interdisant le fait illicite commis à l'origine. De surcroît, pendant un siècle, la quasi-totalité des traités de paix ou règlement d'après guerre ont reflété le choix soit de ne pas exiger le versement d'indemnités, soit de recourir à titre de compensation au versement d'une somme forfaitaire. Compte tenu de cette pratique, il est difficile d'apercevoir en droit international une règle imposant une indemnisation complète pour chacune des victimes, dont la communauté internationale des État dans son ensemble s'accorderait à estimer qu'elle ne peut souffrir aucune dérogation » (§ 94).

Contacts

UNVFVS/UNVFVT

OHCHR

Palais des Nations, CH-1211 Genève 10 / Suisse.

slaveryfund@ohchr.org

unvfvt@ohchr.org

Redress (London-based association that helps victims of torture to obtain justice and reparation) : www.redress.org

Pour en savoir plus

Flauss J. F. et Lambert-Abdelgawad E., *La Pratique d'indemnisation par la Cour européenne des droits de l'homme*, Bruylant., 2011, 360 p.

Gillard E. C., « Réparations pour violations du droit international humanitaire », *Revue internationale de la Croix-Rouge*, n° 851, numéro spécial : *Les Victimes après la guerre – action humanitaire, réparation et justice*, septembre 2003, p. 529-554.

Kolliopoulos A. et Dupuy P. M., *La Commission d'indemnisation des Nations unies et le droit de la responsabilité internationale*, LGDJ, Paris, 2001, 483 p.

« La participation des victimes aux procédures de la Cour pénale internationale. Étude de la pratique et considération des options pour le futur », Redress, octobre 2012, 70 p.

« Principes fondamentaux et directives concernant le droit à un recours et à réparation des victimes de violations flagrantes du droit international relatif aux droits de l'homme et de violations graves du droit international humanitaire », Commission des droits de l'homme du Haut-Commissariat aux droits de l'homme des Nations unies, résolution 2005/35 ; Assemblée générale des Nations unies, résolution A/RES/60/147. Disponible en ligne : http://www.un.org/ga/search/view_doc.asp?symbol=A/RES/60/147&Lang=F

Revue internationale de la Croix-Rouge, numéro spécial « Commissions vérité et réconciliation », vol. 88, n° 862, juin 2006.

Wooldrige F. et Olufemi, « Les considérations d'ordre humanitaire dans les travaux de la Commission d'indemnisation des Nations unies », *Revue internationale de la Croix-Rouge*, n° 851, numéro spécial : *Les Victimes après la guerre – action humanitaire, réparation et justice*, septembre 2003, p. 555-581.

Zegveld L., « Réparation en faveur des victimes selon le droit international humanitaire », *Revue internationale de la Croix-Rouge*, n° 851, numéro spécial : *Les Victimes après la guerre – action humanitaire, réparation et justice*, septembre 2003, p. 497-528.

Représailles

Les représailles sont des mesures de contrainte, dérogatoires aux règles ordinaires du droit international, prises par un État à la suite d'actes illicites commis à son détriment par un autre État, et tendant à imposer à celui-ci le respect du droit. Elles peuvent aussi intervenir en réponse à une attaque. Le problème de la licéité des représailles se pose depuis que le droit conventionnel a interdit le recours à la force dans les relations interétatiques, sauf en cas de légitime défense individuelle ou collective (article 51 de la Charte de l'ONU).

En période de conflit, la jurisprudence admet que les représailles sont licites quand elles répondent à une attaque, à condition d'être proportionnées à l'attaque et d'être dirigées exclusivement contre des combattants et des objectifs militaires.

Le droit humanitaire interdit donc les représailles contre toutes les personnes civiles et les biens protégés par les Conventions de Genève et les protocoles : blessés, malades et naufragés, personnel sanitaire ou religieux, unités, transports et matériels sanitaires, prisonniers de guerre, population civile et personnes civiles, biens de caractère civil, biens culturels, biens essentiels à la survie de la population, environnement naturel, ouvrages et installations contenant des forces dangereuses, bâtiments et matériels de protection civile (GI art. 46 ; GII art. 47 ; GIII art. 13 ; GIV art. 33 ; GPI art. 20, 51 à 56).

◆ • **Il ne faut pas confondre les représailles, les actes de vengeance et la rétorsion. La vengeance n'est jamais autorisée par le droit. La rétorsion et les représailles sont prévues par le droit international. La rétorsion permet à un État de répondre à des actes inamicaux mais licites d'un autre État (par exemple, l'expulsion réciproque de diplomates).**
• **Les représailles doivent toujours être proportionnées à l'attaque et elles ne doivent pas viser des personnes ou des biens protégés. Si ces conditions ne sont pas respectées, il ne s'agit plus de représailles mais de vengeance.**
Les conditions de représailles en droit international humanitaire coutumier
En droit international humanitaire coutumier, les représailles sont soumises à des conditions strictes. Celles-ci sont énumérées dans l'étude sur les règles du droit international humanitaire coutumier publiée par le CICR en 2005 :
Règle 145 : dans les cas où elles ne sont pas interdites par le droit international, les représailles sont soumises à des conditions très strictes en situation de conflit armé international.
Règle 146 : les représailles contre des personnes protégées par les Conventions de Genève sont interdites en situation de conflit armé international.
Règle 147 : les représailles contre des biens protégés par les Conventions de Genève et après la Convention de La Haye pour la protection des biens culturels sont interdites en situation de conflit armé international.
Règle 148 : les parties à des conflits armés non internationaux n'ont pas le droit de recourir à des mesures de représailles. Les autres contre-mesures contre des personnes qui ne participent pas ou qui ont cessé de participer directement aux hostilités sont interdites.

Il appartient aux commandants militaires de prendre en cas de représailles les précautions prévues par le droit international pour limiter les méthodes de combat. Le droit humanitaire prévoit la responsabilité personnelle des membres des forces armées.

▶ **Proportionnalité ▷ Attaque ▷ Biens protégés ▷ Personnes protégées ▷ Devoirs des commandants ▷ Méthodes de guerre ▷ Responsabilité ▷ Légitime défense.**

Jurisprudence

Le TPIY a affirmé le caractère coutumier de l'interdiction des représailles à l'encontre de la population et des biens civils (TPIY, affaire Martic, décision de la Chambre de première instance du 8 mars 1996, § 15-17).

Cette interdiction est fondée sur le fait que le droit humanitaire ne défend pas les États mais les individus en tant qu'êtres humains. Les États ne peuvent donc pas invoquer des violations du droit humanitaire par un belligérant pour exercer des représailles sur la population civile (TPIY, affaire Kupreskic, décision de la Chambre de première instance du 14 janvier 2000, § 527-536).

Pour en savoir plus

NAHLIK S. E., « From reprisals to individual penal responsibility », *in* DELISSEN A.J.M., TANIA G.J. (éds), *Humanitarian Law of Armed Conflict – Challenges Ahead ; Essays in Honour of Frits Kalshoven*, Martinus Nijhoff, La Haye, 1991, p. 165-176.

NAHLIK S. E., « Le problème des représailles à la lumière des travaux de la CDDH », *Revue générale de droit international public*, 1978, p. 130-169.

OBRADOVIC K., « L'interdiction des représailles dans le Protocole I : un acquis pour une meilleure protection des victimes de la guerre », *Revue internationale de la Croix-Rouge*, n° 827, septembre octobre 1997, p. 562-565.

Réquisition

Il s'agit d'une mesure par laquelle un belligérant ou un représentant de l'État s'assure de la jouissance temporaire ou définitive de certains biens (meubles ou immeubles) ou de la prestation de certains services. La réquisition se fait en principe moyennant indemnité.

• Le droit humanitaire réglemente de nombreux cas de réquisitions, particulièrement dans les territoires occupés. Les réquisitions doivent être proportionnées aux ressources du pays pour ne pas porter atteinte aux biens essentiels à la survie de la population. Elles ne peuvent pas viser à obliger des personnes à participer aux opérations militaires contre leur pays (GPI art. 63 ; GIV art. 51 et 55).

• Des règles précises limitent la réquisition des installations, du personnel, du matériel et des moyens de transport sanitaires. Elles sont contenues de façon fragmentée dans les Conventions de Genève (GI art. 33, 34, 35 ; GIV art. 57 ; GPI art. 14) :

– la puissance occupante ne pourra réquisitionner les hôpitaux civils que temporairement et qu'en cas de nécessité urgente, pour soigner des blessés et des malades militaires, et à condition que les mesures appropriées soient prises en temps utile pour assurer les soins et le traitement des personnes hospitalisées et répondre aux besoins de la population civile. Le matériel et les dépôts des hôpitaux civils ne pourront pas être réquisitionnés tant qu'ils seront nécessaires aux besoins de la population civile (GIV art. 57) ;

– les biens mobiliers et immobiliers des sociétés de secours [...] seront considérés comme propriété privée. Le droit de réquisition reconnu aux belligérants par le droit de la guerre ne s'exercera qu'en cas de nécessité urgente et une fois le sort des blessés et des malades assuré (GI art. 34) ;

– des règles de protection s'appliquent également aux bâtiments et au matériel sanitaires des forces armées. Ils ne pourront jamais être détournés de leur emploi tant qu'ils seront nécessaires aux malades et aux blessés et ne pourront pas être intentionnellement détruits (GI art. 33). Les transports de blessés et malades ou de matériel sanitaire seront respectés et protégés. Lorsque ces transports ou véhicules tomberont aux mains de la partie adverse, ils seront soumis aux lois de la guerre, à la condition que la partie au conflit qui les aura capturés se charge dans tous les cas des blessés et des malades qu'ils contiennent (GI art. 35).

• Concernant les territoires occupés, le premier Protocole de 1977 (GPI art. 14) fournit une rédaction détaillée des mesures relatives aux réquisitions sanitaires. Ce texte peut servir de référence dans les autres situations. Il unifie et clarifie ces règles en les appliquant de façon uniforme aux hôpitaux, mais aussi aux formations sanitaires provisoires et ambulantes, et en incluant le personnel sanitaire, le matériel sanitaire et les moyens de transport sanitaire dans l'interdiction de réquisition :

« 1. La puissance occupante a le devoir d'assurer que les besoins médicaux de la population civile continuent d'être satisfaits dans les territoires occupés.

2. En conséquence, la puissance occupante ne peut réquisitionner les unités sanitaires civiles, leur équipement, leur matériel ou leur personnel, aussi longtemps que ces moyens sont nécessaires pour satisfaire les besoins médicaux de la popu-

lation civile et pour assurer la continuité des soins aux blessés et malades déjà sous traitement.
3. La puissance occupante peut réquisitionner les moyens mentionnés ci-dessus à condition de continuer à observer les règles générales établies aux points 1 et 2 précédents et sous réserve des conditions particulières suivantes :
a) que les moyens soient nécessaires pour assurer un traitement médical immédiat et approprié aux blessés et malades des forces armées de la puissance occupante et aux prisonniers de guerre ;
b) que la réquisition n'excède pas la période ou cette nécessité existe ; et
c) que des dispositions immédiates soient prises pour que les besoins médicaux de la population civile, ainsi que ceux des blessés et malades sous traitements affectés par la réquisition, continuent d'être satisfaits. »

▶ **Services sanitaires ▷ Mission médicale ▷ Personnel sanitaire ▷ Territoire occupé ▷ Pillage.**

Respect du droit international humanitaire

Les États parties aux conventions internationales relatives au droit humanitaire sont tenus de respecter et de faire respecter en toutes circonstances les normes du droit humanitaire (GI-GIV art. 1 ; GPI art. 1 et 80.2). Le rappel par le droit humanitaire de l'obligation de respecter, alors que ce devoir existe pour tout traité (art. 26 de la Convention de Vienne sur le droit des traités), indique le caractère impératif de ces textes.

▶ **Convention internationale.**

Le devoir d'assurer ce respect existe à deux niveaux. Au niveau national, les États doivent incorporer les dispositions du droit international humanitaire dans leur droit interne et s'assurer que des sanctions pénales nationales existent pour le cas où une personne se rendrait coupable de violations. Au niveau international, les États doivent agir si l'un d'eux viole ces conventions. En effet, le respect du droit humanitaire est important pour maintenir l'ordre public international que tous les États doivent défendre.
Le respect du droit humanitaire ne repose pas uniquement sur des mécanismes de sanctions car les conséquences de ces violations sont irréparables. L'application du droit humanitaire repose également sur l'établissement de sphères de responsabilité distinctes pour tous les acteurs des situations de tensions ou de conflit, qu'ils soient États, organisations ou individus. Cela concerne en particulier les États parties aux Conventions de Genève, les parties au conflit, les combattants et les organisations de secours.

▶ **Responsabilité.**

De plus, il est important de noter que tous les États ou les parties au conflit sont tenus par le droit humanitaire, même si l'État ou la partie adverse viole ces règles. L'obligation de respecter le droit humanitaire n'est pas liée à une obligation de réciprocité (GI-GIV art. 1 et 2 communs). Il reste applicable même dans les situations où une ou plusieurs des parties au conflit ne sont pas parties aux Conventions, par exemple, ou dans les cas d'entité ou d'autorité non étatique non reconnue par la partie adverse.

▶ **Statut juridique des parties au conflit ▷ Convention internationale.**

Les États restent cependant la clé du respect de ce droit car ils possèdent les moyens d'en assurer et d'en imposer le respect. Leur obligation de respecter et de faire respecter ce droit se décline en plusieurs obligations précises :

• Les parties au conflit, mais aussi plus largement les États parties aux Conventions de Genève doivent donner des ordres et des instructions propres à assurer le respect des Conventions et du Protocole additionnel I (GPI art. 80.2).

• Ils s'engagent à incorporer les dispositions du droit humanitaire à l'intérieur du droit national notamment en matière de droit pénal (GI art. 49 ; GII art. 50 ; GIII art. 129 ; GIV art. 146).

• Ils s'engagent à diffuser les normes en question au sein de la population et de leurs forces armées (GI art. 47 ; GII art. 48 ; GIII art. 127 ; GIV art. 144 ; GPI art. 83.1, 87.2 ; GPII art. 19).

• Ils s'engagent à punir les auteurs des infractions et infractions graves à celles-ci (GI art. 49, 52 ; GII art. 50, 53 ; GIII art. 129, 132 ; GIV art. 146, 149 ; GPI art. 86.1). En cas d'infraction grave au droit humanitaire, chaque État s'engage à rechercher et à poursuivre les auteurs de ces infractions et à les déférer à ses propres tribunaux, quelle que soit leur nationalité. Il pourra aussi, s'il le préfère et selon les conditions prévues par sa propre législation, les remettre pour jugement à une autre partie intéressée à la poursuite, pour autant que cette partie ait retenu contre lesdites personnes des charges suffisantes.

• Les États s'engagent aussi à agir, tant conjointement que séparément, en coopération avec l'Organisation des Nations unies et conformément à la Charte des Nations unies, en cas de violation grave des Conventions de Genève et du Protocole additionnel I (GPI art. 89).

◆ **• Ces obligations créent une responsabilité pour les différentes autorités nationales. La possibilité de recours judiciaires en cas de manquement à ces obligations n'existe pourtant pas systématiquement. Dans les cas de violations graves des Conventions de Genève, le droit international humanitaire prévoit des sanctions pénales grâce au principe de compétence universelle et à l'existence de la Cour pénale internationale.**

• Dans les autres cas de violations des Conventions, des recours judiciaires peuvent exister au niveau national, mais ils ne sont pas prévus par les Conventions et dépendent du système judiciaire interne.

• D'une façon générale, il est toujours possible de communiquer les cas de violation au Comité international de la Croix-Rouge en tant que gardien du droit humanitaire et organe remplissant le rôle de puissance protectrice.

• Les États peuvent également saisir la Commission indépendante d'établissement des faits en cas de violation du droit humanitaire dans un conflit international (GPI, art. 90).

• Les violations du droit humanitaire constituent souvent des violations d'autres instruments internationaux, notamment des conventions internationales relatives aux droits de l'homme. Dans tous les cas, l'ensemble des recours prévus par ces textes doit être pris en considération.
• Respect du DIH dans la coutume.
L'obligation de se conformer au droit international humanitaire est devenue une norme de droit coutumier. L'étude sur les règles du droit international humanitaire coutumier publiée par le CICR en 2005 énonce ainsi des obligations spécifiques en matière de respect et d'application du DIH dans les conflits armés tant internationaux que non internationaux :
Règle 139 : chaque partie au conflit doit respecter et faire respecter le droit international humanitaire par ses forces armées ainsi que par les autres personnes ou groupes agissant en fait sur ses instructions ou ses directives ou sous son contrôle.
Règle 140 : l'obligation de respecter et faire respecter le droit international humanitaire subsiste même en l'absence de réciprocité.
Règle 141 : chaque État doit mettre à disposition des conseillers juridiques lorsqu'il ya lieu pour conseiller les commandants militaires, à l'échelon approprié, quant à l'application du droit international humanitaire.
Règle 142 : les États et les parties au conflit doivent dispenser une instruction en droit international humanitaire à leurs forces armées.
Règle 143 : les États doivent encourager l'enseignement du droit international humanitaire à la population civile.
Règle 144 : les États ne peuvent encourager les parties à un conflit armé à commettre des violations du droit international humanitaire. Ils doivent dans la mesure du possible exercer leur influence pour faire cesser les violations du droit international humanitaire.

▶ **Sanctions pénales internationales ▷ Recours individuels.**

Consulter aussi

▶ **Responsabilité ▷ Sanctions pénales du droit humanitaire ▷ Convention internationale ▷ Crime de guerre-Crime contre l'humanité ▷ Compétence universelle ▷ Entraide judiciaire ▷ Puissance protectrice ▷ Cour pénale internationale ▷ Recours individuels ▷ Commission internationale humanitaire d'établissement des faits ▷ Statut juridique des parties au conflit ▷ Protection.**

Pour en savoir plus

COMITÉ INTERNATIONAL DE LA CROIX-ROUGE, « Respect du droit international humanitaire : réflexions du CICR sur cinq années d'activités (1987-1991) », *Revue internationale de la Croix-Rouge*, n° 793, janvier-février 1992, p. 78-99.

CONDORELLI L., BOISSON DE CHAZOURNES L., « Quelques remarques à propos de l'obligation de respecter et faire respecter le droit international humanitaire en toutes circonstances », *in* SWINARSKI C. (éd.), *Études et essais sur le droit international humanitaire et sur les principes de la Croix-Rouge en l'honneur de Jean Pictet*, CICR-Martinus Nijhoff, Genève-La Haye, 1984, p. 17-35.

EWUMBUE-MONONO C., « Respect for international humanitarian law by armed non state actors in Africa », *Revue internationale de la Croix-Rouge,* vol. 88, n° 864, 2006.

PALWANKAR U., « Mesures auxquelles peuvent recourir les États pour remplir leur obligation de faire respecter le droit international humanitaire », CICR, Genève, 1994 (tiré à part de la *Revue internationale de la Croix-Rouge*).

PEJIC J., « Accountability for international crimes : from conjecture to reality », *Revue internationale de la Croix-Rouge*, n° 845, 2002.

PFANNER T., « Mécanismes et méthodes visant à mettre en œuvre le droit international humanitaire et apporter protection et assistance aux victimes de la guerre », *Revue internationale de la Croix-Rouge,* n° 874, 2009. Disponible en ligne sur http://www.icrc.org/fre/assets/files/other/irrc-874-pfanner-fre.pdf

Responsabilité

La notion de responsabilité est un élément essentiel de l'application et du respect du droit. L'existence d'un droit est le plus souvent suspendue à l'existence d'une obligation réciproque. La violation de cette obligation peut engager divers types de responsabilités civiles ou pénales de l'auteur de cette violation. La responsabilité est souvent individuelle, notamment en matière de crimes reconnus par le droit pénal international. La responsabilité individuelle des agents et représentants de l'État est limitée par des règles d'immunité juridictionnelles, sauf en ce qui concerne les crimes de guerre, crimes contre l'humanité et génocide. Il existe un régime particulier de responsabilité internationale applicable aux États en cas de violation de leurs engagements internationaux vis-à-vis d'un autre État. Cette responsabilité de l'État est engagée par l'action de ses agents et notamment de ses forces armées, mais aussi de personnes ou groupes dont il peut être établi qu'ils agissent de fait sous le contrôle de l'État (*infra*). La Cour internationale de justice est compétente pour juger ces situations et les obligations de réparation qui en découlent.

Le respect des droits de l'homme repose également sur la responsabilité des États. Il est soutenu par l'existence d'un certain nombre de recours individuels ou étatiques, judiciaires ou non, prévus devant divers organes internationaux et cours régionales des droits de l'homme. La responsabilité de l'État pour violation de ses engagements internationaux en matière de droits de l'homme vis-à-vis de ses propres citoyens est encore embryonnaire, mais ne saurait être confondue avec la responsabilité pénale individuelle ou la responsabilité étatique au sens des relations interétatiques classiques.

▸ **Recours individuels ▷ Droits de l'homme.**

Le respect du droit humanitaire s'appuie quant à lui sur l'énoncé d'obligations précises qui incombent aux États (1), aux commandants (2) et aux combattants (3), ainsi que sur l'affirmation de la responsabilité de ces différents intervenants hiérarchiques. Le droit international humanitaire affirme et délimite la responsabilité pénale individuelle des différents acteurs hiérarchiques impliqués dans les conflits armés. Des recours sont également possibles en cas de violations graves du droit humanitaire, dont des poursuites pénales au plan international. La responsabilité des organisations humanitaires n'est pas envisagée par le droit humanitaire sur le mode de la responsabilité et de la sanction pénales. On ne saurait pour autant évacuer les autres éléments de responsabilité du personnel et des organisations humanitaires face au respect du droit humanitaire dans le cadre de leurs actions de secours. Leur responsabilité est aussi engagée quand elles sont témoins d'exactions massives contre les populations qu'elles prennent en charge (4). Les jugements rendus par la Cour internationale de justice ainsi que par les tribunaux pénaux internationaux ont précisé certains éléments constitutifs de ces diverses formes de responsabilité (*infra*).

▶ **Cour pénale internationale ▷ Crime de guerre-Crime contre l'humanité ▷ Sanctions pénales du droit humanitaire ▷ Recours individuels ▷ Tribunaux pénaux internationaux ▷ Principes humanitaires.**

1. *La responsabilité des États en droit international humanitaire*

Le droit international humanitaire contient de nombreuses obligations qui engagent la responsabilité internationale des États en cas de violations. Cette responsabilité spécifique de l'État est différente et complémentaire de la responsabilité pénale encourue à titre individuel par les agents de l'États même quand ils ont agi sur ordre.

La responsabilité d'un État découlant des violations de ses obligations internationales vis-à-vis d'un autre État peut, sous certaines conditions, être engagée par celui-ci devant la Cour internationale de justice. Elle entraîne une obligation d'indemnisation des dommages causés à l'État concerné. L'incapacité d'un État ou son refus de poursuivre les auteurs de crimes de guerre, crimes contre l'humanité et génocide au niveau national constitue un manquement aux obligations de l'État et peut, dans certaines circonstances, justifier la compétence de la Cour pénale internationale à l'encontre des individus concernés (article 17 du statut de Rome).

▶ **Cour Internationale de justice ▷ Cour pénale internationale.**

Les États parties aux Conventions de Genève se sont engagés à respecter et à faire respecter le droit international humanitaire (GI, GII, GIII, GIV art. 1 ; GPI art. 1 et 80.2). Cet engagement général se traduit de plusieurs façons :

• Les États sont responsables de tous les actes commis par les personnes faisant partie de leurs forces armées. En outre, tout État qui viole le droit humanitaire peut être tenu de verser une indemnité (GPI art. 91).

• Les États ont l'obligation de diffuser largement le droit humanitaire à leurs forces armées et leur population (GI art. 47 ; GII art. 48 ; GIII art. 127 ; GIV art. 144 ; GPI art. 83.1 et 87.2 ; GPII art. 19). Cette obligation suppose notamment d'inclure les règles du droit humanitaire dans le règlement militaire, les manuels d'instruction des forces armées, le code de discipline militaire, et d'en assurer l'enseignement auprès des commandants.

• Les autorités politiques et militaires ont l'obligation de prendre toutes les mesures nécessaires pour assurer le respect des obligations prévues par le droit humanitaire (GI art. 49 ; GII art. 50 ; GIII art. 129 ; GIV art. 146 ; GPI art. 80.1, 86, 87).

• Les États ont l'obligation de prendre toute les mesures législatives nécessaires pour fixer les sanctions pénales adéquates à appliquer aux personnes ayant commis, ou donné l'ordre de commettre, toute infraction grave au droit humanitaire (GI art. 49 ; GII art. 50 ; GIII art. 129 ; GIV art. 146).

• Les États ont l'obligation de rechercher et poursuivre les auteurs des violations graves des Conventions de Genève et de les traduire devant leurs tribunaux (GI art. 49 ; GII art. 50 ; GIII art. 129 ; GIV art. 146 ; GPI art. 86). Il peut s'agir des membres de leurs forces armées.

• Les États ne peuvent pas décider de s'exonérer seuls, ou mutuellement, de leur responsabilité de réparation concernant les infractions graves aux Conventions de Genève qui auraient été commises par leurs ressortissants ou en leur nom (GI art. 51 ; GII art. 52 ; GIII art. 131 ; GIV art. 148).

Ces dispositions concernant la responsabilité des États ont acquis un caractère coutumier, reconnu dans l'étude sur les règles du droit international humanitaire coutumier publiée par le CICR en 2005. Ces règles coutumières énoncent les obligations suivantes pour les États en situation de conflit armé tant international que non international :

• Un État est responsable des violations du droit international humanitaire qui lui sont attribuables, y compris :

(a) les violations commises par ses propres organes, y compris ses forces armées ;

(b) les violations commises par des personnes ou des entités qu'il a habilitées à exercer des prérogatives de puissance publique ;

(c) les violations commises par des personnes ou des groupes agissant en fait sur ses instructions, sous ses directives ou sous son contrôle ; et

(d) les violations commises par des personnes privées ou des groupes qu'il reconnaît et adopte comme son propre comportement (règle 149)

• L'État responsable des violations du droit international humanitaire dans le contexte de conflits armés tant internationaux que non internationaux est tenu de réparer intégralement la perte ou le préjudice causé (règle 150).

• Les États doivent enquêter sur les crimes de guerre qui auraient été commis par leurs ressortissants ou par leurs forces armées, ou sur leur territoire, et, le cas échéant, poursuivre les suspects (règle 158). Enfin, les États doivent tout mettre en œuvre pour coopérer entre eux, dans la mesure du possible, afin de faciliter les enquêtes sur les crimes de guerre et les poursuites contre les suspects (règle 161).

Jurisprudence – Responsabilité de l'État

1. Responsabilité de l'État du fait de ses agents et organes

Dans plusieurs affaires, la Cour internationale de justice a précisé que le comportement d'un organe de l'État engage toujours la responsabilité de l'État sans qu'il soit besoin de prouver qu'il a agit sur ordres ou qu'il a outrepassé ceux-ci.

– La CIJ affirme que « conformément à une règle de droit international bien établie, qui revêt un caractère coutumier, le comportement de tout organe d'un État doit être regardé comme un fait de cet État » (différend relatif à l'immunité de juridiction d'un rapporteur spécial de la Commission des droits de l'homme, avis consultatif, *C.I.J. Recueil 1999 (I)*, p. 87, § 62, et Activités armées sur le territoire du Congo (République démocratique du Congo c. Ouganda), arrêt, *C.I.J. Recueil 2005*, p. 168, § 213).

– Dans l'affaire République démocratique du Congo c. Ouganda (voir *supra*), la CIJ juge par ailleurs que « le comportement individuel des soldats et officiers [ougandais en RDC] doit être considéré comme un comportement d'un organe d'État [...] en vertu du statut et de la fonction militaires [...]. L'argument selon lequel les personnes concernées n'auraient pas agi dans les circonstances de l'espèce en qualité de personnes exerçant des prérogatives de puissance publique est par conséquent dénué de fondement » (§ 213). Dans la même affaire, la CIJ précise que, la question de savoir si [ils] ont ou non agi d'une manière contraire aux instructions données ou ont outrepassé leur mandat est dépourvue de pertinence, pour l'attribution du comportement [de ces soldats] à l'Ouganda ; « d'après une règle bien établie, de caractère coutumier, énoncée à l'article 3 de la quatrième Convention de La Haye concernant les lois et coutumes de la guerre sur terre de 1907 ainsi qu'à l'article 91 du Protocole additionnel I aux Conventions de Genève de 1949, une partie à un conflit armé est responsable de tous les actes des personnes qui font partie de ses forces armées » (§ 214).

2. Responsabilité de l'État du fait de son contrôle sur des groupes armés non étatiques

La question de la responsabilité de l'État pour des actions commises par des groupes non étatiques agissant sous son contrôle a été posée dans trois affaires majeures par la Cour internationale de justice : Activités militaires et paramilitaires au Nicaragua et contre celui-ci (Nicaragua c. États-Unis d'Amérique), fond, arrêt, *C.I.J. Recueil 1986*, p. 14, § 109-116 ; Application de la Convention pour la prévention et la répression du crime de génocide (Bosnie-Herzégovine c. Serbie-et-Monténégro), arrêt, *C.I.J. Recueil 2007*, p. 43, § 391-407 ; et Activités armées sur le territoire du Congo (République démocratique du Congo c. Ouganda), arrêt, *C.I.J. Recueil 2005*, p. 168, § 161-165, 213-214, 220, 245, 248-250, 277, 300-301.

Les différentes décisions précisent le niveau de contrôle total, effectif ou global, nécessaire pour que les actes d'un groupe non étatique puissent être juridiquement attribués à l'État.

– Dans l'affaire Nicaragua c. États-Unis d'Amérique, la CIJ devait déterminer si les liens entre les *contras* et le gouvernement des États-Unis étaient à tel point marqués par la dépendance d'une part et l'autorité de l'autre qu'il serait juridiquement fondé d'assimiler les *contras* à un organe du gouvernement des États-Unis ou de les considérer comme agissant au nom de ce gouvernement. Le fait, pour un État, de former, de financer, d'armer ou de soutenir un groupe armé non étatique ne suffit pas pour que les actes et les violations commis par ce groupe armé soit imputable à l'État concerné. La CIJ exige pour cela un contrôle total, dit « effectif », qui implique la totale dépendance du groupe, ou bien que l'État ait donné directement l'ordre de commettre les actes criminels concernés. Si ce niveau de contrôle n'est pas atteint, l'État n'est pas responsable des actes commis par ces groupes mais il reste quand même responsable de son propre comportement, notamment si son soutien au groupe armé est en soi illégal ou si l'État est informé des violations commises par ce groupe (§ 116).

– Dans l'affaire Bosnie-Herzégovine c. Serbie-et-Monténégro, la CIJ a dû déterminer si les actes de génocide commis pendant la guerre en ex-Yougoslavie par les groupes armés qui n'étaient pas des organes de l'État de Serbie-Monténégro pouvaient être attribués à cet État et engager sa responsabilité internationale au regard du contrôle qu'il exerçait sur ces groupes. La CIJ a repris et développé l'argumentation relative au contrôle effectif et à la dépendance totale, initiée dans l'affaire Nicaragua c. États-Unis d'Amérique, permettant d'attribuer à un État les actes commis par des acteurs qui lui sont étrangers. Elle rappelle que la notion de dépendance totale et d'absence d'autonomie est requise pour qu'un acteur non étatique puisse être assimilé dans les faits à un agent de l'État, impliquant par conséquent la responsabilité de ce dernier pour les actes commis (§ 392-393). Elle ajoute un autre cas de figure entraînant la responsabilité de l'État. Dans les cas où le critère de dépendance totale n'existe pas, la Cour précise que les actes d'un acteur non étatique peuvent être imputés à un État à la condition de prouver qu'il a agi en fait sur les instructions ou les directives données par cet État (§ 400). Dans cette affaire, la CIJ refuse de reconnaître la validité du concept de contrôle global développé sur ce sujet par le Tribunal pénal international *ad hoc* pour l'ex-Yougoslavie pour engager la responsabilité de l'État (§ 404-406)

– Dans l'affaire République démocratique du Congo c. Ouganda, la CIJ s'est prononcée sur les différents critères et formes de la responsabilité de l'État dans le cas où il apporte son soutien à l'activité de groupes armés non étatiques agissant à partir de son territoire sur celui d'un État voisin, mais aussi dans les cas où il tolère ces agissements et dans celui où il est impuissant à contrôler l'activité de ces groupes. La CIJ précise que le fait pour le gouvernement congolais de tolérer la présence de groupes rebelles anti-ougandais sur son territoire est un manquement à l'obligation de vigilance qui incombe à la RDC au titre des règles de relations amicales entre États mais ne permet pas d'imputer à l'État la responsabilité des actes commis par ces groupes (§ 300).

2. *La responsabilité des commandants en droit international humanitaire*

Le droit humanitaire tient compte du caractère hiérarchique des forces armées et de la discipline qu'y font régner les commandants. Il impose donc des obligations précises à ces derniers et engage leur responsabilité pénale individuelle non seulement pour leurs propres actes ou omissions, mais aussi pour les actes commis par leurs subordonnés ou toute personne sous leur contrôle effectif.

◆ **• Le principe d'autorité est toujours doublé d'un principe de responsabilité. Cette responsabilité concerne à la fois les actions et les omissions des commandants.**
• Le droit humanitaire établit la responsabilité pénale des commandants qui :
– donnent à leurs subordonnés des ordres qui violent le droit humanitaire ;
– laissent leurs subordonnés commettre de telles infractions ;
– ne prennent pas de sanction contre des subordonnés ayant violé le droit humanitaire de leur propre initiative ;
– n'empêchent pas de telles violations quand ils ont connaissance qu'elles sont en train de se dérouler (GI art. 49 ; GII art. 49 ; GIII art. 129 ; GIV art. 146 ; GPI art. 86.2).
• Cette responsabilité peut être engagée devant les tribunaux nationaux compétents, devant les tribunaux étrangers en vertu du principe de compétence universelle, ou devant la Cour pénale internationale.

Le commandant doit également s'assurer que les combattants qui sont placés sous sa responsabilité connaissent bien les règles du droit humanitaire (GPI art. 87.2). Ces éléments ont été repris dans le statut de la Cour pénale internationale et s'étendent également aux auteurs de crimes contre l'humanité commis en temps de paix et de crimes de guerre commis à l'occasion des conflits armés internationaux mais aussi internes (art. 25). Elle s'étend dans ce cas aux chefs militaires mais aussi aux autres supérieurs hiérarchiques y compris civils (art. 28).
La responsabilité des commandants est devenue une norme de droit coutumier, reconnue dans l'étude du CICR sur les règles du droit international humanitaire coutumier. Selon ces règles, les commandants et autres supérieurs hiérarchiques sont pénalement responsables des crimes de guerre commis sur leurs ordres dans le cadre de conflits armés tant internationaux que non internationaux (règle 152). Par ailleurs, les commandants et autres supérieurs hiérarchiques sont pénalement responsables des crimes de guerre commis par leurs subordonnés s'ils savaient, ou avaient des raisons de savoir, que ces subordonnés s'apprêtaient à commettre ou commettaient ces crimes et s'ils n'ont pas pris toutes les mesures nécessaires et raisonnables qui étaient en leur pouvoir pour en empêcher l'exécution ou, si ces crimes avaient déjà été commis, pour punir les responsables (règle 153).

Jurisprudence – Responsabilité des commandants et des supérieurs hiérarchiques

En dehors des traités internationaux et de la coutume, les décisions des tribunaux pénaux internationaux ont clarifié les conditions de la responsabilité pénale des commandants ainsi que les circonstances atténuantes ou aggravantes liées à ce type de situation.

Pour que la responsabilité des supérieurs hiérarchiques soit établie, les tribunaux pénaux internationaux exigent la preuve des trois éléments essentiels suivants :

– L'existence d'un lien de subordination plaçant l'auteur du crime sous le contrôle effectif de l'accusé ;

– La connaissance qu'avait l'accusé qu'un crime allait être commis, était commis ou avait été commis par son subordonné (cette condition est évidemment acquise dans les cas où le supérieur hiérarchique a donné l'ordre de commettre le crime) ;

– Le défaut par l'accusé de prendre toutes les mesures nécessaires et raisonnables pour empêcher ou arrêter la commission du crime ou pour en punir l'auteur.

• ***L'existence d'un lien de subordination ou de contrôle effectif/global***

L'existence d'un lien de subordination peut être établie en démontrant qu'il y a entre l'accusé et la personne concernée un rapport hiérarchique formel ou informel. Ce lien ne se limite pas aux strictes structures de type militaire. Il suffit de prouver que « l'accusé occupait une position d'autorité qui obligerait une autre personne à commettre un crime en exécution d'un ordre donné par l'accusé ». TPIY : affaires Semanza (15 mai 2003, § 401) et Renzaho (14 juillet 2009, § 738). Ce lien de subordination peut être direct ou indirect, *de jure* ou *de facto*, civil ou militaire. La notion importante reste celle du contrôle effectif du supérieur hiérarchique sur son subordonné. Le TPIR comme le TPIY ont précisé que le contrôle effectif en question peut indifféremment être un contrôle juridique (*de jure*) ou un contrôle de fait (*de facto*). TPIY : affaires Celebici (16 novembre 1998, § 377-378 et 20 février 2001, § 251), Aleksowski (25 juin 1999, § 78), Blaskic (3 mars 2000, § 300-302), Kordic et Cerkez (26 février 2001, § 415 et 416) ; TPIR : affaires Musema (27 janvier 2000, § 141), Bagilishema (7 juin 2001, § 39), Kayishema et Ruzindana (21 mai 1999, § 229-231).

Le supérieur doit également avoir exercé un contrôle effectif sur son subordonné au moment de la commission de l'infraction. Le contrôle effectif est défini par la capacité matérielle de prévenir l'infraction ou d'en punir les principaux auteurs du fait d'un seuil minimal de subordination. TPIR : affaire Renzaho (14 juillet 2009, § 744-745) ; et TPIY : affaire Halilovic (16 octobre 2007, § 59). Peu importe que le subordonné ait participé aux crimes par l'entremise de tiers tant que sa responsabilité pénale est établie au-delà de tout doute raisonnable. TPIY : affaire Oric (3 juillet 2008, § 20). Le pouvoir du supérieur hiérarchique de délivrer des ordres ne permet pas automatiquement d'établir qu'il exerçait un contrôle effectif sur ses subordonnés, mais bien plutôt constitue l'un des éléments à considérer à cet égard. En outre, pour apprécier si un supérieur hiérarchique exerce ou non un contrôle effectif sur ses subordonnés, il peut être utile de savoir si ses ordres sont suivis d'effets. TPIY : affaire Strugar (17 juillet 2008, § 253-256).

• ***La connaissance des actes répréhensibles***

Un supérieur est présumé contrôler les agissements de ses subordonnés. Un supérieur qui néglige les informations qu'il a effectivement en sa possession et qui devraient l'amener à conclure que ses subordonnés commettent ou sont sur le point de commettre des crimes manque gravement à ses devoirs et peut à ce titre être tenu pour pénalement responsable en application de la doctrine de la responsabilité du supérieur hiérarchique. Le degré de contrôle effectif du commandant sur ses subordonnés peut être utilisé dans un cas d'espèce pour établir une présomption de connaissance des actes répréhensibles commis par eux. TPIY : affaire Celebici (16 novembre 1998, § 386-387). La Chambre d'appel du TPIY a estimé qu'« un supérieur pouvait être reconnu responsable des crimes que ses subordonnés ont commis selon l'un ou l'autre des modes de participation envisagés à l'article 7 (1) du statut. Il s'ensuit que la responsabilité pénale du supérieur peut être mise en œuvre lorsque ses subordonnés ont planifié, incité à commettre, ordonné, commis ou de toute autre manière aidé et encouragé un crime » (Oric, 3 juillet 2008, § 21) et aussi TPIY : affaires Blagojevic & Jokic (9 mai 2007, § 280-282), Lasva Valley (26 février 2001, § 401), Celebici (16 novembre 1998, § 346), Blaskic (3 mars 2003, § 294), Oric (3 juillet 2008, § 18) ; et TPIR : affaire Kayishema et Ruzindana (21 mai 1999, § 229-231).

• ***L'incapacité du supérieur à prévenir l'infraction ou à en punir les auteurs***

Le principe de la responsabilité pénale du supérieur hiérarchique qui n'a pas empêché ses subordonnés de commettre des crimes ou qui ne les a pas punis après coup est un principe bien établi en droit international coutumier. TPIY : affaires Limaj et consorts (30 novembre 2005, § 519), Halilovic (16 novembre 2005, § 55) et Strugar (31 janvier 2005, § 357).

• ***La position hiérarchique comme circonstance aggravante***

Le TPIR et le TPIY ont considéré la question de la position hiérarchique de l'accusé comme circonstance aggravante.

Le fait pour l'accusé d'avoir occupé à l'époque où il commettait lesdits crimes les plus hautes fonctions ministérielles est de nature à définitivement exclure toute circonstance atténuante. TPIR : affaire Kambanda (4 septembre 1998, § 61-62). Le fait que l'accusé ait abusé de sa position d'autorité et ait joué un rôle important de meneur dans l'exécution des crimes. TPIR : affaires Rutaganda (6 décembre 1998, § 468-470) et Musema

(27 janvier 2000, § 1000-1004) ; et TPIY : affaires Plavsic (27 février 2003, § 57), Simic (17 octobre 2002, § 67), Sikirica et consorts (13 novembre 2001, § 138-139 et 172), Krstic (2 août 2001, § 709), Kuranac, Kovac et Vukovic (22 février 2001, § 863), et Blaskic (3 mars 2000, § 788).

Les tribunaux vont au-delà de l'aspect hiérarchique et considèrent que le fait de commettre un crime dans l'exercice d'une fonction publique, telle que celle de policier, peut être considéré comme une circonstance aggravante. TPIY : affaire Mrdja (31 mars 2004, § 51). Ce n'est pas tant la situation d'autorité hierarchique qui importe, mais l'abus de position supérieure qui peut être considéré comme un facteur aggravant. TPIY : affaire Blagojevic & Jokic (9 mai 2007, § 324) et TPIR : affaire Simba (27 novembre 2007, § 284).

3. *La responsabilité des individus en droit international humanitaire*

Chaque individu majeur encourt une responsabilité personnelle et pénale pour les infractions graves du droit humanitaire dont il s'est rendu coupable, quelles qu'en soient les circonstances. Pour un combattant, cette responsabilité est engagée même s'il a agi en exécution d'un ordre supérieur.

■ Ordre du supérieur

Le droit international humanitaire prend en compte le fait que les combattants agissent dans le cadre d'une organisation ou d'unités hiérarchisées. Il impose des obligations précises aux commandants. Toutefois, l'obéissance aux ordres d'un supérieur ne peut pas faire écran à la responsabilité pénale individuelle pour les violations graves du droit humanitaire commises par un combattant. Les individus restent personnellement responsables des crimes commis, même s'ils ont agi sur ordre. Tout criminel de guerre est donc personnellement et pénalement responsable de ses actes (Convention de La Haye de 1907 sur les lois et coutumes de guerre, art. 3 ; GI art. 49 ; GII art. 50 ; GIII art. 129 ; GIV art. 146 ; GPI art. 75.4b, 86, 87).

Les jugements des tribunaux pénaux internationaux confirment l'interprétation restrictive de la contrainte et de l'ordre des supérieurs comme circonstance atténuante s'agissant de la responsabilité pénale individuelle (voir *infra*).

Le statut de la Cour pénale internationale (CPI) précise que, pour les crimes contre l'humanité et le génocide, « le fait qu'un crime relevant de la compétence de la Cour ait été commis sur ordre d'un gouvernement ou d'un supérieur, militaire ou civil, n'exonère pas la personne qui l'a commis de sa responsabilité pénale ». Pour les crimes de guerre, le statut de la Cour prévoit certains critères d'exonération de la responsabilité individuelle (article 33 du statut de la CPI). ■

Le statut de la Cour pénale internationale précise le contenu de la responsabilité pénale individuelle en matière de crime de génocide, crimes contre l'humanité et crimes de guerre (art. 25).

Une personne est individuellement responsable d'un tel crime et peut être punie si elle :

a) commet un tel crime, que ce soit à titre individuel, conjointement avec une autre personne ou par l'intermédiaire d'une autre personne, que celle-ci soit ou non pénalement responsable ;

b) ordonne, sollicite ou encourage la commission d'un tel crime dès lors qu'il y a commission ou tentative de commission de ce crime ;

c) en vue de faciliter la commission d'un tel crime, apporte son aide, son concours ou toute autre forme d'assistance à la commission ou à la tentative de commission de ce crime, y compris en fournissant les moyens de cette commission ;
d) contribue de toute autre manière à la commission ou à la tentative de commission d'un tel crime par un groupe de personnes agissant de concert.
Cette contribution doit être intentionnelle et, selon le cas :
i) viser à faciliter l'activité criminelle ou le dessein criminel du groupe, si cette activité ou ce dessein comporte l'exécution d'un crime relevant de la compétence de la Cour ; ou
ii) être faite en pleine connaissance de l'intention du groupe de commettre ce crime.
e) s'agissant du crime de génocide, incite directement et publiquement autrui à le commettre ;
f) tente de commettre un tel crime par des actes qui, du fait de leur caractère substantiel, constituent un commencement d'exécution mais sans que le crime soit accompli en raison de circonstances indépendantes de sa volonté. Toutefois, la personne qui abandonne l'effort tendant à commettre le crime ou en empêche de quelque façon l'achèvement ne peut être punie en vertu du présent statut pour sa tentative si elle a complètement et volontairement renoncé au dessein criminel.

Des exonérations possibles pour cette responsabilité sont prévues de façon limitée (art. 26, 30, 31 et 33 du statut de Rome). Elles protègent les personnes qui avaient moins de 18 ans au moment des faits, celles qui ne disposaient pas de toutes leurs facultés mentales, celles qui ont agi dans le cadre d'une légitime défense proportionnée, ou sous la contrainte d'une menace de mort imminente, ou d'une atteinte grave et imminente à leur intégrité physique.

Concernant les crimes de guerre, le statut de Rome prévoit que le fait qu'une personne ait agi sur exécution d'ordres donnés par le gouvernement ou un supérieur militaire ou civil ne l'exonère pas de sa responsabilité pénale individuelle du fait de ces actes sauf si les trois conditions cumulatives suivantes sont remplies (art. 33 statut de la CPI) :

- la personne avait une obligation légale d'obéir aux ordres du gouvernement ou des supérieurs concernés ;
- la personne ne savait pas que ces ordres étaient illégaux ;
- l'ordre n'était pas manifestement illégal.

Le statut précise à ce sujet que l'ordre de commettre un génocide ou un crime contre l'humanité doit toujours être considéré comme manifestement illégal et ne peut donc pas être invoqué pour justifier l'obéissance à cet ordre.

La règle 151 de l'étude du CICR sur les règles du droit international humanitaire coutumier prévoit que les individus sont pénalement responsables des crimes de guerre qu'ils commettent dans les conflits armés tant internationaux que non internationaux. La règle 154 formule que tout combattant a le devoir de désobéir à un ordre qui est manifestement illégal. La règle 155 stipule quant à elle que le fait d'obéir à un ordre d'un supérieur hiérarchique n'exonère pas le subordonné de sa responsabilité pénale s'il savait que l'acte ordonné était illégal ou s'il aurait dû le savoir en raison du caractère manifestement illégal de l'acte ordonné.

▸ **Sanctions.**

La jurisprudence des tribunaux internationaux fournit des précisions quant à la question de la responsabilité individuelle en cas d'obéissance aux ordres des supérieurs hiérarchiques.

Jurisprudence – Responsabilité individuelle des combattants

Les tribunaux internationaux ont précisé les conditions de mise en cause de la responsabilité pénale des auteurs de crimes internationaux. Deux éléments doivent être remplis pour que la responsabilité pénale individuelle puisse être engagée. Il faut notamment que soit démontré : 1) la participation de l'accusé au fait incriminé, c'est-à-dire que l'accusé doit avoir contribué, par sa conduite, à la commission d'un acte illégal, et 2) l'auteur doit avoir été conscient qu'il participait à la commission d'un crime. TPIY : affaires Kayishema et Ruzindana (21 mai 1999, § 198) et Boškoski & Tarčulovski (19 mai 2010, § 66).

La responsabilité pénale individuelle est engagée non seulement pour l'auteur matériel de ce crime, mais aussi pour quiconque participe ou concourt de toute autre manière à sa perpétration, « de sa planification initiale à son exécution, comme il ressort des cinq catégories d'actes envisagées dans cette disposition, à savoir planifier, inciter à commettre, ordonner, commettre ou aider et encourager ». TPIR : affaires Kamuhanda (22 janvier 2004, § 588) ; et Bisengimana (13 avril 2006, § 31) ; ainsi que TPIY : affaires Jokic (18 mars 2004, § 56) et Simic et consorts (17 octobre 2003, § 135).

En ce qui concerne le fait d'aider et encourager, la responsabilité pénale individuelle peut être envisagée selon deux modes de responsabilité distincts : (i) le fait d'aider et encourager par approbation tacite et encouragement et, (ii) le fait d'aider et encourager par omission à proprement parler. TPIY : affaire Brdanin (3 avril 2007, § 273-274).

Les tribunaux internationaux précisent également les éléments de contrainte ou de contrôle hiérarchique qui peuvent aggraver ou atténuer la responsabilité individuelle.

• ***La contrainte et l'ordre des supérieurs***

La contrainte n'est pas un argument de défense suffisant pour exonérer entièrement un soldat accusé de crime contre l'humanité ou de crime de guerre, impliquant le meurtre d'êtres humains. Il existe une nette différence entre la contrainte et l'obéissance aux ordres d'un supérieur. Dans l'affaire Erdemovic, le TPIY a estimé que, en cas de refus d'obéir à l'ordre de commettre un crime, l'argument relatif à la contrainte pouvait être retenu pour exonérer la responsabilité d'un accusé si la vie de l'accusé était immédiatement menacée. Dans cette affaire, le TPIY a posé trois conditions pour que la contrainte puisse être admise comme limitant la responsabilité individuelle d'une personne accusée d'une violation du droit international humanitaire : (i) l'acte incriminé a été commis pour éviter un danger direct à la fois grave et irréparable ; (ii) il n'y avait pas d'autre moyen adéquat de s'y soustraire ; (iii) le remède n'était pas disproportionné par rapport au mal TPIY : affaire Erdemovic (29 novembre 1996, § 17).

L'absence de choix moral est l'une des composantes essentielles de la contrainte analysée sous l'angle du fait exonératoire. Le simple devoir d'obéissance aux ordres supérieurs ne suffit pas à constituer la contrainte. Face à l'illégalité manifeste de l'ordre qu'il aurait reçu, le devoir d'obéissance de l'accusé devrait même se muer en devoir de désobéissance. « Dès lors, ce devoir de désobéissance ne pourrait céder que devant la plus extrême contrainte » (§ 18). Cette contrainte, comme l'existence des ordres, doit être prouvée dans chaque cas d'espèce, car « si la justification tirée de la contrainte morale et/ou de l'état de nécessité nés de l'ordre du supérieur n'est pas absolument exclue, ses conditions d'application sont particulièrement strictes » (§ 19). Il s'agit donc d'« examiner si l'accusé en situation d'agir n'avait pas le devoir de résister, s'il disposait du choix moral de le faire ou de tenter de le faire ». Cette position restrictive a été confirmée par la suite : TPIY, affaire Mrdja (31 mars 2004, § 65-67). Dans cette affaire, la Chambre de première instance refuse de considérer que le climat de haine et la propagande suffisent à créer cet état de contrainte. La Chambre n'exclut pas que les circonstances aient pu exercer une influence sur le comportement criminel de l'accusé mais le tribunal n'admet pas que ces circonstances aient été telles que celui-ci n'avait pas d'autre choix que de prendre part au massacre d'environ 200 civils, même en tenant compte du jeune âge et du rang peu élevé de l'accusé. « En l'absence de toute preuve convaincante permettant d'établir que [l'accusé] voulait clairement se désolidariser du massacre au moment des faits, la Chambre ne peut retenir la contrainte comme circonstance atténuante » (§ 66).

La définition de la contrainte a été limitée à une situation extrême ou il n'y a pas d'autre choix : tuer ou être tué. TPIY : affaire Erdemovic (5 mars 1998, § 17). Concernant l'obéissance aux ordres des supérieurs, le tribunal précise que cet élément peut servir de circonstance atténuante seulement si les ordres n'étaient pas manifestement illégaux. Sinon, le subordonné doit au contraire avoir manifesté un devoir de désobéissance et avoir fait l'objet de menace directe contre sa vie pour bénéficier d'une atténuation de responsabilité. TPIY : affaire Mrdja (31 mars 2004, § 67-68).

• ***Circonstances atténuantes***

Outre la contrainte et l'obéissance aux ordres d'un supérieur, les tribunaux pénaux internationaux ont reconnu un certain nombre de circonstances atténuantes. Les circonstances atténuantes n'ont pas pour but d'atténuer la gravité du crime mais de réévaluer celle de la peine. TPIR : affaire Kambanda (4 septembre 1998, § 36-37, 56-58).

Dans diverses affaires, les tribunaux listent un ensemble de circonstances atténuantes :

– une coopération substantielle avec le procureur,

– la reddition aux autorités compétentes,

– la reconnaissance de culpabilité,

– l'expression de remords à l'égard des victimes, et le fait que l'accusé « n'était pas une autorité *de jure* ». TPIR : affaire Kayishema et Ruzindana (21 mai 1999, sentence, § 20),

– la situation personnelle de l'accusé peut également être reconnue comme circonstance atténuante au regard notamment de : l'absence de passé criminel, la personnalité de l'accusé, l'assistance de l'accusé aux victimes et l'absence de participation personnelle aux tueries. TPIR : affaire Ruggiu (1er juin 2000, § 53-80),

– la conduite post-conflit de l'accusé. TPIY, affaire Blagojevic & Jokic (9 mai 2007, § 328, 330, 342, 344),

– la nécessité de rendre des sentences reflétant l'importance relative du rôle joué par l'appelant dans le contexte plus général du conflit en ex-Yougoslavie. TPIY : affaire Tadic (26 janvier 2000, § 55-56).

• ***Circonstances aggravantes***

– La vulnérabilité des victimes a également été reconnue comme un facteur aggravant des peines prononcées. Le statut de civil n'est pas en soi un facteur de vulnérabilité reconnu par les tribunaux puisqu'il est déjà un critère constitutif du crime. Par contre, la vulnérabilité particulière créée par le fait que les victimes soient des personnes déplacées ou détenues dans des camps est retenue comme facteur aggravant. TPIY : affaire Mrdja (31 mars 2004, § 47-48).

– Les conséquences des crimes pour les victimes, notamment l'intensité extrême des souffrances infligées, sont également retenues par les juges internationaux comme circonstance aggravante. TPIY : affaire Mrdja (31 mars 2004, § 56).

– Le nombre de victimes et l'ampleur des crimes peuvent également constituer des facteurs aggravants. TPIY : affaire Kunarac, jugement, 22 février 2001, § 866 ; affaire Stakic, jugement, 31 juillet 2003, § 907, et affaire Erdemovic, jugement, 5 mars 1998, § 15.

– L'abus d'autorité peut être retenue comme une circonstance aggravante. TPIY : affaire Tadic, jugement, 15 juillet 1999, § 55 et affaire Krstic, jugement, 2 août 2001, § 709.

– Le zèle et le sadisme sont à considérer, si besoin est, comme des facteurs aggravants. TPIR : affaires Simba (27 novembre 2007, § 320) et Muvunyi (11 février 2010, § 145).

– le fait pour l'accusé d'avoir occupé à l'époque où il commettait lesdits crimes les plus hautes fonctions ministérielles. TPIR : affaire Akayesu (2 octobre 1998, sentence, p. 8),

– Finalement, la préméditation peut également constituer un facteur aggravant. TPIY : affaire Krstic, jugement, 2 août 2001, § 711.

4. *Responsabilité des organisations de secours*

L'application du droit international humanitaire repose sur le respect par les belligérants des obligations qui leur incombent y compris concernant le respect du travail des organisations humanitaires. Le droit humanitaire dresse également la liste des violations graves de ces obligations pour lesquelles il établit un mécanisme particulier de sanctions pénales. Il faut noter que le droit humanitaire est particulièrement créatif dans ce domaine, puisqu'il a clarifié la responsabilité individuelle des subordonnés et des supérieurs hiérarchiques par rapport à l'obéissance et à la désobéissance aux ordres injustes. Il a également innové en prévoyant dès 1949 le principe de compétence universelle, qui implique que les tribunaux de tous les pays peuvent être compétents pour juger les infractions graves (crimes de guerre et crimes contre l'humanité).

Cependant, l'application du droit humanitaire repose principalement sur des mécanismes de prévention des crimes et de limitation de la violence, et de façon marginale seulement sur les mécanismes de sanction pénale. En effet dans les situations de conflit armé, le droit humanitaire cherche avant tout à éviter que les populations civiles ne soient l'objet d'attaques ou de violences directes, ou soumises à des conditions de vie qui conduisent les plus vulnérables à la mort. La préoccupation du droit humanitaire consiste à limiter les conséquences des violences plutôt qu'à s'en remettre à une justice *post mortem*. Pour cela, les Conventions de Genève et leurs Protocoles additionnels ont confié un rôle essentiel et des droits spécifiques aux organisations humanitaires impartiales. Un droit d'initiative humanitaire leur a été conféré afin de négocier et de mettre en œuvre des activités de secours correspondant aux droits des victimes de conflits et aux principes humanitaires.

Le droit humanitaire prévoit effectivement que les organisations humanitaires impartiales auront (entre autres) les droits suivants :

– proposer en toute circonstance leurs services aux parties au conflit sans que cela ne soit considéré comme une ingérence ;

– vérifier que la population ne souffre pas de privations excessives par manque des approvisionnements essentiels à sa survie tels que vivres, ravitaillement sanitaire… ;

– entreprendre des actions de secours au profit de la population quand elle souffre de pénuries graves par rapport à ces biens essentiels ;

– recueillir et soigner les blessés et les malades, et veiller à ce que leur traitement soit conforme à la déontologie médicale et n'implique aucune discrimination ;

– garantir que les populations déplacées ou détenues à cause du conflit bénéficient de la protection et reçoivent l'assistance à laquelle elles ont droit ;

– fournir à toutes les catégories de personnes protégées une assistance conforme aux droits et protections qui leurs sont reconnus par les conventions.

L'action des organisations humanitaires impartiales est un indicateur important de la volonté et de la capacité des belligérants d'apporter eux-mêmes ces secours et d'autoriser les organisations humanitaires à le faire. Les organisations humanitaires jouent donc le double rôle de garant et de témoin de l'adéquation des secours offerts par rapport aux droits spécifiques prévus pour chaque catégorie de personnes protégées par le droit humanitaire. Cette adéquation entre les secours et le droit des victimes est constitutive du devoir de protection des victimes contenu dans le droit humanitaire. Ce devoir de protection ne pèse pas seulement sur les parties au conflit mais également sur le Comité international de la Croix-Rouge, qui est officiellement mandaté par les Conventions de Genève, ainsi que sur le professionnalisme des organisations humanitaires impartiales.

▶ **Puissance protectrice ▷ Protection ▷ Assistance.**

Les Conventions de Genève et leurs Protocoles additionnels n'imposent pas aux organisations humanitaires d'obligations juridiques strictes qui pourraient faire l'objet de sanctions pénales à leur encontre. Mais il n'est pas concevable que les droits qui leur sont accordés ne créent pas en retour de responsabilités particulières pour les organisations humanitaires.
Cette responsabilité se décline dans deux grandes directions : la responsabilité en tant qu'acteurs des actions de secours (a) et la responsabilité en tant que témoins éventuels de crimes contre les populations (b) ;

a) La responsabilité en tant qu'acteur de secours

Le droit humanitaire fixe des droits précis à l'assistance et à la protection au profit des populations civiles en période de conflit. Les organisations humanitaires engagées dans ces situations portent la responsabilité de négocier auprès des belligérants des conditions de travail qui soient conformes aux garanties fixées par le droit. Elles portent aussi la responsabilité de dire dans quelle mesure elles parviennent ou sont empêchées de fournir des secours efficaces permettant la protection et la survie des populations concernées. Cette responsabilité va au-delà du simple contrôle financier sur l'utilisation des dons privés ou des financements internationaux au titre de l'aide humanitaire. Elle diffère également de l'activité de défense des droits de l'homme et de dénonciation de leurs violations, et à ce titre elle ne peut pas être déléguée aux organisations des droits de l'homme par les organisations de secours au nom d'une séparation et d'une complémentarité des missions de secours et de dénonciation.
La responsabilité humanitaire se décline de façon continue pendant tout le processus des secours. Elle inclut :
– La responsabilité de négocier, auprès des autorités, des conditions de travail conformes aux garanties prévues par le droit humanitaire pour les populations dans leur ensemble, et pour les plus vulnérables en particulier.
– La responsabilité d'identifier et de faire connaître les obstacles, entraves et interdictions imposés à leurs activités de secours et qui nuiraient aux plus vulnérables. Cette action doit être entreprise aux niveaux local, national et international. Cette responsabilité est cruciale car elle permet d'attirer l'attention sur les dangers auxquels une population ou un groupe donné peut faire face malgré la présence d'acteurs humanitaires sur le terrain et un important volume d'aide déployée. Un des rôles des acteurs humanitaires est en effet de responsabiliser les autorités directement concernées, qui ne pourront ensuite prétendre qu'elles ne savaient pas.
– La responsabilité de dénoncer les situations où l'action de secours est détournée de son objectif, ou quand elle est utilisée pour mettre en danger la population qu'elle prétend secourir. Il ne s'agit pas d'un scénario théorique mais d'un risque permanent qui structure les dilemmes de l'action humanitaire. L'histoire regorge d'exemples où la présence d'organisations humanitaires et leurs actions ont été

utilisées à l'encontre des populations qu'elles cherchaient à aider. Il est ainsi arrivé que les organisations de secours soient utilisées pour localiser et attaquer les lieux où se réfugient des groupes de personnes vulnérables. La distribution de l'aide a pu également être utilisée pour regrouper des populations qui ont ensuite été attaquées, triées ou déplacées de force… Les organisations de secours peuvent être autorisées à apporter une aide matérielle pour donner une apparence de normalité à des lieux où, malgré l'assistance matérielle, les populations subissent des violences, des exactions et des persécutions.

Il est donc important que, dans de telles situations, les organisations de secours analysent la nature et l'impact réel de leur action. Elles ne devraient pas simplement condamner des situations où, malgré la distribution de secours, la sécurité et la vie des populations continuent d'être menacées, mais plutôt mesurer la valeur de leur présence et de leur action afin de responsabiliser les acteurs armés afin qu'ils respectent les droits et prennent en compte les besoins des victimes de conflits.

La prise en compte de l'ensemble de ces responsabilités est encore embryonnaire chez de nombreuses organisations humanitaires. Elle se résume trop souvent à des débats généraux sur les dilemmes moraux de l'action humanitaire ou à une prétendue division du travail entre les organisations centrées sur l'action et celles centrées sur la dénonciation ou le plaidoyer. La publication en 2010 de « Standards professionnels pour les activités de protection », élaborés conjointement par le Comité international de la Croix-Rouge et un groupe consultatif composé de différents collaborateurs d'organisations humanitaires internationales et non gouvernementales, fournit des points de repère importants pour éviter les pièges des bonnes intentions dans le domaine des secours et de la protection. Ils objectivent les risques liés à l'aggravation de la vulnérabilité des victimes et/ou à l'affaiblissement de leurs droits.

Ils devraient être pris en compte dans la programmation et l'évaluation des activités au sein de chaque organisation, et faire l'objet d'une plus grande transparence publique. Ces principes complètent les codes de conduite fixant les principes humanitaires acceptés par les organisations de secours élaborés dans les années 1990 par la Fédération internationale de la Croix-Rouge et du Croissant-Rouge et un collectif d'ONG. Ces principes illustraient déjà le souci d'éviter que les actions de secours n'augmentent la vulnérabilité ou ne nuisent aux victimes.

▶ **Protection ▷ Principes humanitaires.**

L'interaction entre les activités humanitaires et les criminelles a été mise en évidence dans deux affaires par le Tribunal pénal international *ad hoc* sur l'ex-Yougoslavie.

Dans l'affaire Stakic (20 mars 2006, § 286), la Chambre d'appel du TPIY a estimé que le fait qu'une ONG participe à la facilitation de déplacements ne rend pas en soi légal un transfert qui sans cela serait illégal. Conformément à cette approche, la Chambre d'appel a considéré, dans l'affaire Simic (28 novembre 2006, § 180) que la présence de représentants de la FORPRONU et du CICR n'a ni rendu les déplacements en question légaux, ni mené à la conclusion que ces déplacements forcés n'étaient pas suffisamment graves pour atteindre le niveau de la persécution.

b) La responsabilité en tant que témoin éventuel de crimes

Par leur présence sur le terrain, les membres des organisations humanitaires peuvent être témoins directs de crimes et d'exactions commis contre les populations civiles dans les situations de conflit.

Les organisations humanitaires ne sont pas chargées de la promotion ni de la défense des droits de l'homme en général ni de la lutte mondiale contre l'impunité des crimes internationaux. Leur responsabilité au titre des Conventions de Genève couvre par contre directement les violations graves du droit humanitaire (crimes de guerre et crimes contre l'humanité). Dans ce domaine, elles doivent signaler au CICR les violations graves dont elles sont témoin et protester auprès des parties au conflit concernées pour les faire cesser. Cette dénonciation par les organisations humanitaires ne repose pas sur une base morale ou juridique. Elle a pour but de responsabiliser les autorités militaires et politiques afin d'obtenir, par le dialogue ou la confrontation avec ces autorités, l'amélioration des conditions d'assistance et de traitement de la population ou des personnes concernées.

La confidentialité ou l'efficacité de cette responsabilisation suppose souvent une étape de discussion confidentielle, mais implique aussi la capacité des organisations de secours à prendre elles-mêmes directement la parole pour rendre compte des résultats de cette discussion et à faire entrer le problème des violations dans un débat public élargi au niveau national et international.

Le droit humanitaire n'impose pas d'obligation de confidentialité au CICR ou aux organisations humanitaires pour ce qui concerne les infractions graves. Il interdit par contre au titre de la neutralité d'affaiblir l'une des parties au conflit. Il est donc important de justifier ces dénonciations en tenant compte de la gravité des crimes concernés et en limitant l'aspect polémique lié aux propagandes politiques et militaires des différentes parties au conflit.

La dénonciation publique de crimes par les organisations humanitaires soulève pourtant plusieurs problèmes.

– Le premier dilemme réside dans le fait que toute action publique par rapport à ces crimes risque de compromettre la sécurité et donc la présence et l'action des organisations sur le terrain. Pendant longtemps les organisations humanitaires ont eu recours à une interprétation absolue du principe de neutralité pour résoudre ce problème. La neutralité interdisait toute prise de position vis-à-vis des belligérants et de leurs méthodes de combat. Mais en cas de génocide ou face à des actes d'extermination, l'argument de poursuite des opérations de secours à l'égard de la population n'a plus de sens. Le silence ne peut plus être conçu comme un dogme par les organisations humanitaires. Il doit être mis en perspective de manière opérationnelle avec l'impact réel de la protection et de l'assistance qui sont effectivement données aux populations. Confronté aux pratiques de purification ethnique pendant le conflit en ex-Yougoslavie, le CICR a considéré que la dénonciation des violations graves du droit humanitaire ne constituait pas une atteinte au principe de neutralité. Depuis lors, le CICR a réaffirmé que le principe de neutralité ne devait pas être confondu avec l'obligation de silence qui est liée à la confidentialité. Le principe de neutralité n'est pas abstrait ou absolu mais s'inscrit dans une logique opérationnelle dont le respect est conditionné à son efficacité en matière de protection des populations.

Certaines organisations peuvent souhaiter transmettre confidentiellement les informations qu'elles possèdent sur des exactions graves à des organisations de défense des droits de l'homme qui pourraient les rendre publiques sans divulguer leurs sources et sans risque pour la sécurité des opérations de secours et de leur personnel sur le terrain. Il existe également divers mécanismes des Nations unies permettant de faire connaître ce type d'informations en protégeant la confidentialité de la source d'information. Cependant ces procédures ne peuvent pas garantir à 100 % l'anonymat de la source et donc sa sécurité. Elles risquent aussi de conduire à une dilution de la responsabilité entre les organisations qui poursuivent toujours des objectifs différents et agissent avec des contraintes de temps différents. De manière générale, le témoignage ou les dénonciations des organisations humanitaires devraient agir dans une logique d'alerte et de prévention immédiate des crimes qui peut inclure l'interruption volontaire des actions de secours aux fins de responsabilisation des acteurs de la violence. Il se distingue donc de la dénonciation et de la collecte de preuves relatives aux crimes internationaux aux fins de lutte contre l'impunité et de procès ultérieurs devant les tribunaux internationaux.

La création des Tribunaux pénaux internationaux *ad hoc* pour l'ex-Yougoslavie et le Rwanda ainsi que de la Cour pénale internationale a inauguré une nouvelle dimension judiciaire des relations internationales. Elle oblige les organisations humanitaires à repenser leur rôle vis-à-vis des violations du droit humanitaire. Certaines ONG humanitaires se définissent volontiers comme auxiliaires actifs de la justice pénale internationale, acteurs de la lutte contre l'impunité, fournisseurs de documentations et de témoignages judiciaires auprès du procureur pour encourager l'inculpation et le jugement des auteurs présumés de crimes de guerre et crimes contre l'humanité. D'autres au contraire s'abstiennent de coopérer, considérant que les moyens et le temps judiciaires sont incompatibles avec le temps de l'action humanitaire et l'obligation de négocier les actions de secours et leur sécurité avec les acteurs de la violence armée.

En tout état de cause, les organisations humanitaires doivent être capables de qualifier les situations dans lesquelles elles interviennent pour être en mesure de revendiquer l'application du droit humanitaire prévu pour protéger les civils dans chaque situation spécifique. La connaissance et la compréhension du sort des populations et des exactions qu'elles subissent fait donc partie intégrante d'une action de secours responsable. Les organisations ont l'obligation de signaler les violations graves auprès des autorités civiles ou militaires concernées et auprès du CICR.

Toutefois, cette obligation d'alerter les autorités responsables sur les violations ne doit pas être confondue avec une obligation de témoignage judiciaire devant les tribunaux pénaux internationaux ou nationaux qui risque de compromettre la présence et la sécurité des travailleurs humanitaires dans les situations de conflit. Ce risque a d'ailleurs été reconnu par les tribunaux pénaux internationaux, qui ont reconnu dans plusieurs jugements l'incompatibilité des mandats du CICR mais aussi de la fonction de correspondant de guerre et de personnel humanitaire avec le statut et les obligations de témoin judiciaire. Ils ont posé le cadre et les critères d'une immunité de témoignage et de transmission de documents professionnels pour ces personnels. Elle a été reconnue par la Cour pénale internationale au CICR et aux professions couvertes par le secret professionnel tels que les médecins, journalistes, avocats, etc. (Voir ▷ **Cour pénale internationale** ▷ **Immunité**.)

Consulter aussi

▶ **Sanctions pénales du droit humanitaire** ▷ **Devoirs des commandants** ▷ **Tribunaux pénaux internationaux** ▷ **Cour pénale internationale** ▷ **Maintien de la paix** ▷ **Amnistie** ▷ **Crime de guerre-Crime contre l'humanité** ▷ **Compétence universelle** ▷ **Immunité** ▷ **Recours individuels** ▷ **Principes humanitaires.**

Pour en savoir plus

AUBERT M., « La question de l'ordre supérieur et la responsabilité des commandants », CICR, Genève, 1988 (tiré à part de la *Revue internationale de la Croix-Rouge*).

BLISHENKO I. P., « Responsabilités en cas de violation du droit international humanitaire, Les dimensions internationales du droit humanitaire », Unesco-Pedone-Institut Henri-Dunant, Paris-Genève, 1986, p. 327-343.

COMITE INTERNATIONAL DE LA CROIX-ROUGE, « Standards professionnels pour les activités de protection menées par les organisations humanitaires et de défense des droits de l'homme lors de conflits armés et d'autres situations de violence », 2009. Disponible en ligne :

http://www.icrc.org/fre/assets/files/other/icrc_001_0999.pdf

GRADTZISKY T., « La responsabilité pénale individuelle pour violation du droit international humanitaire applicable en situation de conflit armé non international », *Revue internationale de la Croix-Rouge*, n° 829, mars 1998.

LA ROSA A. M., « Organisations humanitaires et juridictions pénales internationales : la quadrature du cercle ? », *Revue internationale de la Croix-Rouge,* vol. 88, n° 861, mars 2006. Disponible en ligne :

http://www.icrc.org/fre/assets/files/other/irrc_861_larosa_fre.pdf

MONGELARD E., « Corporate civil liability for violations of intenrational humanitarian law », *Revue internationale de la Croix-Rouge,* vol. 88, n° 861, mars 2006. Disponible en ligne :

http://www.icrc.org/eng/assets/files/other/irrc_863_mongelard.pdf

MOORE J. (éd.), *Des choix difficiles : les dilemmes moraux de l'action humanitaire,* Gallimard, Paris, 1998, 459 p.

PAUST JORDANS J., « Superior orders and command responsibility », *in International Criminal Law,* M. Cherif BASSIOUNI (éd.), Transnational Publishers, Ardsley, NY, 1999, p. 223-238.

RENAULT C., « L'impact des sanctions disciplinaires militaires sur le respect du droit international humanitaire », *Revue internationale de la Croix-Rouge,* vol. 90, n° 870, juin 2008. Disponible en ligne sur http://www.icrc.org/fre/assets/files/other/irrc-870-renaut-web-fra-final.pdf

RONA G., « Le CICR et le privilège de ne pas témoigner : la confidentialité dans l'action », 2004. Disponible en ligne :

http://www.icrc.org/fre/resources/documents/misc/5wsegg.htm

SLIEDREGT E. V., *The Criminal Responsibility of Individuals for Violations of International Humanitarian Law,* T.M.C. Asser Press, La Haye, 2003, 437 p.

SPINEDI M., « La responsabilité de l'État pour "crime" : une responsabilité pénale ? », in *Droit international pénal,* sous la dir. de Hervé ASCENSIO, Emmanuel DECAUX et Alain PELLET, CEDIN-Paris-X, Pedone, 2000, 1 053 p., p. 93-114.

WILLIAMSON A. J., « Responsabilité du commandement et pratique pénale », *Revue internationale de la Croix-Rouge,* vol. 90, n° 870, juin 2008. Disponible en ligne sur http://www.icrc.org/fre/assets/files/other/irrc-870-williamson_pr-web_fra-final.pdf

Sanction

La sanction est l'action prise en cas de violation d'une règle de droit national ou international. La sanction a plusieurs buts : punir le coupable, protéger l'ordre public, et affirmer solennellement que la règle de droit survit à ses violations. L'indemnisation et la réparation du préjudice subi par les victimes sont des mécanismes distincts de celui de la sanction. Le droit international renvoie en général la question de la réparation et l'indemnisation des victimes à la compétence des tribunaux nationaux. Cependant les Cours interaméricaine, européenne et africaine des droits de l'homme et la Cour pénale internationale ont la possibilité d'octroyer des indemnisations aux victimes.

1. *Le mode de sanction*

Il varie selon l'auteur de la violation et la nature du crime.

• La responsabilité d'un État, d'une organisation et celle d'un individu n'obéissent pas aux mêmes règles et n'aboutissent pas au même type de décision ou de sanction en cas d'infraction. La responsabilité pénale ne concerne que les individus en droit international. La Cour internationale de justice est compétente pour juger les comportements illicites des États effectués en violations de leurs obligations internationales. Certains organes internationaux ou régionaux peuvent « juger » le comportement des États et les différends que les États leur soumettent. Les décisions rendues sont obligatoires, mais la plupart de ces organes ne sont pas habilités à prononcer des sanctions. Ce sont des instances politiques telles que le Conseil de sécurité des Nations unies qui peuvent prononcer contre les États des sanctions diplomatiques, économiques ou militaires.

• Les règles de droit pénal normal s'appliquent à la sanction des crimes classiques. Des règles particulières s'appliquent à la poursuite de certains crimes particulièrement graves, tels que les crimes de guerre, les crimes contre l'humanité, le génocide, la torture, le terrorisme, etc.

▶ **Sanctions pénales du droit humanitaire ▷ Crime de guerre-Crime contre l'humanité ▷ Compétence universelle ▷ Cour européenne des droits de l'homme ▷ Cour et commission interaméricaine des droits de l'homme ▷ Commission et Cour africaine des droits de l'homme ▷ Cour pénale internationale ▷ Cour internationale de justice ▷ Recours individuels ▷ Réparation-Indemnisation ▷ Responsabilité ▷ Droits de l'homme.**

2. *La nature de la sanction*

Elle peut varier selon l'entité qui prononce la sanction. Les deux principales sanctions sont pénales et disciplinaires.

a) Les sanctions pénales

Elles sont prononcées par un tribunal conformément aux règles du procès équitable. Les individus sont passibles de sanctions pénales lorsqu'ils commettent un crime ou un délit défini par la loi. Le droit international et le droit humanitaire fixent les règles du procès équitable et les garanties judiciaires. Des règles particulières du droit humanitaire réglementent l'administration de la justice et des sanctions pénales en période de conflit et dans les territoires sous occupation étrangère.

La sanction doit être prononcée par un tribunal impartial régulièrement constitué dans le contexte d'un conflit armé international (GPI art. 75.4) et au moins par une cour offrant toutes les garanties d'indépendance et d'impartialité dans le contexte d'un conflit armé non international (GI-IV art. 3 commun et GPII art. 6). Ce tribunal ne peut pas sanctionner des faits qui ne constituaient pas un crime ou un délit au moment où ils ont été commis. Il s'agit du principe de non-rétroactivité de la loi pénale. De même, ils ne peuvent pas être punis d'une sanction plus grave que celle qui était prévue par la loi au moment des faits. La sanction doit être individuelle et ne s'appliquer qu'au seul coupable. Les punitions collectives sont interdites.

▶ **Garanties judiciaires.**

b) Les sanctions disciplinaires

Elles sont prises par une autorité contre un de ses subordonnés qui aurait violé un règlement interne.

◆ **• La sanction disciplinaire n'est pas toujours entourée des mêmes garanties de procédures que la sanction judiciaire. Pourtant, elle peut avoir des conséquences très graves sur des individus privés de liberté, détenus ou internés en période de conflit comme en période de paix.**
• Le droit international humanitaire fixe des règles et des garanties précises, en matière de sanctions disciplinaires en période de conflit, pour les internés, les détenus et les prisonniers de guerre.

▶ **Détention ▷ Internement ▷ Prisonnier de guerre.**

3. L'échelle des peines

Le type et la gravité de la sanction imposée dépendent de l'infraction commise. Elle varie d'un système judiciaire à l'autre. Elle varie aussi selon que les sanctions sont prises contre des individus ou des États.

• Les sanctions prises contre un individu varient selon la gravité de la règle violée :

– la peine de mort, de nombreux pays y ont renoncé ;

– les peines de privation de liberté (elles ne peuvent pas en principe être prononcées pour des questions de dettes) ;

– les amendes ;

– les peines corporelles. Elles sont interdites dans de nombreux pays qui ont adopté le principe de l'*habeas corpus* et qui ont axé la répression sur les peines de privation de liberté, mais elles subsistent notamment dans le droit islamique et dans certains systèmes de justice traditionnel. Elles peuvent aussi être employées en matière disciplinaire. Le droit humanitaire fixe des limites précises pour les peines disciplinaires applicables aux détenus, internés et prisonniers de guerre en période de conflit.

▶ **Peine de mort ▷ Peines corporelles ▷ Garanties judiciaires ▷ Détention ▷ Prisonnier de guerre ▷ Internement.**

– les peines de compensation. Elles sont très répandues dans les systèmes traditionnels et mêlent la punition du coupable et la réparation du préjudice subi par la victime. Il s'agit par exemple du système du « prix du sang » dans lequel la famille du criminel verse à la victime ou à sa famille une somme forfaitaire équivalente au préjudice subi.

Les systèmes traditionnels connaissent également des peines de bannissement d'un individu de la collectivité.

• Les sanctions peuvent être prises contre les États de façon bilatérale ou dans le cadre des mécanismes de sécurité collective. Elles sont alors de nature diplomatique, économique ou militaire.

Consulter aussi

▶ **Garanties judiciaires ▷ Sanctions pénales du droit humanitaire ▷ Crime de guerre-Crime contre l'humanité ▷ Peine de mort ▷ Peines corporelles ▷ Peines collectives ▷ Sécurité collective ▷ Sanctions diplomatiques, économiques et militaires ▷ Tribunaux pénaux internationaux ▷ Cour pénale internationale ▷ Cour internationale de justice ▷ Réparation-Indemnisation.**

Jurisprudence

La sanction imposée doit toujours être conforme au principe général de proportionnalité entre la gravité de l'infraction et le degré de responsabilité de son auteur. La détermination de la gravité du crime requiert une appréciation des circonstances particulières de l'espèce, aussi bien que de la forme et du degré de participation de l'accusé dans le crime. La gravité de l'infraction est le premier facteur à prendre en compte pour déterminer une sanction comme le souligne la Chambre d'appel du TPIY dans la décision Celebici du 20 février 2001 (§ 731), la Chambre de première instance du TPIR dans l'affaire Kambanda du 4 septembre 1998 (§ 29), et la Chambre d'appel du TPIY dans la décision Celebici du 20 février 2001 (§ 731).

Dans le jugement Plavsic du 27 février 2003 (§ 52), la Chambre de première instance du TPIY souligne que la gravité des peines est justifiée par : les persécutions de grande ampleur, le nombre de tués, déportés et d'expulsés ; le traitement cruellement inhumain de détenus, et l'ampleur de la destruction de propriété et de constructions religieuses. Dans le jugement Krnojelac du 15 mars 2002 (§ 512), la Chambre de première instance du TPIY souligne que le prolongement de la souffrance émotionnelle, psychologique et physique des victimes est à prendre en compte dans la gravité des peines.

Les juges peuvent également aggraver ou atténuer les peines en fonction de circonstances particulières.

Concernant les *circonstances atténuantes*, dans les affaires Kayishema et Ruzindana du 21 mai 1999 (§ 19-23) et Kambanda du 4 septembre 1998 (§ 61-62), la Chambre de première instance du TPIR donne les exemples suivants : « une coopération substantielle avec le procureur, la reddition aux autorités compétentes, le plaidoyer de culpabilité et l'expression de remords à l'égard des victimes », et le fait que l'accusé « n'était pas une autorité *de jure* ». Voir également sur ces points les décisions du TPIR dans les affaires Kambanda du 4 septembre 1998 (§ 61-62), Serushago du 5 février 1999 (§ 31-42), Musema du 27 janvier 2000 (§ 1005-1008). Dans l'affaire Akayesu du 2 septembre 1998, le TPIR relève comme circonstance atténuante le fait que l'accusé n'occupait pas de très hautes

fonctions dans la hiérarchie gouvernementale, et que son influence et son pouvoir sur l'issue des événements étaient à la mesure de son rang à l'époque. Dans l'affaire Ruggiu du 1er juin 2000, (§ 53-80), le TPIR rajoute des circonstances atténuantes supplémentaires telles que : l'absence de passé criminel, la personnalité de l'accusé, l'assistance de l'accusé aux victimes et l'absence de participation personnelle aux tueries.
La question de l'obéissance aux ordres des supérieurs et de la contrainte exercée par les supérieurs peut, dans des limites très strictes, être prise en considération comme circonstance atténuante.
Quant aux *circonstances aggravantes*, deux éléments majeurs sont essentiellement pris en compte : la position hiérarchique et la participation active et directe aux faits criminels. Dans l'arrêt Kambanda rendu le 4 septembre 1998 (§ 61-62), la Chambre de première instance du TPIR souligne que le fait pour l'accusé d'avoir occupé à l'époque où il commettait lesdits crimes les plus hautes fonctions ministérielles est de nature à définitivement exclure toute possibilité d'atténuation de la peine. De même, pour l'accusé Rutaganda, celui-ci a abusé de sa position d'autorité, a joué un rôle important de meneur dans l'exécution des crimes, éléments soulignés par la Chambre de première instance du TPIR le 6 décembre 1998 (§ 468-470) et encore le 27 janvier 2000 dans l'affaire Musema (§ 1000-1004). Cette position est également défendue par la Chambre de première instance du TPIY, dans les affaires : Plavsic du 27 février 2003 (§ 57), Simic du 17 octobre 2002 (§ 67), Sikirica *et al.* du 13 novembre 2001 (§ 138-139 et172), Krstic du 2 août 2001 (§ 709), Foca du 22 février 2001 (§ 863), Blaskic du 3 mars 2000 (§ 788). Dans l'affaire Blaskic du 3 mars 2000, la Chambre de première instance du TPIY explique que la participation directe et active au crime signifie que l'accusé a commis de ses propres mains tous ou quelques crimes dont il est accusé (§ 790-791). Dans l'affaire Musema du 27 janvier 2000, la Chambre de première instance du TPIR considère que le fait pour l'accusé d'avoir été armé d'un fusil dont il a fait usage au cours des attaques prouve une participation active et directe constituant une circonstance aggravante (§ 1001-1004). Cette position est confirmée par la Chambre de première instance du TPIY dans sa décision du 21 février 2003 dans l'affaire Ntakirutimana (§ 884).

▶ **Responsabilité ▷ Sanctions diplomatiques, économiques ou militaires ▷ Sanctions pénales du droit humanitaire.**

Sanctions diplomatiques, économiques ou militaires

Des sanctions peuvent être décidées contre un État ou un acteur non étatique (individus, mouvement de rébellion, partis politiques...) quand celui-ci ne respecte pas ses engagements internationaux ou quand son comportement porte atteinte à ou menace l'ordre public international.
Ces sanctions sont un moyen de coercition et peuvent être politiques, économiques ou militaires, comme un embargo sur les armes avec un quota d'importations ou l'interruption des relations diplomatiques.
Ces sanctions peuvent selon les cas être décidées d'État à État (sanctions unilatérales) ou par un ensemble d'États dans le cadre d'une organisation régionale ou internationale comme l'ONU (sanctions collectives).

1. *Sanctions unilatérales*

– Les États peuvent arbitrer leurs différends de façon bilatérale en recourant de façon individuelle à des sanctions diplomatiques et économiques. Il faut noter que

le blocus économique imposé à un autre pays n'appartient pas à la catégorie des sanctions licites. Il constitue un acte de guerre.
– Ils peuvent également décider librement de soumettre leurs différends aux jugements de la Cour internationale de justice ou de cours de justice régionales, telles que la Cour de justice de l'Union européenne (CJUE). Si ces jugements disent le droit et sont obligatoires, ils ne prononcent pas de sanction pénale. Le Conseil de sécurité peut éventuellement décider d'utiliser la force pour faire appliquer les arrêts de la Cour internationale de justice (art. 94.2 de la Charte de l'ONU).

2. *Sanctions collectives*

• La Charte des Nations unies prévoit un système de sécurité collective qui organise le règlement pacifique des différends entre les États. Si ces mécanismes échouent, le chapitre VII (art. 39 à 51) prévoit des possibilités de sanctions collectives à l'encontre des États ou d'acteurs non étatiques, en cas de « menace contre la paix, de rupture de la paix et d'acte d'agression ». L'objectif est de faire pression sur cet État ou cette entité non étatique pour qu'il ou elle modifie son comportement. Le Conseil de sécurité peut dans ce cas décider d'adopter des mesures qui s'imposent à tous ses États membres, et qui impliquent ou non l'emploi de la force armée.
• Avant d'en arriver aux sanctions militaires (utilisées exceptionnellement), le Conseil de sécurité a la possibilité de prendre des mesures obligatoires instituant des sanctions diplomatiques et économiques qui peuvent être plus ou moins sélectives (embargo sur les exportations d'armes, gel des avoirs financiers, interdiction de voyager, embargo sur tous les échanges économiques...).
Les sanctions prévues par la Charte comprennent par ordre de gravité croissant : l'interruption partielle ou totale des relations économiques, des communications ferroviaires, aériennes, maritimes, postales, radio, la rupture des relations diplomatiques, et l'intervention armée.

◆ **En cas d'embargo total sur les échanges économiques, les secours humanitaires sont toujours exemptés. En pratique, un comité des sanctions est mis en place au niveau de l'ONU ou de l'organisation régionale qui a décrété l'embargo, afin de délivrer ces exemptions.**

▶ **Sécurité collective ▷ Conseil de sécurité ▷ Ordre public ▷ Maintien de la paix ▷ Comités des sanctions ▷ Embargo ▷ Cour internationale de justice ▷ Blocus.**

Pour en savoir plus

ALLAND D., *Justice privée et ordre public international : étude théorique des contre-mesures en droit international public*, Pedone, Paris, 1994.

COTTEREAU G., « De la responsabilité de l'Irak selon la résolution 687 du Conseil de sécurité », *Annuaire français de droit international*, 1991, p. 99-118.

DECAUX E. « La définition de la sanction traditionnelle : sa portée, ses caractéristiques », *Revue internationale de la Croix-Rouge*, n° 870, juin 2008. Disponible en ligne sur http://www.icrc.org/fre/assets/files/other/irrc-870-decaux_fra-pr-web-final.pdf

LA ROSA A. M., « La sanction dans un meilleur respect du droit humanitaire : son efficacité scrutée », *Revue internationale de la Croix-Rouge*, n° 870, juin 2008. Disponible en ligne sur http://www.icrc.org/fre/assets/files/other/irrc-870-la-rosa-pr-web.pdf

MEHDI R., *Les Nations unies et les sanctions : quelle efficacité ?*, Rencontres internationales de l'IEP d'Aix-en-Provence, Pedone, 2000, 246 p.

MINEAR L., « Éthique et sanctions », in MOORE J. (éd.), *Des choix difficiles : les dilemmes moraux de l'action humanitaire*, Gallimard, Paris, 1998, p. 297-324.

MINEAR L., « La moralité des sanctions », in *Des choix difficiles.*

NAHLIK S.E., « Le problème des sanctions en droit international humanitaire », *in* SWIRNARSKI C., *Études et essais sur le droit international humanitaire et sur les principes de la Croix-Rouge en l'honneur de Jean Pictet*, CICR-Martinus Nijhoff, Genève-La Haye, 1984, p. 469-481.

RENAULT C., « L'impact des sanctions disciplinaires militaires sur le droit international humanitaire », *Revue internationale de la Croix-Rouge*, n° 870, juin 2008, p. 319-326.

« Sanctions », *Revue internationale de la Croix Rouge*, n° 870, juin 2008, p. 209-479.

SEGALL A., « Economic sanctions : legal and policy constraints », *Revue internationale de la Croix-Rouge* n° 836, décembre 1999, p. 763-784.

WEISS T., CORTRIGHT D., LOPEZ G.A., MINEAR L., *Political Gain and Civilian Pain : Humanitarian Impacts of Economics Sanctions*, Rowman & Littlefield, Lanham, Md, 1997.

SIMON D., SICILIANOS L.A., « La contre-violence unilatérale. Pratiques étatiques et droit international », *Annuaire français de droit international*, 1986, p. 53-78.

Sanctions pénales du droit humanitaire

Les sanctions pénales ou disciplinaires prononcées par une puissance détentrice ou une force d'occupation en période de conflit sont réglementées par les garanties judiciaires fixées par le droit humanitaire.

▶ **Garanties judiciaires.**

1. *Le système de sanctions prévu par les Conventions de Genève*

Un système particulier de sanctions pénales a été prévu par les Conventions de Genève pour sanctionner les violations du droit international humanitaire commises par des individus, des administrations et des organisations dépendant d'un État.

Les violations du droit humanitaire sont le fait de combattants agissant sur ordre d'un supérieur hiérarchique ou de leur propre fait. Ces violations interviennent dans des situations où l'ordre public normal n'est plus garanti. Mais dans ces situations, l'usage de la force s'exerce au nom des supérieurs hiérarchiques ou au moins sous leur autorité.

En droit humanitaire, le principe d'autorité est toujours doublé d'un principe de responsabilité. Le droit humanitaire organise la sanction et la dissuasion des violations graves de ses dispositions *via* une chaîne de responsabilités qui peut toujours être montée ou descendue en fonction des caractéristiques de chaque situation : responsabilité des États, responsabilité des commandants et responsabilité individuelle des combattants.

• La responsabilité d'une partie au conflit peut être mise en cause si elle ne peut pas prouver qu'elle a pris des sanctions disciplinaires contre ceux de ses soldats qui ont commis de leur propre chef des actes interdits par le droit humanitaire.

• Les combattants restent personnellement responsables de leurs actes, même s'ils ont agi sur ordre d'un supérieur. Dans ce cas, la responsabilité du supérieur qui a donné l'ordre illégal est aussi engagée.

• Les auteurs des infractions graves au droit humanitaire peuvent être jugés devant n'importe quel tribunal de n'importe quel pays. C'est le principe de compétence universelle.
• Les États ne peuvent pas décider de s'exonérer seuls, ou mutuellement, de leur responsabilité de réparation concernant les infractions graves aux Conventions de Genève qui auraient été commises par leurs ressortissants ou en leur nom (GI art. 51 ; GII art. 52 ; GIII art. 131 ; GIV art. 148).
Le droit humanitaire a imposé aux États l'obligation de respecter et de faire respecter le droit humanitaire en prenant au niveau national toutes les mesures législatives, éducatives, répressives et judiciaires nécessaires (GI-IV art. 1). Les Conventions de Genève de 1949 ont également créé une obligation de solidarité judiciaire entre les États pour rechercher et juger devant leurs propres tribunaux les auteurs de ces infractions graves, quelle que soit la nationalité de l'auteur des faits. On parle à ce sujet du système de la compétence universelle.

2. *Les sanctions par les tribunaux internationaux*

• Deux tribunaux pénaux internationaux *ad hoc* ont été créés en 1993 et 1994 pour juger les crimes commis en ex-Yougoslavie et au Rwanda (notamment des violations du droit humanitaire). Ils ont rendu un grand nombre de jugements. Ces jugements constituent une véritable jurisprudence internationale qui a permis d'unifier les différents éléments de définition concernant les crimes de guerre et crimes contre l'humanité et les violations graves des Conventions de Genève. Cette jurisprudence éclaire également les conditions et le contenu de la responsabilité pénale des individus par rapport à ces crimes et les éléments de preuve requis pour établir l'existence de ces violations. (Voir Index alphabétique : Jurisprudence.)
• Le statut de la Cour pénale internationale a été adopté en juillet 1998, à Rome, à l'issue d'une conférence diplomatique organisée sous l'égide de l'ONU. Il est entré en vigueur le 1er juillet 2002. La Cour est chargée, sous certaines conditions, de juger les auteurs de crimes de guerre, crimes contre l'humanité, génocide et crime d'agression. Elle intervient donc comme une institution complémentaire des institutions judiciaires nationales dans le domaine de la répression des grands crimes de droit international. Le travail de la CPI permet d'unifier l'interprétation du droit humanitaire et d'harmoniser les systèmes de sanctions judiciaires des violations graves aux niveaux national et international.

Consulter aussi

► **Crime de guerre-Crime contre l'humanité ▷ Recours individuels ▷ Responsabilité ▷ Compétence universelle ▷ Tribunaux pénaux internationaux ▷ Cour pénale internationale ▷ Devoirs des commandants ▷ Amnistie ▷ Commission internationale d'établissement des faits ▷ Respect du droit humanitaire ▷ Sanction ▷ Cour européenne des droits de l'homme.**

Pour en savoir plus

FERNANDEZ FLORES J.L., « La répression des infractions individuelles au droit de la guerre », *Revue internationale de la Croix-Rouge*, n° 789, mai-juin 1991, p. 263-311.

HAROUEL-BURELOUP V., « La sanction des violations du droit international humanitaire », *in Traité de droit humanitaire*, PUF, Paris, 2005, p. 417-480.

JONES J.R.W.D., POWLES S., *International Criminal Practice*, 3e éd., Oxford University Press, 2003, 1 085 p.

LANOTTE O., *Répression des crimes de guerre – Espoir ou utopie ?*, Les Dossiers du GRIP, Bruxelles, 1995.

LA ROSA A. M. et WUERZNER C., « Groupes armés, sanctions et mise en œuvre du droit international humanitaire », *Revue internationale de la Croix-Rouge*, n° 870, juin 2008. Disponible en ligne sur http://www.icrc.org/fre/assets/files/other/irrc-870-larosa-wuerzner-web-fra-final.pdf

LAUCCI C., « Juger et faire juger les auteurs de violations graves du droit international humanitaire : réflexions sur la mission des tribunaux pénaux internationaux et les moyens de l'accomplir », *Revue internationale de la Croix-Rouge*, juin 2001, n° 842, p. 407-439.

PHILIPPE X., « Les sanctions des violations du droit international humanitaire : problématique de la répartition des compétences entre autorités nationales et internationales », *Revue internationale de la Croix-Rouge*, n° 870, juin 2008. Disponible en ligne sur http://www.icrc.org/fre/assets/files/other/irrc-870-philippe-pr-web-fra.pdf

QUEGUINER J.F., « Dix ans après la création du tribunal pénal international pour l'ex-Yougoslavie : évaluation de l'apport de la jurisprudence au droit international humanitaire », *Revue internationale de la Croix-Rouge*, n° 850, juin 2003, p. 271-311.

ROLING B.V.A., « Aspects of criminal responsability for violations of the laws of war », *in* CASSESE A., *The New Humanitarian Law of Armed Conflict*, Editoriale Scientifica, 1979, vol. I, p. 199-231.

SOMER J., « Jungle justice : passing sentence on the equality of belligerents in non international armed conflicts », *Revue internationale de la Croix-Rouge*, vol. 89, n° 867, septembre 2007.

VERHAEGEN J., « Entraves juridiques à la poursuite des infractions au droit humanitaire », *Revue internationale de la Croix-Rouge*, n° 768, novembre-décembre 1987, p. 634-647.

Secours

Les Conventions de Genève organisent les secours à apporter aux victimes des conflits. Elles poursuivent ce faisant deux objectifs pragmatiques et concordants :
– de façon générale, l'objectif est d'atténuer les souffrances causées par les hostilités à ceux qui ne participent pas ou plus aux combats et notamment d'éviter les effets des pénuries de biens essentiels à la survie de la population ;
– de façon plus précise, l'objectif est de faire reconnaître les besoins de protection, et donc le droit à la vie, de diverses catégories de personnes menacées par la logique de la violence et de la destruction.

Dans les situations de conflit armé, la pénurie est toujours relative. En revanche, la violence menace de destruction directe ou indirecte des groupes particuliers et les catégories les plus vulnérables de la population. Les opérations de secours prévues par le droit humanitaire allient l'assistance matérielle et la protection d'un statut juridique minimal pour les personnes en danger. Les différents éléments de ces notions sont détaillés dans les articles 70 et 71 du Protocole additionnel I aux Conventions de Genève applicable dans les conflits armés internationaux et dans l'article 18 du Protocole additionnel II applicable aux conflits armés non internationaux. Certaines de ces dispositions ont acquis le caractère de normes coutumières dans les conflits armés internationaux et non internationaux (règles 32 et 53 à 56 de l'étude sur les règles de DIH coutumier publiée par le CICR en 2005).

Ces règles s'imposent donc à toutes les parties aux conflits, même si elles ne sont pas signataires des conventions, y compris les groupes armés non étatiques. La protection des secours s'organise autour de plusieurs éléments différents.

▶ **Assistance ▷ Protection ▷ Personnes protégées.**

1. *Le contenu des secours*

Les actions de secours sont prévues et organisées par le droit humanitaire autour de la notion de biens essentiels à la survie de la population.
Le principe est qu'il est interdit de recourir à la famine contre la population civile comme moyen de combat (règle 53 de l'étude sur les règles de DIH coutumier). Il est donc interdit de détruire ces biens ou d'empêcher que la population civile soit approvisionnée (règles 54, 55). Cela est spécialement affirmé quand la population se trouve au pouvoir de la partie adverse en raison de l'occupation du territoire, ou bien qu'elle se trouve assiégée, internée ou détenue.
Les biens essentiels à la survie de la population sont :
– les vivres, sous forme d'approvisionnement en nourriture ou sous forme de récolte et de bétail, les installations et réserves d'eau potable et ouvrage d'irrigation et les zones agricoles ;
– les médicaments et le matériel sanitaire ;
– les objets nécessaires au culte ;
– les vivres, vêtements et fortifiants réservés aux enfants de moins de quinze ans, aux femmes enceintes et en couches (GIV art. 23 ; GPI art. 54 ; GPII art. 14,18).
Cette liste a été rallongée dans les conflits armés internationaux en ce qui concerne les territoires occupés et les zones assiégées. Elle inclut :
– les vêtements, le matériel de couchage, les logements d'urgence ou abris, et autres approvisionnements essentiels (GPI art. 69) ;
– le personnel de secours peut également, en cas de nécessité, être inclus dans les secours dont le passage doit être autorisé auprès de la population (GPI art. 70 et 71).

▶ **Biens protégés ▷ Famine ▷ Alimentation ▷ Ravitaillement ▷ Mission médicale.**

2. *Les bénéficiaires des secours*

Le droit humanitaire prévoit la possibilité de secours au profit de l'ensemble de la population civile. Il prévoit également des secours spécifiques destinés aux plus vulnérables : détenus, prisonniers de guerre, internés, à la population des territoires occupés, aux blessés et malades, aux enfants et aux femmes. Ces activités de secours sont présentées dans ces rubriques spécifiques :

▶ **Personnes protégées ▷ Détention ▷ Prisonnier de guerre ▷ Internement ▷ Population civile ▷ Blessés et malades ▷ Enfant ▷ Femme.**

3. *La protection du droit à recevoir des secours pour les différentes catégories de personnes protégées*

• Quand la population est insuffisamment approvisionnée en biens essentiels à sa survie, les opérations de secours humanitaires pourront être entreprises. Les parties au conflit devront accorder et faciliter le libre passage de ces secours. Elles n'auront pas le droit de les interdire. Elles n'ont que le droit de fixer des conditions techniques ou d'imposer aux organisations de secours des contrôles garantissant que la distribution des secours n'est pas détournée de sa destination civile. Le droit de recevoir des secours est donc garanti par le droit international humanitaire (GIV art. 17, 23, 59 ; GPI art. 70 ; GPII art. 18 ; règles 55 et 56).

Le droit applicable connaît des variations selon que la pénurie résulte du conflit en général (GPI art. 70 ; GPII art. 18), de l'occupation du territoire (GIV art. 55, 59), qu'elle sévit dans une zone assiégée (GIV art. 17, 23), ou qu'elle résulte d'un conflit interne (GPII art. 18).

• La puissance détentrice ou occupante reste en outre responsable d'assurer elle-même l'approvisionnement des personnes qui se trouvent en son pouvoir du fait de la détention et de l'internement (GIV art. 81) ou de l'occupation (GIV art. 55, 60). Mais ces personnes bénéficient toujours en plus du droit de recevoir des secours individuels ou collectifs, qu'elles se trouvent sur un territoire occupé (GIV art. 59, 62, 63), qu'elles soient internées (GIV art. 108 à 111) ; qu'il s'agisse de blessés ou malades (GIV art. 16, 17, 23 ; GPII art. 7), de prisonniers de guerre (GIII art. 15, 72, 73) ou d'autres personnes privées de liberté (GPII art. 5.1c). La puissance détentrice ou occupante doit permettre la libre évaluation des besoins de la population par les puissances protectrices ou à défaut par le CICR ou les organisations humanitaires (GIV art. 30, 143).

◆ **Les personnes protégées par le droit humanitaire disposent du droit de s'adresser aux puissances protectrices, au CICR ainsi qu'à tout organisme qui pourrait leur venir en aide. Les autorités au pouvoir desquelles elles se trouvent devront leur donner toutes les facilités pour adresser leurs demandes à ces organismes (GIV art. 30).**

▶ **Personnes protégées ▷ Territoire occupé ▷ Détention ▷ Prisonnier de guerre ▷ Droit d'accès ▷ Puissance protectrice.**

4. *L'obligation du libre passage des biens essentiels à la survie de la population*

• Les parties au conflit et chaque haute partie contractante autoriseront et faciliteront le passage rapide et sans encombre de tous les envois de secours, des équipements et du personnel de secours [...] même si cette aide est destinée à la population civile de la partie adverse (GPI art. 70.2). Les parties au conflit ne pourront en aucune manière détourner les envois de secours, ni en retarder l'acheminement (GPI art. 70.3.c). Elles devront assurer la protection des envois de secours et en faciliter la distribution rapide (GPI art. 70.4, 5). Ces obligations sont également prévues par la quatrième Convention (GIV art. 23, 55, 59 à 62).

• Cette obligation suppose qu'il s'agit effectivement de biens essentiels à la population et que l'action de secours a un caractère humanitaire et impartial, qu'elle est conduite sans aucune distinction de caractère défavorable, que priorité est donnée lors de la distribution des secours aux personnes les plus vulnérables telles que les femmes et les enfants (art. 70.1).

• Les parties au conflit ne peuvent pas refuser ces actions de secours. Elles ne disposent que du droit de :

– prescrire des réglementations techniques, y compris les vérifications auxquelles le passage des secours est subordonné ;
– demander que la distribution des secours soit effectuée sous le contrôle sur place d'une puissance protectrice ou d'un substitut pour s'assurer qu'ils ne sont pas utilisés à des fins militaires (GPI art. 70.3.a, b ; GIV art. 59).
• Les secours humanitaires ne peuvent pas être soumis à embargo dans les cas où le Conseil de sécurité des Nations unies ou une organisation régionale décident d'imposer une telle sanction à un pays membre.
Ces principes sont aujourd'hui reconnus comme règles coutumières, y compris dans les conflits armés non internationaux (*infra*).

◆ **En pratique, le mécanisme des puissances protectrices n'est pas utilisé. Il incombe donc aux organisations de secours d'assurer une évaluation des besoins et un contrôle de la distribution des secours qui offre aux parties au conflit les garanties requises par le droit, c'est-à-dire l'assurance que les secours ne pourront pas être détournés ou utilisés à des fins militaires. À défaut, le libre passage des secours risque d'être refusé par les belligérants.**

▶ **Droit d'accès ▷ Ravitaillement ▷ Biens protégés ▷ Embargo ▷ Comité des sanctions ▷ Blocus ▷ Siège.**

5. *Le droit d'offrir des secours pour les organisations humanitaires*

Les offres de secours de caractère humanitaire et impartial et conduites sans aucune distinction de caractère défavorable ne seront considérées ni comme une ingérence dans le conflit armé ni comme des actes hostiles (GPI art. 70.1).
En outre, les Conventions de Genève ont prévu que le CICR et les autres organisations humanitaires impartiales peuvent toujours offrir leurs services aux parties en conflit et entreprendre avec leur accord des actions de protection et de secours auprès des personnes civiles (GI-IV art. 3 commun ; GIV art. 10). L'article 3 commun a aujourd'hui acquis le caractère de règle coutumière minimale et impérative dans toutes les situations de conflit.
En dehors des missions confiées aux puissances protectrices, le droit humanitaire invite aussi les parties au conflit à accorder le meilleur accueil aux organisations religieuses, aux sociétés de secours, ou à tout autre organisme qui viendrait en aide aux personnes protégées (GIV art. 142). Les États s'engagent également à offrir toutes les facilités en leur pouvoir pour permettre au CICR et aux autres organisations humanitaires d'assumer les tâches de protection et d'assistance aux victimes prévues par les Conventions de Genève et leurs Protocoles additionnels (GPI art. 81). Dans les conflits armés internes, les États s'engagent aussi à ce que les sociétés de secours puissent offrir leurs services et s'acquitter de leurs tâches traditionnelles à l'égard des victimes (GPII art. 18.1).
Le droit humanitaire confie une double responsabilité aux organisations de secours :
– elles doivent proposer leurs services pour secourir et protéger les victimes des conflits ;
– elles doivent connaître les exigences du droit humanitaire pour ne pas affaiblir la protection due aux victimes, ni permettre aux États de refuser ces secours. Elles doivent notamment s'assurer que les secours ne sont pas détournés à des fins

militaires pour éviter de permettre aux parties au conflit de refuser l'aide, sous prétexte qu'elle est utilisée par la partie adverse.

▶ **Droit d'initiative humanitaire ▷ Puissance protectrice ▷ Responsabilité ▷ Principes humanitaires.**

6. *Protection du personnel de secours*

Le personnel participant aux actions de secours sera respecté et protégé (GPI art. 71.2).

• Les opérations de secours peuvent être entreprises par des personnes différentes. Il peut s'agir de représentants des puissances protectrices, de sociétés de la Croix-Rouge, d'organisations de protection civile locale ou émanant d'États neutres ou non parties au conflit, d'autres organisations humanitaires impartiales, de l'ONU. Elles peuvent également être entreprises directement par la population.

• Il existe divers statuts, liés au type d'organisation qu'ils représentent, offrant des droits plus ou moins étendus pour le personnel humanitaire.

L'article 71 du Protocole additionnel I fixe un cadre minimal pour le personnel de base. Il affirme la nécessité de ce personnel dans un certain nombre de situations pour le transport et la distribution des envois de secours. Ce personnel doit avoir l'agrément de la partie sur le territoire de laquelle il exerce son activité. Il doit ensuite être respecté et protégé et doit bénéficier de la coopération des autorités. Celles-ci ne peuvent limiter ses déplacements que de façon temporaire en cas de nécessités militaires impérieuses. Ce personnel ne doit pas dépasser le cadre de sa mission de secours. Il doit tenir compte particulièrement des exigences de sécurité de la partie sur le territoire duquel il exerce ses activités. Cela concerne notamment la façon dont il transmet des informations relatives à la situation militaire de ce territoire. Il peut être mis fin à la mission de tout membre du personnel de secours qui ne respecte pas ces conditions. Cette protection a également acquis un caractère coutumier obligatoire dans tous les types de conflits (règles 25, 26, 31 de l'étude sur les règles de DIH coutumier).

▶ **Personnel humanitaire et de secours ▷ Personnel sanitaire ▷ Puissance protectrice.**

◆ **Étude sur les règles de droit international humanitaire coutumier**

Règle 31. Le personnel de secours humanitaire doit être respecté et protégé.

Règle 32. Les biens utilisés pour des opérations de secours humanitaire doivent être respectés et protégés (CAI/CANI).

Règle 53. Il est interdit d'utiliser la famine comme méthode de guerre contre la population civile.

Règle 54. Il est interdit d'attaquer, de détruire, d'enlever ou de mettre hors d'usage des biens indispensables à la survie de la population civile.

Règle 55. Les parties au conflit doivent autoriser et faciliter le passage rapide et sans encombre de secours humanitaires destinés aux personnes civiles dans le besoin, de caractère impartial et fournis sans aucune distinction de caractère défavorable, sous réserve de leur droit de contrôle.

Règle 56. Les parties au conflit doivent assurer au personnel de secours autorisé la liberté de déplacement essentielle à l'exercice de ses fonctions. Ses déplacements ne peuvent être temporairement restreints qu'en cas de nécessité militaire impérieuse.

Consulter aussi

▶ **Droit d'accès ▷ Famine ▷ Ravitaillement ▷ Droit d'initiative humanitaire ▷ Protection ▷ Mission médicale ▷ Personnel humanitaire et de secours**

▷ **Personnes protégées** ▷ **Détention** ▷ **Internement** ▷ **Prisonnier de guerre** ▷ **Territoire occupé** ▷ **Siège.**

Pour en savoir plus

ANDERSON M.B., « You save my life today, but for what tomorrow ? Some moral dilemmas of humanitarian aid », *in Hard Choices : Moral Dilemmas in Humanitarian Intervention*, Jonathan MOORE (éd.), Rowman & Littlefield, Lanham, Md., 1998, p. 137-156.

BRAUMAN R., *L'Action humanitaire*, Flammarion, « Dominos », Paris, 1995.

DOMESTICI M. et M.J., *Aide humanitaire internationale : un consensus conflictuel ?* CERIC-Economica, Paris, 1996.

MACALISTER-SMITH P., *International Humanitarian Assistance, Disaster Relief Actions in International Law and Organizations*, Martinus Nijhoff-Institut Henri-Dunant, La Haye-Genève, 1 985.

MOORE J. (éd.), *Des choix difficiles : les dilemmes moraux de l'action humanitaire*, Gallimard, 1998, 452 p.

TERRY F., *Condemn to repeat ? The paradox of humanitarian action*, Cornell University Press, 2002, 282 p.

Secrétariat général des Nations unies (SG)

1. *Responsabilités et pouvoirs du secrétariat et du secrétaire général*

Le secrétariat, prévu par le chapitre XV de la Charte, est au service de tous les autres organes pour mettre en œuvre leurs programmes (art. 98). Le secrétaire général a un pouvoir de proposition extrêmement large auprès de tous. Il représente l'Organisation et est son plus haut fonctionnaire (art. 97). Il dirige tous les employés. En plus de ses fonctions administratives, il peut être chargé de n'importe quelle fonction (art. 98), même politique, par les organes de l'Organisation. C'est un rouage majeur de l'Organisation. Il présente un rapport annuel à l'Assemblée générale, qui est l'occasion pour lui d'exposer son point de vue sur le fonctionnement de l'Organisation.

L'action du secrétaire général doit être dominée par le souci de l'impartialité et de l'intérêt international. En tant que plus haut fonctionnaire de l'ONU, il incarne également l'indépendance dont jouissent en principe les fonctionnaires internationaux par opposition aux représentants des gouvernements qui siègent également dans les différents organes de l'ONU. « Dans l'accomplissement de leurs devoirs, le secrétaire général et le personnel ne solliciteront ni n'accepteront d'instructions d'aucun gouvernement ni d'aucune autorité extérieure à l'Organisation » (art. 100.1). Chaque État membre s'engage d'ailleurs à respecter le caractère exclusivement international de leurs fonctions et à ne pas chercher à les influencer dans l'exécution de leurs tâches (art. 100.2). En avril 2013, le secrétariat employait quelque 43 000 personnes recrutées à l'échelle mondiale.

Le 1er janvier 2007, M. Ban Ki-moon est devenu le huitième secrétaire général de l'ONU, succédant ainsi à Kofi Annan, qui avait exercé deux mandats (1997-2001 puis 2002-2006). Il a été reconduit à son poste le 21 juin 2011, et ceci jusqu'au

31 décembre 2016. Il est assisté par un vice-secrétaire général, Jan Eliasson, nommé le 2 mars 2012, quatrième à exercer cette fonction depuis l'établissement du poste en 1997.

2. *Structure du secrétariat*

Le secrétariat est divisé en quatorze départements ou bureaux dirigés par des secrétaires généraux adjoints ou des sous-secrétaires généraux : cabinet du secrétaire général, bureau des services de contrôle interne, bureau des affaires juridiques, département des affaires politiques, département des affaires de désarmement, département des opérations de maintien de la paix, département de l'appui aux mission, bureau de la coordination des affaires humanitaires, bureau pour la réduction des risques de catastrophe, département des affaires économiques et sociales, département des affaires de l'Assemblée générale et de la gestion des conférences, département de l'information, département de la sûreté et de la sécurité, et département de la gestion.

Lorsque le Conseil de sécurité est saisi d'une situation de crise dans un pays donné, c'est le secrétaire général qui est chargé de mettre en œuvre les actions décidées par le Conseil. Il doit également lui faire régulièrement rapport sur l'évolution de la situation. Il utilise de plus en plus la faculté de nommer sur place un représentant ou un envoyé spécial. Celui-ci ne doit pas être confondu avec les représentants permanents et les rapporteurs spéciaux qui peuvent également être en charge de la situation dans le pays au titre des diverses agences de l'ONU.

Le secrétaire général nomme des représentants et envoyés spéciaux avec des mandats thématiques et des mandats par pays. En avril 2013, on comptait 28 représentants, envoyés, conseillers ou coordonateurs spéciaux par pays répartis par aires géographiques. Pour l'Afrique : le Burundi, la Côte-d'Ivoire, la République centrafricaine, la République démocratique du Congo, la Guinée équatoriale et le Gabon, la Guinée-Bissau, le Liberia, la Sierra Leone, la Somalie, le Soudan, le Soudan du Sud, et le Darfour. Pour les Amériques ; la Guyane/Venezuela et Haïti. Pour l'Asie et le Pacifique : l'Afghanistan, le Pakistan, le Myanmar et le Timor-Oriental. Pour l'Europe : Chypre, l'ex-Yougoslavie, la Géorgie, et le Kosovo. Pour le Moyen-Orient : l'Irak, le Koweït, la Libye, le Liban, la Syrie et le Yémen.

En outre, 22 représentants spéciaux disposaient de mandats thématiques dédiés à des questions telles que : Alliance des Nations unies pour les civilisations, École internationale des Nations unies, Éducation globale, Enfants et conflits armés, Financement du développement, jeunesse, migrations, Objectifs du Millénaire pour le développement, Paludisme et financement des Objectifs du Millénaire pour le développement liés à la santé, Planification du développement après 2015, Prévention des catastrophes, Prévention du génocide, Sécurité alimentaire et nutrition, Sommet mondial sur la société de l'information (SMSI), Sport pour le développement et la paix, Tuberculose, Violence à l'encontre des enfants, Violence sexuelle dans les conflits armés, VIH/sida dans la région des Caraïbes, VIH/sida en Afrique, VIH/sida en Asie et au Pacifique, et VIH/sida en Europe de l'Est et en Asie centrale.

- ONU ▷ Assemblée générale des Nations unies ▷ Conseil de sécurité des Nations unies ▷ Conseil économique et social des Nations unies ▷ Cour internationale de justice.

Contact

http://www.un.org/french/sg/

Sécurité

La sécurité et la protection des individus sont obtenues en temps normal dans le cadre du respect de l'ordre public national et international au travers des activités de maintien de l'ordre public encadrées par le système judiciaire. On parle alors d'État de droit.

Les troubles et tensions internes ainsi que les situations de conflit sont de façon évidente des situations de perte de sécurité pour les individus et pour l'État. Dans ces situations précaires, le recours à la justice ne permet pas de faire échec aux menaces les plus immédiates de danger physique. D'autre part, l'État peut avoir recours à la force et limiter les garanties liées aux droits de l'homme afin de rétablir l'ordre public.

Dans les situations de troubles internes, la mission de sécurité et de maintien de l'ordre reste garantie par le droit national conformément aux standards fixés par les conventions internationales et régionales relatives aux droits de l'homme. Le contrôle judiciaire des actes du pouvoir exécutif et des forces de l'ordre est assuré au niveau national et devant certaines cours régionales relatives à la défense des droits de l'homme. La Cour européenne des droits de l'homme, par exemple, examine la proportionnalité entre les exigences de sécurité et le respect des droits de l'homme et peut condamner l'État à modifier son comportement.

Dans les situations de conflit armé, le paradigme de la sécurité et de l'État de droit est très largement inopérant. C'est pourquoi le droit international humanitaire (DIH) énonce explicitement des règles relatives aux interdictions ou limitations de l'emploi de la force et aux garanties fondamentales des victimes en termes de secours et de droits à la protection juridique. Les infractions graves sont considérées comme des crimes de guerre ou des crimes contre l'humanité et engagent la responsabilité pénale des auteurs devant les tribunaux nationaux et internationaux.

Le droit humanitaire énonce des interdictions précises à l'égard des autorités militaires et civiles des pays en conflit, pour protéger la sécurité physique des groupes de personnes les plus vulnérables. Pour y arriver, le droit humanitaire tente de prendre en compte les enjeux et les dangers spécifiques qui pèsent sur chacun. Il fixe un cadre de responsabilité pour les différents acteurs armés, afin de protéger la sécurité des groupes et entités suivants :

- Les prisonniers de guerre : l'évacuation et le transfert des prisonniers doit se faire dans des conditions satisfaisantes de sécurité (GIII art. 20, 46, 47). Il est interdit d'exposer les prisonniers de guerre à une source de danger pour mettre par leur présence certains lieux à l'abri d'attaques (GIII art. 23).

• Les étrangers : les étrangers présents sur le territoire d'une partie au conflit pourront quitter le territoire de cet État dans des conditions satisfaisantes de sécurité, qui incombent aux autorités nationales (GIV art. 36).
• Les internés civils : une partie au conflit pourra, en cas d'absolue nécessité, assurer sa propre sécurité en internant des personnes protégées. Des limites précises sont fixées, ainsi que des garanties de protection des lieux d'internement contre les attaques et des conditions de sécurité en cas de transfert des internés (GIV art. 42, 78, 88, 127).
• La population civile : la sécurité des populations civiles interdit qu'une partie au conflit la mette dans l'impossibilité de pourvoir à sa subsistance. Les mesures de sécurité prises par la partie au conflit ne peuvent pas rendre impossible le travail rémunéré des populations civiles (GIV art. 39, 51). En cas d'impérieuse nécessité militaire et pour assurer sa sécurité, la population d'un territoire occupé pourra être évacuée (GIV art. 49).
• L'État : si une personne protégée se livre à des activités préjudiciables à la sécurité de l'État (espionnage, sabotage...), elle perd son statut de personne protégée mais continue de bénéficier des garanties fondamentales de l'individu (GIV art. 5).
• Les parties à un conflit : le personnel de secours ne devra pas dépasser les limites de sa mission et, pour cela, il doit tenir compte des exigences de sécurité de la partie sur le territoire de laquelle il exerce ses fonctions (GPI art. 71, 74, 75). Le personnel de protection civile pourra être désarmé par la puissance occupante pour assurer sa sécurité (GPI art. 63, 64). La législation pénale d'un territoire occupé peut être modifiée pour permettre à la puissance occupante d'assurer sa propre sécurité. Des limites restent fixées pour protéger la population de ces abus, notamment la présence, lors des audiences jugeant les personnes protégées, de représentants de la puissance protectrice (GIV art. 64, 74).
• La puissance occupante ne pourra pas contraindre les personnes protégées à assurer par la force la sécurité des installations où elles exécutent un travail imposé (GIV art. 51).
• Les sociétés de secours : le principe de l'inviolabilité garantit la sécurité du personnel des sociétés de secours, le passage de convois humanitaires et les autres opérations de secours qu'elles accomplissent (GPI art. 71). Les États en conflit s'engagent à accorder aux sociétés de secours toutes les facilités nécessaires pour accomplir leur mission. Ils peuvent prendre des mesures limitant leur activité pour garantir la sécurité des sociétés de secours, à condition toutefois qu'une telle limitation n'empêche pas d'apporter une aide efficace et suffisante à toutes les personnes protégées (GIV art. 142).
• Les transports sanitaires (terrestres, maritimes, aériens) : tous les véhicules médicaux, les navires, les avions doivent être protégés et respectés. Ils sont l'objet de dispositions particulières comme celles concernant les conditions de vol, les notifications et accords relatifs aux avions sanitaires (GPI art. 23 à 29).
• L'État sur le territoire duquel les réfugiés ont trouvé refuge est responsable de leur sécurité. Pour parler de « refuge », encore faut-il que le territoire en question soit sûr, et que les camps de réfugiés puissent être établis à une distance raisonnable des frontières.

Malheureusement, la sécurité des camps de réfugiés n'est pas toujours assurée. Ils sont parfois utilisés comme zone tampon pour protéger les frontières d'attaques. D'autres fois, ces « zones protégées » sont militarisées et servent de bases arrière à partir desquelles sont lancées des attaques. Le droit international insiste sur la responsabilité de l'État territorial pour :

– l'obliger à ne pas utiliser la présence de réfugiés comme motif ou comme fondement au lancement d'activités hostiles contre un autre État ;

– l'obliger à assurer la sécurité des réfugiés.

Le HCR et les ONG travaillant en partenariat avec lui sont responsables du contrôle de la qualité et du niveau de sécurité et de protection dont bénéficient les réfugiés.

▶ **Droits de l'homme ▷ Garanties fondamentales ▷ Droit international humanitaire ▷ Troubles et tensions internes ▷ Cour européenne des droits de l'homme ▷ Détention ▷ Torture ▷ Ordre public ▷ Protection ▷ Responsabilité ▷ Devoirs des commandants ▷ Personnes protégées ▷ Services sanitaires ▷ Personnel humanitaire et de secours ▷ Biens protégés ▷ HCR ▷ Camp ▷ Réfugié.**

Sécurité collective

Le concept de sécurité collective remplace celui des alliances militaires entre États qui prévalait jusqu'à la Seconde Guerre mondiale pour assurer la défense collective d'un État par ses alliés, en cas d'agression par un autre.

La sécurité collective renvoie donc au système mis en place au niveau international par la Charte des Nations unies en 1945. D'autres mécanismes existent au niveau régional.

1. *Au niveau international*

• La Charte des Nations unies organise le système de sécurité collective de la communauté internationale. Ce système prévoit des mécanismes internationaux de règlement pacifique des différents entre États. En cas d'échec du règlement pacifique et de menace à la paix et la sécurité internationales causée par le comportement d'un ou plusieurs États, il permet au Conseil de sécurité de recourir à la force armée internationale pour gérer cette menace. En contrepartie de ce mécanisme, la Charte impose aux États l'interdiction de recourir unilatéralement à la force armée dans leurs relations. La seule exception prévue par la Charte à cette interdiction concerne les cas de légitime défense face à une agression et le temps que le système de sécurité collective prenne le relais. Le terme de sécurité collective renvoie à l'existence et à la défense d'un ordre public international dont la définition, partiellement contenue dans la Charte de l'ONU, est interprétée de façon évolutive par le Conseil de sécurité de l'ONU.

L'un des objectifs principaux des Nations unies est de maintenir la paix et la sécurité internationales, et à cette fin de prendre des mesures collectives efficaces en vue de prévenir et d'écarter les menaces [...] ou les ruptures de la paix (art. 1 de la Charte des Nations unies). C'est pourquoi ce système a recours aux mécanismes

de règlement pacifique des différends *via* l'arbitrage et la conciliation, ainsi qu'aux actions internationales de maintien ou de rétablissement de la paix.
Ce système interdit l'emploi de la force par les États dans leurs relations bilatérales sauf en cas de légitime défense (art. 2.4 et 51). En contrepartie, la Charte prévoit un mécanisme collectif en deux étapes, dont elle confie la responsabilité principale au Conseil de sécurité (art. 24).

- ***Première étape : le règlement pacifique des différends (chapitre VI de la Charte)***

  Dans un premier temps, le Conseil s'efforce de faciliter le règlement pacifique des différends entre les États (chapitre VI). C'est le stade de la prévention.
  Les États sont tenus en premier chef de régler eux-mêmes leur différend de façon pacifique, notamment par voie de négociation, d'enquête, de médiation, de conciliation ou d'arbitrage (art. 33). Mais le Conseil de sécurité peut les inviter expressément à le faire, s'il le juge nécessaire. Il peut aussi enquêter sur tout différend, afin de déterminer si sa prolongation menace la paix et la sécurité internationales (art. 34). Dans tous les cas, et à tout moment de l'évolution du différend, le Conseil de sécurité a la possibilité de recommander les procédures ou les méthodes d'ajustement qu'il juge appropriées. Il peut s'agir notamment de soumettre les différends juridiques à la Cour internationale de justice (art. 36).
  Si la prolongation de leurs différends est susceptible de menacer la paix et la sécurité internationales, les États sont tenus de les soumettre au Conseil de sécurité. Ce dernier peut aussi être saisi si tous les États concernés par le litige le demandent. Il n'est donc en principe pas possible pour un État de prendre prétexte d'un différend non résolu pour utiliser la force s'il n'a pas au préalable soumis celui-ci au Conseil de sécurité. La Cour internationale de justice a précisé que seuls les actes d'agression autorisaient le recours à la légitime défense. *A contrario*, les autres types de menaces à la sécurité nationale ne peuvent justifier le recours à la force armée et doivent être portées au préalable devant le Conseil de sécurité. La jurisprudence de la Cour internationale de justice a également précisé la définition de l'agression. Cette définition a été intégrée en 2010 dans le statut de la Cour pénale internationale.

- ***Deuxième étape : réponses aux ruptures de la paix et actes d'agression (chapitre VII)***

  Si tous les moyens préventifs échouent, le Conseil de sécurité peut alors recourir à l'usage de sanctions, y compris militaires, en cas de menace ou de rupture de la paix et de la sécurité internationales ou d'agression (chapitre VII).
  La notion de « menace à la paix et à la sécurité internationales » est librement appréciée par le Conseil de sécurité. C'est lui qui qualifie au cas par cas les différentes situations dont il est saisi et détermine si l'ordre public international est en danger. Les motifs retenus par le Conseil de sécurité varient d'une situation à l'autre sans qu'il soit possible actuellement de déterminer quelle situation déclenchera tel ou tel type de réaction. Le Conseil peut notamment décider de prendre des mesures provisoires qui ne préjugent pas du bon droit

de chacun (art. 40). Ces mesures sont obligatoires pour les États. Pour assurer le respect de ces décisions, le Conseil de sécurité peut prononcer diverses sanctions diplomatiques et économiques. Il peut également recourir à l'usage de la force armée internationale pour rétablir l'ordre. Paralysé pendant toute la période de la guerre froide, le recours à l'usage de la force armée internationale a été autorisé par le Conseil de sécurité de l'ONU à de nombreuses reprises à partir du début des années 1990. À l'occasion des différentes interventions militaires décidées pendant cette période, les résolutions du Conseil de sécurité ont affirmé que les violations graves du droit humanitaire et des droits de l'homme constituaient une menace à la paix et à la sécurité internationales : CS.688 (1991) sur la situation en Irak ; CS.941 (1994) sur la situation en Bosnie-Herzégovine ; CS.955 (1994) sur le Rwanda ; CS.1203 (1998) sur le Kosovo.

Le Conseil de sécurité des Nations unies a également fermement condamné en 2003 la violence contre le personnel humanitaire (SC/rés. 1502/2003). Il a demandé au secrétaire général des Nations unies de l'informer des situations dans lesquelles l'assistance humanitaire est rendue impossible à cause de la violence dirigée contre le personnel humanitaire, et d'inclure cette question dans tous ses rapports sur des pays spécifiques. Cette résolution a donné suite à plusieurs rapports du secrétaire général sur la protection de la population civile en période de conflit armé (notamment les rapports S/2008/643 du 28 octobre 2007 ; S/2009/277 du 29 mai 2009 et S/2010/579 du 11 novembre 2010).

Même si le Conseil de sécurité a adopté en 2006 la résolution 1674 relative à la responsabilité de protéger les populations civiles en danger, il n'est cependant pas possible de considérer qu'il existe aujourd'hui un devoir d'intervention internationale en cas de violations massives des droits de l'homme ou du droit humanitaire. Les violations de ces droits sont certainement devenues un enjeu d'ordre public international mais elles ne suffisent pas à qualifier une situation de menace à la paix et à la sécurité internationales, notamment du fait que cela dépend du consensus politique au sein du Conseil de sécurité.

Tout au plus ces violations peuvent venir en complément d'autres facteurs constituant une menace ou une rupture de la paix et de la sécurité internationales. Le Conseil de sécurité reste cependant libre d'agir ou non militairement. Il est souvent bloqué par veto et empêché d'agir dans certaines situations impliquant un membre permanent du Conseil.

▶ **Agression ▷ Conseil de sécurité ▷ Légitime défense ▷ Maintien de la paix ▷ Protection.**

Dans le cadre de son mandat de gestion des menaces à la paix et à la sécurité internationales, le Conseil de sécurité dispose également d'outils judiciaires. Il a utilisé le pouvoir que lui donne le chapitre VII de la Charte de l'ONU, pour créer des tribunaux internationaux *ad hoc*, chargés de juger les auteurs des crimes de guerre, crimes contre l'humanité et génocide commis sur leur territoire, et pour imposer la compétence de ces tribunaux aux États concernés. C'est notamment le cas pour l'ex-Yougoslavie et le Rwanda. C'est aussi le cas des crimes commis dans la province soudanaise du Darfour que le Conseil de sécurité a décidé de déférer au procureur de la CPI en

2005. Le vote de la résolution du Conseil de sécurité a permis d'imposer la compétence de la CPI à un pays qui n'a pas ratifié le statut de la Cour (S/rés. 1593/2005). Le Conseil de sécurité a de nouveau eu recours à cette arme judiciaire en imposant la compétence de la CPI à la Libye en 2011 par une résolution obligatoire fondée sur le chapitre VII de la Charte (SC/rés. 1970). Cependant, le Conseil de sécurité n'a pas pu parvenir à une décision concernant la situation en Syrie, tant en ce qui concerne une intervention militaire qu'une saisine de la CPI.

▶ **Cour pénale internationale ▷ Tribunaux pénaux internationaux.**

◆ **Pour déterminer s'il y a ou non menace ou rupture de la paix, le Conseil de sécurité tient compte de critères mouvants sur lesquels il s'appuie pour prendre sa décision finale. Il est donc très difficile en pratique de déterminer quelle situation déclenchera une réaction de sa part. Sa décision varie d'une situation à l'autre et reste très influencée par des considérations politiques et le possible veto d'un membre permanent du Conseil de sécurité.**

2. *Au niveau régional*

D'autres systèmes de sécurité collective existent également au niveau régional, en particulier en Europe. Ils fonctionnent souvent selon des principes identiques à ceux des Nations unies et doivent respecter ces derniers. Le Conseil de sécurité peut sous-traiter des missions aux organisations en charge de ces mécanismes régionaux (OTAN, OSCE, UE, UA), conformément au chapitre VIII de la Charte de l'ONU. Cependant, dans de tels cas, le Conseil reste responsable du contrôle de, et a autorité sur, l'utilisation de la force exercée en son nom (art. 53 et 54).
Alors que le débat sur la justification des interventions internationales se poursuit dans le cadre de l'ONU, l'Acte constitutif de l'Union africaine (UA) signé à Lomé en 2000 a précisé et élargi de façon unique les bases juridiques du droit d'intervention multilatérale dans les pays de l'Union. L'article 4 de l'Acte constitutif prévoit le droit de l'Union d'intervenir dans un État membre sur décision de la Conférence, dans certaines circonstances graves telles que les crimes de guerre, les crimes contre l'humanité et le génocide. Cet engagement est une ambition nouvelle que s'est donnée l'UA. La faiblesse des moyens financiers, techniques et logistiques disponibles dans les différents pays africains crée toutefois une dépendance concrète vis-à-vis du soutien apporté dans ce domaine par les États-Unis et l'Union européenne principalement.

Consulter aussi

▶ **Agression ▷ Union africaine ▷ Cour internationale de justice ▷ Maintien de la paix ▷ Conseil de sécurité des Nations unies ▷ ONU ▷ Ordre public ▷ Légitime défense ▷ Ingérence ▷ Sanctions diplomatiques, économiques et militaires ▷ Cour pénale internationale ▷ Tribunaux pénaux internationaux.**

Pour en savoir plus

Le Chapitre VII de la Charte des Nations unies, colloque de Rennes de la SFDI, Pedone, Paris, 1995.

COLARD D., GUILHAUDIS J.F., *Le Droit de la sécurité internationale,* Masson, Paris, 1987.

KERBRAT Y., *La Référence au chapitre VII de la Charte des Nations unies dans les résolutions à caractère humanitaire du Conseil de sécurité,* LGDJ, Paris, 1995.

Rapport du secrétaire général au Conseil de sécurité sur la protection des civils dans les conflits armés : S/1999/957. 8 septembre 1999.

Rapport du secrétaire général au Conseil de sécurité sur la protection des civils dans les conflits armés : S/2001/331. 30 mars 2001.

Rapport du secrétaire général au Conseil de sécurité sur la protection des civils dans les conflits armés : S/2002/1300. 26 novembre 2002.

S/rés. 1265 (1999).

S/rés. 1296 (2000).

WECKEL P., « Le chapitre VII de la Charte et son application par le Conseil de sécurité », *Annuaire français de droit international*, 1991, p. 165-202.

Services sanitaires

L'expression « services sanitaires » désigne l'ensemble constitué par le personnel sanitaire, les unités sanitaires et les transports sanitaires. Il s'agit d'un élément essentiel des secours aux populations. En situation de conflit, les services sanitaires bénéficient d'un statut et d'une protection spécifiques (GI-GIV art. 56 et 57 ; GPI art. 8 à 31 ; GPII art. 7 à 12).

◆ **L'attaque délibérée des services sanitaires à l'occasion d'un conflit armé international ou interne constitue un crime de guerre puni par le droit humanitaire et entre également dans la compétence de la nouvelle Cour pénale internationale (statut, art. 8.2.b.XXIV ; art. 8.2.e.II).**

I. Les unités sanitaires

1. *Définition*

L'expression désigne les établissements et autres formations organisés à des fins sanitaires, à savoir la recherche, l'enlèvement, le transport, le diagnostic et les soins, y compris les premiers secours aux blessés, malades ou naufragés, ainsi que la prévention des maladies.

En langage commun, il s'agit des hôpitaux, dispensaires, pharmacies, laboratoires, etc. Le droit humanitaire cherche à maintenir la continuité de l'ensemble des services médicaux pendant un conflit. Il utilise le mot d'« unités sanitaires » pour assurer un statut de protection uniforme à tous ces établissements.

• Les unités sanitaires comprennent, entre autres :
– les hôpitaux et autres unités similaires ;
– les centres de transfusion sanguine ;
– les centres de médecine préventive ;
– les centres d'approvisionnement sanitaire et de produits pharmaceutiques de ces unités ;
– les dépôts de matériel sanitaire et de produits pharmaceutiques.

• Les unités sanitaires peuvent être fixes ou mobiles, permanentes ou temporaires et sont protégées contre la destruction, les attaques et les réquisitions (GI art. 19 à 23, 33 à 35 ; GIV art. 18 ; GPI art. 8, 12 à 14 ; GPII art. 11). Elles sont protégées par le signe distinctif de la Croix-Rouge (GI art. 38 et 42 ; GIV art. 18 ; GPI art. 18 ; GPII art. 12).

2. *Protection*

• Les hôpitaux civils organisés pour donner des soins aux blessés, aux malades, aux infirmes et aux femmes en couches ne pourront, en aucune circonstance, être l'objet d'attaques ; ils seront, en tout temps, respectés et protégés par les parties au conflit (GIV art. 18 ; GPI art. 12 ; GPII art. 11).

■ **Matériel sanitaire et médicaments**

• L'expression « matériel sanitaire » désigne tout le matériel nécessaire au fonctionnement des unités sanitaires.
• Il est inclus dans la protection qui leur est accordée. Le matériel sanitaire ne constitue pas un objet stratégique et ne peut pas être détruit. Il est en outre protégé contre les réquisitions (GIV art. 55 ; GPI art. 14).
• L'approvisionnement en médicaments et matériel sanitaire ne peut pas être interdit par les parties au conflit (GIV art. 23 et 55 ; GPII art. 18).
• Le droit humanitaire précise en outre que :
– la puissance occupante a le devoir d'assurer l'approvisionnement de la population en vivres et médicaments (GIV art. 55) ;
– chaque haute partie contractante accordera le libre passage de tout envoi de médicaments et de matériel sanitaire destinés uniquement à la population civile d'une autre partie contractante, même ennemie (GIV art. 23) ;
– les sociétés de secours pourront entreprendre des actions de secours quand la population civile manque des approvisionnements essentiels à sa survie tels que les vivres et le matériel sanitaire (GPII art. 18) ;
– les puissances protectrices pourront toujours vérifier l'état de l'approvisionnement en vivres et médicaments dans les territoires occupés, sous réserve des restrictions temporaires imposées par d'impérieuses nécessités militaires (GIV art. 55). ■

▶ **Secours ▷ Biens protégés.**

• Les hôpitaux civils seront signalés au moyen de l'emblème prévu à l'art. 38 de la Convention de Genève pour l'amélioration du sort des blessés et des malades dans les forces armées en campagne du 12 août 1949 (GIV art. 18).
• Les parties au conflit prendront, autant que les exigences militaires le permettront, les mesures nécessaires pour rendre nettement visibles aux forces ennemies, terrestres, aériennes et maritimes, les emblèmes distinctifs signalant les hôpitaux civils, en vue d'écarter la possibilité de toute action agressive (GIV art. 18).
• Les États qui sont parties à un conflit devront délivrer à tous les hôpitaux civils un document attestant leur caractère d'hôpital civil et établissant que les bâtiments qu'ils occupent ne sont pas utilisés à des fins qui pourraient les priver de protection (GIV art. 18).
• En raison des dangers que peut présenter pour les hôpitaux la proximité d'objectifs militaires, il conviendra de veiller à ce qu'ils en soient éloignés dans toute la mesure du possible (GIV art. 18).

• En aucune circonstance, les unités sanitaires ne doivent être utilisées pour tenter de mettre des objectifs militaires à l'abri d'attaques. Chaque fois que cela sera possible, les parties veilleront à ce que ces unités sanitaires soient situées de telle façon que des attaques contre des objectifs militaires ne mettent pas ces unités en danger (GPI art. 12).
• Les établissements fixes et les formations sanitaires mobiles du service de santé (des armées) ne pourront en aucune façon être l'objet d'attaques, mais seront en tout temps respectés et protégés par les parties au conflit. S'ils tombent aux mains de la partie adverse, ils pourront continuer à fonctionner tant que la puissance détentrice n'aura pas elle-même assuré les soins nécessaires aux blessés et malades se trouvant dans ces établissements et formations. Les autorités compétentes veilleront à ce que les établissements et les formations sanitaires soient, dans la mesure du possible, situés de telle façon que des attaques éventuelles contre des objectifs militaires ne puissent mettre ces établissements en danger (GI art. 19).

3. *La protection peut être retirée dans certains cas*

La protection due aux établissements fixes et aux formations sanitaires mobiles ne pourra cesser que s'il en est fait usage pour commettre, en dehors de leurs devoirs humanitaires, des actes nuisibles à l'ennemi. Toutefois, la protection cessera seulement après une sommation fixant, chaque fois qu'il y a lieu, un délai raisonnable qui sera demeuré sans effet (GI art. 21 ; GPI art. 13 ; GPII art. 11).
L'étude sur les règles du droit international humanitaire coutumier publiée par le CICR en 2005 a reconnu le caractère coutumier et obligatoire de cette protection, applicable dans les conflits armés internationaux et non internationaux dans. Les règles 28 et 29 de cette étude disposent ainsi que « les unités sanitaires exclusivement affectées à des fins sanitaires » (règle 28) et les « moyens de transport sanitaire exclusivement réservés au transport sanitaire » (règle 29) « doivent être respectés et protégés en toutes circonstances. Ils perdent leur protection s'ils sont employés, en dehors de leurs fonctions humanitaires, pour commettre des actes nuisibles à l'ennemi ».

4. *La protection ne peut pas être retirée dans d'autres cas*

Les Conventions considèrent que certains faits ne seront pas définis comme étant de nature à priver une formation ou un établissement sanitaire de la protection. Il s'agit notamment des cas où :
– le personnel de la formation ou de l'établissement est armé et qu'il use de ses armes pour sa propre défense ou celle de ses blessés et de ses malades ;
– à défaut d'infirmiers armés, la formation ou l'établissement est gardé par un piquet ou des sentinelles ou une escorte ;
– dans la formation ou l'établissement, se trouvent des armes portatives et des munitions retirées aux blessés et aux malades et n'ayant pas encore été versées au service compétent ;
– des membres des forces armées ou d'autres combattants se trouvent dans ces unités pour des raisons médicales (GPI art. 13) ;

– des blessés ou malades civils sont pris en charge par du personnel sanitaire militaire dans des formations et établissements sanitaires dépendant des armées (GI art. 22).

II. Transport sanitaire

1. *Définition*

L'expression « transport sanitaire » s'entend du transport par terre, par eau ou par air des blessés, des malades et des naufragés, du personnel sanitaire et religieux et du matériel sanitaire protégés par les Conventions de Genève. L'expression « moyen de transport sanitaire » s'entend de tout moyen de transport, militaire ou civil, permanent ou temporaire, affecté exclusivement au transport sanitaire et placé sous la direction d'une autorité compétente d'une partie au conflit (GPI art. 8).

2. *Protection*

Les moyens de transport sont protégés par des normes de droit international et ils peuvent à cette fin arborer l'emblème de la Croix-Rouge (GI art. 35 à 38 ; GII art. 22 à 35, 38 à 41 ; GIV art. 21 à 22 ; GPI art. 12, 21 à 31 ; GPII art. 11, 12).
Les transports sanitaires terrestres, maritimes et aériens doivent être respectés et protégés comme les unités sanitaires mobiles (GII art. 35 et 36 ; GIV art. 21 et 22 ; GPI art. 12 et 21 ; GPII art. 12 ; règle 29 de l'étude sur les règles de DIH coutumier).
C'est-à-dire qu'ils ne peuvent pas être attaqués et que des précautions précises doivent être prises à leur égard. Les précautions devant être prises pour protéger de tels transports sont :
– l'identification comme moyen pour bénéficier d'une protection en arborant l'emblème protecteur approprié (comme la Croix-Rouge ou le Croissant-Rouge) ;
– l'information des parties de leur présence.

3. *Perte de la protection*

Les Conventions de Genève précisent les faits qui peuvent faire retirer la protection de ces moyens de transport et ceux qui ne le peuvent pas (GII art. 34 et 35 ; GPI art. 13) :
– la protection due aux moyens de transport sanitaire ne pourra cesser que s'il en est fait usage pour commettre, en dehors de leurs devoirs humanitaires, des actes nuisibles à l'ennemi. Toutefois, la protection ne cessera qu'après sommation fixant, dans tous les cas opportuns, un délai raisonnable et qui serait demeurée sans effet (GII art. 34) ;
– les actes suivants ne sont pas considérés comme des actes nuisibles (GPI art. 13) : le fait que le personnel soit doté d'armes légères individuelles pour sa propre défense ; le fait que le moyen de transport sanitaire soit gardé par une escorte ; le fait de transporter des membres des forces armées ou d'autres combattants pour des raisons médicales.

4. *Identification et notification des déplacements*

Des mesures d'identification et de notification des déplacements sont prévues. Elles sont spécialement détaillées pour les navires-hôpitaux et les embarcations de sauvetage côtières et les autres navires (GII art. 22 à 36, 43 ; GPI art. 18, 22, 23) et les avions sanitaires (GII art. 39 et 40 ; GPI art. 18, 24 à 31), mais aussi pour les unités sanitaires (GI art. 42 et 43 ; GIV art. 22) et les transports sanitaires (GI art. 39 et 44 ; GIV art. 21).

▶ **Signes distinctifs-Signes protecteurs.**

5. *Réquisition*

Des règles précises régissent également la réquisition du matériel et des moyens de transport sanitaires (GI art. 35 ; GIV art. 57 ; GPI art. 14). Pour les moyens de transport sanitaire civil, la réquisition est impossible aussi longtemps que ces moyens sont nécessaires pour satisfaire les besoins médicaux de la population civile et pour assurer la continuité des soins aux blessés et malades déjà sous traitement (GPI art. 14.2). Si la réquisition devient possible dans le respect des principes énoncés ci-dessus, encore faudra-t-il que (GPI art. 14.3) :

- les moyens réquisitionnés soient nécessaires pour assurer le traitement médical immédiat et approprié aux blessés et malades des forces armées ou des prisonniers de guerre. La réquisition ne pourra pas être faite pour d'autres motifs ou d'autres besoins ;
- la réquisition n'excède pas la période où cette nécessité existe ;
- des dispositions immédiates soient prises pour que les besoins médicaux de la population civile et ceux des blessés et des malades déjà sous traitement continuent d'être satisfaits.

▶ **Réquisition.**

Le personnel sanitaire bénéficie d'un statut et d'une protection au titre général de personnel de secours. Cette protection est renforcée par des droits spécifiques prévus au titre de sa mission médicale. Ce statut est traité de façon séparé à la rubrique ▷ **Personnel sanitaire**.

Consulter aussi

▶ **Mission médicale** ▷ **Personnel sanitaire** ▷ **Blessés et malades** ▷ **Réquisition** ▷ **Secours** ▷ **Cour pénale internationale** ▷ **Personnel humanitaire et de secours** ▷ **Signes distinctifs-Signes protecteurs** ▷ **Biens protégés.**

Pour en savoir plus

AMNESTY INTERNATIONAL, *Codes d'éthique et déclarations concernant les professions médicales* (recueil de textes déontologiques), Amnesty International, Paris, 1994, 124 p. (http://web.amnesty.org/pages/health-ethicsindex-eng).

BACCINO-ASTRADA A., *Manuel des droits et devoirs du personnel sanitaire lors des conflits armés*, CICR, Genève, 1982.

CICR, « Les soins de santé en danger. Exposé d'une urgence », 2011. Disponible en ligne sur http://www.icrc.org/fre/assets/files/publications/icrc-001-4072.pdf

HENCKAERTS J. M. et DOSWALD-BECK L., *Droit international humanitaire coutumier*, CICR, 2005, vol.1 : *Règles*, p. 79-104.

Siège

Il s'agit d'une méthode de guerre qui se caractérise par l'encerclement, l'isolement consécutif de la localité ou de la zone et des attaques visant à anéantir la résistance.
• En cas d'attaque, les unités sanitaires et les biens culturels devront être épargnés. Le pillage de la localité, une fois celle-ci conquise, est interdit.
• Les droits des populations assiégées sont les suivants :
– le droit de sortir de la localité assiégée peut être accordé aux agents diplomatiques et aux citoyens d'États neutres, sauf si des combats sont en cours ;
– en ce qui concerne la population civile en général, les parties au conflit doivent s'efforcer de conclure des accords locaux relatifs à l'évacuation des blessés et malades, des invalides, des enfants et des femmes en couches (GI art. 15 ; GII art. 18) ;
– ces accords devront également prévoir le passage à l'intérieur de la zone assiégée du personnel sanitaire et religieux, ainsi que du matériel sanitaire à destination de ladite localité (GI art. 15 ; GII art. 18 ; GIV art. 17 ; GPII art. 4e). Dans les conflits armés internes, deux précisions sont apportées :
– l'utilisation de la famine comme méthode de combat contre les personnes civiles est interdite (GPII art. 14) ;
– il est en outre précisé que, quand la population civile souffre de privations excessives par manque des approvisionnements essentiels à sa survie, tels que vivres et ravitaillement sanitaire, des actions de secours en faveur de la population de caractère exclusivement humanitaire et impartial seront entreprises (GPII art. 18.2).

▸ **Famine ▷ Évacuation ▷ Ravitaillement ▷ Secours ▷ Personnes protégées ▷ Puissance protectrice ▷ Méthodes de guerre ▷ Blocus.**

Pour en savoir plus

DINSTEIN S., « Siege warfare and the starvation of civilians », *in* DELISSEN A.J.M., TANJA G.J., *Humanitarian Law of Armed Conflict – Challenges Ahead ; Essays in Honour of Frits Kalshoven*, Martinus Nijhoff, La Haye, 1991, p. 145-152.

Signes distinctifs-Signes protecteurs

Des signes peuvent être utilisés pour identifier et protéger certaines personnes, certains lieux et certaines activités humanitaires ou pacifiques. Les Conventions de Genève ont établi une liste de ces signes. Ces signes distinctifs ont pour but d'indiquer que les personnes ou les biens qui les arborent bénéficient d'une protection internationale spéciale et qu'ils ne doivent pas faire l'objet d'attaques ni de violences (GI art. 24, 33, 35, 38 à 44, Ann.1 ; GII art. 41 à 45 ; GIV art. 18 à 22 ; GPI art. 18, 37, 38, 39, 85 et annexe 1).

1. *Les différents signes distinctifs*

Une annexe du premier Protocole additionnel aux Conventions de Genève de 1977 établit la liste et le rôle protecteur des signes distinctifs.

• La croix rouge (ou croissant rouge) sur fond blanc protège l'ensemble des services sanitaires, c'est-à-dire le personnel sanitaire et religieux, les unités sanitaires et les moyens de transport sanitaire. Depuis 2005, les représentants du mouvement international de la Croix-Rouge et du Croissant-Rouge qui ne préfèrent pas utiliser le croissant ou la croix pour des raisons culturelles ou opérationnelles peuvent utiliser le cristal rouge (voir *infra*).

• Des bandes obliques rouges sur fond blanc désignent les zones et localités sanitaires et de sécurité.

• Un écusson formé d'un assemblage de carrés et de triangles de couleur bleu roi et blanche désigne les biens culturels.

• Un triangle équilatéral bleu sur fond orange désigne le personnel, les installations et le matériel de la protection civile.

• Un groupe de trois cercles orange vif de même dimension, disposés sur un même axe, la distance entre les cercles étant égale au rayon, désigne les ouvrages et les installations contenant des forces dangereuses.

• Le drapeau blanc est réservé aux parlementaires.

• Les signes PG, PW ou IC désignent les camps d'internement des prisonniers de guerre d'une part, et les camps d'internés civils d'autre part.

2. *Les emblèmes de la croix rouge, du croissant rouge et du cristal rouge*

Les conditions d'utilisation des emblèmes sont différentes selon qu'il s'agit d'une situation de conflit ou de paix. Lors d'une conférence diplomatique tenue en décembre 2005, le mouvement de la Croix-Rouge et du Croissant-Rouge a décidé d'adopter un troisième emblème, libre de toute connotation religieuse, politique ou autre : le cristal rouge. Cet emblème est fait d'un cadre rouge ayant la forme d'un carré posé sur la pointe, sur fond blanc. La création de ce nouvel emblème est inscrite dans un troisième Protocole additionnel aux Conventions de Genève, qui liait 63 États en avril 2013. Cet emblème est officiel depuis janvier 2007, cependant il n'a pas encore été utilisé sur un terrain de conflit armé.

• Les emblèmes de la croix rouge et du croissant rouge peuvent être utilisés à titre indicatif, en tant que logo, ou à titre protecteur. L'emblème peut être utilisé à titre indicatif (petites dimensions) en temps de paix comme en temps de guerre. Il indique alors qu'une personne ou un bien a un lien avec le mouvement international de la Croix-Rouge et du Croissant-Rouge. L'emblème peut également être utilisé à titre protecteur (grandes dimensions) en période de conflit. Cet usage est la manifestation de la protection accordée par le droit humanitaire aux services sanitaires, installations, personnel et matériel en temps de guerre (GI art. 38 à 44, 53 à 54 ; GII art. 41 à 43 ; GPI art. 18). L'usage du signe protecteur n'appartient donc pas au mouvement de la Croix-Rouge, mais peut être utilisé par d'autres organisations pour protéger des activités sanitaires. Le CICR a le droit en tout temps d'utiliser l'emblème à titre protecteur ou à titre indicatif. Un règlement sur l'usage de l'emblème de la croix rouge et du croissant rouge par les sociétés nationales a été adopté par le mouvement international de la Croix-Rouge et du Croissant-Rouge en 1991. Il précise notamment les conditions dans lesquelles les sociétés nationales peuvent arborer l'emblème protecteur en période de conflit.

3. *Conditions générales concernant l'utilisation des signes protecteurs et distinctifs*

Les Conventions de Genève et leurs Protocoles additionnels réglementent l'utilisation générale de tous les emblèmes et signes distinctifs ou protecteurs reconnus et protégés par les Conventions. En particulier, elles précisent quand il est interdit de les utiliser.

• Il est interdit de feindre l'intention de négocier sous le couvert du pavillon parlementaire (GPI art. 37). Le droit international humanitaire coutumier confirme qu'en situation de conflit armé, tant international que non international, il est interdit d'utiliser indûment le drapeau blanc (règle 58 de l'étude sur les règles de DIH coutumier publiée par le CICR en 2005).

• Il est interdit d'utiliser indûment le signe distinctif de la croix rouge, du croissant rouge ou du lion et soleil rouge ou d'autres emblèmes, signes ou signaux prévus par les Conventions de Genève ou le Protocole additionnel I (GPI art. 38 et règle 59).

• Il est également interdit de faire un usage abusif délibéré, dans un conflit armé, d'autres emblèmes, signes ou signaux protecteurs reconnus sur le plan international, y compris le pavillon parlementaire, et l'emblème protecteur des biens culturels (GPI art. 38 et règle 61).

• Il est interdit d'utiliser l'emblème distinctif des Nations unies en dehors des cas où l'usage en est autorisé par cette organisation (GPI art. 38 et règle 60).

• Il est interdit d'utiliser, dans un conflit armé, les drapeaux ou pavillons, symboles, insignes ou uniformes militaires d'États neutres ou d'autres États non parties au conflit (GPI art. 39 et règle 63).

• Il est interdit d'utiliser les drapeaux ou pavillons, symboles, insignes ou uniformes militaires des parties adverses pendant des attaques ou pour dissimuler, favoriser, protéger ou entraver des opérations militaires (GPI art. 39 et règle 62).

• Il est interdit de diriger des attaques contre le personnel et les biens sanitaires et religieux arborant, conformément au droit international, les signes distinctifs prévus par les Conventions de Genève (règle 30 de l'étude sur les règles de DIH coutumier).

4. *Les sanctions*

• L'usage perfide du signe distinctif de la croix rouge, du croissant rouge, du lion et soleil rouge, ainsi que d'un autre signe protecteur prévu par les Conventions de Genève peut constituer un crime de guerre couvert par le principe de compétence universelle (GPI art. 85 ; Statut de la CPI, art. 8.2.b.vii et 8.2.c.ii).

• En ce qui concerne l'emblème de la croix rouge et du croissant rouge (les deux seuls signes utilisés actuellement par le mouvement international de la Croix-Rouge), les États parties aux Conventions de Genève se sont engagés à adopter des dispositions pénales permettant de prévenir et de réprimer devant les tribunaux nationaux l'abus de l'emblème, commis en temps de paix et de guerre. Ces mesures doivent se traduire concrètement par l'existence d'une loi nationale sur la protection de l'emblème.

▶ **Crime de guerre-Crime contre l'humanité ▷ Perfidie ▷ Compétence universelle ▷ Personnes protégées ▷ Biens protégés ▷ Personnel sanitaire ▷ Services sanitaires ▷ Protection.**

Pour en savoir plus

BUGNION F., « L'emblème de la croix rouge et celui du croissant rouge », *Revue internationale de la Croix-Rouge*, n° 779, septembre-octobre 1989, p. 424-435.

CAUDERAY G., *Manuel pour l'utilisation des moyens techniques de signalisation et d'identification*, CICR, Genève, 1990.

CAUDERAY G., « Visibilité du signe distinctif des établissements, des formations et des transports sanitaires », *Revue internationale de la Croix-Rouge*, n° 784, août 1990. Disponible en ligne sur http://www.icrc.org/fre/resources/documents/misc/5fzeyw.htm

EBERLIN P., *Signes protecteurs*, CICR, Genève, 1983.

QUEGUINER J. F., « Commentaire du Protocole additionnel aux Conventions de Genève du 12 août 1949 relatif à l'adoption d'un signe distinctif additionnel », *Revue internationale de la Croix-Rouge*, vol. 88, Sélection française 2006, p. 313-348.

SANDOZ Y., « Les enjeux des emblèmes de la croix rouge et du croissant rouge », *Revue internationale de la Croix-Rouge*, n° 779, septembre-octobre 1989, p. 421-423.

SOMMARUGA C., « Unité et diversité des emblèmes », *Revue internationale de la Croix-Rouge*, n° 796, juillet-août 1992, p. 347-352.

Situations et personnes non couvertes

Toute approche juridique de protection des individus se trouve prise dans un dilemme. Pour protéger plus efficacement, il est important de définir précisément les situations et les personnes concernées. La protection renforcée qui leur est accordée risque d'affaiblir la protection générale destinée aux autres personnes ou aux autres situations. La précision des définitions risque également de conduire à des querelles sur la qualification des situations ou des personnes qui peuvent retarder ou entraver la protection requise pour les victimes de conflit. Ce risque est illustré par les débats et polémiques juridiques entourant la qualification des conflits armés contemporains et leur capacité à remplir ou non les critères existants des conflits armés internationaux et non internationaux, ainsi que les débats relatifs au statut de combattants des membres de groupes armés non étatiques nationaux et transnationaux. C'est dans ce contexte qu'il faut aborder la question du droit qui reste applicable aux situations ou aux personnes non directement ou clairement couvertes par le droit humanitaire.

▶ **Garanties fondamentales ▷ Droits de l'homme ▷ Personnes protégées.**

• Les Conventions de Genève et leurs Protocoles additionnels ont un champ d'application délimité. Pour mieux protéger les personnes, ces textes procèdent par catégories : catégories de conflits et catégories de personnes.
Les quatre Conventions de Genève et le Protocole additionnel I ne s'appliquent qu'aux situations de conflit armé international. L'article 3 commun aux quatre

Conventions de Genève et le Protocole additionnel II s'appliquent aux conflits armés non internationaux. Mais, dans les situations de troubles et tensions internes dans lesquelles le seuil de violence n'est pas suffisant pour que l'on puisse parler de conflit (combats sporadiques, émeutes), le droit humanitaire ne s'appliquera pas, à l'exception des principes de l'article 3 commun qui sont des garanties fondamentales applicables en tout temps.

Des droits différents sont prévus au profit des civils, des combattants, des blessés et malades, des femmes et des enfants, des détenus et des internés, des prisonniers de guerre, de la population des territoires occupés ou des zones assiégées.

La force de cette approche est d'énoncer des droits précis, particulièrement adaptés pour protéger des individus contre les menaces spécifiques qui pèsent sur eux du fait de leur qualité ou de la nature de la situation. La faiblesse de cette méthode réside dans le fait que plus une définition est précise, plus elle risque d'exclure des personnes et des situations du bénéfice des Conventions.

Pour éviter que cette spécialisation n'affaiblisse la protection générale, plusieurs articles des Conventions de Genève prévoient :

– un minimum de protection applicable à tous et qui peut être augmenté des mesures supplémentaires mais spécifiques prévues au profit de certaines catégories de personnes ou dans certaines situations (2).

– la possibilité d'appliquer des dispositions du droit international humanitaire dans les situations où les Conventions de Genève ne s'appliquent pas nécessairement (1).

1. *L'application ad hoc des Conventions*

• Les quatre Conventions de Genève ne réglementent de façon extensive que les conflits armés internationaux. L'article 3 commun des Conventions de Genève fixe le minimum applicable dans les situations de conflits armés non internationaux. Il prévoit en plus que, dans les conflits internes, les parties au conflit s'efforceront de mettre en vigueur par voie d'accords spéciaux tout ou partie des dispositions des Conventions. Ce mécanisme permet d'élargir de façon *ad hoc* le champ d'application des Conventions de Genève. Il permet aussi de casser les automatismes juridiques et de mettre en évidence la volonté des belligérants de protéger ou non les populations victimes du conflit.

Cela se traduit de façon concrète puisque les Conventions prévoient que l'application du droit humanitaire ou la signature d'accords spéciaux n'aura aucun effet sur le statut juridique des parties au conflit (GIV art. 3). L'application du droit des conflits et la signature d'accords spéciaux ne peuvent pas être utilisées par un belligérant comme moyen d'obtenir une reconnaissance des autorités politiques ou militaires, ennemies ou opposantes, concernées.

Cette approche *ad hoc* du droit se fait avec un garde-fou : les accords spéciaux ne devront jamais affaiblir la protection prévue par les conventions (GI, GII, GIII art. 6 ; GIV art. 7).

▶ **Accord spécial.**

• L'article 45 de la première Convention de Genève et l'article 46 de la deuxième Convention prévoient également que « chaque partie au conflit, par l'intermédiaire de ses commandants en chef, aura à pourvoir [...] aux cas non prévus, conformément aux principes généraux » des Conventions de Genève. Les États et les parties au confit doivent respecter ces principes. Une interprétation des Conventions de Genève et des Protocoles additionnels qui conduirait à créer des trous noirs juridiques et des situations juridiques absurdes est contraire à l'esprit de ces textes.

• Le droit humanitaire s'en remet également au droit d'initiative des organisations de secours pour combler les situations de non-droit. Cette initiative humanitaire n'est pas considérée comme une ingérence dans les affaires intérieures des États concernés. Le Comité international de la Croix-Rouge dispose également d'un mandat lié au développement du droit humanitaire dans les domaines insuffisamment couverts. C'est dans ce cadre notamment qu'il a pris l'initiative ces dernières années de l'identification et de la publication des règles de droit international humanitaire coutumier ainsi que des lignes directrices concernant la participation des civils aux hostilités

▶ **Accord spécial ▷ Droit d'initiative humanitaire.**

2. *La protection minimale du droit humanitaire et des droits de l'homme*

• L'article 3 commun des quatre Conventions de Genève fixe le minimum commun applicable en période de conflit armé international ou interne. Les principes qu'il contient restent applicables dans les situations non couvertes par le droit humanitaire, comme les troubles et tensions internes. Il a le statut de droit coutumier et de norme minimale impérative.

Cet article, qui définit les comportements strictement interdits en toutes circonstances et à l'égard des non-combattants, sans distinction, est développé à la rubrique ▷ **Garanties fondamentales**.

Il prévoit également que les blessés et les malades seront recueillis et soignés et que les organisations humanitaires impartiales telles que le CICR pourront offrir leurs services aux parties en conflit.

Ces droits *a minima*, qui s'appliquent à toutes les personnes hors de combat, ne sont soumis à aucun critère qui pourrait conduire à retarder ou refuser le bénéfice de ces droits à certaines personnes. Le contenu de ces droits minimum impératifs pour tous les individus a été élargi par les Protocoles additionnels de 1977 pour les victimes des conflits internationaux (GPI art. 75) et celles des conflits armés non internationaux (GPII art. 4 et 5). Ces articles s'appliquent au minimum tant que la personne ne bénéficie pas d'un statut plus protecteur au titre d'autres dispositions du droit humanitaire.

• Le droit humanitaire rappelle également que, « dans les cas non prévus par le protocole ou d'autres accords internationaux, les personnes civiles et les combattants restent sous la sauvegarde et sous l'empire des principes du droit des gens, tels qu'ils résultent des usages établis, des principes de l'humanité et des exigences de la conscience publique » (GI art. 63 ; GII art. 62 ; GIII art. 142 ; GIV art. 158 ; GPI art. 1.2). Cette formulation reprend quasi à l'identique la clause Martens. Cette clause, qui doit son nom à Frédéric de Martens, délégué russe à la conférence de la paix de La Haye de 1899, avait été introduite dans le préambule de la Convention II de La Haye de 1899. La clause Martens a donc été reprise par le droit humanitaire contemporain. Elle fixe le devoir d'humanité des États à l'égard des situations ou des personnes non couvertes.

• Dans les situations où les combats ne sont pas suffisamment intenses pour entraîner l'application du droit humanitaire, ou pour les personnes qui ne seraient pas couvertes par les différentes catégories de personnes protégées par les Conventions de Genève, les garanties fondamentales énoncées dans les conventions internationales sur les droits de l'homme restent applicables. En outre, les conventions relatives à la protection des droits de l'homme continuent à s'appliquer en période de conflit (sous réserve des dérogations) de façon complémentaire avec le droit humanitaire. Les États peuvent suspendre un grand nombre de droits de l'homme et de libertés en période de conflit, de troubles ou de tensions internes mais certains droits fondamentaux restent applicables en toutes circonstances car les dérogations sont interdites à leur sujet. Ces droits indérogeables continuent de protéger les garanties fondamentales accordées aux individus même quand l'application du droit humanitaire est contestée dans une situation. L'État est donc toujours tenu par ces obligations découlant des droits de l'homme. Ces obligations ont également un caractère extraterritorial et extranational. La jurisprudence internationale a reconnu que l'État est obligé de respecter ses obligations relatives aux droits de l'homme y compris vis-à-vis d'individus et territoires étrangers placés sous son contrôle effectif du fait notamment de la détention ou de l'occupation.

▶ **Droit d'initiative humanitaire ▷ Droits de l'homme.**

Consulter aussi

▶ **Accord spécial ▷ Personnes protégées ▷ Garanties fondamentales ▷ Droit international humanitaire ▷ Droits de l'homme ▷ Troubles et tensions internes ▷ Conflit armé international ▷ Conflit armé non international ▷ État d'exception, état de siège, état d'urgence ▷ Coutume ▷ Droit, droit international ▷ Combattant ▷ Population civile ▷ Groupe armés non étatiques.**

Pour en savoir plus

CICR, « Activités de protection et d'assistance du CICR dans les situations non couvertes par le droit international humanitaire », *Revue internationale de la Croix-Rouge,* n° 769, janvier-février 1988, p. 9-38.

MYIAZAKI S., « The Martens Clause and international humanitarian law », *in* SWINARSKI C., *Études et essais sur le droit international humanitaire et les principes de la Croix-Rouge,* CICR-Martinus Nijhoff, Genève-La Haye, 1984, p. 433-444.

Societés militaires privées (SMP)

I. Aperçu du phénomène

Depuis la fin de la guerre froide, la refonte des politiques militaires et budgétaires des États, sous-tendue par une tendance générale à la privatisation, s'est traduite par l'émergence à l'échelle internationale d'un secteur de la sécurité privée aussi vaste que lucratif. L'essor de sociétés militaires privées et de sociétés de sécurité privées doit être appréhendé dans le contexte plus large de la privatisation par les États d'un certain nombre de missions gouvernementales, telles que les fonctions de défense et de sécurité. On estime qu'en 2010 le marché mondial des SMP était de 200 milliards de dollars et employait environ 1 000 000 de salariés.

Le secteur offre une large variété de services et certaines sociétés emploient plus de 10 000 collaborateurs. En Irak et en Afghanistan, l'armée américaine s'est appuyée sur des sociétés militaires et de sécurité privées (SMP) pour des activités allant de l'appui technique et logistique à l'administration des postes de contrôle et en passant par la formation. La construction de bases militaires, la préparation des denrées alimentaires, la sécurité des bases militaires américaines, la maintenance de systèmes d'armement et la formation des nouvelles forces militaires et policières irakiennes sont autant de fonctions qu'ont assumées ces sociétés. En mars 2011, selon ses propres sources, le département de la Défense des États-Unis disposait de davantage de personnel contractuel en Afghanistan et en Irak (155 000) que de personnel en uniforme (145 000). Dans ces deux pays, les entrepreneurs représentent 52 % des effectifs américains.

Différentes catégories de SMP peuvent être identifiées en fonction de leurs services, qui vont des activités de sécurité aux activités militaires. En conséquence, différents types de classification ont été élaborés. Leurs activités peuvent être réparties en trois secteurs principaux :

- les sociétés militaires fournisseuses, qui fournissent des services sur le front ;
- les sociétés militaires de conseil, qui offrent des services de conseil et de formation ;
- les sociétés militaires d'appui, qui fournissent les services de logistique, de maintenance et de renseignement aux forces armées.

Il convient de souligner que certaines organisations et entreprises privées peuvent également engager des SMP pour assurer la sécurité de leurs opérations.

Deux événements impliquant des entrepreneurs privés de l'armée américaine en Irak ont contribué à faire la lumière sur ce phénomène et à mettre en cause sa légalité. En avril 2004, le meurtre et la mutilation de quatre employés de la SMP Blackwater et l'assaut qui s'en est ensuivi sur Fallujah par l'armée américaine ont remis en question la relation existant entre les militaires américains et le personnel de Blackwater, tout comme la pertinence de leur dénomination d'entrepreneurs « civils ». En 2003 et 2004, l'implication d'entrepreneurs civils de la SMP CACI aux côtés de soldats américains dans la torture de détenus au centre de détention d'Abou Ghraib (Irak) a également soulevé la question de leur responsabilité en matière de violation du droit international humanitaire et des droits de l'homme. Des enquêtes ont été menées aux États-Unis au niveau militaire ; l'« Enquête en vertu de l'article 15-6 sur la 800e brigade de la police militaire », plus connu sous le nom de rapport Taguba (mars 2004), et le rapport Fay-Jones ont contribué à éclaircir la question. Les enquêtes de l'armée américaine ont estimé que les entrepreneurs étaient impliqués à hauteur de 36 % dans les violences avérées d'Abou Ghraib et ont identifié six employés des SMP Titan et CACI comme personnellement coupables (voir le rapport Fay-Jones). Si quelques soldats de rang inférieur ont été traduits en cour martiale, aucun des entrepreneurs privés cités dans les rapports d'enquête de l'armée n'ont fait l'objet de poursuites devant des cours civiles ou militaires (voir la Jurisprudence *infra*).

La sous-traitance des activités militaires aux sociétés privées pose un certain nombre de défis au droit international humanitaire, parmi lesquels la question du statut des SMP et de leurs employés au regard de ce droit, ainsi que l'affaiblissement potentiel de la notion de responsabilité des commandants.

Dans tous les cas, l'évolution rapide du secteur des SMP et la diversité de leurs activités exigent que leurs droits comme leurs obligations en situation de conflit armé, et par conséquent leur statut en droit international humanitaire, soient clarifiés. Leur activité est remise en question dans le cadre du droit applicable aux conflits armés internationaux, quand elles agissent aux côtés des interventions militaires internationales autorisées ou non par le Conseil de sécurité des Nations unies, ainsi que dans les situations d'occupation militaire. Dans les contextes de conflits armés non internationaux, leur statut est encore plus ambigu, lié notamment à l'absence de définition précise du statut de combattant et de groupe armé non étatique.

II. Le statut des SMP au regard du droit international humanitaire

La qualification des personnels des SMP comme combattants, mercenaires ou civils est l'objet de nombreuses controverses. La définition d'un cadre juridique cohérent et contraignant au sein duquel ces personnels agissent dans la pratique, tout particulièrement quand ils ont recours à l'usage de la force, reste un défi majeur. En dehors de cet enjeu de qualification, le document de Montreux, rédigé par le Comité international de la Croix-Rouge en septembre 2008, propose un système de réglementation et de responsabilité pour les activités des SMP aux niveaux individuel, de l'entreprise ou étatique. Ce document n'a toutefois aucune valeur juridique contraignante tant qu'il n'est pas traduit dans les règlements nationaux qui peuvent varier les uns des autres.

1. *Mercenaires, combattants ou civils*

On peut être tenté de qualifier les employés des SMP de mercenaires ou de combattants plutôt que de civils. Cependant, aucune de ces catégories ne semble correspondre à la diversité de leurs activités et à la complexité des critères prévus par la loi pour chaque catégorie.

La catégorie de mercenaire n'est d'une utilité que limitée pour la réglementation des activités des SMP et cela pour deux raisons : d'abord, il n'y a que peu d'éléments relatifs à la régulation de l'emploi de la force par des mercenaires. Cela tient essentiellement au fait que le but premier de la Convention sur les mercenaires n'est pas de réglementer mais bien plutôt d'éliminer cette pratique par le biais de la criminalisation des activités de mercenariat. Il convient de souligner que le fait d'être un mercenaire ne constitue pas en soi une violation du droit des conflits armés ; cela signifie que les mercenaires doivent respecter les dispositions du droit humanitaire sur l'utilisation de la force armée. Le second problème tient à la définition même du mercenaire détaillée à l'article 47 du Protocole additionnel I aux Conventions de Genève, définition similaire à celle de la Convention sur les mercenaires. Cette définition énonce six conditions cumulatives pour qu'une personne soit considérée comme mercenaire. En pratique, ces conditions sont largement inexploitables. Elles obligent en effet à déterminer le statut selon une approche au cas par cas, ce qui ne permet pas de cerner la question du statut général des personnels des SMP et sa dimension collective et multinationale.

La définition du mercenaire ne recouvre pas la totalité des activités des SMP puisqu'elle fait seulement référence au recrutement en vue des combats et n'aborde pas la zone grise des missions de sécurité où la force armée est utilisée seulement à des fins de défense ou de légitime défense. Le fait d'être responsable de la sécurité d'un commandant militaire dépasse les activités de légitime défense et de sécurité usuelles et s'apparente à une participation directe aux hostilités. La notion de participation directe aux hostilités utilisée par le droit international humanitaire pour séparer les civils des combattants est de ce fait plus pertinente pour décrire et réglementer les activités des SMP.

En droit international humanitaire, les personnels des SMP peuvent être qualifiés de combattants dès lors qu'ils peuvent être considérés comme incorporés aux forces armées tel que prévu par l'article 43.1 du Protocole additionnel I aux Conventions de Genève. Malheureusement, ce protocole ne donne aucune orientation quant aux formalités d'incorporation. Ce point est par conséquent laissé aux réglementations nationales qui, traditionnellement, adoptent une approche très stricte ne permettant pas de considérer les membres des SMP comme incorporés aux forces armées. La définition des combattants énoncée dans la troisième Convention de Genève se révèle elle aussi difficile à appliquer aux personnels des SMP puisqu'elle exige qu'un certain nombre de conditions soient remplies par les membres des milices ou des autres corps de volontaires appartenant à une partie au conflit. Ces conditions, énumérées à l'article 4A (2) sont les suivantes : (a) avoir à leur tête une personne responsable pour ses subordonnés ; (b) avoir un signe distinctif fixe reconnaissable à distance ; (c) porter ouvertement les armes ; et (d) se conformer, dans leurs opérations, aux lois et coutumes de la guerre. La pratique des États en la matière peut être perçue comme un choix délibéré de compter sur l'ambiguïté du statut des groupes participant au conflit.

Il convient de rappeler que toute pratique étatique contribuant à la confusion entre combattants « réguliers » et « irréguliers » est en contradiction flagrante avec les obligations étatiques en vertu du droit international humanitaire.

Afin de couvrir de telles zones grises, le droit international humanitaire a développé un statut spécial entre l'opposition traditionnelle de civil et de combattant. Cette catégorie vise à couvrir les personnes civiles participant directement aux hostilités. Les personnels des SMP peuvent *a minima* se voir attribuer ce statut. Ainsi pourraient-ils devenir des cibles légitimes et être privés de leur statut de civil durant, et seulement durant, leur participation directe aux hostilités. La participation directe est strictement définie comme des actes de guerre qui, du fait de leur nature ou de leur objectif, sont susceptibles de causer un préjudice réel au personnel et aux équipements de forces armées de l'ennemi (art. 53.1 Protocole additionnel I, commentaire). Dans la mesure où elle crée une dérogation à la protection accordée aux personnels et biens civils, cette définition exige une interprétation stricte. Elle ne couvre pas les activités qui ne font qu'apporter un appui aux efforts de guerre. Il en découle que le vide réglementaire en matière de SMP ressemble davantage à un choix délibéré de certains États plutôt qu'à un insurmontable problème juridique.

▶ **Mercenaire ▷ Population civile ▷ Combattant ▷ Groupes armés non-étatiques.**

2. *Le Document de Montreux (2008)*

De 2006 à 2008, le gouvernement suisse et le Comité international de la Croix-Rouge ont mis en œuvre un processus de travail rassemblant des experts gouvernementaux des 17 pays les plus affectés ou ayant le plus recours aux activités des SMP : l'Afghanistan, l'Angola, l'Australie, l'Autriche, le Canada, la Chine, la France, l'Allemagne, l'Irak, la Pologne, la Sierra Leone, l'Afrique du sud, la Suède, la Suisse, le Royaume-Uni, l'Ukraine et les États-Unis. Des représentants de la société civile et des sociétés militaires et de sécurité privée ont également été consultés. Il en a résulté le Document de Montreux, publié conjointement par le gouvernement suisse et le CICR en septembre 2008. Ce document vise à promouvoir le respect du droit international humanitaire et des droits de l'homme. Il n'est pas juridiquement contraignant en tant que tel mais contient un certain nombre de recommandations et de bonnes pratiques à destination des États pour les aider à élaborer les mesures nationales leur permettant de mettre en œuvre leurs obligations internationales.

Le document aborde des préoccupations juridiques essentielles telles que le statut des personnels des SMP dans le cadre des Conventions de Genève de 1949, la responsabilité individuelle pour mauvaise conduite dans différentes juridictions et l'obligation des autorités de superviser et contrôler les actions des SMP afin d'éviter ce type de conduite. Le document met également en évidence les responsabilités de trois types d'États : l'État contractant (l'État qui contracte les services de la SMP), l'État territorial (l'État sur le territoire duquel opèrent les SMP, appelé aussi « État hôte ») et l'État d'origine (État duquel la SMP a la nationalité, aussi appelé « État exportateur »).

Enfin, le document propose un certain nombre de pratiques pouvant être mises en œuvre afin de réglementer les activités des SMP ; pratiques allant de l'introduction de régimes de licence transparents au niveau national à une supervision et une responsabilité renforcées grâce à des formations en droit international humanitaire et au développement de procédures internes.

a. *Les obligations juridiques internationales pouvant s'appliquer aux SMP selon le Document de Montreux*

Le document rappelle que les États sont tenus de prendre les mesures appropriées pour prévenir toute mauvaise conduite des SMP et assurer la responsabilité de leurs actes. Ceci découle manifestement de leur obligation de respecter et faire respecter le droit international humanitaire et de promouvoir les droits de l'homme.

Il rappelle également que les SMP et leur personnel sont soumis au droit international humanitaire et doivent respecter ses dispositions en situation de conflit armé, quel que soit leur statut. Ce statut doit être déterminé par le droit international humanitaire au cas par cas, selon la nature et les circonstances de leurs fonctions. Par exemple, s'ils sont des civils en vertu du droit international humanitaire, les personnels des SMP ne sauraient recourir à l'usage de la force et ne peuvent être l'objet d'attaques. Si, comme civils, ils participent directement aux hostilités, ils ne sont plus protégés des attaques. Ils deviennent ainsi une cible légitime et doivent être traités comme des combattants pendant la durée de cette participation. Dans ce cas de figure, ils peuvent être poursuivis en vertu du droit interne pour le simple usage de la force armée. Au contraire, s'ils satisfont aux exigences énoncées à l'article 4A (4) de la troisième Convention de Genève, à savoir si (a) ils sont incorporés dans les forces armées d'une partie au conflit, ou si (b) ils sont membres de forces, groupes ou unités armés et organisés qui sont placés sous un commandement responsable devant l'État, ils doivent être considérés comme des combattants et se voir par conséquent accordé le statut de prisonnier de guerre. Dans ce cas, ils ne peuvent pas être poursuivis en vertu du droit interne pour leur simple participation aux hostilités ; ils restent cependant passibles de poursuites internes ou internationales s'ils sont accusés de crimes de guerre ou de crimes contre l'humanité.

Enfin, le document énonce que toute mauvaise conduite de la part des SMP et de leur personnel peut engager la responsabilité à deux niveaux : d'abord la responsabilité pénale individuelle des auteurs et de leurs supérieurs, ensuite, la responsabilité de l'État ayant dirigé ou contrôlé la mauvaise conduite et l'entité, conformément aux principes de la responsabilité étatique bien établis par la Cour internationale de justice et le droit coutumier.

▶ **Responsabilité ▷ Cour internationale de justice.**

b. *Bonnes pratiques*

S'agissant des bonnes pratiques, les experts du CICR se sont inspirés du rapport du groupe de travail sur les mercenaires intitulé « Principes internationaux fondamentaux qui encourageant le respect des droits de l'homme par ces sociétés [Les SMP] dans leurs activités ». Selon les experts du groupe de travail, la mise en place de standards internationaux, comme des seuils d'activités licites, des systèmes d'enregistrement dans les États hôtes et des mécanismes de surveillance qui pourraient inclure une approbation préalable par les États hôtes, pourrait constituer un outil important de réglementation des SMP.

Faisant suite à ces solutions, le Document de Montreux propose que des règlements soient approuvés par les États contractants, les États territoriaux et les États d'origine. Les États contractants devraient *inter alia* créer des procédures pour la sélection et l'engagement des SMP et inclure dans leurs contrats des clauses dédiées aux exigences de bonne conduite des sociétés et de leur personnel. Les États territoriaux et les États d'origine devraient pour leur part créer des régimes de licence transparents et mettre en œuvre des outils pour contrôler le respect des prescriptions et assurer la responsabilité des SMP.

Dans la lignée du Document de Montreux, le *Code de conduite international des entreprises de sécurité privées* est le résultat d'une initiative prise par la Suisse et élaboré dans le cadre d'un processus multisectoriel. Publié en novembre 2010, il vise d'une part à définir des principes et des standards basés sur le DIH et le droit des droits de l'homme, et d'autre part à clarifier la responsabilité du secteur en établissant un mécanisme de surveillance indépendant. En avril 2013, 602 entreprises avaient signé ce code de conduite. Par ce geste, les signataires se sont engagés publiquement à agir conformément au code et à travailler avec les acteurs concernés à la mise en œuvre du mécanisme de surveillance et de standards susmentionnés au milieu de l'année 2012. La conférence de rédaction de la Charte pour la mise en place de ce mécanisme de surveillance a eu lieu à Montreux en février 2013. L'objectif de la Charte est de veiller à l'application effective du *Code de conduite international* par la certification et la surveillance des prestataires de sécurité privée, ainsi que par l'adoption d'une procédure de plainte. Le lancement officiel et l'établissement du mécanisme de surveillance devraient avoir lieu à la fin de 2013.

Le Conseil des droits de l'homme a également créé en juillet 2005 un groupe de travail sur l'utilisation des mercenaires comme moyen de violer les droits de l'homme et d'empêcher l'exercice du droit des peuples à disposer d'eux-mêmes. En juillet 2010, ce groupe de travail a soumis lors de la 15e session du Conseil des droits de l'homme à Genève un projet de convention pour réglementer les activités des compagnies militaires et de sécurité privées (*Draft International Convention on the Regulation, Oversight and Monitoring of Private Military and Security Companies).* Le 1er octobre 2010, le Conseil des droits de l'homme des Nations unies a également adopté la résolution 15/26 établissant un groupe de travail intergouvernemental à composition non limitée chargé d'examiner la possibilité d'élaborer un cadre réglementaire international relatif à la réglementation, la supervision et le contrôle des activités des sociétés militaires et de sécurité privées. Le groupe de travail vient compléter le projet de convention et envisage la possibilité d'élaborer un cadre réglementaire international susceptible d'être intégré aux législations des États participants.

3. *Responsabilité et imputabilité des SMP*

Bien qu'en théorie il existe différentes façons d'engager la responsabilité liée aux activités des SMP, la mise en œuvre de ces options reste largement virtuelle et requiert une réglementation et une mise en œuvre nationale effectives.

a. La responsabilité de la société comme personne morale

Comme personnes morales, les activités des SMP ne peuvent être l'objet d'enquête par la Cour pénale internationale. Seule la responsabilité pénale individuelle de leurs employés peut être engagée devant les cours pénales. Cela laisse de côté la question de la responsabilité de l'entité en tant que telle qui, contrairement à une armée, n'obéit pas à des ordres militaires hiérarchiques mais bien plutôt remplit un contrat. Les SMP sont seulement susceptibles d'être tenues financièrement responsables des dommages résultant de leurs actions ; ce qui est toutefois limité dans les faits par les régulières fermetures puis réouvertures sous d'autres noms de ces sociétés. L'immunité dont les SMP peuvent jouir du fait d'un accord entre État contractant et État territorial ou incluse dans les Accords sur les statuts des forces (SOFA – *Status of Forces Agreement*) constitue une autre source de limitation en la matière.

b. La responsabilité juridique et pénale des personnels des SMP

Comme individus, les membres des SMP restent en théorie personnellement responsables de leurs actes et, en tant que tels, peuvent être accusés et jugés pour des délits, parmi lesquels crimes de guerre, crimes contre l'humanité ou actes de génocide.

La responsabilité pénale individuelle recouvre à la fois les employés obéissant à un ordre et le supérieur donnant l'ordre ou supervisant l'employé. Les employés peuvent également revendiquer l'application de l'accord d'immunité existant entre l'État contractant et l'État territorial en tant qu'agent contractuel ou s'ils parviennent à prouver l'existence d'une double chaîne de commandement impliquant une forme de contrôle militaire. Dans ce cas, leur poursuite dépendra de l'existence d'une compétence juridique extraterritoriale dans l'État contractant.

4. La responsabilité de l'État contractant la SMP

La possibilité d'engager la responsabilité d'un État pour la conduite d'entrepreneurs auxquels il fait appel reste en théorie très complexe et quasi impossible en pratique. En effet, en théorie, la responsabilité d'un État peut être engagée s'il est prouvé que l'État contractant a expressément ordonné une conduite ayant donné lieu à une violation du droit international humanitaire ou du droit des droits de l'homme. Ce type de responsabilité étatique diffère de la responsabilité pénale des commandants mais peut ouvrir des droits à compensation. Par conséquent, à moins que l'incorporation des personnels des SMP aux forces armées de l'État contractant ne soit prouvée, il paraît impossible d'engager la responsabilité de l'État en relation avec des infractions commises par les entrepreneurs privés. La possibilité pratique d'engager la responsabilité d'un État pour la conduite des SMP exigerait une modification de la réglementation des rapports de forces entre États contractants, États d'origine et États territoriaux au niveau international.

5. La position du gouvernement américain

En tant que principal promoteur et utilisateur de SMP, les États-Unis ont actualisé leur réglementation intérieure afin de combler le vide juridique existant. Depuis 2004, et en vertu de la loi sur la responsabilité des entrepreneurs (*Contractor Accountability Bill*), les SMP basées à l'étranger doivent obtenir une licence du Bureau du contrôle du commerce militaire (Defense Trade Control Office). L'instruction n° 3020/41 du 3 octobre 2005 intitulée « Personnel de l'entrepreneur autorisé à accompagner les forces armées » (*Contractor Personnel Authorized to Accompany the US Armed Force*) complète ces réglementations. Cette instruction n'a pas mis fin aux discussions portant sur le seuil requis pour la qualification de participation directe aux hostilités des SMP en vertu des Conventions de Genève et de leurs Protocoles. Elle a toutefois clarifié certains éléments concernant leur responsabilité et leur poursuite. Dans cette instruction, une politique est définie et des responsabilités assignées au personnel contractant autorisé à accompagner les forces armées américaines, appelés « entrepreneurs déployés avec la force » (*contractors deploying with the force/CDF*). Cette instruction ne s'applique toutefois qu'aux entrepreneurs employés par la force militaire américaine ; ceux employés par des sociétés de reconstruction américaines ne sont pas concernés. Les droits et les responsabilités spécifiques des personnels des SMP autorisés à accompagner les forces armées ont été clarifiés comme suit :

• Détermination du statut : s'ils sont désignés comme tels par la puissance qu'ils accompagnent, les « entrepreneurs déployés avec la force » peuvent apporter leur soutien aux opérations militaires en tant que « civils accompagnant la force ». S'ils sont capturés par un État ennemi durant un conflit armé international, ils doivent avoir droit au statut de prisonnier de guerre.

• Emploi de la force : les « entrepreneurs déployés avec la force » ne seront autorisés ni à posséder ni à porter leurs propres armes à feu ou munitions, ni à être armés durant les opérations de contingence, excepté à des fins de légitime défense. Selon le droit applicable américain, humanitaire et des droits de l'homme, les « entrepreneurs déployés avec la force » sont autorisés à être armés à des fins de légitime défense au cas par cas et seulement quand la protection de la force militaire et l'autorité civile légitime sont jugées indisponibles ou insuffisantes.

• Responsabilité devant la loi : les « entrepreneurs déployés avec la force » doivent respecter le droit international humanitaire, les lois américaines, ainsi que les lois de la nation hôte et du pays tiers applicables.

• Responsabilité personnelle : à moins de bénéficier d'une immunité vis-à-vis de la juridiction de la nation hôte du fait d'un accord international ou du droit international, les « entrepreneurs déployés avec la force » pourront faire l'objet de poursuites de l'État hôte ou des États-Unis et en responsabilité civile.

Depuis 2007, en vertu d'une révision du code de justice militaire approuvée par le Congrès américain, les entrepreneurs sont sous la juridiction de la Cour martiale dès lors qu'ils enfreignent les règles de leur engagement ou sont impliqués dans des activités criminelles.

Jurisprudence

La faiblesse des réglementations sur les responsabilités pénale et internationale des SMP se reflète clairement dans la jurisprudence.

Les crimes qui auraient été commis par des employés de SMP n'ont pas été portés devant les juridictions pénales américaines. Les victimes ont essayé, sans succès, de trouver une solution devant les juridictions civiles sur la base du droit de la responsabilité civile lors de deux grandes affaires : Al Shimari c. CACI International et Saleh c. Titan.

Cependant, à ce jour, aucun employé de SMP n'a été inculpé de quelque crime que ce soit, alors même que le personnel militaire impliqué dans les mêmes affaires a lui fait l'objet de poursuites. Après cinq années de litige, Saleh c. Titan a été rejeté en septembre 2009 par la cour d'appel du district de Columbia. Les avocats des sociétés concernées se sont servis des vides juridiques existants pour éviter toute forme de responsabilité. Des moyens de défense tels que la doctrine de la question politique, l'immunité dérivée et/ou la défense du gouvernement contractant (arguant que les entrepreneurs opéraient sous le contrôle de l'armée américaine et par conséquent ne pouvaient être tenus responsable de leurs actes) ont tous été revendiqués par les SMP concernées. Bien que nombre de ces moyens de défense ne s'appliquent pas aux entreprises privées, ils ont accaparé le temps et les ressources des tribunaux, les amenant ainsi à se consacrer à tout sauf à la question de savoir si les plaignants ont été ou non torturés.

Du côté de l'armée, onze soldats impliqués aux côtés des employés des SMP dans les événements d'Abou Ghraib ont été reconnus coupables de diverses infractions liées aux incidents, dont à chaque fois le manquement au devoir. Parmi eux, Charles Graner a été condamné à dix ans d'emprisonnement, exclu de l'armée pour cause d'indignité, et rétrogradé au grade de soldat. Le soldat de première classe Lynndie England a elle été condamnée à trois ans de détention, à la perte totale de solde et primes, rétrogradée au grade de soldat (E-1) et exclue pour cause d'indignité. En plus des onze soldats condamnés, trois autres ont été disculpés ou n'étaient pas inculpés. Hormis l'auteur direct, seul un officier de l'armée a été puni pour le mauvais traitement des prisonniers d'Abou Ghraib. Le brigadier général Janis Karpinski a été condamnée et relevée de ses fonctions le 5 mai 2005. Il convient de souligner que la condamnation de Karpinski est intervenue moins de deux semaines après la publication du rapport Green dans lequel l'inspecteur de l'armée général Stanley Green disculpait quatre hauts gradés de l'armée, à savoir, le général Ricardo Sanchez, commandant en chef de l'armée américaine en Irak de juin 2003 à juillet 2004, son adjoint, le général Walter Wodjakowski, le général Barbara Fast, chef des services de renseignements à Abou Ghraib et le colonel Marc Warren, chef du service juridique. Ceci illustre la difficulté d'établir la responsabilité des commandants de haut rang.

La jurisprudence est aussi claire sur le fait que les employés des SMP ne sauraient demander des réparations civiles au gouvernement pour les préjudices subis lors de leur mission. Dans l'affaire Johnson c. États-Unis (1987), la Cour suprême américaine est allée au-delà de sa décision précédente dans l'affaire Feres (1950), soutenant que tout employé civil du gouvernement fédéral américain était interdit de toute poursuite à l'encontre du gouvernement américain pour blessure dans l'exercice de ses fonctions. Cette jurisprudence ne semble toutefois pas s'appliquer au personnel des SMP puisque, selon le gouvernement américain, ces derniers ne sont pas des employés civils mais plutôt des entrepreneurs civils. Les personnels des SMP ne sont ni employés de l'armée américaine, ni employés du gouvernement fédéral, et, par conséquent, ne sont pas sous leur responsabilité. Selon la doctrine américaine, ils sont seulement sous la responsabilité de leur employeur. Cette jurisprudence illustre un des avantages du gouvernement à recourir à des SMP puisque, en cas de décès ou d'invalidité, le gouvernement ne considère pas que les employés des SMP aient droit aux compensations dues aux soldats morts ou blessés durant l'exercice de leurs fonctions.

Pour en savoir plus

AVANT D., *The Market for Force. The Consequences of Privatizing Security*, Cambridge University Press, Cambridge, 2005, 328 p.

BRICKELL M., « Filling the criminal liability gap for private military contractors abroad : *US v. Slough* and the *Civilian Extraterritorial Jurisdiction Act* of 2010 », *Legislation and Policy Brief*, vol. 2 n° 2, article 3.

CAMERON L., « Private military companies : their status under international humanitarian law and its impact on their regulation », *International Review of the Red Cross*, vpl. 88, n° 863, septembre 2006, p. 573-611.

CHESTERMAN S. et LEHNARDT C., *From Mercenaries to Market : The Rise and Regulation of Private Military Companies*, Oxford University Press, Oxford, 2007, 275 p.

CLAPHAM A., « Human rights obligations of non-state actors in conflict situations », *International Review of the Red Cross*, vol. 88, n° 863, septembre 2006, p. 491-523.

COCKAYNE J., « The global reorganization of legitimate violence : military entrepreneurs and the private face of international humanitarian law », *International Review of the Red Cross*, vol. 88, n° 863, septembre 2006, p. 459-490.

ELSEA J. K., « Private security contractors in Iraq and in Afghanistan : legal issues », *CRS Report for Congress*, Congressional Research Service, 7 January 2010.

GILLARD E. C., « Business goes to war : private military/security companies and international humanitarian law », *International Review of the Red Cross*, vol. 88, n° 863, septembre 2006, p. 525-572.

HOPPE C., « Passing the buck : State responsibility for private military companies », *The European Journal of International Law*, vol. 19, n° 5, 2008, p. 989-1014.

INTERNATIONAL INSTITUTE OF HUMANITARIAN LAW, « Private military and security companies, 35th round table on current issues of international humanitarian law », San Remo, 6-8 septembre 2012.

LEHNARDT C., « Individual liability of private military personnel », *European Journal of International Law*, vol. 19 n° 5, 2008, p. 1015-1034.

LEHNARDT C., « Private military companies and state responsibility », *International Law and Justice Working Papers*, Institute for International Law and Justice, New York University School of Law, Working Paper 2007/2, 25 p.

« Les entreprises militaires et de sécurité privée : outil indispensable ou abandon par l'État de ses prérogatives de souveraineté ? », rapport de l'Institut des hautes études de la Défense nationale, 30 juin 2010.

LIU H. Y., « Leashing the corporate dogs of war : The legal Iiplications of the modern private military company », *Journal of Conflict and Security Law*, 2010, p. 141-168.

MANDEL R., *Armies Without States : The Privatization of Security*, Lynne Rienner Publishers, 2002, 166 p.

MASON R. C., « US-Iraq Withdrawal/Status of Forces Agreement : Issues for congressional oversight », *CRS Report for Congress*, Congressional Research Service, 13 July 2009.

MONGELARD E., « Corporate civil liability for violations of international humanitarian law », *International Review of the Red Cross*, vol. 88, n° 863, septembre 2006, p. 665-691.

« Montreux Document », 17 septembre 2008, 48 p.

PERCY S., *Regulating the Private, Security Industry*, Routledge, Londres, 2010, 128 p.

PERLO-FREEMEN S. et SKÖNS E., « The private military services industry », *SIPRI Insights on Peace and Security*, Stockholm International Peace and Research Institute, n° 2008/1, septembre 2008, 20 p.

PERRIN B., « Promoting compliance of private security and military companies with international humanitarian law », *International Review of the Red Cross*, vol. 88, n° 863, septembre 2006, p. 613-636.

SCHMITT M. N., « Humanitarian law and direct participation in hostilities by private contractors or civilian employees », *Chicago Journal of International Law*, vol. 5, 2004-2005.

SCHREIER F. et CAPARINI M., « Privatizing security : Law, practice and governance of private military and security companies », The Geneva Centre for the Democratic Control of Armed Forces, *Occasional Paper* n° 6, mars 2005.

SCHUMACHER G., *A Bloody Business : America's War Zone Contractors And the Occupation of Iraq*, Zenith Press, 2006, 304 p.

SHWARTZ M. et SWAIN J., « Department of Defense contractors in Afghanistan and Iraq : Background and analysis », *CRS Report for Congress*, Congressional Research Service, 13 May 2011.

SINGER P. W., *Corporate Warriors : The Rise of the Privatized Military Industry*, Cornell University Press, Ithaca, 2003, 330 p.

TAYLOR C., « The future of coalition forces in Iraq », SN/IA/4926, House of Commons, 7 January 2009.

US DEPARTMENT OF DEFENCE, Instruction n° 3020.41, October 3, 2005, 34 p.

WULF H., *Internationalizing and Privatizing War and Peace*, Palgrave Macmillan, Houndmills, 2005, 280 p.

Souveraineté

La souveraineté de l'État réside dans la compétence exclusive qu'il exerce sur son territoire national et sur ses ressortissants. En droit international, ce sont donc les États eux-mêmes, les gouvernements, qui rédigent les règles auxquelles ils acceptent d'obéir.

• Ce principe régit les relations entre les États. Il s'agit d'une règle fondamentale de coexistence pacifique que l'ONU consacre en affirmant l'égalité souveraine de tous les États membres (art. 2.1 de la Charte des Nations unies). Chaque État doit respecter les prérogatives des autres États sur leur propre population et leur propre territoire. Chaque État doit donc s'abstenir de toute ingérence dans les affaires intérieures des autres États (Charte art. 2.7).

• Rien n'empêche cependant les États de limiter eux-mêmes leur souveraineté en signant notamment des conventions internationales. Ces abandons de souveraineté ou cette limitation de leur propre souveraineté sont consentis notamment dans le domaine des droits de l'homme et du droit humanitaire. Un très grand nombre d'États ont signé des conventions internationales qui établissent :

– des normes de comportement qui s'imposent aux activités étatiques ;

– des mécanismes internationaux de contrôle de l'application de ces normes ;

– des organes internationaux jugeant les plaintes et recours contre les actes nationaux contraires aux normes internationales.

• De nombreux États ont accepté de limiter leur souveraineté au profit d'organes internationaux ou de mécanismes de contrôle des droits de l'homme et du droit humanitaire. Les États critiquent fréquemment le détournement dont ces mécanismes font l'objet quand ils sont utilisés par les autres États aux fins d'affaiblissement diplomatique d'un gouvernement plutôt que de défense des droits de l'homme.

◆ **• Dans le domaine des relations entre l'État et les individus, la souveraineté ne s'applique plus de façon absolue. Les États ont limité leur souveraineté en signant des conventions internationales qui fixent des standards internationaux de traitement des individus. Les individus disposent en théorie de recours internationaux, judiciaires ou non, contre leur propre État sans que l'on puisse parler dans ce domaine d'ingérence. Ces recours restent toutefois difficiles à mettre en œuvre.**

• Dans les situations de conflit, les États ont confié aux organisations humanitaires impartiales une fonction officielle de protection des victimes au travers des Conventions de Genève. L'offre de secours n'est pas une ingérence.

▶ **Droits de l'homme ▷ Droit international humanitaire ▷ Protection ▷ Personnes protégées ▷ Garanties fondamentales ▷ Recours individuels ▷ Ingérence ▷ Droit, droit international ▷ Nationalité ▷ Respect du droit international humanitaire ▷ Convention internationale ▷ Haute partie contractante ▷ Statut juridique des parties au conflit.**

Pour en savoir plus

CHEMILLIER-GENDREAU M., *Humanité et souverainetés : Essai sur la fonction du droit international*, La Découverte, Paris, 1995.

DRAGO R., *Souveraineté de l'État et interventions internationales*, Paris, Dalloz, 1996, 74 p.
KOHEN M., *Possession contestée et souveraineté territoriale*, Paris, PUF, 1997, 579 p.

Statut juridique des parties au conflit

L'application des règles humanitaires du droit des conflits armés ainsi que la signature d'accords humanitaires spéciaux avec ou entre les parties au conflit n'ont aucun effet sur le statut juridique des parties au conflit, ni sur celui des territoires concernés (GI-GIV art. 3 ; GPI art. 4, 5.5). Cela est particulièrement important car les conflits armés contemporains opposent fréquemment des armées nationales à des groupes armés non étatiques dans le cadre de conflits armés internationaux et non internationaux. Cela peut aussi être important dans les conflits entre des États qui ne reconnaissent pas leur existence réciproque ou leurs autorités nationales.
Cette mesure complète le fait que le droit humanitaire est conçu pour s'appliquer entre parties qui n'ont pas forcément signé ou ratifié les conventions internationales relatives au droit international humanitaire. Les Conventions distinguent entre les « hautes parties contractantes » qui sont forcément des États et les « parties au conflit » qui peuvent être des entités non étatiques non signataires des conventions internationales. Pour faciliter le respect du droit humanitaire dans ces situations, l'article 3 commun aux quatre Conventions de Genève encourage les parties à mettre en œuvre, dès le début d'un conflit, tout ou partie des dispositions des Conventions par voie d'accord spécial.

◆ **• L'application du droit humanitaire par les belligérants n'entraîne pas de reconnaissance politique mutuelle. Elle n'affecte pas non plus la qualification ou la nature juridique du conflit, des territoires ou des populations concernés. Le droit humanitaire est neutre. Son application est une conséquence de l'existence d'une situation de fait : celle de conflit. Il peut être mis en œuvre par des parties qui ne se reconnaissent pas mutuellement. Il peut être mis en œuvre par des entités non étatiques qui n'ont pas directement signé les Conventions de Genève. Le CICR et les organisations humanitaires jouent un rôle d'intermédiaire neutre entre les parties.**
• Il est donc possible de demander l'application des dispositions du droit humanitaire sans attendre qu'un accord sur la qualification de la situation et des personnes soit intervenu entre les belligérants.

• Les acteurs humanitaires ne sont pas tenus par la qualification juridique officielle qui est donnée de la nature du conflit, ni des acteurs du conflit. Si les besoins de protection rendent utile l'invocation de dispositions non directement applicables (par exemple des dispositions obligatoires seulement dans certaines circonstances), celles-ci peuvent toujours être demandées et négociées, sans que cette démarche constitue une ingérence dans les affaires intérieures des États. C'est dans ce cadre qu'est prévue la possibilité de signer des accords spéciaux entre ou avec les parties au conflit pour mettre en œuvre les Conventions de Genève de façon partielle dans les situations où elles ne sont pas directement applicables.
• Les organisations humanitaires peuvent signer des accords relatifs à l'application du droit humanitaire avec n'importe quel mouvement, faction ou gouvernement

non officiel, sans que cela implique une reconnaissance juridique. Ces accords spéciaux ne devront pas affaiblir la protection prévue par les Conventions.

• Le droit humanitaire doit être respecté par un État signataire, même dans le cas où l'autre partie au conflit n'est pas signataire ou n'est pas une entité étatique. L'obligation de respect du droit humanitaire n'est pas liée en effet à la réciprocité des engagements (GI-IV articles communs 1 et 2).

▶ **Accord spécial ▷ Situations et personnes non couvertes ▷ Droit d'initiative humanitaire ▷ Convention internationale ▷ Partie au conflit ▷ Haute partie contractante ▷ Belligérant ▷ Respect du droit humanitaire ▷ Groupes armés non étatiques ▷ Droit international humanitaire.**

Terreur

La terreur politique et militaire peut être utilisée en temps de paix ou en temps de guerre dans un but de victoire militaire ou de contrôle social. Le droit humanitaire pose des règles limitant l'usage de la force dans les situations de conflits armés internationaux et internes. Ces règles couvrent les situations de conflit ouvert mais aussi les situations d'occupation militaire et de lutte contre-insurrectionnelle.

▶ **Conflit armé international ▷ Conflit armé non international ▷ Territoire occupé.**

1. La terreur dans les conflits armés

En situation de conflit armé, les méthodes de combat ayant pour but principal de répandre la terreur parmi la population civile sont interdites. Parmi ces actes, sont compris notamment les bombardements indiscriminés, les attaques visant de façon délibérée la population civile ou les biens civils, les persécutions, les attaques dont le but principal est de répandre la terreur dans la population, les actes de terrorisme, les pillages, viols, arrestations arbitraires et exécutions extrajudiciaires, les prises d'otages et les disparitions forcées, les pratiques de purification ethnique visant au déplacement forcé de la population civile... Il est également interdit de procéder à titre de représailles à des attaques dirigées contre les personnes protégées et leurs biens (GIV art.33 ; GPI art. 51 ; GPII art.4, 13). La pratique des attentats suicide dirigés contre des objectifs civils entre parfaitement dans cette catégorie des méthodes de combat interdites.

La terreur est utilisée comme méthode de guerre dans les situations de guerre totale où l'objectif militaire est d'écraser l'adversaire et de casser toute possibilité de résistance au sein de la population. Elle est aussi utilisée pour affaiblir l'État dans les situations où la confrontation militaire directe est rendue difficile ou impossible du fait d'une situation d'occupation militaire, d'une situation insurrectionnelle ou du fait du déséquilibre et de l'asymétrie des forces en présence.

Le recours à la terreur est pratiqué à la fois par les forces armées gouvernementales et les groupes armés non étatiques.

Dans les situations d'occupation militaire par des forces étrangères, le droit humanitaire continue à s'appliquer même s'il n'y a plus apparemment d'hostilités actives.

L'affaiblissement du moral de la population adverse n'est pas reconnu comme un objectif militaire légitime par le droit humanitaire.

Le non-respect du droit humanitaire par une partie au conflit ne délivre pas l'autre partie de son obligation de le respecter.

▶ **Droit international humanitaire ▷ Méthodes de guerre.**

2. *La terreur dans les situations insurrectionnelles*
La terreur est fréquemment utilisée dans le cadre des activités contre-insurrectionnelles des forces armées d'un État. Dans ces situations il est fréquent que le gouvernement refuse de reconnaître l'existence d'un conflit armé. Les gouvernements parlent alors de lutte contre des activités terroristes ou criminelles et refusent l'application du droit humanitaire concernant leur propre usage de la force et concernant le traitement des combattants adverses.
Selon le droit humanitaire, la qualification de conflit armé non international ou international n'est pas du ressort des États mais doit être conforme aux définitions et critères contenus dans les Conventions de Genève et leurs Protocoles additionnels.

▶ **Conflit armé international ▷ Conflit armé non international.**

3. *La terreur dans les autres situations*
Dans les situations de manifestations ou d'émeutes, de troubles à l'ordre public et de tensions internes qui n'ont pas atteint le seuil de violence déclenchant l'application du droit humanitaire, les forces gouvernementales restent tenues au respect de certaines règles dans leurs activités de défense et de rétablissement de l'ordre public. Ces règles sont fixées par l'article 3 commun aux quatre Conventions de Genève ainsi que par les règles indérogeables des conventions internationales relatives aux droits de l'homme.

▶ **Garanties fondamentales ▷ Ordre public ▷ Situations et personnes non couvertes ▷ Troubles et tensions internes.**

L'usage de la terreur comme méthode de combat entre dans la définition des crimes de guerre et des crimes contre l'humanité engageant la responsabilité pénale de ceux qui les ont commis et de ceux qui ont donné l'ordre de les commettre. Cela est confirmé par la règle 2 de l'étude sur les règles du DIH coutumier publiée par le CICR en 2005, qui précise que « les actes ou menaces de violence dont le but principal est de répandre la terreur parmi la population civile sont interdits ». Cette règle s'applique aux conflits armés tant internationaux que non internationaux.

▶ **Crimes de guerre-Crime contre l'humanité ▷ Cour pénale internationale.**

Jurisprudence

Dans l'arrêt Miloševi (Dragomir) (12 novembre 2009, § 32), la Chambre d'appel du TPIY a considéré que le crime de terreur peut se composer d'attaques ou menaces d'attaques contre la population civile, au sens où cela ne limite pas les conséquences possibles de telles attaques au décès ou à des blessures graves parmi les victimes. La Chambre a ainsi consacré la définition de la terreur inhérente au droit international coutumier ; voir la règle 2 de la liste CICR des règles coutumières du DIH : « Les actes ou menaces de violence dont le but principal est de répandre la terreur parmi la population civile sont interdits. »

La Chambre a par ailleurs noté que le *mens rea* du crime de terreur comprend l'intention de faire de la population civile ou individus civils ne prenant part aux hostilités l'objet d'actes de violence ou de menaces, ainsi que l'intention spécifique de répandre la terreur parmi la population civile (voir § 37).

Consulter aussi

- **Attaque ▷ Terrorisme ▷ Guerre ▷ Méthodes de guerre ▷ Troubles et tensions internes ▷ Conflit armé international ▷ Conflit armé non international ▷ Territoire occupé ▷ Combattant ▷ Déplacement de population ▷ Devoirs des commandants ▷ Responsabilité ▷ Crime de guerre-Crime contre l'humanité ▷ Droit international humanitaire ▷ Purification ethnique ▷ Cour pénale internationale ▷ Entraide judiciaire ▷ Ordre public ▷ Objectif militaire.**

Pour en savoir plus

GASSER H. P., « Actes de terreur, "terrorisme" et DIH », *Revue internationale de la Croix-Rouge,* n° 847, septembre 2002, p. 547-570.

Territoire occupé

Un territoire qui se trouve placé de fait sous l'autorité de l'armée ennemie est considéré comme un territoire occupé par le droit international. La population civile de ce territoire est particulièrement vulnérable aux actes des forces d'occupation.
La définition de l'occupation et les obligations de la puissance occupante ont été initialement codifiées dans le cadre du Règlement concernant les lois et coutumes de la guerre sur terre annexé à la quatrième Convention de La Haye du 18 août 1907 (H.IV). La section III de ce règlement détaille les droits et obligations de l'autorité militaire sur le territoire ennemi (art. 42-56). Il s'agit d'une réglementation très ancienne qui a acquis selon la Cour internationale de justice la valeur de droit international coutumier (*infra* Jurisprudence). Cette définition prend acte du contrôle effectif du territoire par une autorité ennemie et donc illégitime au sens du droit, et cherche à réglementer la responsabilité de cette autorité. Le droit international humanitaire précise que la définition d'occupation ne s'étend qu'aux territoires où cette autorité est établie et en mesure de s'exercer (H.IV art. 42).
Le droit international humanitaire contemporain a précisé et complété les droits et les devoirs des forces d'occupation ainsi que les droits de la population des territoires occupés et les règles d'administration de ces territoires (GIV art. 47 à 78 ; GPI art. 63, 69, 72 à 79).

- **Droit international humanitaire.**

Plusieurs décisions récentes des tribunaux pénaux internationaux ont également affirmé que la puissance occupante est tenue au respect de ses obligations relatives aux droits de l'homme dans les territoires occupés et vis-à-vis des personnes placées sous son contrôle effectif du fait de l'occupation ou de la détention. Ces décisions affirment ainsi la complémentarité de l'application du droit international humanitaire et des conventions relatives aux droits de l'homme dans ces situations. La Cour européenne des droits de l'homme (CEDH) a notamment rendu des jugements sur des violations de la Convention européenne commises par des pays européens dans le cadre de l'intervention et de l'occupation militaire de l'Irak (*infra* Jurisprudence).

◆ **Il est possible que l'autorité des forces d'occupation ne parvienne pas à s'établir ni à s'exercer, du fait des actes de violence commis par les combattants adverses contre les forces d'occupation. Le droit humanitaire ne parle plus alors de territoire occupé, mais de territoire envahi. Les règles qui lui sont applicables sont celles du champ de bataille, c'est-à-dire les règles générales du droit des conflits armés.**

Dans les situations d'occupation militaire d'un ou plusieurs territoires, les actes de résistance armée contre les forces d'occupation sont permis par le droit humanitaire sous certaines conditions, notamment celle de viser des objectifs militaires. Le droit humanitaire prévoit des obligations spécifiques pour la puissance occupante. Ces obligations incluent notamment le respect des droits de l'homme et le maintien de l'ordre public, ainsi que les règles du droit humanitaire applicables aux situations d'occupation. Une des obligations principales de la puissance occupante est de respecter et maintenir les lois, l'ordre et la vie publics au sein du (des) territoire(s) occupé(s). Excepté en de rares circonstances, la puissance occupante est en effet tenue de respecter les lois déjà en vigueur dans ce(s) territoire(s) (H.IV art. 43).
Si le niveau de résistance armée à l'occupation est très important, et que la puissance occupante ne contrôle pas le territoire, les dispositions du droit humanitaire restent applicables.

1. *L'approvisionnement et les secours*

• L'occupant a le devoir d'assurer l'approvisionnement de la population dans les territoires occupés. Il s'agit de l'approvisionnement en vivres et en médicaments mais aussi en vêtements, matériel de couchage, logement d'urgence et les autres approvisionnements essentiels à la survie de la population du territoire occupé et des objets nécessaires au culte (GIV art. 55 et 58 ; GPI art. 69).

• L'occupant doit permettre aux puissances protectrices ou au CICR et aux autres organisations humanitaires impartiales de vérifier l'état de l'approvisionnement de la population de ces territoires, de visiter les personnes protégées et de contrôler leur situation (GIV art. 30, 55, 143).

• L'occupant ne peut pas s'opposer aux opérations de secours strictement humanitaires menées en faveur de cette population par le CICR ou toute autre organisation humanitaire impartiale. Il ne peut détourner ces secours de leur destination. Tous les États doivent accorder le libre passage de ces secours. Ils ont le droit d'obtenir des organisations humanitaires la garantie que ces secours sont bien destinés à secourir la population dans le besoin, et ne sont pas utilisés au profit de la puissance occupante. Les envois de secours ne dégagent pas la puissance occupante de la responsabilité d'assurer elle-même l'approvisionnement de la population (GIV art. 59 à 62, 108 à 111 ; GPI art. 69, 70 et 71).

▶ **Secours ▷ Droit d'initiative humanitaire ▷ Droit d'accès.**

2. *Les réquisitions et la mission médicale*

• L'occupant ne peut procéder, au profit de ses propres forces ou de son administration, à des réquisitions de vivres, de médicaments, de vêtements, matériel de couchage, logement d'urgence et autres approvisionnements essentiels à la survie de la population, que si les besoins de la population restent couverts (GIV art. 55). La nature de ces réquisitions ne doit pas obliger ou impliquer la participation des populations des territoires occupés dans les opérations militaires de la puissance occupante (H.IV art. 52).
• La réquisition des hôpitaux civils au profit de la puissance occupante ne peut être que temporaire. Elle n'est possible que si les soins et le traitement des personnes déjà hospitalisées ou qui devront l'être sont résolus et que les besoins de la population civile restent couverts (GIV art. 56 et 57, GPI art. 14).

▶ **Réquisition ▷ Mission médicale.**

3. *Déplacements forcés de populations*

L'occupant ne peut procéder au transfert ou à la déportation des populations du territoire occupé, ni à l'implantation de ses propres ressortissants sur ce territoire (GIV art. 49 et règle 130 de l'étude sur les règles de droit international humanitaire coutumier publiée par le CICR en 2005).

▶ **Déplacement de population ▷ Déportation.**

4. *Statut légal de la population, travail forcé, enrôlement*

• L'occupant doit respecter le statut personnel des enfants des territoires occupés. Il ne doit pas entraver le fonctionnement des institutions prévues pour le soin et l'éducation des enfants. La puissance occupante ne peut pas enrôler les enfants dans des formations ou organisations dépendant d'elle. Il doit aussi maintenir toutes les mesures préférentielles qui peuvent avoir été adoptées en faveur des enfants et de leurs mères (GIV art. 50).
• L'occupant ne peut pas astreindre les personnes des territoires occupés à servir dans ses forces armées. Il ne pourra pas astreindre cette population à un travail qui l'obligerait à prendre part à des opérations militaires et tout travail doit se faire dans les territoires occupés où elle se trouve. Les réquisitions de main-d'œuvre ne pourront jamais aboutir à une mobilisation des travailleurs placés sous un régime militaire ou semi-militaire (GIV art. 51).

▶ **Enfant ▷ Femme ▷ Personnes protégées.**

5. *Destructions et pillages*

L'occupant ne peut pas procéder à des destructions de biens mobiliers ou immobiliers sauf si elles sont rendues absolument nécessaires par les opérations militaires (GIV art. 53). La saisie, la destruction ou la dégradation intentionnelle des établissements consacrés aux cultes, à la charité et à l'instruction, aux arts et aux sciences, des monuments historiques, d'œuvres d'art et de science est interdite et doit être poursuivie (H.IV art. 56).
Le droit international humanitaire coutumier prévoit qu'en territoire occupé dans le cadre d'un conflit armé international : (a) la propriété publique mobilière de

nature à servir aux opérations militaires peut être confisquée ; (b) la propriété publique immobilière doit être administrée conformément à la règle de l'usufruit ; et (c) la propriété privée doit être respectée et ne peut être confisquée ; sauf si la destruction ou la saisie de ces propriétés est exigée par d'impérieuses nécessités militaires (règle 51 de l'étude sur les règles de DIH coutumier ; H.IV art. 53, 55, 56). Le pillage est formellement interdit et la puissance occupante est responsable d'éviter et de punir de tels actes commis par ses propres combattants et agents (H.IV art. 47). Cette obligation de vigilance et d'action de la puissance occupante s'étend également aux actes commis par des tiers et des groupes armés autonomes agissant sur le territoire occupé (*infra* Jurisprudence).

6. *La justice et les garanties judiciaires*

• Le fonctionnement de la justice dans les territoires occupés doit respecter un certain nombre de garanties judiciaires fixées par les Conventions de Genève (GIV art. 47, 54, 64 à 75).

▶ **Garanties judiciaires (partie II).**

Ces dispositions posent en particulier les principes suivants :

• Les tribunaux des territoires occupés restent fonctionnels et leur impartialité doit être respectée. L'occupant ne peut pas modifier le statut des fonctionnaires ou des magistrats du territoire occupé, ni prendre à leur encontre des sanctions ou des mesures quelconques de coercition (GIV art. 54).

• La législation pénale du territoire occupé doit rester en vigueur. La puissance occupante peut néanmoins adopter des dispositions pénales destinées à assurer l'administration du territoire et la sécurité de la puissance occupante, des personnes et des biens des forces ou de l'administration d'occupation (GIV art. 64). Ces dispositions n'entreront en vigueur qu'après avoir été publiées et n'auront pas d'effet rétroactif (GIV art. 65)

• Les délits commis en infraction des règles adoptées par l'occupant pour assurer la sécurité des forces et de l'administration d'occupation peuvent être jugés devant les tribunaux militaires de la puissance occupante. Ces tribunaux militaires doivent siéger à l'intérieur du territoire occupé et être non politiques et régulièrement constitués (GIV art. 66).

• Les personnes ne peuvent pas être poursuivies ou condamnées par la puissance occupante pour des actes commis ou des opinions exprimées avant l'occupation ou pendant l'interruption temporaire de celle-ci, sauf s'il s'agit d'infractions aux lois et coutumes de la guerre (GIV art. 70).

• La procédure pénale doit respecter les principes fondamentaux, y compris en ce qui concerne la notification, les droits de la défense et le droit de recours (GIV art. 71 à 75).

• La peine de mort ne peut être prévue contre une personne protégée que si elle est coupable d'espionnage, d'actes graves de sabotage des installations militaires de la puissance occupante ou d'une infraction qui a porté atteinte à la vie ou à l'intégrité corporelle des membres des forces ou de l'administration d'occupation. En outre, elle ne peut s'appliquer que si la législation du territoire occupé la prévoyait avant l'occupation. La peine de mort ne peut jamais être prononcée contre une personne âgée de moins de dix-huit ans au moment des faits (GIV art. 68). Un condamné à mort pourra toujours faire un recours en grâce (GIV art. 75).

7. *La détention et l'internement*

• Les personnes inculpées ou condamnées seront détenues dans le territoire occupé (GIV art. 76).

▶ **Détention.**

• Les personnes internées par la puissance occupante bénéficient des droits et garanties de traitement prévus par les Conventions de Genève à leur profit.

▶ **Internement.**

8. *La résistance*

Le droit humanitaire reconnaît la spécificité des situations d'occupation et garantit le statut ou le traitement de prisonniers de guerre aux membres des milices et aux civils qui prennent part aux hostilités dans ces territoires. Les habitants d'un territoire non occupé qui, à l'approche de l'ennemi, prennent spontanément les armes pour résister aux forces envahissantes, sans avoir le temps de se constituer en forces armées régulières, sont considérés comme des prisonniers de guerre, à la condition qu'ils portent les armes ouvertement et qu'ils respectent les lois et coutumes de la guerre (GIII art. 4.6).

• Les membres des milices et membres des mouvements de résistance organisés agissant à l'intérieur d'un territoire occupé doivent être considérés comme prisonniers de guerre s'ils tombent au pouvoir des forces d'occupations si :

– ces mouvements ont à leur tête une personne responsable de ses subordonnés ;

– ces mouvements ont un signe distinctif fixe et reconnaissable à distance ;

– les membres de ces mouvements portent ouvertement les armes lors des engagements ; ils se conforment dans leurs opérations aux lois et coutumes de la guerre (GIII art. 4.2 ; GPI art. 44).

Tout combattant qui tombe au pouvoir d'une partie adverse alors qu'il ne remplit pas ces conditions perd son droit à être considéré comme prisonnier de guerre. Cependant il doit bénéficier de protections équivalentes à celles qui sont reconnues aux prisonniers de guerre par la troisième Convention et le Protocole additionnel I (GPI art. 44.4).

• Une personne qui prend part à des hostilités et tombe au pouvoir d'une partie adverse est présumée prisonnier de guerre et par conséquent se trouve protégée par la troisième Convention de Genève. [...] S'il existe un doute quelconque au sujet de son droit au statut de prisonnier de guerre, cette personne continue à bénéficier de ce statut en attendant que son statut soit déterminé par un tribunal compétent (GPI art. 45). Toute personne, qui, ayant pris part à des hostilités, n'a pas droit au statut de prisonnier de guerre et ne bénéficie pas d'un traitement plus favorable conformément à la quatrième Convention, a droit, en tout temps, aux ▷ **Garanties fondamentales** prévues par l'article 75 du Protocole additionnel I. En territoire occupé, sauf si elle est détenue pour espionnage, une telle personne bénéficie aussi du droit de communication prévu par les Conventions auprès du Comité international de la Croix-Rouge.

◆ **• Il peut arriver que des personnes civiles participent aux hostilités en dehors de toute appartenance aux forces armées. Il s'agit notamment des soulèvements spontanés dans les territoires occupés, ainsi que dans les conflits armés internes ou la distinction entre civil et combattant est difficile. Les personnes civiles qui prennent part directement aux hostilités ne perdent la protection accordée aux civils par les Conventions de Genève et les Protocoles additionnels que pendant la durée de cette participation (GPI art. 51.3 ; GPII art. 13.3). Elles peuvent dans certains cas bénéficier du statut de prisonniers de guerre (GPI art. 45).**
• En cas de doute sur la qualité d'une personne, elle doit être considérée comme civile (GPI art. 50).

▶ **Combattant ▷ Prisonnier de guerre ▷ Mouvement de résistance ▷ Garanties fondamentales.**

Consulter aussi

▶ **Droit international humanitaire ▷ Droits de l'homme ▷ Garanties judiciaires ▷ Internement ▷ Détention ▷ Prisonnier de guerre ▷ Annexion ▷ Responsabilité ▷ Puissance protectrice ▷ Sécurité ▷ Personnes protégées ▷ Secours ▷ Droit d'initiative humanitaire ▷ Droit d'accès.**

Jurisprudence

• La Cour internationale de justice

La Cour internationale de justice (CIJ) a abordé la question de la définition de l'occupation et des obligations de la puissance occupante dans le cadre de deux affaires emblématiques concernant les Conséquences juridiques de l'édification d'un mur dans le territoire palestinien occupé, avis consultatif du 9 juillet 2004 (ci-dessous « Le Mur ») et les Activités armées sur le territoire du Congo (République démocratique du Congo c. Ouganda), arrêt, *CIJ Recueil 2005*, p. 168 (ci-dessous « République démocratique du Congo c. Ouganda »).

La CIJ affirme le caractère coutumier d'une partie de ce droit qui n'est donc pas soumis au formalisme de la ratification par l'État occupant : « pour ce qui concerne le droit international humanitaire, la Cour relèvera en premier lieu qu'Israël n'est pas partie à la quatrième Convention de La Haye de 1907 à laquelle le règlement est annexé. La Cour estime que les dispositions du règlement de La Haye de 1907 ont acquis un caractère coutumier » (« Le Mur », § 89).

La CIJ confirme la définition juridique de l'occupation : « selon le droit international coutumier tel que reflété à l'article 42 du règlement de La Haye de 1907, un territoire est considéré comme occupé lorsqu'il se trouve placé de fait sous l'autorité de l'armée ennemie, et que l'occupation ne s'étend qu'au territoire où cette autorité est établie et en mesure de s'exercer » (République démocratique du Congo c. Ouganda, § 172 et « Le Mur », § 78, 89).

Elle précise également que pour que la présence de troupes armées étrangères sur un territoire puisse être assimilée à une occupation, il faut qu'elles aient établi une forme d'autorité sur le territoire concerné. « En vue de parvenir à une conclusion sur la question de savoir si un État dont les forces militaires sont présentes sur le territoire d'un autre État du fait d'une intervention est une "puissance occupante" au sens où l'entend le *jus in bello*, la Cour examinera tout d'abord s'il existe des éléments de preuve suffisants démontrant que ladite autorité se trouvait effectivement établie et exercée dans les zones en question par l'État auteur de l'intervention. La Cour doit en l'espèce s'assurer que les forces armées ougandaises présentes en RDC n'étaient pas seulement stationnées en tel ou tel endroit, mais qu'elles avaient également substitué leur propre autorité à celle du gouvernement congolais. Si tel était le cas, peu importerait la justification donnée par l'Ouganda de son occupation, de même que la réponse à la question de savoir si l'Ouganda aurait ou non établi une administration militaire structurée du territoire occupé » (République démocratique du Congo c. Ouganda, § 173).

La CIJ établit les obligations qui pèsent sur la puissance occupante. Cette responsabilité comporte un devoir de vigilance et l'obligation d'assurer la sécurité des populations vis-à-vis notamment de violences ou de pillages commis par les agents de la puissance occupante mais aussi par des groupes extérieurs à elle agissant sur le territoire occupé. La Cour affirme en effet que la puissance occupante est « dans l'obligation, énoncée à l'article 43 du règlement de La Haye de 1907, de prendre toutes les mesures qui dépendaient [d'elle] en vue de rétablir et d'assurer, autant qu'il était possible, l'ordre public et la sécurité dans le territoire occupé en respectant, sauf empêchement absolu, les lois en vigueur en RDC. Cette obligation comprend le devoir de veiller au respect des règles applicables du droit international relatif aux droits de l'homme et du droit international humanitaire, de protéger les habitants du territoire occupé contre les actes de violence et de ne pas tolérer de tels actes de la part d'une quelconque tierce partie (République démocratique du Congo c. Ouganda, § 178). La Cour précise que la responsabilité de la puissance occupante est engagée à raison à la fois de « l'ensemble des actes et omission de ses forces armées [sur le territoire occupé *NdlR*] [...] contraire à ses obligations internationales et du défaut de la vigilance requise pour prévenir les violations des droits de l'homme et du droit international humanitaire par d'autres acteurs présents sur le territoire occupé, en ce compris les groupes rebelles agissant pour leur propre compte » (République Démocratique du Congo c. Ouganda, § 179, 180). Elle juge que, « du fait qu'il était la puissance occupante dans le district de l'Ituri, l'Ouganda était tenu de prendre des mesures appropriées pour prévenir le pillage et l'exploitation des ressources naturelles dans le territoire occupé, non seulement par des membres de ses forces armées, mais également par les personnes privées présentes dans ce district » (République démocratique du Congo c. Ouganda, § 248). Elle conclut que « l'Ouganda a engagé sa responsabilité internationale à raison des actes de pillage et d'exploitation des ressources naturelles de la RDC commis [...] sur le territoire de la RDC, de la violation de son devoir de vigilance s'agissant de ces actes et du manquement aux obligations lui incombant en tant que puissance occupante en Ituri, en vertu de l'article 43 du règlement de La Haye de 1907, quant à l'ensemble des actes de pillage et d'exploitation des ressources naturelles commis dans le territoire occupé » (République démocratique du Congo c. Ouganda, § 250).

La CIJ a également affirmé que l'application extraterritoriale des conventions relatives aux droits de l'homme est une obligation qui pèse sur la puissance occupante. « La protection offerte par les conventions régissant les droits de l'homme ne cesse pas en cas de conflit armé, si ce n'est par l'effet de clauses dérogatoires du type de celle figurant à l'article 4 du Pacte international relatif aux droits civils et politiques » (« Le Mur », § 106). « Ces deux branches du droit international, à savoir le droit international relatif aux droits de l'homme et le droit international humanitaire, devaient être prises en considération [...] les instruments internationaux relatifs aux droits de l'homme étaient applicables aux actes d'un État agissant dans l'exercice de sa compétence en dehors de son propre territoire, particulièrement dans les territoires occupés » (République démocratique du Congo c. Ouganda, § 216-217).

• **Le Tribunal pénal international *ad hoc* pour l'ex-Yougoslavie (TPIY)**

Le TPIY a précisé les règles applicables aux territoires occupés dans l'affaire Tuta et Stela du 31 mars 2003 (IT-98-34-T). La Chambre de première instance du TPIY affirme qu'« un territoire est considéré comme occupé lorsqu'il se trouve placé de fait sous l'autorité de l'armée ennemie. L'occupation ne s'étend qu'aux territoires où cette autorité est établie et en mesure de s'exercer ». Cette décision précise que la situation d'occupation militaire exige davantage de devoirs de la part des puissances occupantes que des simples parties à un conflit armé international, et que, pour parler de situation d'occupation militaire, il faut un degré de contrôle du territoire plus élevé que celui du conflit armé international (§ 214-216). La Chambre souligne également que le droit de l'occupation s'applique uniquement aux zones contrôlées effectivement par la puissance occupante, et cesse de s'appliquer dans les zones où la puissance occupante n'exerce plus une autorité effective. C'est donc au Tribunal d'établir, au cas par cas, l'existence d'un degré suffisant de contrôle sur les lieux concernés permettant ou non d'engager la responsabilité des forces d'occupation (§ 218).

• **La Cour européenne des droits de l'homme (CEDH)**

Dans les affaires Al-Skeini et Al Jedda, la CEDH détaille les obligations extraterritoriales de respect de la Convention européenne relative aux droits de l'homme par les forces armées britanniques impliquées dans l'intervention militaire internationale en Irak en vertu de leur statut de force d'occupation. Ces obligations concernent notamment les activités de détention et le respect du droit à la vie : affaire Al-Skeini et autres c. Royaume-Uni, requête n° 55721/07, arrêt de la Cour (Grande Chambre) du 7 juillet 2011 ; affaire Al-Jedda c. Royaume-Uni, requête n° 27021/08, arrêt de la Cour (Grande Chambre) du 7 juillet 2011.

Dans l'affaire Al-Skeini et autres c. Royaume-Uni, la Cour a reconnu deux exceptions au principe de territorialité de l'application de la Convention européenne des droits de l'homme. Suite au renversement du régime Baas en Irak, la Cour a estimé que le Royaume-Uni (avec les États-Unis) assumait l'exercice de tout ou partie des pouvoirs publics normalement exercés par un gouvernement souverain en Irak, jusqu'à la désignation d'un gouvernement intérimaire et que, à ce titre, le gouvernement britannique restait tenu au respect de la Convention européenne des droits de l'homme dans tous ses agissements sur le territoire irakien et vis-à-vis des personnes placées sous son contrôle. La Cour précise qu'un État signataire de la Convention européenne est tenu d'appliquer celle-ci à l'extérieur de son territoire national et au profit de ressortissants étrangers chaque fois qu'il exerce, à travers ses agents, un contrôle et une autorité sur un individu étranger, et chaque fois que, du fait d'une action militaire légitime ou non, il exerce un contrôle effectif sur un territoire autre que le territoire national. La Cour a rappelé que l'État qui contrôle a la responsabilité de garantir, dans le territoire qu'il contrôle, l'entièreté des droits contenus dans la Convention européenne et les protocoles additionnels qu'il a ratifiés. L'appréciation du caractère effectif du contrôle est un élément de fait qui est déterminé par la Cour en tenant compte de la puissance de la présence militaire de l'État dans le territoire concerné et de sa capacité à influencer ou à subordonner les administrations ou autorités présentes sur ce territoire (§ 131-140).

Dans l'affaire Al-Jedda c. Royaume Uni, la CEDH a confirmé l'obligation d'application extraterritoriale de la Convention européenne par le gouvernement britannique dans le cadre de ses activités militaires en Irak en tant que puissance occupante et détentrice de prisonniers sur ce territoire. Elle a développé une interprétation originale de l'application complémentaire du droit international humanitaire et des droits de l'homme. Elle considère que les règles de la Convention européenne continuent à s'appliquer en situation de conflit tant qu'elles ne sont pas en contradiction directe avec celles du droit international humanitaire. La Cour fait ainsi prévaloir les règles plus protectrices de la Convention européenne sur les autres dispositions relatives au droit des conflits armés et au mandat des forces internationales issu des résolutions des Nations unies permettant aux forces d'occupation d'interner des individus (§ 105, 107, et 109).

Pour en savoir plus

ABI SAAB R., « Conséquences juridiques de l'édification d'un mur dans le territoire palestinien occupé : quelques réflexions préliminaires sur l'avis consultatif de la Cour internationale de justice », *Revue internationale de la Croix-Rouge*, n° 855, 2004.

BENVENISTI E., *The International Law of Occupation*, Princeton University Press, 1993.

CAMPANELLI D., « Le droit de l'occupation militaire à l'épreuve du droit des droits de l'homme », *Revue internationale de la Croix-Rouge*, n° 871, septembre 2008. Disponible en ligne sur http://www.icrc.org/fre/assets/files/other/campanelli-fra-pr-web.pdf

CICR, *Règles essentielles des Conventions de Genève et de leurs Protocoles additionnels*, Genève, 1990, p. 48-51.

FERRARO T., « Determining the beginning and end of an occupation under international law », *Revue internationale de la Croix-Rouge*, vol. 94, n° 885, printemps 2012, p. 133-164.

KOHEN M., *Possession contestée et souveraineté territoriale*, PUF, Paris, 1997, 579 p.

KOLB R., « L'occupation en Irak depuis 2003 et les pouvoirs du Conseil de sécurité de l'Organisation des Nations unies », *Revue internationale de la Croix-Rouge*, n° 869, mars 2008. Disponible en ligne sur http://www.icrc.org/fre/assets/files/other/campanelli-fra-pr-web.pdf

KOUTROULIS V., « The application of international humanitarian law and international human rights law in situation of prolonged occupation : only a matter of time », *Revue internationale de la Croix-Rouge*, vol. 94, n° 885, printemps 2012, p. 165-206.

KRETZMER D., « The law of belligerent occupation in the Supreme Court of Israel », *Revue internationale de la Croix-Rouge*, vol. 94, n° 885, printemps 2012, p. 207-236.

LUBBEL N., « Human rights obligations in military occupation *Revue internationale de la Croix-Rouge*, vol. 94, n° 885, printemps 2012, p. 317-338.

MULINEN F. DE, *Manuel sur le droit de la guerre pour les forces armées*, CICR, Genève, 1989, p. 185-198.

NGUYEN-ROUAULT F., « L'intervention armée en Irak et son occupation au regard du droit international », *RGDIP*, tome 107, avril 2003.

STARITA M., « L'occupation de l'Irak. Le Conseil de sécurité, le droit de la guerre et le droit des peuples à disposer d'eux-mêmes », *RGDIP*, tome 108, avril 2004, janvier 2005.

VITE S., « L'articulation du droit de l'occupation et des droits économiques, sociaux et culturels : les exemples de l'alimentation, de la santé et de la propriété », *Revue internationale de la Croix-Rouge*, n° 871, septembre 2008. Disponible en ligne sur http://www.icrc.org/fre/assets/files/other/vite-fra-pr-web.pdf

WATKIN K., « Use of force during occupation : law enforcement and conduct of hostilities », *Revue internationale de la Croix-Rouge*, vol. 94, n° 885, printemps 2012, p. 267-316.

WEILL S., « The judicial arm of the occupation : the Israeli military courts in the occupied territories », *Revue internationale de la Croix-Rouge*, vol. 89, n° 866, juin 2007, p. 395- 419.

Terrorisme

1. *Définition*

Ce terme n'a pas de définition précise en droit international. Il reste chargé de connotations politiques et idéologiques. Une personne peut être considérée comme un terroriste par les uns et un combattant de la liberté par les autres. Les Nations unies ainsi que l'Union européenne tentent depuis des années de parvenir à une définition acceptable par tous, cependant jusqu'à aujourd'hui aucune définition n'a fait consensus. On retiendra donc les définitions proposées par les Nations unies ainsi que les définitions adoptées par l'Union européenne et le Conseil de l'Europe.

a. *Tentative de définition par les Nations unies*

La Convention internationale du 9 décembre 1999 pour la répression du financement du terrorisme définit, dans son article 2.1 (b), un acte terroriste comme « tout acte destiné à tuer ou blesser grièvement un civil ou toute autre personne qui ne participe pas directement aux hostilités dans une situation de conflit armé, lorsque, par sa nature ou par son contexte, cet acte vise à intimider une population ou à contraindre un gouvernement ou une organisation internationale à accomplir ou à s'abstenir d'accomplir un acte quelconque ».

Le Conseil de sécurité des Nations unies, dans une résolution d'octobre 2004 (résolution 1566), précise cette définition en affirmant que les actes terroristes sont considérés comme « des actes criminels, notamment ceux dirigés contre des civils dans l'intention de causer la mort ou des blessures graves ou la prise d'otages dans le but de semer la terreur parmi la population, un groupe de personnes ou chez des particuliers, d'intimider une population ou de contraindre un gouvernement ou une organisation internationale à accomplir un acte ou à s'abstenir de le faire ». Le Conseil de sécurité rappelle que de tels actes « ne

sauraient en aucune circonstance être justifiés par des motifs de nature politique, philosophique, idéologique, raciale, ethnique, religieuse ou similaire ». L'Assemblée générale des Nations unies a réaffirmé cette définition en janvier 2006 (résolution 60/43), définissant les actes de terrorisme comme des « actes criminels conçus ou calculés pour terroriser l'ensemble d'une population, un groupe de population ou certaines personnes à des fins politiques ».
En 2004, les Nations unies ont crée un groupe de personnalités de haut niveau chargé de réfléchir sur les menaces, les défis et le changement. Dans leur rapport au secrétaire général du 2 décembre 2004, intitulé « Un monde plus sûr, notre affaire à tous », les experts du groupe ont proposé de définir le terrorisme comme « tout acte [...] commis dans l'intention de causer la mort ou des blessures graves à des civils ou à des non-combattants, qui a pour objet, par sa nature ou son contexte, d'intimider une population ou de contraindre un gouvernement ou une organisation internationale à accomplir un acte ou à s'abstenir de le faire » (§ 164(d), p. 52), reprenant ainsi la définition proposée par le Conseil de sécurité, tout en élargissant la notion de cibles des attaques de « groupe de personnes » à celle de « civils » et de « non-combattants ».

b. *Tentative de définition par l'Union européenne*

Alors que la Convention européenne sur la répression de l'activité terroriste de 1977 ne propose pas de définition du terrorisme, la décision-cadre du Conseil européen du 13 juin 2002 relative à la lutte contre le terrorisme propose une définition assez exhaustive.
Article 1er ; « [...] sont considérés comme infractions terroristes les actes intentionnels suivants [...] qui, par leur nature ou leur contexte, peuvent porter gravement atteinte à un pays ou à une organisation internationale lorsque l'auteur les commet dans le but de :
– gravement intimider une population ou
– contraindre indûment des pouvoirs publics ou une organisation internationale à accomplir ou à s'abstenir d'accomplir un acte quelconque ou
– gravement déstabiliser ou détruire les structures fondamentales politiques, constitutionnelles, économiques ou sociales d'un pays ou une organisation internationale ;
a) les atteintes contre la vie d'une personne pouvant entraîner la mort ;
b) les atteintes graves à l'intégrité physique d'une personne ;
c) l'enlèvement ou la prise d'otage ;
d) le fait de causer des destructions massives à une installation gouvernementale ou publique, à un système de transport, à une infrastructure, y compris un système informatique, à une plate-forme fixe située sur le plateau continental, à un lieu public ou une propriété privée susceptible de mettre en danger des vies humaines ou de produire des pertes économiques considérables ;
e) la capture d'aéronefs et de navires ou d'autres moyens de transport collectifs ou de marchandises ;
f) la fabrication, la possession, l'acquisition, le transport ou la fourniture ou l'utilisation d'armes à feu, d'explosifs, d'armes nucléaires, biologiques et chimiques ainsi que, pour les armes biologiques et chimiques, la recherche et le développement ;

g) la libération de substances dangereuses, ou la provocation d'incendies, d'inondations ou d'explosions, ayant pour effet de mettre en danger des vies humaines ;
h) la perturbation ou l'interruption de l'approvisionnement en eau, en électricité ou toute autre ressource naturelle fondamentale ayant pour effet de mettre en danger des vies humaines ;
i) la menace de réaliser l'un des comportements énumérés aux points a) à h). »
Cette définition étant sensiblement la même que celle d'un acte de guerre, la décision-cadre précise qu'elle « ne régit pas les activités des forces armées en période de conflit armé, [...] et les activités menées par les forces armées d'un État dans l'exercice de leurs fonctions officielles » (Introduction, § 11), excluant notamment les mesures de protection de l'ordre public mises en place par les États dans des situations de troubles et tensions internes.
Cette définition inclut également les notions de piraterie maritime (§ e, « capture d'aéronefs et de navires »), de terrorisme nucléaire et radiologique (§ f à g).
En mai 2005, le Conseil de l'Europe a adopté à Varsovie la Convention pour la prévention du terrorisme, qui reprend en partie les définitions proposées par les Nations unies et l'Union européenne, en définissant les actes de terrorisme comme des actes qui, « par leur nature ou leur contexte, visent à intimider gravement une population, ou à contraindre indûment un gouvernement ou une organisation internationale à accomplir ou à s'abstenir d'accomplir un acte quelconque, ou à gravement déstabiliser ou détruire les structures fondamentales politiques, constitutionnelles, économiques ou sociales d'un pays ou d'une organisation internationale » (Introduction).
De même que dans la décision-cadre du Conseil, il est précisé dans l'art. 26.5 que les armées officielles ni leurs actes ne sont concernés par cette convention.
Certains éléments communs ressortent de toutes ces définitions : le caractère idéologique de l'acte terroriste, le fait qu'il soit dirigé contre une population qui ne participe pas aux hostilités dans un contexte de conflit armé, c'est-à-dire les populations les plus vulnérables, le fait qu'un tel acte n'a pas besoin de causer la mort mais que la seule intimidation suffit à définir l'acte comme terroriste, et enfin le fait que l'acte terroriste vise à affaiblir un gouvernement ou une organisation internationale, notamment par la destruction des infrastructures d'une telle entité. Ce dernier élément fait écho aux attentats perpétrés en Afghanistan et en Irak contre les infrastructures de l'ONU, notamment l'attentat meurtrier contre le siège de l'ONU à Bagdad en août 2003.

2. *Moyens pour combattre le terrorisme*

On peut également retenir de ces définitions l'importance de faire la différence entre les activités terroristes en temps de paix et le recours à la terreur comme méthode de combat quand ces activités s'inscrivent dans le cadre d'un conflit armé interne ou international ou une situation d'occupation militaire. En effet, la décision du Conseil européen de 2002 ainsi que la Convention européenne de 2005 rappellent que les actes commis par les armées gouvernementales en contexte de conflit armé et dans « l'exercice de leurs fonctions officielles » ne sauraient être considérés comme des actes terroristes.
Quand la terreur est utilisée dans le cadre d'un conflit armé, le droit international humanitaire s'applique aux différents acteurs étatiques ou non étatiques concernés.

Il impose un cadre pour l'usage de la force, le traitement des combattants et des civils et la sanction des crimes. Les situations d'occupation militaire sont couvertes par le droit des conflits armés.
Certains gouvernements peuvent être tentés de qualifier de terrorisme des situations qui relèvent en réalité de la définition du conflit armé interne. Quand les actes de violence armée sont organisés de façon continue et concertée à partir d'une partie du territoire qui échappe au moins partiellement au contrôle des autorités nationales, les gouvernements doivent se soumettre au respect du droit humanitaire et ne peuvent plus seulement agir dans le cadre de la législation d'exception et de renforcement des pouvoirs de la police (GPII art. 1). Le recours à la terreur est un crime de guerre, mais il ne fait pas perdre le statut de combattant aux personnes concernées.

▸ **Terreur ▷ Conflit armé non international ▷ Droit international humanitaire.**

Si l'usage de la terreur ne s'inscrit pas dans le cadre d'un conflit armé, la réponse des États réside dans le renforcement des opérations de police pour défendre l'ordre public. L'État peut également limiter l'exercice de certains droits et libertés de façon momentanée. L'État reste cependant soumis au respect de certaines règles dans ses activités de défense ou de rétablissement de l'ordre public. Ces règles sont fixées par l'article 3 commun des quatre Conventions de Genève ainsi que par les règles indérogeables des conventions internationales relatives aux droits de l'homme.

▸ **Garanties fondamentales ▷ Ordre public ▷ Droits de l'homme.**

Le consensus international pour la dénonciation des activités terroristes s'est renforcé ces dernières années. Les Nations unies et les organisations régionales ont adopté des déclarations et des traités relatifs à la lutte contre le terrorisme. Dès 1992, le Conseil de sécurité des Nations unies a adopté une résolution qui reconnaît que le terrorisme international constitue une menace à la paix et à la sécurité internationales. Il permettrait donc de justifier de mesures de sanctions ou d'emploi de la force décidées par les Nations unies (résolution S/rés. 748). Cette position a été confirmée par plusieurs résolutions adoptées après le 11 septembre 2001 qui considèrent notamment que « le terrorisme constitue l'une des menaces les plus graves à la paix et à la sécurité internationales au XXIe siècle » (S/rés. 1377 [2001]). Le Conseil de sécurité reconnaît qu'il est possible pour les États de recourir à l'usage de la force armée au titre de la légitime défense individuelle ou collective en cas d'attaque terroriste (S/rés. 1368 [2001]).

▸ **Maintien de la paix ▷ Légitime défense ▷ Conseil de sécurité.**

Le Conseil de sécurité met l'accent sur le fait que la lutte contre le terrorisme passe d'abord par le renforcement de l'État de droit et le développement de la coopération entre les États. La plupart des textes cherchent à renforcer la responsabilité de l'État pour renforcer leur contrôle et limiter leur éventuelle complaisance vis-à-vis de l'activité de ces groupes. Ainsi le Conseil de sécurité a adopté le 28 septembre 2001 sur la base du chapitre VII de la charte des Nations unies, une résolution qui s'impose à tous les États (S/rés. 1373 [2001]). Le texte de la résolution précise les obligations des États en matière de lutte contre le financement des activités terroristes, d'adoption de législation efficace pour assurer un véritable contrôle de leur territoire et éviter qu'il soit utilisé à des fins hostiles à d'autres États. Elle prévoit

également une coopération accrue en matière policière et judiciaire, notamment en ce qui concerne le financement des activités terroristes. Cette même résolution a décidé de créer au sein du Conseil de sécurité un Comité pour la lutte contre le terrorisme qui examinera la façon dont les États se conforment à ces obligations.
Dans le cas des attaques du 11 septembre 2001 aux États-Unis par Al-Qaïda, le refus de coopération du gouvernement afghan pour l'arrestation des membres de ce réseau, présents sur le territoire afghan, a été assimilé à un soutien actif des activités terroristes qui engageait la responsabilité du gouvernement afghan et justifiait la riposte militaire déclenchée le 7 octobre 2001.
Dans le cadre du Sommet mondial de septembre 2005, l'Assemblée générale des Nations unies a rappelé que le terrorisme était inacceptable sous toutes ses formes et dans toutes ses manifestations, et s'est donné comme mandat d'élaborer une stratégie internationale de lutte antiterroriste. Celle-ci, intitulé Stratégie antiterroriste mondiale, a été adoptée le 8 septembre 2006 par la résolution A/60/RES/43 de l'Assemblée générale. Cette stratégie a pour but de prévenir et combattre le terrorisme aux niveaux national, régional et international, par la mise en place de mesures pratiques individuelles et collectives. Dans cette résolution, l'Assemblée générale propose, *inter alia*, de renforcer les capacités de l'ONU dans les domaines de la prévention des conflits et du maintien de la paix, d'encourager les initiatives qui favorisent le dialogue, la tolérance et la compréhension entre les peuples, d'adopter des mesures pour interdire l'incitation à commettre des actes terroristes, d'encourager une meilleure coopération bilatérale et internationale par le partage d'information, de renforcer la protection des cibles d'attaques terroristes, et d'encourager la création d'un centre international pour lutter contre le terrorisme. Sur cette base, le Centre international de lutte contre le terrorisme (ICCT) a été créé le 31 mai 2010 à La Haye. C'est un institut de recherche indépendant composé d'universitaires et d'experts gouvernementaux qui fonctionne comme une plate-forme d'information, chargé d'étudier les aspects juridiques de la lutte contre le terrorisme, de formuler des recommandations à cet égard aux États et d'identifier les meilleures pratiques en matière de prévention du terrorisme.
En avril 2005, la Commission des droits de l'homme (aujourd'hui le Conseil des droits de l'homme) a nommé un rapporteur spécial afin d'étudier les liens entre la promotion et la protection des droits de l'homme et la stratégie anti-terroriste des Nations unies. Le mandat de ce rapporteur spécial a été renouvelé par le Conseil des droits de l'homme pour trois ans en octobre 2010. Depuis août 2011, il s'agit de M. Ben Emmerson, du Royaume-Uni.

▸ **Comités des sanctions ▷ Rapporteur spécial.**

3. *Législation*

• En période de paix, une dizaine de traités internationaux organisant la lutte contre le terrorisme et l'entraide judiciaire dans cette situation ont été adoptés par les États. Il s'agit notamment de :
– la Convention sur la répression du terrorisme du 27 janvier 1977, adoptée sous l'égide du Conseil de l'Europe et entrée en vigueur le 4 août 1978, dont 46 États sont parties en avril 2013 ;

– la Convention pour la prévention et la répression du terrorisme, adoptée le 2 février 1971 sous l'égide de l'OEA, qui lie 18 États parties en avril 2013.
– Le Conseil de l'Europe a adopté en 2005 une nouvelle Convention pour la répression du terrorisme. Elle est entrée en vigueur le 1er juin 2007, et lie actuellement 30 États parties.
– la Convention de l'Organisation de l'Union africaine sur la prévention et la lutte contre le terrorisme, adoptée à Alger en juillet 1999 et entrée en vigueur le 6 décembre 2002, qui lie actuellement 41 États parties ;
– La Convention arabe pour la suppression du terrorisme, adopté par la Ligue arabe le 22 avril 1998 et qui est entrée en force le 7 mai 1999.
– la Convention internationale pour la répression des attentats terroristes à l'explosif, adoptée par l'Assemblée générale des Nations unies le 15 décembre 1997 et entrée en vigueur le 23 mai 2001, qui lie 165 États parties en avril 2013 ;
– la Convention internationale pour la répression du financement du terrorisme, adoptée le 9 décembre 1999 et entrée en vigueur le 10 avril 2002, qui lie actuellement 182 États parties ;
– la Convention internationale pour la répression des actes de terrorisme nucléaire, adoptée par l'Assemblée générale des Nations unies le 13 avril 2005 et entrée en vigueur le 7 juillet 2007, dont 85 États sont parties en avril 2013.

Dans les situations de conflit, le droit humanitaire interdit les attaques contre la population civile et les biens de caractère civil.

Il interdit également les actes ou menaces de violence dont le but principal est de répandre la terreur parmi la population. Cette interdiction recouvre les conflits armés internationaux et les conflits internes (GPI art. 51 ; GPII art. 13). Aucune personne protégée ne peut être punie pour une infraction qu'elle n'a pas commise personnellement. Les peines collectives, de même que toute mesure d'intimidation ou de terrorisme, sont interdites (GIV art. 33). Dans ce cadre, les actes suivants sont interdits en tout temps et en tout lieu à l'égard des personnes qui ne participent pas ou plus aux hostilités : les atteintes portées à la vie, à la santé et au bien-être physique ou mental des personnes, les punitions collectives, la prise d'otage, les actes de terrorisme… (GPII art. 4.2.d).

◆ **Le droit des conflits prend en compte la spécificité des méthodes de guérilla pour éviter que ces actes soient considérés comme du terrorisme et empêchent l'application du droit des conflits armés. En contrepartie il impose certaines règles minimales pour donner aux membres de ces mouvements le statut de combattant et la protection qui s'y rattache, notamment celle du prisonnier de guerre (GPI art. 44). Ces règles minimales imposent que l'usage de la force se fasse dans le cadre d'une organisation hiérarchisée capable de faire respecter les règles de droit humanitaire, que les combattants portent ouvertement les armes au moment d'un engagement militaire.**

En période de conflit armé, la qualification de terroriste n'est pas une catégorie juridique spécifique du droit humanitaire. Les Conventions de Genève et les Protocoles additionnels ne reconnaissent qu'une seule distinction de statut entre civils et combattants ou encore entre ceux qui participent aux hostilités et ceux qui n'y participent pas ou plus. Par ailleurs le droit humanitaire interdit les méthodes de guerre dont le but est de répandre la terreur dans la population.

Une personne qui recourt à de telles méthodes à titre individuel commet un acte criminel mais reste une personne civile. Elle doit être poursuivie et jugée conformément aux garanties judiciaires par les autorités qui exercent un contrôle de fait sur cette personne.

Si cette personne agit avec l'accord ou pour le compte d'une autorité dans le cadre d'un conflit, elle entre dans la catégorie des combattants ou des personnes civiles qui participent directement aux hostilités. Un combattant qui recourt à de telles pratiques ne perd pas son statut de combattant mais peut être arrêté, détenu et poursuivi pour ses activités criminelles, en respectant les garanties prévues en matière de détention, d'interrogatoire de jugement et de peine. Le droit international humanitaire ne reconnaît pas l'existence d'une catégorie juridique spéciale relative au statut des terroristes. Il ne reconnaît pas non plus l'existence d'un troisième type de conflit armé qui serait constitué par la guerre contre le terrorisme ou contre les terroristes et qui échapperait aux règles prévues pour les conflits armés internationaux ou non internationaux.

Cette position du droit humanitaire a été confirmée par les décisions des Cours suprêmes américaine et israélienne qui ont démenti sur ces points la doctrine développée par de nombreux juristes et par les autorités de ces deux pays dans le cadre de leur gestion de la menace terroriste.

Jurisprudence

1. Cour suprême israélienne

Dans un arrêt du 11 décembre 2005 (*The Supreme Court Sitting as the High Court of Justice, The Public Committee against Torture in Israel,* HCJ 759/02), la Cour suprême israélienne a reconnu les points suivants :

• Les terroristes ne sont pas une troisième catégorie de combattant dits illégaux

La Cour affirme que les concepts de combattants et de civils sont mutuellement exclusifs. Il n'existe pas d'autre catégorie telle que celle des combattants illégaux ou de terroristes. Ces personnes qui n'ont pas le droit au statut de combattant sont donc obligatoirement considérées comme des civils, mais comme des civils qui perdent une partie de leur protection du fait de leur participation directe dans les hostilités : « That definition [of combatant] is "negative" in nature. It defines the concept of "civilian" as the opposite of "combatant". It thus views unlawful combatants – who, as we have seen, are not "combatants" – as civilians. Does that mean that the unlawful combatants are entitled to the same protection to which civilians who are not unlawful combatants are entitled ? The answer is, no. [...] an unlawful combatant is not a combatant, rather a "civilian". However, he is a civilian who is not protected from attack as long as he is taking a direct part in the hostilities » (§ 26).

Elle a précisé que les terroristes qui prennent part aux hostilités ne cessent pas d'être des civils mais se privent de leur statut de civils du fait de leurs actes. Ils ne bénéficient pas non plus des droits des combattants et du statut de prisonnier de guerre : « [...] True, terrorists participating in hostilities do not cease to be civilians, but by their acts they deny themselves the aspect of their civilian status which grants them protection from military attack. Nor do they enjoy the rights of combatants, e.g. the status of prisoners of war » (§ 31).

• La guerre contre les terroristes ne constitue pas une troisième catégorie de conflits armés

« In the oral and written arguments before us, the State raised the possibility that we recognize the existence of a third legal category [of conflict, *NdlR*]. According to that approach, the conflict between a state and a terrorist organization and its members constitutes a separate category of armed conflict. The laws of international armed conflict are not to be applied to this conflict, as those laws deal with conflicts between sovereign states. Nor should this conflict be seen as an armed conflict which is non-international, since it is not limited to the territory of the state alone. [...] In international law, a third category should be recognized, of an armed conflict between a state (or states) and terrorist organizations. In the framework of this third category, "special laws of combat, which fit this special situation" will be formulated [...]. We shall take no stance regarding the question whether it is desirable to recognize this third category. The question before us is not one of desirable law, rather one of existing law. In our opinion, as far as existing law goes, the data before us are not sufficient to recognize this third category. That is the case according to the current state of international law, both international treaty law and customary international law [...]. It is difficult for us to see how a third category can be recognized in the framework of The Hague and Geneva Conventions. It does not appear to us that we were presented with data sufficient to allow us to say, at the present time, that such a third category has been recognized in customary international law » (§ 27, 28).

2. Cour suprême américaine

• Le délit d'association ou de soutien à une entreprise terroriste

Plusieurs décisions de tribunaux américains ont donné une interprétation très large des délits de complicité, d'association ou de soutien aux activités terroristes. La partie la plus controversée de ces décisions réside dans le caractère strictement matériel du délit sans exiger la preuve d'une intention spécifique ni celle de la connaissance du caractère illicite des activités ou des personnes soutenues. La définition extensive de ce délit peut conduire à criminaliser certains acteurs ou actions à caractère humanitaire au prétexte de leur soutien matériel à des activités terroristes. Cette criminalisation pourrait même recouvrir dans certaines circonstances la délivrance de soins médicaux à des patients accusés d'actions terroristes ou d'appartenance à des organisations terroristes (voir à ce sujet Cour suprême américaine, *Holder v. Humanitarian Law Project*, no.08/1498, 21 juin 2010).

3. Autres tribunaux

En 2007, la Cour fédérale d'Australie a limité la notion de délit d'association avec une entreprise terroriste. Dans l'affaire *Haneef v. Ministry of Immigration and Citizenship* ([2007] FCA 1273, 21 août 2007), la Cour a affirmé que, pour que le délit d'association soit reconnu, il fallait que le soutien soit lui-même de nature criminel, et pas seulement lié à un lien « innocent » ou familial avec l'organisation terroriste.

La jurisprudence internationale a par ailleurs commencé à contrôler certains éléments relatifs à la constitution de listes de personnes ou d'organisations terroristes développées par les États au niveau national, régional ou international. À ce propos, la Cour de justice de l'Union européenne a estimé en 2006 que les individus associés à une organisation classifiée de terroriste avaient le droit de connaître les raisons de leur inscription sur cette liste, avaient le droit d'être entendus et de bénéficier d'une protection judiciaire effective de leurs droits. (Organisation des Moudjahidines du peuple d'Iran c. Conseil de l'Union européenne soutenu par Royaume-Uni de Grande-Bretagne et d'Irlande du Nord, arrêt du Tribunal (deuxième chambre), 12 décembre 2006).

Consulter aussi

▶ **Groupes armés non étatiques ▷ Population civile ▷ Conflit armé non international ▷ Conflit armé international ▷ Mouvement de résistance ▷ Entraide judiciaire ▷ Terreur ▷ Combattant ▷ Prisonnier de guerre ▷ Méthodes de guerre ▷ Crime de guerre-Crime contre l'humanité ▷ Sécurité collective ▷ Ordre public ▷ Conseil de sécurité.**

Contact

http://www.un.org/terrorism/

Pour en savoir plus

Bourgues-Habif C., « Le terrorisme international », in *Droit international pénal*, sous la dir. de Hervé Ascensio, Emmanuel Decaux et Alain Pellet, CEDIN-Paris-X, Pedone, 2000, 1 053 p., p. 457-466.

Brisosia E., Weyembergh A. (dir.), *Lutte contre le terrorisme et droits fondamentaux*, Bruylant, 2002, 305 p.

Commission internationale des juristes, *Terrorisme et droits de l'homme*, n° 1, Document de la Commission internationale des juristes, Genève, 14 juin 2002 ; *Terrorisme et droits de l'homme*, n° 2 : *Nouveaux défis et vieux dangers*, CIJ, Genève, mars 2003.

Courmont B., Ribnikar D., *Les Guerres asymétriques : conflits d'hier et d'aujourd'hui, terrorisme et nouvelles menaces*, PUF, Paris, 2002, 284 p.

Draft Comprehensive Convention on International Terrorism, UN Doc.A/59/894, 12 août 2005, Appendix I.

Duffy H., « Human rights litigation and the war on terror », *Revue internationale de la Croix-Rouge,* vol. 90, n° 871, septembre 2008, p. 573-597.

Gasser H.P., « Interdiction des actes de terrorisme dans le droit international humanitaire », CICR, Genève, 1986 (tiré à part de la *Revue internationale de la Croix-Rouge*).

Greenberg K. J. et Dratel J. L. (eds), « The Torture Papers : The road to Abu Ghraib », Cambridge University Press, 2005, p. 118-119.

Grenn L. C., « Terrorism and armed conflict : the plea and the verdict », *in Israel Yearbook of Human Rights,* 1989, p. 131-166.

Guillaume G., « Le droit international face au terrorisme : après le 11 septembre 2001 », Pedone, Paris, 2002, 356 p.

Guillaume G., « Terrorism and international law », *International and Comparative Law Quarterly*, vol. 53 (2004), p. 1-42.

Hmoud M., « Negociation the Draft Comprehensive Convention on International Terrorism », *Journal of International Criminal Justice*, vol. 4, n° 5, 2006, p. 1031.

International Commission of Jurists, « *Assessing Damage, Urging Action* : Report of the Eminent Jurists Panel on Terrorism, Counter-Terrorism and Human Rights », Genève, 2009, p. 65.

Klein P., « Le droit international à l'épreuve du terrorisme », *Recueil des cours,* 321 (2006), p. 203.

Koskenniemi M., « Fragmentation of international law : Difficulties arising from the diversification and expansion of international law », Report of the Study Group of the International Law Commission, 2006

Le Jeune P., « Dossier : La lutte internationale contre le terrorisme », *Problèmes politiques et sociaux,* n° 671, 1991.

Mayaud Y., *Le Terrorisme*, Dalloz, Paris, 1997.

Milanovic M., « Lessons for human rights and humanitarian law in the war on terror : comparing Hamdan and the Israeli targeted killings case », *Revue internationale de la Croix-Rouge,* vol. 89, n° 866, juin 2007, p. 373-393.

O'Donnel D., « International treaties against terrorism and the use of terrorism during armed conflict and by armed forces », *Revue internationale de la Croix-Rouge,* vol. 88, n° 864, décembre 2006, p. 853-880.

Quelques réflexions sur la définition et la répression des actes de terrorisme, Université libre de Bruxelles, Bruxelles, 1974, 292 p.

Redress, *Le Terrorisme, la lutte antiterroriste et la torture : Droit international et lutte contre le terrorisme,* juillet 2004, 86 p., p. 4-18.

Report of the Independent Expert on the Protection of Human Rights and Fundamental Freedom While Countering Terrorism, E/CN.4/2005/103, § 18.

Sassoli M., « La guerre contre le terrorisme, le droit international humanitaire et le statut de prisonnier de guerre », *The Canadian Yearbook of international law,* vol. 39, 2001. Disponible en ligne sur http://www.icrc.org/fre/assets/files/other/sassoli_terrorisme_2001_fre.pdf

Szurek S., « La lutte internationale contre le terrorisme sous l'empire du chapitre VII : un laboratoire normatif », *RGDIP*, tome 109/2005/1, avril 2005.

Veuthey M., *Guérilla et droit humanitaire,* CICR, Genève, 1983.

WIPPMAN D. et EVANGELISTA M. (éds), *New Wars, New Laws ?*, Transnational Publishers, New York, 2005.

YOO J. C. et HO J. C., « The status of terrorists », UC Berkeley School of Law, Public Law and Legal Theory, *Research Paper* n° 136, 2003.

ZACHARY S., « Between the Geneva conventions : Where does the unlawful combatant belong ? », *Israel Law Review*, vol. 38, n° 1-2, 2005, p. 379-417.

Torture et traitements cruels inhumains et dégradants

L'interdiction de la torture fait partie des quelques obligations impératives et absolues du droit international reconnues et acceptées par les États. Elle s'impose en situation de paix, de troubles et tensions internes ainsi qu'en situation de conflit armé, sur la base des différentes conventions internationales pertinentes. Ces normes impératives appartiennent au *jus cogens*. L'interdiction de la torture est assortie d'un système de répression pénale internationale élargie. Elle est aussi doublée d'obligations internationales impératives destinées à prévenir et limiter le recours à la torture. Ces obligations de prévention obligent les État à maintenir des garanties judiciaires et des garanties minimales en matière de détention, d'interrogatoire et de défense de la sécurité nationale. Ils doivent également enquêter et punir les abus commis par les agents de l'État dans ce domaine. La prévention de la torture repose aussi sur la responsabilisation des acteurs médicaux impliqués dans la prise en charge des personnes détenues et sur le renforcement des règles d'éthique médicale applicables à ces situations.

Malgré ces engagements internationaux, le recours à la torture à des fins sécuritaires pour obtenir des informations nécessaires à la protection de la sécurité nationale, ou pour punir, terroriser ou dissuader des individus reste une tentation permanente des États. La torture est également pratiquée par des groupes armés non étatiques dans les situations de conflit armés.

La pratique de la torture est intimement liée à toutes les formes et pratiques de détention et d'interrogatoire. Sa prévention s'appuie donc particulièrement sur le renforcement des garanties juridiques et judicaires relatives à la détention et sur l'existence de droits et de recours pour toutes les personnes privées de liberté quel que que soit leur statut juridique précis. Elle s'appuie également sur la responsabilisation de l'intégralité des acteurs impliqués dans ces activités de détention, qu'il s'agisse de l'autorité détentrice qui contrôle en fait ou en droit le sort des personnes détenues, ou d'autres acteurs impliqués dans la détention tels que les acteurs médicaux ou de secours.

La persistance de cette pratique constitue un réel défi qui oblige un examen rigoureux des failles et faiblesses de l'interprétation et de l'application du droit international dans ce domaine. Ces failles et faiblesses ont été particulièrement mises en évidence et largement débattues sur le plan juridique autour des pratiques mises en œuvre à partir de 2001 par l'administration américaine pour la détention et l'interrogatoire des détenus de la guerre contre le terrorisme. L'argumentation juridique utilisée pour justifier ces abus a donné lieu à de nombreuses décisions de justice internationales, qui clarifient les contours de la définition et des obligations relatives à l'interdiction de la torture.

I. Définitions

La torture est interdite par de nombreux textes de droit international universel ou régional, qui sont applicables en situation de paix ou de conflit armé. Ces textes se réfèrent à des définitions légèrement différentes de la torture. En effet, elles s'adaptent à des objectifs spécifiques ; responsabilisation des États vis-à-vis du comportement de ses propres organes ou agents, répression pénale ou encadrement des actions et de secours humanitaire et médical.

Principaux éléments des différentes définitions

• Les différentes définitions s'articulent autour de trois notions principales : (1) le fait d infliger intentionnellement des souffrances physiques ou mentales aiguës ; (2) le fait que ces souffrances soient infligées avec un ou des objectifs particuliers consistant à obtenir des aveux ou des informations, à briser la personnalité et la volonté de la victime ou à punir, terroriser ou humilier une personne ou un groupe ; (3) le fait que ces actes soient pratiqués par un agent de l'État, sous son contrôle ou à son instigation.
• (1) : le seuil et l'intensité de la souffrance requise pour qualifier la torture est présente dans certaines conventions mais n'est pas précisé dans d'autres. Ce seuil fait l'objet d'interprétations souvent restrictives par les États. Les textes des conventions relatives à la torture élargissent cette interdiction aux traitements cruels, inhumains et dégradants qui recouvrent des actes qui n'atteignent pas le seuil de souffrance aiguë exigé par la définition de la torture. La jurisprudence internationale fournit des points de repère dans les débats relatifs au seuil d'intensité de la douleur requis pour la qualification de la torture (*infra*).
• (2) : la prévention de la torture est très étroitement liée aux garanties contenues dans les conventions internationales sur les droits de l'homme et le droit humanitaire, concernant les conditions de détention et d'interrogatoire des individus en situation de paix ou de conflit armé. En général, cette détention n'est pas justifiée par des considérations judiciaires mais sécuritaires. Son objectif n'est pas de juger les personnes mais de leur soutirer des informations. C'est l'ensemble de ces garanties fondamentales de détention et de recours judiciaires prévu en temps de paix et en période de conflit qui a été remis en cause par les gouvernements impliqués dans la guerre contre le terrorisme. Ces garanties ont finalement été rétablies par la jurisprudence des tribunaux internationaux. Pour limiter le recours à la torture à des fins judiciaires, les conventions internationales interdisent l'utilisation des aveux ou témoignages obtenus sous la torture dans le cadre des procès.
• (3) : Le fait que le tortionnaire agisse en tant qu'agent de l'État n'est pas exigé dans les conventions de droit international humanitaire applicable en situation de conflit armé. Cet assouplissement de la définition dans les situations de conflit a pour but d'englober les abus commis par les différents types d'acteurs impliqués dans des activités de détention et d'interrogatoire, y compris les groupes armés non étatiques et autres

autorités de fait non étatiques, non légales ou non reconnues. La condition d'agent étatique n'est pas non plus requise par le statut de la Cour pénale internationale pour la répression de la torture en tant que crime de guerre ou de crime contre l'humanité. Cette exigence sert par contre de base aux obligations de contrôle de leurs pratiques que les États ont acceptées dans le cadre de la Convention contre la torture.

• Toutes les conventions considèrent que les souffrances qui découlent uniquement de l'application d'une sanction judiciaire prononcée à l'encontre d'un individu sont exclues de la définition de la torture à condition que la sanction soit prononcée par un tribunal légalement constitué et dans le respect des règles et garanties judiciaires d'un procès équitable. La peine de mort ainsi que les châtiments corporels autorisés par certains codes pénaux nationaux échappent donc en temps de paix à la définition de la torture. En période de conflit armé, cette clause d'exclusion doit être appliquée avec beaucoup de précautions. En effet, le droit humanitaire impose des garanties judiciaires spécifiques et pose des exigences sur le caractère régulièrement établi des institutions judiciaires autorisées à prononcer des sanctions légales contre les différentes catégories de personnes définies et protégées par le droit des conflits armés. ■

1. *les dispositions des conventions relatives à la torture et aux droits de l'homme*

Il existe trois textes spécifiques concernant la torture.

• Au niveau universel : la Convention contre la torture et autres peines ou traitements cruels, inhumains ou dégradants. Adoptée le 10 décembre 1984 par l'Assemblée générale de l'ONU et entrée en vigueur en 1987, cette convention compte 153 États parties en avril 2013. Cette convention a aussi créé le Comité contre la torture, qui examine le respect de la convention par les États et peut examiner les situations où la torture constitue une pratique systématique. Il peut aussi recevoir et examiner sous certaines conditions les communications individuelles ou étatiques relatives au non-respect de la convention par un État membre (art. 17 à 24) (voir Index des pays signataires n° 14).

• Au niveau régional :

– la Convention européenne pour la prévention de la torture et des peines ou traitements inhumains ou dégradants. Adoptée le 26 novembre 1987 par le Conseil de l'Europe et entrée en vigueur en 1989, elle lie 47 États (voir Index des pays signataires n° 15) ;

– la Convention interaméricaine de prévention et de répression de la torture, adoptée le 9 décembre 1985 sous l'égide de l'OEA et entrée en vigueur en le 28 février 1987. Elle compte 18 États parties (voir Index des pays signataires N° 16).

• Selon l'article 1 de la Convention contre la torture et autres peines ou traitements cruels, inhumains ou dégradants de décembre 1984, la torture désigne tout acte par lequel une douleur ou des souffrances aiguës (physiques ou mentales) sont intentionnellement infligées à une personne aux fins notamment :

– d'obtenir d'elle ou d'une tierce personne des renseignements ou des aveux ;

– de la punir d'un acte qu'elle ou une tierce personne a commis ou est soupçonnée d'avoir commis ;

– de l'intimider ou de faire pression sur une tierce personne ou pour tout autre motif fondé sur une forme quelconque de discrimination quelle qu'elle soit.

Une telle douleur ou une telle souffrance est infligée par un agent de la fonction publique ou toute autre personne agissant à titre officiel, à son instigation ou avec son consentement exprès ou tacite. Ce terme ne s'étend pas à la douleur ou aux souffrances résultant uniquement de sanctions légitimes, inhérentes à ces sanctions ou occasionnées par elles (Convention contre la torture et autres peines ou traitements cruels, inhumains ou dégradants adoptée par l'Assemblée générale de l'ONU en 1984, art. 1).

Cette définition impose l'existence de plusieurs conditions cumulatives. Elle est complétée par l'interdiction complémentaire des traitements cruels, inhumains ou dégradants qui n'atteignent pas le seuil de souffrance aiguë requis pour parler de torture mais qui sont malgré tout commis par un agent de la fonction publique ou tout autre personne agissant à titre officiel, à son instigation ou avec son consentement exprès ou tacite (art. 16).

La définition donne une interprétation large de la qualité d'agent de l'État du tortionnaire. En effet, les actes de torture restent couverts par la définition et attribuables à l'État ou à son agent même s'ils ne sont pas directement commis par lui mais qu'ils se déroulent « à son instigation ou avec son consentement exprès ou tacite ».

Ce consentement tacite peut être présumé dans les cas où l'État ne respecte pas les autres obligations essentielles que lui impose la convention : enquêter sur ces actes, sanctionner les auteurs et garantir des recours effectifs aux victimes.

En effet, au titre de la Convention internationale contre la torture, les États s'engagent à former et surveiller leurs propres agents impliqués dans des tâches de détention et d'interrogatoire, qu'il s'agisse de personnel civil, militaire, chargé de l'application des lois, du personnel médical, des agents de la fonction publique et des autres personnes qui peuvent intervenir dans la garde, l'interrogatoire ou le traitement de tout individu arrêté, détenu ou emprisonné de quelque façon que ce soit (art. 10).

Ils s'engagent à exercer une surveillance systématique sur les règles, les instructions, les méthodes et pratiques d'interrogatoires, ainsi que la garde des personnes privées de liberté sur leur territoire (art. 11). Ils s'obligent à procéder immédiatement à des enquêtes impartiales chaque fois qu'il y a des motifs raisonnables de croire qu'un acte de torture ait pu être commis sur leur territoire (art. 12).

Les États s'engagent également à fournir des recours judicaires effectifs aux personnes qui affirment avoir été victime de torture, ainsi qu'un droit à réparation pour celles-ci (art. 13-14). Enfin, ils s'engagent à ne pas utiliser les déclarations obtenues sous la torture comme éléments de preuve dans le cadre des procédures judiciaires (art. 15).

La Convention contre la torture n'autorise aucune dérogation à l'interdiction de la torture, même en cas de situation exceptionnelle ou d'état de guerre (art. 2.2). Elle interdit aux États de refouler, d'expulser ou d'extrader une personne vers un autre État ou il y a des motifs sérieux de croire qu'elle risque d'être soumise à la torture (art. 3).

L'obéissance aux ordres d'un supérieur ou d'une autorité publique ne peut être invoquée pour justifier la participation aux actes de torture (art. 2.3).

Les États ont l'obligation de juger leurs propres agents impliqués dans de telles pratiques (art. 4). Ils s'engagent également à adopter des règles de droit national leur permettant de juger les auteurs étrangers de tels actes s'ils se trouvent sur leur territoire, quels que soiten leur nationalité et le pays dans lequel la torture a été pratiquée, mais aussi si la torture a été commise sur le territoire national, si la victime ou l'accusé est un ressortissant national (art. 5). Il s'agit d'une application du principe de compétence ou juridiction universelle, utilisé de façon exceptionnelle au niveau international pour les crimes les plus graves.

La limitation de la définition de la torture aux actes commis par les agents de l'État s'explique par la volonté de focaliser la répression internationale sur les actes pour lesquels la volonté et la capacité répressive nationale risque d'être défaillante. Les traitements cruels commis par des individus ou des groupes qui ne seraient pas agents de l'État ne sont pas couverts par la Convention internationale mais ils restent interdits et réprimés par le droit pénal national de chaque pays. Il n'y a en effet aucune raison de craindre la tolérance des autorités nationales vis-à-vis d'actes commis par des acteurs privés sans lien avec l'État.

• La définition de la torture contenue dans la Convention interaméricaine ajoute à la définition internationale une référence explicite à la torture mentale. Elle définit cette dernière comme « l'application à toute personne de méthodes visant à annuler la personnalité de la victime ou à diminuer sa capacité physique ou mentale même si ces méthodes et procédés ne causent aucune douleur physique ou angoisse psychique ». Cette convention reprend l'essentiel des dispositions de la Convention internationale contre la torture. Elle précise et adapte dans le cadre régional les obligations liées à l'extradition et au principe de juridiction universelle, et celles garantissant une compensation adéquate pour les victimes (art. 9). Elle ne crée pas de comité spécifique car la Cour et la Commission interaméricaines des droits de l'homme sont compétentes pour connaître de ces crimes de torture.

• La Convention européenne pour la prévention de la torture complète l'interdiction de la torture contenue dans l'article 3 de la Convention européenne de sauvegarde des droits de l'homme. Ces deux textes ne donnent aucune définition de la torture. Ils prévoient par contre des mécanismes importants de prévention et de répression. La Convention pour la prévention de la torture crée un Comité européen pour la prévention de la torture. Celui-ci dispose de pouvoir élargi de visite et d'enquête dans tous les lieux de détention des États membres. La Cour européenne des droits de l'homme est compétente pour recevoir et juger les plaintes concernant des actes de torture qui constituent des violations de la Convention européenne de sauvegarde des droits de l'homme.

La torture est aussi interdite dans le cadre plus large des conventions internationales ou régionales relatives aux droits de l'homme et dans le cadre du droit humanitaire applicables dans les conflits armés :

– Déclaration universelle des droits de l'homme de 1948 (art. 5) ;
– Pacte international relatif aux droits civils et politiques de 1966 (art. 7) ;
– Convention européenne des droits de l'homme de 1950 (art. 3) ;

- Convention interaméricaine des droits de l'homme de 1978 (art. 5) ;
- Charte africaine des droits de l'homme et des peuples de 1981 (art. 5) ;
- Conventions de Genève de 1949 (art. 3 commun) ;
- Protocole additionnel I de 1977 aux Conventions de Genève (art. 75.2) ;
- Protocole additionnel II de 1977 aux Conventions de Genève (art. 4.2) ;
- Statut de la Cour pénale internationale (art. 7 et 8).

2. *Les dispositions du droit international humanitaire (DIH)*

En situation de conflit armé, la Convention internationale sur la torture reste applicable puisqu'elle ne permet aucune dérogation, même en temps de guerre.

De son coté, le droit international humanitaire interdit la torture et les traitements cruels inhumains et dégradants sans reproduire les conditions restrictives dans la Convention internationale sur la torture concernant l'objectif de la torture ni la qualité d'agent étatique du tortionnaire.

En effet, en situation de conflit, l'interdiction et la prévention de la torture ne s'adressent pas seulement aux acteurs étatiques mais à toutes les parties au conflit qui contrôlent ou détiennent des individus, quelle que soit la nationalité ou la nature non étatique de cet acteur armé.

Les Conventions de Genève de 1949 prohibent de manière stricte la torture. Les Conventions de Genève précisent de façon explicite qu'aucune torture physique ou morale, ni aucune contrainte ne peuvent être exercées à l'égard des personnes protégées (personnes civiles, blessés, malades, détenus ou prisonniers de guerre) notamment pour obtenir d'elles, ou de tiers, des renseignements de quelque sorte que ce soit (GIII art. 17 ; GIV art. 31).

Le DIH englobe dans la définition de la torture « le fait de causer intentionnellement de grandes souffrances ou de porter des atteintes graves à l'intégrité physique ou à la santé » (GIII art. 17 ; GPI. art. 75.2.b et e ; GPII art. 4.2), mais aussi « les atteintes portées à la vie et à l'intégrité corporelle, notamment le meurtre sous toutes ses formes, les mutilations, les traitements cruels, tortures, supplices (à l'égard de toutes personnes qui ne participent pas directement ou plus aux hostilités) [qui] sont et demeurent prohibés en tout temps et en tout lieu » (GIV art. 3 commun). Cette définition couvre la torture sous toutes ses formes physiques ou mentales. En effet, en 1977, les deux Protocoles additionnels aux Conventions de Genève applicables dans les conflits internationaux et non internationaux ont affirmé que de tels actes peuvent être physiques ou mentaux (GPI art. 75 ; GPII art. 4).

L'article 3 commun aux quatre Conventions de Genève place sur le même niveau d'interdiction formelle : les atteintes portées à la vie et à l'intégrité corporelle, les mutilations, tortures et supplices, mais aussi les atteintes à la dignité des personnes, notamment les traitements humiliants et dégradants (GIV art 3.1.a, c).

Les mauvais traitements sont donc également interdits sans être précisément définis par le droit humanitaire. Cette catégorie recouvre cependant les notions d'atteintes à la dignité de la personne, de cruauté ou de traitements inhumains.

La règle 90 de l'étude sur les règles du droit international humanitaire coutumier publiée par le CICR en 2005 rappelle le principe d'interdiction de la torture, des traitements cruels ou inhumains et des atteintes à la dignité de la personne, en particulier les traitements humiliants et dégradants dans les conflits armés internationaux ou internes.

Le droit humanitaire organise la prévention de la torture en fixant des garanties minimales particulières pour toutes les personnes privées de liberté quel que soit leur statut. Il s'agit de garanties fondamentales et de garanties judiciaires ainsi que de garanties relatives aux conditions de détention et au droit de visite de ces lieux.

Les Conventions de Genève de 1949 posent clairement que la torture est une violation grave du droit c'est-à-dire un crime de guerre, si elle est commise dans le cadre d'un conflit armé international. Ses auteurs doivent dans ce cas être poursuivis et jugés devant n'importe quel tribunal de n'importe quel pays en application du principe de compétence universelle (GI art. 12 et 50 ; GII art. 12 et 51 ; GIII art. 17, 87 et 130 ; GIV art. 31, 32 et 147). Dans les conflits armés non internationaux, le droit humanitaire ne prévoit pas de mécanisme de répression internationale. Ce vide a cependant été partiellement comblé par le statut de la Cour pénale internationale.

► **Détention ▷ Garanties judiciaires ▷ Garanties fondamentales ▷ Mauvais traitement ▷ Prisonnier de guerre ▷ Compétence universelle.**

3. *Disposition du droit pénal international*

Le statut de La Cour pénale internationale, adopté en juillet 1998 et entré en vigueur le 1er juillet 2002, a également interdit la torture physique ou mentale dans le cadre de la définition des crimes de guerre et crimes contre l'humanité.

Le fait d'infliger intentionnellement une douleur ou des souffrances aiguës physiques ou mentales à une personne se trouvant sous sa garde ou sous son contrôle constitue un crime contre l'humanité au titre de l'article 7 du statut de la Cour pénale internationale s'il est commis dans le cadre d'une attaque généralisée ou systématique contre la population.

Cela constitue également un crime de guerre s'il est commis dans une situation de conflit armé et en lien avec celui-ci (art. 8). Les crimes de guerre incluent également les atteintes à la dignité de la personne ainsi que les traitements inhumains et dégradants, qui ne sont pas considérés comme des actes de torture (art. 8.2.c.ii).

La définition de la torture contenue dans le statut de la Cour pénale internationale n'impose pas le critère concernant la qualité d'agent étatique ni celui relatifs aux intentions spécifiques du tortionnaire contenues dans la Convention contre la torture.

► **Crime de guerre-Crime contre l'humanité.**

4. *Les dispositions du droit des réfugiés*

Fuir la torture ou la peur de la torture est un motif légitime pour demander l'asile dans un autre État. La Convention de 1951 relative au statut des réfugiés pose clairement qu'« aucun des États contractants n'expulsera ou ne refoulera, de quelque manière que ce soit, un réfugié sur les frontières des territoires où sa vie ou sa

liberté seraient menacées en raison de sa race, de sa religion, de sa nationalité, de son appartenance à un certain groupe social ou de ses opinions politiques » (art. 33 de la Convention sur les réfugiés). C'est le principe de non-refoulement.
La Convention internationale contre la torture renforce ce principe en posant qu'« aucun État partie n'expulsera, ne refoulera ni n'extradera une personne vers un autre État où il y a des motifs sérieux de croire qu'elle risque d'être soumise à la torture » (art. 3.1). Il faut noter aussi que la torture fait partie des crimes justifiant l'extradition dans tous les traités d'extradition entre les États.
À la lumière de ces dispositions, il apparaît que le fait pour un État d'échapper à l'interdiction de pratiquer la torture en transférant des détenus sur le territoire d'États qui pratiquent la torture constitue une violation manifeste de l'interdiction du principe impératif de non-refoulement et de la Convention internationale contre la torture.

▶ **Refoulement (expulsion).**

II. Débats et enjeux de l'interdiction de la torture

L'interdiction universelle et absolue de la torture n'empêche pas la persistance de ces pratiques dans de nombreuses situations. Mais, au-delà du simple constat de la persistance des violations de cette interdiction, un certain nombre d'argument juridiques sont régulièrement développés pour affaiblir juridiquement la portée de la définition et de l'interdiction de la torture. Les différents arguments juridiques utilisés pour créer des programmes de détention et d'interrogatoires échappant à toute réglementation juridique méritent d'être examinés ainsi que leur réfutation par les décisions successives des tribunaux nationaux et internationaux saisis.
La déclassification en 2009 par le président américain de l'ensemble des documents juridiques relatifs à la détention illégale et aux méthodes d'interrogatoires coercitives des détenus de la « guerre contre le terrorisme » ainsi que les diverses décisions de la Cour suprême de ce pays ont révélé l'ampleur du phénomène aux États-Unis.
Les arguments portent tour à tour sur la définition de la torture et sur les garanties juridiques liées à la détention.
Concernant la torture, le seuil d'intensité de la douleur fait l'objet de multiples controverses destinées à autoriser le recours à la violence et à la souffrance dans le cadre des différentes techniques d'interrogatoires.
Un certain nombre de pratiques tentent également de sous-traiter le recours à la violence à des agents non gouvernementaux ou à d'autres pays pour contester le recours à la torture et échapper aux responsabilités qui en découlent.
Concernant les garanties de détention, plusieurs méthodes tentent de les affaiblir ou de les faire entièrement disparaître. Ces méthodes consistent notamment à contester le statut particulier des détenus. En effet, le droit international des droits de l'homme et le droit des conflits armés prévoient plusieurs catégories de personnes détenues, qui ont pu être utilisées de mauvaise foi par certains gouvernements dans le but de refuser tout statut aux individus concernés au prétexte qu'ils ne remplissaient pas l'intégralité des critères prévus pour chaque

catégorie spécifique. Ces méthodes consistent également à rendre inapplicables les conventions relatives aux droits de l'homme et celles relatives au droit humanitaire. L'ensemble de ces arguments a été mis en échec par la jurisprudence des tribunaux internationaux, qui ont réaffirmé certains principes fondamentaux du droit international dans ces domaines.

■ Tortures, « pressions physiques modérées » et état de nécessité

L'interprétation du seuil de souffrance et l'argument de nécessité sont régulièrement utilisés pour limiter la portée de l'interdiction absolue de la torture.
– De façon générale, le droit international et le droit national ne reconnaissent pas l'argument de nécessité employé par les services de sécurité nationale pour justifier le recours à la torture ou à des « pressions physiques modérées » en vue d'obtenir de certains détenus des informations permettant d'éviter des attentats terroristes et de sauver des vies. L'argument de nécessité ne crée pas un cadre juridique nouveau autorisant l'emploi de méthodes d'interrogatoire normalement prohibées.
– L'argument de nécessité a été invoqué par Israël pour justifier le recours à des pressions physiques dites modérées dans les interrogatoires d'individus suspectés de terrorisme. Il s'agissait de modifier le seuil au-delà duquel ces actes pourraient être qualifiés de torture et donc interdits. Ce débat a été tranché pour ce pays par un arrêt de la Cour suprême israélienne rendu en septembre 1999. Les juges ont estimé que l'utilisation de pressions physiques modérées ne faisait pas partie des méthodes légales d'interrogatoire et que l'argument de sécurité nationale ne pouvait pas être utilisé *a priori* par les forces armées ou le pouvoir exécutif pour légaliser ces méthodes. Ils ont toutefois accepté que l'argument de nécessité puisse être utilisé comme argument de défense devant un tribunal par une personne poursuivie pour avoir pratiqué des interrogatoires prohibés. Mais, dans ce cas, ce n'est pas l'auteur des faits ni le pouvoir exécutif qui peuvent décider *a priori* l'existence de la nécessité. Ce sont les juges qui doivent évaluer cette nécessité *a posteriori* et dans chaque cas d'espèce (*infra* Jurisprudence).
– L'argument de nécessité a également été au centre des débats juridiques qui ont entouré les méthodes d'interrogatoires renforcés mis en place par l'administration américaine dans le cadre de la détention et des interrogatoires des détenus de la guerre contre le terrorisme et notamment des détenus de Guantanamo et ceux de la prison d'Abou Ghraib en Irak. ■

Le code unifié de justice militaire américain (*Uniform Code of Military Justice*) ainsi que la loi américaine sur les crimes de guerre interdisent les interrogatoires coercitifs. Cependant, les circulaires rédigées à partir du 1er août 2002 par John Yoo et Jay Bybee au nom du ministère de la Justice américain autorisent certaines formes coercitives d'interrogatoire. En effet, ces circulaires excluent de la définition de la torture les douleurs ne dépassant pas une intensité équivalente à celle dont s'accompagne une blessure physique grave, de l'ordre de la défaillance organique, notamment si le but de l'action obéit de bonne foi à l'objectif de recherche de renseignements nécessaires à la sécurité nationale. D'autres circulaires décrivent et autorisent la CIA à utiliser des méthodes d'interrogatoires non autorisées dans le manuel de l'armée américaine. L'administration a également modifié de façon importante en 2002 et 2004 les dispositions relatives aux interrogatoires coercitifs

listées dans le manuel de terrain des forces armées, au nom de la nécessité de la collecte de renseignements dans le cadre de la stratégie contre-insurrectionnelle (US Department of the Army, Field Manual FM 34-52).
Elle y a notamment rajouté trois catégories de méthodes d'interrogatoires dans le but de contrer les stratégies de résistance des détenus (Department of Defense, Joint Task Force 170, Guantanamo Bay, Cuba, APO AE 09860, 11 octobre 2002, *Memorandum for Commander*).
– La première catégorie autorise les hurlements contre les détenus ainsi que toutes formes de ruses utilisées par les interrogateurs, notamment le fait de faire croire que l'interrogateur vient d'un pays ou la torture est autorisée.
– Les techniques d'interrogatoire de la deuxième catégorie autorise i) la soumission du détenu à des positions physiques stressantes pendant une durée de 4 heures maximum, ii) l'utilisation de faux documents, iii) l'isolement du détenu pendant une durée pouvant dépasser 30 jours, iv) la privation totale de lumière et de sons, v) l'interrogatoire dans n'importe quel lieu, vi) le port d'une cagoule par le détenu pendant l'interrogatoire et les déplacements, vii) le recours à des interrogatoires de 20 heures sans interruption, viii) la privation de tout accessoire personnel d'hygiène ou de prière, ix) la privation de vêtements et/ou la nudité forcée, x) la privation de repas chauds, xii) le fait d'imposer le rasage de la barbe et des cheveux, et xii) l'utilisation des phobies du détenu pour générer la peur (par exemple la peur des chiens).
– Les techniques de la troisième catégorie nécessitent des autorisations particulières et sont réservées à un petit nombre de détenus. Elles consistent à menacer le détenu ou des membres de sa famille de mort ou de graves souffrances imminentes, à exposer le détenu au froid et à l'eau (suffocation ou simulation de noyade, connu sous le nom de « *water boarding* »), et à utiliser des pressions physiques d'intensité moyenne. Les avis juridiques donnés par l'administration américaine concernant l'utilisation des techniques des catégories 2 et 3 manifestent clairement qu'il s'agit de traitements qui sont interdits par le droit humanitaire et/ou par la Convention internationale contre la torture au titre de la torture et des traitement cruels, inhumains et dégradants ou des atteintes à la dignité.
Pour contremener ce problème, les auteurs de ces textes ont donc monté un système juridique parallèle permettant de faire obstacle à tout recours judiciaire de la part des détenus. Ils ont pour cela développé une interprétation absurde des garanties fondamentales contenues dans le droit international humanitaire et les droits de l'homme, créant ainsi des trous noirs juridiques dans lesquels aucune règle et aucuns recours n'étaient applicables. L'ensemble de cette argumentation a finalement été invalidée par les décisions de la Cour suprême américaine ainsi que par la doctrine et la jurisprudence internationales.
Cette argumentation considérait que les obligations contenues dans les conventions internationales relatives aux droits de l'homme, et notamment les dispositions de la Convention internationale contre la torture, ne sont applicables que sur le territoire national ou vis-à-vis des citoyens nationaux. Cet argument a été utilisé pour autoriser des comportements illicites par des agents américains en dehors du territoire de l'État sur des personnes de nationalité étrangère. Cet

argument a finalement été rejeté par la Cour suprême américaine car le lieu où étaient emprisonnés les détenus de Guantanamo relevait en fait de la juridiction territoriale des États-Unis car les États-Unis exerçaient sur ce lieu une juridiction et un contrôle exclusif (affaire Rasul c. Bush 542 US 466 (2004), p. 476, 480). Cette décision reflète le consensus de la doctrine et de la jurisprudence internationales, qui reconnaissent largement l'application extraterritoriale des obligations des États découlant des conventions relatives aux droits de l'homme dans les lieux ou sur les personnes placés en pratique sous leur contrôle effectif ou exclusif, même s'il s'agit d'un territoire ou d'un ressortissant étrangers.

L'argument selon lequel les conventions relatives aux droits de l'homme ne seraient pas applicables dans une situation de conflit armé du simple fait de l'existence d'un droit international spécial a également été utilisé pour justifier que la Convention contre la torture ne pouvait pas s'appliquer aux personnes détenues à l'étranger dans le cadre de la guerre contre le terrorisme, au motif que ces opérations ne seraient régies que par le droit des conflits armés. Cet argument, qui cherche à opposer de façon exclusive l'application des droits de l'homme (*lex generalis*) et du droit humanitaire (*lex specialis*), est totalement invalidé par la doctrine et la jurisprudence internationales, qui reconnaissent l'application simultanée et complémentaire de ces deux branches du droit international (voir ▷ **Droits de l'homme**). Cet argument était d'autant moins recevable qu'il était également utilisé à rebours pour justifier que le droit humanitaire ne s'appliquait pas aux détenus d'Al-Qaïda puisque ces combattants n'appartenaient pas à un État partie au conflit.

Les décisions de la Cour suprême américaines en 2006 dans l'affaire Hamdan et en 2008 dans l'affaire Boumediene ont finalement invalidé cette stratégie de fabrication de trous noirs juridiques. La Cour a ainsi réaffirmé le droit à bénéficier des garanties judiciaires fondamentales contenues dans l'article 3 commun des Conventions de Genève.

Par le biais de trois décrets présidentiels du 22 janvier 2009, le président américain Barack Obama a révoqué et déclassifié les décrets antérieurs relatifs au fonctionnement du centre d'internement de Guantanamo, à la politique de détention et aux méthodes d'interrogatoires autorisées dans ces centres. Cette réforme juridique a rétabli le principe selon lequel l'article 3 commun était une norme minimale pour le traitement de toute personne détenue par les États-Unis dans le cadre d'un conflit armé. Elle abolit ainsi la distinction arbitraire liée à la nationalité des détenus et à leur prétendue qualité de combattant illégal. Elle abolit également la distinction établie entre les conditions de détention et les méthodes d'interrogatoires applicables aux personnes détenues et interrogées dans des centres de détention dépendant de l'armée et ceux dépendant des agences de sécurité telles que la CIA. Elle rappelle que les dispositions relatives aux méthodes d'interrogatoires contenues dans le manuel de l'armée américaine s'imposent aux interrogateurs de toutes les agences et organismes américains. La Cour suprême américaine s'est prononcée à plusieurs reprises sur divers aspects juridiques de la détention et du droit au recours des détenus, mais elle n'a pris aucune décision concernant sur le fond la légalité des différentes méthodes d'interrogatoire et leur qualification ou non de torture.

III. Obligations des acteurs médicaux

La prévention de la torture passe par la responsabilisation des diverses forces de sécurité et des agents et organes de l'État en charge des arrestations, de la détention et des interrogatoires. Mais, à côté de ces agents de sécurité, les membres des professions juridiques et médicales jouent également un rôle important dans la prévention et la répression de ces pratiques. Les premiers sont garants du respect des procédures et des garanties juridiques relatives à la détention et au jugement des individus privés de liberté. Ils sont aussi en charge d'enquêter efficacement sur les allégations de torture et de juger les auteurs. Les seconds doivent assurer les soins de santé et garantir le respect de l'intégrité physique et mentale des détenus. Cela suppose le respect par l'ensemble des forces de sécurité des garanties d'indépendance professionnelle accordées par le droit national et international aux magistrats, avocats et médecins, mais aussi le respect par ces praticiens de leur propres règles de déontologie professionnelle

La pratique de la torture et des mauvais traitements est historiquement liée aux questionnements sur le rôle et les obligations éthiques du personnel médical. La participation active ou passive du personnel médical permet de rendre la torture encore plus effrayante pour les détenus et encore plus efficace dans son objectif de détruire toute capacité de résistance physique ou morale chez un individu et de faire durer la souffrance sans causer la mort. Plusieurs réglementations internationales ont été adoptées pour permettre de résoudre ces dilemmes éthiques et renforcer la capacité de résistance des médecins aux injonctions sécuritaires des différentes autorités détentrices de prisonniers. Le but de ces règles est de limiter la participation du personnel de santé à ce type de pratiques mais aussi de lui rappeler son rôle d'alerte et de documentation médico-légale des mauvais traitements et de la torture.

Il existe plusieurs règles obligatoires d'éthique médicale dans le cadre du droit de la guerre mais aussi dans la paix. Par exemple, l'Ensemble de règles minima pour le traitement des détenus adopté par les Nations unies en 1977 pose le principe de l'examen médical à l'entrée de tous les centres de détention et permet d'assurer une vigilance face aux actes de torture. D'autre part, il existe des règles d'éthique médicale proprement dites qui encadrent la participation des médecins aux situations de détention. Le Protocole d'Istanbul, rédigé en 2004, est ainsi une réponse aux défis posés par la guerre contre le terrorisme (voir ▷ **Déontologie médicale**).

1. *Principes d'éthique médicale applicables au rôle du personnel de santé, en particulier des médecins, dans la protection des prisonniers et des détenus contre la torture et autres peines ou traitements cruels, inhumains ou dégradants*

Ces principes ont été adoptés par l'Assemblée générale des Nations unies le 18 décembre 1982 (résolution 37/194). Ils vont au-delà des principes de déontologie médicale fixés par le Code de Nuremberg en 1947, qui se limitaient à la question des expériences médicales pratiquées sur les détenus. Ils renforcent les règles relatives à l'action médicale contenues dans l'« Ensemble de règles minima pour le traitement des détenus » adopté par les Nations unies (résolution 2076 [LXII]) le 13 mai 1977 ainsi que les règles d'éthique médicale internationales existant au niveau international et national.

Ils complètent par ailleurs les dispositions du droit international humanitaire applicables dans les situations de conflit international et non international, qui réglementent de façon détaillée l'exercice de la mission médicale vis-à-vis de toutes les personnes détenues ou privées de liberté quelles que soit les motifs et la nature de cette détention et celle des autorités détentrices.

Ce document énumère six principes fondamentaux spécifiquement applicables aux situations de détention.

– Il impose au personnel de santé une règle de non-discrimination et d'égalité de traitement médical quelle que soit la condition des personnes concernées par ces soins : « Les membres du personnel de santé, en particulier les médecins, chargés de dispenser des soins médicaux aux prisonniers et aux détenus sont tenus d'assurer la protection de leur santé physique et mentale et, en cas de maladie, de leur dispenser un traitement de la même qualité et répondant aux mêmes normes que celui dont bénéficient les personnes qui ne sont pas emprisonnées ou détenues » (principe 1).

– Il précise ensuite les circonstances dans lesquelles ces pratiques constituent une violation de l'éthique médicale engageant la responsabilité du personnel de santé. Cette responsabilité est engagée y compris du fait d'une complicité passive à ces mauvais traitements. La complicité passive est acquise dès l'instant où le rôle du personnel médical poursuit un autre objectif que celui d'évaluer, de protéger ou d'améliorer la santé physique ou mentale des individus concernés : « Il y a violation flagrante de l'éthique médicale et délit au regard des instruments internationaux applicables si des membres du personnel de santé, en particulier des médecins, se livrent, activement ou passivement, à des actes par lesquels ils se rendent coauteurs, complices ou instigateurs de tortures et autres traitements cruels, inhumains ou dégradants ou qui constituent une tentative de perpétration » (principe 2).

- Il y a violation de l'éthique médicale si les membres du personnel de santé, en particulier des médecins, ont avec des prisonniers ou des détenus des relations d'ordre professionnel qui n'ont pas uniquement pour objet d'évaluer, de protéger ou d'améliorer leur santé physique et mentale. » (principe 3).

– Il y a violation de l'éthique médicale si des membres du personnel de santé et en particulier des médecins : a) font usage de leurs connaissances et de leurs compétences pour aider à soumettre des prisonniers ou détenus à un interrogatoire qui risque d'avoir des effets néfastes sur la santé physique ou mentale ou sur l'état physique ou mental desdits prisonniers ou détenus et qui n'est pas conforme aux instruments internationaux pertinents, b) certifient, ou contribuent à ce qu'il soit certifié, que des prisonniers ou des détenus sont aptes à subir une forme quelconque de traitement ou de châtiment qui peut avoir des effets néfastes sur leur santé physique ou mentale et qui n'est pas conforme aux instruments internationaux pertinents, ou c) participent, de quelque manière que ce soit, à un tel traitement ou châtiment non conforme aux instruments internationaux pertinents » (principe 4).

– « Il y a violation de l'éthique médicale si des membres du personnel de santé, en particulier des médecins, participent, de quelque manière que ce soit, à la

contention de prisonniers ou de détenus, à moins que celle-ci ne soit jugée, sur la base de critères purement médicaux, nécessaire pour la protection de la santé physique ou mentale ou pour la sécurité du prisonnier ou du détenu lui-même, des autres prisonniers ou détenus, ou de ses gardiens et ne présente aucun danger pour sa santé physique et mentale » (principe 5).
– Le document rappelle enfin que les principes énoncés constituent des normes et obligations minimales et absolues auxquelles aucune dérogation n'est autorisée quelles que que soient les circonstances y compris pour des motifs d'ordre public (principe 6).

▶ **Détention ▷ Déontologie médicale.**

2. *Règles professionnelles pour l'investigation et la documentation des cas de torture et des traitements cruels inhumains et dégradants (Protocole d'Istanbul)*

En 2004, le Bureau du haut-commissaire des Nations unies aux droits de l'homme a adopté un manuel d'investigation et de documentation de la torture et des traitements cruels inhumains et dégradants connu sous le nom de Protocole d'Istanbul. Ce document rappelle les bases légales internationales d'interdiction de la torture et des obligations spécifiques des États en matière de prévention et de répression (§ 1-47). Il développe des éléments concrets relatifs à l'obligation des États d'enquêter sur ces situations de manière efficace et impartiale. Il fournit des guides pratiques relatifs à la collecte des témoignages et autres preuves judiciaires et médicales permettant de documenter les cas de torture pour les soumettre aux instances nationales ou internationales compétentes.
Il précise notamment les obligations éthiques qui s'imposent aux professions juridiques (§ 49-50) et aux professions médicales (§ 51-56) confrontées dans leur travail auprès des victimes de torture.
Le manuel développe les obligations des médecins dans la documentation de la torture et des mauvais traitements ainsi que l'interdiction de toute participation médicale dans ce type de traitements.
Ces règles précisent la liste des activités médicales qui constituent une participation du médecin à la torture. Celle-ci inclut i) toutes les activités destinées à évaluer la capacité d'un individu à supporter les mauvais traitements, ii) les activités de soins ou de réanimation destinées à permettre la poursuite de ces mauvais traitements, iii) le fait de prodiguer des soins avant ou juste après des actes de torture à la demande de personnes vraisemblablement responsables de ces actes, ainsi que iv) toute transmission d'informations médicales aux tortionnaires.
Le fait pour un médecin de négliger intentionnellement la constatation de certains éléments de preuve de mauvais traitements et la falsification des rapports et certificats médicaux, des certificats de décès et des certificats d'autopsie constitue également une participation directe à la torture et aux mauvais traitements.
Enfin, ces règles rappellent que les médecins peuvent fréquemment se retrouver face à des obligations duelles et contradictoires qu'il leur faut arbitrer. C'est notamment le cas entre le devoir de fournir des soins et le devoir de ne pas participer aux

mauvais traitements, mais aussi entre le respect du secret médical dû au patient et l'obligation de notifier certaines informations médicales aux autorités à des fins judiciaires ou sécuritaires (§ 66-73).
Le manuel énumère les règles et principes éthiques supérieurs qui doivent être utilisés pour résoudre les dilemmes liés à ces obligations duelles contradictoires. Ces principes supérieurs se déclinent comme suit :
– l'interdiction absolue de porter préjudice au patient ;
– l'obligation pour le médecin d'informer le patient en toute circonstance de la nature de sa mission et de ses contraintes ;
– l'obligation d'obtenir le consentement du patient pour tout acte médical ou médico-légal ; et
– l'obligation de respecter la confidentialité médicale absolue en cas de doute, si le fait de signaler une situation aux autorités risque de mettre le patient en danger.
Le manuel fournit également des conseils concernant les enquêtes sur ces situations et la visite de lieux de détention pour en assurer la qualité et limiter la mise en danger des victimes et des témoins (§ 74-119, 120-160). Il contient aussi un guide d'évaluation médicale des cas de torture et de mauvais traitements (annexe IV), ainsi que des modèles de protocoles d'examens médicaux physiologiques et psychologiques permettant un recueil pertinent des éléments de preuves liés à la torture et aux mauvais traitement (§ 161-233, 234-315).

■ Les recours en cas de torture

En plus du recours devant les tribunaux des États ayant ratifié la Convention internationale contre la torture, la victime bénéficie au niveau international de recours judiciaires et de recours non judiciaires, sous certaines conditions :

1) Recours judiciaires et réparation

• Une victime peut porter plainte devant n'importe quel tribunal de n'importe quel pays, sur la base du principe de compétence universelle, que la torture ait eu lieu en temps de paix ou de guerre, et si l'auteur se trouve sur le territoire de cet État (Convention internationale contre la torture de 1984, art. 5.2 ; GI art. 49 ; GII art. 50 ; GIII art. 129 ; GIV art. 146). Elle a droit à une indemnisation (art. 14).
• Une victime porter plainte devant la Cour européenne des droits de l'homme s'il s'agit d'un ressortissant ou d'un résident d'un État membre du Conseil de l'Europe (art. 34 de la Convention européenne des droits de l'homme révisée).
• Une victime peut saisir la Cour africaine des droits de l'homme et des peuples s'il s'agit d'un ressortissant ou d'un résident d'un État membre de l'Union africaine (si l'État en question a accepté la compétence de la Cour). Les citoyens ressortissants de la Communauté des États d'Afrique de l'Ouest (CEDEAO) et de la Communauté d'Afrique de l'Est peuvent également saisir leurs instances judiciaires régionales, respectivement la Cour régionale de justice et la Cour de justice de la Communauté. (Voir ▷ **Recours individuels**.)
• Une victime ne peut pas saisir directement la Cour pénale internationale (CPI), mais peut transmettre des informations au procureur de la CPI. La CPI n'est compétente vis-à-vis d'actes de torture que s'ils remplissent les conditions supplémentaires spéciales de crimes de guerre (situation de conflit armé) ou de crime contre l'humanité (attaque généralisée contre la population civile). La compétence de la Cour est en outre soumise aux conditions restrictives suivantes : i) l'État de la

nationalité du criminel ou celui sur le territoire duquel le crime a été commis a ratifié le statut de la Cour, et ii) la juridiction nationale compétente ne veut pas ou ne peut pas procéder elle-même au jugement. La CPI peut également décider d'octroyer des réparations aux victimes.

• Il existe également un Fonds de contributions volontaires des Nations Unies pour les victimes de la torture. Celui-ci privilégie les mesures de réparation collectives plutôt que d'indemnisations individuelles. (Voir ▷ **Réparation-Indemnisation.**)

2) Recours non judiciaires

• Une victime ou un État peut envoyer ses « communications » ou « pétitions » aux entités suivantes si l'État mis en cause a ratifié le traité ou les articles facultatifs concernés :

– Comité contre la torture (Convention contre la torture et autres peines ou traitements cruels, inhumains et dégradants, 1984) : compétence facultative pour recevoir des communications étatiques [accord exprès de l'État – art. 21] ; compétence facultative pour recevoir des communications individuelles [accord exprès de l'État – art. 22].

– Comité des droits de l'homme de l'ONU (Protocole facultatif au Pacte relatif aux droits civils et politiques, 1966).

– Commission africaine des droits de l'homme (Charte africaine des droits de l'homme, art. 55) ;

– Commission interaméricaine des droits de l'homme (Convention américaine des droits de l'homme, art. 44).

3) Prévention de la torture et visites surprises de lieux de détention

• Le Comité européen contre la torture (créé par l'article 1 de la Convention européenne contre la torture) n'est compétent ni pour recevoir des plaintes des individus ni pour recevoir leurs communications ou pétitions. Il est chargé d'effectuer des visites surprises dans tous les lieux de détention des pays signataires. Toutefois, il peut lui être demandé d'agir pour prévenir des cas de torture. En cas d'urgence, rien n'empêche les victimes de lui transmettre des informations.

• Le Sous-comité pour la prévention de la torture et autres peines et traitements cruels inhumains et dégradants a été institué par le Protocole facultatif à la Convention internationale contre la torture adopté le 18 décembre 2002. Chaque État signataire de ce protocole facultatif autorise le sous-comité à effectuer des visites dans tout lieu placé sous sa juridiction ou son contrôle et où se trouvent ou pourraient se trouver des personnes privées de liberté sur l'ordre d'une autorité publique, à son instigation ou avec son consentement. Ces visites sont destinées à renforcer la protection contre les risques de torture. Il est toujours possible de transmettre des informations concernant des cas individuels au sous-comité.

• En période de conflit, le Comité international de la Croix-Rouge dispose également d'un droit de visite de tous les lieux de détention et peut être saisi de cas individuels. ■

Consulter aussi

▶ **Recours individuels ▷ Compétence universelle ▷ Cour européenne des droits de l'homme ▷ Cour et Commission interaméricaines des droits de l'homme ▷ Comité contre la torture ▷ Comité européen contre la torture ▷ Comité des droits de l'homme ▷ Croix-Rouge, Croissant-Rouge ▷ Cour pénale internationale ▷ Commission et Cour africaines des droits de l'homme ▷ Peines corporelles ▷ Mauvais traitements ▷ Garanties fondamentales ▷ Crime de guerre-Crime contre l'humanité ▷ Réparation-Indemnisation ▷ Liste des États signataires**

des conventions internationales relatives aux droits de l'homme et au droit humanitaire (n° 14, 15 et 16).

Jurisprudence

1. Tribunaux pénaux internationaux

La torture a été définie dans les mêmes termes dans l'affaire Akayesu du 2 septembre 1998 (§ 594-595), jugée par la Chambre de première instance du TPIR et dans l'affaire Foca du 12 juin 2002 (§ 142), jugée par la Chambre d'appel du TPIY. Elle suppose la réunion de trois éléments : 1) l'affliction, par acte ou omission, d'une grave douleur ou souffrance, physique ou mentale, 2) l'acte ou l'omission doit être intentionnel, 3) et doit avoir pour but d'obtenir une information ou un aveu, ou de punir, intimider ou contraindre la victime ou une tierce personne, ou de discriminer sur n'importe quelle base, la victime ou une tierce personne.

Dans l'affaire Kvocka *et al.* du 2 novembre 2001, la Chambre de première instance du TPIY cite des exemples d'actes parmi ceux qui sont le plus communément mentionnés comme constitutifs d'actes de torture. Il s'agit des passages à tabac (les coups), de la privation prolongée de sommeil, de nourriture, d'hygiène (§ 144). Pour constituer l'élément moral, l'auteur doit avoir intentionnellement infligé ces graves souffrances, dans l'un des buts mentionnés ci-dessus (Akayesu, § 142-143). Dans cette même affaire, le TPIY précise les éléments d'appréciation à prendre en considération pour conclure à la torture. Il s'agit d'abord d'établir la sévérité objective du mal (douleur) infligé, puis dans un second temps de prendre en compte un critère plus subjectif relatif aux conséquences physiques ou psychologiques pour la victime, du traitement auquel elle a été soumise. Il faut également y ajouter, dans certains cas, certains éléments de contexte pertinents pour évaluer la gravité de la souffrance subie par la victime, tels que l'âge, le sexe ou l'état de santé de la victime (§ 142-143).

Dans l'arrêt Mrkšić et consorts (5 mai 2009, § 210 et 211), la Chambre d'appel du TPIY a observé que le *mens rea* de complicité de torture était considéré comme une violation des lois ou coutumes de la guerre.

2. Cour suprême israélienne

Dans deux décisions datant de 1999 et 2005, la Cour suprême israélienne réaffirme que l'argument de nécessité nationale face au terrorisme ne peut pas justifier le recours à des méthodes d'interrogatoire équivalentes à la torture. « In one case we decided the question whether the state is permitted to order its interrogators to employ special methods of interrogation which involve the use of force against terrorists, in a "ticking bomb" situation. We answered that question in the negative » [arrêt uniquement disponible en anglais, *NdlR*] (Voir *The Public Committee against Torture in Israel v. The State of Israel*, HCJ 5100/94, May 26, 1999, § 35-37 et *The Public Committee against Torture in Israel and Palestinian Society for the Protection of Human Rights and Environment v. the Government of Israel*, HCJ 769/02, December 11, 2005, § 64.)

3. Cour européenne des droits de l'homme

La Cour européenne des droits de l'homme a également abordé la question de la torture et des mauvais traitements en détention, ainsi que l'obligation de l'État d'enquêter sur ces cas et la proportionnalité entre les menaces sur la sécurité de l'État et les limitations des droits individuels (affaire Aksoy c. Turquie, requête n° 21987/93, arrêt (Chambre), 18 décembre 1996). Dans cette affaire, la Cour considère que, « lorsqu'un individu est placé en garde à vue alors qu'il se trouve en bonne santé et que l'on constate qu'il est blessé au moment de sa libération, il incombe à l'État de fournir une explication plausible de l'origine des blessures, à défaut de quoi » la torture est établie, dans le sens où « l'article 3 [interdiction de la torture] trouve manifestement à s'appliquer » (§ 61).

La Cour rappelle qu'« il incombe à chaque État contractant responsable de "la vie de [sa] nation", de déterminer si un "danger public" la menace et, dans l'affirmative, jusqu'où il faut aller pour essayer de le dissiper. En contact direct et constant avec les réalités pressantes du moment, les autorités nationales se trouvent en principe mieux placées que le juge international pour se prononcer sur la présence de pareil danger, comme sur la nature et l'étendue des dérogations nécessaires pour le conjurer. Partant, on doit leur laisser en la matière une large marge d'appréciation. Les

États ne jouissent pas pour autant d'un pouvoir illimité en ce domaine. La Cour a compétence pour décider, notamment, s'ils ont excédé la "stricte mesure" des exigences de la crise. La marge nationale d'appréciation s'accompagne d'un contrôle européen » (§ 68).

La Cour reconnaît que « les enquêtes au sujet d'infraction terroristes confrontent indubitablement les autorités à des problèmes particuliers, mais elle ne saurait admettre qu'il soit nécessaire de détenir un suspect pendant quatorze jours sans intervention judiciaire. Cette période exceptionnellement longue a laissé le requérant à la merci non seulement d'atteintes arbitraires à son droit à la liberté, mais également de la torture [...] » (§ 78).

Concernant l'existence de recours effectifs pour les victimes de torture, la Cour conçoit qu'ayant vu que le procureur s'était rendu compte de ses blessures mais s'était abstenu d'agir à cet égard, le requérant se soit mis à croire qu'il ne pouvait espérer susciter l'intérêt et obtenir satisfaction par les voies de droit internes. Ces circonstances spéciales ont libéré M. Aksoy de son obligation d'épuiser les voies de recours internes (§ 56-57).

En 2011, la Cour européenne des droits de l'homme a reconnu dans l'affaire Al Skeini l'application extraterritoriale de la Convention européenne des droits de l'homme (affaire Al-Skeini et autres c. Royaume-Uni, requête n° 55721/07, arrêt (Grande Chambre), 7 juillet 2011). Dans cette décision, la Cour a réaffirmé que cette application extraterritoriale incluait l'obligation des États d'enquêter de façon indépendante sur toutes les atteintes à la vie et à l'intégrité physique des personnes placées sous leur contrôle. La Cour a affirmé que cette obligation d'enquête continuait à s'appliquer dans des situations de sécurité difficiles, y compris dans les situations de conflit armé (§ 163-164). Dans cette affaire, la Cour a appliqué les critères d'enquête effective contenus dans la convention aux cas qui concernent la privation du droit à la vie par les forces britanniques en Irak dans le cadre de l'usage de la force contre des civils au cours d'opérations de sécurité, mais aussi sur un cas de mauvais traitement et de décès d'une personne arrêtée et détenue. Elle précise que l'enquête peut prendre des formes diverses selon les circonstances, mais qu'elle doit être déclenchée par les autorités de leur propre initiative sans attendre que d'autres individus ou organismes en fassent la demande, portent plainte ou entreprennent eux-mêmes des enquêtes. La Cour précise que cette obligation d'enquêter n'est pas remplie par le simple fait de verser des indemnités aux victimes (§ 165). L'enquête doit être effective, c'est-à-dire capable de déterminer si la force a été utilisée dans des circonstances qui permettent ou non de justifier son usage mais aussi d'identifier et de punir les responsables. Il ne s'agit pas d'une obligation de résultat mais de moyens. Les autorités doivent donc prendre toutes les mesures disponibles pour collecter les preuves concernant un incident, y compris les témoignages directs, les preuves médico-légales et, le cas échéant, une autopsie fournissant un rapport complet et précis des blessures et des conclusions médicales. Toute déficience dans l'enquête qui affaiblit la capacité d'établir les causes de la mort et l'identité du coupable risque de constituer une violation de l'obligation d'enquêter (§ 166).

Pour qu'une enquête concernant des abus par des agents de l'État puisse être qualifiée d'effective, la Cour précise qu'elle doit être indépendante de ceux qui sont impliqués dans ces événements. Cela suppose une indépendance hiérarchique mais aussi une indépendance pratique au regard des moyens employés (§ 167). À ce titre, un processus d'investigation qui reste entièrement confiné dans la chaîne de commandement militaire et qui se limite à recueillir les déclarations des soldats impliqués ne peut pas être considérée comme effectif (§ 171).

Dans l'affaire Saadi c. Italie (requête n° 37201/06, arrêt (Grande Chambre), 28 février 2008), et l'affaire Ramzy c. Pays-Bas (requête n° 25424/05, arrêt (Troisième Section), 20 juillet 2010), la Cour européenne des droits de l'homme a rappelé le caractère impératif du principe de non-refoulement et de l'interdiction de déporter ou de transférer une personne vers un État où elle risque d'être soumise à la torture et aux mauvais traitements. Ces décisions sont essentielles pour examiner et juger les pratiques utilisées dans le contexte du contrôle de l'immigration et de la guerre contre le terrorisme, qui ont culminées avec les programmes de « reddition » destinés à transférer des détenus en vue de procéder à leur interrogatoire dans des pays où la torture était légalisée ou largement tolérée. La Cour européenne reconnaît que

« les États rencontrent actuellement des difficultés considérables pour protéger leur population de la violence terroriste [...]. Elle ne saurait donc sous-estimer l'ampleur du danger que représentent aujourd'hui le terrorisme et la menace qu'il fait peser sur la collectivité. Cela ne saurait toutefois remettre en cause le caractère absolu de l'article 3 » [de la Convention européenne pour la prévention de la torture et des peines ou traitements inhumains ou dégradants] (affaire Saadi c. Italie, § 137).

Voir également Cour de justice de l'Union européenne, Organisation des Moudjahidin du peuple d'Iran c. Conseil de l'Union européenne, affaire T.228/02, jugement, Seconde Chambre, 12 décembre 2006 ; Ahmed Ali Yusuf and Al Barakaat International Foundation c. Conseil de l'Union européenne et Commission des Communautés européennes, affaire T.306/01, jugement, 21 septembre 2005, § 73 ; et Yassin Abdullah Kadi c. Conseil de l'Union européenne et Commission des Communautés européennes, affaire T.315/01, affaire en appel C-415/05 P, jugement (Grande Chambre), 3 septembre 2008.

Pour en savoir plus

AMNESTY INTERNATIONAL, *La Torture. Instrument de pouvoir, fléau à combattre*, Seuil, Paris, 1984.

BRANCHE R., « Torturer les terroristes ? Justifications, méthodes et effets du recours à la torture dans une guerre "contre le terrorisme" l'exemple de la France en Algérie 1954-1962 » *Revue internationale de la Croix-Rouge*, vol. 89, n° 867, septembre 2007, 14 p.

BRITISH MEDICAL ASSOCIATION, *The Medical Profession and Human Rights : Handbook for a Changing Agenda*, British Medical Association (BMA), Zed in association with BMA, Londres, 2001, chap. 4.

GREENBERG K. J., DRATEL J. L. (eds), *The Torture Papers : The Road to Abu Ghraib*, Cambridge University Press, 2005.

GRODIN M., ANNAS G., « Physicians and torture : lessons from the Nazi doctors », *Revue internationale de la Croix-Rouge*, vol. 89, n° 867, septembre 2007 p. 635-654.

HAUG H., « Instruments de droit international public pour lutter contre la torture », CICR, Genève 1989 (tiré à part de la *Revue internationale de la Croix-Rouge*).

ICRC, *Report on the Treatment of Fourteen High-Value Detainees in CIA Custody*, February 2007, 40 p (confidential). Disponible en ligne sur : http://assets.nybooks.com/media/doc/2010/04/22/icrc-report.pdf

KELMAN H. C., « The policy context of torture : a social-psychological analysis », *Revue internationale de la Croix-Rouge*, n° 857, 2005, p. 123-134.

Protocole d'Istanbul, *Manuel pour enquêter efficacement sur la torture et autres peines ou traitements cruels, inhumains ou dégradants*, Haut-Commissariat des Nations unies aux droits de l'homme, Nations unies, Série sur la formation professionnelle n° 8, rév. 1, 2005, 96 p.

REDRESS, *Le Terrorisme, la lutte antiterroriste et la torture : Droit international et lutte contre le terrorisme*, juillet 2004, 86 p., p. 19-30.

REYES H., « Les pires cicatrices ne sont pas toujours physiques : la torture psychologique », *Revue internationale de la Croix-Rouge*, vol. 80, n° 867, septembre 2007. Disponible en ligne sur http://www.icrc.org/fre/assets/files/other/irrc-967-reyes.pdf

ROSS J., « Sévices infligés à des prisonniers : la réponse légale apportée par les États-Unis à la question de la torture depuis le 11 septembre 2001 », *Revue internationale de la Croix-Rouge*, vol. 80, n° 867, septembre 2007. Disponible en ligne sur http://www.icrc.org/fre/assets/files/other/irrc-967-ross.pdf

« Torture », *Revue internationale de la Croix-Rouge*, vol. 80, n° 867, septembre 2007.

« True and false confessions : The efficacy of torture and brutal interrogation », *in The Report of The Constitution Project's Task Force on Detainee Treatment*, The Constitution Project, 2013, p. 243-246

VINAE M. N., « Civilisation et torture : au-delà de l'approche médicale et psychiatrique », *Revue internationale de la Croix-Rouge*, vol. 89, n° 867, septembre 2007, p. 619-633.

Tribunaux pénaux internationaux (TPI)

I. Origines

Pour combler l'absence d'une cour pénale internationale, la communauté internationale a mis en place, en 1993 et 1994, deux tribunaux pénaux internationaux *ad hoc* pour enquêter et juger les personnes responsables de crimes de guerre, crimes contre l'humanité et actes de génocide commis en ex-Yougoslavie (TPIY) et au Rwanda (TPIR). Ces deux TPI ont été créés par des résolutions du Conseil de sécurité de l'ONU fondées sur le chapitre VII de la Charte de l'ONU. Ces résolutions sont donc obligatoires pour tous les États. Ce mode de création a permis que la compétence de ces tribunaux s'impose à tous les États sans qu'il soit nécessaire que chacun d'entre eux signe une convention internationale à leur sujet.

▶ **Conseil de sécurité ▷ Convention internationale.**

Depuis lors, les États ont adopté le 17 juillet 1998 le statut de Rome de la Cour pénale internationale, qui est entré en vigueur le 1er juillet 2002 et avait été ratifié par 122 pays en avril 2013. Celle-ci est chargée de juger, sous certaines conditions, les auteurs de génocide, crimes contre l'humanité ou crimes de guerre, dans le cas où les États concernés n'auraient pas pu ou pas voulu procéder à ce jugement. Il est également possible au Conseil de sécurité d'imposer la compétence de la Cour à un État donné au moyen d'une résolution prise sur la base du chapitre VII.

▶ **Cour pénale internationale.**

• Le TPIY a été créé par les résolutions 808 (22 février 1993) et 827 (25 mai 1993) du Conseil de sécurité. Il siège à La Haye (Pays-Bas). Le TPIR a lui été créé par la résolution 955 du 8 novembre 1994. Son siège est à Arusha (Tanzanie). Ces résolutions contiennent en annexe les statuts des TPI.
• En l'absence de code pénal international, les tribunaux fonctionnent selon des règles de procédure et de preuve qu'ils ont eux-mêmes édictées, le 11 février 1994 pour le TPIY et le 29 juin 1995 pour le TPIR (ce dernier a repris pour l'essentiel le texte adopté par le tribunal sur l'ex-Yougoslavie). Ces règles sont largement inspirées du droit anglo-saxon (*common law*), par opposition au droit romain. Le système juridique anglo-saxon est un système accusatoire alors que celui de droit romain est inquisitoire.
Aussi les juristes de droit romain ont relevé des différences significatives liées à cette approche à propos du :

1. *Rôle de la victime*

L'une des différences importantes est le rôle accordé à la victime. En droit anglo-saxon, la victime dans une affaire criminelle est généralement traitée comme un témoin. Cela signifie deux choses :
– En principe, dans une affaire criminelle, la victime ne peut pas réclamer réparation (la compensation est généralement accordée dans des affaires civiles

devant les juridictions civiles), alors qu'en droit romain le plaignant peut se porter partie civile.
Devant le TPIY et le TPIR, une fois que le greffe a transmis la décision de culpabilité aux autorités compétentes, les victimes ou les personnes ayant porté plainte pour elles doivent agir devant une juridiction nationale ou toute autorité compétente pour obtenir réparation (règle 106 des règles de procédure et de preuve des tribunaux).
– Le système accusatoire expose les victimes et les témoins à des contre-interrogatoires éprouvants par la défense de l'accusé.
Des mesures spéciales de protection de l'anonymat des témoins et victimes ont été adoptées. Concrètement, la sécurité de ces personnes n'est en réalité garantie que pendant leur témoignage oral devant les tribunaux. Leur sort ou celui de leur famille lorsqu'elles retournent dans leurs lieux d'origine n'est pas pris en compte. Cependant, dans certaines circonstances, des informations peuvent être transmises au procureur à titre confidentiel (TPIY, règle 70.b des règles de procédure et de preuve).

2. *Jugement par contumace*
Une autre différence entre le droit anglo-saxon et le droit romain apparaît dans le fait que le tribunal ne peut pas juger par contumace, c'est-à-dire en l'absence de l'accusé. De tels jugements sont considérés en droit anglo-saxon comme une atteinte au droit à un procès équitable pour l'accusé (même si des décisions sont rendues en l'absence de l'accusé pour des crimes mineurs quand il a fait délibérément échouer la tentative de jugement ou qu'il a fui). Le droit romain se veut plus favorable à une procédure par défaut, tout en encourageant l'accusé à se présenter lui-même pour qu'un nouveau procès ait lieu quand il conteste le premier.

3. *Rôle du procureur*
Dans le droit anglo-saxon, le procureur général est responsable à la fois des enquêtes et des poursuites, alors qu'en droit romain l'enquête est menée par des juges d'instruction et les interrogatoires lors du procès par des magistrats. Dans ce sens, la structure du tribunal, exposée ci-après, souligne l'influence du système accusatoire, surtout au travers de l'autorité principale accordée au procureur.
Le statut de la Cour pénale internationale (CPI) combine ces deux systèmes : il prévoit une chambre préliminaire qui doit autoriser les enquêtes initiées par le procureur et permettre à la CPI d'accorder des réparations aux victimes. Ces réparations peuvent comprendre la restitution, la compensation ou la réhabilitation, et peuvent être payées soit directement par la personne condamnée soit par le Fonds au profit des victimes (FPV), créé par la CPI en 2002 (articles 75 et 79 du statut).

▶ **Cour pénale internationale ▷ Hiérarchie des normes.**

II. Organisation et fonctionnement

Les deux tribunaux, bien qu'autonomes, conservent des liens organisationnels pour assurer une unicité dans la démarche juridique et accroître le rendement des ressources allouées. Ils sont composés d'un organe judiciaire, d'un organe d'instruction et de poursuite, et d'un organe administratif. Jusqu'en 2007, les tribunaux se partageaient le procureur et les juges d'appel ; ils ont depuis lors chacun un corps de magistrats différent pour les jugements en première instance, ainsi que des organes administratifs et un budget propres.

1. *L'organe judiciaire*

L'organe judiciaire (14 juges au total, tous de nationalités différentes) est constitué de deux chambres de première instance (3 juges chacune) et d'une chambre d'appel (5 juges) commune aux deux TPI. Le Conseil de sécurité a toutefois décidé dans ses résolutions 1165 (30 avril 1998) et 1166 (13 mai 1998) de doter chaque TPI d'une troisième chambre de première instance (3 juges) pour accélérer le travail de la justice.

Tous les juges sont élus par l'Assemblée générale de l'ONU pour un mandat de quatre ans renouvelable, parmi une liste de 22 noms sélectionnés par le Conseil de sécurité. Comme pour la Cour internationale de justice et la Cour pénale internationale, il est tenu compte d'une distribution géographique équitable, afin que les principaux systèmes juridiques soient représentés. Les 14 juges élisent ensuite le président du tribunal. Ce dernier préside également la chambre d'appel et répartit les juges dans les différentes chambres. Une fois formée, chaque chambre de première instance élit aussi son président. En février 2012, le juge Vagn Joensen, du Danemark, a été élu président du Tribunal pénal international pour le Rwanda. Le président actuel du Tribunal pénal international pour la Yougoslavie est le juge Theodore Meron, des États-Unis, élu le 19 octobre 2011.

2. *L'organe d'instruction et de poursuite*

L'organe d'instruction et de poursuite s'organise autour d'un procureur, commun aux deux TPI. Nommé pour quatre ans renouvelables par le Conseil de sécurité sur proposition du secrétaire général de l'ONU, il a rang de secrétaire général adjoint. En septembre 2003, Hassan Bubabcar Jallow a remplacé Carla Del Ponte comme procureur du TPIR. En 2007, le Conseil de sécurité a décidé de renouveler son mandat pour quatre ans, jusqu'à l'achèvement du travail du Tribunal. En janvier 2008, Serge Brammetz a remplacé Carla Del Ponte comme procureur du TPIY. Le Bureau du procureur est composé d'une section pour l'instruction et d'une section pour les poursuites. Le personnel de ce bureau est nommé par le secrétaire général sur recommandation du procureur. Ce dernier est assisté en outre de deux procureurs adjoints (un pour chaque tribunal).

3. *L'organe administratif*

L'organe administratif est constitué par le greffe. Il assure l'administration et les services du tribunal. Chaque tribunal possède son greffe dirigé par un greffier. Ce dernier est désigné pour quatre ans renouvelables par le secrétaire général de l'ONU, après consultation du président du tribunal. Le greffe dispose en outre d'un personnel nommé également par le secrétaire général, après consultation du greffier.

Le budget régulier 2010-2011 approuvé par l'Assemblée générale des Nations unies se monte à 227 millions de dollars pour le TPIR et à 302 millions de dollars pour le TPIY, à imputer sur le budget ordinaire de l'ONU. Les deux tribunaux fonctionnent également pour partie grâce aux contributions volontaires des États et connaissent donc de sérieux et réguliers problèmes de financement qui handicapent leur action. C'est particulièrement vrai pour le TPIR. En février 2011, le TPIR employait 628 personnels de 77 nationalités ; le TPIY employait lui 988 personnels originaires de 82 pays différents.

◆ **• Le TPIR a récemment posé deux précédents très importants sur les viols et le génocide dans son jugement rendu contre Jean-Paul Akayesu (TPIR-96-4-T, 2 septembre 1998). C'est la première décision d'un tribunal international qui reconnaît la culpabilité d'un individu pour génocide et viols en se basant à la fois sur la définition juridique du viol et du génocide et sur les violations graves du Protocole I additionnel aux Conventions de Genève.**
• En plus des règles de culpabilité, le TPIR pose un précédent important en déclarant que le viol peut constituer un acte de génocide ▷ Viol.

III. Compétences

1. *Compétence ratione materiae*

Les deux TPI ont vocation à sanctionner les violations graves du droit international humanitaire (statut TPIY, art. 1 ; statut TPIR, art. 1). Les crimes punissables sont détaillés dans chacun des statuts (art. 2, 3, 4 et 5 pour le TPIY ; art. 2, 3, 4 pour le TPIR). Il s'agit des crimes de guerre, des crimes de génocide et des crimes contre l'humanité, avec pour chaque tribunal une spécificité si on les compare aux interprétations étroites du droit international :
• Le TPIY hisse le viol au rang de crime contre l'humanité en tant que tel, ce qui est une nouveauté judiciaire. À cet égard, le règlement de procédure prévoit des mesures d'allégement de la preuve (règle 96).
• Le TPIR a étendu la notion d'infractions graves prévue par les Conventions de Genève de 1949 aux situations de conflits armés internes. Il fonde des incriminations sur les violations de l'article 3 du Protocole additionnel II de 1977 (statut art. 4)

2. *Compétence ratione personae*

Les statuts des TPI posent le principe de la responsabilité pénale individuelle (art. 7 pour le TPIY ; art. 6 pour le TPIR). En l'état actuel du droit international, ce principe ne s'applique qu'aux individus. C'est pourquoi les statuts se bornent à indiquer que les TPI ont compétence à l'égard des personnes physiques (art. 6 pour le TPIY ; art. 5 pour le TPIR). Les États ne peuvent donc pas être jugés.
Les TPI sont habilités à juger tout individu présumé responsable de violations graves du droit international humanitaire (statut TPIY, art. 1 ; statut TPIR, art. 1), quel que soit son niveau de responsabilité. Leurs statuts reprennent les dispositions des statuts du tribunal de Nuremberg.
• Décideur politique, commandant hiérarchique ou simple exécutant, quiconque a planifié, incité à commettre, ordonné, commis ou de toute autre manière aidé et encouragé à planifier, préparer ou exécuter les crimes entrant dans le champ de compétence des TPI peut être poursuivi (statut TPIY, art. 7.1 ; statut TPIR, art. 6.1).

• L'excuse des fonctions officielles et l'excuse des ordres supérieurs sont écartées. La qualité officielle d'un accusé, soit comme chef d'État ou de gouvernement, soit comme haut fonctionnaire, ne l'exonère pas de sa responsabilité pénale et n'est pas un motif de diminution de la peine (statut TPIY, art. 7.2 ; statut TPIR, art. 6.2). De même, le fait qu'un accusé a agi en exécution d'un ordre d'un gouvernement ou d'un supérieur ne l'exonère pas de sa responsabilité pénale. Cela peut être un motif de diminution de la peine, uniquement dans le cas où cette autorité était telle qu'elle a exclu toute liberté d'appréciation ou d'action (statut TPIY, art. 7.4 ; statut TPIR, art. 6.4).
• La responsabilité pénale des supérieurs n'est pas dégagée par le fait que les crimes en question ont été commis par un subordonné, si le supérieur savait ou avait des raisons de savoir que le subordonné s'apprêtait à commettre cet acte ou l'avait fait et que le supérieur n'a pas pris les mesures nécessaires et raisonnables pour empêcher que ledit acte ne soit commis ou en punir les auteurs (statut TPIY, art. 7.3 ; statut TPIR, art. 6.3). Les statuts reprennent ici les dispositions du Protocole additionnel I de 1977 sur les devoirs des commandants (GPI art. 87).

◆ **Dans l'arrêt Boškoski & Tarčulovski (19 mai 2010, § 52), la Chambre d'appel du TPIY a rappelé que, conformément à l'article 1 de son statut, le tribunal n'est pas limité dans sa compétence à poursuivre les personnes avec un niveau d'autorité spécifique, ce qui signifie que le rôle de subordonné d'un accusé n'a pas de pertinence juridique dans la détermination de sa responsabilité pénale.**

3. *Compétence ratione loci et ratione temporis*

• Le TPIY a une compétence de lieu qui correspond au territoire de l'ex-Yougoslavie. Quant à sa compétence de temps, elle s'applique aux crimes commis depuis le 1er janvier 1991, date marquant le début des hostilités, d'après le Conseil de sécurité. Sa compétence cessera à la fin des hostilités, date qui sera appréciée par le tribunal lui-même.
• Le TPIR a, lui, une compétence de lieu qui est celle du territoire du Rwanda et de ses États voisins. Sa compétence de temps s'étend du 1er janvier au 31 décembre 1994.

◆ **Dans l'arrêt Bizimungu (22 novembre 2005, § 20,26), la deuxième Chambre de première instance du TPIR a fait une interprétation extensive de sa compétence *ratione temporis*, soutenant que même si la compétence du tribunal était limitée aux crimes commis en 1994 (article 1 de son statut), la conspiration de génocide était un crime de nature continue, comme affirmé dans l'arrêt Nahimana (3 décembre 2003, § 100-104, 1044). Par conséquent, le tribunal a soutenu que la preuve d'actes ayant eu lieu avant 1994 pouvait être utilisée comme preuve de crimes commis pendant la période comprise entre le 1er janvier 1994 et le 31 décembre 1994. Dans l'arrêt Nahimana *et al.* (28 novembre 2007, § 313 et 314), la Chambre d'appel du TPIR a déclaré que « les rédacteurs du statut ont voulu que le tribunal n'ait compétence pour condamner un accusé que si tous les éléments qui doivent être établis pour conclure à sa responsabilité ont existé en 1994 ». De la même manière, la Chambre d'appel a trouvé que, pour condamner un individu, il doit être prouvé que les actes ou omissions de l'accusé établissant sa responsabilité se soient produits en 1994 et qu'au moment de tels actes ou omissions l'accusé avait l'intention requise.**

4. *Exécution des peines*

Les personnes jugées coupables de violations graves du droit humanitaire sont condamnées exclusivement à des peines de prison (statut TPIY, art. 24 ; statut TPIR, art. 23). Les tribunaux ne prononcent pas la peine de mort. En l'absence de code pénal international, il n'existe pas de peine autonome prévue par le droit international. Les TPI ont donc recours à la grille générale des peines d'emprisonnement appliquée en ex-Yougoslavie et au Rwanda. Les peines sont subies dans un État désigné par le tribunal sur la liste des États qui ont fait savoir au Conseil de sécurité qu'ils étaient disposés à recevoir des condamnés (article 27 du statut du TPIY). Le statut du TPIR ajoute en outre la possibilité de les accomplir au Rwanda (article 26 du statut du TPIR).

En avril 2013, le TPIY avait presque complété ses travaux, avec l'arrestation des deux derniers suspects accusés par le tribunal, Ratko Mladić, arrêté le 26 mai 2011, et Goran Hadžić, arrêté le 20 juillet 2011. En tout, le TPIY a délivré des actes d'accusation pour 161 personnes. Sur ces 161 procédures, 25 sont encore en cours et 136 sont closes. Sur les 25 affaires en cours, 13 sont en attente d'appel et 12 sont encore en jugement. Sur les 136 accusés, 18 ont été acquittés, 69 condamnés, 13 renvoyés à une juridiction nationale (dont 1 à la Bosnie-Herzégovine, 1 à la Serbie et 2 à la Croatie) et 36 individus ont eu leur acte d'accusation retiré ou sont décédés, ce qui est le cas de Slobodan Milošević, décédé après son transfert au tribunal.

Le TPIR, pour sa part, a délivré des actes d'accusation contre 99 individus. Parmi ces 99 personnes accusées, 1 est en attente de procès, 10 affaires sont en cours, 65 sont clôturées (38 condamnés, 19 en appel et 8 acquittés), 2 individus sont décédés avant le procès, 3 affaires ont été renvoyées à une juridiction nationale (1 au Rwanda et 2 à la France), 9 accusés ont été relâchés (2 avant le procès et 7 après avoir achevé leur peine), enfin 9 restent des fugitifs.

◆

- **Les deux TPI n'ont qu'une compétence limitée dans l'espace et le temps : la compétence du TPIY couvre le territoire de l'ex-Yougoslavie pour les crimes commis depuis le 1er janvier 1991. Celle du TPIR concerne le territoire du Rwanda et des États voisins pour la période du 1er janvier au 31 décembre 1994.**
- **Les tribunaux sont compétents pour juger les individus qui se sont rendus coupables d'actes criminels, mais pas les États. Leur compétence s'exerce parallèlement au travail des tribunaux nationaux, mais ils peuvent demander à ceux-ci de leur déférer des cas déjà en cours d'instruction pour jugement.**
- **Les victimes et les États ne peuvent pas porter plainte devant ces tribunaux.**
- **Le procureur est seul à pouvoir décider de l'ouverture d'une enquête sur la base des informations dont il dispose ou qu'il demande.**
- **Les ONG, les victimes et les témoins, les organisations internationales et les gouvernements peuvent soumettre des informations au procureur.**
- **Les tribunaux ont adopté leur propre définition des crimes de guerre et crimes contre l'humanité qui mêle la définition du tribunal de Nuremberg de 1945 et celles contenues dans les Conventions de Genève de 1949 et leurs Protocoles de 1977 couvrant notamment les conflits armés internes.**
- **La responsabilité ne peut pas être exclue aux motifs que l'accusé exerçait une fonction officielle, ni qu'il avait exécuté les ordres d'un supérieur.**
- **Les peines sont uniquement des peines de prison.**

• L'action de ces deux tribunaux nécessite la coopération judiciaire des États qui dépend elle-même du vote par chaque État d'une loi spéciale d'adaptation.
• La jurisprudence créée par les jugements de ces tribunaux clarifie l'interprétation du droit humanitaire.

IV. Coopération avec les États

L'existence des tribunaux *ad hoc* ne dispense pas les États de leur obligation de rechercher et de juger les auteurs de violations graves du droit humanitaire comme cela est précisé par les Conventions de Genève de 1949. Le bon fonctionnement du tribunal international suppose le bon fonctionnement des justices nationales et la coopération judiciaire entre ces différents tribunaux.
Même si les statuts des deux tribunaux *ad hoc* ont été adoptés par des résolutions obligatoires, la coopération judiciaire entre les TPI et les autorités nationales n'est possible que si chaque pays a voté une loi nationale spéciale qui organise cette coopération.

1. *Articulation des compétences entre les TPI et les juridictions nationales*

Elle est fondée sur trois principes :
• Compétence concurrente : les TPI et les juridictions nationales sont concurremment compétents pour juger les personnes présumées responsables de violations graves du droit humanitaire (statut TPIY, art. 9.1 ; statut TPIR, art. 8.1). La prise en compte de la complémentarité de la justice nationale est particulièrement importante pour les victimes. On a vu en effet que seul le procureur peut saisir les TPI et que la constitution de partie civile y est impossible : les individus et les ONG sont ainsi privés de tout recours. Il n'y a donc que devant les tribunaux nationaux que les victimes peuvent retrouver une vraie place et demander des indemnisations pour les préjudices subis. Les juges nationaux sont de cette manière clairement associés à l'exercice de la justice internationale.
• Primauté des TPI : cette primauté est clairement affichée par les statuts des tribunaux (art. 9.2 pour le TPIY et art. 8.2 pour le TPIR). Elle leur permet à tout stade de la procédure de demander officiellement aux juridictions nationales de se dessaisir en leur faveur. La procédure de dessaisissement est prévue en détail dans les règlements de procédure et de preuve des TPI.
Ce principe de primauté est une exception en droit international, et il n'a pas été repris par les statuts de la nouvelle Cour pénale internationale.
• *Non bis in idem* : ce principe qui veut que nul ne soit jugé deux fois pour la même infraction existe tant en droit pénal qu'en droit international. C'est une garantie judiciaire prévue par le pacte relatif aux droits civils et politiques (art. 14.7). Il est repris par les statuts des TPI (art. 10 pour le TPIY et art. 9 pour le TPIR). Un même individu ne peut donc être traduit devant une juridiction nationale pour des faits qui auraient déjà été jugés par les TPI. À l'inverse, les TPI ne peuvent pas statuer sur des faits déjà jugés par une juridiction nationale, sauf à constater que les incriminations retenues par les juges nationaux étaient des qualifications de droit commun, que la juridiction n'a pas statué de façon impartiale ou indépendante, que la procédure engagée devant elle visait à soustraire l'accusé à sa responsabilité

internationale ou que la poursuite n'a pas été exercée avec diligence (art. 10.2 du statut du TPIY ; art. 9.2 du statut du TPIR).

2. *Devoir de coopération et d'entraide judiciaire des États*

Tous les États sont tenus de coopérer avec les deux tribunaux internationaux dans toutes les étapes de la procédure (statut TPIY, art. 29 ; statut TPIR, art. 28) : ils doivent répondre aux demandes d'assistance pour la réunion des preuves, l'audition des témoins, des suspects et des experts, l'identification et la recherche des personnes et l'expédition des actes. Ils doivent également exécuter les ordonnances des chambres de première instance, comme les mandats d'arrêt, de perquisition d'amener ou de transfert. Afin de faciliter la remise des accusés par les États, les TPI ont prévu un mécanisme de transfert qui permet de court-circuiter les lourdeurs juridiques propres à l'extradition. Aucune sanction n'est prévue à l'encontre des États qui refusent de coopérer avec les TPI ou qui n'ont pas mis leur législation nationale en conformité avec les obligations qui découlent de l'existence des TPI. Le Conseil de sécurité peut toujours décider de telles sanctions.

Le devoir de coopération comprend aussi la contribution au budget, la mise à disposition de personnel et surtout l'adoption de mesures positives sur les plans législatif et judiciaire (l'adaptation du droit interne pour permettre l'application des dispositions des résolutions créant les TPI et des dispositions de leur statut). La bonne volonté des États est un maillon essentiel du bon fonctionnement des TPI qui sont dépourvus de tout pouvoir de police, contrairement aux juridictions nationales. Ainsi par exemple, le mandat de la force de stabilisation (SFOR) déployée par l'OTAN en ex-Yougoslavie n'en fait pas une force de police chargée de rechercher les criminels de guerre, mais prévoit que ses soldats peuvent arrêter des personnes inculpées de crimes de guerre quand ils les rencontrent dans le cadre de leurs activités. Les deux opérations commandos lancées en juillet 1997 à Prijedor et en décembre 1997 à Vitez, dans le seul but d'arrêter des personnes accusées, tendent à prouver que l'interprétation de ce mandat est cependant fluctuante.

V. La stratégie d'achèvement des tribunaux et le mécanisme international chargé d'exercer les fonctions résiduelles des tribunaux pénaux

1. *La stratégie d'achèvement des tribunaux*

Les tribunaux pénaux internationaux n'ont pas de compétence universelle et leur mandat est limité dans le temps. Dans sa résolution 1934 du 26 mars 2004, le Conseil de sécurité des Nations unies a prié les tribunaux de prendre toutes les mesures nécessaires pour : clôturer toutes les enquêtes avant la fin 2004, achever tous les procès en première instance à la fin 2008, et achever leurs travaux en 2010, conformément à leur « stratégie d'achèvement ». Ces échéances n'ayant pas été respectées, le Conseil de sécurité, dans sa résolution 1966 du 22 décembre 2010, a décidé de créer le Mécanisme international chargé d'exercer les fonctions résiduelles des tribunaux pénaux internationaux (« le Mécanisme ») sans pouvoir procéder à de nouvelles inculpations.

2. *Le Mécanisme international chargé d'exercer les fonctions résiduelles des tribunaux pénaux*

Le Mécanisme international chargé d'exercer les fonctions résiduelles des tribunaux pénaux internationaux (« le Mécanisme ») a été établi par la résolution 1966 du Conseil de sécurité (2010) pour achever le travail initié par les deux tribunaux pénaux internationaux. Le Mécanisme est composé de deux divisions. Les dates d'entrée en fonction sont le 1er juillet 2012 pour le TPIR et le 1er juillet 2013 pour le TPIY. La résolution créant le Mécanisme prie les deux tribunaux d'achever leurs travaux au plus tard le 31 décembre 2014, de préparer leur fermeture et d'opérer une transition avec le Mécanisme.

Dans sa résolution 1966, le Conseil de sécurité a décidé que :

– « Les compétences, les fonctions essentielles, les droits et obligations du TPIY et du TPIR seront dévolus au Mécanisme » (alinéa 4).

– Le règlement de procédure et de preuve du Mécanisme et les modifications prendront effet dès leur adoption par les juges du Mécanisme (alinéa 6).

– Les États coopéreront sans réserve avec le Mécanisme et prendront les mesures nécessaires dans leur droit interne pour mettre en œuvre les dispositions de la présente résolution et le statut du Mécanisme (alinéa 9).

– « Le Mécanisme restera en fonction pendant une période initiale de quatre ans, et a décidé d'examiner l'avancement de ses travaux, y compris l'achèvement de ses tâches, avant la fin de cette période initiale puis tous les deux ans, et a décidé en outre qu'il restera en fonction pendant de nouvelles périodes de deux ans commençant après chacun de ces examens, sauf décision contraire du Conseil de sécurité. »

Le statut du Mécanisme est organisé et structuré sur la base des statuts et des règlements de procédure et de preuve des deux tribunaux.

– Compétence du Mécanisme (article 1) : le Mécanisme succède aux TPIY et TPIR dans leur compétence matérielle, territoriale, temporelle et personnelle, telle que définie aux articles premier à 8 du statut du TPIY et aux articles premier à 7 du statut du TPIR, ainsi que dans leurs droits et leurs obligations (§ 1).

– Le Mécanisme est habilité à juger conformément aux dispositions du présent statut les personnes mises en accusation par le TPIY ou le TPIR (art. 1, § 2 à 4). Il n'est pas habilité à délivrer de nouveaux actes d'accusation contre des personnes autres que celles visées par l'article 1 (art. 1, § 5).

– Structure et sièges (article 3) : le Mécanisme comprend deux divisions, l'une exerçant les fonctions du TPIY, l'autre celles du TPIR.

– Organisation (article 4) : le Mécanisme comprend (a) les chambres, à savoir une Chambre de première instance pour chaque division et une Chambre d'appel commune aux deux divisions, (b) le procureur, commun aux deux divisions et (c) le greffe, commun aux deux divisions et qui assure le service administratif du Mécanisme, y compris les chambres et le procureur.

– Compétences concurrentes (article 5) : le Mécanisme a la primauté sur les juridictions nationales.

– Renvoi d'affaires devant les juridictions nationales (article 6) : le Mécanisme est habilité à renvoyer toutes les affaires mettant en cause des personnes qui ne sont

pas parmi les plus hauts dirigeants suspectés d'être les plus responsables des crimes couverts par les statuts du TPIY et du TPIR devant les juridictions nationales, c'est-à-dire les autorités d'un État sur le territoire duquel le crime a été commis, au sein duquel le suspect a été arrêté.
– Liste des juges (article 8) : le Mécanisme dispose d'une liste de 25 juges indépendants, dont deux au plus peuvent être ressortissants du même État.
– Élection des juges (article 10) : les juges du Mécanisme sont élus par l'Assemblée générale sur la liste présentée par le Conseil de sécurité.
– Le président (article 11) : après consultation du président du Conseil de sécurité et des juges du Mécanisme, le secrétaire général de l'ONU nomme un président à plein temps parmi les juges du Mécanisme.

Consulter aussi

▶ **Crime de guerre-Crime contre l'humanité ▷ Génocide ▷ Tribunaux pénaux internationaux ▷ Cour pénale internationale ▷ Compétence universelle ▷ Conseil de sécurité ▷ Viol ▷ Responsabilité ▷ Entraide judiciaire ▷ Imprescriptibilité ▷ Impunité ▷ Recours individuels ▷ Sanctions pénales du droit humanitaire ▷ Garanties judiciaires ▷ Maintien de la paix.**

Contacts

Tribunal pénal pour l'ex-Yougoslavie
Churchillplein 1, 2517 JW La Haye / Pays-Bas.
Tél. : (00 31 70) 416 53 43/Fax : (00 31 70) 416 53 55.
www.un.org/icty/
www.un.org/ictr/
Tribunal pénal pour le Rwanda
PO Box 6016, Arusha / Tanzanie.
Tél. (à New York) : 00 1212 963 28 50/Fax : 00 1212 963 28 48

Pour en savoir plus

ASCENSIO H., « Les tribunaux *ad hoc* pour l'ex-Yougoslavie et pour le Rwanda », *in Droit international pénal,* sous la dir. de H. ASCENSIO, E. DECAUX, A. PELLET, CEDIN Paris-X, Pedone, 2000, 1 053 p., p. 715-734.

ASHBY W.R., *Writing History in International Criminal Trials,* Cambridge University Press, New York, 2011, 257 p.

DESTEXHE A., FORET M. (dir.), *Justice internationale. De Nuremberg à La Haye et Arusha,* Bruylant, Bruxelles, 1997.

FRONZA E., MANOCORDA S. (dir.), *La Justice pénale internationale dans les décisions des tribunaux ad hoc,* Études des Law Clinics en droit pénal international, Dalloz et Giuffré, Paris, Milan, 2003, 359 p.

GRAEFRATH B., « Universal criminal jurisdiction and an international court », *European Journal of International Law,* 1990, p. 67-88.

HUMAN RIGHTS WATCH, « Genocide, war crimes, and crimes against humanity : topical digests of the case law of the International Criminal Tribunal for Rwanda and the International criminal tribunal for the Former Yugoslavia », Human Rights Watch, 2004, 277 p.

HUMAN RIGHTS WATCH, « Genocide, war crimes and crimes against humanity: A digest of the case law of the International Criminal Tribunal for Rwanda », Human Rights Watch, 2010, 522 p.

HUMAN RIGHTS WATCH, « Genocide, war crimes and crimes against humanity: A topical digest of the case law of the International Criminal Tribunal for the Former Yugoslavia », Human Rights Watch, 2006, 861 p.

Jones J.R.W.D., Powles S., *International Criminal Practice*, 3e éd., Oxford University Press, 2003, 1 085 p.

Laucci C., « Juger et faire juger les auteurs de violations graves du droit international humanitaire : réflexions sur la mission des tribunaux pénaux internationaux et les moyens de l'accomplir », *Revue internationale de la Croix-Rouge*, juin 2001, n° 842, p. 407-439.

Queguiner J.F., « Dix ans après la création du tribunal pénal international pour l'ex-Yougoslavie : évaluation de l'apport de la jurisprudence au droit international humanitaire », *Revue internationale de la Croix-Rouge*, n° 850, juin 2003, p. 271-311.

« Tribunaux pénaux internationaux », *Revue internationale de la Croix-Rouge*, vol. 88, n° 861, mars 2006, p. 5 -215.

Wagner N., « Le développement du régime des infractions graves et de la responsabilité pénale individuelle par le tribunal pénal pour l'ex-Yougoslavie », *Revue internationale de la Croix-Rouge*, n° 850, juin 2003.

Troubles et tensions internes

Il s'agit de situations dans lesquelles les manifestations de violence ne permettent pas encore de parler de conflit armé et donc d'appliquer le droit humanitaire. Ces situations se caractérisent par des émeutes, des actes de violence sporadiques et isolés (GPII art. 1.2). Elles se situent dans une zone de tension politique et de flou juridique entre l'application des conventions relatives aux droits de l'homme et celles relatives au droit humanitaire.

En effet, dans ces situations de troubles et de tensions, l'État est autorisé à recourir à la force armée pour rétablir l'ordre public et faire face aux atteintes à la sécurité nationale. Ce recours à la force doit s'exercer dans le respect des conventions relatives aux droits de l'homme qui prévoient des garanties fondamentales auxquelles les États ne peuvent pas déroger quelles que soient les circonstances. Mais il s'effectue en pratique dans le cadre des lois et tribunaux nationaux dans le fonctionnement desquels l'État se retrouve à la fois juge et partie. Dans ces circonstances, la défense de la sécurité nationale prévaut souvent sur le maintien de l'État de droit. Ce risque est aggravé par la faiblesse des règles et mécanismes de recours internationaux en cas de violations des droits de l'homme.

Il est également difficile de définir précisément le moment où les activités de défense de la sécurité nationale se transforment en conflit armé interne. Cela suppose que l'État reconnaisse la contestation de son autorité par des groupes d'opposition armés et la perte de contrôle sur une partie de son territoire. Les débats relatifs à l'interprétation de la définition de ces conflits armés illustrent l'importance des enjeux juridiques liés à cette qualification. (Voir ▷ **Conflit armé non international** ▷ **Groupes armés non étatiques**.)

Des initiatives juridiques ont eu lieu a partir des années 1980 pour combler cette zone grise entre les droits de l'homme classique et le droit des conflits armés.

Elles ont mis en évidence la nécessité d'imposer des règles internationales pour encadrer les missions sécuritaires des États. Elles ont aussi montré la nécessité de trouver un cadre permettant de responsabiliser la multiplication d'actions de violence privée entreprises par des groupes non étatiques organisés.

Le Comité international de la Croix-Rouge a identifié ce domaine comme un espace de développement du droit humanitaire conforme à sa mission. Il a également pu développer des actions d'assistance et de protection dans ces situations grâce au droit d'initiative contenu dans son statut.

• ***Les garanties fondamentales et standards fondamentaux d'humanité***

La rédaction en 1990 de la Déclaration sur les standards fondamentaux d'humanité, plus connue sous le nom de Principes de Turku est le résultat de cette réflexion sur les zones grises des garanties fondamentales reconnues par les conventions relatives aux droits de l'homme et celles du droit humanitaire.

Ces standards identifient les domaines dans lesquels les garanties internationales de protection étaient insuffisantes en période de troubles de la part de l'État mais aussi des acteurs privés. Ils relèvent particulièrement :

– la remise en cause du droit à la vie dans le cadre des opérations de maintien de l'ordre et le recours excessif à la force publique ;

– les abus en matière de détention administrative massive et de longue durée ;

– la disparition en fait ou en droit des garanties judiciaires pour les personnes détenues ou poursuivies pour des motifs en relation avec les troubles et tensions intérieurs ;

– les déplacements forcés de population, expulsions massives en lien avec la violence privée ou publique ;

– le phénomène de disparition forcée de personnes ; et

– le terrorisme à l'encontre des populations civiles.

Les 18 articles de la Déclaration de Turku ont été soumis aux organes des Nations unies en 1994. Ils ont fait l'objet de discussion mais n'ont pas été adopté en tant que tel par la Commission des droits de l'homme de l'ONU (aujourd'hui le Conseil des droits de l'homme).

Ces principes ont contribué au développement ultérieur du droit international dans plusieurs directions.

Le développement du droit pénal international recouvre aujourd'hui clairement le recours à la force par les États et les groupes non étatiques dans les situations de conflits armés (crimes de guerre) mais aussi le recours excessif à la force contre les populations en dehors des situations de conflit (crimes contre l'humanité).

Ces catégories nouvelles du droit pénal cristallisent le contenu des « garanties fondamentales » qui restent encore dispersées dans les diverses conventions relatives aux droits de l'homme et aux conflits armés. Cette dispersion reste un élément de fragilité car il retarde le respect de ces garanties fondamentales à l'examen préalable du droit applicable à chaque situation.

La reconnaissance de l'application complémentaire et simultanée des droits de l'homme et du droit humanitaire permet cependant de lutter contre la création de trous noirs juridiques entre les différents domaines du droit international. Elle est soutenue par la synergie qu'elle crée entre les organes de contrôle des droits de l'homme, les tribunaux pénaux internationaux mais aussi la Cour internationale de justice.

L'obligation de respecter les procédures de dérogations concernant les conventions relatives aux droit de l'homme est rappelée par certains juges internationaux qui contrôlent également la pertinence et la proportionnalité des dérogations au regard des motifs invoqués par l'État. (Voir ▷ **Cour européenne des droits de l'homme** ▷ **Droits de l'homme.**)

Le mouvement juridique d'unification et d'harmonisation des garanties fondamentales relatives aux droits de l'homme et au droit humanitaire est actuellement en cours. Il s'effectue notamment à travers le droit coutumier et la jurisprudence internationale. Il est poussé par la complexité de nombreuses situations de conflits et d'insécurité impliquant l'intervention de des Nations unies et des États membres dans l'ensemble des registres concernant le maintien de l'ordre, la justice et les actions de combat.

Le statut coutumier de l'article 3 commun des Conventions de Genève illustre cette unification des garanties fondamentales entre le droit humanitaire et les droits de l'homme, alors que son application dans les situations de troubles et tensions internes est débattue au motif que la rédaction de l'article 3 commun stipule qu'il est applicable dans les conflits non internationaux.

La jurisprudence internationale a fait remarquer à ce sujet qu'en période de troubles et tensions internes le droit national et les conventions relatives aux droits de l'homme imposent le respect de principes identiques ou supérieurs à ceux de l'article 3 commun. Il serait donc faux et paradoxal d'affirmer que la violation de ces garanties fondamentales est permise en situation de paix ou de troubles intérieurs. Le cadre minimal posé par l'article 3 commun ne peut pas être remis en cause par une interprétation littérale contraire à l'esprit de ce texte. Les principes de l'article 3 commun s'appliquent donc en tout temps.

▶ **Droits de l'homme ▷ Garanties fondamentales ▷ Situations et personnes non couvertes.**

◆ **• Le droit humanitaire ne s'applique pas dans les situations où les actes de violence sporadiques et isolés et les émeutes ne présentent pas un seuil de violence suffisant pour parler de « conflit armé » et s'ils ne sont pas commis par un groupe armé organisé, capable de mener des opérations continues et concertées.**

• Dans ces situations, les droits de l'homme ne s'appliquent plus toujours intégralement du fait des législations d'exception adoptées par les États et qui restreignent les libertés publiques.

• Certaines garanties juridiques essentielles restent cependant applicables et continuent de protéger les individus. Ce sont les droits indérogeables des droits de l'homme et les principes contenus dans l'Article 3 commun aux quatre Conventions de Genève de 1949.

Pour limiter les polémiques relatives à la qualification d'une situation de troubles et tensions internes ou de conflit armé non international, les commentaires des Conventions de Genève ont donné les critères suivants permettant de distinguer ces situations.

1. *Troubles internes*

• Les troubles internes (on parle aussi de troubles intérieurs) sont des situations de fait où il existe sur le plan interne un affrontement qui présente un certain caractère de gravité ou de durée.

• Dans ces situations, qui ne dégénèrent pas nécessairement en lutte ouverte, les autorités au pouvoir font appel à de vastes forces de police, voire aux forces armées,

pour rétablir l'ordre. Elles peuvent également adopter des législations d'exception pour donner plus de pouvoirs aux forces de police et aux forces armées.
• La différence avec le conflit armé non international réside dans le fait qu'il n'existe pas encore de forces armées dissidentes constituées en tant que telles ou de groupes armés organisés menant des opérations continues et concertées (GPII art. 1.1) bien que des groupes dissidents organisés et visibles puissent exister.
• Le droit humanitaire n'est pas applicable, à l'exception des principes contenus dans l'article 3 commun.
• Les droits de l'homme peuvent subir de nombreuses altérations du fait des législations d'exception. Les droits de l'homme dits « intangibles » ou « indérogeables » restent applicables malgré tout.

2. *Tensions internes*
• Situation moins grave que celle de troubles intérieurs. Il s'agit notamment de situations de tensions graves (politiques, religieuses, raciales, ethniques, sociales, économiques, etc.). Ces situations peuvent précéder ou suivre des périodes de conflit.
• Dans les tensions internes, l'emploi de la force par les autorités au pouvoir est une mesure préventive. Ces situations se caractérisent par :
– un grand nombre d'arrestations ;
– un grand nombre de détenus politiques ;
– de probables mauvais traitements infligés aux détenus ;
– des allégations de disparitions ;
– la déclaration de l'état d'urgence.
• Dans de telles situations, contrairement aux situations de troubles intérieurs, l'opposition est rarement organisée de façon visible.
• Les droits de l'homme demeurent applicables sous réserve des dérogations imposées dans les législations d'exception. Le seuil de violence n'est pas suffisant pour invoquer les règles du droit humanitaire prévues pour les conflits armés non internationaux (GPII art. 1.2).

Consulter aussi

▶ **Conflit armé non international ▷ Groupes armés non étatiques ▷ Proportionnalité ▷ Responsabilité (de l'État) ▷ Garanties fondamentales, ▷ Situations et personnes non couvertes ▷ État d'exception, état de siège, état d'urgence ▷ Parties au conflit ▷ Insurgés ▷ Mouvement de résistance ▷ Droits de l'homme.**

Pour en savoir plus

ABI-SAAB R., « Le droit humanitaire et les troubles internes », *Liber Amicorum Georges Abi Saab*, Martinus Nijhoff, La Haye, 2001, p. 477-493.

GASSER H.P., « Les normes humanitaires pour les situations de troubles et tensions internes », *Revue internationale de la Croix-Rouge*, n° 801, mai-juin 1993, p. 238-244.

HADDEN T., HARVEY C., « The law of internal crisis and conflict », *Revue internationale de la Croix-Rouge*, n° 833, mars 1999, p. 119-133.

HARROFF-TAVEL M., « L'action du CICR face aux situations de violence interne », *Revue internationale de la Croix-Rouge*, n° 801, mai-juin 1993, p. 211-237.

HERCZEGH G., « État d'exception et droit humanitaire : sur l'article 75 du Protocole additionnel I », *Revue internationale de la Croix-Rouge*, n° 749, septembre-octobre 1984, p. 275-286.

MERON T., « Projet de Déclaration type sur les troubles et tensions internes » *Revue internationale de la Croix-Rouge*, n° 262, février 1988, p. 62-80.

MONTAZ D. « Les règles humanitaires minimales applicables en période de troubles et tensions internes » *Revue internationale de la Croix-Rouge*, n° 861 septembre 1998.

NI AOLAIN F., « The relationship between situations of emergency and low-intensity armed conflict », *Israel Yearbook on Human Rights*, vol. 28, 1998, p. 97-106.

VIGNY J. M. et THOMSON C., « Standards fondamentaux d'humanité : quel avenir ? » *Revue internationale de la Croix-Rouge*, n° 840, décembre 2000.

« Violence urbaine », *Revue internationale de la Croix-Rouge*, vol. 92, Sélection française, 2010, p. 151-262.

UNICEF – Fonds des Nations unies pour l'enfance

I. Organisation et fonctionnement

L'UNICEF est un organe subsidiaire des Nations unies et siège à New York. Il a été créé en 1946 par l'Assemblée générale de l'ONU sous l'appellation : Fonds d'urgence international des Nations unies pour les enfants. C'est en 1953 qu'il est devenu une agence permanente. Il rend son rapport annuel à l'Assemblée générale et au Conseil économique et social (ECOSOC).

Les 36 membres de son conseil d'administration (*Executive board*), l'organe directeur, sont élus par l'ECOSOC pour trois ans, selon une répartition régionale des sièges. Les principaux pays contributeurs et bénéficiaires y sont représentés. Il siège une fois par an. Le directeur exécutif est nommé pour cinq ans par le secrétaire général de l'ONU, en consultation avec le Conseil. C'est Anthony Lake qui occupe ce poste depuis le 1er mai 2010. L'UNICEF emploie environ 8 200 salariés.

Les contributions au budget sont entièrement volontaires. Les États y participent à hauteur de 68 %. L'UNICEF recueille également des fonds auprès des particuliers, notamment grâce à la vente de cartes de vœux (11 %), par le biais des comités de soutien nationaux dans les pays industrialisés. En 2010-2011, le budget se montait à plus de 10,4 milliards de dollars, dont les arriérés de contributions et l'exercice biennal pour 2010-2011. Le conseil d'administration définit l'allocation du budget par pays selon trois critères : taux de mortalité des enfants de moins de cinq ans, PNB par habitant, nombre d'enfants dans la population.

II. Compétence

Le mandat de l'UNICEF consiste à aider les gouvernements à répondre aux besoins essentiels des enfants et à favoriser leur plein épanouissement. En 1996, le conseil d'administration a adopté une nouvelle résolution sur le mandat de l'organisation, y incorporant l'engagement de défendre les droits de l'enfant et d'imposer ces droits comme « des principes éthiques durables et des standards internationaux de comportement à l'égard des enfants ».

1. *Missions*

• L'UNICEF assiste les gouvernements dans des programmes à long terme visant à l'amélioration de la qualité de vie des enfants : santé, vaccination et nutrition, prévention sanitaire, éducation primaire, situations particulièrement difficiles (enfants des rues, orphelins, enfants dans la guerre).
Comme tous les autres organes et agences des Nations unies, « le Fonds n'exercera son activité dans aucun pays sans avoir au préalable consulté le gouvernement intéressé et avoir obtenu son assentiment » (AG rés. 57 (I) 1946, art. 2.c).
• Dans les situations d'urgence, il répond aux besoins urgents des enfants et de leur mère en proposant des programmes d'assistance au gouvernement, dont la prévention, la nutrition et l'hygiène ainsi qu'une éducation de base et une réhabilitation psychosociale. Il collabore avec les organes intéressés du système des Nations unies, par exemple en assurant certaines coordinations dans le domaine humanitaire. C'est l'une des agences leader du Comité permanent interagences, dirigé par le Bureau de la coordination des affaires humanitaires.
• Il développe en outre des activités d'évaluation et de recherche pour « mieux comprendre les communautés avec lesquelles il travaille », et ainsi accroître l'efficacité de ses actions.
• L'UNICEF travaille en collaboration avec le Comité des droits de l'enfant, organe de suivi de la convention sur les droits de l'enfant de 1989. Ce texte prévoit que le Comité peut inviter les institutions spécialisées, et notamment l'UNICEF, à formuler des recommandations (art. 45.a et b). Le conseil d'administration a décidé en 1991 d'œuvrer à l'application de la convention, fixant ainsi une orientation de travail à l'organisation en fonction de ce nouvel instrument international qui entre dans son champ de compétence (la protection de l'enfance). L'UNICEF s'est engagé au sein du Comité des droits de l'enfant à promouvoir les droits de l'enfant et à surveiller l'application de cette convention dans les différents pays.

▶ **Enfant.**

• Depuis l'adoption de la convention de 1989 sur les droits de l'enfant, l'UNICEF organise des campagnes de sensibilisation et de pression en faveur de l'enfance, en particulier pour pousser les États à ratifier ce traité, qui l'est maintenant par tous les États excepté les États-Unis et la Somalie. Il associe dans cette activité des personnalités connues, qui sont « ambassadeurs itinérants ».
• Enfin, l'UNICEF a un rôle de centre d'information sur la situation de l'enfant dans le monde par le biais de publications, de conférences et de centres de documentation.

2. *Relations avec les ONG*

Dans les situations d'urgence, en coordination avec les organismes des Nations unies et les organismes humanitaires, l'UNICEF développe avec des partenaires opérationnels des programmes de secours pour les enfants.
Il travaille avec les ONG, qui bénéficient déjà d'un statut consultatif auprès du Conseil économique et social de l'ONU. Ces ONG peuvent assister aux travaux

du Conseil d'administration, y faire circuler des documents et même, sur accord du président, faire des interventions orales.

Consulter aussi

- **Enfant ▷ Mineur ▷ Comité des droits de l'enfant ▷ Conseil économique et social ▷ Bureau de la coordination des affaires humanitaires.**

Contact

UNICEF
3 United Nations Plaza
New York, NY 10017 /USA
Tél. : (00 1) 212 326 70 00/Fax : (00 1) 212 888 74 65
www.unicef.org

Pour en savoir plus

UNICEF, *À la découverte de l'UNICEF*, UNICEF, 2004, 24 p.

Union africaine (UA)

L'Union africaine (UA) a été créée en 2002 lors du sommet de Durban, en application de la Déclaration de Syrte du 9 septembre 1999, remplaçant ainsi l'Organisation de l'Unité africaine (OUA).
L'Union africaine compte actuellement 54 membres, et siège à Addis-Abeba, en Éthiopie. L'Union est dirigée par un président tournant, qui possède un mandat d'un an. Depuis janvier 2013, il s'agit de Haile Mariam Dessalegn, d'Éthiopie.

1. *Mandat et objectifs*

L'objectif de l'Union africaine est la promotion de la démocratie, des droits de l'homme et du développement en Afrique. Les objectifs particuliers sont définis dans l'article 3 de l'Acte constitutif de l'Union. Il s'agit, *inter alia*, de défendre la souveraineté, l'intégrité territoriale et l'indépendance des États membres de l'Union ; d'accélérer l'intégration politique et socioéconomique du continent africain ; de promouvoir et défendre les positions africaines dans les instances internationales ; de promouvoir la paix, la sécurité et la stabilité sur le continent africain ; et de promouvoir et protéger les droits de l'homme et des peuples conformément à la Charte africaine des droits de l'homme et des peuples et aux autres instruments pertinents relatifs aux droits de l'homme.

- **Commission et Cour africaines des droits de l'homme.**

2. *Structure*

Les principales institutions de l'Union africaine ont été mises en place en juillet 2003 lors du sommet de Maputo, au Mozambique. Ces principaux organes sont la Conférence, la Commission, le Conseil de paix et de sécurité, ainsi que le Parlement panafricain.

• **La Conférence**, composée des chefs d'État et de gouvernement ou de leurs représentants, est l'organe suprême de l'Union. Ses fonctions sont, entre autres, de définir les politiques communes de l'Union ; créer tout nouvel organe ; assurer le contrôle de la mise en œuvre des politiques et décisions de l'Union, et veiller à leur application par tous les États membres ; adopter le budget de l'Union ; donner des directives au conseil exécutif et au Conseil pour la paix et la sécurité sur la gestion des conflits, des situations de guerre et autres situations d'urgence ainsi que sur la restauration de la paix. En outre, l'Assemblée nomme les juges de la Cour de justice ainsi que le président, le ou les vice-présidents et les commissaires de la Commission.

• **La Commission** est l'organe administratif de l'Union, en charge de la gestion quotidienne des affaires. Elle est composée du président, du vice-président et de huit commissaires, assistés des membres du personnel. Chaque commissaire est en charge d'un portefeuille (paix et sécurité ; affaires politiques ; infrastructures et énergie ; affaires sociales ; ressources humaines, sciences et technologie ; commerce et industrie : économie rurale et agriculture ; et affaires économiques). Entre autres attributions, la Commission représente l'Union et défend ses intérêts auprès des autres organisations intergouvernementales, élabore les projets de positions communes de l'Union ainsi que les plans stratégiques pluriannuels qu'elle soumet au Conseil exécutif, et assure l'élaboration, la promotion, la coordination et l'harmonisation des programmes et des politiques de l'Union. Jusqu'en 2012, le président de la Commission était Jean Ping, du Gabon. L'élection d'un nouveau président était prévue pour janvier 2012 lors du 18e sommet de l'Organisation, mais celle-ci a échoué après quatre tours de scrutin, les chefs d'État ne parvenant pas à départager le président sortant et la ministre sud-africaine Nkosazana Dlamini Zuma. Après six mois de blocage, c'est finalement Mme Zuma qui a été élue le 15 juillet 2012, lors du 19e sommet de l'Union. Elle devient ainsi la première femme à accéder à ce poste, alors que, pour la première fois également, la présidence de la Commission est attribuée à une grande puissance, de surcroît anglophone, alors qu'il existait jusque-là une règle officieuse de non-candidature des principales puissances continentales à la présidence de la Commission. Cette élection a par ailleurs été entachée d'allégations de pressions de la part des Sud-Africains, ce qui est susceptible de créer des rancœurs au sein de l'Organisation. Ce blocage a également entraîné une certaine scission entre petits et grands pays de l'Union, ainsi qu'entre États francophones et anglophones.

• **Le Conseil de paix et de sécurité** (CPS) est l'organe responsable de la promotion de la paix, de la sécurité et de la stabilité en Afrique ; de la diplomatie préventive et du maintien de la paix ; ainsi que de la gestion des catastrophes naturelles et des actions humanitaires (voir *infra*).

• **Le Parlement panafricain** est quant à lui un organe qui vise à assurer la pleine participation des peuples africains à la gouvernance, au développement et à l'intégration économique du continent.

Par ailleurs, l'Union possède un Conseil économique, social et culturel (organe consultatif) ainsi que huit comités techniques spécialisés (qui correspondent aux portefeuilles des commissaires) et trois institutions financières (Banque centrale africaine, Fonds monétaire africain et Banque africaine d'investissement).

Elle possède également une cour de justice : la Cour africaine de justice et des droits de l'homme, créée suite à la fusion en 2008 de la Cour africaine des droits de l'homme et des peuples et de la Cour de justice de l'Union africaine. Ces deux institutions continuent à fonctionner pendant la période de transition précédant l'entrée en vigueur de ce traité.

▶ **Commission et Cour africaines des droits de l'homme.**

3. *Promotion de la paix et de la sécurité*

L'article 4 de l'Acte constitutif de l'Union africaine stipule qu'un des principes de l'organisation est la « résolution pacifique des conflits parmi les États membres de l'Union ». Toutefois, l'article 4.h autorise l'Union à intervenir dans un État membre « dans certaines circonstances graves », à savoir les crimes de guerre, le génocide et les crimes contre l'humanité. Fait intéressant, les États membres peuvent directement solliciter l'intervention de l'Union (article 4.j). Par ailleurs, le Protocole sur les amendements à l'Acte constitutif de l'Union africaine, adopté en 2003, ajoute une circonstance pouvant autoriser l'intervention de l'Union dans un État membre, à savoir « une menace grave de l'ordre légitime ». En ajoutant cette clause, qui est très vaste, l'Union africaine se dote d'une doctrine interventionniste large lui permettant de définir ce qu'est « l'ordre légitime » et d'agir au nom du concept de la « responsabilité de protéger ».

▶ **Maintien de la paix ▷ Protection.**

L'organe chargé de mettre en œuvre ces objectifs est le Conseil de paix et de sécurité (CPS), qui a le pouvoir, entre autres, d'imposer des sanctions aux États membres et d'autoriser des missions de soutien de la paix (sur décision finale de la Conférence). Il est composé de quinze États membres, représentant les cinq sous-régions continentales que sont l'Afrique centrale, l'Afrique du Nord, l'Afrique du Sud ainsi que l'Afrique de l'Est et de l'Ouest. Dix de ses membres sont élus pour un mandat de deux ans, tandis les cinq autres sont élus pour un mandat de trois ans, afin de garantir une certaine continuité. Ces membres se rencontrent deux fois par mois au niveau des représentants permanents et une fois par an au niveau des chefs d'État et de gouvernement.

Depuis 2004, le CPS est intervenu dans de nombreuses crises, notamment au Burundi, aux Comores, en Somalie, en République démocratique du Congo, au Darfour et en Côte-d'Ivoire.

La Mission de l'Union africaine au Burundi (MIAB), déployée d'avril 2003 à mai 2004 afin de superviser l'application des accords de paix d'Arusha d'octobre 2002, a constitué la première tentative de l'UA en matière de maintien de la paix. Cette mission, qui a compté jusqu'à 3 300 soldats et observateurs, était dirigée par l'Afrique du Sud et était composée principalement de contingents éthiopiens et mozambicains. Le mandat de la MIAB était de superviser l'application des accords d'Arusha ; supporter les initiatives de désarmement, de démobilisation et de réintégration des combattants (DDR) ; créer les conditions favorables pour la présence d'une mission de paix de l'ONU ; et contribuer à la stabilité politique et économique du Burundi. Les soldats de l'AMIB n'avaient le droit d'utiliser la force qu'en cas de légitime défense, afin d'assurer la liberté de mouvement des troupes et équipements, et afin de protéger les civils en cas de menace imminente. Cette mission s'inscrit dans la deuxième génération de mission de maintien de la paix, qui allie des tâches traditionnelles telles que la surveillance d'un cessez-le-feu et des tâches plus complexes comme les activités de DDR.

Suite à la guerre civile somalienne, l'UA a créé en janvier 2007 l'AMISOM, une mission de soutien de la paix autorisée par le Conseil de sécurité des Nations unies par la résolution 1744. L'objectif de cette mission était de soutenir les forces somaliennes dans le processus de réconciliation nationale et de créer les conditions favorables pour le déploiement d'une mission de paix de l'ONU. Cette étape n'a pas été atteinte, et le mandat de l'AMISOM en Somalie a été renouvelé pour la dernière fois en mars 2013 par le Conseil de sécurité des Nations unies, et ce jusqu'au 28 février 2014. Le mandat actuel de l'AMISOM prévoit notamment la protection des autorités somaliennes et des acteurs engagés dans le processus de paix et de réconciliation nationale, mais ne prévoit pas d'usage de la force pour protéger les civils. En conformité avec la résolution 2036 du Conseil de sécurité (février 2012), l'AMISOM est autorisée à déployer jusqu'à 17 731 soldats, principalement des contingents ougandais, burundais, djiboutiens et kényans.

L'Union africaine intervient également au Darfour aux côtés de l'ONU dans la cadre de la MINUAD, autorisée par le Conseil de sécurité en juillet 2007 par la résolution 1769. La MINUAD a essentiellement pour mandat de protéger les civils, mais elle est également chargée d'assurer la sécurité de l'approvisionnement, l'aide humanitaire, de surveiller et de vérifier l'application des accords de paix, de favoriser un processus politique ouvert, de contribuer à la promotion des droits de l'homme et de l'État de droit et de surveiller la situation le long des frontières avec le Tchad et la République centrafricaine (RCA) et en rendre compte. Le mandat actuel de la MINUAD a été renouvelé jusqu'en août 2014 par la résolution 2013 du Conseil de sécurité (juillet 2013). Au 30 juin 2013, la mission comptait 14 474 soldats, 336 observateurs militaires et 4 893 policiers. Près de 22 pays africains contribuent à cette mission, principalement l'Afrique du Sud, le Burkina Faso et le Burundi. Cette mission s'inscrit clairement dans la troisième génération d'opérations de maintien de la paix, dites « opérations complexes ».

Afin de garantir la rapidité de déploiement militaire et d'aider la prise de décision, l'Union africaine s'est inspirée des mécanismes onusiens pour créer le Système continental d'alerte précoce (CEWS), un système de prévention et d'anticipation des conflits grâce à la collecte de données et d'information, ainsi que la Force africaine en attente (FAA), qui s'inspire de l'UNSAS. Celle-ci s'appuie sur cinq brigades régionales, comprenant des composantes militaire, civile et police ; la brigade Ouest (ECOBRIG), mise en place au sein de la Communauté économique des États d'Afrique de l'Ouest (CEDAO) ; la brigade Centre (FOMAC), dans le cadre de la Communauté économique des États d'Afrique centrale (CEEAC) ; la brigade Sud (SADCBRIG), dans le cadre de la Communauté de développement d'Afrique australe (SADC) ; la brigade Est (EASBRIG), coordonnée par L'Autorité intergouvernementale pour le développement

(IGAD) ; et la brigade Nord (NASBRIG), coordonnée par la Capacité régionale de l'Afrique du Nord (NARC). La FAA a été conçue pour être déployée dans le cadre de six scénarios ; 1) aide militaire pour une mission politique ; 2) mission d'observation déployée conjointement avec une mission des Nations unies ; 3) mission d'observation sans appui de l'ONU ; 4) déploiement d'une force de maintien de la paix (chapitre VI) et missions de déploiement préventif, 5) force de maintien de la paix pour des missions complexes et multidimensionnelles (humanitaire, désarmement, administration ; et 6) intervention d'urgence, par exemple dans le cas d'un génocide, lorsque la communauté internationale ne réagit pas suffisamment rapidement. La mise en place de cette force d'action rapide initialement prévue pour 2010 a été repoussée car l'UA reste entièrement dépendante de l'aide extérieure en matière logistique et financière. Elle devrait être opérationnelle d'ici à 2015.

▶ **Maintien de la paix.**

Ces limites de l'Union africaine en matière de maintien de la paix se sont manifestées dans la gestion de la crise malienne suite au coup d'État du mois de mars 2012 et à la perte, par le gouvernement, du nord du pays, passé sous le contrôle de groupes armés djihadistes et séparatistes. En réponse à cette crise, l'Union africaine et la CEDEAO ont très vite mis en place des sanctions contre la junte militaire, notamment des interdictions de voyager et le gel des avoirs de plusieurs personnalités de la junte. Début juillet 2012, la CEDEAO a également envoyé une mission d'évaluation technique à Bamako avec la participation de l'UA, avec comme objectif de préparer un déploiement militaire de la Force africaine en attente (FAA) dans le pays. Le Conseil de sécurité des Nations unies a autorisé le plan d'intervention d'une force militaire internationale dans le Nord-Mali en adoptant le 20 décembre 2012 la résolution 2085 (SC/RES/2085). Cette force, appelée Mission internationale de soutien au Mali sous conduite africaine (MISMA), déployée pour une période initiale de un an, a commencé à être opérationnelle au milieu du mois de janvier 2013, avec des soldats originaires du Sénégal, du Burkina Faso et du Nigeria.
Face aux lenteurs de déploiement de la MISMA, le gouvernement malien a fait appel au soutien militaire de la France qui est intervenue en janvier 2013, renforçant ainsi l'efficacité de l'intervention internationale tout en complexifiant sa forme.
Le 25 avril 2013, le Conseil de sécurité des Nations unies a par ailleurs adopté la résolution 2100 (SC/RES/2100) qui autorise, en vertu du chapitre VII de la Charte, le déploiement de la Mission multidimensionnelle des Nations unies pour la stabilisation au Mali (MINUSMA). Cette mission est déployée pour un mandat initial de un an et est effective depuis le 1er juillet 2013. Elle intègre les éléments de la MISMA.

Consulter aussi

▶ **Commission et Cour africaines des droits de l'homme ▷ Droits de l'homme ▷ Terrorisme ▷ Maintien de la paix ▷ Protection.**

Contact

African Union Headquarters
P.O. Box 3243
Roosevelt Street
(Old Airport Area)
W21K19
Addis-Abeba / Éthiopie
Tel : (251) 11 551 77 00
Fax : (251) 11 551 78 44
http://www.au.int/fr/
http://www.africa-union.org/root/au/auc/departments/psc/asf/asf.htm

Pour en savoir plus

BACHMANN O., « The African Standby Force : External support to an "African solution to African problems" ? », Brighton Institute of Development Studies, Research report, vol. 200, n° 67, avril 2011, 75 p.

CHOUALA Y. A., « Puissance, résolution des conflits et sécurité collective à l'ère de l'Union africaine », *Annuaire français des relations internationales* (AFRI), 2005, vol. VI, 20 p.

EDOU MVELLE A. R., « La Force africaine en attente à l'ère de la responsabilité de protéger », *Revue défense nationale*, tribune n° 221, 2011, 7 p.

KENT V., « The African Standby Force ; progress and prospects », *African Security Review*, vol. 12, n° 3, 2003, 12 p.

KIOKO B., « The right of intervention under the African Union's Constitutive Act : From non-interference to non-intervention », *International Review of the Red Cross*, vol. 85, n° 852, décembre 2003, p. 807-825.

PEEN RODT A. M. « The African Mission in Burundi, the successful management of violent ethno-political conflict ? », Exeter Center for Ethno-Political Studies, *Ethnopolitics Papers*, n° 10, mai 2011, 29 p.

« The role and place of the African Standby Force within the African peace and security architecture », South African Institute for Security Studies, ISS Paper 209, janvier 2010, 24 p.

Veto

Le droit de veto individuel autorise un seul votant à empêcher la prise d'une décision à laquelle celui-ci est opposé, même si une majorité est en faveur de cette décision. Le veto réside dans la possibilité de s'opposer à la règle de la majorité lors d'un vote.

Ce mode de décision est fréquent dans les organisations internationales, il permet aux États de défendre leurs intérêts contre les décisions qui pourraient les léser. Il est la cause de nombreux blocages des institutions internationales.

• Au Conseil de sécurité des Nations unies, les cinq membres permanents disposent d'un droit de veto (article 27.3 de la Charte des Nations unies). Il s'agit de la Chine, la Russie, les États-Unis, la Grande-Bretagne et la France. Pendant la guerre froide, il a permis de geler totalement toute prise de décision au sein du Conseil

de sécurité des Nations unies, notamment en matière de gestion des conflits et de maintien de la paix. Il n'existe aucune règle précisant les conditions et les limites de l'usage par les États du droit de veto au Conseil de sécurité. Ceci entraîne une grande opacité des mécanismes de maintien de la paix.
• L'adoption de textes par consensus est utilisée dans les organisations intergouvernementales pour éviter le risque du veto. Il s'agit de textes de compromis qui sont adoptés sans vote si aucun État ne manifeste expressément son opposition.

▶ **Conseil de sécurité.**

Viol

Le viol consiste dans le fait de soumettre un individu par la force ou la violence à une relation sexuelle non volontaire. Il s'agit d'un crime prévu par le droit pénal national de la plupart des pays. Il peut être qualifié également entre personnes du même sexe. Les lois de nombreux pays prévoient que si la réalité de la pénétration ou si le caractère forcé de la relation ne sont pas prouvés on ne peut pas qualifier ces actes de viol ni les juger en tant que crimes. Ils ne pourront être jugés que dans la catégorie des délits sexuels. Le caractère forcé d'une relation sexuelle n'est pas toujours facile à prouver. Il faut démontrer que l'éventuelle soumission de la victime ne peut pas être assimilée à un libre consentement. Cette soumission a pu en effet être obtenue par la force, la menace, l'abus d'autorité ou de confiance.
Ce problème réel pour des relations entre adultes se pose également en cas de relations sexuelles entre un adulte et un mineur car la loi ne reconnaît pas la validité du consentement des mineurs.
Des lois nationales spéciales permettent dans certains pays de poursuivre les auteurs de délits sexuels commis sur les mineurs à l'étranger devant les tribunaux de l'État de l'auteur des faits. Ces lois, qui existent notamment en Europe, s'inscrivent dans le cadre de la lutte contre la pédophilie et le tourisme sexuel. Elles permettent de juger ces personnes devant les tribunaux du pays sur le territoire duquel ces actes ont été commis, ou ceux du pays de la nationalité du mineur, s'ils sont différents, ou ceux de la nationalité de l'accusé.
Il faut également noter que le niveau de preuve exigé peut être extrêmement difficile à atteindre selon les pays. Les tribunaux peuvent exiger des preuves matérielles, des constatations et des analyses médicales, mais aussi éventuellement des témoignages. Ces preuves sont allégées en situation de conflit.

◆ **• En dehors du témoignage de la victime, un certificat médical authentifiant les constats de lésions dues au caractère forcé ou violent du rapport sexuel peut aussi être utilisé devant les tribunaux. Le médecin confronté à une telle situation a, en toutes circonstances, le devoir d'établir ce certificat au profit de la victime le plus rapidement possible après les faits.**
• La victime peut rencontrer de grandes difficultés à faire valoir son témoignage devant un tribunal, compte tenu de l'humiliation supplémentaire que cela représente mais aussi compte tenu de la difficulté d'être opposée à son agresseur dont le témoignage risque de peser du même poids. La victime encourt des risques supplémentaires de pressions ou de représailles

si le viol a eu lieu dans le cadre d'un conflit armé. Ces circonstances renforcent encore l'importance de procéder à l'établissement d'un certificat médical dans les meilleurs délais, et même dans des formes imparfaites au regard de la législation quand la situation de conflit ne permet pas de meilleure solution.

▶ **Mission médicale ▷ Déontologie médicale.**

Le viol constitue un crime au regard du droit international en général et en particulier au regard du droit humanitaire applicable en période de conflit armé, même s'il n'est pas toujours explicitement cité dans les textes internationaux relatifs aux droits de l'homme ou au droit humanitaire. Il est cependant interdit par le droit international sur la base de l'incrimination d'atteinte à l'intégrité des personnes ou de torture et traitements cruels, inhumains ou dégradants. Certaines conventions et organes internationaux ont explicitement reconnu le viol comme une forme de torture. Il s'agit notamment la convention interaméricaine sur la prévention, la répression et l'éradication de la violence contre les femmes de 1994, de la déclaration des Nations unies de 1993 sur l'élimination de la violence contre les femmes, de la Commission interaméricaine des droits de l'homme. Le statut de la Cour pénale internationale et des deux tribunaux pénaux internationaux *ad hoc* sur l'ex-Yougoslavie et le Rwanda ont également incriminé le viol et d'autres formes de violence sexuelle.

▶ **Torture.**

Le viol a longtemps été considéré comme un dérapage inévitable en temps de guerre. Aucune attention particulière ne lui était portée pour le distinguer des autres violences commises contre les civils. Il est apparu plus récemment en ex-Yougoslavie et au Rwanda, comme un phénomène massif et une arme de guerre en soi.
Ce crime est aujourd'hui officiellement reconnu par le droit pénal international comme un crime de guerre quand il est commis dans le cadre d'un conflit armé interne ou international et comme un crime contre l'humanité quand il est commis dans le cadre d'une attaque systématique contre la population.
• Les Conventions de Genève de 1949 protègent les femmes contre les atteintes à l'honneur et à la dignité de leur personne à la fois dans les conflits armés internationaux et dans les conflits armés internes (GIV art. 27 ; GPI art. 76 ; GPII art. 4). Ces conventions interdisent toutes atteintes portées à la vie et à l'intégrité corporelle, notamment le meurtre, sous toutes ses formes, les mutilations, les traitements cruels, tortures et supplices (GI, GII, GIII, GIV art. 3).
La règle 93 de l'étude sur les règles du droit international humanitaire coutumier publiée par le CICR en 2005 énonce clairement que le viol et les autres formes de violence sexuelle sont interdits, tant dans les conflits armés internationaux que non-internationaux.

▶ **Garanties fondamentales.**

• Le viol appartient aussi à la catégorie de la torture et des traitements cruels et inhumains. Il constitue à ce titre une violation grave des Conventions de Genève quand il est commis en période de conflit contre des victimes hommes ou femmes. (GI art. 50, GII art. 51, GIII art. 130, GIV art. 147).

▶ **Crime de guerre-Crime contre l'humanité.**

• Le viol est parfois utilisé de façon systématique et massive dans les conflits, comme moyen de purification ethnique ou de terreur vis-à-vis des populations. Selon l'ONU, 25 000 femmes ont été violées au Rwanda pendant le génocide. Aujourd'hui, le HCR a admis que le viol puisse être reconnu comme un fait constitutif de persécution pour la reconnaissance du statut de réfugié au sens de la convention de 1951. Le HCR recommande également que, dans les procédures de détermination du statut de réfugiés, les demandeurs d'asile qui peuvent avoir été victimes d'agression sexuelle soient traités avec une sensibilité particulière.
• En 1993, le Tribunal pénal international pour l'ex-Yougoslavie (TPIY) a hissé le viol au rang de crime contre l'humanité et de crime de guerre, et s'est déclaré compétent pour juger les auteurs de crimes sexuels commis pendant les conflits en ex-Yougoslavie (statut du TPIY, art. 5.g ; règlement intérieur, art. 96). Il s'agit d'une véritable innovation juridique, mais elle ne s'inscrit que dans le cadre d'un tribunal *ad hoc* dont la compétence est limitée aux crimes qui ont été commis en ex-Yougoslavie. Un quart des actes d'accusation dressés par le TPIY incluent des violences sexuelles.
• Le Tribunal pénal international pour le Rwanda (TPIR) est également compétent pour le viol en tant que crime contre l'humanité et crime de guerre. Son statut adopté en 1994 a étendu l'application de la notion d'infraction grave aux Conventions de Genève aux conflits armés internes. Il a basé ses accusations sur les violations de l'article 3 commun des Conventions de Genève et du Protocole additionnel II de 1977 (article 4 du statut du TPIR).
• Pour la première fois en droit international, le TPIR a considéré en 1998 que le viol et les violences sexuelles pouvaient constituer un acte de génocide quand ils étaient commis dans l'intention de détruire en tout ou en partie un groupe national, ethnique, racial ou religieux (jugement Akayesu, voir Jurisprudence *infra*).
• Une disposition spéciale sur le viol, l'esclavage sexuel, la prostitution forcée, la grossesse forcée, la stérilisation forcée et les autres formes de violences sexuelles de gravité comparable a été introduite dans la définition des crimes de guerre et crimes contre l'humanité relevant de la compétence de la Cour pénale internationale dont le statut a été adopté à Rome le 17 juillet 1998 et est entré en vigueur le 1er juillet 2002 (art.7.1.g ; art.8.2.b.XXII ; art. 8.2.e.VI). Elle concerne les conflits armés internationaux ou non-internationaux.
Pour être considéré comme un crime contre l'humanité, la violence sexuelle doit être perpétrée dans le cadre d'une attaque généralisée ou systématique (art. 7.1.g). Pour être constitutif d'un crime de guerre, la violence sexuelle doit être commise dans le contexte d'un conflit armé international ou non international et s'inscrire dans le cadre d'un plan ou d'une politique ou dans le contexte de crimes commis sur une grande échelle (art. 8.2.b.xxii, et 8.2.e.vi du statut de la CPI). La définition interdit 6 types de violences sexuelles : le viol, l'esclavage sexuel, la prostitution forcée, la grossesse forcée, la stérilisation forcée, et toute autre forme de violence sexuelle de gravité comparable.

► **Crime de guerre-Crime contre l'humanité.**

■ Éléments de crimes des violences sexuelles

Les éléments descriptifs de ce crime sont listés dans un document séparé adopté par l'Assemblée des États parties de la CPI et intitulé « *Éléments des crimes* ».

• Le **viol** requiert que :
L'auteur a pris possession du corps d'une personne de telle manière qu'il y a eu pénétration, même superficielle, d'une partie du corps de la victime ou de l'auteur par un organe sexuel, ou de l'anus ou du vagin de la victime par un objet ou toute partie du corps. L'acte a été commis par la force ou en usant à l'encontre de ladite ou desdites ou de tierces personnes de la menace de la force ou de la coercition, telle que celle causée par la menace de violences, contrainte, détention, pressions psychologiques, abus de pouvoir, ou bien à la faveur d'un environnement coercitif, ou encore en profitant de l'incapacité de ladite personne de donner son libre consentement.

• L'**esclavage sexuel** requiert que :
L'auteur a exercé l'un quelconque ou l'ensemble des pouvoirs associés au droit de propriété sur une ou plusieurs personnes, par exemple en achetant, vendant, prêtant ou troquant ladite ou lesdites personnes concernées, ou en leur imposant une privation similaire de liberté.
L'auteur a contraint ladite ou lesdites personnes à accomplir un acte ou plusieurs actes de nature sexuelle.

• La **prostitution forcée** requiert que :
L'auteur a amené une ou plusieurs personnes à accomplir un ou plusieurs actes de nature sexuelle par la force ou en usant à l'encontre de ladite ou desdites ou de tierces personnes de la menace de la force ou de la coercition, telle que celle causée par la menace de violences, contrainte, détention, pressions psychologiques, abus de pouvoir, ou bien à la faveur d'un environnement coercitif, ou encore en profitant de l'incapacité desdites personnes de donner leur libre consentement.
L'auteur ou une autre personne a obtenu ou espérait obtenir un avantage pécuniaire ou autre en échange des actes de nature sexuelle ou en relation avec ceux-ci.

• La **grossesse forcée** requiert que :
L'auteur a détenu une ou plusieurs femmes rendues enceintes de force, dans l'intention de modifier la composition ethnique d'une population ou de commettre d'autres violations graves du droit international.

• La **stérilisation forcée** requiert que :
L'auteur a privé une ou plusieurs personnes de la capacité biologique de se reproduire. De tels actes n'étaient ni justifiés par un traitement médical ou hospitalier des personnes concernées ni effectués avec leur libre consentement

• La **violence sexuelle** requiert que :
L'auteur a commis un acte de nature sexuelle sur une ou plusieurs personnes ou a contraint ladite ou lesdites personnes à accomplir un tel acte par la force ou en usant à l'encontre de ladite ou desdites ou de tierces personnes de la menace de la force ou de la coercition, telle que celle causée par la menace de violences, contrainte, détention, pressions psychologiques, abus de pouvoir, ou bien à la faveur d'un environnement coercitif, ou encore en profitant de l'incapacité desdites personnes de donner leur libre consentement. ■

• Les cas où le crime de viol est aggravé par la contamination volontaire (ou non) par le virus du sida n'ont pas encore été abordés au niveau du droit international. Afin de suivre la question des violences sexuelles dans les conflits armés, le secrétaire général a nommé un représentant spécial sur la violence sexuelle dans les conflits armés. Depuis juin 2012, il s'agit de Zainab Hawa Bangura, de Sierra Leone, qui succède à Margot Wallström. Le Conseil des droits de l'homme dispose aussi d'un rapporteur spécial chargé de la question de la violence contre les femmes. En 2007, l'Organisation mondiale de la santé (OMS) a publié des Principes d'éthique et de sécurité pour la recherche, la documentation et le suivi de la violence sexuelle dans les situations d'urgence. Ces principes sont le résultat d'un processus de consultation qui a débuté en 2006 et qui a réuni des experts d'organisations médicales et de défense des droits de l'homme, dans le but d'identifier des outils de collecte d'information pour faire face à la violence sexuelle dans les conflits armés et assurer que les victimes soient correctement prises en charge et protégées. Ces principes respectent les règles internationales d'éthique médicale et visent à aider les organisations impliquées dans la prise en charge des victimes de violences sexuelles dans leur travail quotidien.

Jurisprudence

Définition du viol par les tribunaux pénaux internationaux et la Cour pénale internationale

Les Tribunaux pénaux internationaux pour le Rwanda (TPIR) et pour l'ex-Yougoslavie (TPIY) ainsi que la Cour pénale internationale (CPI) ont élargi leur définition du viol afin d'inclure les situations où, loin d'être un crime isolé et individuel, ce dernier est utilisé à grande échelle comme arme de guerre. De plus, prenant en compte l'impact des situations de guerre et de violence de masse sur les obligations légales et matérielles, les tribunaux ont assoupli les conditions de preuve d'absence de consentement de la victime.

L'arrêt Akayesu (ICTR-96-4-T, 2 septembre 1998), qui a établi la culpabilité de Jean-Paul Akayesu pour viol en tant que crime contre l'humanité, est le premier jugement international donnant une définition du viol. Il constitue donc un précédent important.

Dans cette affaire, la Chambre de première instance du TPIR a retenu une interprétation large, définissant le viol comme « une invasion physique de nature sexuelle commise sur la personne d'autrui sous l'empire de la coercition » (§ 688). Le TPIR a rappelé que les violences sexuelles ne se limitent pas à la pénétration physique et que ces actes, y compris le viol, ne peuvent pas être démontrés par des descriptions mécaniques limitées à certaines parties du corps.

Par ailleurs, les juges internationaux ont reconnu pour la première fois dans cette affaire que le viol pouvait être constitutif de génocide si ces actes « ont été commis dans l'intention spécifique de détruire, en tout ou partie, un groupe spécifique, ciblé en tant que tel » (§ 731). Cette définition était volontairement large pour couvrir les différentes formes de violence sexuelle commises dans le cadre d'une politique génocidaire. Elle a été modifiée par la suite pour s'adapter aux contextes spécifiques de violence concernés. Cela a été confirmé dans l'affaire Musema (ICTR-96-13-A, 27 janvier 2000, § 154). Par ailleurs, le TPIY a affirmé dans l'affaire du Camp Celebici que le viol pouvait constituer un acte de torture si les conditions spécifiques de la torture étaient remplies (ICTY, IT-96-21-T, 16 novembre 1998, § 941).

Dans l'affaire Furundzija (IT-95-17/1-T, 10 décembre 1998), le TPIY a affirmé que « l'emploi de la force, de la menace ou de la contrainte contre la victime ou une tierce personne » était un des éléments constitutifs du viol (§ 185).

Dans l'affaire Foca (Kunarac et consorts, IT-96-23/1-T, 22 février 2001), le TPIR a également pris en compte les « autres facteurs qui feraient de la pénétration sexuelle un acte non consensuel ou non voulu par la victime », facteurs qui seraient constitutifs de viol en droit pénal international (§ 438).

En 2002, la Chambre d'appel du TPIY a adopté une définition descriptive des faits constituant le viol. Il s'agit de « toute pénétration sexuelle, fût-elle légère, du vagin ou de l'anus de la victime, par le pénis du violeur, dès lors que cette pénétration sexuelle a eu lieu sans le consentement de la victime » (affaire Foca, IT-96-23/1-A, 12 juin 2002, para 127). Dans cette même affaire, le Tribunal a précisé que la condition de résistance de la victime n'a aucun fondement en droit international coutumier et qu'elle est absurde dans les faits dans de tels contextes de violence (camps de détention et d'exploitation sexuelle, par les forces armées adverses, des femmes ressortissantes de l'autre partie au conflit). L'emploi de la force, ou la menace de son emploi, constitue une preuve incontestable de l'absence de consentement de la victime (§ 128). Dans l'affaire Furundzija du 10 décembre 1998, la Chambre de première instance du TPIY avait déjà décidé qu'il n'était pas nécessaire de prouver de la part de la victime une résistance à l'acte, afin de conclure au viol : en effet, il suffit d'établir l'intention de l'auteur de l'acte sexuel de pénétrer la victime tout en sachant que la victime n'y consent pas (§ 179).

Dans la décision Foca du 22 février 2001 (voir *supra*), la Chambre de première instance du TPIY a retenu l'infraction de viol comme constitutive de crime contre l'humanité et de crime de guerre.

Ces aménagements de la définition comme de la charge de la preuve sont liés par les tribunaux aux conditions générales de déroulement de ces violences.

L'affaire Katanga et consorts (Procureur c. Germain Katanga et Mathieu Ngudjolo Chui, 30 septembre 2008) fut le premier cas étudié par la Cour pénale internationale. Dans cette décision de confirmation des charges, la Chambre préliminaire I de la Cour a considéré que le viol comme crime contre l'humanité supposait deux éléments :

i) l'*actus reus,* c'est-à-dire, lorsque « l'auteur a pris possession du corps d'une personne de telle manière qu'il y a eu pénétration, même superficielle, d'une partie du corps de la victime ou de l'auteur par un organe sexuel, ou de l'anus ou du vagin de la victime par un objet ou toute partie du corps » (§ 438-440) ; et

ii) le *mens rea,* c'est-à-dire l'intention de prendre possession du corps d'une autre personne « par la force ou en usant de la menace de la force ou de la coercition » (§ 441).

Consulter aussi

▶ **Femme ▷ Tribunaux pénaux internationaux ▷ Torture ▷ Crime de guerre-Crime contre l'humanité ▷ Cour pénale internationale ▷ Cour et Commission interaméricaines des droits de l'homme ▷ Réfugié ▷ Persécution ▷ Purification ethnique ▷ Génocide ▷ Mission médicale.**

Pour en savoir plus

ALLEN B., *Rape Warfare. The Hidden Genocide in Bosnia-Herzegovina and Croatia,* University of Minnesota Press, 1996.

DE BROUWER A. M., *Supranational Criminal Prosecution of Sexual Violence : The ICC and the Practice of the ICTY and the ICTR,* Intersentia, Anvers, 2005, 570 p.

FIDH, « Human Rights Watch, Human Rights Watch Women's Rights Project », *Shattered Lives. Sexual Violence During the Rwandan Genocide and its Aftermath,* Human Rights Watch, New York-Washington-Londres-Bruxelles, 1996.

GARDAM J., « Femme, droits de l'homme et droit humanitaire », *Revue internationale de la Croix-Rouge,* septembre 1998, p. 449-462.

JOSSE E., « "Ils sont venus avec deux fusils" : les conséquences des violences sexuelles sur la santé mentale des femmes victimes dans les contextes de conflit armé », *Revue internationale de la Croix-Rouge,* n° 877, mars 2010. Disponible en ligne sur http://www.icrc.org/fre/assets/files/other/irrc-877-josse-fre.pdf

MERON T., « Rape as a crime under international humanitarian law », *American Journal of International Law,* 1993, p. 424-428.

Z

Zones protégées

Le droit humanitaire prévoit différentes méthodes pour délimiter des zones dans lesquelles une protection spéciale sera apportée aux populations en danger ou dans lesquelles les combats ne peuvent avoir lieu. Il distingue :
- les localités non défendues ;
- les zones et localités sanitaires ;
- les zones et localités sanitaires et de sécurité ;
- les zones neutralisées ;
- les zones démilitarisées.

Chaque concept de droit humanitaire offre des droits et des obligations détaillés, mais aussi une répartition précise des responsabilités en matière de protection des populations regroupées dans ces zones.

Le Conseil de sécurité a ajouté de nouveaux concepts de zones sûres pour protéger les civils : « zones de sécurité » et « zones humanitaires sûres ». Elles ont pour fondement la notion de zones sûres mais elles ne remplissent pas les critères posés par le droit humanitaire. En effet, ces zones sont protégées par la présence de soldats de l'ONU dont les capacités militaires et les responsabilités de protection des populations sont plus symboliques que réelles.

◆ **• Le regroupement de populations vulnérables dans des lieux « protégés » est susceptible de créer des dangers supplémentaires pour les individus en les concentrant et en les exposant sans défense aux opérations militaires. La responsabilité juridique et militaire de protection de ces lieux et des personnes doit donc être établie de façon extrêmement précise.**

• Les zones de sécurité créées par l'ONU en ex-Yougoslavie en 1993, la zone humanitaire sûre mise en place au Rwanda en 1994 et la zone de protection créée en 1991 au nord de l'Irak pour « protéger » les Kurdes ne répondent pas aux critères fixés par le droit humanitaire. Ces concepts résultent de compromis diplomatiques et militaires élaborés par le Conseil de sécurité de l'ONU dans lesquels la responsabilité de la protection des populations reste floue, et les moyens inadaptés. L'histoire tragique des populations rassemblées dans ces zones oblige à les considérer de façon critique.

• Les organisations de secours impliquées dans de telles situations doivent dans chaque cas vérifier les garanties de protection accordées aux populations et les chaînes de responsabilité et de recours instituées par de telles opérations.

1. *Localité non défendue*

Lieu habité situé à proximité ou à l'intérieur d'une zone de contact entre forces armées et qui est ouvert à l'occupation par l'adversaire pour éviter les combats et la destruction.

Le droit humanitaire prévoit que des zones peuvent être déclarées « non défendues » pour éviter que ne s'y déroulent des combats et épargner ainsi la population et les biens civils qui s'y trouvent. Il est interdit aux parties au conflit d'attaquer, par quelque moyen que ce soit, ces zones (GPI art. 59.1).

La création d'une localité non défendue et le signe distinctif qui la signalise font l'objet de règles détaillées (GPI art. 59.5, 6, 7). Les caractéristiques de ce signe devront être convenues entre les parties lors de l'accord créant de telles zones.

Les conditions précises qui doivent être respectées pour qu'une localité puisse être considérée comme non défendue sont les suivantes (GPI art. 59.2) :

– tous les combattants ainsi que les armes et le matériel militaire mobile doivent en être retirés ;

– il ne doit pas être fait un usage hostile des installations ou des établissements militaires fixes ;

– les autorités et la population doivent s'abstenir de commettre des actes d'hostilité ;

– aucune activité à l'appui d'opérations militaires ne doit être entreprise.

2. *Zones et localités sanitaires*

Zones et localités organisées sur le territoire de la partie au conflit ou sur les territoires occupés de manière à mettre à l'abri des effets de la guerre les blessés et les malades des forces armées, ainsi que le personnel sanitaire affecté à cette mission. La première Convention de Genève propose aux États de prévoir ces lieux dès les temps de paix et de signer des accords *ad hoc* avec l'autre partie au conflit en temps de guerre. La convention propose en annexe un modèle d'accord définissant la création et la protection de ces zones sanitaires. Leur reconnaissance devra faire l'objet d'un accord entre les parties. Elles seront indiquées par des signes distinctifs appropriés. Ces signes sont constitués par des croix rouges, croissants rouges, lions et soleils rouges sur fond blanc apposés à la périphérie et sur les bâtiments (GI art. 23 et annexe I).

3. *Zones et localités sanitaires et de sécurité*

La quatrième Convention reprend au profit des civils la notion de zones et localités sanitaires prévue par la première convention au profit des malades et blessés des forces armées. Il s'agit de zones organisées sur le territoire de la partie au conflit ou sur des territoires occupés de manière à mettre à l'abri des effets de la guerre les blessés, les malades, les infirmes, les personnes âgées, les enfants de moins de quinze ans, les femmes enceintes et les mères d'enfants de moins de sept ans, ainsi que les personnes prévues pour les zones et localités sanitaires. Elles peuvent être créées dès le temps de paix mais un accord sera nécessaire entre les parties pour leur reconnaissance en temps de guerre (GIV art. 14 et annexe I). Les puissances protectrices et le Comité international de la Croix-Rouge sont invités par l'article 14 à prêter leurs bons offices pour faciliter l'établissement et la reconnaissance de ces zones et localités sanitaires et de sécurité.

Des bandes obliques rouges sur fond blanc désignent les zones et localités sanitaires et de sécurité (GIV art. 14). Il s'agit d'un signe distinctif établi par la quatrième Convention de Genève dont l'usage abusif ou le non-respect constitue un crime de guerre au titre d'infraction grave (GPI art. 85). Des croix rouges (croissant, lion ou soleil rouge) seront en outre apposées sur les zones uniquement réservées aux blessés et malades (GIV. annexe I, art. 6).

4. *Zones neutralisées*

Zones qui peuvent être créées dans les régions où ont lieu des combats et qui sont destinées à mettre à l'abri des hostilités les blessés et les malades militaires et civils, ainsi que les personnes civiles qui ne participent pas aux hostilités et qui ne se livrent à aucun travail de caractère militaire pendant leur séjour dans ces zones. L'initiative de la création peut être prise par les parties au conflit mais aussi par un État neutre ou un organisme humanitaire.

La reconnaissance ainsi que l'identification et la durée des zones neutralisées doivent faire l'objet d'un accord entre les parties, qui détermine également la situation géographique, l'administration, l'approvisionnement et le contrôle de cette zone (GIV art. 15).

5. *Zones démilitarisées*

Zones dans lesquelles il est interdit aux parties au conflit de mener des opérations militaires. Les parties au conflit ne peuvent pas non plus utiliser ces zones à des fins liées à la conduite des opérations militaires.

Les zones démilitarisées sont prévues par un accord passé en temps de paix ou après l'ouverture des hostilités. Cet accord doit être exprès. Il peut être verbal ou écrit et être passé soit directement entre les parties au conflit, soit par l'intermédiaire d'une puissance protectrice ou d'une organisation humanitaire impartiale. La partie qui contrôle la zone démilitarisée doit clairement la signaler, dans la mesure du possible, avec des signes acceptés par l'autre partie.

Les conditions pour qu'une zone puissent être qualifiée de « démilitarisée » sont les suivantes (GPI art. 60) :

- tous les combattants, ainsi que les armes et le matériel militaire mobiles, devront avoir été évacués ;
- il ne sera pas fait un usage hostile des installations ou des établissements militaires fixes ;
- les autorités et la population ne commettront pas d'actes d'hostilité ;
- toute activité liée à l'effort militaire devra avoir cessé (GPI art. 60).

Aucune des parties au conflit ne peut unilatéralement révoquer le statut de la zone démilitarisée. Seule exception possible : si l'une des parties au conflit ne respecte pas ces conditions ou si elle utilise la zone à des fins militaires, l'autre partie au conflit n'est plus tenue de respecter ses engagements. La zone perd alors son statut, mais elle continue toutefois de bénéficier des autres dispositions du droit humanitaire (GPI art. 60, 60.6, 60.7).

Il est important de s'arrêter sur les termes de l'accord devant être la base des zones énumérées ci-après. En Irak, par exemple, le Conseil de sécurité des Nations unies a créé une zone démilitarisée le long de la frontière avec le Koweit en accord avec les deux États concernés (S/rés. 687 du 3 avril 1991), ce qui concorde avec les dispositions du droit international humanitaire. Mais d'autres types de zones ont été créés par d'autres États en Irak :

- les États-Unis ont imposé une zone d'exclusion aérienne dans le Nord et dans le Sud couvrant environ 60 % du territoire dans le but de protéger les populations kurde et chiite, interdisant tout survol comme toute activité antiaérienne ;

– une « zone de sécurité » dans le Nord a été imposée par les États-Unis, la France et le Royaume-Uni pour accueillir les « réfugiés » kurdes.

Ces zones, créées sur la base de la résolution 688 du Conseil de sécurité qui condamne la « répression de la population civile irakienne (notamment) dans les zones de peuplement kurde » (S/rés. 688 du 5 avril 1991), ne sont pas reconnues par l'Irak et par conséquent elles ne remplissent pas les critères juridiques posés par les Conventions de Genève et leurs Protocoles. Elles ne permettent donc pas de préciser les responsabilités de chacun dans la protection des populations.

6. *Zones de sécurité*

C'est le vocable donné aux zones de protection créées par l'ONU en Bosnie-Herzégovine. Créé à l'origine pour Srebrenica et ses environs par la résolution 819 du 16 avril 1993 (S/rés. 819), le concept de zones de sécurité (*safe areas*) a ensuite été étendu à Tuzla, Zepa, Bihac, Gorazde et Sarajevo par la résolution 824 du 6 mai 1993 (S/rés. 824). Elles consistaient, à des fins humanitaires, en l'interdiction de toute activité militaire à l'intérieur et autour desdites zones et le déploiement d'éléments de la FORPRONU. Ces deux résolutions ont été prises sur la base du chapitre VII de la Charte, ce qui leur confère un caractère obligatoire. Elles n'ont pas fait l'objet d'un accord *ad hoc* entre les deux parties au conflit. En outre, dans sa résolution 836 du 4 juin 1993 (S/rés. 836) adoptée elle aussi sur la base du chapitre VII de la Charte, le Conseil de sécurité des Nations unies autorise l'emploi de la force par la FORPRONU pour dissuader les attaques contre les zones de sécurité. Cet ensemble de textes de droit et de moyens militaires n'a pas suffi à imposer le respect de ces zones aux parties au conflit. Au moment de la prise de Srebrenica en juillet 1995 par l'armée des Serbes de Bosnie, une grande partie de la population a été massacrée. Plus de 7 000 personnes sont portées disparues. De leur côté, les soldats des Nations unies qui avaient mission de protéger cette zone n'ont pas recouru à la force, comme leur mandat les y autorisait, pour protéger la population. Ce nouveau concept comporte un défaut majeur au stade actuel, celui de diluer la responsabilité de protection des populations.

7. *Zone humanitaire sûre*

En 1994, le Conseil de sécurité a élargi le mandat de la mission d'assistance des Nations unies pour le Rwanda, la MINUAR (résolution 912 du 21 avril 1994), pour lui permettre d'établir et de maintenir des zones humanitaires sûres. Il a été aussi admis que la MINUAR pouvait utiliser la force pour protéger la population en danger, le personnel onusien et d'autres humanitaires, ou les moyens de transport et de distribution des secours (S/rés. 918 du 17 mai 1994).

Mais au Rwanda, la seule « zone humanitaire sûre » créée ne l'a pas été par la MINUAR. L'opération Turquoise a été lancée le 3 juillet 1994, à l'initiative de la France avec le soutien du Conseil de sécurité de l'ONU. Elle s'est déployée dans la partie sud-ouest du Rwanda, délimitée par les districts de Cyangugu, Gikongoro et le sud de Kibuye. La création de cette zone s'est appuyée sur la résolution 929 du Conseil de sécurité (22 juin 1994), qui autorise une intervention armée sous commandement et contrôle nationaux dans le cadre du chapitre VII afin de contribuer notamment « à la sécurité et à la protection des personnes déplacées, des réfugiés et des civils en danger » (S/rés. 929). Après le départ de l'armée française remplacée par des soldats de l'ONU ayant un mandat différent, la population est restée regroupée dans ces zones et a été l'objet en 1995 autour de Kibeho, d'attaques et de massacres par l'armée rwandaise. 6 000 à 8 000 d'entre eux ont disparu. Dans ce cas encore, les responsabilités de la force des Nations unies dans la protection de la population et le contenu de cette protection n'étaient pas suffisamment précises pour empêcher les massacres.

▶ **Maintien de la paix ▷ Ordre public ▷ Sécurité collective ▷ Protection.**

Pour en savoir plus

BUGNION F., « Zones et localités sanitaires », *Le Comité international de la Croix-Rouge et la protection des victimes de la guerre*, CICR, Genève, 1994, p. 548-555.

OSWALD B.M., « La création et le contrôle de zones protégées lors des opérations de paix des Nations unies », *Revue internationale de la Croix-Rouge*, décembre 2001, n° 844, p. 1013-1035.

SANDOZ Y., « Localités et zones sous protection spéciale », CICR, Quatre études du droit international humanitaire, Institut Henri-Dunant, Genève, 1986, p. 299-326.

TORELLI M., « Les zones de sécurité », *Revue générale de droit international public*, 1995, p. 787-847.

Index alphabétique

Index thématique

Droits fondamentaux de la personne

Droit humanitaire

Enfant

Famille

Femme

Guerre

Maintien de la paix

Occupation

ONG

ONU

Personnes disparues et les morts

Personnel de secours

Protection

Réfugiés

Santé

Secours

Sécurité collective

Violation du droit

Index des signatures par pays

des conventions internationales relatives au droit humanitaire et aux droits de l'homme.

Légende des conventions internationales référencées dans l'Index des ratifications par pays Données juin 2013

Droit international humanitaire (1 à 4)

1 Conventions de Genève du 12 août 1949. 195 États parties.
- Convention de Genève pour l'amélioration du sort des blessés et des malades dans les forces armées en campagne
- Convention de Genève pour l'amélioration du sort des blessés, malades, naufragés des forces armées sur mer
- Convention de Genève relative au traitement des prisonniers de guerre
- Convention de Genève relative à la protection des personnes civiles en temps de guerre

2 Protocole additionnel I relatif à la protection des victimes des conflits armés internationaux du 8 juin 1977 (Protocole additionnel I). 173 États parties.
2a Déclaration article 90 (acceptation de la compétence de la Commission internationale d'établissement des faits). 72 États.

3 Protocole additionnel II relatif à la protection des victimes des conflits armés non internationaux du 8 juin 1977 (Protocole additionnel II). 167 États parties.

4 Protocole additionnel aux Conventions de Genève du 12 août 1949 relatif à l'adoption d'un signe distinctif additionnel du 8 décembre 2005 (Protocole additionnel III). 63 États parties.

Droits de l'homme à l'échelon universel (5 à 9)

5 Pacte international relatif aux droits économiques, sociaux et culturels du 16 décembre 1966. 160 États parties.

6 Pacte international relatif aux droits civils et politiques du 16 décembre 1966. 167 États parties.
6a Déclaration article 41 (acceptation de la compétence du Comité pour les communications étatiques). 48 États.

7 Protocole facultatif se rapportant au Pacte international relatif aux droits civils et politiques du 16 décembre 1966 (acceptation de la compétence du Comité pour les communications individuelles). 114 États parties.

8 Deuxième protocole facultatif du 15 décembre 1989 se rapportant au pacte international relatif aux droits civils et politiques et visant à abolir la peine de mort. 76 États parties.

9 Convention internationale pour la protection de toutes les personnes contre les disparitions forcées, 20 décembre 2006. 38 États parties.

Droits de l'homme à l'échelon régional (10 à 12)

10 Convention européenne des droits de l'homme du 4 novembre 1950. 47 États parties.
10a Protocole n° 11 du 11 mai 1994 portant restructuration du mécanisme de contrôle établi par la convention européenne des droits de l'homme. 47 États parties

11 Convention américaine relative aux droits de l'homme du 22 novembre 1969. 25 États parties.
11a Déclaration article 45 (acceptation de la compétence de la Commission pour les communications étatiques). 10 États.
11b Déclaration article 62 (acceptation de la compétence de la Cour). 18 États.

12 Charte africaine des droits de l'homme et des peuples du 26 juin 1981. 53 États parties.
12a Protocole à la Charte africaine des droits humains et des peuples relatif aux droits des femmes en Afrique, 7 novembre 2003. 36 États parties.
12b Statuts de la Cour africaine des droits humains et des peuples, adoptés le 9 juin 1998. Déclaration article 34.6 (acceptation de la compétence de la Cour pour recevoir les plaintes émises par les ONG et les individus).

Enfants (13)

13 Convention relative aux droits de l'enfant du 20 novembre 1989. 193 États parties.
13a Protocole facultatif à la Convention relative aux droits de l'enfant, concernant l'im-

plication d'enfants dans les conflits armés, 25 mai 2000. 151 États parties.

13b Protocole facultatif à la Convention relative aux droits de l'enfant, concernant la vente d'enfants, la prostitution des enfants et la pornographie mettant en scène des enfants, 25 mai 2000. 163 États parties.

Torture (14 à 16)

14 Convention contre la torture et autres peines ou traitements cruels, inhumains ou dégradants du 10 décembre 1984. 153 États parties.

14a Déclaration article 21 (acceptation de la compétence du Comité pour les communications étatiques). 61 États.

14b Déclaration article 22 (acceptation de la compétence du Comité pour les communications individuelles). 65 États.

14c Protocole facultatif à la Convention contre la torture et autres peines ou traitements cruels, inhumains ou dégradants, 18 décembre 2002. 68 États parties.

15 Convention européenne pour la prévention de la torture et des peines et traitements inhumains ou dégradants du 26 novembre 1987. 47 États parties.

16 Convention interaméricaine pour la prévention et la répression de la torture du 9 décembre 1985. 18 États parties.

Réfugiés et apatrides (17 à 21)

17 Convention relative au statut des réfugiés du 28 juillet 1951. 145 États parties.

18 Protocole de New York relatif au statut des réfugiés du 31 janvier 1967. 146 États parties.

19 Convention de l'OUA régissant les aspects propres aux problèmes des réfugiés en Afrique du 10 septembre 1969. 45 États parties.

20 Convention relative au statut des apatrides du 28 septembre 1954. 77 États parties.

21 Convention sur la réduction des cas d'apatridie du 30 août 1961. 51 États parties.

Génocide (22)

22 Convention pour la prévention et la répression du crime de génocide du 9 décembre 1948. 142 États parties.

Crimes de guerre (23 à 24)

23 Convention sur l'imprescriptibilité des crimes de guerre et des crimes contre l'humanité du 26 novembre 1968. 54 États parties.

24 Convention européenne sur l'imprescriptibilité des crimes contre l'humanité et des crimes de guerre du 25 janvier 1974. 7 États parties.

Discrimination (25 à 27)

25 Convention internationale sur l'élimination de toutes formes de discrimination raciale du 21 décembre 1965. 176 États parties.

25a Déclaration article 14 (acceptation de la compétence du comité pour les communications individuelles). 54 États.

26 Convention sur l'élimination de toutes formes de discrimination envers les femmes du 18 décembre 1979. 187 États parties.

27 Convention internationale sur la suppression et la punition du crime d'apartheid du 30 novembre 1973. 108 États parties.

Désarmement (28)

28 Convention sur l'interdiction de l'emploi, du stockage, de la production et du transfert des mines antipersonnel et sur leur destruction du 18 septembre 1997. 161 États parties.

29 Convention sur l'interdiction de la mise au point, de la fabrication, du stockage et de l'emploi des armes chimiques et sur leur destruction, 3 septembre 1992. 189 États parties.

30 Convention sur les armes à sous munitions, 30 mai 2008. 83 États parties.

Cour pénale internationale (31)

31 Statut de la Cour pénale internationale du 17 juillet 1998. 122 États parties.

Index des pays signataires

des conventions internationales relatives au droit humanitaire et aux droits de l'homme (juin 2013)

◆ **Les dates sont celles des ratifications, des adhésions ou des successions. Les signatures non suivies de ratifications sont mentionnées par un S.**

Afghanistan

DIH : 1 (1956) ; 2 (2009) ; 2a (non) ; 3 (2009) ; 4 (non) ; **DDH universel :** 5 (1983) ; 6 (1983) ; 6a (non) ; 7 (non) ; 8 (non) ; 9 (non) ; **Enfants :** 13 (1994) ; 13a (2003) ; 13b (2002) ; **Torture :** 14 (1987) ; 14a (non) ; 14b (non) ; 14c (non) ; **Réfugiés et apatrides :** 17 (2005) ; 18 (2005) ; 20 (non) ; 21 (non) ; **Génocide :** 22 (1956) ; **Crimes de guerre et crimes contre l'humanité :** 23 (1983) ; **Discrimination :** 25 (1983) ; 25a (non) ; 26 (2003) ; 27 (1983) ; **Désarmement** : 28 (2002) ; 29 (2003) ; 30 (2011) ; **Cour pénale internationale** : 31 (2003)

Afrique du Sud

DIH : 1 (1952) ; 2 (1995) ; 2a (non) ; 3 (1995) ; 4 (non) ; **DDH universel :** 5 (1994 S) ; 6 (1998) ; 6a (oui) ; 7 (2002) ; 8 (2002) ; 9 (non) ; **DDH régional :** 12 (1996) ; 12a (2004) ; 12b (2002) ; **Enfants :** 13 (1995) ; 13a (2009) ; 13b (2003) ; **Torture :** 14 (1998) ; 14a (oui) ; 14b (oui) ; 14c (2006 S) ; **Réfugiés et apatrides :** 17 (1996) ; 18 (1996) ; 19 (1995) ; 20 (non) ; 21 (non) ; **Génocide :** 22 (1998) ; **Crimes de guerre et crimes contre l'humanité :** 23 (non) ; **Discrimination :** 25 (1998) ; 25a (oui) ; 26 (1995) ; 27 (non) ; **Désarmement** : 28 (1998) ; 29 (1995) ; 30 (2008 S) ; **Cour pénale internationale** : 31 (2000).

Albanie

DIH : 1 (1957) ; 2 (1993) ; 2a (non) ; 3 (1993) ; 4 (2008) ; **DDH universel :** 5 (1991) ; 6 (1991) ; 6a (non) ; 7 (2007) ; 8 (2007) ; 9 (2007) ; **DDH régional :** 10 (1996) ; 10a (1996) ; **Enfants :** 13 (1992) ; 13a (2008) ; 13b (2008) ; **Torture :** 14 (1994) ; 14a (non) ; 14b (non) ; 14c (2003) ; 15 (1996) ; **Réfugiés et apatrides :** 17 (1992) ; 18 (1992) ; 20 (2003) ; 21 (2003) ; **Génocide :** 22 (1955) ; **Crimes de guerre et crimes contre l'humanité :** 23 (1971) ; 24 (non) ; **Discrimination :** 25 (1994) ; 25a (non) ; 26 (1994) ; 27 (non) ; **Désarmement** : 28 (2000) ; 29 (1994) ; 30 (2009) ; **Cour pénale internationale** : 31 (2003).

Algérie

DIH : 1 (1960) ; 2 (1989) ; 2a (oui) ; 3 (1989) ; 4 (non) ; **DDH universel :** 5 (1989) ; 6 (1989) ; 6a (oui) ; 7 (1989) ; 8 (non) ; 9 (2007 S) ; **DDH régional :** 12 (1987) ; 12a (2003 S) ; 12b (2003) ; **Enfants :** 13 (1993) ; 13a (2009) ; 13b (2006) ; **Torture :** 14 (1989) ; 14a (oui) ; 14b (oui) ; 14c (non) ; **Réfugiés et apatrides :** 17 (1963) ; 18 (1967) ; 19 (1974) ; 20 (1964) ; 21 (non) ; **Génocide :** 22 (1963) ; **Crimes de guerre et crimes contre l'humanité :** 23 (non) ; **Discrimination :** 25 (1972) ; 25a (oui) ; 26 (1996) ; 27 (1982) ; **Désarmement** : 28 (2001) ; 29 (1995) ; 30 (non) ; **Cour pénale internationale** : 31 (2000 S).

Allemagne

DIH : 1 (1954) ; 2 (1991) ; 2a (oui) ; 3 (1991) ; 4 (2009) ; **DDH universel :** 5 (1973) ; 6 (1973) ; 6a (oui) ; 7 (1993) ; 8 (1992) ; 9 (2009) ; **DDH régional :** 10 (1952) ; 10a (1995) ; **Enfants :** 13 (1992) ; 13a (2004) ; 13b (2009) ; **Torture :** 14 (1990) ; 14a (oui) ; 14b (oui) ; 14c (2008) ; 15 (1990) ; **Réfugiés et apatrides :** 17 (1953) ; 18 (1969) ; 20 (1976) ; 21 (1977) ; **Génocide :** 22 (1954) ; **Crimes de guerre et crimes contre l'humanité :** 23 (non) ; 24 (non) ; **Discrimination :** 25 (1969) ; 25a (non) ; 26 (1985) ; 27 (non) ; **Désarmement** : 28 (1998) ; 29 (1995) ; 30 (non) ; **Cour pénale internationale** : 31 (2000).

Andorre

DIH : 1 (1993) ; 2 (non) ; 2a (non) ; 3 (non) ; 4 (non) ; **DDH universel :** 5 (non) ; 6 (2006) ; 6a (non) ; 7 (2006) ; 8 (2006) ; 9 (non) ; **DDH régional :** 10 (1996) ; 10a (1996) ; **Enfants :** 13 (1996) ; 13a (2001) ; 13b (2001) ; **Torture :** 14 (2006) ; 14a (oui) ; 14b (oui) ; 14c (non) ; 15 (1997) ; **Réfugiés et apatrides :** 17 (non) ; 18 (non) ; 20 (non) ; 21 (non) ; **Génocide :** 22 (2006) ; **Crimes de guerre et crimes contre l'humanité :** 23 (non) ; 24 (non) ; **Discrimination :** 25 (2006) ; 25a (oui) ; 26 (1997) ; 27 (non) ; **Désarmement** : 28 (1998) ; 29 (2003) ; 30 (2013) ; **Cour pénale internationale** : 31 (2001).

Angola

DIH : 1 (1984) ; 2 (1984) ; 2a (non) ; 3 (non) ; 4 (2006 S) ; **DDH universel :** 5 (1992) ; 6 (1992) ; 6a (non) ; 7 (1992) ; 8 (non) ; 9 (non) ; **DDH régional :** 12 (1990) ; 12a (2007) ; 12b (2007 S) ; **Enfants :** 13 (1990) ; 13a (2007) ; 13b (2005) ; **Torture :** 14 (non) ; 14a (non) ; 14b (non) ; 14c (non) ; **Réfugiés et apatrides :** 17 (1981) ; 18 (1981) ; 19 (1981) ; 20 (non) ; 21 (non) ; **Génocide :** 22 (non) ; **Crimes**

de guerre et crimes contre l'humanité : 23 (non) ; **Discrimination :** 25 (non) ; 25a (non) ; 26 (1986) ; 27 (non) ; **Désarmement** : 28 (2002) ; 29 (non) ; 30 (2008 S) ; **Cour pénale internationale** : 31 (1998 S).

Antigua/Barbuda

DIH : 1 (1986) ; 2 (1986) ; 2a (non) ; 3 (1986) ; 4 (non) ; **DDH universel :** 5 (non) ; 6 (non) ; 6a (non) ; 7 (non) ; 8 (non) ; 9 (non) ; **DDH régional :** 11 (non) ; 11a (non) ; 11b (non) ; **Enfants :** 13 (1993) ; 13a (non) ; 13b (2002) ; **Torture :** 14 (1993) ; 14a (non) ; 14b (non) ; 14c (non) ; 16 (non) **Réfugiés et apatrides :** 17 (1995) ; 18 (1995) ; 20 (1988) ; 21 (non) ; **Génocide :** 22 (1988) ; **Crimes de guerre et crimes contre l'humanité :** 23 (non) ; **Discrimination :** 25 (1988) ; 25a (non) ; 26 (1989) ; 27 (1982) **Désarmement** : 28 (1999) ; 29 (2005) ; 30 (2010) ; **Cour pénale internationale** : 31 (2001).

Arabie Saoudite

DIH : 1 (1963) ; 2 (1987) ; 2a (non) ; 3 (2001) ; 4 (non) ; **DDH universel :** 5 (non) ; 6 (non) ; 6a (non) ; 7 (non) ; 8 (non) ; 9 (non) ; **Enfants :** 13 (1996) ; 13a (2011) ; 13b (2010) ; **Torture :** 14 (1997) ; 14a (non) ; 14b (non) ; 14c (non) ; **Réfugiés et apatrides :** 17 (non) ; 18 (non) ; 20 (non) ; 21 (non) ; **Génocide :** 22 (1950) ; **Crimes de guerre et crimes contre l'humanité :** 23 (non) ; **Discrimination :** 25 (1997) ; 25a (non) ; 26 (2000) ; 27 (non) ; **Désarmement** : 28 (non) ; 29 (1996) ; 30 (non) ; **Cour pénale internationale** : 31 (non).

Argentine

DIH : 1 (1956) ; 2 (1986) ; 2a (oui) ; 3 (1986) ; 4 (2011) ; **DDH universel :** 5 (1986) ; 6 (1986) ; 6a (oui) ; 7 (1986) ; 8 (2008) ; 9 (2007) ; **DDH régional :** 11 (1984) ; 11a (oui) ; 11b (oui 1994) ; **Enfants :** 13 (1990) ; 13a (2002) ; 13b (2003) ; **Torture :** 14 (1986) ; 14a (oui) ; 14b (oui) ; 14c (2004) ; 16 (1988 S, 1989 R) ; **Réfugiés et apatrides :** 17 (1961) ; 18 (1967) ; 20 (1972) ; 21 (non) ; **Génocide :** 22 (1956) ; **Crimes de guerre et crimes contre l'humanité :** 23 (non) ; **Discrimination :** 25 (1968) ; 25a (2007) ; 26 (1985) ; 27 (1985) ; **Désarmement** : 28 (1999) ; 29 (1995) ; 30 (non) ; **Cour pénale internationale** : 31 (2001).

Arménie

DIH : 1 (1993) ; 2 (1993) ; 2a (non) ; 3 (1993) ; 4 (2011) ; **DDH universel :** 5 (1993) ; 6 (1993) ; 6a (non) ; 7 (1993) ; 8 (non) ; 9 (2011) ; **DDH régional :** 10 (2002) ; 10a (2002) ; **Enfants :** 13 (1993) ; 13a (2005) ; 13b (2005) ; **Torture :** 14 (1993) ; 14a (non) ; 14b (non) ; 14c (2006) ; 15 (2002) ; **Réfugiés et apatrides :** 17 (1993) ; 18 (1993) ; 20 (1994) ; 21 (1994) ; **Génocide :** 22 (1993) ; **Crimes de guerre et crimes contre l'humanité :** 23 (1993) ; **Discrimination :** 25 (1993) ; 25a (oui) ; 26 (1993) ; 27 (1993) ; **Désarmement** : 28 (non) ; 29 (1995) ; 30 (non) ; **Cour pénale internationale** : 31 (1999 S)

Australie

DIH : 1 (1958) ; 2 (1991) ; 2a (oui) ; 3 (1991) ; 4 (2009) ; **DDH universel :** 5 (1975) ; 6 (1980) ; 6a (oui) ; 7 (1991) ; 8 (1990) ; 9 (non) ; **Enfants :** 13 (1990) ; 13a (2006) ; 13b (2007) ; **Torture :** 14 (1989) ; 14a (oui) ; 14b (oui) ; 14c (2009 S) ; **Réfugiés et apatrides :** 17 (1954) ; 18 (1973) ; 20 (1973) ; 21 (1973) ; **Génocide :** 22 (1949) ; **Crimes de guerre et crimes contre l'humanité :** 23 (non) ; **Discrimination :** 25 (1975) ; 25a (oui) ; 26 (1983) ; 27 (non) ; **Désarmement** : 28 (1999) ; 29 (1994) ; 30 (2012) ; **Cour pénale internationale** : 31 (2002).

Autriche

DIH : 1 (1953) ; 2 (1982) ; 2a (oui) ; 3 (1982) ; 4 (2009) ; **DDH universel :** 5 (1978) ; 6 (1978) ; 6a (oui) ; 7 (1987) ; 8 (1993) ; 9 (2012) ; **DDH régional :** 10 (1958) ; 10a (1995) ; **Enfants :** 13 (1992) ; 13a (2002) ; 13b (2004) ; **Torture :** 14 (1987) ; 14a (oui) ; 14b (oui) ; 14c (2012) ; 15 (1989) ; **Réfugiés et apatrides :** 17 (1954) ; 18 (1973) ; 20 (2008) ; 21 (1972) ; **Génocide :** 22 (1958) ; **Crimes de guerre et crimes contre l'humanité :** 23 (non) ; 24 (non) ; **Discrimination :** 25 (1972) ; 25a (non) ; 26 (1982) ; 27 (non) ; **Désarmement** : 28 (1998) ; 29 (1995) ; 30 (2009) ; **Cour pénale internationale** : 31 (2000).

Azerbaïdjan

DIH : 1 (1993) ; 2 (non) ; 2a (non) ; 3 (non) ; 4 (non) ; **DDH universel :** 5 (1992) ; 6 (1992) ; 6a (non) ; 7 (2001) ; 8 (1999) ; 9 (2007 S) ; **DDH régional :** 10 (2002) ; 10a (2002) ; **Enfants :** 13 (1992) ; 13a (2002) ; 13b (2002) ; **Torture :** 14 (1996) ; 14a (non) ; 14b (oui) ; 14c (2009) ; 15 (2002) **Réfugiés et apatrides :** 17 (1993) ; 18 (1993) ; 20 (1996) ; 21 (1996) ; **Génocide :** 22 (1996) ; **Crimes de guerre et crimes contre l'humanité :** 23 (1996) ; **Discrimination :** 25 (1996) ; 25a (2001) ; 26 (1995) ; 27 (1996) ; **Désarmement** : 28 (non) ; 29 (2000) ; 30 (non) ; **Cour pénale internationale** : 31 (non).

Bahamas

DIH : 1 (1975) ; 2 (1980) ; 2a (non) ; 3 (1980) ; 4 (non) ; **DDH universel :** 5 (2008) ; 6 (2008) ; 6a (non) ; 7 (non) ; 8 (non) ; 9 (non) ; **DDH régional :** 11 (non) ; 11a (non) ; 11b (non) ; **Enfants :** 13 (1991) ; 13a (non) ; 13b (non) ; **Torture :** 14 (2008 S) ; 14a (non) ; 14b (non) ; 14c (non) ; 16 (non) ; **Réfugiés et apatrides :** 17 (1993) ; 18 (1993) ; 20 (non) ; 21 (non) ; **Génocide :** 22 (1975) ; **Crimes de guerre et crimes contre l'humanité :** 23 (non) ; **Discrimination :** 25 (1975) ; 25a (non) ; 26 (1993) ; 27 (1981) **Désarmement** : 28 (1998) ; 29 (2009) ; 30 (non) ; **Cour pénale internationale** : 31 (2000 S).

Bahreïn

DIH : 1 (1971) ; 2 (1986) ; 2a (non) ; 3 (1986) ; 4 (non) ; **DDH universel :** 5 (2007) ; 6 (2006) ; 6a (non) ; 7 (non) ; 8 (non) ; 9 (non) ; **Enfants :** 13 (1992) ; 13a (2004) ; 13b (2004) ; **Torture :** 14 (1998) ; 14a (non) ; 14b (non) ; 14c (non) ; **Réfugiés et apatrides :** 17 (non) ; 18 (non) ; 20 (non) ; 21 (non) ; **Génocide :** 22 (1990) ; **Crimes de guerre et crimes contre l'humanité :** 23 (non) ; **Discrimination :** 25 (1990) ; 25a (non) ; 26 (2002) ; 27 (1990) ; **Désarmement** : 28 (non) ; 29 (1997) ; 30 (non) ; **Cour pénale internationale** : 31 (2000 S).

Bangladesh

DIH : 1 (1988) ; 2 (1980) ; 2a (non) ; 3 (1980) ; 4 (non) ; **DDH universel :** 5 (1998) ; 6 (2000) ; 6a (non) ; 7 (non) ; 8 (non) ; 9 (non) ; **Enfants :** 13 (1990) ; 13a (2000) ; 13b (2000) **Torture :** 14 (1998) ; 14a (non) ; 14b (non) ; 14c (non) ; **Réfugiés et apatrides :** 17 (non) ; 18 (non) ; 20 (non) ; 21 (non) ; **Génocide :** 22 (1998) ; **Crimes de guerre et crimes contre l'humanité :** 23 (non) ; **Discrimination :** 25 (1979) ; 25a (non) ; 26 (1984) ; 27 (1985) ; **Désarmement** : 28 (2000) ; 29 (1997) ; 30 (non) ; **Cour pénale internationale** : 31 (2010).

Barbade

DIH : 1 (1968) ; 2 (1990) ; 2a (non) ; 3 (1990) ; 4 (non) ; **DDH universel :** 5 (1973) ; 6 (1973) ; 6a (non) ; 7 (1973) ; 8 (non) ; 9 (non) ; **DDH régional :** 11 (1982) ; 11a (non) ; 11b (2000) ; **Enfants :** 13 (1990) ; 13a (non) ; 13b (non) ; **Torture :** 14 (non) ; 14a (non) ; 14b (non) ; 14c (non) ; 16 (non) ; **Réfugiés et apatrides :** 17 (non) ; 18 (non) ; 20 (1972 S) ; 21 (non) ; **Génocide :** 22 (1980) ; **Crimes de guerre et crimes contre l'humanité :** 23 (non) ; **Discrimination :** 25 (1972) ; 25a (non) ; 26 (1980) ; 27 (1979) ; **Désarmement** : 28 (1999) ; 29 (2007) ; 30 (non) ; **Cour pénale internationale** : 31 (2002).

Belgique

DIH : 1 (1952) ; 2 (1986) ; 2a (oui) ; 3 (1986) ; 4 (2005 S) ; **DDH universel :** 5 (1983) ; 6 (1983) ; 6a (oui) ; 7 (1994) ; 8 (1998) ; 9 (2011) ; **DDH régional :** 10 (1955) ; 10a (1997) ; **Enfants :** 13 (1991) ; 13a (2002) ; 13b (2006) ; **Torture :** 14 (1999) ; 14a (oui) ; 14b (oui) ; 14c (2005 S) ; 15 (1991) ; **Réfugiés et apatrides :** 17 (1953) ; 18 (1969) ; 20 (1960) ; 21 (non) ; **Génocide :** 22 (1951) ; **Crimes de guerre et crimes contre l'humanité :** 23 (non) ; 24 (2003) ; **Discrimination :** 25 (1975) ; 25a (non) ; 26 (1985) ; 27 (non) ; **Désarmement** : 28 (1998) ; 29 (1997) ; 30 (2009) ; **Cour pénale internationale** : 31 (2000).

Belize

DIH : 1 (1984) ; 2 (1984) ; 2a (non) ; 3 (1984) ; 4 (2007) ; **DDH universel :** 5 (2000 S) ; 6 (1996) ; 6a (non) ; 7 (non) ; 8 (non) ; 9 (non) ; **DDH régional :** 11 (non) ; 11a (non) ; 11b (non) ; **Enfants :** 13 (1990) ; 13a (2003) ; 13b (2003) **Torture :** 14 (1986) ; 14a (non) ; 14b (non) ; 14c (non) ; 16 (non) ; **Réfugiés et apatrides :** 17 (1990) ; 18 (1990) ; 20 (2006) ; 21 (non) ; **Génocide :** 22 (1998) ; **Crimes de guerre et crimes contre l'humanité :** 23 (non) ; **Discrimination :** 25 (2001) ; 25a (non) ; 26 (1990) ; 27 (non) ; **Désarmement** : 28 (1998) ; 29 (2003) ; 30 (non) ; **Cour pénale internationale** : 31 (2000).

Bénin

DIH : 1 (1961) ; 2 (1986) ; 2a (non) ; 3 (1986) ; 4 (non) ; **DDH universel :** 5 (1993) ; 6 (1992) ; 6a (non) ; 7 (1992) ; 8 (2012) ; 9 (2010 S) ; **DDH régional :** 12 (1986) ; 12a (2005) ; 12b (1998 S) ; **Enfants :** 13 (1990) ; 13a (2005) ; 13b (2005) **Torture :** 14 (1992) ; 14a (non) ; 14b (non) ; 14c (2006) ; **Réfugiés et apatrides :** 17 (1962) ; 18 (1970) ; 19 (1973) ; 20 (2011) ; 21 (2011) ; **Génocide :** 22 (non) ; **Crimes de guerre et crimes contre l'humanité :** 23 (non) ; **Discrimination :** 25 (2001) ; 25a (non) ; 26 (1992) ; 27 (1974) ; **Désarmement** : 28 (1998) ; 29 (1998) ; 30 (2008 S) ; **Cour pénale internationale** : 31 (2002).

Bhoutan

DIH : 1 (1991) ; 2 (non) ; 2a (non) ; 3 (non) ; 4 (non) ; **DDH universel :** 5 (non) ; 6 (non) ; 6a (non) ; 7 (non) ; 8 (non) ; 9 (non) ; **Enfants :** 13 (1990) ; 13a (2009) ; 13b (2009) ; **Torture :** 14 (non) ; 14a (non) ; 14b (non) ; 14c (non) ; **Réfugiés et apatrides :** 17 (non) ; 18 (non) ; 20 (non) ; 21 (non) ; **Génocide :** 22 (non) ; **Crimes de guerre et crimes contre l'humanité :** 23 (non) ; **Discrimination :** 25 (1973 S) ; 25a (non) ; 26 (1981) ; 27 (non) ; **Désarmement** : 28 (2005) ; 29 (2005) ; 30 (non) ; **Cour pénale internationale** : 31 (non).

Biélorussie (ou Belarus)

DIH : 1 (1954) ; 2 (1989) ; 2a (oui) ; 3 (1989) ; 4 (2011) ; **DDH universel :** 5 (1973) ; 6 (1973) ; 6a (oui) ; 7 (1992) ; 8 (non) ; 9 (non) ; **Enfants :** 13 (1990) ; 13a (2006) ; 13b (2002) ; **Torture :** 14 (1987) ; 14a (non) ; 14b (non) ; 14c (non) ; **Réfugiés et apatrides :** 17 (non) ; 18 (2001) ; 20 (non) ; 21 (non) ; **Génocide :** 22 (1954) ; **Crimes de guerre et crimes contre l'humanité :** 23 (1969) ; **Discrimination :** 25 (1969) ; 25a (non) ; 26 (1981) ; 27 (1975) ; **Désarmement** : 28 (2003) ; 29 (1996) ; 30 (non) ; **Cour pénale internationale** : 31 (non).

Bolivie

DIH : 1 (1976) ; 2 (1983) ; 2a (oui) ; 3 (1983) ; 4 (2005 S) ; **DDH universel :** 5 (1982) ; 6 (1982) ; 6a (non) ; 7 (1982) ; 8 (non) ; 9 (2008) ; **DDH régional :** 11 (1979) ; 11a (oui) ; 11b (oui 1993) ; **Enfants :** 13 (1990) ; 13a (2004) ; 13b (2003) ; **Torture :** 14 (1999) ; 14a (oui) ; 14b (oui) ; 14c (2006) ; 16 (1985 S, 2006 R) ; **Réfugiés et apatrides :** 17 (1982) ; 18 (1982) ; 20 (1983) ; 21 (1983) ; **Géno-**

cide : 22 (2005) ; **Crimes de guerre et crimes contre l'humanité :** 23 (1983) ; **Discrimination :** 25 (1970) ; 25a (non) ; 26 (1990) ; 27 (1983) ; **Désarmement** : 28 (1998) ; 29 (1998) ; 30 (2013) ; **Cour pénale internationale** : 31 (2002).

Bosnie

DIH : 1 (1992) ; 2 (1992) ; 2a (oui) ; 3 (1992) ; 4 (2006 S) ; **DDH universel :** 5 (1993) ; 6 (1993) ; 6a (oui) ; 7 (1995) ; 8 (2001) ; 9 (2012) ; **DDH Régional** : 10 (2002) ; 10a (2002) ; **Enfants :** 13 (1993) ; 13a (2003) ; 13b (2002) ; **Torture :** 14 (1993) ; 14a (non) ; 14b (oui) ; 14c (2008) ; **Réfugiés et apatrides :** 17 (1993) ; 18 (1993) ; 20 (1993) ; 21 (1996) ; **Génocide :** 22 (1992) ; **Crimes de guerre et crimes contre l'humanité :** 23 (1993) ; **Discrimination :** 25 (1993) ; 25a (non) ; 26 (1993) ; 27 (1993) ; **Désarmement** : 28 (1998) ; 29 (1997) ; 30 (2010) ; **Cour pénale internationale** : 31 (2002).

Botswana

DIH : 1 (1968) ; 2 (1979) ; 2a (non) ; 3 (1979) ; 4 (non) ; **DDH universel :** 5 (non) ; 6 (2000) ; 6a (non) ; 7 (non) ; 8 (non) ; 9 (non) ; **DDH régional :** 12 (1986) ; 12a (non) ; 12b (1998 S) ; **Enfants :** 13 (1995) ; 13a (2004) ; 13b (2003) ; **Torture :** 14 (2000) ; 14a (non) ; 14b (non) ; 14c (non) ; **Réfugiés et apatrides :** 17 (1969) ; 18 (1969) ; 19 (1995) ; 20 (1969) ; 21 (non) ; **Génocide :** 22 (non) ; **Crimes de guerre et crimes contre l'humanité :** 23 (non) ; **Discrimination :** 25 (1974) ; 25a (non) ; 26 (1996) ; 27 (non) ; **Désarmement** : 28 (2000) ; 29 (1998) ; 30 (2011) ; **Cour pénale internationale** : 31 (2000).

Brésil

DIH : 1 (1957) ; 2 (1992) ; 2a (oui) ; 3 (1992) ; 4 (2009) ; **DDH universel :** 5 (1992) ; 6 (1992) ; 6a (non) ; 7 (2009) ; 8 (2009) ; 9 (2010) ; **DDH régional :** 11 (1992) ; 11a (non) ; 11b (1998) ; **Enfants :** 13 (1990) ; 13a (2004) ; 13b (2004) ; **Torture :** 14 (1989) ; 14a (non) ; 14b (oui) ; 14c (2007) ; 16 (1989) ; **Réfugiés et apatrides :** 17 (1960) ; 18 (1972) ; 20 (1996) ; 21 (2007) ; **Génocide :** 22 (1952) ; **Crimes de guerre et crimes contre l'humanité :** 23 (non) ; **Discrimination :** 25 (1968) ; 25a (non) ; 26 (1984) ; 27 (non) ; **Désarmement** : 28 (1999) ; 29 (1996) ; 30 (non) ; **Cour pénale internationale** : 31 (2002).

Brunei Darussalam

DIH : 1 (1991) ; 2 (1991) ; 2a (non) ; 3 (1991) ; 4 (non) ; **DDH universel :** 5 (non) ; 6 (non) ; 6a (non) ; 7 (non) ; 8 (non) ; 9 (non) ; **Enfants :** 13 (1995) ; 13a (non) ; 13b (2006) ; **Torture :** 14 (non) ; 14a (non) ; 14b (non) ; 14c (non) ; **Réfugiés et apatrides :** 17 (non) ; 18 (non) ; 20 (non) ; 21 (non) ; **Génocide :** 22 (non) ; **Crimes de guerre et crimes contre l'humanité :** 23 (non) ; **Discrimination :** 25 (non) ; 25a (non) ; 26 (2006) ; 27 (2004) ; **Désarmement** : 28 (2006) ; 29 (1997) ; 30 (non) ; **Cour pénale internationale** : 31 (non).

Bulgarie

DIH : 1 (1954) ; 2 (1989) ; 2a (oui) ; 3 (1989) ; 4 (2006) ; **DDH universel :** 5 (1970) ; 6 (1970) ; 6a (oui) ; 7 (1992) ; 8 (1999) ; 9 (2008) ; **DDH régional :** 10 (1992) ; 10a (1994) ; **Enfants :** 13 (1991) ; 13a (2002) ; 13b (2002) ; **Torture :** 14 (1986) ; 14a (oui) ; 14b (oui) ; 14c (2011) ; 15 (1994) ; **Réfugiés et apatrides :** 17 (1993) ; 18 (1993) ; 20 (2012) ; 21 (2012) ; **Génocide :** 22 (1950) ; **Crimes de guerre et crimes contre l'humanité :** 23 (1969) ; 24 (non) ; **Discrimination :** 25 (1966) ; 25a (oui) ; 26 (1982) ; 27 (1974) ; **Désarmement** : 28 (1998) ; 29 (1994) ; 30 (2011) ; **Cour pénale internationale** : 31 (2002).

Burkina Faso

DIH : 1 (1961) ; 2 (1987) ; 2a (oui) ; 3 (1987) ; 4 (2006 S) ; **DDH universel :** 5 (1999) ; 6 (1999) ; 6a (non) ; 7 (1999) ; 8 (non) ; 9 (2009) ; **DDH régional :** 12 (1989) ; 12a (2006) ; 12b (1998) ; **Enfants :** 13 (1990) ; 13a (2007) ; 13b (2006) ; **Torture :** 14 (1999) ; 14a (non) ; 14b (non) ; 14c (2010) ; **Réfugiés et apatrides :** 17 (1980) ; 18 (1980) ; 19 (1974) ; 20 (2012) ; 21 (2012) ; **Génocide :** 22 (1965) ; **Crimes de guerre et crimes contre l'humanité :** 23 (non) ; **Discrimination :** 25 (1974) ; 25a (non) ; 26 (1987) ; 27 (1978) ; **Désarmement** : 28 (1998) ; 29 (1997) ; 30 (2010) ; **Cour pénale internationale** : 31 (2004).

Burundi

DIH : 1 (1971) ; 2 (1993) ; 2a (non) ; 3 (1993) ; 4 (2005 S) ; **DDH universel :** 5 (1990) ; 6 (1990) ; 6a (non) ; 7 (non) ; 8 (non) ; 9 (2007) ; **DDH régional :** 12 (1984) ; 12a (2003 S) ; 12b (2003) ; **Enfants :** 13 (1990) ; 13a (2008) ; 13b (2007) ; **Torture :** 14 (1993) ; 14a (non) ; 14b (oui) ; 14c (non) ; **Réfugiés et apatrides :** 17 (1963) ; 18 (1971) ; 19 (1975) ; 20 (non) ; 21 (non) ; **Génocide :** 22 (1997) ; **Crimes de guerre et crimes contre l'humanité :** 23 (non) ; **Discrimination :** 25 (1977) ; 25a (non) ; 26 (1992) ; 27 (1978) ; **Désarmement** : 28 (2003) ; 29 (1998) ; 30 (2009) ; **Cour pénale internationale** : 31 (2004).

Cambodge

DIH : 1 (1958) ; 2 (1998) ; 2a (non) ; 3 (1998) ; 4 (non) ; **DDH universel :** 5 (1992) ; 6 (1992) ; 6a (non) ; 7 (2004 S) ; 8 (non) ; 9 (non) ; **Enfants :** 13 (1992) ; 13a (2004) ; 13b (2002) ; **Torture :** 14 (1992) ; 14a (non) ; 14b (non) ; 14c (2007) ; **Réfugiés et apatrides :** 17 (1992) ; 18 (1992) ; 20 (non) ; 21 (non) ; **Génocide :** 22 (1950) ; **Crimes de guerre et crimes contre l'humanité :** 23 (non) ; **Discrimination :** 25 (1983) ; 25a (non) ; 26 (1992) ; 27 (1981) ; **Désarmement** : 28 (1999) ; 29 (2005) ; 30 (non) ; **Cour pénale internationale** : 31 (2002).

Cameroun

DIH : 1 (1963) ; 2 (1984) ; 2a (non) ; 3 (1984) ; 4 (non) ; **DDH universel :** 5 (1984) ; 6 (1984) ; 6a (non) ; 7 (1984) ; 8 (non) ; 9 (2007) ; **DDH régional :** 12 (1989) ; 12a (2012) ; 12b (2006 S) ; **Enfants :** 13 (1993) ; 13a (2013) ; 13b (2001 S) ; **Torture :** 14 (1986) ; 14a (oui) ; 14b (oui) ; 14c (2009) ; **Réfugiés et apatrides :** 17 (1961) ; 18 (1967) ; 19 (1985) ; 20 (non) ; 21 (non) ; **Génocide :** 22 (non) ; **Crimes de guerre et crimes contre l'humanité :** 23 (1972) ; **Discrimination :** 25 (1971) ; 25a (non) ; 26 (1994) ; 27 (1976) ; **Désarmement** : 28 (2002) ; 29 (1996) ; 30 (2012) ; **Cour pénale internationale** : 31 (1998 S).

Canada

DIH : 1 (1965) ; 2 (1990) ; 2a (oui) ; 3 (1990) ; 4 (2007) ; **DDH universel :** 5 (1976) ; 6 (1976) ; 6a (oui) ; 7 (1976) ; 8 (2005) ; 9 (non) ; **DDH régional :** 11 (non) ; 11a (non) ; 11b (non) ; **Enfants :** 13 (1991) ; 13a (2000) ; 13b (2005) ; **Torture :** 14 (1987) ; 14a (oui) ; 14b (oui) ; 14c (non) ; 16 (non) ; **Réfugiés et apatrides :** 17 (1969) ; 18 (1969) ; 20 (non) ; 21 (1978) ; **Génocide :** 22 (1952) ; **Crimes de guerre et crimes contre l'humanité :** 23 (non) ; **Discrimination :** 25 (1970) ; 25a (non) ; 26 (1981) ; 27 (non) ; **Désarmement** : 28 (1997) ; 29 (1995) ; 30 (2008 S) ; **Cour pénale internationale** : 31 (2000).

Cap-Vert

DIH : 1 (1984) ; 2 (1995) ; 2a (oui) ; 3 (1995) ; 4 (2006 S) ; **DDH universel :** 5 (1993) ; 6 (1993) ; 6a (non) ; 7 (2000) ; 8 (2000) ; 9 (2007 S) ; **DDH régional :** 12 (1987) ; 12a (2005) ; 12b (non) ; **Enfants :** 13 (1992) ; 13a (2002) ; 13b (2002) ; **Torture :** 14 (1992) ; 14a (non) ; 14b (non) ; 14c (2011) ; **Réfugiés et apatrides :** 17 (non) ; 18 (1987) ; 19 (1989) ; 20 (non) ; 21 (non) ; **Génocide :** 22 (2011) ; **Crimes de guerre et crimes contre l'humanité :** 23 (non) ; **Discrimination :** 25 (1979) ; 25a (non) ; 26 (1980) ; 27 (1979) ; **Désarmement** : 28 (2001) ; 29 (2003) ; 30 (2010) ; **Cour pénale internationale** : 31 (2011).

Centrafrique

DIH : 1 (1966) ; 2 (1984) ; 2a (non) ; 3 (1984) ; 4 (non) ; **DDH universel :** 5 (1981) ; 6 (1981) ; 6a (non) ; 7 (1981) ; 8 (non) ; 9 (non) ; **DDH régional :** 12 (1986) ; 12a (2008 S) ; 12b (2002 S) ; **Enfants :** 13 (1992) ; 13a (2010 S) ; 13b (2012) ; **Torture :** 14 (non) ; 14a (non) ; 14b (non) ; 14c (non) ; **Réfugiés et apatrides :** 17 (1962) ; 18 (1967) ; 19 (1970) ; 20 (non) ; 21 (non) ; **Génocide :** 22 (non) ; **Crimes de guerre et crimes contre l'humanité :** 23 (non) ; **Discrimination :** 25 (1971) ; 25a (non) ; 26 (1991) ; 27 (1981) ; **Désarmement** : 28 (2002) ; 29 (2006) ; 30 (2008 S) ; **Cour pénale internationale** : 31 (2001).

Chili

DIH : 1 (1950) ; 2 (1991) ; 2a (oui) ; 3 (1991) ; 4 (2009) ; **DDH universel :** 5 (1972) ; 6 (1972) ; 6a (oui) ; 7 (1992) ; 8 (2008) ; 9 (2009) ; **DDH régional :** 11 (1990) ; 11a (oui) ; 11b (oui 1990) ; **Enfants :** 13 (1990) ; 13a (2003) ; 13b (2003) ; **Torture :** 14 (1988) ; 14a (oui) ; 14b (oui) ; 14c (2008) ; 16 (1988) ; **Réfugiés et apatrides :** 17 (1972) ; 18 (1972) ; 20 (non) ; 21 (non) ; **Génocide :** 22 (1953) ; **Crimes de guerre et crimes contre l'humanité :** 23 (non) ; **Discrimination :** 25 (1971) ; 25a (oui) ; 26 (1989) ; 27 (non) ; **Désarmement** : 28 (2001) ; 29 (1996) ; 30 (2010) ; **Cour pénale internationale** : 31 (2009).

Chine

DIH : 1 (1956) ; 2 (1983) ; 2a (non) ; 3 (1989) ; 4 (non) ; **DDH universel :** 5 (2001) ; 6 (1998 S) ; 6a (non) ; 7 (non) ; 8 (non) ; 9 (non) ; **Enfants :** 13 (1992) ; 13a (2008) ; 13b (2002) ; **Torture :** 14 (1988) ; 14a (non) ; 14b (non) ; 14c (non) ; **Réfugiés et apatrides :** 17 (1982) ; 18 (1982) ; 20 (non) ; 21 (non) ; **Génocide :** 22 (1983) ; **Crimes de guerre et crimes contre l'humanité :** 23 (non). ; **Discrimination :** 25 (1981) ; 25a (non) ; 26 (1980) ; 27 (1983) ; **Désarmement** : 28 (non) ; 29 (1997) ; 30 (non) ; **Cour pénale internationale** : 31 (non).

Chypre

DIH : 1 (1962) ; 2 (1979) ; 2a (oui) ; 3 (1996) ; 4 (2007) ; **DDH universel :** 5 (1969) ; 6 (1969) ; 6a (non) ; 7 (1992) ; 8 (1999) ; 9 (2007 S) ; **DDH régional :** 10 (1962) ; 10a (1995) ; **Enfants :** 13 (1991) ; 13a (2010) ; 13b (2006) ; **Torture :** 14 (1991) ; 14a (oui) ; 14b (oui) ; 14c (2009) ; 15 (1989) ; **Réfugiés et apatrides :** 17 (1963) ; 18 (1968) ; 20 (non) ; 21 (non) ; **Génocide :** 22 (1982) ; **Crimes de guerre et crimes contre l'humanité :** 23 (non) ; 24 (non) ; **Discrimination :** 25 (1967) ; 25a (oui) ; 26 (1985) ; 27 (non) ; **Désarmement** : 28 (2003) ; 29 (1998) ; 30 (2009 S) ; **Cour pénale internationale** : 31 (2002).

Colombie

DIH : 1 (1961) ; 2 (1993) ; 2a (oui) ; 3 (1995) ; 4 (2005 S) ; **DDH universel :** 5 (1969) ; 6 (1969) ; 6a (non) ; 7 (1969) ; 8 (1997) ; 9 (2012) ; **DDH régional :** 11 (1973) ; 11a (oui) ; 11b (oui 1985) ; **Enfants :** 13 (1991) ; 13a (2005) ; 13b (2003) ; **Torture :** 14 (1987) ; 14a (non) ; 14b (non) ; 14c (non) ; 16 (1985 S, 1998 R) ; **Réfugiés et apatrides :** 17 (1961) ; 18 (1980) ; 20 (1954 S) ; 21 (non) ; **Génocide :** 22 (1959) ; **Crimes de guerre et crimes contre l'humanité :** 23 (non) ; **Discrimination :** 25 (1981) ; 25a (non) ; 26 (1982) ; 27 (1988) ; **Désarmement** : 28 (2002) ; 29 (2000) ; 30 (2008 S) ; **Cour pénale internationale** : 31 (2002).

Comores

DIH : 1 (1985) ; 2 (1985) ; 2a (non) ; 3 (1985) ; 4 (non) ; **DDH universel :** 5 (2008 S) ; 6 (2008 S) ; 6a (non) ; 7 (non) ; 8 (non) ; 9 (2007 S) ; **DDH régional :** 12 (1986) ; 12a (2004) ; 12b (2003) ; **Enfants :** 13 (1993) ; 13a (non) ; 13b (2007) ; **Torture :** 14 (2000 S) ; 14a (non) ; 14b (non) ; 14c (non) ; **Réfugiés et apatrides :** 17 (non) ; 18 (non) ; 19 (non) ; 20 (non) ; 21 (non) ; **Génocide :** 22 (2004) ; **Crimes de guerre et crimes contre l'humanité :** 23 (non) ; **Discrimination :** 25 (2004) ; 25a (non) ; 26 (1994) ; 27 (non) ; **Désarmement** : 28 (2002) ; 29 (2006) ; 30 (2010) ; **Cour pénale internationale** : 31 (2006).

Congo

DIH : 1 (1967) ; 2 (1983) ; 2a (non) ; 3 (1983) ; 4 (2005 S) ; **DDH universel :** 5 (1983) ; 6 (1983) ; 6a (oui) ; 7 (1983) ; 8 (non) ; 9 (2007 S) ; **DDH régional :** 12 (1982) ; 12a (2011) ; 12b (2010) ; **Enfants :** 13 (1993) ; 13a (2010) ; 13b (2009) ; **Torture :** 14 (non) ; 14a (non) ; 14b (non) ; 14c (2008 S) ; **Réfugiés et apatrides :** 17 (1962) ; 18 (1970) ; 19 (1971) ; 20 (non) ; 21 (non) ; **Génocide :** 22 (non) ; **Crimes de guerre et crimes contre l'humanité :** 23 (non) ; **Discrimination :** 25 (1988) ; 25a (non) ; 26 (1982) ; 27 (1983) ; **Désarmement** : 28 (2001) ; 29 (2007) ; 30 (2008 S) ; **Cour pénale internationale** : 31 (2004).

Congo (Rép. dém. du)

DIH : 1 (1961) ; 2 (1982) ; 2a (non) ; 3 (2002) ; 4 (non) ; **DDH universel :** 5 (1976) ; 6 (1976) ; 6a (non) ; 7 (1976) ; 8 (non) ; 9 (non) ; **DDH régional :** 12 (1987) ; 12a (2008) ; 12b (1999 S) ; **Enfants :** 13 (1990) ; 13a (2001) ; 13b (2001) ; **Torture :** 14 (1996) ; 14a (non) ; 14b (non) ; 14c (2010) ; **Réfugiés et apatrides :** 17 (1965) ; 18 (1975) ; 19 (1973) ; 20 (non) ; 21 (non) ; **Génocide :** 22 (1962) ; **Crimes de guerre et crimes contre l'humanité :** 23 (non) ; **Discrimination :** 25 (1976) ; 25a (non) ; 26 (1986) ; 27 (1978) ; **Désarmement** : 28 (2002) ; 29 (2005) ; 30 (2009 S) ; **Cour pénale internationale** : 31 (2002).

Cook (îles)

DIH : 1 (2002) ; 2 (2002) ; 2a (oui) ; 3 (2002) ; 4 (2011) ; **DDH universel :** 5 (non) ; 6 (non) ; 6a (non) ; 7 (non) ; 8 (non) ; 9 (non) ; **Enfants :** 13 (1997) ; 13a (non) ; 13b (non) ; **Torture :** 14 (non) ; 14a (non) ; 14b (non) ; 14c (non) ; **Réfugiés et apatrides :** 17 (non) ; 18 (non) ; 19 (non) ; 20 (non) ; 21 (non) ; **Génocide :** 22 (non) ; **Crimes de guerre et crimes contre l'humanité :** 23 (non) ; **Discrimination :** 25 (non) ; 25a (non) ; 26 (2006) ; 27 (non) ; **Désarmement** : 28 (2006) ; 29 (1994) ; 30 (2011) ; **Cour pénale internationale** : 31 (2008).

Corée (République de)

DIH : 1 (1966) ; 2 (1982) ; 2a (oui) ; 3 (1982) ; 4 (2006 S) ; **DDH universel :** 5 (1990) ; 6 (1990) ; 6a (oui) ; 7 (1990) ; 8 (non) ; 9 (non) ; **Enfants :** 13 (1991) ; 13a (2004) ; 13b (2004) ; **Torture :** 14 (1995) ; 14a (oui) ; 14b (oui) ; 14c (non) ; **Réfugiés et apatrides :** 17 (1992) ; 18 (1992) ; 20 (1962) ; 21 (non) ; **Génocide :** 22 (1950) ; **Crimes de guerre et crimes contre l'humanité :** 23 (non) ; **Discrimination :** 25 (1978) ; 25a (oui) ; 26 (2001) ; 27 (non) ; **Désarmement** : 28 (non) ; 29 (1997) ; 30 (non) ; **Cour pénale internationale** : 31 (2002).

Corée (Rép. pop. dém. de)

DIH : 1 (1957) ; 2 (1988) ; 2a (non) ; 3 (non) ; 4 (non) ; **DDH universel :** 5 (1981) ; 6 (1981) ; 6a (non) ; 7 (non) ; 8 (non) ; 9 (non) ; **Enfants :** 13 (1990) ; 13a (non) ; 13b (non) ; **Torture :** 14 (non) ; 14a (non) ; 14b (non) ; 14c (non) ; **Réfugiés et apatrides :** 17 (non) ; 18 (non) ; 20 (non) ; 21 (non) ; **Génocide :** 22 (1989) ; **Crimes de guerre et crimes contre l'humanité :** 23 (1984) ; **Discrimination :** 25 (non) ; 25a (non) ; 26 (2001) ; 27 (non) ; **Désarmement** : 28 (non) ; 29 (non) ; 30 (non) ; **Cour pénale internationale** : 31 (non).

Costa Rica

DIH : 1 (1969) ; 2 (1983) ; 2a (non) ; 3 (1983) ; 4 (2008) ; **DDH universel :** 5 (1968) ; 6 (1968) ; 6a (non) ; 7 (1968) ; 8 (1998) ; 9 (2012) ; **DDH régional :** 11 (1970) ; 11a (oui) ; 11b (oui 1980) **Enfants :** 13 (1990) ; 13a (2003) ; 13b (2002) ; **Torture :** 14 (1993) ; 14a (oui) ; 14b (oui) ; 14c (2005) ; 16 (1999) ; **Réfugiés et apatrides :** 17 (1978) ; 18 (1978) ; 20 (1977) ; 21 (1977) ; **Génocide :** 22 (1950) ; **Crimes de guerre et crimes contre l'humanité :** 23 (2009) ; **Discrimination :** 25 (1967) ; 25a (oui) ; 26 (1986) ; 27 (1986) ; **Désarmement** : 28 (1999) ; 29 (1996) ; 30 (2011) **Cour pénale internationale** : 31 (2001).

Côte-d'Ivoire

DIH : 1 (1961) ; 2 (1989) ; 2a (non) ; 3 (1989) ; 4 (non) ; **DDH universel :** 5 (1992) ; 6 (1992) ; 6a (non) ; 7 (1997) ; 8 (non) ; 9 (non) ; **DDH régional :** 12 (1992) ; 12a (2011) ; 12b (2003) ; **Enfants :** 13 (1991) ; 13a (2012) ; 13b (2011) ; **Torture :** 14 (1995) ; 14a (non) ; 14b (non) ; 14c (non) ; **Réfugiés et apatrides :** 17 (1961) ; 18 (1970) ; 19 (1998) ; 20 (non) ; 21 (non) ; **Génocide :** 22 (1995) ; **Crimes de guerre et crimes contre l'humanité :** 23 (non) ; **Discrimination :** 25 (1973) ; 25a (non) ; 26 (1995) ; 27 (non) ; **Désarmement** : 28 (2000) ; 29 (1995) ; 30 (2012) **Cour pénale internationale** : 31 (2013).

Croatie

DIH : 1 (1992) ; 2 (1992) ; 2a (oui) ; 3 (1992) ; 4 (2007) ; **DDH universel :** 5 (1992) ; 6 (1992) ; 6a (oui) ; 7 (1995) ; 8 (1995) ; 9 (2007 S) ; **DDH régional :** 10 (1997) ; 10a (1997) ; **Enfants :** 13 (1992) ; 13a (2002) ; 13b (2002) ; **Torture :** 14 (1992) ; 14a (oui) ; 14b (oui) ; 14c (2005) ; 15 (1997) ; **Réfugiés et apatrides :** 17 (1992) ; 18 (1992) ; 20 (1992) ; 21 (2011) ; **Génocide :** 22 (1992) ; **Crimes de guerre et crimes contre l'humanité :** 23 (1992) ; 24

(non) ; **Discrimination :** 25 (1992) ; 25a (non) ; 26 (1992) ; 27 (1992) ; **Désarmement** : 28 (1998) ; 29 (1995) ; 30 (2009) **Cour pénale internationale** : 31 (2001).

Cuba

DIH : 1 (1954) ; 2 (1982) ; 2a (non) ; 3 (1999) ; 4 (non) ; **DDH universel :** 5 (2008 S) ; 6 (2008 S) ; 6a (non) ; 7 (non) ; 8 (non) ; 9 (2009) ; **DDH régional :** 11 (non) ; 11a (non) ; 11b (non) ; **Enfants :** 13 (1991) ; 13a (2007) ; 13b (2001) ; **Torture :** 14 (1995) ; 14a (non) ; 14b (non) ; 14c (non) ; 16 (non) ; **Réfugiés et apatrides :** 17 (non) ; 18 (non) ; 20 (non) ; 21 (non) ; **Génocide :** 22 (1953) ; **Crimes de guerre et crimes contre l'humanité :** 23 (1972) ; **Discrimination :** 25 (1972) ; 25a (non) ; 26 (1980) ; 27 (1977) ; **Désarmement** : 28 (non) ; 29 (1997) ; 30 (non) **Cour pénale internationale** : 31 (non).

Danemark

DIH : 1 (1951) ; 2 (1982) ; 2a (oui) ; 3 (1982) ; 4 (2007) ; **DDH universel :** 5 (1972) ; 6 (1972) ; 6a (oui) ; 7 (1972) ; 8 (1994) ; 9 (2007 S) ; **DDH régional :** 10 (1953) ; 10a (1996) ; **Enfants :** 13 (1991) ; 13a (2002) ; 13b (2003) ; **Torture :** 14 (1987) ; 14a (oui) ; 14b (oui) ; 14c (2004) ; 15 (1989) ; **Réfugiés et apatrides :** 17 (1952) ; 18 (1968) ; 20 (1956) ; 21 (1977) ; **Génocide :** 22 (1951) ; **Crimes de guerre et crimes contre l'humanité :** 23 (non) ; 24 (non) ; **Discrimination :** 25 (1971) ; 25a (oui) ; 26 (1983) ; 27 (non) ; **Désarmement** : 28 (1998) ; 29 (1995) ; 30 (2010) **Cour pénale internationale** : 31 (2001).

Djibouti

DIH : 1 (1978) ; 2 (1991) ; 2a (non) ; 3 (1991) ; 4 (non) ; **DDH universel :** 5 (2002) ; 6 (2002) ; 6a (non) ; 7 (2002) ; 8 (2002) ; 9 (non) ; **DDH régional :** 12 (1991) ; 12a (2005) ; 12b (2005 S) ; **Enfants :** 13 (1990) ; 13a (2011) ; 13b (2011) ; **Torture :** 14 (2002) ; 14a (non) ; 14b (non) ; 14c (non) ; **Réfugiés et apatrides :** 17 (1977) ; 18 (1977) ; 19 (2005 S) ; 20 (non) ; 21 (non) ; **Génocide :** 22 (non) ; **Crimes de guerre et crimes contre l'humanité :** 23 (non) ; **Discrimination :** 25 (2006 S) ; 25a (non) ; 26 (1998) ; 27 (non) ; **Désarmement** : 28 (1998) ; 29 (2006) ; 30 (2010 S) **Cour pénale internationale** : 31 (2002).

Dominique

DIH : 1 (1981) ; 2 (1996) ; 2a (non) ; 3 (1996) ; 4 (non) ; **DDH universel :** 5 (1993) ; 6 (1993) ; 6a (non) ; 7 (non) ; 8 (non) ; 9 (non) ; **DDH régional :** 11 (1993) ; 11a (non) ; 11b (non) ; **Enfants :** 13 (1991) ; 13a (2002) ; 13b (2002) ; **Torture :** 14 (non) ; 14a (non) ; 14b (non) ; 14c (non) ; 16 (non) ; **Réfugiés et apatrides :** 17 (1994) ; 18 (1994) ; 20 (non) ; 21 (non) ; **Génocide :** 22 (non) ; **Crimes de guerre et crimes contre l'humanité :** 23 (non) ; **Discrimination :** 25 (non) ; 25a (non) ; 26 (1980) ; 27 (non) ; **Désarmement** : 28 (1999) ; 29 (2001) ; 30 (non) **Cour pénale internationale** : 31 (2001).

Dominicaine (Rép.)

DIH : 1 (1958) ; 2 (1994) ; 2a (non) ; 3 (1994) ; 4 (2009) ; **DDH universel :** 5 (1978) ; 6 (1978) ; 6a (non) ; 7 (1978) ; 8 (non) ; 9 (non) ; **DDH régional :** 11 (1978) ; 11a (non) ; 11b (non) ; **Enfants :** 13 (1991) ; 13a (2002 S) ; 13b (2006) ; **Torture :** 14 (1985 S) ; 14a (non) ; 14b (non) ; 14c (non) ; 16 (1986) ; **Réfugiés et apatrides :** 17 (1978) ; 18 (1978) ; 20 (non) ; 21 (1961 S) ; **Génocide :** 22 (1948 S) ; **Crimes de guerre et crimes contre l'humanité :** 23 (non). ; **Discrimination :** 25 (1983) ; 25a (non) ; 26 (1982) ; 27 (non) ; **Désarmement** : 28 (2000) ; 29 (2009) ; 30 (2011) ; **Cour pénale internationale** : 31 (2005).

Égypte

DIH : 1 (1952) ; 2 (1992) ; 2a (non) ; 3 (1992) ; 4 (non) ; **DDH universel :** 5 (1982) ; 6 (1982) ; 6a (non) ; 7 (non) ; 8 (non) ; 9 (non) ; **DDH régional :** 12 (1984) ; 12a (non) ; 12b (1999 S) ; **Enfants :** 13 (1990) ; 13a (2007) ; 13b (2002) ; **Torture :** 14 (1986) ; 14a (non) ; 14b (non) ; 14c (non) ; **Réfugiés et apatrides :** 17 (1981) ; 18 (1981) ; 19 (1980) ; 20 (non) ; 21 (non) ; **Génocide :** 22 (1952) ; **Crimes de guerre et crimes contre l'humanité :** 23 (non). ; **Discrimination :** 25 (1967) ; 25a (non) ; 26 (1981) ; 27 (1977) ; **Désarmement** : 28 (non) ; 29 (non) ; 30 (non) ; **Cour pénale internationale** : 31 (2000 S).

El Salvador

DIH : 1 (1953) ; 2 (1978) ; 2a (non) ; 3 (1978) ; 4 (2007) ; **DDH universel :** 5 (1979) ; 6 (1979) ; 6a (non) ; 7 (1995) ; 8 (non) ; 9 (non) ; **DDH régional :** 11 (1978) ; 11a (oui) ; 11b (oui 1995) ; **Enfants :** 13 (1990) ; 13a (2002) ; 13b (2004) ; **Torture :** 14 (1996) ; 14a (non) ; 14b (non) ; 14c (non) ; 16 (1994) ; **Réfugiés et apatrides :** 17 (1983) ; 18 (1983) ; 20 (1954 S) ; 21 (non) ; **Génocide :** 22 (1950) ; **Crimes de guerre et crimes contre l'humanité :** 23 (non). ; **Discrimination :** 25 (1979) ; 25a (non) ; 26 (1981) ; 27 (1979) ; **Désarmement** : 28 (1999) ; 29 (1995) ; 30 (2011) ; **Cour pénale internationale** : 31 (non).

Émirats arabes unis

DIH : 1 (1972) ; 2 (1983) ; 2a (oui) ; 3 (1983) ; 4 (non) ; **DDH universel :** 5 (non) ; 6 (non) ; 6a (non) ; 7 (non) ; 8 (non) ; 9 (non) ; **Enfants :** 13 (1997) ; 13a (non) ; 13b (non) ; **Torture :** 14 (2012) ; 14a (non) ; 14b (non) ; 14c (non) ; **Réfugiés et apatrides :** 17 (1983) ; 18 (1983) ; 20 (1954 S) ; 21 (non) ; **Génocide :** 22 (2005) ; **Crimes de guerre et crimes contre l'humanité :** 23 (non) ; **Discrimination :** 25 (1974) ; 25a (non) ; 26 (2004) ; 27 (1975) ; **Désarmement** : 28 (non) ; 29 (2000) ; 30 (non) ; **Cour pénale internationale** : 31 (2000 S).

Équateur

DIH : 1 (1954) ; 2 (1979) ; 2a (non) ; 3 (1979) ; 4 (2005 S) ; **DDH universel :** 5 (1969) ; 6 (1969) ; 6a (oui) ; 7 (1969) ; 8 (1993) ; 9 (2009) ; **DDH régional :** 11 (1977) ; 11a (oui) ; 11b (oui 1984) ; **Enfants :** 13 (1990) ; 13a (2004) ; 13b (2004) ; **Torture :** 14 (1988) ; 14a (oui) ; 14b (oui) ; 14c (2010) ; 16 (1999) ; **Réfugiés et apatrides :** 17 (1955) ; 18 (1969) ; 20 (1970) ; 21 (non) ; **Génocide :** 22 (1949) ; **Crimes de guerre et crimes contre l'humanité :** 23 (non) ; **Discrimination :** 25 (1966) ; 25a (oui) ; 26 (1981) ; 27 (1975) ; **Désarmement** : 28 (1999) ; 29 (1995) ; 30 (2010) ; **Cour pénale internationale** : 31 (2002).

Érythrée

DIH : 1 (non) ; 2 (non) ; 2a (non) ; 3 (non) ; 4 (non) ; **DDH universel :** 5 (non) ; 6 (non) ; 6a (non) ; 7 (non) ; 8 (non) ; 9 (non) ; **DDH régional :** 12 (1999) ; 12a (2012 S) ; 12b (non) ; **Enfants :** 13 (1994) ; 13a (2005) ; 13b (2005) ; **Torture :** 14 (non) ; 14a (non) ; 14b (non) ; 14c (non) ; **Réfugiés et apatrides :** 17 (non) ; 18 (non) ; 19 (non) ; 20 (non) ; 21 (non) ; **Génocide :** 22 (non) ; **Crimes de guerre et crimes contre l'humanité :** 23 (non) ; **Discrimination :** 25 (2001) ; 25a (non) ; 26 (1995) ; 27 (non) ; **Désarmement** : 28 (2001) ; 29 (2000) ; 30 (non) ; **Cour pénale internationale** : 31 (1998 S).

Espagne

DIH : 1 (1952) ; 2 (1989) ; 2a (oui) ; 3 (1989) ; 4 (2010) ; **DDH universel :** 5 (1977) ; 6 (1977) ; 6a (oui) ; 7 (1985) ; 8 (1991) ; 9 (2009) ; **DDH régional :** 10 (1979) ; 10a (1996) ; **Enfants :** 13 (1990) ; 13a (2002) ; 13b (2001) ; **Torture :** 14 (1987) ; 14a (oui) ; 14b (oui) ; 14c (2006) ; 15 (1989) ; **Réfugiés et apatrides :** 17 (1978) ; 18 (1978) ; 20 (1997) ; 21 (non) ; **Génocide :** 22 (1968) ; **Crimes de guerre et crimes contre l'humanité :** 23 (non) ; 24 (non) ; **Discrimination :** 25 (1968) ; 25a (oui) ; 26 (1984) ; 27 (non) ; **Désarmement** : 28 (1999) ; 29 (1994) ; 30 (2009) ; **Cour pénale internationale** : 31 (2000).

Estonie

DIH : 1 (1993) ; 2 (1993) ; 2a (oui) ; 3 (1993) ; 4 (2008) ; **DDH universel :** 5 (1991) ; 6 (1991) ; 6a (non) ; 7 (1991) ; 8 (2004) ; 9 (non) ; **DDH régional :** 10 (1996) ; 10a (1996) ; **Enfants :** 13 (1991) ; 13a (2003 S) ; 13b (2004) ; **Torture :** 14 (1991) ; 14a (non) ; 14b (non) ; 14c (2006) ; 15 (1996) ; **Réfugiés et apatrides :** 17 (1997) ; 18 (1997) ; 20 (non) ; 21 (non) ; **Génocide :** 22 (1991) ; **Crimes de guerre et crimes contre l'humanité :** 23 (1991) ; 24 (non) ; **Discrimination :** 25 (1991) ; 25a (oui) ; 26 (1991) ; 27 (1991) ; **Désarmement** : 28 (2004) ; 29 (1999) ; 30 (non) ; **Cour pénale internationale** : 31 (2002).

États-Unis

DIH : 1 (1955) ; 2 (1977 S) ; 2a (non) ; 3 (1977 S) ; 4 (2007) ; **DDH universel :** 5 (1977 S) ; 6 (1992) ; 6a (oui) ; 7 (non) ; 8 (non) ; 9 (non) ; **DDH régional :** 11 (1977 S) ; 11a (non) ; 11b (non) ; **Enfants :** 13 (1995 S) ; 13a (2002) ; 13b (2002) ; **Torture :** 14 (1994) ; 14a (oui) ; 14b (non) ; 14c (non) ; 16 (non) ; **Réfugiés et apatrides :** 17 (non) ; 18 (1968) ; 20 (non) ; 21 (non) ; **Génocide :** 22 (1988) ; **Crimes de guerre et crimes contre l'humanité :** 23 (non) ; **Discrimination :** 25 (1994) ; 25a (non) ; 26 (1980 S) ; 27 (non) ; **Désarmement** : 28 (non) ; 29 (1997) ; 30 (non) ; **Cour pénale internationale** : 31 (2000 S).

Éthiopie

DIH : 1 (1969) ; 2 (1994) ; 2a (non) ; 3 (1994) ; 4 (2006 S) ; **DDH universel :** 5 (1993) ; 6 (1993) ; 6a (non) ; 7 (non) ; 8 (non) ; 9 (non) ; **DDH régional :** 12 (non) ; 12a (2004 S) ; 12b (1998 S) ; **Enfants :** 13 (1991) ; 13a (2010 S) ; 13b (non) ; **Torture :** 14 (1994) ; 14a (non) ; 14b (non) ; 14c (non) ; **Réfugiés et apatrides :** 17 (1969) ; 18 (1969) ; 19 (1973) ; 20 (non) ; 21 (non) ; **Génocide :** 22 (1949) ; **Crimes de guerre et crimes contre l'humanité :** 23 (non) ; **Discrimination :** 25 (1976) ; 25a (non) ; 26 (1981) ; 27 (1978) ; **Désarmement** : 28 (2004) ; 29 (1996) ; 30 (non) ; **Cour pénale internationale** : 31 (non).

Fidji

DIH : 1 (1971) ; 2 (non) ; 2a (non) ; 3 (non) ; 4 (2008) ; **DDH universel :** 5 (non) ; 6 (non) ; 6a (non) ; 7 (non) ; 8 (non) ; 9 (non) ; **Enfants :** 13 (1993) ; 13a (2005 S) ; 13b (2005 S) ; **Torture :** 14 (non) ; 14a (non) ; 14b (non) ; 14c (non) ; **Réfugiés et apatrides :** 17 (1972) ; 18 (1972) ; 20 (1972) ; 21 (non) ; **Génocide :** 22 (1973) ; **Crimes de guerre et crimes contre l'humanité :** 23 (non) ; **Discrimination :** 25 (1973) ; 25a (non) ; 26 (1995) ; 27 (non) ; **Désarmement** : 28 (1998) ; 29 (1993) ; 30 (2010) ; **Cour pénale internationale** : 31 (1999).

Finlande

DIH : 1 (1955) ; 2 (1980) ; 2a (oui) ; 3 (1980) ; 4 (2009) ; **DDH universel :** 5 (1975) ; 6 (1975) ; 6a (oui) ; 7 (1975) ; 8 (1991) ; 9 (2007 S) ; **DDH régional :** 10 (1990) ; 10a (1996) ; **Enfants :** 13 (1991) ; 13a (2002) ; 13b (2012) ; **Torture :** 14 (1989) ; 14a (oui) ; 14b (oui) ; 14c (2003 S) ; 15 (1990) ; **Réfugiés et apatrides :** 17 (1968) ; 18 (1968) ; 20 (1968) ; 21 (2008) ; **Génocide :** 22 (1959) ; **Crimes de guerre et crimes contre l'humanité :** 23 (non) ; 24 (non) ; **Discrimination :** 25 (1970) ; 25a (oui) ; 26 (1986) ; 27 (non) ; **Désarmement** : 28 (2012) ; 29 (1995) ; 30 (non) ; **Cour pénale internationale** : 31 (2000).

France

DIH : 1 (1951) ; 2 (2001) ; 2a (non) ; 3 (1984) ; 4 (2009) ; **DDH universel :** 5 (1980) ; 6 (1980) ; 6a (non) ; 7 (1984) ; 8 (2007) ; 9 (2008) ; **DDH régional :** 10 (1974) ; 10a (1996) ; **Enfants :** 13 (1990) ; 13a (2003) ; 13b (2003) ; **Torture :** 14 (1986) ; 14a (oui) ; 14b (oui) ; 14c (2008) ; 15 (1989) ; **Réfugiés et apatrides :** 17 (1954) ; 18 (1971) ; 20 (1960) ; 21 (1962 S) ; **Génocide :** 22 (1950) ; **Crimes de guerre et crimes contre l'humanité :** 23 (non) ; 24 (1974 S) ; **Discrimination :** 25 (1971) ; 25a (oui) ; 26 (1983) ; 27 (non) ; **Désarmement** : 28 (1998) ; 29 (1995) ; 30 (2009) ; **Cour pénale internationale** : 27 (2000).

Gabon

DIH : 1 (1965) ; 2 (1980) ; 2a (non) ; 3 (1980) ; 4 (non) ; **DDH universel :** 5 (1983) ; 6 (1983) ; 6a (non) ; 7 (non) ; 8 (non) ; 9 (2011) ; **DDH régional :** 12 (1986) ; 12a (2011) ; 12b (2000) ; **Enfants :** 13 (1994) ; 13a (2010) ; 13b (2007) ; **Torture :** 14 (2000) ; 14a (non) ; 14b (non) ; 14c (2010) ; **Réfugiés et apatrides :** 17 (1964) ; 18 (1973) ; 19 (1986) ; 20 (non) ; 21 (non) ; **Génocide :** 22 (1983) ; **Crimes de guerre et crimes contre l'humanité :** 23 (non) ; **Discrimination :** 25 (1980) ; 25a (non) ; 26 (1983) ; 27 (1980) ; **Désarmement** : 28 (2000) ; 29 (2000) ; 30 (non) ; **Cour pénale internationale** : 31 (2000).

Gambie

DIH : 1 (1966) ; 2 (1989) ; 2a (non) ; 3 (1989) ; 4 (non) ; **DDH universel :** 5 (1978) ; 6 (1979) ; 6a (oui) ; 7 (1988) ; 8 (non) ; 9 (non) ; **DDH régional :** 12 (1983) ; 12a (2005) ; 12b (1999) ; **Enfants :** 13 (1990) ; 13a (2000 S) ; 13b (2010) ; **Torture :** 14 (1985 S) ; 14a (non) ; 14b (non) ; 14c (non) ; **Réfugiés et apatrides :** 17 (1966) ; 18 (1967) ; 19 (1980) ; 20 (non) ; 21 (non) ; **Génocide :** 22 (1978) ; **Crimes de guerre et crimes contre l'humanité :** 23 (1978) ; **Discrimination :** 25 (1978) ; 25a (non) ; 26 (1993) ; 27 (1978) ; **Désarmement** : 28 (2002) ; 29 (1998) ; 30 (2008 S) ; **Cour pénale internationale** : 31 (2002).

Géorgie

DIH : 1 (1993) ; 2 (1993) ; 2a (non) ; 3 (1993) ; 4 (2007) ; **DDH universel :** 5 (1994) ; 6 (1994) ; 6a (non) ; 7 (1994) ; 8 (1999) ; 9 (non) ; **DDH régional :** 10 (1999) ; 10a (1999) ; **Enfants :** 13 (1994) ; 13a (2010) ; 13b (2005) ; **Torture :** 14 (1994) ; 14a (oui) ; 14b (oui) ; 14c (2005) ; 15 (2002) ; **Réfugiés et apatrides :** 17 (1999) ; 18 (1999) ; 20 (2011) ; 21 (non) ; **Génocide :** 22 (1993) ; **Crimes de guerre et crimes contre l'humanité :** 23 (1995) ; 24 (non) ; **Discrimination :** 25 (1999) ; 25a (non) ; 26 (1994) ; 27 (2005) ; **Désarmement** : 28 (non) ; 29 (1998) ; 30 (2008 S) ; **Cour pénale internationale** : 31 (2003).

Ghana

DIH : 1 (1958) ; 2 (1978) ; 2a (non) ; 3 (1978) ; 4 (2006 S) ; **DDH universel :** 5 (2000) ; 6 (2000) 6a (2000) ; 7 (2000) ; 8 (non) ; 9 (2007 S) ; **DDH régional :** 12 (1989) ; 12a (2007) ; 12b (2004) ; **Enfants :** 13 (1990) ; 13a (2003 S) ; 13b (2003 S) **Torture :** 14 (2000) ; 14a (oui) ; 14b (oui) ; 14c (2006 S) ; **Réfugiés et apatrides :** 17 (1963) ; 18 (1968) ; 19 (1975) ; 20 (non) ; 21 (non) ; **Génocide :** 22 (1958) ; **Crimes de guerre et crimes contre l'humanité :** 23 (2000) ; **Discrimination :** 25 (1966) ; 25a (non) ; 26 (1986) ; 27 (1978) ; **Désarmement** : 28 (2000) ; 29 (1997) ; 30 (2011) ; **Cour pénale internationale** : 31 (1999).

Grèce

DIH : 1 (1956) ; 2 (1989) ; 2a (1998) ; 3 (1993) ; 4 (2009) ; **DDH universel :** 5 (1985) ; 6 (1997) ; 6a (non) ; 7 (1997) ; 8 (1997) ; 9 (2008 S) ; **DDH régional :** 10 (1974) ; 10a (1997) ; **Enfants :** 13 (1993) ; 13a (2003) ; 13b (2008) ; **Torture :** 14 (1988) ; 14a (oui) ; 14b (oui) ; 14c (2011 S) ; 15 (1991) ; **Réfugiés et apatrides :** 17 (1960) ; 18 (1968) ; 20 (1975) ; 21 (non) ; **Génocide :** 22 (1954) ; **Crimes de guerre et crimes contre l'humanité :** 23 (non) ; 24 (non) ; **Discrimination :** 25 (1970) ; 25a (non) ; 26 (1983) ; 27 (non) ; **Désarmement** : 28 (2003) ; 29 (1994) ; 30 (non) ; **Cour pénale internationale** : 31 (2002).

Grenade

DIH : 1 (1981) ; 2 (1998) ; 2a (non) ; 3 (1998) ; 4 (non) ; **DDH universel :** 5 (1981) ; 6 (1991) ; 6a (non) ; 7 (non) ; 8 (non) ; 9 (2007 S) ; **DDH régional :** 11 (1978) ; 11a (non) ; 11b (non) ; **Enfants :** 13 (1990) ; 13a (2012) ; 13b (2012) ; **Torture :** 14 (non) ; 14a (non) ; 14b (non) ; 14c (non) ; 16 (non) ; **Réfugiés et apatrides :** 17 (non) ; 18 (non) ; 20 (non) ; 21 (non) ; **Génocide :** 22 (non) ; **Crimes de guerre et crimes contre l'humanité :** 23 (non) ; **Discrimination :** 25 (2013) ; 25a (non) ; 26 (1990) ; 27 (non) ; **Désarmement** : 28 (1998) ; 29 (2005) ; 30 (2011) ; **Cour pénale internationale** : 31 (2011).

Guatemala

DIH : 1 (1952) ; 2 (1987) ; 2a (non) ; 3 (1987) ; 4 (2008) ; **DDH universel :** 5 (1988) ; 6 (1992) ; 6a (non) ; 7 (2000) ; 8 (non) ; 9 (2007 S) ; **DDH régional :** 11 (1978) ; 11a (non) ; 11b (oui 1987) ; **Enfants :** 13 (1990) ; 13a (2002) ; 13b (2002) ; **Torture :** 14 (1990) ; 14a (non) ; 14b (oui) ; 14c (2008) ; 16 (1986) ; **Réfugiés et apatrides :** 17 (1983) ; 18 (1983) ; 20 (2000) ; 21 (2001) ; **Génocide :** 22 (1950) ; **Crimes de guerre et crimes contre l'humanité :** 23 (non) ; **Discrimination :** 25 (1983) ; 25a (non) ; 26 (1982) ; 27 (2005) ; **Désarmement** : 28 (1999) ; 29 (2003) ; 30 (2010) ; **Cour pénale internationale** : 31 (2012).

Guinée

DIH : 1 (1984) ; 2 (1984) ; 2a (oui) ; 3 (1984) ; 4 (non) ; **DDH universel :** 5 (1978) ; 6 (1978) ; 6a (non) ; 7 (1993) ; 8 (non) ; 9 (non) ; **DDH régional :** 12 (1982) ; 12a (2012) ; 12b (2003 S) ; **Enfants :** 13 (1990) ; 13a (non) ; 13b (2011) **Torture :** 14 (1989) ;

14a (non) ; 14b (non) ; 14c (2005 S) ; **Réfugiés et apatrides :** 17 (1965) ; 18 (1968) ; 19 (1972) ; 20 (1962) ; 21 (non) ; **Génocide :** 22 (2000) ; **Crimes de guerre et crimes contre l'humanité :** 23 (1971) ; **Discrimination :** 25 (1977) ; 25a (non) ; 26 (1982) ; 27 (1975) ; **Désarmement** : 28 (1998) ; 29 (1997) ; 30 (2008 S) ; **Cour pénale internationale** : 31 (2003).

Guinée-Bissau

DIH : 1 (1974) ; 2 (1986) ; 2a (non) ; 3 (1986) ; 4 (non) ; **DDH universel :** 5 (1992) ; 6 (2010) ; 6a (non) ; 7 (2000 S) ; 8 (2000 S) ; 9 (non) ; **DDH régional :** 12 (1985) ; 12a (2008) ; 12b (1998 S) ; **Enfants :** 13 (1990) ; 13a (2000 S) ; 13b (2010) **Torture :** 14 (2000 S) ; 14a (non) ; 14b (non) ; 14c (non) ; **Réfugiés et apatrides :** 17 (1976) ; 18 (1976) ; 19 (1989) ; 20 (non) ; 21 (non) ; **Génocide :** 22 (non) ; **Crimes de guerre et crimes contre l'humanité :** 23 (non) ; **Discrimination :** 25 (2000 S) ; 25a (non) ; 26 (1985) ; 27 (non) ; **Désarmement** : 28 (2001) ; 29 (2008) ; 30 (2010) ; **Cour pénale internationale** : 31 (2000 S).

Guinée équatoriale

DIH : 1 (1986) ; 2 (1986) ; 2a (non) ; 3 (1986) ; 4 (non) ; **DDH universel :** 5 (1987) ; 6 (1987) ; 6a (non) ; 7 (1987) ; 8 (non) ; 9 (non) ; **DDH régional :** 12 (1986) ; 12a (2009) ; 12b (1998 S) ; **Enfants :** 13 (1992) ; 13a (non) ; 13b (2003) ; **Torture :** 14 (2002) ; 14a (non) ; 14b (non) ; 14c (non) ; **Réfugiés et apatrides :** 17 (1986) ; 18 (1986) ; 19 (1980) ; 20 (non) ; 21 (non) ; **Génocide :** 22 (non) ; **Crimes de guerre et crimes contre l'humanité :** 23 (non) ; **Discrimination :** 25 (2002) ; 25a (non) ; 26 (1984) ; 27 (non) ; **Désarmement** : 28 (1998) ; 29 (1997) ; 30 (non) ; **Cour pénale internationale** : 31 (non).

Guyane

DIH : 1 (1968) ; 2 (1988) ; 2a (non) ; 3 (1988) ; 4 (2009) ; **DDH universel :** 5 (1977) ; 6 (1977) ; 6a (oui) ; 7 (1999) ; 8 (non) ; 9 (non) ; **DDH régional :** 11 (non) ; 11a (non) ; 11b (non) ; **Enfants :** 13 (1991) ; 13a (2010) ; 13b (2010) ; **Torture :** 14 (1988) ; 14a (non) ; 14b (non) ; 14c (non) ; 16 (non) ; **Réfugiés et apatrides :** 17 (non) ; 18 (non) ; 20 (non) ; 21 (non) ; **Génocide :** 22 (non) ; **Crimes de guerre et crimes contre l'humanité :** 23 (non) ; **Discrimination :** 25 (1977) ; 25a (non) ; 26 (1980) ; 27 (1977) ; **Désarmement** : 28 (2003) ; 29 (1997) ; 30 (non) ; **Cour pénale internationale** : 31 (2004).

Haïti

DIH : 1 (1957) ; 2 (2006) ; 2a (non) ; 3 (2006) ; 4 (2006 S) ; **DDH universel :** 5 (non) ; 6 (1991) ; 6a (non) ; 7 (non) ; 8 (non) ; 9 (2007 S) ; **DDH régional :** 11 (1977) ; 11a (non) ; 11b (oui 1998) ; **Enfants :** 13 (1995) ; 13a (2002 S) ; 13b (2002 S) ; **Torture :** 14 (non) ; 14a (non) ; 14b (non) ; 14c (non) ; 16 (1986 S) ; **Réfugiés et apatrides :** 17 (1984) ; 18 (1984) ; 20 (non) ; 21 (non) ; **Génocide :** 22 (1950) ; **Crimes de guerre et crimes contre l'humanité :** 23 (non) ; **Discrimination :** 25 (1972) ; 25a (non) ; 26 (1981) ; 27 (1977) ; **Désarmement** : 28 (2006) ; 29 (2006) ; 30 (2009 S) ; **Cour pénale internationale** : 31 (1999 S).

Honduras

DIH : 1 (1965) ; 2 (1995) ; 2a (non) ; 3 (1995) ; 4 (2006) ; **DDH universel :** 5 (1981) ; 6 (1966) ; 6a (non) ; 7 (2005) ; 8 (2008) ; 9 (2008) ; **DDH régional :** 11 (1977) ; 11a (non) ; 11b (oui 1981) ; **Enfants :** 13 (1990) ; 13a (2002) ; 13b (2002) ; **Torture :** 14 (1996) ; 14a (non) ; 14b (non) ; 14c (2006) ; 16 (1986 S) ; **Réfugiés et apatrides :** 17 (1992) ; 18 (1992) ; 20 (1954 S) ; 21 (non) ; **Génocide :** 22 (1952) ; **Crimes de guerre et crimes contre l'humanité :** 23 (2010) ; **Discrimination :** 25 (2002) ; 25a (non) ; 26 (1983) ; 27 (2005) ; **Désarmement** : 28 (1998) ; 29 (2005) ; 30 (2012) ; **Cour pénale internationale** : 31 (2002).

Hongrie

DIH : 1 (1954) ; 2 (1989) ; 2a (oui) ; 3 (1989) ; 4 (2006) ; **DDH universel :** 5 (1974) ; 6 (1974) ; 6a (oui) ; 7 (1988) ; 8 (1994) ; 9 (non) ; **DDH régional :** 10 (1992) ; 10a (1995) ; **Enfants :** 13 (1991) ; 13a (2010) ; 13b (2010) ; **Torture :** 14 (1987) ; 14a (oui) ; 14b (oui) ; 14c (2012) ; 15 (1993) ; **Réfugiés et apatrides :** 17 (1989) ; 18 (1989) ; 20 (2001) ; 21 (2009) ; **Génocide :** 22 (1952) ; **Crimes de guerre et crimes contre l'humanité :** 23 (1969) ; 24 (non) ; **Discrimination :** 25 (1967) ; 25a (oui) ; 26 (1980) ; 27 (1974) ; **Désarmement** : 28 (1998) ; 29 (1993) ; 30 (2012) ; **Cour pénale internationale** : 31 (2001).

Inde

DIH : 1 (1950) ; 2 (non) ; 2a (non) ; 3 (non) ; 4 (non) ; **DDH universel :** 5 (1979) ; 6 (1979) ; 6a (non) ; 7 (non) ; 8 (non) ; 9 (2007 S) ; **Enfants :** 13 (1992) ; 13a (2005) ; 13b (2005) ; **Torture :** 14 (1997 S) ; 14a (non) ; 14b (non) ; 14c (non) ; **Réfugiés et apatrides :** 17 (non) ; 18 (non) ; 20 (non) ; 21 (non) ; **Génocide :** 22 (1959) ; **Crimes de guerre et crimes contre l'humanité :** 23 (1971) ; **Discrimination :** 25 (1968) ; 25a (non) ; 26 (1993) ; 27 (1977) ; **Désarmement** : 28 (non) ; 29 (1996) ; 30 (non) ; **Cour pénale internationale** : 31 (non).

Indonésie

DIH : 1 (1958) ; 2 (non) ; 2a (non) ; 3 (non) ; 4 (non) ; **DDH universel :** 5 (non) ; 6 (non) ; 6a (non) ; 7 (non) ; 8 (non) ; 9 (2010 S) ; **Enfants :** 13 (1990) ; 13a (2012) ; 13b (2012) ; **Torture :** 14 (1998) ; 14a (non) ; 14b (non) ; 14c (non) ; **Réfugiés et apatrides :** 17 (non) ; 18 (non) ; 20 (non) ; 21 (non) ; **Génocide :** 22 (non) ; **Crimes de guerre et crimes contre l'humanité :** 23 (non) ; **Discrimination :** 25 (1999) ; 25a (non) ; 26 (1984) ; 27 (non) ; **Désar-**

mement : 28 (1997 S) ; 29 (1998) ; 30 (2008 S) ; **Cour pénale internationale** : 31 (non).

Irak

DIH : 1 (1956) ; 2 (2010) ; 2a (non) ; 3 (non) ; 4 (non) ; **DDH universel** : 5 (1971) ; 6 (1971) ; 6a (non) ; 7 (non) ; 8 (non) ; 9 (2010) ; **Enfants** : 13 (1994) ; 13a (2008) ; 13b (2008) ; **Torture** : 14 (2011) ; 14a (non) ; 14b (non) ; 14c (non) ; **Réfugiés et apatrides** : 17 (non) ; 18 (non) ; 20 (non) ; 21 (non) ; **Génocide** : 22 (1959) ; **Crimes de guerre et crimes contre l'humanité** : 23 (non) ; **Discrimination** : 25 (1970) ; 25a (non) ; 26 (1986) ; 27 (1975) ; **Désarmement** : 28 (2007) ; 29 (2009) ; 30 (2013) ; **Cour pénale internationale** : 31 (non).

Iran (République islamique d')

DIH : 1 (1957) ; 2 (1977 S) ; 2a (non) ; 3 (1977 S) ; 4 (non) ; **DDH universel** : 5 (1975) ; 6 (1975) ; 6a (non) ; 7 (non) ; 8 (non) ; 9 (non) ; **Enfants** : 13 (1994) ; 13a (2010 S) ; 13b (2007) ; **Torture** : 14 (non) ; 14a (non) ; 14b (non) ; 14c (non) ; **Réfugiés et apatrides** : 17 (1976) ; 18 (1976) ; 20 (non) ; 21 (non) ; **Génocide** : 22 (1956) ; **Crimes de guerre et crimes contre l'humanité** : 23 (non) ; **Discrimination** : 25 (1968) ; 25a (non) ; 26 (non) ; 27 (1985) ; **Désarmement** : 28 (non) ; 29 (1997) ; 30 (non) ; **Cour pénale internationale** : 31 (2000 S).

Irlande

DIH : 1 (1962) ; 2 (1999) ; 2a (1999) ; 3 (1999) ; 4 (2006 S) ; **DDH universel** : 5 (1989) ; 6 (1989) ; 6a (oui) ; 7 (1989) ; 8 (1993) ; 9 (2007 S) ; **DDH régional** : 10 (1953) ; 10a (1996) ; **Enfants** : 13 (1992) ; 13a (2002) ; 13b (2000 S) ; **Torture** : 14 (2002) ; 14a (oui) ; 14b (oui) ; 14c (2007 S) ; 15 (1988) ; **Réfugiés et apatrides** : 17 (1956) ; 18 (1968) ; 20 (1962) ; 21 (1973) ; **Génocide** : 22 (1976) ; **Crimes de guerre et crimes contre l'humanité** : 23 (non) ; 24 (non) ; **Discrimination** : 25 (2000) ; 25a (non) ; 26 (1985) ; 27 (non) ; **Désarmement** : 28 (1997) ; 29 (1996) ; 30 (2008) ; **Cour pénale internationale** : 31 (2002).

Islande

DIH : 1 (1965) ; 2 (1987) ; 2a (oui) ; 3 (1987) ; 4 (2006) ; **DDH universel** : 5 (1979) ; 6 (1989) ; 6a (oui) ; 7 (1979) ; 8 (1991) ; 9 (2008 S) ; **DDH régional** : 10 (1953) ; 10a (1995) ; **Enfants** : 13 (1992) ; 13a (2001) ; 13b (2001) ; **Torture** : 14 (1996) ; 14a (oui) ; 14b (oui) ; 14c (2003 S) ; 15 (1990) ; **Réfugiés et apatrides** : 17 (1955) ; 18 (1968) ; 20 (non) ; 21 (non) ; **Génocide** : 22 (1949) ; **Crimes de guerre et crimes contre l'humanité** : 23 (non) ; 24 (non) ; **Discrimination** : 25 (1967) ; 25a (oui) ; 26 (1985) ; 27 (non) ; **Désarmement** : 28 (1999) ; 29 (1997) ; 30 (2008 S) ; **Cour pénale internationale** : 31 (2000).

Israël

DIH : 1 (1951) ; 2 (non) ; 2a (non) ; 3 (non) ; 4 (2007) ; **DDH universel** : 5 (1991) ; 6 (1991) ; 6a (non) ; 7 (non) ; 8 (non) ; 9 (non) ; **Enfants** : 13 (1991) ; 13a (2005) ; 13b (2008) ; **Torture** : 14 (1991) ; 14a (non) ; 14b (non) ; 14c (non) ; **Réfugiés et apatrides** : 17 (1954) ; 18 (1968) ; 20 (1958) ; 21 (1961 S) ; **Génocide** : 22 (1950) ; **Crimes de guerre et crimes contre l'humanité** : 23 (non) ; **Discrimination** : 25 (1979) ; 25a (non) ; 26 (1991) ; 27 (non) ; **Désarmement** : 28 (non) ; 29 (1993 S) ; 30 (non) ; **Cour pénale internationale** : 31 (2000 S).

Italie

DIH : 1 (1951) ; 2 (1986) ; 2a (oui) ; 3 (1986) ; 4 (2009) ; **DDH universel** : 5 (1978) ; 6 (1978) ; 6a (oui) ; 7 (1978) ; 8 (1995) ; 9 (2007 S) ; **DDH régional** : 10 (1955) ; 10a (1997) ; **Enfants** : 13 (1991) ; 13a (2002) ; 13b (2002) ; **Torture** : 14 (1989) ; 14a (oui) ; 14b (oui) ; 14c (2013) ; 15 (1988) ; **Réfugiés et apatrides** : 17 (1954) ; 18 (1972) ; 20 (1962) ; 21 (non) ; **Génocide** : 22 (1952) ; **Crimes de guerre et crimes contre l'humanité** : 23 (non) ; 24 (non) ; **Discrimination** : 25 (1976) ; 25a (oui) ; 26 (1985) ; 27 (non) ; **Désarmement** : 28 (1999) ; 29 (1995) ; 30 (2011) ; **Cour pénale internationale** : 31 (1999)

Jamaïque

DIH : 1 (1964) ; 2 (1986) ; 2a (non) ; 3 (1986) ; 4 (2006 S) ; **DDH universel** : 5 (1975) ; 6 (1975) ; 6a (non) ; 7 (non. Retrait en 1997) ; 8 (non) ; 9 (non) ; **DDH régional** : 11 (1978) ; 11a (oui) ; 11b (non) ; **Enfants** : 13 (1991) ; 13a (2002) ; 13b (2011) ; **Torture** : 14 (non) ; 14a (non) ; 14b (non) ; 14c (non) ; 16 (non) ; **Réfugiés et apatrides** : 17 (1964) ; 18 (1980) ; 20 (non) ; 21 (2013) ; **Génocide** : 22 (1968) ; **Crimes de guerre et crimes contre l'humanité** : 23 (non) ; **Discrimination** : 25 (1971) ; 25a (non) ; 26 (1984) ; 27 (1977) ; **Désarmement** : 28 (1998) ; 29 (2000) ; 30 (2009 S) ; **Cour pénale internationale** : 31 (2000 S).

Japon

DIH : 1 (1953) ; 2 (2004) ; 2a (oui) ; 3 (2004) ; 4 (non) ; **DDH universel** : 5 (1979) ; 6 (1979) ; 6a (non) ; 7 (non) ; 8 (non) ; 9 (2009) ; **Enfants** : 13 (1994) ; 13a (2004) ; 13b (2005) ; **Torture** : 14 (1999) ; 14a (oui) ; 14b (non) ; 14c (non) ; **Réfugiés et apatrides** : 17 (1981) ; 18 (1982) ; 20 (non) ; 21 (non) ; **Génocide** : 22 (non) ; **Crimes de guerre et crimes contre l'humanité** : 23 (non) ; **Discrimination** : 25 (1995) ; 25a (non) ; 26 (1985) ; 27 (non) ; **Désarmement** : 28 (1998) ; 29 (1995) ; 30 (2009) ; **Cour pénale internationale** : 31 (2007).

Jordanie

DIH : 1 (1951) ; 2 (1979) ; 2a (non) ; 3 (1979) ; 4 (non) ; **DDH universel** : 5 (1975) ; 6 (1975) ; 6a (non) ; 7 (non) ; 8 (non) ; 9 (non) ; **Enfants** :

13 (1991) ; 13a (2007) ; 13b (2006) ; **Torture :** 14 (1992) ; 14a (non) ; 14b (non) ; 14c (non) ; **Réfugiés et apatrides :** 17 (non) ; 18 (non) ; 20 (non) ; 21 (non) ; **Génocide :** 22 (1950) ; **Crimes de guerre et crimes contre l'humanité :** 23 (non). ; **Discrimination :** 25 (1974) ; 25a (non) ; 26 (1992) ; 27 (1992) ; **Désarmement** : 28 (1998) ; 29 (1997) ; 30 (non) ; **Cour pénale internationale** : 31 (2002).

Kazakhstan

DIH : 1 (1992) ; 2 (1992) ; 2a (non) ; 3 (1992) ; 4 (2009) ; **DDH universel :** 5 (non) ; 6 (non) ; 6a (non) ; 7 (2009) ; 8 (non) ; 9 (2009) ; **Enfants :** 13 (1994) ; 13a (2003) ; 13b (2001) ; **Torture :** 14 (1998) ; 14a (oui) ; 14b (oui) ; 14c (2008) ; **Réfugiés et apatrides :** 17 (1999) ; 18 (1999) ; 20 (non) ; 21 (non) ; **Génocide :** 22 (1998) ; **Crimes de guerre et crimes contre l'humanité :** 23 (non) ; **Discrimination :** 25 (1998) ; 25a (oui) ; 26 (1998) ; 27 (non) ; **Désarmement** : 28 (non) ; 29 (2000) ; 30 (non) ; **Cour pénale internationale** : 31 (non).

Kenya

DIH : 1 (1966) ; 2 (1999) ; 2a (non) ; 3 (1999) ; 4 (2006 S) ; **DDH universel :** 5 (1972) ; 6 (1972) ; 6a (non) ; 7 (non) ; 8 (non) ; 9 (2007 S) ; **DDH régional :** 12 (1992) ; 12a (2010) ; 12b (2004) ; **Enfants :** 13 (1990) ; 13a (2002) ; 13b (2000 S) ; **Torture :** 14 (1997) ; 14a (non) ; 14b (non) ; 14c (non) ; **Réfugiés et apatrides :** 17 (1966) ; 18 (1981) ; 19 (1992) ; 20 (non) ; 21 (non) ; **Génocide :** 22 (non) ; **Crimes de guerre et crimes contre l'humanité :** 23 (1972). ; **Discrimination :** 25 (2001) ; 25a (non) ; 26 (1984) ; 27 (1974) ; **Désarmement** : 28 (2001) ; 29 (1997) ; 30 (2008 S) ; **Cour pénale internationale** : 31 (2005).

Kirghizistan

DIH : 1 (1992) ; 2 (1992) ; 2a (non) ; 3 (1992) ; 4 (non) ; **DDH universel :** 5 (1994) ; 6 (1994) ; 6a (non) ; 7 (1994) ; 8 (2010) ; 9 (non) ; **Enfants :** 13 (1994) ; 13a (2003) ; 13b (2003) ; **Torture :** 14 (1997) ; 14a (non) ; 14b (non) ; 14c (2008) ; **Réfugiés et apatrides :** 17 (1996) ; 18 (1996) ; 20 (non) ; 21 (non) ; **Génocide :** 22 (1997) ; **Crimes de guerre et crimes contre l'humanité :** 23 (non) ; **Discrimination :** 25 (1997) ; 25a (non) ; 26 (1997) ; 27 (1997) ; **Désarmement** : 28 (non) ; 29 (2003) ; 30 (non) ; **Cour pénale internationale** : 31 (1998 S).

Kiribati

DIH : 1 (1989) ; 2 (non) ; 2a (non) ; 3 (non) ; 4 (non) ; **DDH universel :** 5 (non) ; 6 (non) ; 6a (non) ; 7 (non) ; 8 (non) ; 9 (non) ; **Enfants :** 13 (1995) ; 13a (non) ; 13b (non) ; **Torture :** 14 (non) ; 14a (non) ; 14b (non) ; 14c (non) ; **Réfugiés et apatrides :** 17 (non) ; 18 (non) ; 20 (1983) ; 21 (1983) ; **Génocide :** 22 (non) ; **Crimes de guerre et crimes contre l'humanité :** 23 (non) ; **Discrimination :** 25 (non) ; 25a (non) ; 26 (2004) ; 27 (non) ; **Désarmement** : 28 (2000) ; 29 (2000) ; 30 (non) ; **Cour pénale internationale** : 31 (non).

Koweït

DIH : 1 (1967) ; 2 (1985) ; 2a (non) ; 3 (1985) ; 4 (non) ; **DDH universel :** 5 (1996) ; 6 (1996) ; 6a (non) ; 7 (non) ; 8 (non) ; 9 (non) ; **Enfants :** 13 (1991) ; 13a (2004) ; 13b (2004) ; **Torture :** 14 (1996) ; 14a (non) ; 14b (non) ; 14c (non) ; **Réfugiés et apatrides :** 17 (non) ; 18 (non) ; 20 (non) ; 21 (non) ; **Génocide :** 22 (1995) ; **Crimes de guerre et crimes contre l'humanité :** 23 (1995) ; **Discrimination :** 25 (1968) ; 25a (non) ; 26 (1994) ; 27 (1977) ; **Désarmement** : 28 (2007) ; 29 (1997) ; 30 (non) ; **Cour pénale internationale** : 31 (2000 S).

Laos

DIH : 1 (1956) ; 2 (1980) ; 2a (1998) ; 3 (1980) ; 4 (non) ; **DDH universel :** 5 (2007) ; 6 (2009) ; 6a (non) ; 7 (non) ; 8 (non) ; 9 (2008 S) ; **Enfants :** 13 (1991) ; 13a (2006) ; 13b (2006) ; **Torture :** 14 (2010 S) ; 14a (non) ; 14b (non) ; 14c (non) ; **Réfugiés et apatrides :** 17 (non) ; 18 (non) ; 20 (non) ; 21 (non) ; **Génocide :** 22 (1950) ; **Crimes de guerre et crimes contre l'humanité :** 23 (1984) ; **Discrimination :** 25 (1974) ; 25a (non) ; 26 (1981) ; 27 (1981) ; **Désarmement** : 28 (non) ; 29 (1997) ; 30 (2009) ; **Cour pénale internationale** : 31 (non).

Lesotho

DIH : 1 (1968) ; 2 (1994) ; 2a (oui) ; 3 (1994) ; 4 (non) ; **DDH universel :** 5 (1992) ; 6 (1992) ; 6a (non) ; 7 (2000) ; 8 (non) ; 9 (2010 S) ; **DDH régional :** 12 (1992) ; 12a (2004) ; 12b (2003) ; **Enfants :** 13 (1992) ; 13a (2003) ; 13b (2003) ; **Torture :** 14 (2001) ; 14a (non) ; 14b (non) ; 14c (non) ; **Réfugiés et apatrides :** 17 (1981) ; 18 (1981) ; 19 (1988) ; 20 (1974) ; 21 (2004) ; **Génocide :** 22 (1974) ; **Crimes de guerre et crimes contre l'humanité :** 23 (non) ; **Discrimination :** 25 (1971) ; 25a (non) ; 26 (1995) ; 27 (1983) ; **Désarmement** : 28 (1998) ; 29 (1994) ; 30 (2010) ; **Cour pénale internationale** : 31 (2000).

Lettonie

DIH : 1 (1991) ; 2 (1991) ; 2a (non) ; 3 (1991) ; 4 (2007) ; **DDH universel :** 5 (1992) ; 6 (1992) ; 6a (non) ; 7 (1994) ; 8 (non) ; 9 (non) ; **DDH régional :** 10 (1997) ; 10a (1997) ; **Enfants :** 13 (1992) ; 13a (2005) ; 13b (2006) ; **Torture :** 14 (1992) ; 14a (non) ; 14b (non) ; 14c (non) ; 15 (1998) ; **Réfugiés et apatrides :** 17 (1997) ; 18 (1997) ; 20 (1999) ; 21 (1992) ; **Génocide :** 22 (1992) ; **Crimes de guerre et crimes contre l'humanité :** 23 (1992) ; 24 (non) ; **Discrimination :** 25 (1992) ; 25a (non) ; 26 (1992) ; 27 (1992) ; **Désarmement** : 28 (2005) ; 29 (1996) ; 30 (non) ; **Cour pénale internationale** : 31 (2002).

Liban

DIH : 1 (1951) ; 2 (1997) ; 2a (non) ; 3 (1997) ; 4 (non) ; **DDH universel :** 5 (1972) ; 6 (1972) ; 6a (non) ; 7 (non) ; 8 (non) ; 9 (2007 S) ; **Enfants :** 13

(1991) ; 13a (2002 S) ; 13b (2004) ; **Torture :** 14 (2000) ; 14a (non) ; 14b (non) ; 14c (2008) ; **Réfugiés et apatrides :** 17 (non) ; 18 (non) ; 20 (non) ; 21 (non) ; **Génocide :** 22 (1953) ; **Crimes de guerre et crimes contre l'humanité :** 23 (non) ; **Discrimination :** 25 (1971) ; 25a (non) ; 26 (1997) ; 27 (non) ; **Désarmement** : 28 (non) ; 29 (2008) ; 30 (2010) ; **Cour pénale internationale** : 31 (non).

Liberia

DIH : 1 (1954) ; 2 (1988) ; 2a (non) ; 3 (1988) ; 4 (non) ; **DDH universel :** 5 (1967 S) ; 6 (1967 S) ; 6a (non) ; 7 (2004 S) ; 8 (2005) ; 9 (non) ; **DDH régional :** 12 (1982) ; 12a (2007), 12b (1998 S) ; **Enfants :** 13 (1993) ; 13a (2004 S) ; 13b (2004 S) ; **Torture :** 14 (2004) ; 14a (non) ; 14b (non) ; 14c (2004) ; **Réfugiés et apatrides :** 17 (1964) ; 18 (1980) ; 19 (1971) ; 20 (1964) ; 21 (2004) ; **Génocide :** 22 (1950) ; **Crimes de guerre et crimes contre l'humanité :** 23 (2005) ; **Discrimination :** 25 (1976) ; 25a (non) ; 26 (1984) ; 27 (1976) ; **Désarmement** : 28 (1999) ; 29 (2006) ; 30 (2008 S) ; **Cour pénale internationale** : 31 (2004).

Libye

DIH : 1 (1956) ; 2 (1978) ; 2a (non) ; 3 (1978) ; 4 (non) ; **DDH universel :** 5 (1970) ; 6 (1970) ; 6a (non) ; 7 (1989) ; 8 (non) ; 9 (non) ; **DDH régional :** 12 (1986) ; 12a (2004), 12b (2003) ; **Enfants :** 13 (1993) ; 13a (2004) ; 13b (2004) ; **Torture :** 14 (1989) ; 14a (non) ; 14b (non) ; 14c (non) ; **Réfugiés et apatrides :** 17 (non) ; 18 (non) ; 19 (1981) ; 20 (1989) ; 21 (1989) ; **Génocide :** 22 (1989) ; **Crimes de guerre et crimes contre l'humanité :** 23 (1989) ; **Discrimination :** 25 (1968) ; 25a (non) ; 26 (1989) ; 27 (1976) ; **Désarmement** : 28 (non) ; 29 (2004) ; 30 (non) ; **Cour pénale internationale** : 31 (non).

Liechtenstein

DIH : 1 (1950) ; 2 (1989) ; 2a (oui) ; 3 (1989) ; 4 (2006) ; **DDH universel :** 5 (1998) ; 6 (1998) ; 6a (oui) ; 7 (1998) ; 8 (1998) ; 9 (2007 S) ; **DDH régional :** 10 (1982) ; 10a (1995) ; **Enfants :** 13 (1995) ; 13a (2005) ; 13b (2013) ; **Torture :** 14 (1990) ; 14a (oui) ; 14b (oui) ; 14c (2006) ; 15 (1991) ; **Réfugiés et apatrides :** 17 (1957) ; 18 (1968) ; 20 (2009) ; 21 (2009) ; **Génocide :** 22 (1994) ; **Crimes de guerre et crimes contre l'humanité :** 23 (non) ; 24 (non) ; **Discrimination :** 25 (2000) ; 25a (2004) ; 26 (1995) ; 27 (non) ; **Désarmement** : 28 (1999) ; 29 (1999) ; 30 (2013) ; **Cour pénale internationale** : 31 (2001).

Lituanie

DIH : 1 (1996) ; 2 (2000) ; 2a (oui) ; 3 (2000) ; 4 (2007) ; **DDH universel :** 5 (1991) ; 6 (1991) ; 6a (non) ; 7 (1991) ; 8 (2002) ; 9 (2007 S) ; **DDH régional :** 10 (1995) ; 10a (1995) ; **Enfants :** 13 (1992) ; 13a (2003) ; 13b (2004) ; **Torture :** 14 (1996) ; 14a (non) ; 14b (non) ; 14c (non) ; 15 (1998) ; **Réfugiés et apatrides :** 17 (1997) ; 18 (1997) ; 20 (2000) ; 21 (non) ; **Génocide :** 22 (1996) ; **Crimes de guerre et crimes contre l'humanité :** 23 (1996) ; 24 (non) ; **Discrimination :** 25 (1998) ; 25a (non) ; 26 (1994) ; 27 (non) ; **Désarmement** : 28 (2003) ; 29 (1998) ; 30 (2011) ; **Cour pénale internationale** : 31 (2003).

Luxembourg

DIH : 1 (1953) ; 2 (1989) ; 2a (oui) ; 3 (1989) ; 4 (2005 S) ; **DDH universel :** 5 (1983) ; 6 (1983) ; 6a (oui) ; 7 (1983) ; 8 (1990) ; 9 (2007 S) ; **DDH régional :** 10 (1953) ; 10a (1996) ; **Enfants :** 13 (1994) ; 13a (2004) ; 13b (2011) ; **Torture :** 14 (1987) ; 14a (oui) ; 14b (oui) ; 14c (2010) ; 15 (1988) ; **Réfugiés et apatrides :** 17 (1953) ; 18 (1971) ; 20 (1960) ; 21 (non) ; **Génocide :** 22 (1981) ; **Crimes de guerre et crimes contre l'humanité :** 23 (non) ; 24 (non) ; **Discrimination :** 25 (1978) ; 25a (oui) ; 26 (1989) ; 27 (non) ; **Désarmement** : 28 (1999) ; 29 (1997) ; 30 (2009) ; **Cour pénale internationale** : 31 (2000).

Macédoine (ex-Rép. yougoslave de)

DIH : 1 (1993) ; 2 (1993) ; 2a (oui) ; 3 (1993) ; 4 (non) ; **DDH universel :** 5 (1994) ; 6 (1994) ; 6a (non) ; 7 (1994) ; 8 (1995) ; 9 (2007 S) ; **DDH régional :** 10 (1997) ; 10a (1997) ; **Enfants :** 13 (1993) ; 13a (2004) ; 13b (2003) ; **Torture :** 14 (1994) ; 14a (non) ; 14b (non) ; 14c (2007) ; 15 (1997) ; **Réfugiés et apatrides :** 17 (1994) ; 18 (1994) ; 20 (1994) ; 21 (non) ; **Génocide :** 22 (1994) ; **Crimes de guerre et crimes contre l'humanité :** 23 (1994) ; 24 (non) ; **Discrimination :** 25 (1994) ; 25a (non) ; 26 (1994) ; 27 (1994) ; **Désarmement** : 28 (1998) ; 29 (1997) ; 30 (2009) ; **Cour pénale internationale** : 31 (2002).

Madagascar

DIH : 1 (1963) ; 2 (1992) ; 2a (oui) ; 3 (1992) ; 4 (2005 S) ; **DDH universel :** 5 (1971) ; 6 (1971) ; 6a (non) ; 7 (1971) ; 8 (non) ; 9 (2007 S) ; **DDH régional :** 12 (1992) ; 12a (2004 S) ; 12b (1998 S) ; **Enfants :** 13 (1991) ; 13a (2004) ; 13b (2004) ; **Torture :** 14 (2001 S, 2005 R) ; 14a (non) ; 14b (non) ; 14c (2003 S) ; **Réfugiés et apatrides :** 17 (1967) ; 18 (non) ; 19 (1969 S) ; 20 (1962 mais rompu en 1966) ; 21 (non) ; **Génocide :** 22 (non) ; **Crimes de guerre et crimes contre l'humanité :** 23 (non) ; **Discrimination :** 25 (1969) ; 25a (non) ; 26 (1989) ; 27 (1977) ; **Désarmement** : 28 (1999) ; 29 (2004) ; 30 (2008 S) ; **Cour pénale internationale** : 31 (2008).

Malaisie

DIH : 1 (1962) ; 2 (non) ; 2a (non) ; 3 (non) ; 4 (non) ; **DDH universel :** 5 (non) ; 6 (non) ; 6a (non) ; 7 (non) ; 8 (non) ; 9 (non) ; **Enfants :** 13 (1995) ; 13a (2012) ; 13b (2012) ; **Torture :** 14 (non) ; 14a (non) ; 14b (non) ; 14c (non) ; **Réfugiés et apatrides :** 17 (non) ; 18 (non) ; 20 (non) ; 21 (non) ; **Génocide :**

22 (1994) ; **Crimes de guerre et crimes contre l'humanité :** 23 (non) ; **Discrimination :** 25 (non) ; 25a (non) ; 26 (1995) ; 27 (non) ; **Désarmement** : 28 (1999) ; 29 (2000) ; 30 (non) ; **Cour pénale internationale** : 31 (non).

Malawi

DIH : 1 (1968) ; 2 (1991) ; 2a (non) ; 3 (1991) ; 4 (non) ; **DDH universel :** 5 (1993) ; 6 (1993) ; 6a (non) ; 7 (1996) ; 8 (non) ; 9 (non) ; **DDH régional :** 12 (1989) ; 12a (2005) ; 12b (2008) ; **Enfants :** 13 (1991) ; 13a (2010) ; 13b (2009) ; **Torture :** 14 (1996) ; 14a (non) ; 14b (non) ; 14c (non) ; **Réfugiés et apatrides :** 17 (1987) ; 18 (1987) ; 19 (1987) ; 20 (2009) ; 21 (non) ; **Génocide :** 22 (non) ; **Crimes de guerre et crimes contre l'humanité :** 23 (non) ; **Discrimination :** 25 (1996) ; 25a (non) ; 26 (1987) ; 27 (non) ; **Désarmement** : 28 (1998) ; 29 (1998) ; 30 (2009) ; **Cour pénale internationale** : 31 (2002).

Maldives

DIH : 1 (1991) ; 2 (1991) ; 2a (non) ; 3 (1991) ; 4 (non) ; **DDH universel :** 5 (2006) ; 6 (2006) ; 6a (non) ; 7 (2007) ; 8 (non) ; 9 (2007 S) ; **Enfants :** 13 (1991) ; 13a (2004) ; 13b (2002) ; **Torture :** 14 (2004) ; 14a (non) ; 14b (non) ; 14c (2006) ; **Réfugiés et apatrides :** 17 (non) ; 18 (non) ; 20 (non) ; 21 (non) ; **Génocide :** 22 (1984) ; **Crimes de guerre et crimes contre l'humanité :** 23 (non) ; **Discrimination :** 25 (1984) ; 25a (non) ; 26 (1993) ; 27 (1984) ; **Désarmement** : 28 (2000) ; 29 (1994) ; 30 (non) ; **Cour pénale internationale** : 31 (non).

Mali (République du)

DIH : 1 (1965) ; 2 (1989) ; 2a (oui) ; 3 (1989) ; 4 (non) ; **DDH universel :** 5 (1974) ; 6 (1974) ; 6a (non) ; 7 (2001) ; 8 (non) ; 9 (2009) ; **DDH régional :** 12 (1981) ; 12a (2005) ; 12b (2000) ; **Enfants :** 13 (1990) ; 13a (2002) ; 13b (2002) ; **Torture :** 14 (1999) ; 14a (non) ; 14b (non) ; 14c (2005) ; **Réfugiés et apatrides :** 17 (1973) ; 18 (1973) ; 19 (1981) ; 20 (non) ; 21 (non) ; **Génocide :** 22 (1974) ; **Crimes de guerre et crimes contre l'humanité :** 23 (non) ; **Discrimination :** 25 (1974) ; 25a (non) ; 26 (1985) ; 27 (1977) ; **Désarmement** : 28 (1998) ; 29 (1997) ; 30 (2010) ; **Cour pénale internationale** : 31 (2000).

Malte

DIH : 1 (1968) ; 2 (1989) ; 2a (oui) ; 3 (1989) ; 4 (2005 S) ; **DDH universel :** 5 (1990) ; 6 (1990) ; 6a (oui) ; 7 (1990) ; 8 (1994) ; 9 (2007 S) ; **DDH régional :** 10 (1967) ; 10a (1995) ; **Enfants :** 13 (1990) ; 13a (2002) ; 13b (2010) ; **Torture :** 14 (1990) ; 14a (oui) ; 14b (oui) ; 14c (2003) ; 15 (1988) ; **Réfugiés et apatrides :** 17 (1971) ; 18 (1971) ; 20 (non) ; 21 (non) ; **Génocide :** 22 (non) ; **Crimes de guerre et crimes contre l'humanité :** 23 (non) ; 24 (non) ; **Discrimination :** 25 (1971) ; 25a (oui) ; 26 (1991) ; 27 (non) ; **Désarmement** : 28 (2001) ; 29 (1997) ; 30 (2009) ; **Cour pénale internationale** : 31 (2002).

Maroc

DIH : 1 (1956) ; 2 (1977 S, 2011 R) ; 2a (non) ; 3 (2011) ; 4 (non) ; **DDH universel :** 5 (1979) ; 6 (1979) ; 6a (non) ; 7 (non) ; 8 (non) ; 9 (2013) ; **DDH régional :** 12 (non) ; 12a (non) ; 12bU (non) ; **Enfants :** 13 (1993) ; 13a (2002) ; 13b (2001) ; **Torture :** 14 (1993) ; 14a (non) ; 14b (oui) ; 14c (non) ; **Réfugiés et apatrides :** 17 (1956) ; 18 (1971) ; 19 (1974) ; 20 (non) ; 21 (non) ; **Génocide :** 22 (1958) ; **Crimes de guerre et crimes contre l'humanité :** 23 (non) ; **Discrimination :** 25 (1970) ; 25a (oui) ; 26 (1993) ; 27 (non) ; **Désarmement** : 28 (non) ; 29 (1995) ; 30 (non) ; **Cour pénale internationale** : 31 (2000 S).

Marshall (îles)

DIH : 1 (non 2004) ; 2 (non) ; 2a (non) ; 3 (non) ; 4 (non) ; **DDH universel :** 5 (non) ; 6 (non) ; 6a (non) ; 7 (non) ; 8 (non) ; 9 (non) ; **Enfants :** 13 (**1993**) ; 13a (non) ; 13b (non) ; **Torture :** 14 (non) ; 14a (non) ; 14b (non) ; 14c (non) ; **Réfugiés et apatrides :** 17 (non) ; 18 (non) ; 20 (non) ; 21 (non) ; **Génocide :** 22 (non) ; **Crimes de guerre et crimes contre l'humanité :** 23 (non) ; **Discrimination :** 25 (non) ; 25a (non) ; 26 (non) ; 27 (non) ; **Désarmement** : 28 (non) ; 29 (2004) ; 30 (non) ; **Cour pénale internationale** : 31 (2000).

Maurice

DIH : 1 (1970) ; 2 (1982) ; 2a (non) ; 3 (1982) ; 4 (non) ; **DDH universel :** 5 (1973) ; 6 (1973) ; 6a (non) ; 7 (1973) ; 8 (non) ; 9 (non) ; **DDH régional :** 12 (1992) ; 12a (2005 S) ; 12b (2003) ; **Enfants :** 13 (1990) ; 13a (2009) ; 13b (2011) ; **Torture :** 14 (1992) ; 14a (non) ; 14b (non) ; 14c (2005) ; **Réfugiés et apatrides :** 17 (non) ; 18 (non) ; 19 (non) ; 20 (non) ; 21 (non) ; **Génocide :** 22 (non) ; **Crimes de guerre et crimes contre l'humanité :** 23 (non) ; **Discrimination :** 25 (1972) ; 25a (non) ; 26 (1984) ; 27 (non) ; **Désarmement** : 28 (1997) ; 29 (1993) ; 30 (non) ; **Cour pénale internationale** : 31 (2002).

Mauritanie

DIH : 1 (1962) ; 2 (1980) ; 2a (non) ; 3 (1980) ; 4 (non) ; **DDH universel :** 5 (2004) ; 6 (2004) ; 6a (non) ; 7 (non) ; 8 (non) ; 9 (2012) ; **DDH régional :** 12 (1986) ; 12a (2005) ; 12b (2005) ; **Enfants :** 13 (1991) ; 13a (non) ; 13b (2007) ; **Torture :** 14 (2004) ; 14a (non) ; 14b (non) ; 14c (2012) ; **Réfugiés et apatrides :** 17 (1987) ; 18 (1987) ; 19 (1972) ; 20 (non) ; 21 (non) ; **Génocide :** 22 (non) ; **Crimes de guerre et crimes contre l'humanité :** 23 (non) ; **Discrimination :** 25 (1988) ; 25a (non) ; 26 (2001) ; 27 (1988) ; **Désarmement** : 28 (2000) ; 29 (1998) ; 30 (2012) ; **Cour pénale internationale** : 31 (non).

Mexique

DIH : 1 (1952) ; 2 (1983) ; 2a (non) ; 3 (non) ; 4 (2008) ; **DDH universel :** 5 (1981) ; 6 (1981) ; 6a (non) ; 7 (2002) ; 8 (2007) ; 9 (2008) ; **DDH régional :** 11 (1981) ; 11a (non) ; 11b (oui 1998) ; **Enfants :** 13 (1990) ; 13a (2002) ; 13b (2002) ; **Torture :** 14 (1986) ; 14a (non) ; 14b (oui) ; 14c (2005) ; 16 (1987) ; **Réfugiés et apatrides :** 17 (2000) ; 18 (2000) ; 20 (2000) ; 21 (non) ; **Génocide :** 22 (1952) ; **Crimes de guerre et crimes contre l'humanité :** 23 (2002) ; **Discrimination :** 25 (1975) ; 25a (non) ; 26 (1981) ; 27 (1980) ; **Désarmement** : 28 (1998) ; 29 (1994) ; 30 (2009) ; **Cour pénale internationale** : 31 (2005).

Micronésie

DIH : 1 (1995) ; 2 (1995) ; 2a (non) ; 3 (1995) ; 4 (non) ; **DDH universel :** 5 (non) ; 6 (non) ; 6a (non) ; 7 (non) ; 8 (non) ; 9 (non) ; **Enfants :** 13 (1993) ; 13a (non) ; 13b (non) ; **Torture :** 14 (non) ; 14a (non) ; 14b (non) ; 14c (non) ; **Réfugiés et apatrides :** 17 (non) ; 18 (non) ; 20 (non) ; 21 (non) ; **Génocide :** 22 (non) ; **Crimes de guerre et crimes contre l'humanité :** 23 (non) ; **Discrimination :** 25 (non) ; 25a (non) ; 26 (2004) ; 27 (non) ; **Désarmement** : 28 (non) ; 29 (1999) ; 30 (non) ; **Cour pénale internationale** : 31 (non).

Monaco

DIH : 1 (1950) ; 2 (2000) ; 2a (oui) ; 3 (2000) ; 4 (2007) ; **DDH universel :** 5 (1997) ; 6 (1997) ; 6a (non) ; 7 (non) ; 8 (2000) ; 9 (2007 S) ; **DDH régional** : 10 (2005) ; 10a (2005) ; **Enfants :** 13 (1993) ; 13a (2001) ; 13b (2008) ; **Torture :** 14 (1991) ; 14a (oui) ; 14b (oui) ; 14c (non) ; 15 (2005) ; **Réfugiés et apatrides :** 17 (1954) ; 18 (2010) ; 20 (non) ; 21 (non) ; **Génocide :** 22 (1950) ; **Crimes de guerre et crimes contre l'humanité :** 23 (non) ; **Discrimination :** 25 (1995) ; 25a (2001) ; 26 (2005) ; 27 (non) ; **Désarmement** : 28 (1998) ; 29 (1995) ; 30 (2010) ; **Cour pénale internationale** : 31 (1998 S).

Moldavie

DIH : 1 (1993) ; 2 (1993) ; 2a (non) ; 3 (1993) ; 4 (2008) ; **DDH universel :** 5 (1993) ; 6 (1993) ; 6a (non) ; 7 (2005) ; 8 (2006) ; 9 (2007 S) ; **DDH régional :** 10 (1997) ; 10a (1997) ; **Enfants :** 13 (1993) ; 13a (2004) ; 13b (2007) ; **Torture :** 14 (1995) ; 14a (oui) ; 14b (oui) ; 14c (2006) ; 15 (1997) ; **Réfugiés et apatrides :** 17 (2002) ; 18 (2002) ; 20 (2012) ; 21 (2012) ; **Génocide :** 22 (1993) ; **Crimes de guerre et crimes contre l'humanité :** 23 (1993) ; 24 (non) ; **Discrimination :** 25 (1993) ; 25a (non) ; 26 (1994) ; 27 (2005) ; **Désarmement** : 28 (2000) ; 29 (1996) ; 30 (2010) ; **Cour pénale internationale** : 31 (2000 S).

Mongolie

DIH : 1 (1958) ; 2 (1995) ; 2a (oui) ; 3 (1995) ; 4 (no) ; **DDH universel :** 5 (1974) ; 6 (1974) ; 6a (non) ; 7 (1991) ; 8 (1993) ; 9 (2007 S) **Enfants :** 13 (1990) ; 13a (2004) ; 13b (2003) ; **Torture :** 14 (2002) ; 14a (non) ; 14b (non) ; 14c (non) ; **Réfugiés et apatrides :** 17 (non) ; 18 (non) ; 20 (non) ; 21 (non) ; **Génocide :** 22 (1967) ; **Crimes de guerre et crimes contre l'humanité :** 23 (1969) ; **Discrimination :** 25 (1969) ; 25a (non) ; 26 (1981) ; 27 (1975) ; **Désarmement** : 28 (non) ; 29 (1995) ; 30 (non) ; **Cour pénale internationale** : 31 (2002 R).

Monténégro (République du)

DIH : 1 (2006) ; 2 (2006) ; 2a (oui) ; 3 (2006) ; 4 (non) ; **DDH universel :** 5 (2006) ; 6 (2006) ; 6a (non) ; 7 (2006) ; 8 (2008) ; 9 (2011) ; **DDH régional :** 10 (2004) ; 10a (2004) ; **Enfants :** 13 (2006) ; 13a (2007) ; 13b (2006) ; **Torture :** 14 (2006) ; 14a (oui) ; 14b (oui) ; 14c (2009) ; 15 (2004) ; **Réfugiés et apatrides :** 17 (2006) ; 18 (2006) ; 20 (2006) ; 21 (non) ; **Génocide :** 22 (2006) ; **Crimes de guerre et crimes contre l'humanité :** 23 (2006) ; 24 (2010) ; **Discrimination :** 25 (2006) ; 25a (oui) ; 26 (2006) ; 27 (2006) ; **Désarmement** : 28 (2006) ; 29 (2006) ; 30 (2010) ; **Cour pénale internationale** : 31 (2006).

Mozambique

DIH : 1 (1983) ; 2 (1983) ; 2a (non) ; 3 (2002) ; 4 (non) ; **DDH universel :** 5 (non) ; 6 (1993) ; 6a (non) ; 7 (non) ; 8 (1993) ; 9 (2008 S) ; **DDH régional :** 12 (1989) ; 12a (2005) ; 12b (2004) ; **Enfants :** 13 (1994) ; 13a (2004) ; 13b (2003) ; **Torture :** 14 (1999) ; 14a (non) ; 14b (non) ; 14c (non) ; **Réfugiés et apatrides :** 17 (1983) ; 18 (1989) ; 19 (1989) ; 20 (non) ; 21 (non) ; **Génocide :** 22 (1983) ; **Crimes de guerre et crimes contre l'humanité :** 23 (non) ; **Discrimination :** 25 (1983) ; 25a (non) ; 26 (1997) ; 27 (1983) ; **Désarmement** : 28 (1998) ; 29 (2000) ; 30 (2011) ; **Cour pénale internationale** : 31 (2000 S).

Myanmar

DIH : 1 (1992) ; 2 (non) ; 2a (non) ; 3 (non) ; 4 (non) ; **DDH universel :** 5 (non) ; 6 (non) ; 6a (non) ; 7 (non) ; 8 (non) ; **Enfants :** 13 (1991) ; 13a (non) ; 13b (2012) ; **Torture :** 14 (non) ; 14a (non) ; 14b (non) ; 14c (non) ; **Réfugiés et apatrides :** 17 (non) ; 18 (non) ; 20 (non) ; 21 (non) ; **Génocide :** 22 (1956) ; **Crimes de guerre et crimes contre l'humanité :** 23 (non) ; **Discrimination :** 25 (non) ; 25a (non) ; 26 (1997) ; 27 (non) ; **Désarmement** : 28 (non) ; 29 (non) ; 30 (non) ; **Cour pénale internationale** : 31 (non).

Namibie

DIH : 1 (1991) ; 2 (1994) ; 2a (oui) ; 3 (1994) ; 4 (non) ; **DDH universel :** 5 (1994) ; 6 (1994) ; 6a (non) ; 7 (1994) ; 8 (1994) ; 9 (non) ; **DDH régional :** 12 (1992) ; 12a (2004) ; 12b (1998 S) **Enfants :** 13 (1990) ; 13a (2002) ; 13b (2002) ; **Torture :** 14 (1994) ; 14a (non) ; 14b (non) ; 14c (non) ; **Réfugiés et apatrides :** 17 (1995) ; 18 (1995) ; 19 (2009 S) ; 20 (non) ; 21 (non) ; **Génocide :** 22 (1994) ; **Crimes de guerre et crimes contre l'humanité :** 23 (non) ; **Discrimination :** 25 (1982) ; 25a (non) ; 26 (1992) ; 27 (1982) ; **Désarmement** : 28 (1998) ; 29 (1995) ; 30 (2009 S) ; **Cour pénale internationale** : 31 (2002).

Nauru

DIH : 1 (2006) ; 2 (2006) ; 2a (non) ; 3 (2006) ; 4 (2006 S) ; **DDH universel :** 5 (non) ; 6 (2001 S) ; 6a (non) ; 7 (2001 S) ; 8 (non) ; 9 (non) ; **Enfants :** 13 (1994) ; 13a (2000 S) ; 13b (2000 S) ; **Torture :** 14 (2012) ; 14a (non) ; 14b (non) ; 14c (2013) ; **Réfugiés et apatrides :** 17 (2011) ; 18 (non) ; 20 (non) ; 21 (non) ; **Génocide :** 22 (non) ; **Crimes de guerre et crimes contre l'humanité :** 23 (non) ; **Discrimination :** 25 (2001 S) ; 25a (non) ; 26 (non) ; 27 (non) ; **Désarmement** : 28 (2001) ; 29 (2001) ; 30 (2013) ; **Cour pénale internationale** : 31 (2000).

Népal

DIH : 1 (1964) ; 2 (non) ; 2a (non) ; 3 (non) ; 4 (2006 S) ; **DDH universel :** 5 (1991) ; 6 (1991) ; 6a (non) ; 7 (1991) ; 8 (1998) ; 9 (non) ; **Enfants :** 13 (1990) ; 13a (2007) ; 13b (2006) ; **Torture :** 14 (1991) ; 14a (non) ; 14b (non) ; 14c (non) ; **Réfugiés et apatrides :** 17 (non) ; 18 (non) ; 20 (non) ; 21 (non) ; **Génocide :** 22 (1969) ; **Crimes de guerre et crimes contre l'humanité :** 23 (non) ; **Discrimination :** 25 (1971) ; 25a (non) ; 26 (1991) ; 27 (1977) ; **Désarmement** : 28 (non) ; 29 (1997) ; 30 (non) ; **Cour pénale internationale** : 31 (non).

Nicaragua

DIH : 1 (1953) ; 2 (1999) ; 2a (non) ; 3 (1999) ; 4 (2009) ; **DDH universel :** 5 (1980) ; 6 (1980) ; 6a (non) ; 7 (1980) ; 8 (2009) ; 9 (non) ; **DDH régional :** 11 (1979) ; 11a (oui) ; 11b (oui 1991) ; **Enfants :** 13 (1990) ; 13a (2005) ; 13b (2004) ; **Torture :** 14 (2005) ; 14a (non) ; 14b (non) ; 14c (2009) ; 16 (2009) ; **Réfugiés et apatrides :** 17 (1980) ; 18 (1980) ; 20 (non) ; 21 (non) ; **Génocide :** 22 (1952) ; **Crimes de guerre et crimes contre l'humanité :** 23 (1986) ; **Discrimination :** 25 (1978) ; 25a (non) ; 26 (1981) ; 27 (1980) ; **Désarmement** : 28 (1998) ; 29 (1999) ; 30 (2009) ; **Cour pénale internationale** : 31 (non).

Niger

DIH : 1 (1964) ; 2 (1979) ; 2a (non) ; 3 (1979) ; 4 (non) ; **DDH universel :** 5 (1986) ; 6 (1986) ; 6a (non) ; 7 (1986) ; 8 (non) ; 9 (2007 S) ; **DDH régional :** 12 (1986) ; 12a (2004 S) ; 12b (2004) ; **Enfants :** 13 (1990) ; 13a (2012) ; 13b (2004) ; **Torture :** 14 (1998) ; 14a (non) ; 14b (non) ; 14c (non) ; **Réfugiés et apatrides :** 17 (1961) ; 18 (1970) ; 19 (1971) ; 20 (non) ; 21 (1985) ; **Génocide :** 22 (non) ; **Crimes de guerre et crimes contre l'humanité :** 23 (non) ; **Discrimination :** 25 (1967) ; 25a (non) ; 26 (non) ; 27 (1978) ; **Désarmement** : 28 (1999) ; 29 (1997) ; 30 (2009) ; **Cour pénale internationale** : 31 (2002).

Nigeria

DIH : 1 (1961) ; 2 (1988) ; 2a (non) ; 3 (1988) ; 4 (non) ; **DDH universel :** 5 (1993) ; 6 (1993) ; 6a (non) ; 7 (non) ; 8 (non) ; 9 (2009) ; **DDH régional :** 12 (1983) ; 12a (2004) ; 12b (2004) ; **Enfants :** 13 (1991) ; 13a (2012) ; 13b (2010) ; **Torture :** 14 (2001) ; 14a (non) ; 14b (non) ; 14c (2009) ; **Réfugiés et apatrides :** 17 (1967) ; 18 (1968) ; 19 (1986) ; 20 (non) ; 21 (non) ; **Génocide :** 22 (2009) ; **Crimes de guerre et crimes contre l'humanité :** 23 (1970) ; **Discrimination :** 25 (1967) ; 25a (non) ; 26 (1985) ; 27 (1977) ; **Désarmement** : 28 (2001 S) ; 29 (1999) ; 30 (2009 S) ; **Cour pénale internationale** : 31 (2001).

Norvège

DIH : 1 (1951) ; 2 (1981) ; 2a (oui) ; 3 (1981) ; 4 (2006) ; **DDH universel :** 5 (1972) ; 6 (1972) ; 6a (oui) ; 7 (1972) ; 8 (1991) ; 9 (2007 S) ; **DDH régional :** 10 (1952) ; 10a (1995) ; **Enfants :** 13 (1991) ; 13a (2003) ; 13b (2001) ; **Torture :** 14 (1986) ; 14a (oui) ; 14b (oui) ; 14c (2003 S) ; 15 (1989) ; **Réfugiés et apatrides :** 17 (1953) ; 18 (1967) ; 20 (1956) ; 21 (1971) ; **Génocide :** 22 (1949) ; **Crimes de guerre et crimes contre l'humanité :** 23 (non), 24 (non) ; **Discrimination :** 25 (1970) ; 25a (oui) ; 26 (1981) ; 27 (non) ; **Désarmement** : 28 (1998) ; 29 (1994) ; 30 (2008) ; **Cour pénale internationale** : 31 (2000).

Nouvelle-Zélande

DIH : 1 (1959) ; 2 (1988) ; 2a (oui) ; 3 (1988) ; 4 (2006 S) ; **DDH universel :** 5 (1978) ; 6 (1978) ; 6a (oui) ; 7 (1989) ; 8 (1990) ; 9 (non) ; **Enfants :** 13 (1993) ; 13a (2001) ; 13b (2011) ; **Torture :** 14 (1989) ; 14a (oui) ; 14b (oui) ; 14c (2007) ; **Réfugiés et apatrides :** 17 (1960) ; 18 (1973) ; 20 (non) ; 21 (2006) ; **Génocide :** 22 (1978) ; **Crimes de guerre et crimes contre l'humanité :** 23 (non) ; **Discrimination :** 25 (1972) ; 25a (non) ; 26 (1985) ; 27 (non) ; **Désarmement** : 28 (1999) ; 29 (1996) ; 30 (2009) ; **Cour pénale internationale** : 31 (2000).

Oman

DIH : 1 (1974) ; 2 (1984) ; 2a (non) ; 3 (1984) ; 4 (non) ; **DDH universel :** 5 (non) ; 6 (non) ; 6a (non) ; 7 (non) ; 8 (non) ; 9 (non) ; **Enfants :** 13 (1996) ; 13a (2004) ; 13b (2004) ; **Torture :** 14 (non) ; 14a (non) ; 14b (non) ; 14c (non) ; **Réfugiés et apatrides :** 17 (non) ; 18 (non) ; 20 (non) ; 21 (non) ; **Génocide :** 22 (non) ; **Crimes de guerre et crimes contre l'humanité :** 23 (non) ; **Discrimination :** 25 (2003) ; 24a (non) ; 26 (2006) ; 27 (1991) ; **Désar-**

mement : 28 (non) ; 29 (1995) ; 30 (non) ; **Cour pénale internationale** : 31 (2000 S).

Ouganda

DIH : 1 (1964) ; 2 (1991) ; 2a (non) ; 3 (1991) ; 4 (2008) ; **DDH universel :** 5 (1987) ; 6 (1995) ; 6a (non) ; 7 (1995) ; 8 (non) ; 9 (2007 S) ; **DDH régional :** 12 (1986) ; 12a (2010) ; 12b (2001) ; **Enfants :** 13 (1990) ; 13a (2002) ; 13a (2001) ; **Torture :** 14 (1986) ; 14a (oui) ; 14b (non) ; 14c (non) ; **Réfugiés et apatrides :** 17 (1976) ; 18 (1976) ; 19 (1987) ; 20 (1965) ; 21 (non) ; **Génocide :** 22 (1995) ; **Crimes de guerre et crimes contre l'humanité :** 23 (non) ; **Discrimination :** 25 (1980) ; 25a (non) ; 26 (1985) ; 27 (1986) ; **Désarmement** : 28 (1999) ; 29 (2001) ; 30 (2008 S) ; **Cour pénale internationale** : 31 (2002).

Ouzbékistan

DIH : 1 (1993) ; 2 (1993) ; 2a (non) ; 3 (1993) ; 4 (non) ; **DDH universel :** 5 (1995) ; 6 (1995) ; 6a (non) ; 7 (1995) ; 8 (non) ; 9 (non) ; **Enfants :** 13 (1994) ; 13a (2007) ; 13b (2007) ; **Torture :** 14 (1995) ; 14a (non) ; 14b (non) ; 14c (non) ; **Réfugiés et apatrides :** 17 (non) ; 18 (non) ; 20 (non) ; 21 (non) ; **Génocide :** 22 (1999) ; **Crimes de guerre et crimes contre l'humanité :** 23 (non) ; **Discrimination :** 25 (1995) ; 25a (non) ; 26 (1995) ; 27 (non) ; **Désarmement** : 28 (non) ; 29 (1996) ; 30 (non) ; **Cour pénale internationale** : 31 (2000 S).

Pakistan

DIH : 1 (1951) ; 2 (1977 S) ; 2a (non) ; 3 (1977 S) ; 4 (non) ; **DDH universel :** 5 (non) ; 6 (non) ; 6a (non) ; 7 (non) ; 8 (non) ; 9 (non) ; **Enfants :** 13 (1990) ; 13a (2001 S) ; 13b (2011) ; **Torture :** 14 (2010) ; 14a (non) ; 14b (non) ; 14c (non) ; **Réfugiés et apatrides :** 17 (non) ; 18 (non) ; 20 (non) ; 21 (non) ; **Génocide :** 22 (1957) ; **Crimes de guerre et crimes contre l'humanité :** 23 (non) ; **Discrimination :** 25 (1966) ; 25a (non) ; 26 (1996) ; 27 (1986) ; **Désarmement** : 28 (non) ; 29 (1997) ; 30 (non) ; **Cour pénale internationale** : 31 (non).

Palaos

DIH : 1 (1996) ; 2 (1996) ; 2a (non) ; 3 (1996) ; 4 (non) ; **DDH universel :** 5 (non) ; 6 (non) ; 6a (non) ; 7 (non) ; 8 (non) ; 9 (2011 S) **Enfants :** 13 (1995) ; 13b (non) ; 13b (non) ; **Torture :** 14 (non) ; 14a (non) ; 14b (non) ; 14c (non) ; **Réfugiés et apatrides :** 17 (non) ; 18 (non) ; 20 (non) ; 21 (non) ; **Génocide :** 22 (non) ; **Crimes de guerre et crimes contre l'humanité :** 23 (non) ; **Discrimination :** 25 (non) ; 25a (non) ; 26 (non) ; 27 (non) ; **Désarmement** : 28 (2007) ; 29 (2003) ; 30 (2008 S) ; **Cour pénale internationale** : 31 (non).

Panama

DIH : 1 (1956) ; 2 (1995) ; 2a (non) ; 3 (1995) ; 4 (2012) ; **DDH universel :** 5 (1977) ; 6 (1977) ; 6a (non) ; 7 (1977) ; 8 (1993) ; 9 (2011) ; **DDH régional :** 11 (1978) ; 11a (non) ; 11b (oui 1990) ; **Enfants :** 13 (1990) ; 13a (2001) ; 13b (2001) ; **Torture :** 14 (1987) ; 14a (non) ; 14b (non) ; 14c (2011) ; 16 (1991) ; **Réfugiés et apatrides :** 17 (1978) ; 18 (1978) ; 20 (2011) ; 21 (2011) ; **Génocide :** 22 (1950) ; **Crimes de guerre et crimes contre l'humanité :** 23 (2007) ; **Discrimination :** 25 (1967) ; 25a (non) ; 26 (1981) ; 27 (1977) ; **Désarmement** : 28 (1998) ; 29 (1998) ; 30 (2010) ; **Cour pénale internationale** : 31 (2002).

Papouasie-Nouvelle-Guinée

DIH : 1 (1976) ; 2 (non) ; 2a (non) ; 3 (non) ; 4 (non) ; **DDH universel :** 5 (2008) ; 6 (2008) ; 6a (non) ; 7 (non) ; 8 (non) ; 9 (non) ; **Enfants :** 13 (1993) ; 13a (non) ; 13b (non) ; **Torture :** 14 (non) ; 14a (non) ; 14b (non) ; 14c (non) ; **Réfugiés et apatrides :** 17 (1986) ; 18 (1986) ; 20 (non) ; 21 (non) ; **Génocide :** 22 (1982) ; **Crimes de guerre et crimes contre l'humanité :** 23 (non) ; **Discrimination :** 25 (1982) ; 25a (non) ; 26 (1995) ; 27 (non) ; **Désarmement** : 28 (2004) ; 29 (1993) ; 30 (non) ; **Cour pénale internationale** : 31 (non).

Paraguay

DIH : 1 (1961) ; 2 (1990) ; 2a (1998) ; 3 (1990) ; 4 (2008) ; **DDH universel :** 5 (1992) ; 6 (1992) ; 6a (non) ; 7 (1995) ; 8 (non) ; 9 (2010) ; **DDH régional :** 11 (1989) ; 11a (non) ; 11b (oui 1993) ; **Enfants :** 13 (1990) ; 14a (oui 2002) ; 14b (oui 2003) ; 14c (2005) ; 16 (1990) ; **Torture :** 14 (1990) ; 12a (non) ; 12b (non) ; 14 (1990) ; **Réfugiés et apatrides :** 17 (1970) ; 18 (1970) ; 20 (non) ; 21 (2012) ; **Génocide :** 22 (2001) ; **Crimes de guerre et crimes contre l'humanité :** 23 (2008) ; **Discrimination :** 25 (2003) ; 25a (non) ; 26 (1987) ; 27 (2005) ; **Désarmement** : 28 (1998) ; 29 (1994) ; 30 (2008 S) ; **Cour pénale internationale** : 31 (2001).

Pays-Bas

DIH : 1 (1954) ; 2 (1987) ; 2a (oui) ; 3 (1987) ; 4 (2006) ; **DDH universel :** 5 (1978) ; 6 (1978) ; 6a (oui) ; 7 (1978) ; 8 (1991) ; 9 (2011) ; **DDH régional :** 10 (1954) ; 10a (1997) ; **Enfants :** 13 (1995) ; 13a (2009) ; 13b (2005) ; **Torture :** 14 (1988) ; 14a (oui) ; 14b (oui) ; 14c (2010) ; 15 (1988) ; **Réfugiés et apatrides :** 17 (1956) ; 18 (1968) ; 20 (1962) ; 21 (1985) ; **Génocide :** 22 (1966) ; **Crimes de guerre et crimes contre l'humanité :** 23 (non) ; 24 (1981) ; **Discrimination :** 25 (1971) ; 25a (oui) ; 26 (1991) ; 27 (non) ; **Désarmement** : 28 (1999) ; 29 (1995) ; 30 (2011) ; **Cour pénale internationale** : 31 (2001).

Pérou

DIH : 1 (1956) ; 2 (1989) ; 2a (non) ; 3 (1989) ; 4 (2005 S) ; **DDH universel :** 5 (1978) ; 6 (1978) ; 6a (oui) ; 7 (1980) ; 8 (non) ; 9 (2012) ; **DDH régional :** 11 (1978) ; 11a (oui) ; 11b (oui 1981) ; **Enfants :**

13 (1990) ; 13a (2002) ; 13b (2002) ; **Torture :** 14 (1988) ; 14a (oui) ; 14b (oui) ; 14c (2006) ; 16 (1990) ; **Réfugiés et apatrides :** 17 (1964) ; 18 (1983) ; 20 (non) ; 21 (non) ; **Génocide :** 22 (1960) ; **Crimes de guerre et crimes contre l'humanité :** 23 (2003) ; **Discrimination :** 25 (1971) ; 25a (oui) ; 26 (1982) ; 27 (1978) ; **Désarmement** : 28 (1998) ; 29 (1995) ; 30 (2012) ; **Cour pénale internationale** : 31 (2001).

Philippines

DIH : 1 (1952) ; 2 (1977 S) ; 2a (non) ; 3 (1986) ; 4 (2005) ; **DDH universel :** 5 (1974) ; 6 (1986) ; 6a (oui) ; 7 (1989) ; 8 (2007) ; 9 (non) ; **Enfants :** 13 (1990) ; 13a (2003) ; 13b (2002) ; **Torture :** 14 (1986) ; 14a (non) ; 14b (non) ; 14c (2012) ; **Réfugiés et apatrides :** 17 (1981) ; 18 (1981) ; 20 (1955 S) ; 21 (non) ; **Génocide :** 22 (1950) ; **Crimes de guerre et crimes contre l'humanité :** 23 (1973) ; **Discrimination :** 25 (1967) ; 25a (non) ; 26 (1981) ; 27 (1978) ; **Désarmement** : 28 (2000) ; 29 (1996) ; 30 (2008 S) ; **Cour pénale internationale** : 31 (2011).

Pologne

DIH : 1 (1954) ; 2 (1991) ; 2a (oui) ; 3 (1991) ; 4 (2009) ; **DDH universel :** 5 (1977) ; 6 (1977) ; 6a (oui) ; 7 (1991) ; 8 (2000 S) ; 9 (non) ; **DDH régional :** 10 (1993) ; 10a (1997) ; **Enfants :** 13 (1991) ; 13a (2005) ; 13b (2005) ; **Torture :** 14 (1989) ; 14a (oui) ; 14b (oui) ; 14c (2005) ; 15 (1994) ; **Réfugiés et apatrides :** 17 (1991) ; 18 (1991) ; 20 (non) ; 21 (non) ; **Génocide :** 22 (1950) ; **Crimes de guerre et crimes contre l'humanité :** 23 (1969) ; 24 (non) ; **Discrimination :** 25 (1968) ; 25a (non) ; 26 (1980) ; 27 (1976) ; **Désarmement** : 28 (1997 S) ; 29 (1995) ; 30 (non) ; **Cour pénale internationale** : 31 (2001).

Portugal

DIH : 1 (1961) ; 2 (1992) ; 2a (oui) ; 3 (1992) ; 4 (2005 S) ; **DDH universel :** 5 (1978) ; 6 (1978) ; 6a (non) ; 7 (1983) ; 8 (1990) ; 9 (2007 S) ; **DDH régional :** 10 (1978) ; 10a (1997) ; **Enfants :** 13 (1990) ; 13a (2003) ; 13b (2003) ; **Torture :** 14 (1989) ; 14a (oui) ; 14b (oui) ; 14c (2013) ; 15 (1990) ; **Réfugiés et apatrides :** 17 (1960) ; 18 (1976) ; 20 (non) ; 21 (non) ; **Génocide :** 22 (1999) ; **Crimes de guerre et crimes contre l'humanité :** 23 (non) ; 24 (non) ; **Discrimination :** 25 (1982) ; 25a (non) ; 26 (1980) ; 27 (non) ; **Désarmement** : 28 (1999) ; 29 (1996) ; 30 (2011) ; **Cour pénale internationale** : 31 (2002).

Qatar

DIH : 1 (1975) ; 2 (1988) ; 2a (oui) ; 3 (non) ; 4 (non) ; **DDH universel :** 5 (non) ; 6 (non) ; 6a (non) ; 7 (non) ; 8 (non) ; 9 (non) ; **Enfants :** 13 (1995) ; 13a (2002) ; 13b (2001) ; **Torture :** 14 (2000) ; 14a (non) ; 14b (non) ; 14c (non) ; **Réfugiés et apatrides :** 17 (non) ; 18 (non) ; 20 (non) ; 21 (non) ; **Génocide :** 22 (non) ; **Crimes de guerre et crimes contre l'humanité :** 23 (non) ; **Discrimination :** 25 (1976) ; 25a (non) ; 26 (2009) ; 27 (1975) ; **Désarmement** : 28 (1998) ; 29 (1997) ; 30 (non) ; **Cour pénale internationale** : 31 (2009).

République tchèque

DIH : 1 (1993) ; 2 (1993) ; 2a (oui) ; 3 (1993) ; 4 (2007) ; **DDH universel :** 5 (1993) ; 6 (1993) ; 6a (oui) ; 7 (1993) ; 8 (2004) ; 9 (non) ; **DDH régional :** 10 (1992) ; 10a (1995) ; **Enfants :** 13 (1991) ; 13a (2001) ; 13b (2005 S) ; **Torture :** 14 (1993) ; 14a (oui) ; 14b (oui) ; 14c (2006) ; 15 (1995) ; **Réfugiés et apatrides :** 17 (1993) ; 18 (1993) ; 20 (2004) ; 21 (2001) ; **Génocide :** 22 (1993) ; **Crimes de guerre et crimes contre l'humanité :** 23 (1993) ; 24 (non) ; **Discrimination :** 25 (1993) ; 25a (non) ; 26 (1993) ; 27 (1993) ; **Désarmement** : 28 (1997 S, 1999 R) ; 29 (1996) ; 30 (2011) ; **Cour pénale internationale** : 31 (1999 S).

Roumanie

DIH : 1 (1954) ; 2 (1990) ; 2a (oui) ; 3 (1990) ; 4 (2006 S) ; **DDH universel :** 5 (1974) ; 6 (1974) ; 6a (non) ; 7 (1993) ; 8 (1991) ; 9 (2008 S) ; **DDH régional :** 10 (1994) ; 10a (1995) ; **Enfants :** 13 (1990) ; 13a (2001) ; 13b (2001) ; **Torture :** 14 (1990) ; 14a (non) ; 14b (non) ; 14c (2009) ; 15 (1994) ; **Réfugiés et apatrides :** 17 (1991) ; 18 (1991) ; 20 (2006) ; 21 (2006) ; **Génocide :** 22 (1950) ; **Crimes de guerre et crimes contre l'humanité :** 23 (1969) ; 24 (2000) ; **Discrimination :** 25 (1970) ; 25a (2003) ; 26 (1982) ; 27 (1978) ; **Désarmement** : 28 (2000) ; 29 (1995) ; 30 (non) ; **Cour pénale internationale** : 31 (2002).

Royaume-Uni

DIH : 1 (1957) ; 2 (1998) ; 2a (1999) ; 3 (1998) ; 4 (2009) ; **DDH universel :** 5 (1976) ; 6 (1976) ; 6a (oui) ; 7 (non) ; 8 (1999) ; 9 (non) ; **DDH régional :** 10 (1951) ; 10a (1994) ; **Enfants :** 13 (1991) ; 13a (2003) ; 13b (2009) ; **Torture :** 14 (1988) ; 14a (oui) ; 14b (non) ; 14c (2003) ; 15 (1988) ; **Réfugiés et apatrides :** 17 (1954) ; 18 (1968) ; 20 (1959) ; 21 (1966) ; **Génocide :** 22 (1970) ; **Crimes de guerre et crimes contre l'humanité :** 23 (non) ; 24 (non) ; **Discrimination :** 25 (1969) ; 25a (non) ; 26 (1986) ; 27 (non) ; **Désarmement** : 28 (1998) ; 29 (1996) ; 30 (2010) ; **Cour pénale internationale** : 31 (2001).

Russie (Fédération de)

DIH : 1 (1954) ; 2 (1989) ; 2a (oui) ; 3 (1989) ; 4 (2006 S) ; **DDH universel :** 5 (1973) ; 6 (1973) ; 6a (oui) ; 7 (1991) ; 8 (non) ; 9 (non) ; **DDH régional :** 10 (1998) ; 10a (1998) ; **Enfants :** 13 (1990) ; 13a (2008) ; 13b (2012 S) ; **Torture :** 14 (1987) ; 14a (oui) ; 14b (oui) ; 14c (non) ; 15 (1998) ; **Réfugiés et apatrides :** 17 (1993) ; 18 (1993) ; 20 (non) ; 21 (non) ; **Génocide :** 22 (1954) ; **Crimes de guerre et crimes contre l'humanité :** 23 (1969) ; 24 (non) ; **Discrimination :** 25 (1969) ; 25a (oui) ; 26 (1981) ; 27 (1975) ; **Désarmement** : 28 (non) ; 29 (1997) ; 30 (non) ; **Cour pénale internationale** : 31 (2000 S).

Rwanda

DIH : 1 (1964) ; 2 (1984) ; 2a (oui) ; 3 (1984) ; 4 (non) ; **DDH universel :** 5 (1975) ; 6 (1975) ; 6a (non) ; 7 (non) ; 8 (2008) ; 9 (non) ; **DDH régional :** 12 (1983) ; 12a (2004) ; 12b (2003) ; **Enfants :** 13 (1991) ; 13a (2002) ; 13b (2002) ; **Torture :** 14 (2008) ; 14a (non) ; 14b (non) ; 14c (non) ; **Réfugiés et apatrides :** 17 (1980) ; 18 (1980) ; 19 (1979) ; 20 (2006) ; 21 (non) ; **Génocide :** 22 (1975) ; **Crimes de guerre et crimes contre l'humanité :** 23 (1975) ; **Discrimination :** 25 (1975) ; 25a (non) ; 26 (1981) ; 27 (1981) ; **Désarmement** : 28 (2000) ; 29 (2004) ; 30 (2008 S) ; **Cour pénale internationale** : 31 (non).

St. Kitts et Nevis

DIH : 1 (1986) ; 2 (1986) ; 2a (non) ; 3 (1986) ; 4 (non) ; **DDH universel :** 5 (non) ; 6 (non) ; 6a (non) ; 7 (non) ; 8 (non) ; 9 (non) ; **Enfants :** 13 (1990) ; 13a (non) ; 13b (non) ; **Torture :** 14 (non) ; 14a (non) ; 14b (non) ; 14c (non) ; **Réfugiés et apatrides :** 17 (2002) ; 18 (non) ; 20 (non) ; 21 (non) ; **Génocide :** 22 (non) ; **Crimes de guerre et crimes contre l'humanité :** 23 (non) ; **Discrimination :** 25 (2006) ; 25a (non) ; 26 (1985) ; 27 (non) ; **Désarmement** : 28 (1998) ; 29 (2004) ; 30 (non) ; **Cour pénale internationale** : 31 (2006).

Saint-Marin

DIH : 1 (1953) ; 2 (1994) ; 2a (non) ; 3 (1994) ; 4 (2007) ; **DDH universel :** 5 (1985) ; 6 (1985) ; 6a (non) ; 7 (1985) ; 8 (2004) ; 9 (non) ; **DDH régional :** 10 (1989) ; 10a (1996) ; **Enfants :** 13 (1991) ; 13a (2011) ; 13b (2011) ; **Torture :** 14 (2006) ; 14a (non) ; 14b (non) ; 14c (non) ; 15 (1990) ; **Réfugiés et apatrides :** 17 (non) ; 18 (non) ; 20 (non) ; 21 (non) ; **Génocide :** 22 (non) ; **Crimes de guerre et crimes contre l'humanité :** 23 (non) ; 24 (non) ; **Discrimination :** 25 (2002) ; 25a (oui) ; 26 (2003) ; 27 (non) ; **Désarmement** : 28 (1998) ; 29 (1999) ; 30 (2009) ; **Cour pénale internationale** : 31 (1999).

Saint-Siège

DIH : 1 (1951) ; 2 (1985) ; 2a (non) ; 3 (1985) ; 4 (non) ; **DDH universel :** 5 (non) ; 6 (non) ; 6a (non) ; 7 (non) ; 8 (non) ; 9 (non) ; **Enfants :** 13 (1990) ; 13a (2001) ; 13b (2001) ; **Torture :** 14 (2002) ; 14a (non) ; 14b (non) ; 14c (non) ; **Réfugiés et apatrides :** 17 (1956) ; 18 (1967) ; 20 (1954 S) ; 21 (non) ; **Génocide :** 22 (non) ; **Crimes de guerre et crimes contre l'humanité :** 23 (non) ; **Discrimination :** 25 (1969) ; 25a (non) ; 26 (non) ; 27 (non) ; **Désarmement** : 28 (1998) ; 29 (1999) ; 30 (2008) ; **Cour pénale internationale** : 31 (non).

Saint-Vincent-Grenadines

DIH : 1 (1981) ; 2 (1983) ; 2a (non) ; 3 (1983) ; 4 (non) ; **DDH universel :** 5 (1981) ; 6 (1981) ; 6a (non) ; 7 (1981) ; 8 (non) ; 9 (2010 S) ; **DDH régional :** 11 (non) ; 11a (non) ; 11b (non) ; **Enfants :** 13 (1993) ; 13a (2011) ; 13b (2005) ; **Torture :** 14 (2001) ; 14a (non) ; 14b (non) ; 14c (non) ; 16 (non) ; **Réfugiés et apatrides :** 17 (1993) ; 18 (2003) ; 20 (1999S) ; 21 (non) ; **Génocide :** 22 (1981) ; **Crimes de guerre et crimes contre l'humanité :** 23 (1981) ; **Discrimination :** 25 (1981) ; 25a (non) ; 26 (1981) ; 27 (1981) ; **Désarmement** : 28 (2001) ; 29 (2002) ; 30 (2010) ; **Cour pénale internationale** : 31 (2002).

Sainte-Lucie

DIH : 1 (1981) ; 2 (1982) ; 2a (non) ; 3 (1982) ; 4 (non) ; **DDH universel :** 5 (non) ; 6 (non) ; 6a (non) ; 7 (non) ; 8 (non) ; 9 (non) ; **DDH régional :** 11 (non) ; 11a (non) ; 11b (non) ; **Enfants :** 13 (1993) ; 13a (2011 S) ; 13b (2011 S) ; **Torture :** 14 (non) ; 14a (non) ; 14b (non) ; 14c (non) ; 16 (non) ; **Réfugiés et apatrides :** 17 (non) ; 18 (non) ; 20 (non) ; 21 (non) ; **Génocide :** 22 (non) ; **Crimes de guerre et crimes contre l'humanité :** 23 (non) ; **Discrimination :** 25 (1990) ; 25a (non) ; 26 (1982) ; 27 (non) ; **Désarmement** : 28 (1999) ; 29 (1997) ; 30 (non) ; **Cour pénale internationale** : 31 (1999 S).

Salomon (îles)

DIH : 1 (1981) ; 2 (1988) ; 2a (non) ; 3 (1988) ; 4 (non) ; **DDH universel :** 5 (1982) ; 6 (non) ; 6a (non) ; 7 (non) ; 8 (non) ; 9 (non) ; **Enfants :** 13 (1995) ; 13a (2009 S) ; 13b (2009 S) ; **Torture :** 14 (non) ; 14a (non) ; 14b (non) ; 14c (non) ; **Réfugiés et apatrides :** 17 (1995) ; 18 (1995) ; 20 (non) ; 21 (non) ; **Génocide :** 22 (non) ; **Crimes de guerre et crimes contre l'humanité :** 23 (non) ; **Discrimination :** 25 (1982) ; 25a (non) ; 26 (2002) ; 27 (non) ; **Désarmement** : 28 (1999) ; 29 (2004) ; 30 (non) ; **Cour pénale internationale** : 31 (1998 S).

Samoa occidentales

DIH : 1 (1984) ; 2 (1984) ; 2a (non) ; 3 (1984) ; 4 (non) ; **DDH universel :** 5 (non) ; 6 (2008) ; 6a (non) ; 7 (non) ; 8 (non) ; 9 (2012) ; **Enfants :** 13 (1994) ; 13a (non) ; 13b (non) ; **Torture :** 14 (non) ; 14a (non) ; 14b (non) ; 14c (non) ; **Réfugiés et apatrides :** 17 (1988) ; 18 (1994) ; 20 (non) ; 21 (non) ; **Génocide :** 22 (non) ; **Crimes de guerre et crimes contre l'humanité :** 23 (non) ; **Discrimination :** 25 (non) ; 25a (non) ; 26 (1992) ; 27 (non) ; **Désarmement** : 28 (1998) ; 29 (2002) ; 30 (2010) ; **Cour pénale internationale** : 31 (2002).

Sao Tomé et Principe

DIH : 1 (1976) ; 2 (1996) ; 2a (non) ; 3 (1996) ; 4 (non) ; **DDH universel :** 5 (1995 S) ; 6 (1995 S) ; 6a (non) ; 7 (2000 S) ; 8 (2000 S) ; 9 (non) ; **DDH régional :** 12 (1986) ; 12a (2010 S) ; 12b (2010 S) ; **Enfants :** 13 (1991) ; 13a (non) ; 13b (non) ; **Torture :** 14 (2000 S) ; 14a (non) ; 14b (non) ; 14c (non) ; **Réfugiés et apatrides :** 17 (1978) ; 18 (1978) ; 19 (non) ; 20 (non) ; 21 (non) ; **Génocide :** 22 (non) ; **Crimes de guerre et crimes contre

l'humanité : 23 (non) ; **Discrimination :** 25 (2000 S) ; 25a (non) ; 26 (2003) ; 27 (1979) ; **Désarmement** : 28 (2003) ; 29 (2003) ; 30 (2008 S) ; **Cour pénale internationale** : 31 (2000 S).

Sénégal

DIH : 1 (1963) ; 2 (1985) ; 2a (non) ; 3 (1985) ; 4 (non) ; **DDH universel :** 5 (1978) ; 6 (1978) ; 6a (oui) ; 7 (1978) ; 8 (non) ; 9 (2008) ; **DDH régional :** 12 (1982) ; 12a (2004) ; 12b (1998) ; **Enfants :** 13 (1990) ; 13a (2004) ; 13b (2003) ; **Torture :** 14 (1986) ; 14a (oui) ; 14b (oui) ; 14c (2006) ; **Réfugiés et apatrides :** 17 (1963) ; 18 (1967) ; 19 (1971) ; 20 (2005) ; 21 (2005) ; **Génocide :** 22 (1983) ; **Crimes de guerre et crimes contre l'humanité :** 23 (non) ; **Discrimination :** 25 (1972) ; 25a (oui) ; 26 (1985) ; 27 (1977) ; **Désarmement** : 28 (1998) ; 29 (1998) ; 30 (2011) ; **Cour pénale internationale** : 31 (1999).

Serbie (Rép. de)

DIH : 1 (2001) ; 2 (2001) ; 2a (2001) ; 3 (2001) ; 4 (2010) ; **DDH universel :** 5 (2001) ; 6 (2001) ; 6a (non) ; 7 (2001) ; 8 (2001) ; 9 (2011) ; **DDH régional :** 10 (2004) ; 10a (2004) ; **Enfants :** 13 (2001) ; 13a (2003) ; 13b (2002) ; **Torture :** 14 (2001) ; 14a (oui) ; 14b (oui) ; 14c (2006) ; 15 (2004) ; **Réfugiés et apatrides :** 17 (2001) ; 18 (2001) ; 20 (2001) ; 21 (2011) ; **Génocide :** 22 (2001) ; **Crimes de guerre et crimes contre l'humanité :** 23 (2001) ; 24 (2011) ; **Discrimination :** 25 (2001) ; 25a (oui) ; 26 (2001) ; 27 (2001) ; **Désarmement** : 28 (2004) ; 29 (2000) ; 30 (non) ; **Cour pénale internationale** : 31 (2001 S).

Seychelles

DIH : 1 (1984) ; 2 (1984) ; 2a (oui) ; 3 (1984) ; 4 (non) ; **DDH universel :** 5 (1992) ; 6 (1992) ; 6a (non) ; 7 (1992) ; 8 (1994) ; 9 (non) ; **DDH régional :** 12 (1992) ; 12a (2006) ; 12b (1998 S) ; **Enfants :** 13 (1990) ; 13a (2010) ; 13b (2012) ; **Torture :** 14 (1992) ; 14a (non) ; 14b (oui) ; 14c (non) ; **Réfugiés et apatrides :** 17 (1980) ; 18 (1980) ; 19 (1980) ; 20 (non) ; 21 (non) ; **Génocide :** 22 (1992) ; **Crimes de guerre et crimes contre l'humanité :** 23 (non) ; **Discrimination :** 25 (1978) ; 25a (non) ; 26 (1992) ; 27 (1978) ; **Désarmement** : 28 (2000) ; 29 (1993) ; 30 (2010) ; **Cour pénale internationale** : 31 (2000 S).

Sierra Leone

DIH : 1 (1965) ; 2 (1986) ; 2a (non) ; 3 (1986) ; 4 (2006 S) ; **DDH universel :** 5 (1996) ; 6 (1996) ; 6a (non) ; 7 (1996) ; 8 (non) ; 9 (2007 S) ; **DDH régional :** 12 (1983) ; 12a (2003 S) ; 12b (1998 S) ; **Enfants :** 13 (1990) ; 13a (2002) ; 13b (2001) ; **Torture :** 14 (2001) ; 14a (non) ; 14b (non) ; 14c (2003 S) ; **Réfugiés et apatrides :** 17 (1981) ; 18 (1981) ; 19 (1987) ; 20 (non) ; 21 (non) ; **Génocide :** 22 (non) ; **Crimes de guerre et crimes contre l'humanité :** 23 (non) ; **Discrimination :** 25 (1967) ; 25a (non) ; 26 (1988) ; 27 (non) ; **Désarmement** : 28 (2001) ; 29 (2004) ; 30 (2008) ; **Cour pénale internationale** : 31 (2000).

Singapour

DIH : 1 (1973) ; 2 (non) ; 2a (non) ; 3 (non) ; 4 (2008) ; **DDH universel :** 5 (non) ; 6 (non) ; 6a (non) ; 7 (non) ; 8 (non) ; 9 (non) ; **Enfants :** 13 (1995) ; 13a (2008) ; 13b (non) ; **Torture :** 14 (non) ; 14a (non) ; 14b (non) ; 14c (non) ; **Réfugiés et apatrides :** 17 (non) ; 18 (non) ; 20 (non) ; 21 (non) ; **Génocide :** 22 (1995) ; **Crimes de guerre et crimes contre l'humanité :** 23 (non) ; **Discrimination :** 25 (non) ; 25a (non) ; 26 (1995) ; 27 (non) ; **Désarmement** : 28 (non) ; 29 (1997) ; 30 (non) ; **Cour pénale internationale** : 31 (non).

Slovaquie

DIH : 1 (1993) ; 2 (1993) ; 2a (oui) ; 3 (1993) ; 4 (2007) ; **DDH universel :** 5 (1993) ; 6 (1993) ; 6a (oui) ; 7 (1993) ; 8 (1999) ; 9 (2007 S) ; **DDH régional :** 10 (1992) ; 10a (1994) ; **Enfants :** 13 (1993) ; 13a (2006) ; 13b (2004) ; **Torture :** 14 (1993) ; 14a (oui) ; 14b (oui) ; 14c (non) ; 15 (1994) ; **Réfugiés et apatrides :** 17 (1993) ; 18 (1993) ; 20 (2000) ; 21 (2000) ; **Génocide :** 22 (1993) ; **Crimes de guerre et crimes contre l'humanité :** 23 (1993) ; 24 (non) ; **Discrimination :** 25 (1993) ; 25a (oui) ; 26 (1993) ; 27 (1993) ; **Désarmement** : 28 (1999) ; 29 (1995) ; 30 (non) ; **Cour pénale internationale** : 31 (2002).

Slovénie

DIH : 1 (1992) ; 2 (1992) ; 2a (oui) ; 3 (1992) ; 4 (2008) ; **DDH universel :** 5 (1992) ; 6 (1992) ; 6a (oui) ; 7 (1993) ; 8 (1994) ; 9 (2007 S) ; **DDH régional :** 10 (1994) ; 10a (1994) ; **Enfants :** 13 (1992) ; 13a (2004) ; 13b (2004) ; **Torture :** 14 (1993) ; 14a (oui) ; 14b (oui) ; 14c (2007), 15 (1994) ; **Réfugiés et apatrides :** 17 (1992) ; 18 (1992) ; 20 (1992) ; 21 (non) ; **Génocide :** 22 (1992) ; **Crimes de guerre et crimes contre l'humanité :** 23 (1992) ; 24 (non) ; **Discrimination :** 25 (1992) ; 25a (2001) ; 26 (1992) ; 27 (1992) ; **Désarmement** : 28 (1998) ; 29 (1997) ; 30 (2009) ; **Cour pénale internationale** : 31 (2001).

Somalie

DIH : 1 (1962) ; 2 (non) ; 2a (non) ; 3 (non) ; 4 (non) ; **DDH universel :** 5 (1990) ; 6 (1990) ; 6a (non) ; 7 (1990) ; 8 (non) ; 9 (non) ; **DDH régional :** 12 (1985) ; 12a (2006 S) ; 12b (2006 S) ; **Enfants :** 13 (2002 S) ; 13a (2005 S) ; 13b (non) ; **Torture :** 14 (1990) ; 14a (non) ; 14b (non) ; 14c (non) ; **Réfugiés et apatrides :** 17 (1978) ; 18 (1978) ; 19 (1969 S) ; 20 (non) ; 21 (non) ; **Génocide :** 22 (non) ; **Crimes de guerre et crimes contre l'humanité :** 23 (non) ; **Discrimination :** 25 (1975) ; 25a (non) ; 26 (non) ; 27 (1975) ; **Désarmement** : 28 (2012) ; 29 (2013) ; 30 (2008 S) ; **Cour pénale internationale** : 31 (non).

Soudan

DIH : 1 (1957) ; 2 (2006) ; 2a (non) ; 3 (2006) ; 4 (non) ; **DDH universel :** 5 (1986) ; 6 (1986) ; 6a (non) ; 7 (non) ; 8 (non) ; 9 (non) ; **DDH régional :** 12 (1986) ; 12a (2008 S) ; 12b (1998 S) ; **Enfants :** 13 (1990) ; 13a (2005) ; 13b (2004) ; **Torture :** 14 (1986 S) ; 14a (non) ; 14b (non) ; 14c (non) ; **Réfugiés et apatrides :** 17 (1974) ; 18 (1974) ; 19 (1972) ; 20 (non) ; 21 (non) ; **Génocide :** 22 (2003) ; **Crimes de guerre et crimes contre l'humanité :** 23 (non) ; **Discrimination :** 25 (1977) ; 25a (non) ; 26 (non) ; 27 (1977) ; **Désarmement** : 28 (2003) ; 29 (1999) ; 30 (non) ; **Cour pénale internationale** : 31 (2000 S).

Soudan du Sud

DIH : 1 (2013) ; 2 (2013) ; 2a (non) ; 3 (2013) ; 4 (2013) ; **DDH universel :** 5 (non) ; 6 (non) ; 6a (non) ; 7 (non) ; 8 (non) ; 9 (non) ; **DDH régional :** 12 (non) ; 12a (non) ; 12b (non) ; **Enfants :** 13 (non) ; 13a (non) ; 13b (non) ; **Torture :** 14 (non) ; 14a (non) ; 14b (non) ; 14c (non) ; **Réfugiés et apatrides :** 17 (non) ; 18 (non) ; 19 (non) ; 20 (non) ; 21 (non) ; **Génocide :** 22 (non) ; **Crimes de guerre et crimes contre l'humanité :** 23 (non) ; **Discrimination :** 25 (non) ; 25a (non) ; 26 (non) ; 27 (1977) ; **Désarmement** : 28 (2011) ; 29 (non) ; 30 (non) ; **Cour pénale internationale** : 31 (non).

Sri Lanka

DIH : 1 (1959) ; 2 (non) ; 2a (non) ; 3 (non) ; 4 (non) ; **DDH universel :** 5 (1980) ; 6 (1980) ; 6a (oui) ; 7 (1997) ; 8 (non) ; 9 (non) ; **Enfants :** 13 (1991) ; 13a (2000) ; 13b (2006) ; **Torture :** 14 (1994) ; 14a (non) ; 14b (non) ; 14c (non) ; **Réfugiés et apatrides :** 17 (non) ; 18 (non) ; 20 (non) ; 21 (non) ; **Génocide :** 22 (1950) ; **Crimes de guerre et crimes contre l'humanité :** 23 (non) ; **Discrimination :** 25 (1982) ; 25a (non) ; 26 (1981) ; 27 (1982) ; **Désarmement** : 28 (non) ; 29 (1994) ; 30 (non) ; **Cour pénale internationale** : 31 (non).

Suède

DIH : 1 (1953) ; 2 (1979) ; 2a (oui) ; 3 (1979) ; 4 (2006 S) ; **DDH universel :** 5 (1971) ; 6 (1971) ; 6a (oui) ; 7 (1971) ; 8 (1990) ; 9 (2007 S) ; **DDH régional :** 10 (1952) ; 10a (1995) ; **Enfants :** 13 (1990) ; 13a (2003) ; 13b (2007) ; **Torture :** 14 (1986) ; 14a (oui) ; 14b (oui) ; 14c (2005) ; 15 (1988) ; **Réfugiés et apatrides :** 17 (1954) ; 18 (1967) ; 20 (1965) ; 21 (1969) ; **Génocide :** 22 (1952) ; **Crimes de guerre et crimes contre l'humanité :** 23 (non) ; 24 (non) ; **Discrimination :** 25 (1971) ; 25a (oui) ; 26 (1980) ; 27 (non) ; **Désarmement** : 28 (1998) ; 29 (1993) ; 30 (2012) ; **Cour pénale internationale** : 31 (2001).

Suisse

DIH : 1 (1950) ; 2 (1982) ; 2a (oui) ; 3 (1982) ; 4 (2006) ; **DDH universel :** 5 (1992) ; 6 (1992) ; 6a (oui) ; 7 (non) ; 8 (1994) ; 9 (2011 S) ; **DDH régional :** 10 (1974) ; 10a (1995) ; **Enfants :** 13 (1997) ; 13a (2002) ; 13b (2006) ; **Torture :** 14 (1986) ; 14a (oui) ; 14b (oui) ; 14c (2009) ; 15 (1988) ; **Réfugiés et apatrides :** 17 (1955) ; 18 (1968) ; 20 (1972) ; 21 (non) ; **Génocide :** 22 (2000) ; **Crimes de guerre et crimes contre l'humanité :** 23 (non) ; 24 (non) ; **Discrimination :** 25 (1994) ; 25a (non) ; 26 (1997) ; 27 (non) ; **Désarmement** : 28 (1998) ; 29 (1995) ; 30 (2012) ; **Cour pénale internationale** : 31 (2001).

Suriname

DIH : 1 (1976) ; 2 (1985) ; 2a (non) ; 3 (1985) ; 4 (non) ; **DDH universel :** 5 (1976) ; 6 (1976) ; 6a (non) ; 7 (1976) ; 8 (non) ; 9 (non) ; **DDH régional :** 11 (1987) ; 11a (non) ; 11b (oui) ; **Enfants :** 13 (1993) ; 13a (2002 S) ; 13b (2012) ; **Torture :** 14 (non) ; 14a (non) ; 14b (non) ; 14c (non) ; 16 (1987) ; **Réfugiés et apatrides :** 17 (1978) ; 18 (1978) ; 20 (non) ; 21 (non) ; **Génocide :** 22 (non) ; **Crimes de guerre et crimes contre l'humanité :** 23 (non) ; **Discrimination :** 25 (1984) ; 25a (non) ; 26 (1993) ; 27 (1980) ; **Désarmement** : 28 (2002) ; 29 (1997) ; 30 (non) ; **Cour pénale internationale** : 31 (2008).

Swaziland

DIH : 1 (1973) ; 2 (1995) ; 2a (non) ; 3 (1995) ; 4 (non) ; **DDH universel :** 5 (2004) ; 6 (2004) ; 6a (non) ; 7 (non) ; 8 (non) ; 9 (2007 S) ; **DDH régional :** 12 (1995) ; 12a (2012) ; 12b (2004 S) ; **Enfants :** 13 (1995) ; 13a (2012) ; 13b (2012) ; **Torture :** 14 (2004) ; 14a (non) ; 14b (non) ; 14c (non) ; **Réfugiés et apatrides :** 17 (2000) ; 18 (1969) ; 19 (1989) ; 20 (1999) ; 21 (1999) ; **Génocide :** 22 (non) ; **Crimes de guerre et crimes contre l'humanité :** 23 (non) ; **Discrimination :** 25 (1969) ; 25a (non) ; 26 (2004) ; 27 (non) ; **Désarmement** : 28 (1998) ; 29 (1996) ; 30 (2011) ; **Cour pénale internationale** : 31 (non).

Syrie (Rép. arabe syrienne)

DIH : 1 (1953) ; 2 (1983) ; 2a (non) ; 3 (non) ; 4 (non) ; **DDH universel :** 5 (1969) ; 6 (1969) ; 6a (non) ; 7 (non) ; 8 (non) ; 9 (non) ; **Enfants :** 13 (1993) ; 13a (2003) ; 13b (2003) ; **Torture :** 14 (2004) ; 14a (non) ; 14b (non) ; 14c (non) ; **Réfugiés et apatrides :** 17 (non) ; 18 (non) ; 20 (non) ; 21 (non) ; **Génocide :** 22 (1955) ; **Crimes de guerre et crimes contre l'humanité :** 23 (non) ; **Discrimination :** 25 (1969) ; 25a (non) ; 26 (2003) ; 27 (1976) ; **Désarmement** : 28 (non) ; 29 (non) ; 30 (non) ; **Cour pénale internationale** : 31 (2000 S).

Tadjikistan

DIH : 1 (1993) ; 2 (1993) ; 2a (oui) ; 3 (1993) ; 4 (non) ; **DDH universel :** 5 (1999) ; 6 (1999) ; 6a (non) ; 7 (1999) ; 8 (non) ; 9 (non) ; **Enfants :** 13 (1993) ; 13a (2002) ; 13b (2002) ; **Torture :** 14 (1995) ; 14a (non) ; 14b (non) ; 14c (non) ; **Réfugiés et apatrides :** 17 (1993) ; 18 (1993) ; 20 (non) ; 21

(non) ; **Génocide :** 22 (non) ; **Crimes de guerre et crimes contre l'humanité :** 23 (non) ; **Discrimination :** 25 (1995) ; 25a (non) ; 26 (1993) ; 27 (non) ; **Désarmement** : 28 (1999) ; 29 (1995) ; 30 (non) ; **Cour pénale internationale** : 31 (2000).

Tanzanie (Rép. unie de)

DIH : 1 (1962) ; 2 (1983) ; 2a (non) ; 3 (1983) ; 4 (2005 S) ; **DDH universel :** 5 (1976) ; 6 (1976) ; 6a (non) ; 7 (non) ; 8 (non) ; 9 (2008 S) ; **DDH régional :** 12 (1984) ; 12a (2007) ; 12b (2006) ; **Enfants :** 13 (1991) ; 13a (2004) ; 13b (2003) ; **Torture :** 14 (non) ; 14a (non) ; 14b (non) ; 14c (non) ; **Réfugiés et apatrides :** 17 (1964) ; 18 (1968) ; 19 (1975) ; 20 (non) ; 21 (non) ; **Génocide :** 22 (1984) ; **Crimes de guerre et crimes contre l'humanité :** 23 (non) ; **Discrimination :** 25 (non) ; 25a (non) ; 26 (non) ; 27 (1976) ; **Désarmement** : 28 (2000) ; 29 (1998) ; 30 (2008 S) ; **Cour pénale internationale** : 31 (2002).

Tchad

DIH : 1 (1970) ; 2 (1997) ; 2a (non) ; 3 (1997) ; 4 (non) ; **DDH universel :** 5 (1995) ; 6 (1995) ; 6a (non) ; 7 (1995) ; 8 (non) ; 9 (2007 S) ; **DDH régional :** 12 (1986) ; 12a (2004 S) ; 12b (2004 S) ; **Enfants :** 13 (1990) ; 13a (2002) ; 13b (2002) ; **Torture :** 14 (1995) ; 14a (non) ; 14b (non) ; 14c (2012 S) ; **Réfugiés et apatrides :** 17 (1981) ; 18 (1981) ; 19 (1981) ; 20 (1999) ; 21 (1999) ; **Génocide :** 22 (non) ; **Crimes de guerre et crimes contre l'humanité :** 23 (non) ; **Discrimination :** 25 (1977) ; 25a (non) ; 26 (1995) ; 27 (1974) ; **Désarmement** : 28 (1999) ; 29 (2004) ; 30 (2013) ; **Cour pénale internationale** : 31 (1999 S).

Thaïlande

DIH : 1 (1954) ; 2 (non) ; 2a (non) ; 3 (non) ; 4 (non) ; **DDH universel :** 5 (non) ; 6 (1996) ; 6a (non) ; 7 (non) ; 8 (non) ; 9 (2012 S) ; **Enfants :** 13 (1992) ; 13a (2006) ; 13b (2006) ; **Torture :** 14 (2007) ; 14a (non) ; 14b (non) ; 14c (non) ; **Réfugiés et apatrides :** 17 (non) ; 18 (non) ; 20 (non) ; 21 (non) ; **Génocide :** 22 (non) ; **Crimes de guerre et crimes contre l'humanité :** 23 (non) ; **Discrimination :** 25 (2003) ; 25a (non) ; 26 (1985) ; 27 (non) ; **Désarmement** : 28 (1998) ; 29 (2002) ; 30 (non) ; **Cour pénale internationale** : 31 (2000 S).

Timor-Oriental (Timor-Leste)

DIH : 1 (2003) ; 2 (2005) ; 2a (non) ; 3 (2005) ; 4 (2011) ; **DDH universel :** 5 (2003) ; 6 (2003) ; 6a (non) ; 7 (1988) ; 8 (2003) ; 9 (non) ; **Enfants :** 13 (2003) ; 13a (2004) ; 13b (2003) ; **Torture :** 14 (2003) ; 14a (non) ; 14b (non) ; 14c (2005 S) ; **Réfugiés et apatrides :** 17 (2003) ; 18 (2003) ; 20 (non) ; 21 (non) ; **Génocide :** 22 (non) ; **Crimes de guerre et crimes contre l'humanité :** 23 (non) ; **Discrimination :** 25 (2003) ; 25a (non) ; 26 (2003) ; 27 (non) ; **Désarmement** : 28 (2003) ; 29 (2003) ; 30 (non) ; **Cour pénale internationale** : 31 (2003).

Togo

DIH : 1 (1962) ; 2 (1984) ; 2a (oui) ; 3 (1984) ; 4 (2006 S) ; **DDH universel :** 5 (1984) ; 6 (1984) ; 6a (non) ; 7 (1988) ; 8 (non) ; 9 (2010) ; **DDH régional :** 12 (1982) ; 12a (2005) ; 12b (2003) ; **Enfants :** 13 (1990) ; 13a (2005) ; 13b (2004) ; **Torture :** 14 (1987) ; 14a (oui) ; 14b (oui) ; 14c (2010) ; **Réfugiés et apatrides :** 17 (1962) ; 18 (1969) ; 19 (1970) ; 20 (non) ; 21 (non) ; **Génocide :** 22 (1984) ; **Crimes de guerre et crimes contre l'humanité :** 23 (non) ; **Discrimination :** 25 (1972) ; 25a (non) ; 26 (1983) ; 27 (1984) ; **Désarmement** : 28 (2000) ; 29 (1997) ; 30 (2012) ; **Cour pénale internationale** : 31 (non).

Tonga

DIH : 1 (1978) ; 2 (2003) ; 2a (oui) ; 3 (2003) ; 4 (non) ; **DDH universel :** 5 (non) ; 6 (non) ; 6a (non) ; 7 (non) ; 8 (non) ; 9 (non) ; **Enfants :** 13 (1995) ; 13a (non) ; 13b (non) ; **Torture :** 14 (non) ; 14a (non) ; 14b (non) ; 14c (non) ; **Réfugiés et apatrides :** 17 (2000) ; 18 (2000) ; 20 (non) ; 21 (non) ; **Génocide :** 22 (1972) ; **Crimes de guerre et crimes contre l'humanité :** 23 (non) ; **Discrimination :** 25 (1972) ; 25a (non) ; 26 (non) ; 27 (non) ; **Désarmement** : 28 (non) ; 29 (2003) ; 30 (non) ; **Cour pénale internationale** : 31 (non).

Trinité et Tobago

DIH : 1 (1963) ; 2 (2001) ; 2a (non) ; 3 (2001) ; 4 (non) ; **DDH universel :** 5 (1978) ; 6 (1978) ; 6a (non) ; 7 (1980) ; 8 (non) ; 9 (non) ; **DDH régional :** 11 (1991 – dénoncée en 1998) ; 11a (non) ; 11b (non) ; **Enfants :** 13 (1991) ; 13a (non) ; 13b (non) ; **Torture :** 14 (non) ; 14a (non) ; 14b (non) ; 14c (non) ; 16 (non) ; **Réfugiés et apatrides :** 17 (2000) ; 18 (2000) ; 20 (1966) ; 21 (non) ; **Génocide :** 22 (2002) ; **Crimes de guerre et crimes contre l'humanité :** 23 (non) ; **Discrimination :** 25 (1973) ; 25a (non) ; 26 (1990) ; 27 (1979) ; **Désarmement** : 28 (1998) ; 29 (1997) ; 30 (2011) ; **Cour pénale internationale** : 31 (1999).

Tunisie

DIH : 1 (1957) ; 2 (1979) ; 2a (non) ; 3 (1979) ; 4 (non) ; **DDH universel :** 5 (1969) ; 6 (1969) ; 6a (oui) ; 7 (2011) ; 8 (non) ; 9 (2011) ; **DDH régional :** 12 (1983) ; 12a (non) ; 12b (2007) ; **Enfants :** 13 (1992) ; 13a (2003) ; 13b (2002) ; **Torture :** 14 (1988) ; 14a (oui) ; 14b (oui) ; 14c (2011) ; **Réfugiés et apatrides :** 17 (1957) ; 18 (1968) ; 19 (1989) ; 20 (1969) ; 21 (2000) ; **Génocide :** 22 (1956) ; **Crimes de guerre et crimes contre l'humanité :** 23 (1972) ; **Discrimination :** 25 (1967) ; 25a (non) ; 26 (1985) ; 27 (1977) ; **Désarmement** : 28 (1999) ; 29 (1997) ; 30 (2010) ; **Cour pénale internationale** : 31 (2011).

Turkménistan

DIH : 1 (1992) ; 2 (1992) ; 2a (non) ; 3 (1992) ; 4 (non) ; **DDH universel :** 5 (1997) ; 6 (1997) ; 6a (non) ; 7 (1997) ; 8 (2000) ; 9 (non) ; **Enfants :** 13 (1993) ; 13a (2005) ; 13b (2005) ; **Torture :** 14 (1999) ; 14a (non) ; 14b (non) ; 14c (non) ; **Réfugiés et apatrides :** 17 (1998) ; 18 (1998) ; 20 (2011) ; 21 (non) ; **Génocide :** 22 (non) ; **Crimes de guerre et crimes contre l'humanité :** 23 (non) ; **Discrimination :** 25 (1994) ; 25a (non) ; 26 (1997) ; 27 (non) ; **Désarmement** : 28 (1998) ; 29 (1994) ; 30 (non) ; **Cour pénale internationale** : 31 (non).

Turquie

DIH : 1 (1954) ; 2 (non) ; 2a (non) ; 3 (non) ; 4 (2006 S) ; **DDH universel :** 5 (2003) ; 6 (2003) ; 6a (non) ; 7 (2006) ; 8 (2006) ; 9 (non) ; **DDH régional :** 10 (1954) ; 10a (1997) ; **Enfants :** 13 (1995) ; 13a (2004) ; 13b (2002) ; **Torture :** 14 (1988) ; 14a (oui) ; 14b (oui) ; 14c (2011) ; 15 (1988) ; **Réfugiés et apatrides :** 17 (1962) ; 18 (1968) ; 20 (non) ; 21 (non) ; **Génocide :** 22 (1950) ; **Crimes de guerre et crimes contre l'humanité :** 23 (non) ; 24 (non) ; **Discrimination :** 25 (2002) ; 25a (non) ; 26 (1985) ; 27 (non) ; **Désarmement** : 28 (2003) ; 29 (1997) ; 30 (non) ; **Cour pénale internationale** : 31 (non).

Tuvalu

DIH : 1 (1981) ; 2 (non) ; 2a (non) ; 3 (non) ; 4 (non) ; **DDH universel :** 5 (non) ; 6 (non) ; 6a (non) ; 7 (non) ; 8 (non) ; 9 (non) ; **Enfants :** 13 (1995) ; 13a (non) ; 13b (non) ; **Torture :** 14 (non) ; 14a (non) ; 14b (non) ; 14c (non) ; **Réfugiés et apatrides :** 17 (1986) ; 18 (1986) ; 20 (non) ; 21 (non) ; **Génocide :** 22 (non) ; **Crimes de guerre et crimes contre l'humanité :** 23 (non) ; **Discrimination :** 25 (non) ; 25a (non) ; 26 (1999) ; 27 (non) ; **Désarmement** : 28 (non) ; 29 (2004) ; 30 (non) ; **Cour pénale internationale** : 31 (non).

Ukraine

DIH : 1 (1954) ; 2 (1990) ; 2a (oui) ; 3 (1990) ; 4 (2010) ; **DDH universel :** 5 (1973) ; 6 (1973) ; 6a (oui) ; 7 (1991) ; 8 (2007) ; 9 (non) ; **DDH régional :** 10 (1997) ; 10a (1997) ; **Enfants :** 13 (1991) ; 13a (2005) ; 13b (2003) ; **Torture :** 14 (1987) ; 14a (non) ; 14b (non) ; 14c (2006) ; 13 (1997) ; **Réfugiés et apatrides :** 17 (2002) ; 18 (2002) ; 20 (2013) ; 21 (2013) ; **Génocide :** 22 (1954) ; **Crimes de guerre et crimes contre l'humanité :** 23 (1969) ; 24 (2008) ; **Discrimination :** 25 (1969) ; 25a (oui) ; 26 (1981) ; 27 (1975) ; **Désarmement** : 28 (2005) ; 29 (1998) ; 30 (non) ; **Cour pénale internationale** : 31 (2000 S).

Uruguay

DIH : 1 (1969) ; 2 (1985) ; 2a (oui) ; 3 (1985) ; 4 (2012) ; **DDH universel :** 5 (1970) ; 6 (1970) ; 6a (non) ; 7 (1970) ; 8 (1993) ; 9 (2009) ; **DDH régional :** 11 (1985) ; 11a (oui) ; 11b (oui 1985) ; **Enfants :** 13 (1990) ; 13a (2003) ; 13b (2003) ; **Torture :** 14 (1986) ; 14a (oui) ; 14b (oui) ; 14c (2005) ; 16 (1992) ; **Réfugiés et apatrides :** 17 (1970) ; 18 (1970) ; 20 (2004) ; 21 (2001) ; **Génocide :** 22 (1967) ; **Crimes de guerre et crimes contre l'humanité :** 23 (2001) ; **Discrimination :** 25 (1968) ; 25a (oui) ; 26 (1981) ; 27 (non) ; **Désarmement** : 28 (2001) ; 29 (1994) ; 30 (2009) ; **Cour pénale internationale** : 31 (2002).

Vanuatu

DIH : 1 (1982) ; 2 (1985) ; 2a (non) ; 3 (1985) ; 4 (non) ; **DDH universel :** 5 (non) ; 6 (2008) ; 6a (non) ; 7 (non) ; 8 (non) ; 9 (2007 S) ; **Enfants :** 13 (1993) ; 13a (2007) ; 13b (2007) ; **Torture :** 14 (2011) ; 14a (non) ; 14b (non) ; 14c (non) ; **Réfugiés et apatrides :** 17 (non) ; 18 (non) ; 20 (non) ; 21 (non) ; **Génocide :** 22 (non) ; **Crimes de guerre et crimes contre l'humanité :** 23 (non) ; **Discrimination :** 25 (non) ; 25a (non) ; 26 (1995) ; 27 (non) ; **Désarmement** : 28 (2005) ; 29 (2005) ; 30 (non) **Cour pénale internationale** : 31 (2011).

Venezuela

DIH : 1 (1956) ; 2 (1998) ; 2a (non) ; 3 (1998) ; 4 (non) ; **DDH universel :** 5 (1978) ; 6 (1978) ; 6a (non) ; 7 (1978) ; 8 (1993) ; 9 (2008 S) ; **DDH régional :** 11 (1977 – dénoncé en 2012) ; 11a (non) ; 11b (non) ; **Enfants :** 13 (1990) ; 13a (2003) ; 13b (2002) ; **Torture :** 14 (1991) ; 14a (oui) ; 14b (oui) ; 14c (2011 S) ; 16 (1991) ; **Réfugiés et apatrides :** 17 (non) ; 18 (1986) ; 20 (non) ; 21 (non) ; **Génocide :** 22 (1960) ; **Crimes de guerre et crimes contre l'humanité :** 23 (non) ; **Discrimination :** 25 (1967) ; 25a (non) ; 26 (1983) ; 27 (1983) ; **Désarmement** : 28 (1999) ; 29 (1997) ; 30 (non) ; **Cour pénale internationale** : 31 (2000)

Viêt-nam

DIH : 1 (1957) ; 2 (1981) ; 2a (non) ; 3 (non) ; 4 (non) ; **DDH universel :** 5 (1982) ; 6 (1984) ; 6a (non) ; 7 (non) ; 8 (non) ; 9 (non) ; **Enfants :** 13 (1990) ; 13a (2001) ; 13b (2001) ; **Torture :** 14 (non) ; 14a (non) ; 14b (non) ; 14c (non) ; **Réfugiés et apatrides :** 17 (non) ; 18 (non) ; 20 (non) ; 21 (non) ; **Génocide :** 22 (1981) ; **Crimes de guerre et crimes contre l'humanité :** 23 (1983) ; **Discrimination :** 25 (1982) ; 25a (non) ; 26 (1982) ; 27 (1981) ; **Désarmement** : 28 (non) ; 29 (1998) ; 30 (non) ; **Cour pénale internationale** : 31 (non).

Yémen

DIH : 1 (1970) ; 2 (1990) ; 2a (non) ; 3 (1990) ; 4 (non) ; **DDH universel :** 5 (1987) ; 6 (1987) ; 6a (non) ; 7 (non) ; 8 (non) ; 9 (non) ; **Enfants :** 13 (1991) ; 13a (2007) ; 13b (2004) ; **Torture :** 14 (1991) ; 14a (non) ; 14b (non) ; 14c (non) ; **Réfugiés et apatrides :** 17 (1980) ; 18 (1980) ; 20 (non) ; 21 (non) ; **Génocide :** 22 (1987) ; **Crimes de guerre**

et crimes contre l'humanité : 23 (1987) ; **Discrimination :** 25 (1972) ; 25a (non) ; 26 (1984) ; 27 (1987) ; **Désarmement** : 28 (1998) ; 29 (2000) ; 30 (non) ; **Cour pénale internationale** : 31 (2000 S).

Zambie

DIH : 1 (1966) ; 2 (1995) ; 2a (non) ; 3 (1995) ; 4 (non) ; **DDH universel :** 5 (1984) ; 6 (1984) ; 6a (non) ; 7 (1984) ; 8 (non) ; 9 (2011) ; **DDH régional :** 12 (1984) ; 12a (2006) ; 12b (1998 S) ; **Enfants :** 13 (1991) ; 13a (2008 S) ; 13b (2008 S) ; **Torture :** 14 (1998) ; 14a (non) ; 14b (non) ; 14c (2010 S) ; **Réfugiés et apatrides :** 17 (1969) ; 18 (1969) ; 19 (1973) ; 20 (1974) ; 21 (non) ; **Génocide :** 22 (non) ; **Crimes de guerre et crimes contre l'humanité :** 23 (non) ; **Discrimination :** 25 (1972) ; 25a (non) ; 26 (1985) ; 27 (1983) ; **Désarmement** : 28 (2001) ; 29 (2001) ; 30 (2009) ; **Cour pénale internationale** : 31 (2002).

Zimbabwe

DIH : 1 (1983) ; 2 (1992) ; 2a (non) ; 3 (1992) ; 4 (non) ; **DDH universel :** 5 (1991) ; 6 (1991) ; 6a (oui) ; 7 (non) ; 8 (non) ; 9 (non) ; **DDH régional :** 12 (1986) ; 12a (2008) ; 12b (1998 S) ; **Enfants :** 13 (1990) ; 13a (non) ; 13b (2012) ; **Torture :** 14 (non) ; 14a (non) ; 14b (non) ; 14c (non) ; **Réfugiés et apatrides :** 17 (1981) ; 18 (1981) ; 19 (1985) ; 20 (1998 S) ; 21 (non) ; **Génocide :** 22 (1991) ; **Crimes de guerre et crimes contre l'humanité :** 23 (non) ; **Discrimination :** 25 (1991) ; 25a (non) ; 26 (1991) ; 27 (1991) ; **Désarmement** : 28 (1998) ; 29 (1997) ; 30 (non) ; **Cour pénale Internationale :** 31 (1998 S).

Ce **Dictionnaire pratique du droit humanitaire**
composé et mis en page
par **Nord Compo** à Villeneuve d'Ascq (Nord)
a été achevé d'imprimer en octobre 2013
sur les presses de l'imprimerie **Normandie Roto Impression s.a.s.** à Lonrai (Orne).
Dépôt légal : **novembre 2013**.
N° d'impression : 134154.

Imprimé en France